Johanna Mantel, Rhea Nachtigall und Lars Wasnick (Hrsg.)
Fallbuch Asylrecht
De Gruyter Studium

Fallbuch Asylrecht

Mit Bezügen zum Aufenthaltsrecht

Herausgegeben von
Johanna Mantel, Rhea Nachtigall und Lars Wasnick

Bearbeitet von
den Herausgeber*innen und Saskia Ebert,
Ivanka Goldmaier, Sophie Greilich, Laura Hinder,
Vincent Holzhauer, Mailin Loock, Johanna du Maire,
Cana Mungan, Max Putzer, Britta Schiebel,
Camilla Schloss, Timo Schwander, Julian Seidl,
Pia Lotta Storf, Natalie Tsomaia

DE GRUYTER

Aktuelle Informationen zu den Autor*innen des Teams Migrationsrecht finden sich unter folgenden Link, der über den hier aufgeführten QR-Code mit einer Smartphone-Kamera aufgerufen werden kann: https://openrewi.org/projekte/migrationsrecht/

Die Veröffentlichung wurde gefördert aus den Open-Access-Publikationsfonds der Heinrich-Heine-Universität Düsseldorf und der Justus-Liebig-Universität Gießen.

Zitiervorschlag: *du Maire*, in: Mantel/Nachtigall/Wasnick (Hrsg.), Fallbuch Asylrecht, 14) Ahmadiyya in Pakistan, S. 199.

ISBN 978-3-11-100004-6
e-ISBN (PDF) 978-3-11-099037-9
e-ISBN (EPUB) 978-3-11-099065-2
DOI https://doi.org/10.1515/9783110765526

Library of Congress Control Number: 2022949782

Bibliografische Information der Deutschen Nationalbibliothek
Die Deutsche Nationalbibliothek verzeichnet diese Publikation in der Deutschen Nationalbibliografie; detaillierte bibliografische Daten sind im Internet über http://dnb.d-nb.de abrufbar.

Einbandabbildung: © Larissa Wunderlich
Datenkonvertierung/Satz: jürgen ullrich typosatz, Nördlingen
Druck: CPI books GmbH, Leck

www.degruyter.com

Vorwort

Das Migrationsrecht, und hier insbesondere das Asylrecht, ist in den letzten Jahren wieder verstärkt in den Fokus der Öffentlichkeit gerückt. 2021 war dafür zum einen die Einnahme Afghanistans durch die Taliban und die damit abschließend beantwortete Frage nach der (Un-)Sicherheit des Landes für afghanische Geflüchtete verantwortlich; zum anderen wurden auch die rechtswidrigen Pushbacks an den EU-Außengrenzen unter Beteiligung der europäischen Grenzschutzagentur Frontex vielfach diskutiert – und das Wort „Pushbacks" zum „Unwort des Jahres" 2021 gekürt. 2022 ist geprägt vom Angriff Russlands auf die Ukraine und der damit verbundenen Fluchtbewegung von Millionen von Menschen aus dem Land. Diese Ereignisse wurden begleitet von einer mitunter entwürdigenden Debatte über die Unterscheidung von angeblichen „echten" Geflüchteten und anderen vermeintlich weniger unterstützungsbedürftigen „Wirtschafts-Flüchtlingen". Entgegen den zahlreichen – teils stark verzerrten und von rassistischen Vorstellungen geprägten – Meinungen darüber, wer „Flüchtling" sei, stellen das Völker-, Unions- und nationale Recht Definitionen und Voraussetzungen dafür auf, welche Schutzformen in welchen Fällen zu gewährleisten sind.

Um Schutzsuchende, die nach Deutschland kommen, kompetent beraten zu können und ihnen ihr Recht auf Zugang zum Recht zu vermitteln, bedarf es gut geschulter Jurist*innen und anderer Rechtsberater*innen mit fundierten Kenntnissen des komplexen Asylrechts. Während in der juristischen Ausbildung das Migrationsrecht allerdings nach wie vor kaum eine Rolle spielt und selbst der Titel „Fachanwalt für Migrationsrecht" zur Qualitätssicherung in der Anwält*innenschaft erst 2015 eingeführt wurde, haben sich seit der Novellierung des Rechtsberatungsgesetzes von 2008 zahlreiche „Refugee Law Clinics" an Universitäten in Deutschland gegründet. Diese studentischen Rechtsberatungsinitiativen haben es sich zur Aufgabe gemacht, angehende Jurist*innen und Interessierte außerhalb des regulären Curriculums im Asyl- und Aufenthaltsrecht auszubilden und zur rechtlichen Beratung von Geflüchteten zu befähigen. Hierbei kommt es neben den theoretischen rechtlichen Grundlagen wesentlich auf eine praxisorientierte Wissensvermittlung an, weshalb das Erlernen von Inhalten und das Überprüfen der eigenen Kenntnisse anhand von Übungsfällen so zentral ist. Umso mehr überrascht es, dass bisher nicht ein einziges Fallbuch zum Asylrecht existiert.

Das Fallbuch Asylrecht ist damit das erste seiner Art. Nicht nur, weil es in 57 Übungsfällen ein umfassendes asylrechtliches Training inklusive der relevanten Bezüge zum Aufenthalts- und Sozialrecht vermittelt, sondern auch, weil es unter der Creative-Commons-Lizenz BY-SA 4.0 offen lizensiert ist. Das bedeutet, dass es unter Beachtung der entsprechenden Lizenzbedingungen (Nennung der Autor*innen etc.) frei zugänglich, verwendbar und sogar veränderbar ist. Das Fallbuch ist damit Teil einer stetig wachsenden Lehr- und Fallbuchreihe aus der Mitte von OpenRewi e.V., einer Initiative, die es sich seit 2020 zur Aufgabe gemacht hat, juristische Ausbildungsliteratur Open Access zu verfassen.

Als Herausgeber*innen dieses Fallbuchs haben wir uns im Winter 2020/2021 zusammengefunden, um Mitstreiter*innen für ein asylrechtliches Fallbuch-Projekt zu finden, das angefangen vom Schaffensprozess bis hin zum Endprodukt anders als die herkömmliche juristische Ausbildungsliteratur sein sollte. Von Beginn sind dies unsere Kernanliegen gewesen:

1. Der Inhalt

In erster Linie wollten wir eine inhaltlich umfassende und überzeugende Kompilation an Übungsfällen zusammenstellen, welche die wichtigsten Aspekte des deutschen und europäischen Asylrechts abdecken, zugleich aber auch die relevanten aufenthaltsrechtlichen Bezüge thematisieren.

Der asylrechtliche Schwerpunkt liegt auf Fallgestaltungen, die für die Beratungs- und Entscheidungspraxis während des Asylverfahrens relevant sind, wie etwa zum materiellen Asylrecht und zum Dublin-Verfahren sowie zur Rechtsstellung der Asylsuchenden vor und nach einer Schutzzuerkennung. Darüber hinaus finden sich Fälle zum Rechtsschutz im Asylverfahren, zur Rechtsstellung nach Antragsablehnung und zur Aufenthaltssicherung sowie zu Sozialleistungen im Flüchtlingskontext. Zudem werden auch einige Konstellationen angesprochen, die nicht das humanitäre Aufenthaltsrecht betreffen, in der Beratungspraxis jedoch häufig vorkommen.

Die Fälle nehmen auf aktuelle Rechtsprechung und Verwaltungspraxis sowie die neuesten rechtlichen Entwicklungen Bezug. Soweit im schnelllebigen Migrationsrecht rechtliche und tatsächliche Änderungen zum Zeitpunkt der Verwendung eines Falls diesen dennoch stellenweise überholt haben sollten, ist digital vorgesorgt: Am Ende jeder Falllösung findet sich ein QR-Code, der zu einer Online-Version des Falls bei Wikibooks führt. Dort wird der jeweilige Fall von seinen Autor*innen aktualisiert, sobald sich ein Anpassungsbedarf ergibt, und entsprechend gekennzeichnet.

! Kürzliche Gesetzesänderungen:

Auch diese Publikation ist nicht verschont geblieben von Gesetzesänderungen, die während des Zeitraums der Veröffentlichung erfolgten. So traten die ersten migrationsrechtlichen Gesetze der Ampel-Koalition zum Jahreswechsel 2022/2023 in Kraft. Diese enthalten zum einen das neu geschaffene Chancen-Aufenthaltsrecht und Änderungen der integrationsbasierten Bleiberechtsregelungen, zum anderen vielfältige Änderungen im behördlichen und gerichtlichen Asylverfahren. Soweit hiervon Fälle in diesem Buch betroffen sind, werden die Fälle online bei Wikibooks entsprechend überarbeitet und

Hinweise wie dieser eingefügt. Speziell zum Chancen-Aufenthaltsrecht wurde von unserem neuesten Teammitglied, Sebastian Röder, ein zusätzlicher Fall erstellt, der sich auf Wikibooks findet.

2. Das Team

Für dieses anspruchsvolle Projekt war uns klar, dass wir auf ein Team von Autor*innen mit vielfältigen Spezialisierungen und Vorkenntnissen angewiesen sind. Einem entsprechenden Aufruf im Dezember 2020 folgten ehemalige und aktuelle Mitglieder verschiedener Refugee Law Clinics (von Hamburg bis München und von Berlin über Gießen und Frankfurt bis Düsseldorf), wissenschaftliche Mitarbeiter*innen und Doktorand*innen, Dozent*innen, Richter*innen, Anwält*innen und andere engagierte Jurist*innen, etwa aus zivilgesellschaftlichen Organisationen. Anfang 2021 konnten wir mit 15 Kolleg*innen ein großartiges Team bilden.

Dabei lag uns eine Erhöhung der Sichtbarkeit und Beteiligung von FLINT*-Personen (= Frauen, Lesben, Intersexuelle, nichtbinäre und trans* Personen) und BIPoC (= Black, Indigenous, People of Colour) als Autor*innen und Herausgeber*innen am Herzen, die in der rechtswissenschaftlichen Fachliteratur noch immer deutlich unterrepräsentiert sind. Die von uns im Vorfeld festgelegte Quotierung von mindestens 50 % FLINT*-Personen unter den Autor*innen konnten wir mit über 70 % sogar übertreffen.

3. Die Entstehungsweise

Die Erstellung des Buches war von vornherein als Arbeit im Kollektiv konzipiert. Das Team erarbeitete in regelmäßigen Online-Zusammenkünften den inhaltlichen Zuschnitt und Aufbau des Buches gemeinsam. Die Fälle wurden in monatlichen Einheiten (den sogenannten Sprints) direkt bei Wikibooks verfasst, sodass der aktuelle Stand jederzeit online einsehbar war und weiterhin ist. Zur Qualitätssicherung und Überprüfung inhaltlicher Überschneidungen führten wir am Ende jedes Sprints ein Peer-Review durch, in dem die Autor*innen die Texte untereinander Korrektur lesen, kommentieren und diskutieren konnten. Flankiert wurde das Projekt von einem technischen Support der OpenRewi-Community, einem Didaktik-Workshop sowie gemeinsamen (digitalen) Schreibtreffen.

Im Anschluss an die Fertigstellung durchliefen die Fälle ein weiteres, externes Review-Verfahren, für das wir zahlreiche Expert*innen im Asyl- und Aufenthaltsrecht gewinnen konnten. Von diesem gründlichen, präzisen und umfangreichen Review haben sowohl die Fälle als auch wir selbst außerordentlich profitiert. Unser großer Dank geht deshalb an **Dr. Barbara Bucher** (Richterin VG Berlin), **Andreas**

Dippe (Rechtsanwalt Berlin), **Kirsten Eichler** (GGUA Münster), **Dr. Pauline Endres de Oliveira** (Universität Hildesheim), **Volker Gerloff** (Rechtsanwalt Berlin), **Max Häfner** (Richter VG Sigmaringen), **Lea Hupke** (Rechtsanwältin Berlin), **Björn Jaffke** (Richter VG Berlin), **Marcel Keienborg** (Rechtsanwalt Düsseldorf), **Anya Lean** (Rechtsanwältin Berlin), **Matthias Nübold** (Rechtsanwalt Berlin), **Anne Pertsch** (Equal Rights Beyond Borders), **Lea Rosenberg** (Parität Hessen), **Andre Schuster** (GGUA Münster), **Lilly Sellner** (Richterin VG Berlin), **Dr. Petra Sussner** (Humboldt-Universität Berlin), **Dr. Corinna Ujkašević** (Equal Rights Beyond Borders und IRAP, Berlin), **Vinzent Vogt** (Richter auf Probe, Berlin) und **Claudius Voigt** (GGUA Münster).

Von der Konzeption über die Erstellung bis hin zum internen und externen Review, Organisation und Redaktion erfolgten jegliche Arbeiten an dem Fallbuch ehrenamtlich.

4. Die Didaktik

Eine gelungene Didaktik ist für uns ein zentraler Aspekt des Fallbuchs. Während sich der Fließtext der Lösungsvorschläge auf die konkrete Falllösung beschränkt, finden sich in optisch abgesetzten Hinweisboxen einerseits „weiterführendes Wissen", das wichtiges Hintergrundwissen an den jeweils relevanten Stellen vermitteln soll, und andererseits „Hinweise zur Falllösung", die kommentierend die konkrete Falllösung, etwa mit alternativen Lösungswegen und praxisrelevanten Hinweisen, flankieren. Sofern bestimmte Begriffe oder Konzepte bereits in einem anderen Fall oder anderen OpenRewi-Lehrbüchern ausführlicher erläutert werden, wird hierauf verwiesen. Kenntnisse, etwa zu allgemeinen verwaltungs(prozess)rechtlichen oder verfassungsrechtlichen Fragestellungen, können dann mithilfe dieser Bücher vertieft werden. Die meisten Gerichtsentscheidungen sowie alle sonstigen frei zugänglichen Quellen können in der PDF-Version des Buches per Mausklick direkt im Browser geöffnet werden.

Um ein möglichst breites Wissens- und Lernspektrum abzudecken, haben wir Fälle in unterschiedlichen Schwierigkeitsgraden verfasst und vor dem jeweiligen Sachverhalt entsprechend gekennzeichnet. Für ein umfassenderes Verständnis von den möglichen Perspektiven (richterliche, anwaltliche etc.) auf einen Fall sind die Lösungsvorschläge teils im Gutachtenstil, teils im Urteilsstil verfasst.

Wir möchten betonen, dass diese nur Lösungsvorschläge sind und keineswegs die einzig mögliche Lösung. Bereits an den unterschiedlichen Rechtsauffassungen von Behörden und Gerichtsinstanzen zeigt sich, dass es häufig nicht nur eine objektiv richtige Lösung gibt. Indem wir die Adressat*innen dieses Fallbuchs nicht als passive Konsument*innen, sondern als aktive Kommentator*innen ansehen (siehe 5.), möchten wir aktiv zum kritischen Denken und Hinterfragen juristischer Lösungswege anregen. Am Ende der Lösungsvorschläge finden sich oftmals weiterführende Literaturhinweise und eine Zusammenfassung der wichtigsten Punkte des Falls.

Hinsichtlich der sprachlichen Gestaltung der Fälle haben wir darauf geachtet, eine diskriminierungssensibilisierte und geschlechtergerechte Sprache zu verwenden. (Siehe hierzu und zum Folgenden unser vorangestelltes Glossar mit weiterführenden Informationen.) Den in der juristischen Ausbildung noch immer vorherrschenden stereotypen Rollenzuweisungen haben wir in den Fällen bewusst Gegenentwürfe gegenübergestellt. Sprachlich haben wir uns im Team dafür entschieden, mit dem Gendersternchen zu arbeiten, da es symbolisch am besten die Geschlechtervielfalt darstellt und von LGBTI*-Verbänden bevorzugt wird. Im Übrigen haben wir uns bemüht, eine möglichst einfache und verständliche Sprache zu verwenden und weitgehend auf die in juristischen Kreisen üblichen Termini und Abkürzungen verzichtet, damit möglichst viele Leser*innen Zugang zu den vermittelten Inhalten finden. Alle dennoch verwendeten Abkürzungen sind im Abkürzungsverzeichnis aufgelistet.

5. Die Nutzung

Die Nutzung der Fälle durch die Adressat*innen ist schließlich der Kulminationspunkt des gesamten Projekts. Um finanzielle Benachteiligungen im Studium und darüber hinaus durch die kostenintensive Beschaffung von Lehrmaterialien auszugleichen, veröffentlichen wir das Buch als Open-Access-Publikation. Ermöglicht wurde uns die Finanzierung der hierfür zu leistenden Gebühren durch die großzügige Unterstützung der OA-Publikationsfonds der Justus-Liebig-Universität Gießen und der Heinrich-Heine-Universität Düsseldorf.

Die Fälle können allerdings nicht nur frei genutzt und etwa in Vorlesungen, Arbeitsgemeinschaften und Seminaren verwendet werden, sondern sollen auch stetig verbessert werden. Dafür brauchen wir Feedback zu Gelungenem, Aktualisierungsbedarf, Ergänzungen, Fehlern, Lücken oder Unverständlichem. Mittels der erwähnten QR-Codes am Ende jedes Falls beziehungsweise auch über die OpenRewi-Homepage kann auf den jeweiligen digitalen Zwilling auf Wikibooks zugegriffen werden. Dort können die Fälle unmittelbar bearbeitet und kommentiert werden, namentlich oder anonym. Kleinere Fehler in Fundstellen, Orthographie oder Ähnlichem können gerne direkt korrigiert werden – größerer Diskussionsbedarf zu Auslegungsfragen, Aktualisierungen etc. kann auf der Diskussionsseite des Falls kommentiert oder den Autor*innen direkt mitgeteilt werden. Dadurch können alle dazu beitragen, aktuelle, nachhaltige und qualitativ hochwertige Lehrmaterialien zum schnelllebigen Asyl- und Aufenthaltsrecht zu schaffen.

Zuletzt möchten wir als Herausgeber*innen noch unseren ganz persönlichen Dank aussprechen: an die engagierten Autor*innen, die sich mit uns an dieses Experiment gewagt haben, an die stetig wachsende OpenRewi-Community und die anderen Buchprojekte, von deren Erfahrungen unser Team vielfach profitiert hat, und schließlich auch an unsere Partner*innen und Familien, die uns darin unterstützt haben, dieses Projekt fertigzustellen, das wir „nur nebenbei auch noch" machen wollten und das letztlich doch viel Zeit und Raum eingenommen hat.

Wir hoffen, dass es beim Lesen und Lösen mindestens ebenso viel Freude bereitet wie uns beim Erstellen und freuen uns über jede Rückmeldung.

Berlin, Kiel, Düsseldorf, Juli 2022
Johanna Mantel, Rhea Nachtigall und Lars Wasnick

Eine konkrete Anleitung zur Mitarbeit über Wikibooks findet sich auf unserer Projektseite: https://openrewi.org/projekte/migrationsrecht

Inhaltsübersicht

Abkürzungsverzeichnis

Bei der Erstellung des Fallbuchs haben wir uns bemüht, Abkürzungen zu vermeiden, um eine bessere Lesbarkeit zu gewährleisten. Einige gängige Abkürzungen, die wir dennoch genutzt haben, werden im Folgenden erläutert.

Abkürzung von gesetzlichen Vorschriften:

Einzelne Vorschriften in Gesetzen werden wie folgt zitiert: § 3 I 1 Nr. 3 lit. a VwVfG
Dabei steht
- das §-Zeichen und arabische Ziffer für den Paragraphen, also die ganze Norm
- die römische Ziffer danach für den Absatz (meist als Abs. abgekürzt)
- die arabische Ziffer danach für den Satz (meist als S. abgekürzt)
- Alt. 1 = Alternative 1
- Hs. 1 = Halbsatz 1
- UAbs. 1 = Unterabsatz 1
- lit. a = Buchstabe a

Gerichte

EGMR	= Europäischer Gerichtshof für Menschenrechte
EuGH	= Europäischer Gerichtshof = Gerichtshof der Europäischen Union
BVerfG	= Bundesverfassungsgericht
BVerwG	= Bundesverwaltungsgericht
VGH BW	= Verwaltungsgerichtshof Baden-Württemberg
VGH Bayern	= Verwaltungsgerichtshof Bayern
OVG BB	= Oberverwaltungsgericht Berlin-Brandenburg
OVG Bremen	= Oberverwaltungsgericht Bremen
OVG Hamburg	= Oberverwaltungsgericht Hamburg
VGH Hessen	= Verwaltungsgerichtshof Hessen
OVG MV	= Oberverwaltungsgericht Mecklenburg-Vorpommern
OVG Nds	= Oberverwaltungsgericht Niedersachsen
OVG NRW	= Oberverwaltungsgericht Nordrhein-Westfalen
OVG RP	= Oberverwaltungsgericht Rheinland-Pfalz
OVG Saarland	= Oberverwaltungsgericht Saarland
OVG Sachsen	= Oberverwaltungsgericht Sachsen
OVG SA	= Oberverwaltungsgericht Sachsen-Anhalt
OVG SH	= Oberverwaltungsgericht Schleswig-Holstein
OVG Thüringen	= Oberverwaltungsgericht Thüringen

Gesetze/Richtlinien/Verordnungen etc.

AsylbLG	= Asylbewerberleistungsgesetz
AsylG	= Asylgesetz
Asylverfahrens-RL	= EU-Asylverfahrensrichtlinie (2013/32/EU)
AufenthG	= Aufenthaltsgesetz
AufenthV	= Aufenthaltsverordnung
Aufnahme-RL	= EU-Aufnahmerichtlinie (2013/33/EU)
BAföG	= Bundesausbildungsförderungsgesetz
BeschV	= Beschäftigungsverordnung
BTMG	= Betäubungsmittelgesetz
Daueraufenthalts-RL	= EU-Daueraufenthaltsrichtlinie (2003/109/EG)
DeuFöV	= Verordnung über die berufsbezogene Deutschsprachförderung
Dublin-III-VO	= EU-Dublin-III-Verordnung (604/2013)
Dublin-DVO	= EU-Durchführungsverordnung zur Dublin-III-Verordnung (118/2014)
EMRK	= Europäische Menschenrechtskonvention
Eurodac-VO	= Eurodac-Verordnung (603/2013) = EU-Verordnung zur Datenbank zum Abgleich von Fingerabdrücken von Asylsuchenden
Familienzusammenführungs-RL	= EU-Familienzusammenführungsrichtlinie (2003/86/EG)
FreizügG/EU	= Freizügigkeitsgesetz/EU
Freizügigkeits-RL	= EU-Freizügigkeitsrichtline = Unionsbürgerrichtlinie (2004/38/EG)
GFK	= Genfer Flüchtlingskonvention = Abkommen über die Rechtsstellung von Flüchtlingen
GG	= Grundgesetz der Bundesrepublik Deutschland
GR-Charta	= Grundrechtecharta der Europäischen Union
IntV	= Integrationskursverordnung
PStV	= Personenstandsverordnung
Qualifikations-RL	= auch Anerkennungs-RL = EU-Qualifikationsrichtlinie (2011/95/EU)
Rückführungs-RL	= EU-Rückführungsrichtlinie (2008/115/EG)
Schengener Grenzkodex	= EU-Verordnung über einen Gemeinschaftskodex für das Überschreiten der Grenzen durch Personen (2016/399)
SGB I–XII	= Sozialgesetzbuch: Erstes Buch bis Zwölftes Buch
UkraineAufenthÜV	= Ukraine-Aufenthaltsübergangsverordnung
UN-Kinderrechtskonvention	= Übereinkommen über die Rechte des Kindes der Vereinten Nationen
Visa-VO	= EU-Visumsverordnung (2018/1806)
Vorübergehender-Schutz-RL	= auch Massenzustrom-RL = Richtlinie zum vorübergehenden Schutz (2001/55/EG)
VwGO	= Verwaltungsgerichtsordnung
VwVfG	= Verwaltungsverfahrensgesetz
VwVG	= Verwaltungsvollstreckungsgesetz
VwZG	= Verwaltungszustellungsgesetz
ZPO	= Zivilprozessordnung

Weitere Begriffe

AA	= Auswärtiges Amt
a.a.O.	= am angegebenen Ort
ABH	= Ausländerbehörde
a.F.	= alte Fassung
Aufl.	= Auflage
Az.	= Aktenzeichen
BAMF	= Bundesamt für Migration und Flüchtlinge
Beschl.	= Beschluss
BT-Drs./BR-Drs.	= Bundestagsdrucksache/Bundesratsdrucksache
EAE	= Erstaufnahmeeinrichtung
Ed.	= Edition
EG	= Europäische Gemeinschaft
EU	= Europäische Union
f./ff.	= folgende/fortfolgende
Fn.	= Fußnote
i.d.F.	= in der Fassung
i.V.m.	= in Verbindung mit
LEA	= Landesamt für Einwanderung (die Ausländerbehörde in Berlin)
m.w.N.	= mit weiteren Nachweisen
OVG	= Oberverwaltungsgericht
Rn.	= Randnummer
Tz.	= Textziffer (wird bei EuG- und EuGH-Entscheidungen statt „Rn." Verwendet)
SG	= Sozialgericht
UNHCR	= Hohes Flüchtlingskommissariat der Vereinten Nationen
Urt.	= Urteil
v.	= vom
VG	= Verwaltungsgericht
VGH	= Verwaltungsgerichtshof
vgl.	= vergleiche
VO	= Verordnung

Bearbeiter*innenverzeichnis

Saskia Ebert ist wissenschaftliche Mitarbeiterin an der Professur für Öffentliches Recht und Europarecht (Prof. Dr. Jürgen Bast) an der Justus-Liebig-Universität Gießen. Daneben studiert sie Sozialrecht und Sozialwirtschaft an der Universität Kassel und arbeitet als wissenschaftliche Mitarbeiterin in einer migrationsrechtlichen Anwaltskanzlei in Frankfurt am Main. Von 2015 bis 2020 studierte sie Rechtswissenschaften mit dem Schwerpunkt Europarecht und Völkerrecht an der Justus-Liebig-Universität (2015–2020). Ihre Interessenschwerpunkte liegen im Migrations- und Sozialrecht sowie den Menschenrechten.

Ivanka Goldmaier ist Richterin am Verwaltungsgericht Neustadt an der Weinstraße. Zuvor war sie drei Jahre Richterin am Verwaltungsgericht Trier. Ein Schwerpunkt ihrer Tätigkeit lag dort im Asylrecht, primär war sie mit dem Herkunftsland Syrien befasst. Sie studierte Rechtswissenschaften in Saarbrücken und Halle (Saale) mit dem Schwerpunkt Migrationsrecht. Ihr Referendariat absolvierte sie in Sachsen-Anhalt mit Stationen u. a. am Verwaltungsgericht Halle (Saale) und beim Auswärtigen Amt (deutsche Botschaft im Kampala, Uganda).

Sophie Greilich ist zurzeit Rechtsreferendarin am Kammergericht Berlin Ihr Referendariat hat sie unter anderem mit Stationen beim BMFSFJ, JUMEN e.V. und der Gesellschaft für Freiheitsrechte e.V. verbunden. Sie war wissenschaftliche Mitarbeiterin und langjährige Rechtsberaterin der Refugee Law Clinic Hamburg. Sie ist Mitautorin des Teaching Manual für Refugee Law Clinics und hat eine Zusatzausbildung zur Mediatorin absolviert. Sophie Greilich studierte Rechtswissenschaften in Hamburg und in Istanbul mit dem Schwerpunkt Völker- und Europarecht. Ihre Interessenschwerpunkte liegen im Migrationsrecht, im nationalen und internationalen Menschenrechtsschutz sowie im Verfassungsrecht.

Laura Hinder ist wissenschaftliche Mitarbeiterin an der Professur für Öffentliches Recht und Europarecht (Prof. Dr. Jürgen Bast) an der Justus-Liebig-Universität Gießen. Sie promoviert zur Identitätsklärung von Geduldeten. Seit 2016 ist sie zudem Mitarbeiterin in einer migrationsrechtlichen Anwaltskanzlei in Frankfurt am Main. Von 2018 bis 2020 war sie Koordinatorin der Refugee Law Clinic Gießen.

Vincent Holzhauer ist Diplom-Jurist. Er studierte Rechtswissenschaften an der Ludwig-Maximilians-Universität München mit dem Schwerpunkt Völker- und Europarecht. Seit 2018 ist er Mitglied der Refugee Law Clinic München und war dort 2020 bis 2021 zweiter Vorstand.

Mailin Loock ist wissenschaftliche Mitarbeiterin für die Lehre der Refugee Law Clinic Hamburg sowie Referentin für migrationsrechtliche Eingabe- und Härtefallverfahren in der Linksfraktion der Hamburgischen Bürgerschaft. Sie studierte Rechtswissenschaft an den Universitäten Hamburg und Istanbul und absolvierte ihr Rechtsreferendariat am Hanseatischen Oberlandesgericht mit Stationen u. a. im Projekt Regionales Völkerrecht und Zugang zur Justiz in Lateinamerika der Gesellschaft für Internationale Zusammenarbeit in San José, Costa Rica sowie bei der Antidiskriminierungsstelle des Bundes. Ihre Interessensschwerpunkte liegen im Migrationsrecht, im Verfassungsrecht und im Antidiskriminierungsrecht.

Johanna du Maire ist juristische Referentin bei der Bevollmächtigten des Rates der EKD und dort zuständig für die Themen Migration und Asyl. Sie studierte Rechtswissenschaften an der Freien Universität Berlin und am Center for transnational legal studies in London, mit einem Schwerpunkt im Europa- und

Völkerrecht. Ihr Referendariat absolvierte sie am Kammergericht mit Stationen u.a. beim UNHCR Berlin und Auswärtigen Amt (Auslandsvertretung Lilongwe, Malawi).

Johanna Mantel ist Rechtsreferentin und Redakteurin beim Informationsverbund Asyl und Migration sowie Lehrbeauftragte der Refugee Law Clinic an der Humboldt-Universität zu Berlin. Sie ist Mitherausgeberin des Kommentars Huber/Mantel zum AufenthG/AsylG im Verlag C.H. Beck. Johanna Mantel studierte Rechts- und Politikwissenschaften in Berlin, Paris und New York. Sie war Stipendiatin der Studienstiftung, des DAAD und des Carlo-Schmid-Programms. Darüber hinaus war sie für den UN-Menschenrechtsausschuss in Genf tätig, arbeitete in der Rechtsabteilung der Vereinten Nationen in New York, beim UNHCR in Berlin sowie für das Max-Planck-Institut für Völkerrecht in Heidelberg.

Cana Mungan ist Rechtsanwältin für Asyl- und Migrationsrecht in einer Bürogemeinschaft am Kottbusser Damm (Berlin). Sie ist Gründungsmitglied und Beraterin der Refugee Law Clinic Berlin. Sie studierte Rechtswissenschaften an der Humboldt-Universität zu Berlin und absolvierte ihr Rechtsreferendariat am Kammergericht.

Rhea Nachtigall ist Doktorandin an der Professur für Öffentliches Recht und Europarecht (Prof. Dr. Jürgen Bast) an der Justus-Liebig-Universität Gießen und Promotionsstipendiatin der Studienstiftung des deutschen Volkes. Sie promoviert zu Integration von Asylsuchenden und Geduldeten (den Margizens) in Deutschland und Frankreich. Sie ist Mitgründerin des Vereins OpenRewi und seit 2021 Vorstandsmitglied. Von 2016 bis 2020 war sie u.a. als Beraterin und Vorstandmitglied an der Refugee Law Clinic Berlin aktiv. Rhea Nachtigall studierte Rechtswissenschaften in Berlin und Avignon mit dem Schwerpunkt Völker- und Europarecht. Ihre Forschungsschwerpunkte liegen im deutschen und europäischen Migrationsrecht, im Verfassungs- und Verwaltungsrecht sowie in der Rechtsvergleichung.

Dr. Max Putzer ist Richter am Verwaltungsgericht Berlin. Er studierte Rechtswissenschaft an der Humboldt Universität zu Berlin. 2008/2009 war er Foreign Legal Clerk am Obersten Gerichtshof Israels in Jerusalem. Im Anschluss daran arbeitete er bis 2013 als wissenschaftlicher Mitarbeiter an den Lehrstühlen für Öffentliches Recht und Europarecht sowie für Kriminologie und Strafrecht an der Freien Universität Berlin und promovierte dort 2015 zu einem verfassungsrechtlichen Thema. Sein Referendariat absolvierte er am Kammergericht mit Station u.a. am Bundesverfassungsgericht. Anschließend arbeitete er bis 2017 als Rechtsanwalt in Berlin im Bereich Verwaltungsrecht. Seine Veröffentlichungs- und Interessenschwerpunkte liegen im Verfassungsrecht, Verwaltungsrecht und im Strafrecht.

Britta Schiebel ist Richterin in Berlin. Sie studierte Rechtswissenschaften in Köln, Paris und New York und war Stipendiatin der Studienstiftung des Deutschen Volkes, der KAS und des Fulbright-Programms. Ihr Referendariat absolvierte sie am Kammergericht, mit Stationen u.a. beim BMJV und bei der Vertretung der EU bei den VN. Anschließend war sie als Rechtsanwältin im Bereich des Öffentlichen Wirtschaftsrechts und als Juristische Referentin bei den Vereinten Nationen in New York tätig.

Camilla Schloss ist Richterin am Verwaltungsgericht Berlin. Nach dem deutschen Rechtsstudium und Referendariat absolvierte sie einen Master in Entwicklungsökonomik an der SciencesPo Paris und einen LL.M. (Schwerpunkt „Refugees, Migration and Humanitarian Emergencies") an der Georgetown University. Anschließend arbeitete sie für die Weltbank in Washington DC, wo sie rechtsvergleichend Eigentums- und Landrechte von Frauen weltweit analysierte. Ihre Forschung konzentriert sich auf klima- und naturkatastrophenbedingte Migration.

Dr. Timo Schwander ist Richter am VG Gelsenkirchen. Zuvor arbeitete er als wissenschaftlicher Mitarbeiter an der Universität Münster sowie an der Humboldt-Universität zu Berlin. 2018 erfolgte seine Promotion zum Dr. jur. zum Thema Extraterritoriale Wirkungen von Grundrechten im Mehrebenensystem (Duncker & Humblot, Berlin 2019). Dr. Timo Schwander studierte Rechtswissenschaften in Freiburg im Breisgau und Glasgow. Er absolvierte sein Referendariat am Kammergericht. Seine Interessenschwerpunkte liegen im Verfassungsrecht, Sicherheitsrecht sowie im Migrationsrecht.

Julian Seidl ist wissenschaftlicher Mitarbeiter an der Professur für Öffentliches Recht mit einem Schwerpunkt im Sozialrecht (BVRin Prof. Dr. Wallrabenstein) an der Goethe-Universität Frankfurt am Main und Lehrbeauftragter an der Frankfurt University of Applied Sciences. Während seines Studiums engagierte er sich in der Goethe-Uni Law Clinic Migration und Teilhabe auf den Gebieten des Sozial- und Migrationsrechts. Sein Dissertationsprojekt befasst sich mit dem Grundrecht auf Gewährleistung eines menschenwürdigen Existenzminimums aus Art. 1 Abs. 1 i.V.m. Art. 20 Abs. 1 GG. Seine Interessenschwerpunkte liegen im Sozialrecht, Migrationsrecht sowie im Verfassungsrecht.

Pia Lotta Storf ist Doktorandin und wissenschaftliche Mitarbeiterin am Lehrstuhl für Internationales Öffentliches Recht und Internationalen Menschenrechtsschutz (Prof. Dr Nora Markard) an der Westfälischen Wilhelms-Universität Münster. Ihr Dissertationsprojekt setzt sich mit gruppenbezogenen Bestimmungen von Flüchtlingsstatus auseinander. Sie studierte Rechtswissenschaften in Passau und Melbourne mit dem Schwerpunkt Völker- und Europarecht und war Studienstipendiatin des Deutschlandstipendiums und der Studienstiftung des deutschen Volkes. Ihre Forschungsschwerpunkte liegen im Migrationsrecht, den Legal Gender Studies sowie im Völker- und Europarecht.

Dr. Natalie Tsomaia ist behördliche Datenschutzbeauftragte am Ministerium der Justiz Potsdam und Lehrbeauftragte an der Hochschule für Wirtschaft und Recht Berlin. Sie arbeitete als wissenschaftliche Mitarbeiterin an der TSU (Staatliche Ivane Javakhishvili Universität zu Tbilissi) und am Obersten Gerichtshof Georgiens (Sumpreme Court of Georgia). An der Leibniz Universität Hannover promovierte sie zum Thema „Der Konflikt zwischen BVerfG und EGMR im Spannungsfeld zwischen Medienfreiheit und Persönlichkeitsschutz" und war Promotionsstipendiatin der Friedrich Naumann Stiftung für die Freiheit. Dr. Natalie Tsomaia studierte Rechtswissenschaften in Hannover, Tbilissi und Wien und hat einen Master der Europäischen Rechte LL.M. Eur (Tbilisi). Ihre Forschungsschwerpunkte liegen in den nationalen und internationalen Grund- und Menschenrechten, im Migrationsrecht und Datenschutz.

Lars Wasnick ist wissenschaftlicher Mitarbeiter und Doktorand am Lehrstuhl für Bürgerliches Recht und Gewerblichen Rechtsschutz (Prof. Dr. Jan Busche) an der Heinrich-Heine-Universität Düsseldorf. Er ist Gründer der Refugee Law Clinic Düsseldorf und war mehrjährig Dozent im Migrationsrecht. Lars Wasnick studierte Rechtswissenschaften an der Universität Düsseldorf mit dem Schwerpunkt Gewerblicher Rechtsschutz und Wettbewerbsrecht und war Studienstipendiat der Studienstiftung des deutschen Volkes. Seine Forschungsschwerpunkte liegen im Gewerblichen Rechtsschutz, insbesondere im Patent- und Urheberrecht sowie im Kartellrecht. Daneben liegen seine Interessensschwerpunkte durch seine langjährige Tätigkeit innerhalb der Refugee Law Clinic Düsseldorf im Migrationsrecht. Er ist Mitgründer des Vereins OpenRewi und seit 2021 Vorstandsmitglied.

Glossar: Gendergerechte und diskriminierungsfreie Begriffe im Asyl- und Migrationsrecht

Wir haben uns bei der Erstellung des Fallbuchs um einen möglichst inklusiven Sprachgebrauch bemüht. Dabei haben wir uns an einem Leitfaden orientiert, der von Johanna Mantel und Melina Lehrian zur gendergerechten und diskriminierungsfreien Sprachnutzung im Asyl- und Migrationsrecht entwickelt wurde.[1] Bei der Gestaltung der Fälle haben wir versucht, Stereotype, die auf der Zuweisung von (Geschlechter-)Rollen basieren, zu vermeiden.[2]

Das folgende Glossar enthält die wichtigsten von uns verwendeten migrationsrechtlichen Begriffe, erklärt ihre Bedeutungen und verweist auf Synonyme, die wir genutzt haben und solche, die wir aufgrund von diskriminierenden Zuschreibungen bewusst vermieden haben (hierzu ausführlich im oben genannten Leitfaden).

Asylsuchende Person
= Person, die sich im Asylverfahren befindet = *auch* sing.: asylsuchende Person, antragstellende Person, pl.: Asylsuchende, Asylantragstellende
≠ *nicht* Asylant, Ausländer, Asylbewerber, Flüchtling

Ausländische Staatsangehörige
= Personen, die nicht die deutsche Staatsangehörigkeit haben = *auch* nichtdeutsche Staatsangehörige = *auch, soweit zutreffend* afghanische Staatsangehörige; sing.: Person mit afghanischer Staatsangehörigkeit
≠ *nicht* Ausländer, Afghane, Afghanen

Drittstaatsangehörige
= Personen, die weder die deutsche Staatsangehörigkeit haben noch Staatsangehörige eines anderen EU-Mitgliedstaats sind = sing.: drittstaatsangehörige Person

EU-Staatsangehörige
= Personen, die Staatsangehörige von EU-Mitgliedstaaten sind = Unionsbürger*innen; sing.: Person mit EU-Staatsangehörigkeit

Familienmitglied
= Person, die in familiärem Verhältnis zu einer anderen Person steht (Hinweis: es sind verschiedene rechtliche Definitionen zu beachten, die im asyl- oder aufenthaltsrechtlichen Kontext bestimmen, welche Personen als Teil der Familie gelten) = auch pl. Familienangehörige
≠ nicht Familienangehöriger, Verwandter

---

1 Der Leitfaden ist abrufbar unter https://openrewi.myeu.cloud/index.php/s/DFNgNox94HqY7qD.
2 Siehe hierzu weiterführend https://www.jura.uni-hamburg.de/die-fakultaet/gremien-beauftragte/gleichstellungsbeauftragte/gleichstellungsplan/geschlechtergerechte-sprache.html.

Geduldete Personen
= Personen mit einer Duldung = Personen, bei denen ein Abschiebungshindernis vorliegt = ggf. auch pl.:
Geduldete
≠ nicht Geduldeter, Ausländer

Geflüchtete
= Personen, die aus ihrem Herkunftsstaat geflüchtet sind = *auch* Schutzsuchende; sing.: schutzsuchende
Person
≠ *nicht* Asylanten, Ausländer, Asylbewerber, Flüchtlinge (Verwendung des Begriffs nur für anerkannte
GFK-Flüchtlinge)

Migrant*innen
= Personen, die sich in einem anderen Land als ihrem Herkunftsland niedergelassen haben
≠ *nicht* Migrant, Ausländer, Asylant

Schutzberechtigte
= Personen mit Schutzzuerkennung = *auch, soweit zutreffend* anerkannte Flüchtlinge, GFK-Flüchtlinge
(Nutzung des Begriffs „Flüchtling" nur bei anerkannten GFK-Flüchtlingen), subsidiär Schutzberechtigte,
Personen mit Abschiebungsverbot; sing.: als Flüchtling anerkannte Person, Person mit subsidiärem
Schutz, Person mit Abschiebungsverbot

Sprachmittelnde
= Personen, die Gespräche von einer Sprache in eine andere übersetzen = auch Dolmetscher*innen,
Sprachmittlung
= *nicht* Dolmetscher, Sprachmittler

Unbegleitete Minderjährige
= minderjährige Geflüchtete, die ohne sorgeberechtigte Person eingereist sind = *auch* unbegleitete minderjährige Flüchtlinge (UMF)
= *nicht* unbegleitete minderjährige Ausländer (UMA)

Fall 1
Liana Gelashvili sucht Schutz

Behandelte Themen: Asylgesuch, Asylantrag, Ankunftsnachweis, Aufenthaltsgestattung, Mitwirkungspflichten im Asylverfahren, Datenträgerauswertung

Schwierigkeitsgrad: Anfänger*innen

Sachverhalt

Eine junge Frau kommt in die Beratung in Berlin. Sie heißt Liana Gelashvili und erzählt, dass sie vor ein paar Tagen, kurz nach ihrer Einreise nach Deutschland, eine Dienststelle der Bundespolizei in Brandenburg aufgesucht und dort Asyl beantragt habe. Sie habe geltend gemacht, dass ihr aufgrund ihrer oppositionellen Haltung in Georgien Verfolgung drohe. Die Bundespolizei habe sie mittels einer dolmetschenden Person zu ihrer Identität befragt. Sie habe angegeben, dass sie Staatsangehörige Georgiens sei, aber keine Reise- oder Identitätsdokumente dabeihabe. Diese seien ihr bereits in Georgien von einer Person abgenommen worden, die ihre Flucht nach Deutschland organisiert habe.

Frau Gelashvili erklärt weiter, die Polizei habe ihre Angaben aus der Befragung notiert, Passfotos von ihr gemacht und ihre Fingerabdrücke abgenommen und ihr dann gesagt, sie solle sich zur nahegelegenen Aufnahmeeinrichtung in Eisenhüttenstadt begeben, um dort einen Asylantrag zu stellen. Von der Polizei habe sie nur einen „Brief" erhalten, in dem ihr Passfoto angebracht ist und in dem steht, dass sie nach Eisenhüttenstadt soll. Sie sei allerdings direkt nach Berlin gefahren, da sie hier Freundinnen habe, bei denen sie vorübergehend bleiben könne.

Fallfragen Ausgangsfall

1. Frau Gelashvili fragt, wieso sie noch einen Asylantrag stellen muss, wenn sie bereits bei der Polizei Asyl beantragt hat und ob sie nun sofort nach Eisenhüttenstadt muss oder sich die Zeit nehmen kann, um erst einmal anzukommen.
2. Auch will sie wissen, wieso sie von der Polizei kein „grünes ID-Dokument", sondern nur ein „Papier", das ihr Passfoto enthält, bekommen hat. Zudem fragt sie, ob sie verpflichtet ist, sich bei der Botschaft Georgiens in Berlin einen neuen Pass zu beschaffen.
3. Sie fragt außerdem, ob sie nun Sozialleistungen erhalten könne.

Abwandlung

Inzwischen ist Liana Gelashvili in der Erstaufnahmeeinrichtung in Eisenhüttenstadt untergebracht. Dort wurde ihr im Rahmen der Anhörung ihr Mobiltelefon abgenommen, anhand der von ihr angegebenen Zugangsdaten ausgelesen und wieder ausgehändigt. Im Rahmen der Anhörung hatte sie ihre Geburtsurkunde vorgelegt.

Fallfragen Abwandlung

Frau Gelashvili ist empört, dass ihr in der Anhörung ihr Mobiltelefon abgenommen wurde. Sie fragt, ob die Behörde dies machen durfte und ob sie die Aushändigung hätte verweigern können. Da dies nun schon erfolgt sei, fragt sie, ob und wie sie dagegen vorgehen kann, dass die Behörde die Daten auf ihrem Telefon nutzt und ob ein solches Vorgehen Aussicht auf Erfolg hat.

Bearbeitungshinweis:
Ob Liana Gelashvili Schutz zuzuerkennen ist, soll in diesem Fall nicht geprüft werden. Auch die Zuständigkeit eines anderen europäischen Staates aufgrund der Dublin-Verordnung soll von der Prüfung ausgeschlossen werden. Schließlich soll auch die Verfassungsmäßigkeit der Regelung zur Datenauswertung nicht geprüft werden.

Lösungsvorschlag

A. Fallfrage 1

Frau Gelashvili fragt, wieso sie noch einen Asylantrag stellen muss, wenn sie bereits bei der Polizei Asyl beantragt hat und ob sie nun sofort nach Eisenhüttenstadt reisen muss oder sich die Zeit nehmen kann, um erst einmal anzukommen.

Im Asylverfahren wird zwischen dem **Asylgesuch** nach § 13 I AsylG und dem **Asylantrag** nach § 14 AsylG unterschieden. Bei ersterem handelt es sich um die Äußerung des materiellen Begehrens nach Schutz. Letzterer bezeichnet den förmlichen Antrag auf Schutzgewährung beim BAMF.

I. Asylgesuch

Bei der Meldung von Frau Gelashvili bei der Dienststelle der Bundespolizei in Brandenburg handelt es sich um ein Asylgesuch.

Das **Asylgesuch** kann formlos erfolgen. Es kann gegenüber verschiedenen staatlichen Behörden geäußert werden. Dazu gehören das BAMF, die Ausländerbehörden, die Landes- und Bundespolizei, die Aufnahmeeinrichtungen und auch die Verwaltungsgerichte.[1] In § 19 I AsylG ist vorgesehen, dass Asylsuchende nach Äußerung eines Asylgesuchs bei einer Ausländerbehörde oder der Bundes- oder Landespolizei an die zuständige oder nächstgelegene Aufnahmeeinrichtung weiterzuleiten sind.

Nach § 20 I 1 AsylG sind Asylsuchende verpflichtet, der **Weiterleitung** unverzüglich zu folgen. Unverzüglich heißt nicht, dass Asylsuchende sich unmittelbar zur **Aufnahmeeinrichtung** begeben müssen, sie müssen dies nur „ohne schuldhaftes Zögern" tun; dabei müssen Umstände des Einzelfalls, wie zum Beispiel Mobilität oder Erkrankungen, berücksichtigt werden.[2] Es wird aufgrund von verschiedenen gesetzlichen Bestimmungen grundsätzlich von einer Frist von ein bis zwei Wochen ausgegangen, innerhalb derer sich Asylsuchende bei der Aufnahmeeinrichtung zu melden haben. Da in § 66 I Nr. 1 AsylG vorgesehen ist, dass eine Person ausgeschrieben werden muss, wenn sie sich nicht innerhalb einer Woche bei der Aufnahmeeinrichtung meldet, wird in der Praxis von der einwöchigen **Frist** ausgegangen.

Wenn sich Asylsuchende nicht bei der Aufnahmeeinrichtung melden, gelten über die Verweisung des § 20 I 2 AsylG die § 33 I, V und VI AsylG entsprechend. Nach § 33 I AsylG wird gesetzlich von einer Rücknahme des Asylantrags ausgegangen, wenn das Asylverfahren nicht betrieben wird. Daher ist das Asylverfahren kraft

---

1 Lehnert/Lehrian, in: Huber/Mantel, AufenthG/AsylG, 3. Aufl. 2021, AsylG § 13 Rn. 4.
2 Vogt/Nestler, in: Huber/Mantel, AufenthG/AsylG, 3. Aufl. 2021, AsylG § 20 Rn. 3.

Gesetzes beendet und das BAMF stellt dieses (deklaratorisch) ein oder kann nach Aktenlage entscheiden (§ 33 AsylG).

Weiterführendes Wissen

Mit dem Gesetz zur Beschleunigung der Asylgerichtsverfahren und Asylverfahren wurde § 33 AsylG mit Wirkung zum 1.1.2023 um die Möglichkeit des BAMF ergänzt, nach Aktenlage zu entscheiden anstatt das Verfahren einzustellen. Hierzu ist die Rechtsprechung des Bundesverfassungsgerichts zu beachten, in der ausgeführt wird, dass ein Verfolgungsbegehren allein aufgrund verzögerter Antragstellung nicht als unglaubhaft eingestuft und dadurch zulasten der Betroffenen bewertet werden darf.[3]

II. Förmlicher Asylantrag

Da Frau Gelashvili bisher nur ein Asylgesuch geäußert hat, ist sie verpflichtet, darüber hinaus noch den förmlichen Asylantrag beim BAMF zu stellen. Ihr ist zu raten, sich innerhalb von einer Woche bei der Aufnahmeeinrichtung zu melden, um sicherzustellen, dass ihr Asylverfahren nicht eingestellt wird.

Nach § 14 I 1 AsylG ist der Asylantrag bei der **Außenstelle des BAMF** zu stellen, die der zuständigen Aufnahmeeinrichtung zugeordnet ist. In der Regel wird Asylsuchenden nach Meldung und Registrierung bei der zuständigen Aufnahmeeinrichtung ein Termin zur **persönlichen förmlichen Asylantragstellung** beim BAMF mitgeteilt. Nach § 23 I AsylG sind Asylsuchende verpflichtet, zur persönlichen Asylantragstellung zu erscheinen. Falls sie dieser Verpflichtung nicht nachkommen, finden über § 23 II 1 AsylG ebenfalls die § 33 I, V und VI AsylG entsprechende Anwendung. Das BAMF kann das Asylverfahren entweder einstellen oder nach Aktenlage entscheiden, § 23 II 1 AsylG i.V.m. § 33 AsylG.

Frau Gelashvili hat sich bei der ihr zugewiesenen Erstaufnahmeeinrichtung in Eisenhüttenstadt in Brandenburg zu melden.[4]

B. Fallfrage 2

Frau Gelashvili will wissen, wieso sie von der Polizei kein „grünes ID-Dokument", sondern nur einen „Brief", der ihr Passfoto enthält, bekommen hat.

---

3 BVerfG, Beschl. v. 27.4.2004, Az.: 2 BvR 2020/99, asyl.net: M5259.
4 Zur Verteilung und Beantragung der Umverteilung siehe Storf, *2) Louay al Amiris Ankunft* in diesem Fallbuch.

I. Bescheinigungen im Rahmen des Asylverfahrens

In § 63a I 1 AsylG ist geregelt, dass Asylsuchenden unverzüglich nach erkennungs-dienstlicher Behandlung ein **Ankunftsnachweis** („Bescheinigung über die Meldung als Asylsuchender", BÜMA) ausgestellt werden muss.

Erst mit Ausstellung des Ankunftsnachweises gilt der Aufenthalt von Asyl-suchenden nach § 55 I 1 AsylG als gestattet. In § 55 I 3 AsylG ist zwar vorgesehen, dass die **Gestattung** ab Asylantragstellung gilt, wenn kein Ankunftsnachweis aus-gestellt wird. Damit ist jedoch die förmliche Asylantragstellung nach § 23 AsylG ge-meint.[5] Daher ist nicht geregelt, welchen Status Asylsuchende nach Asylgesuch aber vor Ausstellung des Ankunftsnachweises haben.

! Hinweise zur Fallprüfung

In der Praxis erhalten Asylsuchende den Ankunftsnachweis in der Regel erst bei der Registrierung in der zuständigen Aufnahmeeinrichtung. Behörden, bei denen noch davor das Asylgesuch geäußert wurde, be-helfen sich daher für die Weiterleitung zur Aufnahmeeinrichtung mit anderen Papieren. Dies sind meist DIN-A4 Blätter, die Angaben zur asylsuchenden Person, ihr Passfoto und die Aufforderung, sich zu der ge-nannten Aufnahmeeinrichtung zu begeben, enthalten (zum Teil als „Anlaufbescheinigung" bezeichnet).

Dementsprechend hat Liana Gelashvili von der Bundespolizei lediglich eine Anlauf-bescheinigung erhalten und noch keinen Ankunftsnachweis.

---

i Weiterführendes Wissen

Vor 2016 war in § 55 AsylG geregelt, dass die Gestattung schon ab Äußerung des Asylgesuchs gilt. Durch das Integrationsgesetz 2016 wurde dies geändert, seitdem knüpft die Gestattung an den Ankunftsnach-weis an und nicht mehr an das Asylgesuch. Es wird bezweifelt, ob die erst später geltende Gestattung mit den Vorgaben der Asylverfahrens-RL[6] der EU vereinbar ist. Nach Art. 2 lit. b Asylverfahrens-RL wird in Be-zug auf den Asylantrag auf das „Ersuchen" abgestellt, wobei dieses ein Recht auf Verbleib für die gesam-te Dauer des Asylverfahrens vermittelt.[7] Asylsuchende dürfen daher auch vor Erhalt des Ankunftsnach-weises nicht abgeschoben werden.

Erst nachdem Asylsuchende einen förmlichen Antrag gestellt haben, wird ihnen eine **Bescheinigung** über die **Aufenthaltsgestattung** gemäß § 63 I AsylG erteilt. Die zuständige Außenstelle des BAMF ist verpflichtet, diese Bescheinigung innerhalb von drei Arbeitstagen nach Asylantragstellung auszustellen (§ 63 I 1 AsylG).

---

5 Marx, Aufenthalts-, Asyl- und Flüchtlingsrecht, § 9 Asylverfahren Rn. 29.
6 Asylverfahrensrichtlinie (2013/32/EU) über Mindestnormen für die Durchführung des Asylverfah-rens vom 26.6.2013, ABl EU Nr. L 180, S. 70.
7 Amir-Haeri, in: Huber/Mantel, AufenthG/AsylG, 3. Aufl. 2021, AsylG § 55 Rn. 4.

Hinweise zur Fallprüfung !

Der Ankunftsnachweis und die Bescheinigung über die Aufenthaltsgestattung sehen sich sehr ähnlich. Auf einem faltbaren mit grünem Muster eingefärbten Papier sind Namen, Geburtsdatum, Geburtsort, Staatsangehörigkeit, Geschlecht, Größe, Augenfarbe und ein Foto enthalten. Über den Ankunftsnachweis hinaus sind mit der Aufenthaltsgestattung noch Fingerabdrücke, Herkunftsland, Kontaktdaten und Gesundheitsinformationen abrufbar. Die Bescheinigung enthält ferner die Angaben über das Recht zur Erwerbstätigkeit und gegebenenfalls eine räumliche Beschränkung.[8]

Mit den Angaben „grünes ID-Dokument" wird Frau Gelashvili die Bescheinigung über die Aufenthaltsgestattung gemeint haben.

Weiterführendes Wissen i

Da Frau Gelashvili sich nicht mit Identitätsdokumenten ausgewiesen hat, wird die Bescheinigung den Vermerk enthalten, dass die Personalien auf den persönlichen Angaben der Inhaberin beruhen.[9] Dieser Vermerk kann nachteilige Folgen für die betroffenen Personen haben.[10] Für die Kinder dieser Personen werden in der Regel keine Geburturkunden ausgestellt, sondern lediglich ein Auszug aus dem Geburtenregister zur Verfügung gestellt, welcher ebenfalls den gleichen Vermerk zu der ungeklärten Identität der Eltern gemäß § 35 I 1 Personenstandsverordnung (PStV)[11] enthält.[12] Ferner können Hindernisse auftreten in Bezug auf die Ausübung bestimmter Berufe, für die eine geklärte Identität Voraussetzung ist. Des Weiteren können Einschränkungen in Bezug auf den Antrag auf einen Führerschein oder die Zulassung eines Kraftfahrzeuges entstehen.[13]

II. Mitwirkungspflichten im Asylverfahren

Im Rahmen des Asylverfahrens treffen die Betroffenen umfangreiche **Mitwirkungspflichten**, auch und insbesondere im Hinblick auf die **Identitätsfeststellung**. Mitwirken im Sinne des § 15 II Nr. 4 (Vorlage, Aushändigung und Überlassung des Passes oder Passersatzes) und Nr. 6 AsylG (Mitwirkung bei der Beschaffung eines Identitätspapieres sowie Vorlage, Aushändigung und Überlassung aller Datenträ-

---

8 Ausführlich zur räumlichen Beschränkung siehe Nachtigall, *5) Chen Lu will arbeiten*, C.I. in diesem Fallbuch.
9 Hocks, in: Dörig, Handbuch Migrations- und Integrationsrecht, 2. Aufl. 2020, § 19 Rn. 367.
10 Siehe zur Thematik des Vermerks näher Wasnick, *33) Gekommen um zu bleiben* in diesem Fallbuch.
11 Verordnung zur Ausführung des Personenstandsgesetzes vom 22.11.2008 (BGBl. I S. 2263), zuletzt geändert durch Art. 3 G v. 3.12.2020 I 2668.
12 Siehe hierzu ausführlich https://www.recht-auf-geburtsurkunde.de/.
13 Zu alldem Hocks, in: Dörig, Handbuch Migrations- und Integrationsrecht, 2. Aufl. 2020, § 19 Rn. 780af.

Johanna Mantel/Natalie Tsomaia

ger, die für die Identitätsfeststellung von Belang sein können) bedeutet „alle Rechts- und tatsächlichen Handlungen vorzunehmen, die zur Beschaffung eines fehlenden Identitätspapiers erforderlich sind und nur von der betroffenen Person persönlich vorgenommen werden können".[14] Dazu zählen insbesondere die Anfertigung von Lichtbildern, die Unterzeichnung von Antragsformularen sowie die persönliche Vorsprache bei der entsprechenden konsularischen Vertretung oder Botschaft.[15]

Begrenzt wird die den Asylsuchenden im Einzelfall abverlangte Mitwirkungs- pflicht durch die **Zumutbarkeit** und **Notwendigkeit** derselben unter Berücksichti- gung aller Umstände des Einzelfalles.[16] Von vorneherein erkennbar aussichtslose Handlungen dürfen den Betroffenen nicht abverlangt werden.[17] Ob eine verlangte Mitwirkungshandlung erkennbar aussichtslos ist, ist nach den besonderen Umstän- den des Einzelfalles zu beurteilen und kann nicht abstrakt generell festgestellt wer- den.[18]

Frau Gelashvili hat angegeben, dass sie nicht mehr über ihren Reisepass ver- fügt. Da sie Verfolgung aufgrund politischer Opposition geltend macht, ist es ihr un- zumutbar Passbeschaffungspflichten nachzukommen. Es ist allgemein anerkannt, dass Schutzsuchenden, die eine politische Verfolgung geltend machen, ein Heran- treten an die Behörden des Herkunftsstaates unzumutbar ist.[19]

C. Fallfrage 3

Frau Gelashvili fragt, noch vor Registrierung bei der zuständigen Aufnahmeeinrich- tung, ob sie **Sozialleistungen** erhalten könne.

Bereits ab Äußerung des Asylgesuchs haben Asylsuchende einen Anspruch auf Leistungen nach dem AsylbLG (§ 1 I Nr. 1a AsylbLG). Allerdings werden in der Pra- xis die Leistungen zum Teil als Sachleistungen bei Unterbringung in der Aufnahme- einrichtung gewährt und zum anderen Teil auch dort bar ausgezahlt. Es ist daher auch aus diesem Grund geboten, dass Frau Gelashvili sich unverzüglich bei der Auf- nahmeeinrichtung meldet.

---

14 OVG Hamburg, Beschl. v. 29.9.2014, Az.: 2 So 76/14, asyl.net: M22641; vgl. auch Houben, in: BeckOK AuslR, 33. Ed. 1.4.2022, AsylG § 15, Rn. 7 ff.
15 Houben, in: BeckOK AuslR, 33. Ed. 1.4.2022, AsylG § 15, Rn. 7 ff.
16 OVG BB, Urt. v. 14.9.2010, Az.: OVG 3 B 2.08, asyl.net: M17806, 7 f.; BVerwG, Beschl. v. 10.3.2009, Az.: 1 B 4.09, asyl.net: M15603, S. 2.
17 Vgl. BVerwG, Beschl. v. 3.2.2016, Az.: 1 B 79.15, Rn. 6.
18 Vgl. BVerwG, Beschl. v. 3.2.2016, Az.: 1 B 79/15, Rn. 6.
19 Heinhold, Asylmagazin 2018, 7 (8) m.w.N.

D. Fallfrage Abwandlung

Ferner fragt Frau Gelashvili, ob sie die Aushändigung ihres Mobiltelefons hätte verweigern können, beziehungsweise was ihr dann für Konsequenzen gedroht hätten. Nunmehr stellt sich die Frage, ob Frau Gelashvili gegen die Auswertung ihrer Daten vorgehen kann und ob ein solches Vorgehen Aussicht auf Erfolg hat.

I. Vorbemerkung
1. Regelungen zur Datenträgerauswertung

Mit dem „Gesetz zur Neubestimmung des Bleiberechts und der Aufenthaltsbeendigung" wurde die Maßnahme der **Datenträgerauswertung** allgemein in § 48 III und IIIa AufenthG eingeführt.[20] Laut Begründung solle sie dem Zweck dienen, die Identität von Personen zu klären, die über keinen gültigen Pass oder keine gültigen Passersatzdokumente verfügen. Unter Datenträgern sind unter anderem Speichermedien, Computer und Smartphones sowie Cloud-Server und Online-Accounts zu verstehen. Mit dem „Gesetz zur Besseren Durchsetzung der Ausreisepflicht" wurde zudem mit § 15a AsylG eine speziell auf Asylsuchende bezogene Datenträgerauswertung eingeführt.[21] In § 15 II Nr. 6 AsylG wurde die **Pflicht** für Asylsuchende eingeführt, dem BAMF solche **Datenträger auszuhändigen**. Beabsichtigt wurde die routinemäßige Feststellung der Identität und der Staatsangehörigkeit von Asylsuchenden ohne gültigen Pass oder Passersatz.[22]

2. Verfahren zur Datenträgerauswertung

Die Auswertung ist in drei Phasen unterteilt: die Auslegung, die automatische Analyse und die Auswertung der Analyseergebnisse. Ob die Datenträger ausgewertet werden, entscheidet sich bei der Registrierung der Antragstellenden, also bei der Anlegung der Akte und vor der Anhörung. Die Daten werden in Anwesenheit der Antragstellenden sowie von Dolmetscher*innen extrahiert und dafür an einen speziellen Computer angeschlossen. Bei der erfolgreichen Auslesung werden die extrahierten Daten zu einem Ergebnisreport zusammengeführt, anschließend werden diese Daten in einem sogenannten Datentresor gespeichert.

---

20 BGBl. 2015 I 1386, in Kraft ab 1.8.2015; BR-Drs. 642/14, 53.
21 In Kraft getreten am 29.7.2017; ausführlich zu den Gesetzesänderungen siehe Kalkmann/Mantel, Asylmagazin 9/2017, 341; Keßler/Gräfe/Habbe, Asylmagazin 2017, 388
22 Tsomaia, in: Bange (Hrsg.), Rechtsfragen zum gesellschaftlichen und wirtschaftlichen Wandel im Jahr 2020, 2020, 23 (32) m.w.N.

Wenn für die Feststellung der Identität andere Anhaltspunkte vorliegen und dadurch die Auswertung der extrahierten Daten überflüssig ist, erfolgt die Löschung der Daten auf Anweisung der Entscheider*innen über ein Ticketsystem. Wenn es zur Auswertung der eingelesenen Daten kommen soll, können diese Reports auf Antrag der zuständigen Entscheider*innen durch Mitarbeitende des BAMF mit Befähigung zum Richteramt freigegeben werden. Nach der Freigabe werden die Daten vom Datentresor ins elektronische Aktensystem MARiS (Migrations-Asyl-Reintegrationssystem) importiert, aus dem Datentresor gelöscht und der Asylakte hinzugefügt.

Der Report fällt in eine von drei Kategorien: 1) der Report stützt die Angaben der Antragstellenden, 2) der Report stützt die Angaben der Antragstellenden nicht 3) und/oder der Report enthält keine verwertbaren Ergebnisse. Zu beachten ist, dass nach dem Einfügen von Daten in die Akte, die asylrechtliche Norm des § 7 III AsylG auch auf unbrauchbare Ergebnisse der Auswertung anzuwenden ist und die Daten folglich ungeachtet der Unbrauchbarkeit vor Ablauf der gesetzlichen Frist von spätestens zehn Jahren nicht gelöscht werden.

Gegenstand der Auswertung sind die Ländervorwahlen von Kontaktdaten im Adressbuch, ein- und ausgehende Anrufe und Nachrichten, Länderendungen der im Internetbrowser aufgerufenen Websites, Lokationsdaten aus Fotos und Apps sowie unverschlüsselt verwendete Login-Namen und E-Mail-Adressen von Apps, wie der Facebook-Profilname oder der in einer Dating-App verwendete Name. Ferner analysiert ein spezielles Programm die in Textnachrichten verwendete Sprache.[23]

---

i Weiterführendes Wissen

„Die Handydatenauswertungen des BAMF konnten nicht nennenswert dabei helfen, angebliche Falschangaben im Asylverfahren aufzudecken. Das BAMF hat in den Jahren 2018, 2019 und 2020 hochgerechnet 27.752 Handys ausgelesen. In der Mehrzahl der Fälle wurden die Ergebnisberichte anschließend gar nicht verwendet, nur in 41–48 % der Fälle wurden BAMF-interne Anträge auf Freigabe zur Nutzung im Asylverfahren gestellt, in circa 28–34 Prozent wurden die Berichte anschließend auch von Volljurist*innen freigegeben. Soweit diese Ergebnisberichte anschließend genutzt wurden, erwiesen sich die Ergebnisse in 58–64 % als unverwertbar. Von den verbleibenden verwertbaren Ergebnisberichten bestätigten 30–40 % die gemachten Angaben, und nur in 2 Prozent ergab sich ein Widerspruch. Für 2018 fehlen hierzu die Angaben, aber im Jahr 2019 und 2020 waren es zusammengenommen 75 Asylantragstellende, bei denen sich durch die Handydatenauswertungen ein solcher Widerspruch zu gemachten Angaben ergab. Für sehr wenige mögliche „Verdachtsfälle" hat das BAMF bis Ende 2020 Tausende Handys ausgelesen und über 13 Millionen Euro für Einkauf und Support der notwendigen Überwachungstechnologie ausgegeben."[24]

---

23 Tsomaia, in: Bange (Hrsg.), Rechtsfragen zum gesellschaftlichen und wirtschaftlichen Wandel im Jahr 2020, 2020, 23 (32 f.) m. w. N.
24 Beckmann/Lehnert, Asylmagazin 2021, 340.

Johanna Mantel/Natalie Tsomaia

II. Konsequenzen bei Verweigerung der Aushändigung von Datenträgern

Wenn Antragstellende Datenträger nicht nach § 15 II Nr. 6 AsylG aushändigen, aber Anhaltspunkte bestehen, dass sie im Besitz von Datenträgern sind, können sie selbst und ihre mitgeführten **Sachen durchsucht** werden, § 15 IV 1 AsylG. Wenn Betroffene die Zugangsdaten nicht zur Verfügung stellen, kommt eine **Erhebung der Zugangsdaten** durch die Behörde nach § 15a I 2 AsylG i. V. m. § 48a I AufenthG in Betracht.[25] Danach dürfen die Dienstanbieter auf die Endgeräte zugreifen und Auskunft erteilen. Hervorzuheben ist, dass § 48a AufenthG nicht an den Verdacht einer Straftat anknüpft, um die Auswertung der Daten zu gestatten. Vielmehr liegt die Entscheidung über die Auswertung im Ermessen der Behörde, ohne Richter*innenvorbehalt.

Verweigern die Antragstellenden die Herausgabe eines Datenträgers, kann das gemäß § 1a V 1 Nr. 4 AsylbLG die **Kürzung von Leistungen** nach sich ziehen. Es ist gesetzlich nicht eindeutig geregelt, ob die Verweigerung der Aushändigung eines Datenträgers dazu führen kann, dass das **Asylverfahren eingestellt** wird. Nach § 33 II 1 Nr. 1 Alt. 1 AsylG wird gesetzlich vermutet, dass Asylsuchende ihr Verfahren nicht betreiben, wenn sie der „Aufforderung zur Vorlage" wesentlicher Informationen nach § 15 AsylG nicht nachkommen. Ob dies aber die Aushändigung von Datenträgern umfasst, ist bislang nicht geklärt.[26]

Falls Frau Gelashvili die Aushändigung verweigert hätte, hätten sie und ihre mitgeführten Sachen gegebenenfalls von BAMF-Mitarbeitenden durchsucht werden können. Zudem hätten die Leistungen nach dem AsylbLG gekürzt werden können. Es ist nicht klar, ob ihr Asylverfahren hätte eingestellt werden können. Falls sie die Herausgabe der Zugangsdaten verweigert hätte, hätten diese erhoben werden können.

III. Vorgehen gegen die Datenträgerauswertung

Die Frage ist, wie Frau Gelashvili nachträglich gegen die Anordnung des BAMF ihr gegenüber, Zugangsdaten zur Verfügung zu stellen und die Auswertung der Daten aus ihrem Mobiltelefon zu dulden, vorgehen kann.[27]

---

25 Dazu und zum Folgenden: Faßbender in: Dörig, Handbuch Migrations- und Integrationsrecht, 2. Aufl. 2020, § 24 Rn. 15.

26 Lehnert, in: Huber/Mantel, AufenthG/AsylG, 3. Aufl. 2021, AsylG § 33 Rn. 6; Wittmann, in: BeckOK MigR, 11. Ed. 15.4.2022, AsylG § 33 Rn. 21.

27 Die folgende Lösung basiert auf einem Urteil des VG Berlin, das als erste Gerichtsentscheidung zu dieser Fallkonstellation erfolgte: VG Berlin, Urt. v. 1.6.2021, Az.: VG 9 K 135/20 A, asyl.net: M29743; vgl. hierzu ausführlich Beckmann/Lehnert, Asylmagazin 2021, 340.

Johanna Mantel/Natalie Tsomaia

1. Zulässigkeit
a) Statthafte Klageart
Frau Gelashvili kann **Fortsetzungsfeststellungsklage**[28] nach § 113 I 4 VwGO analog vor dem Verwaltungsgericht erheben. Diese Klageart ist statthaft, wenn sich ein belastender Verwaltungsakt bereits vor Klageerhebung erledigt hat.[29] Die Anordnung des BAMF an Frau Gelashvili, Zugangsdaten zur Verfügung zu stellen, ist ein Verwaltungsakt[30] gemäß § 35 I VwVfG, der nach § 15a I 2 AsylG i.V.m. § 48a I AufenthG durch Erhebung der Daten vollstreckbar ist (siehe oben Abschnitt D.II). Laut Sachverhalt wurde Frau Gelashvili ihr Mobiltelefon abgenommen, anhand der von ihr angegebenen Zugangsdaten ausgelesen und wieder ausgehändigt. Damit hat sich der Verwaltungsakt erledigt.

b) Fortsetzungsfeststellungsinteresse
Das Fortsetzungsfeststellungsinteresse ist gegeben, denn es liegt ein schwerwiegender Grundrechtseingriff im Sinne des Art. 19 IV 1 GG vor und Frau Gelashvili hatte keine Möglichkeit, wirksamen Rechtsschutz gegen den Eingriff zu erlangen. Die Auswertung stellt einen schwerwiegenden Eingriff in das allgemeine Persönlichkeitsrecht nach Art. 2 I i.V.m. Art. 1 I GG in seiner Ausprägung als Grundrecht auf Gewährleistung der Vertraulichkeit und Integrität informationstechnischer Systeme[31] dar. Sie erfolgt kurzfristig und erledigt sich schnell, daher handelt es sich um eine sich typischerweise kurzfristig erledigende Maßnahme, gegen die kein wirksamer Rechtsschutz erlangt werden konnte.

2. Begründetheit
Rechtsgrundlage für die Anordnung ist § 15a I 2 AsylG i.V.m. § 48 IIIa 3 AufenthG, wonach Asylsuchende die Zugangsdaten für eine zulässige Auswertung zur Verfügung stellen müssen. Eine Auswertung ist nach § 15a I 1 AsylG nur zulässig, wenn dies für die Feststellung der Identität und Staatsangehörigkeit der betroffenen Person nach § 15 II Nr. 6 AsylG erforderlich ist.

---

28 Zur Fortsetzungsfeststellungsklage ausführlich Senders, in: Eisentraut, **Verwaltungsrecht in der Klausur**, § 4 Rn. 2ff.

29 Zur Statthaftigkeit der Fortsetzungsfeststellungsklage Senders, in: Eisentraut, **Verwaltungsrecht in der Klausur**, § 4 Rn. 2.

30 Ausführlich zum Verwaltungsakt Milker, in: Eisentraut, **Verwaltungsrecht in der Klausur**, § 2 Rn. 38ff.

31 Zu diesem Grundrecht ausführlich Petras, in Hahn/Petras/Valentiner/Wienfort, **Grundrechte**, § 24.4 S. 546ff.

Weiterführendes Wissen   ℹ

Die Regelung zur Datenauswertung im Asylverfahren wird als verfassungswidrig eingestuft.[32] Laut Gesellschaft für Freiheitsrechte (GFF) stellen die Datenauswertungen „beispiellose Grundrechtsverletzungen" dar. Daher wird durch die Organisation im Rahmen von strategischer Prozessführung rechtlich gegen die Maßnahmen vorgegangen.[33] Laut Bearbeitungshinweis war die Verfassungsmäßigkeit der Regelung hier nicht zu prüfen.

Eine Maßnahme ist erforderlich, wenn sie geeignet ist, den erstrebten Zweck zu erfüllen und keine milderen Mittel hierfür zur Verfügung stehen. Es ist bereits fraglich, ob die Datenträgerauswertung im Asylverfahren geeignet ist, um den Zweck der Identitätsklärung zu erreichen, da nur in etwa 2 Prozent der Fälle die Angaben der betroffenen Person widerlegt wurden.[34] Jedenfalls ist die Erforderlichkeit der Maßnahme nicht gegeben, da der angestrebte Zweck durch mildere Mittel hätte erreicht werden können. So hätte etwa die eingereichte Geburtsurkunde überprüft werden können.

3. Ergebnis
Die Anordnung des BAMF, die Zugangsdaten zur Verfügung zu stellen, war rechtswidrig. Auch die Auswertung der Daten aus dem Mobiltelefon von Frau Gelashvili nach § 15a I 1 AsylG war rechtswidrig. Diesbezüglich wird auf die Ausführungen oben verwiesen.

Weiterführende Literatur
- Informationsverbund Asyl und Migration, Basisinformation Nr. 1: Das Asylverfahren in Deutschland. Ablauf des Verfahrens, Fallbeispiele, weiterführende Informationen, 3. Aufl. 2020
- Informationsverbund Asyl und Migration, Basisinformation Nr. 3: Die Rechte und Pflichten von Asylsuchenden. Aufenthalt, soziale Rechte und Arbeitsmarktzugang während des Asylverfahrens, 2. Aufl. 2022
- Schuster, Grundlagen des Asylverfahrens, Arbeitshilfe zu den rechtlichen Grundlagen des Asylverfahrens, Parität, 5. Aufl. November 2021
- Beckmann/Lehnert, Handydatenauswertungen des BAMF verstoßen gegen Grundrechte, Asylmagazin 2021, 340

32 Ausführlich hierzu siehe Putzar-Sattler, in: Huber/Mantel, AufenthG/AsylG, 3. Aufl. 2021, AsylG § 15a Rn. 4.
33 Vgl. Beckmann/Lehnert, Asylmagazin 2021, 340 (341).
34 Siehe oben Weiterführendes Wissen in Abschnitt D.I.2; so auch Putzar-Sattler, in: Huber/Mantel, AufenthG/AsylG, 3. Aufl. 2021, AsylG § 15a Rn. 4.

Dieser Fall darf gerne kommentiert, verändert und beliebig genutzt werden. Die Anleitung hierfür lässt sich über den abgebildete QR-Code mit der Smartphone-Kamera auf unserer Homepage aufrufen.

Fall 2
Louay al Amiris Ankunft

Behandelte Themen: Dauer des Asylverfahrens, Umverteilungsantrag, Verteilung nach dem EASY-Verfahren, Wohnpflicht in Erstaufnahmeeinrichtung

Schwierigkeitsgrad: Anfänger*innen

Sachverhalt

Louay Al Amiri (A) ist über den Landweg nach Deutschland eingereist, hat die irakische Staatsbürgerschaft und meldet sich in Berlin bei einer Erstaufnahmeeinrichtung (EAE), um ein Asylgesuch zu stellen. In Berlin wird A im IT-System des sogenannten EASY-Verfahrens zur Verteilung Asylsuchender registriert. Dabei wird A einer Erstaufnahmeeinrichtung in Brandenburg zugeteilt. Dort soll jetzt das Asylverfahren durchgeführt werden.

A ist bestürzt, denn in Berlin kennt A viele Freund*innen und As Cousine Chaima (C) hätte dort sogar ein freies Zimmer, das sie A kostenlos überlassen würde; in Brandenburg kennt A niemanden. A und C sind schon lange enge Vertraute füreinander und beschreiben ihr Verhältnis als geschwisterlich. Ein entsprechender Antrag des A auf Umverteilung nach Berlin gemäß § 51 I, II 1 AsylG wurde von der zuständigen Behörde abgelehnt.

Fallfragen

1. Kann A gegen die Zuteilung nach Brandenburg rechtlich vorgehen? Welche Klageart ist statthaft? Auf welche Argumente kommt es im Rahmen der materiellen Rechtmäßigkeit an?
2. Kann A gegen die Unterbringung in der Erstaufnahmeeinrichtung vorgehen und in das freie Zimmer ziehen?

Bearbeitungshinweis:
Die Verfassungsmäßigkeit der einschlägigen Vorschriften im AsylG ist nicht zu prüfen.

Abwandlung

A hat sich in Brandenburg bei der zugewiesenen Erstaufnahmeeinrichtung gemeldet und einen förmlichen Asylantrag gemäß § 14 AsylG gestellt. Mittlerweile wohnt A einige Wochen dort und wartet auf den Termin zur Anhörung. As Cousine und einziges Familienmitglied in Deutschland ist kürzlich schwer an Krebs erkrankt und A würde sie gern über ein Wochenende besuchen.

Fallfragen Abwandlung

1. Kann A einen Antrag stellen, um die Cousine in Berlin bald zu besuchen?
2. Hat dieser Antrag Aussicht auf Erfolg?

Zusatzfrage

As Anhörung fand vor mittlerweile acht Monaten statt. Seitdem hat A nichts vom BAMF zum Stand des Verfahrens gehört. Welche Möglichkeiten hat A, um Auskünfte zum Stand des Verfahrens zu bekommen und den Abschluss zu beschleunigen?

Lösungsvorschlag

A. Fallfrage 1: Vorgehen gegen EASY-Verteilung

Gefragt wird, ob und wie A gegen die Zuteilung nach Brandenburg vorgehen kann.

---

i **Weiterführendes Wissen**

Die Zuständigkeit der **Aufnahmeeinrichtung** für eine asylsuchende Person wird mithilfe des bundesweiten Systems zur Verteilung von Asylsuchenden („**Erstverteilung von Asyl**begehrenden", **EASY**) ermittelt. Kriterien sind die Bevölkerungszahl und Leistungsfähigkeit der Bundesländer (Berücksichtigung anhand eines Quotensystems, sogenannter Königsteiner Schlüssel) sowie die Kapazität von BAMF-Standorten sowie ihre Spezialisierung auf bestimmte Herkunftsländer.

Grundsätzlich ist es also möglich, dass das Asylverfahren am Ort der Meldung des Asylgesuchs durchgeführt wird, § 46 I 2 AsylG. Die zuständige Aufnahmeeinrichtung kann auch vom Ort des Asylgesuchs abweichen, § 46 II AsylG oder § 46 I 4 AsylG.

I. Statthaftigkeit der Klage

A hat die Möglichkeit vor dem zuständigen Verwaltungsgericht (hier: VG Berlin) zu klagen. Fraglich ist, welche Klageart statthaft ist. Die Statthaftigkeit der Klage richtet sich nach dem klägerischen Begehr, § 88 VwGO.

Al Amiri will in Berlin bleiben und will nicht, dass sein Asylverfahren in Brandenburg durchgeführt wird. Ein entsprechender Antrag des A auf Verteilung nach Berlin gemäß § 51 I, II 1 AsylG wurde von der zuständigen Behörde abgelehnt.[1]

In Betracht kommt eine Anfechtungsklage gemäß § 42 I Var. 1 VwGO gegen die Ablehnung des Antrags auf Verteilung sowie eine Verpflichtungsklage gemäß § 42 I Var. 2 VwGO mit dem Ziel, in eine bestimmte Unterkunft in Berlin verwiesen zu werden.[2]

---

i **Weiterführendes Wissen**

Zuweisung an Erstaufnahmeeinrichtung als Verwaltungsakt?
Die Zuweisung nach Brandenburg an sich verfolgt ausschließlich öffentliche Zwecke, wie die gerechte Verteilung der asylsuchenden Personen auf die Bundesländer und eine Beschleunigung des Asylverfahrens und ist damit verwaltungsinterne Zusammenarbeit.

Jedoch enthält § 47 I AsylG die Verpflichtung, für einen begrenzten Zeitraum in der Aufnahmeeinrichtung zu wohnen. Die verbindliche Weiterleitung der asylsuchenden Person an die Aufnahmeeinrichtung gemäß § 22 I, III 1 AsylG konkretisiert die gesetzliche Wohnpflicht. Damit ist die Verfügung der

---

1 Vgl. VG Arnsberg, Beschl. v. 24.1.2022, Az.: 9 L 1159/21, asyl.net: M30615.
2 Zur Anfechtungsklage ausführlich Milker, in: Eisentraut, Verwaltungsrecht in der Klausur, § 2 Rn. 4 ff.

Weiterleitung gegenüber der Antragstellenden eine Regelung mit gewollter Außenwirkung, also ein Verwaltungsakt, § 35 VwVfG.

Dafür müsste ein Verwaltungsakt[3] gemäß § 35 VwVfG vorliegen. Ein Verwaltungsakt liegt vor, wenn es sich um eine hoheitliche Maßnahme handelt, die eine Behörde zur Regelung eines Einzelfalls auf dem Gebiet des öffentlichen Rechts mit unmittelbarer Rechtswirkung nach außen getroffen hat.

Die Ablehnung des Antrags von A auf Verteilung nach Berlin gemäß § 51 II 1 AsylG hat die Rechtsfolge, dass A verpflichtet ist, in einer Aufnahmeeinrichtung in Brandenburg zu wohnen. Die Ablehnung ist ein Verwaltungsakt.

Eine Anfechtungsklage gegen die Ablehnung des Antrags hätte zur Folge, dass der Antrag neu entschieden werden müsste. A möchte, dass die Behörde verpflichtet ist, ihn in eine Unterkunft in Berlin zu verteilen. Statthaft ist daher eine Verpflichtungsklage in Form der Versagungsgegenklage gemäß § 42 I Alt. 2 VwGO.[4]

Weiterführendes Wissen

Die Versagungsgegenklage[5] ist eine Variante der Verpflichtungsklage. Ziel der Klage ist die Verurteilung der Behörde zum Erlass eines abgelehnten Verwaltungsaktes.

II. Materielle Rechtmäßigkeit

Die Unterbringung in der Erstaufnahmeeinrichtung in Brandenburg ist materiell rechtswidrig, wenn Louay Al Amiris Grundrechte nicht hinreichend berücksichtigt worden sind. Gemäß § 55 I 2 AsylG haben Asylsuchende grundsätzlich keinen Anspruch darauf, sich in einem bestimmten Land oder an einem bestimmten Ort aufzuhalten.

A könnte allerdings nicht (mehr) verpflichtet sein, in einer Aufnahmeeinrichtung zu wohnen, sodass gemäß § 51 I AsylG der **Haushaltsgemeinschaft** von Familienangehörigen im Sinne des § 26 I–III AsylG oder sonstigen humanitären Gründen von vergleichbarem Gewicht auch durch länderübergreifende Verteilung Rechnung zu tragen ist.

---

3 Ausführlich zum Verwaltungsakt Milker, in: Eisentraut, Verwaltungsrecht in der Klausur, § 2 Rn. 38 ff.
4 Marx, Kommentar AsylG, 10. Aufl. 2019, § 51 Rn. 15 f.
5 Siehe hierzu Lemke, in: Eisentraut, Verwaltungsrecht in der Klausur, § 3 Rn. 11.

1. Haushaltsgemeinschaft von Familienangehörigen

Gemäß § 26 I–III AsylG sind Familienangehörige etwa Eheleute, Lebenspartner*innen, minderjährige ledige Kinder und die Eltern eines minderjährigen ledigen Kindes. A hat in Berlin nur seine Cousine, sodass eine Haushaltsgemeinschaft hier nicht einschlägig ist.

2. Sonstige humanitäre Gründe von vergleichbarem Gewicht

Al Amiri will lieber in Berlin bleiben, weil er dort soziale und familiäre Anbindungen hat und dort in einem eigenen Zimmer kostenfrei wohnen könnte. Al Amiri hat ein großes persönliches Umfeld in Berlin, inklusive seiner Cousine, mit der ihn eine geschwisterliche Beziehung verbindet. In Brandenburg kennt A niemanden.

Die Unterbringung in der Erstaufnahmeeinrichtung in Brandenburg könnten Al Amiris Grundrecht auf Schutz der Familie, Art. 6 I GG[6] und sein allgemeines Persönlichkeitsrecht, Art. 2 I i.V.m. 1 I GG[7] verletzen.

a) Art. 6 I GG
aa) Schutzbereich

Das Recht auf Schutz der Familie schützt auch die Beziehungen zwischen Cousinen und Cousins, wenn zwischen ihnen tatsächlich von familiärer Verbundenheit geprägte, engere Beziehungen bestehen.[8] Zum Kern des Grundrechts auf Schutz der Familie gehört das ungestörte Zusammenleben. Hier bietet C an, dass A kostenfrei und auf unbestimmte Zeit in ein freies Zimmer in ihrer Wohnung ziehen dürfe. Diesem Angebot würde A gerne nachkommen. Schon aus dem Angebot zusammenzuziehen und für die Mietkosten aufzukommen, lässt sich eine tiefe Verbundenheit zwischen A und C ableiten. Zudem sind A und C enge Vertraute füreinander und stehen sich so nahe wie Geschwister. Der Wunsch zusammenzuwohnen und sich jedenfalls regelmäßig zu sehen ist vom Schutzbereich des Art. 6 I GG erfasst.

---

6 Siehe zum Grundrecht auf Schutz von Ehe und Familie Laing, in: Hahn/Petras/Valentiner/Wienfort, Grundrechte, § 22.2 S. 474 ff.
7 Siehe zum allgemeinen Persönlichkeitsrecht Valentiner, in: Hahn/Petras/Valentiner/Wienfort, Grundrechte, § 18.2 S. 246 ff.
8 BVerfG, Beschl. v. 24.6.2014, Az.: 1 BvR 2926/13, Ls. 1.

bb) Eingriff

Ein Eingriff in den Schutzbereich kommt in Betracht bei staatlichen Maßnahmen, die einer Einzelperson ein Verhalten, das in den Schutzbereich eines Grundrechts fällt, ganz oder teilweise unmöglich machen. Die Unterbringung in der Erstaufnahmeeinrichtung in Brandenburg führt dazu, dass A und C zunächst nicht zusammenwohnen können. Zudem erschwert die Unterbringung in Brandenburg, dass sich A und C regelmäßig sehen können. Ein Eingriff liegt vor.

cc) Rechtfertigung
(1) Schranke

Das Grundrecht auf Schutz der Familie ist schrankenlos. In Betracht kommen daher nur verfassungsimmanente Schranken.

(2) Verfassungsmäßigkeit der Rechtsgrundlage

Die Verfassungsmäßigkeit des AsylG ist ausweislich des Bearbeitungshinweises nicht zu prüfen.

(3) Verhältnismäßigkeit des Einzelakts

Die Unterbringung in der Erstaufnahmeeinrichtung müsste ihrerseits verhältnismäßig sein.

Der Zweck der Verteilung auf die Erstaufnahmeeinrichtung ist die gerechte Verteilung der Asylsuchenden auf die Bundesländer, sowie ein schnelles Asylverfahren. Ein schnelles Verfahren ist auch im Interesse der asylsuchenden Personen um Klarheit über den rechtlichen Status zu erlangen. Die gerechte Verteilung der Antragstellenden auf die Bundesländer verfolgt den Zweck, den Sozialstaat gewährleisten zu können und die vorhandenen Unterbringungs- und Verwaltungskapazitäten auszuschöpfen, und hat damit ebenfalls Verfassungsrang.

Die Unterbringung in Brandenburg entsprechend der **EASY** Verteilung ist dazu auch grundsätzlich geeignet. Dem Gesetzgeber kommt hier eine Einschätzungsprärogative zu.

Die Unterbringung müsste auch erforderlich, das heißt das mildeste Mittel bei gleicher Wirksamkeit, sein. Auch für die Erforderlichkeit steht dem Gesetzgeber eine Einschätzungsprärogative zu.

Zuletzt müsste die Unterbringung angemessen sein, das bedeutet insbesondere zumutbar für Al Amiri. Mit der Verteilung nach Brandenburg kommt auch eine Residenzpflicht für A hinzu, die bedeutet, dass er seine Cousine nicht einfach in Berlin besuchen kann.

Pia Lotta Storf

Für die Zumutbarkeit der Unterbringung spricht die zeitliche Begrenztheit der Maßnahme auf längstens 18 Monate, § 47 I AsylG. Zudem kann As Cousine ihn besuchen.[9]

dd) Ergebnis
Die Abwägung ergibt, dass die temporäre Verpflichtung in der Erstaufnahmeeinrichtung zu wohnen A nicht in seinem Grundrecht aus Art. 6 I GG verletzt.

b) Art. 2 I GG i.V.m. Art. 1 I GG
Zwar lässt sich argumentieren, dass ein Eingriff in den Schutzbereich des allgemeinen Persönlichkeitsrechts vorliegt. Allerdings ist dieser aus den vorgenannten Gründen gerechtfertigt.

3. Ergebnis
Al Amiris Grundrechte sind durch die temporäre Wohnpflicht in der EAE nicht verletzt.

Weiterführendes Wissen

Besonders schutzbedürftige Personen können gegen die Unterbringung in der Erstaufnahmeeinrichtung vorgehen. Dabei kommt es darauf an, ob das Wohnen in einer Erstaufnahmeeinrichtung im Einzelfall unzumutbar ist.
Eine Unzumutbarkeit kann sich aus gesundheitlichen, psychischen Gründen, wegen einer Behinderung, Schwangerschaft, abweichender sexueller, religiöser oder politischer Orientierung, für alleinstehende/alleinerziehende Frauen, für Familien mit Kindern und unbegleitete Minderjährige ergeben.[10]

B. Fallfrage 2

Gefragt wird, ob A gegen die Unterbringung in der Erstaufnahmeeinrichtung vorgehen und in das freie Zimmer ziehen kann. A könnte einen **Antrag auf Beendigung der Wohnpflicht** (sogenannter **Umverteilungsantrag**) in der Erstaufnahmeeinrichtung gemäß § 49 II Alt. 2 AsylG stellen.

---

9 Hier ließe sich mit guten Argumenten auch das entgegenstehende Ergebnis vertreten.
10 VG Arnsberg, Beschl. v. 24.1.2022, Az.: 9 L 1159/21, asyl.net: M30615.

Pia Lotta Storf

Dazu müssten zwingende Gründe, das heißt außergewöhnliche Beeinträchtigungen, vorliegen. Es müsste ein Härtefall vorliegen, dessen Nichtberücksichtigung zu besonders schweren Nachteilen führt.[11]

Insbesondere kommen hier Grundrechtsverletzungen der antragstellenden Person in Betracht. A will gern mit seiner Cousine C in Berlin zusammenwohnen, und seine Freund*innen häufig sehen können. Die Wohnpflicht könnte A in seinen Grundrechten aus Art. 6 I GG, Art. 2 I i.V.m. 1 I GG und Art. 2 I GG verletzen.

Außergewöhnliche Beeinträchtigungen, die über die obigen Ausführungen hinausgehen, sind nicht ersichtlich. Eine Grundrechtsverletzung ist daher nicht anzunehmen.

C. Fallfragen Abwandlung

A fragt, ob er einen Antrag stellen kann, um seine Cousine in Berlin bald zu besuchen und ob dieser Antrag Aussicht auf Erfolg hat. Grundsätzlich unterliegt A gemäß § 56 I AsylG einer räumlichen Beschränkung (Residenzpflicht). Die Dauer der Residenzpflicht richtet sich nach der Wohnpflicht gemäß § 47 I AsylG in der Erstaufnahmeeinrichtung, § 59a I 2 AsylG.[12] Das bedeutet, dass As Aufenthaltsgestattung gemäß § 56 I AsylG auf den Bezirk der zuständigen Ausländerbehörde beschränkt ist. A braucht also eine Genehmigung für die Reise nach Berlin gemäß § 57 AsylG. A könnte eine Erlaubnis zum vorrübergehenden Verlassen des Geltungsbereichs der Aufenthaltsgestattung gemäß § 57 I AsylG beim BAMF beantragen.

Der Antrag auf die **Verlassenserlaubnis** hat Aussicht auf Erfolg, wenn A den Bezirk gemäß § 56 I AsylG nur vorübergehend und aus zwingenden Gründen verlassen möchte.

I. Tatbestand

Wann ein vorübergehendes Verlassen vorliegt, bestimmt sich insbesondere in Abgrenzung zu einer dauerhaften Abwesenheit vom räumlich beschränkten Aufenthaltsbereich. Dafür kommt es auch auf den für die Verlassenserlaubnis maßgeblichen Zweck an.[13] Bei einer auf wenige Tage zeitlich begrenzten Abwesenheit mit einem Familienbesuch als Zweck handelt es sich um ein vorübergehendes Verlassen der Erstaufnahmeeinrichtung.

---

11 Bergmann, in: Bergmann/Dienelt, Ausländerrecht, 13. Aufl. 2020, § 49 Rn. 45.
12 Ausführlich zur sogenannten Residenzpflicht siehe Nachtigall, *5) Chen Lu will arbeiten* in diesem Fallbuch.
13 Neundorf, in: BeckOK AuslR, 33. Ed. 1.7.2021, AsylG § 57 Rn. 8.

Pia Lotta Storf

Zwingende Gründe gemäß § 57 I AsylG zeichnen sich dadurch aus, dass sie von einem nicht unerheblichen Gewicht sind und subjektiv in der Person der Asylsuchenden zwingend erscheinen.[14] Die Gründe dürfen der Durchführung des Asylverfahrens, sowie der Steuerung des Aufenthalts der Asylantragstellenden nicht entgegenstehen.

A begehrt die Verlassenserlaubnis, um die schwer erkrankte Cousine zu besuchen.

Dabei müsste es sich um einen Grund von nicht unerheblichem Gewicht handeln. Art. 6 I GG schützt die Beziehungen zwischen Cousinen und Cousins, wenn zwischen ihnen tatsächlich von familiärer Verbundenheit geprägte, engere Beziehungen bestehen.[15] C und A fühlen sich derart verbunden, dass C dem A angeboten hatte, kostenlos in ihr freies Zimmer zu ziehen. As Wunsch, die erkrankte Cousine zu besuchen, um ihr beizustehen, deutet ebenfalls auf die enge und familiäre Beziehung hin. Der Wunsch nach einem Krankenbesuch fällt damit in den grundrechtlich geschützten Bereich und ist von einem erheblichem Gewicht.

Der Besuch müsste darüber hinaus subjektiv zwingend für A sein. Der Verlauf einer schweren Erkrankung ist oft nicht abzuschätzen. Bereits aus der Schwere der Erkrankung folgt daher die Dringlichkeit eines Besuchs und des Wunsches Beistand zu leisten.

Zudem ist nicht absehbar, wie lange A noch an die Residenzpflicht gemäß § 59a I 2 AsylG gebunden ist. Die Wohnpflicht gemäß § 47 I 1 AsylG, nach der sich die Residenzpflicht richtet, kann – für Personen, die nicht aus sogenannten „sicheren Herkunftsstaaten" gemäß §§ 47 Ia, 29a AsylG kommen – längstens 18 Monate betragen. Im schlimmsten Fall könnte die Cousine in der Zwischenzeit, in der A ein Besuch verwehrt bliebe, irreversible Krankheitsschäden davontragen oder sterben. Ein Abwarten kann A demnach nicht zugemutet werden.

Der Besuch ist damit subjektiv zwingend.

II. Rechtsfolge

Das BAMF hat ein Ermessen hinsichtlich der Erteilung einer Verlassenserlaubnis. Gerichtlich überprüfbar sind demnach nur Ermessensfehler gemäß § 114 S. 1 VwGO. Allerdings begründet das Vorliegen zwingender Gründe in der Regel eine positive Ermessensausübung. Eine Versagung der Verlassenserlaubnis kommt daher nur

---

14 Vgl. oben und siehe Uhle, in: BeckOK GG, 49. Ed. 15.11.2021, Art. 6 Rn. 14a.
15 VGH Hessen, Beschl. v. 13.3.1990, Az.: 12 TG 689/90; Amir-Haeri, in: Huber/Mantel AufenthG, 3. Aufl. 2021, AsylG § 57 Rn. 3.

in Betracht, wenn ganz gewichtige und unabweisbar entgegenstehende Belange Deutschlands vorliegen.[16] Dafür gibt es keine Anhaltspunkte.

III. Ergebnis

As Antrag auf eine Verlassenserlaubnis zwecks Besuchs der kranken Cousine hat Aussicht auf Erfolg.[17]

D. Zusatzfrage

Es wird gefragt, welche Möglichkeiten A hat, um Auskünfte zum Stand des Verfahrens zu bekommen und den Abschluss zu beschleunigen.

Gemäß § 24 IV 1 AsylG ergeht die Entscheidung des BAMF innerhalb von sechs Monaten. Gemäß § 24 IV 2, 3, VII AsylG kann das BAMF die Frist auf 15 und in Ausnahmefällen auf 18 Monate verlängern und entscheidet spätestens nach 21 Monaten. Gemäß § 24 VIII AsylG informiert das BAMF die antragstellende Person über die Verzögerung, wenn innerhalb von sechs Monaten keine Entscheidung ergehen kann. A wartet bereits seit mehr als acht Monaten auf eine Entscheidung. Es gibt zwei Möglichkeiten zu reagieren.

A kann gemäß § 24 VIII AsylG einen Antrag auf Auskunft (sogenannte Zwischennachricht) über den Stand des Asylverfahrens beim BAMF stellen und verlangen über die Gründe für die Verzögerung und den zeitlichen Rahmen, in dem mit einer Entscheidung zu rechnen ist, informiert zu werden, oder eine Untätigkeitsklage gemäß § 42 I Var. 3 VwGO erheben.

1. Antrag auf Auskunft an das BAMF

Ein Antrag nach § 24 VIII AsylG verpflichtet das BAMF lediglich zu einer Zwischennachricht darüber, mit welcher Verfahrensdauer zu rechnen ist und welche Gründe es für die Verzögerung gibt. Allerdings setzt sich die Behörde dadurch keine verbindliche Frist.[18]

---

16 Diese Formulierung ist angesichts der wechselnden, Covid-19 bezogenen Aufenthaltsbeschränkungen gewählt, die alle Personen betreffen können.
17 Orientierungssatz, BVerwG, Beschl. v. 16.3.2016, Az.: 1 B 19.16.
18 Vgl. für § 24 IV AsylG a.F. BVerwG, Urt. v. 11.7.2018, Az.: A 1 C 18.17, asyl.net: M26509.

2. Untätigkeitsklage

Die Untätigkeitsklage ist eine Variante der Verpflichtungsklage, § 42 I Var. 3 VwGO.[19] Deswegen kann sie auf Erlass des begünstigenden Verwaltungsaktes gerichtet sein (zum Beispiel Zuerkennung des Flüchtlingsstatus) oder auf Bescheidung. Gemäß § 75 II VwGO kann sie frühestens nach Ablauf von drei Monaten seit Antragstellung eingereicht werden. Es gibt keine höchstgerichtliche Rechtsprechung darüber, ob ein vorheriger Antrag gemäß § 24 IV AsylG a.f., bzw. § 24 VIII AsylG n.F. Zulässigkeitsvoraussetzung ist.[20] Dagegen spricht der bloße Auskunftscharakter des § 24 IV AsylG a. F., bzw. § 24 VIII AsylG n.F. Die Rechtsprechung ist sich uneins darüber, wie lange das BAMF untätig gewesen sein muss und variiert zwischen mehr als sechs Monaten, neun Monaten und 12 Monaten.[21]

Weiterführende Literatur/ Rechtsprechung
- BVerwG, Beschl. v. 16.3.2016, Az.: 1 B 19/16
- BVerwG, Urt. v. 11.7.2018, Az.: A 1 C 18.17, asyl.net: M26509
- Andre Schuster, Grundlagen des Asylverfahrens, Arbeitshilfe zu den rechtlichen Grundlagen des Asylverfahrens, Parität, 5. Aufl. November 2021
- Informationsverbund Asyl und Migration, Basisinformation Nr. 1: Das Asylverfahren in Deutschland. Ablauf des Verfahrens, Fallbeispiele, weiterführende Information, 3. Aufl. 2020
- Informationsverbund Asyl und Migration, Basisinformation Nr. 3: Die Rechte und Pflichten von Asylsuchenden. Aufenthalt, soziale Rechte und Arbeitsmarktzugang während des Asylverfahrens, 2. Aufl. 2022

Zusammenfassung: Die wichtigsten Punkte
- Wie funktioniert die Verteilung nach dem EASY-Verfahren.
- Antrag auf Umverteilung.
- Antrag auf Beendigung der Wohnpflicht gemäß § 49 II AsylG.
- Verlassenserlaubnis gemäß § 57 I AsylG.
- Möglichkeiten sich gegen überlange Verfahrungsdauer zu wehren.

---

19 Zur Untätigkeitsklage siehe Lemke, in: Eisentraut, Verwaltungsrecht in der Klausur, § 3 Rn. 11.
20 Pro Zulässigkeitsvoraussetzung: VG Regensburg, Beschl. v. 6.7.2015, Az.: K 15.31185; Contra Zulässigkeitsvoraussetzung: VG Trier, Urt. v. 2.6.2016, Az.: 5 K 1332/16.TR; VG Freiburg, Urt. v. 23.1.2017, Az.: A 1 K 4465/16.
21 Mehr als sechs Monate: VG Trier, Urt. v. 02.06.2016, Az.: 5 K 1332/16.TR, Rn. 35 – juris; mehr als neun Monate: VG Düsseldorf, Beschl. v. 18.2.2014, Az.: 13 L 148/14.A; über 12 Monate: VG München, Urt. v. 8.2.2016, Az.: A M 24 K 15.31419.

Dieser Fall darf gerne kommentiert, verändert und beliebig genutzt werden. Die Anleitung hierfür lässt sich über den abgebildete QR-Code mit der Smartphone-Kamera auf unserer Homepage aufrufen.

Fall 3
Beschleunigtes Asylverfahren am Flughafen BER

Behandelte Themen: Einreise über den Luftweg, Einreiseverweigerung, Flughafenverfahren, Dublin-III-VO, Eurodac-Datenbank, Mitwirkungspflichten

Schwierigkeitsgrad: Anfänger*innen

Sachverhalt

M reist auf dem Luftweg in die Bundesrepublik Deutschland ein. Er hat die georgische Staatsangehörigkeit und weist sich mit gültigen Reisedokumenten aus. Die
Staatsangehörigen von Georgien sind aufgrund der Visumsverordnung (Visa-VO)[1]
gemäß Art. 4 I i.V.m. Art. 3 I von der Visumpflicht für Kurzaufenthalte befreit.

Bei der stichprobenartigen Kontrolle am Flughafen Berlin-Brandenburg (BER)
wird M von Grenzbeamt*innen zur Einreisebefragung aufgegriffen. Während der
Einreisebefragung in den Räumlichkeiten der Polizeiinspektion äußert er mittels
Sprachmittlerin die Absicht, Asyl beantragen zu wollen.

Fallfrage

Kann für M ein Flughafenverfahren nach § 18a AsylG eingeleitet werden?

---

1 Verordnung (EU) 2018/1806 des Europäischen Parlaments und des Rates zur Aufstellung der Liste
der Drittländer, deren Staatsangehörige beim Überschreiten der Außengrenzen im Besitz eines Visums sein müssen, sowie der Liste der Drittländer, deren Staatsangehörige von dieser Visumpflicht
befreit sind vom 14.11.2018, ABl. EU Nr. L 303 S. 39.

Lösungsvorschlag

A. Einleitung eines Asylverfahrens

I. Flughafenverfahren nach § 18a AsylG

ℹ Weiterführendes Wissen

Vorbemerkung zum Flughafenverfahren:
Die Besonderheit der Regelung des § 18a AsylG besteht darin, dass sie ein Asylverfahren ermöglicht, welches vor der Entscheidung über die Einreise stattfindet. Bei den auf dem Luftweg einreisenden Asylsuchenden wird ein extrem beschleunigtes Asylverfahren durchgeführt. Charakteristisch für diese Norm ist die kürzeste Rechtsmittelfrist im gesamten Asylrecht. Gegen die Entscheidung der Einreiseverweigerung ist gemäß § 18a IV 1 AsylG der Eilantrag auf vorläufigen Rechtsschutz innerhalb von drei Tagen zu stellen. Nach dem Bundesverfassungsgericht (BVerfG) kommt zu dieser Frist noch eine viertägige Begründungsfrist hinzu.[2] Somit wird eine Frist von einer Woche für die Stellung und die Begründung des Antrags eingeräumt.

---

1. Anwendungsbereich – Einreise auf dem Luftweg

M ist über den Luftweg eingereist, dabei hat er die zugelassene Grenzübergangsstelle im Sinne des § 13 II 1 AufenthG noch nicht passiert und die Kontrollstelle räumlich nicht verlassen. Somit gilt seine Einreise als nicht vollendet. Demnach könnte das **Flughafenverfahren** gemäß § 18a AsylG Anwendung finden. Allerdings bleibt § 18 II AsylG gemäß § 18a I 6 AsylG unberührt. Dies hat zur Folge, dass die dort normierten **Gründe für eine Einreiseverweigerung** dem Flughafenverfahren vorgelagert werden.[3] Fraglich ist daher, ob einer Anwendung des § 18a AsylG bereits Einreiseverweigerungsgründe des § 18 II Nr. 1–3 AsylG entgegenstehen könnten. Zusätzlich könnten die allgemeinen Zurückweisungsregelungen des § 15 AufenthG und des Art. 14 I Schengener Grenzkodex[4] in Betracht kommen. Darüber hinaus könnten Vorschriften der Dublin-III VO vorrangig anwendbar sein.

---

2 BVerfG, Urt. v. 14.5.1996, Az.: 2 BvR 1516/93, Rn. 138.

3 Vogt/Nester, in: Huber/Mantel, AufenthG/AsylG, 3. Aufl. 2021, AsylG § 18a Rn. 3.

4 Verordnung (EU) 2016/399 des Europäischen Parlaments und des Rates über einen Gemeinschaftskodex für das Überschreiten der Grenzen durch Personen vom 9.3.2016, ABl. EU Nr. L 77, S. 1.

2. Vorrangige Einreiseverweigerung
a) Allgemeine Zurückweisungsregelungen
Maßgeblich für eine Einreiseverweigerung nach Art. 14 I Schengener Grenzkodex sind die Einreisevoraussetzungen des Art. 6 I Schengener Grenzkodex. Hierbei handelt es sich allerdings um Einreisevoraussetzungen für Kurzaufenthalte bis zu 90 Tagen. M beabsichtigt jedoch, einen Asylantrag zu stellen und zielt demnach auf einen dauerhaften, zumindest einen längeren Aufenthalt ab. Ferner bleiben die Regelungen des Asylrechts ausdrücklich unberührt. Maßgeblich sind daher die Einreiseverweigerungsgründe des § 18 II AsylG und nicht die allgemeinen Zurückweisungsregelungen.

Insofern ist M von der Einhaltung der allgemeinen Einreisevoraussetzungen zu befreien.

Weiterführendes Wissen

Exkurs zur Einreiseverweigerung:
Bei der Einreiseverweigerung nach Art. 14 Schengener Grenzkodex, § 18 II AsylG und § 15 AufenthG handelt es sich um die Bestimmungen, die eine Zurückweisung regeln.[5] Eine Zurückweisung zum Zwecke der Einreiseverweigerung erfolgt unmittelbar an der Grenze. Zur Sicherstellung der Zurückweisung kann zudem gemäß § 15 V 1 AufenthG, § 106 II AufenthG i.V.m. § 62 IV AufenthG die Zurückweisungshaft in Betracht gezogen werden. Die Zurückweisung kann nur mittels einer begründeten Entscheidung unter Angabe der Gründe für die Einreiseverweigerung erfolgen und von einer nach nationalem Recht zuständigen Behörde erlassen werden.[6] Die für das Flughafenverfahren zuständige Bundespolizei ist keine zuständige Behörde, da es der Bundespolizei an der Kompetenz für eine Schlüssigkeitsprüfung fehlt. Diese ist dem BAMF vorbehalten.[7]

Ist der drittstaatsangehörigen Person eine unerlaubte Einreise gemäß § 14 I AufenthG gelungen, liegt ein Rückführungsfall wegen einer bestehenden Ausreisepflicht vor. Bei sogenannten Zurückschiebungen handelt es sich um Sachverhalte, bei denen eine sofortige Rückübersteilung nicht möglich ist. Es wird von einem unerlaubten Aufenthalt im Bundesgebiet ausgegangen.

---

b) Einreiseverweigerungsgründe, § 18 II AsylG
Vorliegend kommt lediglich eine Einreiseverweigerung gemäß § 18 II Nr. 1 AsylG in Betracht. Dafür müsste Georgien ein sicherer Drittstaat im Sinne des § 26a AsylG sein. Als solche gelten gemäß § 26 II AsylG alle Mitgliedstaaten der Europäischen Union und die in der Anlage I zum AsylG aufgelisteten Staaten. Hierunter fällt Georgien nicht. Es liegen demnach keine Gründe für eine Einreiseverweigerung vor. Zusätzlich

---

5 Vgl. Welte, ZAR 2018, 431 (432).
6 Kluth in: Kluth/Hornung/Koch, Handbuch Zuwanderungsrecht, 3. Aufl., 2020, § 3, Rn. 63f.
7 BVerfG, Beschl. v. 25.2.1981, Az.: 1 BvR 413/80; Vogt/Nestler in: Huber/Mantel, AufenthG/AsylG, 3. Aufl. 2021, AsylG § 18 Rn. 2 m.w.N.

ist zu beachten, dass im asylrechtlichen Kontext der Grundsatz gilt, dass eine asyl-suchende Person in der Regel nicht an der Grenze zurückgewiesen werden darf[8], da-mit das Recht auf möglichen Schutz nicht gefährdet oder gar vereitelt wird. Der Anwendungsbereich des § 18a AsylG ist mithin eröffnet.

3. Zurückweisung nach Dublin-III-VO

Des Weiteren könnte die Dublin-III-VO[9] Vorrang genießen. Diese regelt, welcher EU-Mitgliedstaat für die Durchführung eines Asylverfahrens zur Prüfung eines Antrags auf Schutz zuständig ist.[10] Da eine sorgfältige Einzelfallprüfung jedoch im Rahmen einer Grenzkontrolle nicht möglich ist, ist die Zurückweisung mit Verweis auf die Zuständigkeit eines anderen Mitgliedstaates aufgrund der Dublin-III-VO an der Grenze unzulässig.

Möglicherweise könnten jedoch Treffer in der sogenannten Eurodac-Datei hie-ran etwas ändern und eine sorgfältige Einzelprüfung ersetzen. In diesem Kontext ist die **Eurodac-VO**[11] zu berücksichtigen.

---

i **Weiterführendes Wissen**

Exkurs zur Eurodac-Datei:
In Bezug auf die Verarbeitung von personenbezogenen Daten sind insbesondere die EMRK[12], die Pro-tokolle zur EMRK, die GR-Charta[13] und die DSG-VO[14] neben der Eurodac-VO zu beachten. Ziel der Eurodac-VO ist die bessere und effektive Durchsetzung des Dublin-Verfahrens mittels Identifizierung einer asylbegehrenden Person anhand ihres Fingerabdrucks. Die Identitätssicherung durch Abnahme von Fingerabdrücken ist in den Art. 9ff. Eurodac-VO geregelt.

---

8 BVerwG, Urt. v. 19.5.1981, Az.: 1 C 168.79, BVerwGE 62, 206; Urt. v. 18.1.1994, Az.: 9 C 48/92, BVerwGE 95, 42.

9 Verordnung (EU) Nr. 604/2013 v. 26.6.2013 zur Festlegung der Kriterien und Verfahren zur Bestim-mung des Mitgliedstaats, der für die Prüfung eines von einem Drittstaatsangehörigen oder Staaten-losen in einem Mitgliedstaat gestellten Antrags auf internationalen Schutz zuständig ist, ABl. L 180/31.

10 Zur Zuständigkeit für ein Asylverfahren nach der Dublin-III-VO Loock, *7) Vorbereitung ist die halbe Miete*, B.II. in diesem Fallbuch.

11 Verordnung (EU) Nr. 603/2013 über die Einrichtung von Eurodac für den Abgleich von Finger-abdruckdaten zum Zwecke der effektiven Anwendung der Verordnung (EU) Nr. 604/2013 etc. v. 26.6.2013. ABl. EU L 180 S. 1.

12 Relevant ist für den Schutz der Privatsphäre natürlicher Personen bei der Verarbeitung per-sonenbezogener Daten insbesondere Art. 8 EMRK.

13 Nach Art. 8 I der GR-Charta werden die personenbezogenen Daten dem besonderen Schutz un-terworfen.

14 Art. 6 III 2 DSG-VO.

Natalie Tsomaia

Allerdings lassen sich anhand einer Eurodac-Datei lediglich personenbezogene Informationen ermitteln, jedoch keine Anhaltspunkte, um die Rechtslage zu klären.

Einsicht in die Eurodac-Datei kann die Prüfung durch die Entscheider*innen oder gar Richter*innen nicht ersetzen, da es anhand der Daten aus der Eurodac-Datei lediglich die Personen, aber nicht die Rechtslage erkennen lässt. Des Weiteren kann von einer Registrierung in der Eurodac-Datenbank durch ein EU-Mitgliedstaat an sich noch nicht auf die Zuständigkeit für die Durchführung eines Asylverfahrens geschlossen werden. Die Zuständigkeitsprüfung ist dabei zu komplex und teilweise kann sich, trotz einer auf den ersten Blick eindeutigen Rechtslage, eine andere Zuständigkeit ergeben, zum Beispiel aufgrund des Kindeswohls oder wegen familiärer Bindungen.[15] Demnach dürfen Personen nicht pauschal abgewiesen werden. Vielmehr müssen ihre individuellen Umstände zur Kenntnis genommen und berücksichtigt werden. Folglich wäre eine Zurückweisung mit der Begründung eines Eurodac-Treffers unzulässig.

Demnach führt auch der Eurodac-Treffer nicht zu einer vorrangigen Anwendung.

4. Eröffnung des Flughafenverfahrens gemäß § 18a I AsylG

§ 18a AsylG greift bei Drittstaatsangehörigen aus den sicheren Herkunftsstaaten gemäß § 29a AsylG sowie bei solchen Antragstellenden, die sich an der Grenze nicht mit einem gültigen Pass ausweisen können.

a) Einreise aus einem sicheren Herkunftsstaat

Sichere Herkunftsstaaten im Sinne des § 29a AsylG sind gemäß § 29a II AsylG alle Mitgliedstaaten der Europäischen Union und die in der Anlage II zum AsylG aufgelisteten Staaten.[16] M stammt aus Georgien, also nicht aus einem sicheren Herkunftsstaat. M ist demnach nicht aus einem sicheren Herkunftsstaat eingereist.

b) Nichtbesitz gültiger Reisedokumente

§ 18a I AsylG ist ferner auf die Personen anzuwenden, die versuchen ohne gültigen Pass oder Passersatz in das Bundesgebiet einzureisen.

Allerdings ist zu beachten, dass M mit einem gültigen Pass eingereist ist.

---

15 Siehe zur Zuständigkeitsprüfung auch Loock, *7) Vorbereitung ist die halbe Miete*, B. III. 2. in diesem Fallbuch.

16 Siehe zum Konzept der sicheren Herkunftsstaaten ausführlich Nachtigall, *4) Familie Nkrumah*, A. I. in diesem Fallbuch.

Natalie Tsomaia

II. Ergebnis

Im Ergebnis ist die Bundesrepublik Deutschland, infolge des von M ausgesprochenen Asylgesuchs gegenüber den Grenzbeamten am Flughafen BER, gemäß Art. 3 I 1 i.V.m. Art. 20 I Dublin-III-VO für den Antrag zuständig und die Einreiseverweigerung im Sinne des § 18a III 1 AsylG ist nicht zu erlassen. Infolgedessen ist das Flughafenverfahren auf M, ungeachtet des Gebots der Beschleunigung gemäß § 18a, AsylG nicht anzuwenden.

Somit ist das Asylgesuch von M gemäß § 18 AsylG zu gestatten.

ℹ Weiterführendes Wissen

Weiterer Verfahrensgang:
Leitet die Grenzbehörde M gemäß § 18 I AsylG an die Aufnahmeeinrichtung weiter, erfolgt das Einleiten des vorgesehenen regulären Verfahrens.

In diesem Fall hat M dafür Sorge zu tragen, bei der Aufklärung des Sachverhalts mitzuwirken. Die einzelnen **Mitwirkungspflichten** sind in § 15 II und III AsylG geregelt. M ist als Antragsteller verpflichtet,
– nach § 15 II Nr. 1 AsylG gegenüber der mit der Ausführung des Asylgesetzes betrauten Behörde die erforderlichen Angaben zu machen,
– nach Nr. 2 das Erteilen der Aufenthaltserlaubnis dem BAMF unverzüglich zu berichten,
– nach Nr. 3 in bestimmten Behörden oder Einrichtungen persönlich vorzusprechen,
– nach Nr. 4 einen Pass oder Passersatz vorzulegen, auszuhändigen und zu überlassen,
– nach Nr. 5 alle erforderlichen Urkunden und sonstigen Unterlagen vorzulegen, auszuhändigen und zu überlassen und zuletzt
– nach Nr. 6 im Falle des Nichtbesitzes eines gültigen Passes oder Passersatzes bei der Beschaffung eines Identitätspapiers mitzuwirken, alle Datenträger, die für die Feststellung der Identität und der Staatsangehörigkeit von Bedeutung sein könnten, vorzulegen, auszuhändigen und zu überlassen.

§ 15 III AsylG enthält die Definitionen von Urkunden und erforderlichen Unterlagen.

Neben den Mitwirkungspflichten zum Zweck der Sachverhaltsaufklärung und der Feststellung der Identität, die auf rechtliche und tatsächlich mögliche und zumutbare Maßnahmen begrenzt sind, werden weitere Mitwirkungspflichten festgelegt, darunter § 20 I 1 AsylG sowie § 22 I 1 AsylG. Diese Normen enthalten die Anordnung der Meldung und die persönliche Antragstellung der Betroffenen bei der zugewiesenen Aufnahmeeinrichtung. § 21 I AsylG greift die relevanten Dokumente aus § 15 II Nr. 4 AsylG noch mal auf. § 23 I AsylG sowie die Anhörung gemäß § 25 I AsylG regeln das persönliche Erscheinen. § 47 III AsylG enthält die Regelung, während der verpflichtenden Zeit gemäß § 47 I AsylG in der Aufnahmeeinrichtung zu wohnen sowie die Pflicht für die zuständigen Behörden und Gerichte erreichbar zu bleiben.

Weiterführende Literatur
– Zur Freiheitsentziehung von Asylsuchenden in Transitzonen siehe: EuGH, Urt. v. 13.3.2022, Az.: C-519/20; EuGH, Urt. v. 14.5.2020, Az.: C-924/19 PPU, C-925/19 PPU
– Zur Vertiefung des Flughafenverfahrens: Pro Asyl, Stellungnahme & Gutachten – Abgelehnt im Niemandsland, 2021
– Zur (teilweisen) Europarechtswidrigkeit des § 18a AsylG: Vogt/Nestler, in: Huber/Mantel AufenthG/AsylG, 3. Aufl. 2021, AsylG § 18a Rn. 7

Natalie Tsomaia

Dieser Fall darf gerne kommentiert, verändert und beliebig genutzt werden. Die Anleitung hierfür lässt sich über den abgebildete QR-Code mit der Smartphone-Kamera auf unserer Homepage aufrufen.

Natalie Tsomaia

Fall 4
Familie Nkrumah

Behandelte Themen: Rechtsstellung im Asylverfahren, sichere Herkunftsstaaten, Wohnverpflichtung, Arbeitsmarktzugang, Integrationskurse, Studium

Schwierigkeitsgrad: Anfänger*innen/Fortgeschrittene

Sachverhalt

Die Familie Nkrumah aus Ghana, bestehend aus Mutter M, Vater V und ihrer gemeinsamen Tochter T, ist 2019 nach Deutschland gekommen und hat am 14.7.2019 einen Asylantrag gestellt. Seitdem wohnen sie in einer Aufnahmeeinrichtung in Spandau. V hat eine Schwester, die schon länger in Berlin lebt. Als im April 2020 bei ihr im Haus eine Wohnung frei wird, überlegen die Nkrumahs, dort einzuziehen, doch ihr Antrag beim Landesamt für Einwanderung (LEA) auf Entlassung aus der Aufnahmeeinrichtung vom 20.4.2020 wird abgelehnt. Die Sachbearbeiterin meint, sie müssten bis zum Ende des Asylverfahrens in der Aufnahmeeinrichtung wohnen bleiben.

Zeitgleich wird M von einer Bekannten, die kürzlich ein kleines Café eröffnet hat, gefragt, ob sie sich nicht vorstellen könnte, sie im Café zu unterstützen. M spräche so gut Deutsch (C1-Niveau des Gemeinsamen Europäischen Referenzrahmens) und wäre ihr eine große Hilfe mit den Kund*innen. M, die in Ghana bereits während des Studiums in einem Restaurant gejobbt hat, hat große Lust, mit ihrer Freundin zusammenzuarbeiten und stellt sogleich einen Antrag auf Erteilung einer Beschäftigungserlaubnis beim LEA. Doch auch dieser Antrag wird abgelehnt. Der Sachbearbeiter ist der Auffassung, M dürfe nicht arbeiten, weil sie noch in der Aufnahmeeinrichtung wohne. M ist enttäuscht und überlegt, gegen die Entscheidung vorzugehen. Alternativ spielt sie mit dem Gedanken, sich für das Wintersemester an der Freien Universität einzuschreiben und ihr in Ghana begonnenes VWL-Studium fortzusetzen.

V, der seine Deutschkenntnisse verbessern möchte, erfährt von einem Freund, dass in der Volkshochschule in Reinickendorf bald wieder ein Integrationskurs speziell für Eltern zur Erreichung des Niveaus B1 beginnt und noch viele Plätze frei sind. V, der sich tagsüber um die zweijährige T kümmert, ist Feuer und Flamme für den Kurs, der zugleich eine Kinderbetreuung anbietet. Er fragt sich, wo er jetzt den Antrag auf Zulassung zum Kurs stellen soll und ob er wohl Chancen hat, zugelassen zu werden.

Fallfragen

1) Hat die Familie Nkrumah einen Anspruch darauf, aus der Aufnahmeeinrichtung entlassen zu werden?
2) Wie kann M gegen die Ablehnung des Antrags auf eine Beschäftigungserlaubnis vorgehen? Wie sind ihre Erfolgsaussichten?
3) Kann M alternativ ein Studium beginnen?
4) Wo muss V seinen Antrag auf die Zulassung zum Integrationskurs stellen und kann er zum Kurs zugelassen werden?

Abwandlung

V stammt aus Togo und hat in Ghana nur kurze Zeit mit M gelebt, bevor sie nach Deutschland gekommen sind. Kann er zum Integrationskurs zugelassen werden?

Lösungsvorschlag

A. Fallfrage 1: Entlassung aus der Aufnahmeeinrichtung

Fraglich ist, ob die Familie Nkrumah einen Anspruch darauf hat, aus der **Aufnahmeeinrichtung** entlassen zu werden. Dies wäre der Fall, wenn sie nicht mehr verpflichtet sind, in einer Aufnahmeeinrichtung zu wohnen. Die **Wohnverpflichtung** von Asylsuchenden ist in den §§ 47 ff. AsylG geregelt.

I. Grundsätzliche Höchstwohndauer

Gemäß § 47 I 1 AsylG beträgt die Dauer der Wohnverpflichtung grundsätzlich maximal 18 Monate, bei minderjährigen Kindern und ihren Eltern maximal sechs Monate. Die Familie wohnt seit dem 14.7.2019 in der Aufnahmeeinrichtung in Spandau. Zum Zeitpunkt der Antragstellung auf Entlassung aus der Einrichtung am 20.4.2020 wohnt die Familie somit seit neun Monaten in der Aufnahmeeinrichtung. Da M und V eine zweijährige Tochter T haben, gilt grundsätzlich die Höchstwohndauer von sechs Monaten. Etwas anderes könnte sich aber daraus ergeben, dass sie aus Ghana stammen, einem sogenannten sicheren Herkunftsstaat.

Weiterführendes Wissen

Das Herkunftsland der asylsuchenden Person(en) spielt nicht nur für das Asylverfahren selbst eine wichtige Rolle, sondern auch für die aufenthaltsrechtliche Stellung während des Asylverfahrens und nach einer etwaigen Ablehnung. Insbesondere, wenn Asylsuchende aus einem sogenannten **sicheren Herkunftsstaat** im Sinne des Art. 16a III GG kommen, sind ihre Rechte während des Verfahrens stark eingeschränkt. Gemäß § 29a II AsylG zählen zu den sogenannten sicheren Herkunftsstaaten alle EU-Mitgliedstaaten sowie die in Anlage II zum AsylG aufgeführten Staaten. Zurzeit sind dies Albanien, Bosnien und Herzegowina, Ghana, Kosovo, Nordmazedonien, Montenegro, Senegal und Serbien.

II. Ausnahmen von der Höchstwohndauer für Personen aus sogenannten sicheren Herkunftsstaaten

Gemäß § 47 Ia 1 AsylG müssen Personen aus einem sogenannten sicheren Herkunftsstaat abweichend von § 47 I AsylG bis zum Abschluss des Asylverfahrens in der Aufnahmeeinrichtung wohnen. Gemäß § 47 Ia 2 AsylG gilt dies jedoch nicht bei minderjährigen Kindern und ihren Eltern oder anderen Sorgeberechtigten sowie ihren volljährigen, ledigen Geschwistern. Da die M und V eine zweijährige Tochter haben, müssen sie also nicht bis zum Abschluss des Asylverfahrens in der Aufnahmeeinrichtung wohnen, obwohl sie aus dem sogenannten sicheren Herkunftsstaat Ghana stammen.

Rhea Nachtigall

Weiterführendes Wissen ℹ️

Neben der Ausnahmeregelung in § 47 Ia AsylG enthält auch § 47 I 3 AsylG Gründe für eine dauerhafte Wohnverpflichtung, insbesondere bei der Verletzung verschiedener Mitwirkungspflichten. Daneben sieht § 47 Ib AsylG vor, dass die Länder die Höchstwohndauer auf 24 Monate verlängern können. Auch wenn diese Regelung keine Ausnahme für Familien enthält, kann aus Kindeswohlgründen nichts anderes gelten als in den Fällen des § 47 I und Ia AsylG.[1] Für Berlin existiert eine derartige Regelung nicht.

III. Ergebnis

Familie Nkrumah hat einen Anspruch darauf, aus der Aufnahmeeinrichtung entlassen zu werden.

B. Fallfrage 2: Beschäftigungserlaubnis

Fraglich ist, ob M die **Beschäftigungserlaubnis** versagt werden darf, weil sie noch in der Aufnahmeeinrichtung wohnt.

I. Grundsatz des Beschäftigungsverbots während Wohnverpflichtung

Grundsätzlich bestimmt § 61 I 1 AsylG, dass Asylsuchende für die Dauer der Wohnverpflichtung einem Erwerbstätigkeitsverbot unterliegen.

II. Anspruch auf Beschäftigungserlaubnis nach neun Monaten

Davon abweichend hat die asylsuchende Person aber gemäß § 61 I 2 AsylG einen Anspruch auf die Erteilung einer Beschäftigungserlaubnis, wenn nach neun Monaten noch nicht über ihren Asylantrag entschieden wurde (Nr. 1), die Bundesagentur für Arbeit der Erteilung zugestimmt hat (Nr. 2) und die asylsuchende Person nicht aus einem sogenannten sicheren Herkunftsstaat stammt (Nr. 3). Demnach besteht für M, die aus dem sogenannten sicheren Herkunftsstaat Ghana stammt, kein Anspruch auf Erteilung einer Beschäftigungserlaubnis.

---

1 So auch Judith, Asylmagazin 2019, 73 (74).

Rhea Nachtigall

> **i** **Weiterführendes Wissen**
>
> Der Anspruch auf Erteilung einer Beschäftigungserlaubnis nach neun Monaten beruht auf der unionsrechtlichen Vorgabe aus Art. 15 I Aufnahme-RL.[2] Eine Ausnahme vom Anspruch auf Zugang zum Arbeitsmarkt für Asylsuchende aus sogenannten sicheren Herkunftsstaaten sieht die Aufnahme-RL nicht vor. Das Erwerbstätigkeitsverbot für Asylsuchende aus sogenannten sicheren Herkunftsstaaten nach neun Monaten ist damit klar unionsrechtswidrig und muss daher unangewendet bleiben, wenn innerhalb von neun Monaten noch keine Entscheidung über den Asylantrag ergangen ist.[3] Bisher liegt allerdings keine Entscheidung des EuGHs zu dieser Thematik vor.

III. Dauerhaftes Verbot der Erwerbstätigkeit für Personen aus sogenannten sicheren Herkunftsstaaten

Gemäß § 61 II 4 AsylG unterliegen Asylsuchende aus sogenannten sicheren Herkunftsstaaten, die nach dem 31.8.2015 einen Asylantrag gestellt haben, einem dauerhaften **Erwerbstätigkeitsverbot**, unabhängig davon, ob sie dazu verpflichtet sind, in einer Aufnahmeeinrichtung zu wohnen oder nicht. M hat ihren Asylantrag am 14.7.2019 gestellt. Selbst wenn M also aus der Aufnahmeeinrichtung aus- und in die Wohnung ihrer Schwägerin einzöge, unterläge sie dem Verbot der Erwerbstätigkeit, wenn man nicht von der Unionsrechtswidrigkeit der Regelung ausgeht.

> **i** **Weiterführendes Wissen**
>
> Im Falle der Ablehnung des Asylantrags und der Erteilung einer Duldung setzt sich das pauschale Erwerbstätigkeitsverbot im Übrigen für Geduldete aus sogenannten sicheren Herkunftsstaaten gemäß § 60a VI 1 Nr. 3 AufenthG fort.

C. Fallfrage 3: Studium

Fraglich ist, ob M stattdessen ein **Studium** beginnen kann. Grundsätzlich haben alle Asylsuchenden, also auch solche, die einem Beschäftigungsverbot unterliegen, Zugang zu einem Studium.[4] Das Aufenthaltsrecht enthält hierzu keine weiteren Voraussetzungen. Die jeweilige Hochschule setzt jedoch voraus, dass sie über eine

---

2 Richtlinie 2013/33/EU des Europäischen Parlaments und des Rates zur Festlegung von Normen für die Aufnahme von Personen, die internationalen Schutz beantragen vom 26.6.2013, ABl. EU Nr. L 180, S. 96.
3 So auch Neundorf, in: Kluth/Heusch, BeckOK AuslR, 33. Ed. 1.1.2021, AsylG § 61 Rn. 29.
4 Umfassende Informationen zum Hochschulzugang für Geflüchtete finden sich zum Beispiel unter: https://www.studentenwerke.de/de/Studium_von_Gefluechteten.

Hochschulzulassung (etwa Hochschulreife oder ein ausländisches Pendant[5]) verfügen und ein Deutschsprachniveau von etwa C1 des Gemeinsamen Europäischen Referenzrahmens besitzen. Da M laut Sachverhalt bereits in Ghana studiert hat und ein Sprachniveau von C1 nachweisen kann, kann sie sich an der Freien Universität auf einen Studienplatz für VWL bewerben.

D. Fallfrage 4: Zulassung zum Integrationskurs für Personen aus sogenannten sicheren Herkunftsstaaten

V könnte Zugang zu einem **Integrationskurs** gemäß § 44 AufenthG haben. Der Antrag auf Zulassung zu einem Integrationskurs ist gemäß §§ 5 I, 9 II Integrationskursverordnung[6] schriftlich beim BAMF zu stellen. Zwar hat V keinen Aufenthaltstitel, sodass er keinen Anspruch auf Teilnahme an einem Integrationskurs nach § 44 I AufenthG besitzt; er könnte jedoch im Rahmen der verfügbaren Plätze gemäß § 44 IV AufenthG zugelassen werden, wenn er die dort genannten Tatbestandsvoraussetzungen erfüllt. Als Asylsuchender mit einer Aufenthaltsgestattung kommen grundsätzlich § 44 IV 2 Nr. 1 lit. a oder lit. b AufenthG in Betracht.

Hinweise zur Fallprüfung

Achtung: Da dieser Sachverhalt im Jahr 2020 spielt, ist der Fall noch nach der alten Rechtslage zu lösen. Bis Ende 2022 differenzierte § 44 IV 2 AufenthG hinsichtlich des Zugangs zu Integrationskursen zwischen unterschiedlichen Gruppen von Asylsuchenden mit Aufenthaltsgestattung. Seit dem 31.12.2022 wird nun allen Asylsuchenden der Zugang zu Integrationskursen im Rahmen verfügbarer Plätze gewährt, dies gilt also auch für Menschen aus sogenannten sicheren Herkunftsstaaten. Eine Fallkonstellation nach aktueller Rechtslage findet sich in der Online-Version des Fallbuchs auf Wikibooks. Hierauf gelangt man etwa durch das Scannen des QR-Codes am Ende dieser Falllösung.

Gemäß § 44 IV 2 Nr. 1 lit. a AufenthG müsste bei ihm ein rechtmäßiger und dauerhafter Aufenthalt zu erwarten sein.

---

5 Ob ein ausländischer Schulabschluss zum Studium an einer deutschen Hochschule berechtigt, lässt sich etwa unter https://anabin.kmk.org/anabin.html überprüfen.
6 Verordnung über die Durchführung von Integrationskursen für Ausländer und Spätaussiedler vom 13.12.2004, BGBl. I S. 3370.

Rhea Nachtigall

ℹ️ **Weiterführendes Wissen**

Bei der Voraussetzung des „**rechtmäßigen und dauerhaften Aufenthalts**" handelt es sich um ein unbestimmtes Tatbestandsmerkmal, das auch als „gute Bleibeperspektive" bezeichnet wird.[7] Wann ein rechtmäßiger und dauerhafter Aufenthalt zu erwarten ist, ist umstritten.

Als unbestimmtes Tatbestandsmerkmal, das nicht legaldefiniert wurde, unterliegt es der Auslegung durch die zuständige Behörde. Diese ist insbesondere das BAMF, das für die Zulassung zu den Integrationskursen zuständig ist (daneben ist die Bundesagentur für Arbeit in bestimmten Fälle für die Zulassung zu berufsbezogenen Deutschsprachkursen zuständig, in denen das Tatbestandmerkmal ebenfalls vorkommt). In der Gesetzesbegründung heißt es, die gute Bleibeperspektive sei erfüllt bei Asylsuchenden, „die aus einem Land mit einer hohen Anerkennungsquote kommen oder bei denen eine belastbare Prognose für einen erfolgreichen Asylantrag besteht."[8] Das BAMF beschränkt seine Prüfung jedoch darauf, ob die asylrechtliche Anerkennungsquote des Herkunftsstaats, dessen Staatsangehörigkeit die antragstellende Person innehat, bei über 50 Prozent liegt.

Diese Auslegung wird in Literatur und Rechtsprechung aus verschiedenen Gründen kritisiert.[9] Zunächst lässt das BAMF die zweite Alternative der Gesetzesbegründung (belastbare Prognose eines erfolgreichen Asylantrags) völlig außen vor. Die Formulierung der Erwartbarkeit eines dauerhaften und rechtmäßigen Aufenthalts legt eine umfassende Prüfung der Bleibeperspektive in jedem individuellen Fall jedoch gerade nahe.[10] Bei einer Entscheidung, die ausschließlich anhand der durchschnittlichen Anerkennungsquote eines Herkunftslands getroffen wird, findet diese individuelle Prüfung nicht statt. Darüber hinaus zieht das BAMF zur Berechnung der Anerkennungsquote die – allgemein deutlich niedriger liegende – sogenannte Gesamtschutzquote heran und nicht die sogenannte bereinigte Schutzquote. Die Gesamtschutzquote gibt an, wieviel Prozent aller Antragstellenden einen Schutzstatus erlangt haben, während die bereinigte Schutzquote bei der Berechnung nur solche Entscheidungen berücksichtigt, in denen tatsächlich inhaltlich über den Asylantrag entschieden wurde. Sie „bereinigt" die Gesamtzahl der getroffenen Entscheidungen also um die Fälle, in denen der Antrag zurückgenommen oder als unzulässig abgelehnt wurde, etwa, weil die Abschiebung der Person im Dublin-Verfahren angeordnet wurde. Diese Bereinigung erfolgt, weil formelle Entscheidungen in der Regel nichts über die materielle Aussicht des Asylantrags, also über die Sicherheit des Herkunftsstaates, aussagen. Die Auslegung des BAMF lässt zudem außer Acht, dass neben einem erfolgreichen Asylantrag auch zahlreiche andere Gründe dazu führen können, dass die betreffende Person dauerhaft beziehungsweise zumindest für einen längeren Zeitraum in Deutschland leben wird.

---

§ 44 IV 3 AufenthG bestimmt, dass bei einer asylsuchenden Person, die aus einem sicheren Herkunftsstaatstammt stammt, vermutet wird, dass ein rechtmäßiger und dauerhafter Aufenthalt nicht zu erwarten ist. Kann V diese Vermutung nicht widerlegen – was in der Praxis regelmäßig der Fall ist – kann er somit nach § 44 IV 2 Nr. 1 lit. a AufenthG keinen Zugang zu einem Sprachkurs erlangen.

---

7 BT-Drs. 18/6386, S. 4.

8 BT-Drs. 18/6185, S. 48.

9 Statt vieler Voigt, Asylmagazin 2016, 245 (246 f.).

10 So etwa auch das SG Potsdam, Beschl. v. 20.12.2017, Az.: S 6 AL 237/17 ER, asyl.net: M25962.

Fraglich ist, ob er nach § 44 IV 2 Nr. 1 lit. b AufenthG einen Zugang haben könnte. Dafür müsste er vor dem 1.8.2019 in das Bundesgebiet eingereist sein, sich seit mindestens drei Monaten gestattet im Bundesgebiet aufhalten, dürfte nicht aus einem sicheren Herkunftsstaat nach § 29a AsylG stammen und müsste arbeitsmarktnah sein. V verfügt seit Juli 2019 über eine Aufenthaltsgestattung, sodass er sich im April 2020 bereits seit über neun Monaten gestattet im Bundesgebiet aufhält. Da er aus einem sogenannten sicheren Herkunftsstaat stammt, hat V aber auch hiernach keinen Zugang zu einem Integrationskurs.

E. Abwandlung: Zulassung zum Integrationskurs für sonstige Asylsuchende

Fraglich ist, ob V Zugang zu einem Integrationskurs gemäß § 44 IV 2 Nr. 1 lit. b AufenthG hat, wenn er aus Togo stammt und lediglich kurze Zeit in Ghana gelebt hat.

Zwar könnte man das „Stammen" aus einem sogenannten sicheren Herkunftsstaat so verstehen, dass es ausreicht, wenn die betreffende Person in einem solchen Staat gelebt hat, bevor sie nach Deutschland gekommen ist. Gemeint ist aber, dass die betreffende Person die Staatsangehörigkeit des sogenannten sicheren Herkunftsstaates innehaben muss. Lediglich wenn sie staatenlos wäre, kann ergänzend der Staat des vorherigen gewöhnlichen Aufenthalts relevant werden.[11]

V stammt also nicht aus einem sogenannten sicheren Herkunftsstaat, sodass er nicht per se vom Zugang zu Integrationskursen ausgeschlossen ist. V müsste darüber hinaus entweder arbeitsmarktnah sein (siehe oben) oder es müsste die letzte Alternative des § 44 IV 2 Nr. 1 lit. b AufenthG einschlägig sein. Danach müsste die Voraussetzungen des § 11 IV 2 und 3 SGB XII vorliegen, indem die antragstellende Person ein Kleinkind unter drei Jahren erzieht. Dies ist vorliegend bei V der Fall, der sich um seine zweijährige Tochter T kümmert. V hat somit im Rahmen der Kapazitäten Zugang zu einem Integrationskurs.

---

11 Vgl. Art. 36 I Asylverfahrens-RL.

Rhea Nachtigall

Weiterführende Literatur
-   Tipps und Hinweise für Geflüchtete, die in Deutschland studieren wollen, finden sich unter www.study-in-germany.de unter „Studium planen" / „Studieren in besonderen Lebensumständen" / „ Studienangebote für Geflüchtete
-   Zum Konzept der „guten Bleibeperspektive" siehe Voigt, Die „Bleibeperspektive", Asylmagazin 2016, 245

Zusammenfassung: Die wichtigsten Punkte
-   Asylsuchende aus sogenannten sicheren Herkunftsstaaten müssen während des Asylverfahrens grundsätzlich dauerhaft in Aufnahmeeinrichtungen wohnen – davon ausgenommen sind jedoch Familien mit minderjährigen Kindern. Seit dem 1.1.2023 haben sie Zugang zu staatlichen Integrationskursen, sie unterliegen allerdings einem Verbot der Erwerbstätigkeit. Soweit dieses auch nach neun Monaten während des Asylverfahrens fortbesteht, ist es jedoch unionsrechtswidrig.
-   Asylsuchende aus sogenannten sicheren Herkunftsstaaten dürfen jedoch ein Studium aufnehmen.

Dieser Fall darf gerne kommentiert, verändert und beliebig genutzt werden. Die Anleitung hierfür lässt sich über den abgebildete QR-Code mit der Smartphone-Kamera auf unserer Homepage aufrufen.

Fall 5
Chen Lu will arbeiten

Behandelte Themen: Aufenthaltsstatus von Asylsuchenden, berufsvorbereitende Bildungsmaßnahme, Wohnverpflichtung in Aufnahmeeinrichtung, berufsbezogene Deutschsprachkurse, räumliche Beschränkung, Beschäftigungserlaubnis bei Ausbildung, Berufsausbildungsbeihilfe

Schwierigkeitsgrad: Anfänger*innen

Sachverhalt

Die 21-jährige Chen Lu wohnt mit ihrer zweijährigen Tochter in einer Aufnahmeeinrichtung in Hessen. Im Mai 2019 ist die alleinerziehende Mutter aus China nach Deutschland geflohen und hat in Deutschland einen Asylantrag gestellt, über den bislang noch nicht entschieden wurde. In China hat sie die weiterführende Schule abgeschlossen. Schon länger spielt sie mit dem Gedanken, eine Ausbildung zur Kfz-Mechatronikerin zu machen, ist sich aber noch nicht sicher, ob das der richtige Job für sie ist. Daher stellt sie im Mai 2020 einen Antrag auf Teilnahme an einer berufsvorbereitenden Bildungsmaßnahme. Die Agentur für Arbeit lehnt den Antrag jedoch ab, da Chen Lu noch in einer Aufnahmeeinrichtung wohnt und daher gar nicht arbeiten dürfe.

Gerne möchte Chen Lu auch ihre bisherigen Deutschkenntnisse, die sich auf einem Niveau von B1 des Gemeinsamen Europäischen Referenzrahmens bewegen, noch verbessern und überlegt, ob sie wohl Zugang zu einem speziellen berufsbezogenen Deutschsprachkurs hat und bei welcher Behörde sie den Antrag hierauf stellen muss.

Fallfragen

1. Hat die Agentur für Arbeit den Antrag auf Teilnahme an einer berufsvorbereitenden Bildungsmaßnahme zu Recht abgelehnt?

Bearbeitungshinweis:
Es ist davon auszugehen, dass es sich um eine grundsätzlich förderungsfähige Bildungsmaßnahme im Sinne des § 51 II SGB III handelt und die allgemeinen Voraussetzungen der Förderungsberechtigung nach § 52 I SGB III erfüllt sind.

Open Access. © 2023 Rhea Nachtigall, publiziert von De Gruyter. [cc] BY-SA Dieses Werk ist lizenziert unter einer Creative Commons Namensnennung – Weitergabe unter gleichen Bedingungen 4.0 International Lizenz.
https://doi.org/10.1515/9783110990379-005

2. Kann Chen Lu zu einem berufsbezogenen Deutschsprachkurs zugelassen werden? Bei welcher Behörde muss sie den Antrag stellen?

Abwandlung

Chen Lu wohnt mittlerweile mit ihrer Tochter in einer kleinen Wohnung in Frankfurt am Main. Sie hat sich dafür entschieden, eine Ausbildung zur Kfz-Mechatronikerin zu machen und hat in einer Werkstatt in Bad Homburg einen Ausbildungsvertrag angeboten bekommen. Bevor sie einen Antrag auf Erteilung einer Beschäftigungserlaubnis bei der Ausländerbehörde stellen kann, geht ihr Post von eben dieser zu: Gegenüber Chen Lu werde eine räumliche Beschränkung angeordnet, weil einer Sachbearbeiterin in der Ausländerbehörde zu Ohren gekommen sei, dass Chen Lu hin und wieder einen Joint rauche und eine nicht geringe Menge Cannabis zu Hause habe. Auf Nachfrage erfährt Chen Lu, dass eine ihrer Nachbarinnen mit der Sachbearbeiterin gut befreundet ist und ihr von angeblichem Cannabisgeruch aus Chen Lus Wohnung berichtet hat.

Fallfragen Abwandlung

Chen Lu fragt sich, ob die Anordnung der räumlichen Beschränkung rechtmäßig ist und welche Auswirkungen das auf ihren Antrag zur Erteilung einer Beschäftigungserlaubnis für die Ausbildung haben könnte. Außerdem fragt sie sich, ob sie während der Ausbildung auch Berufsausbildungsbeihilfe bekommen könnte.

Lösungsvorschlag

A. Fallfrage 1: Berufsvorbereitende Bildungsmaßnahme

Fraglich ist, ob die Agentur für Arbeit den Antrag von Chen Lu auf Teilnahme an einer **berufsvorbereitenden Bildungsmaßnahme** zu Recht abgelehnt hat. Gemäß § 51 I SGB III steht es im Ermessen der Agentur für Arbeit, förderungsberechtigte junge Menschen durch berufsvorbereitende Bildungsmaßnahmen zu fördern.

I. Förderungsberechtigung

Chen Lu müsste also zunächst förderungsberechtigt sein. Die Förderungsberechtigung für Ausländer*innen richtet sich nach § 52 II SGB III.

1. Allgemeine Förderungsberechtigung

Die allgemeinen Voraussetzungen nach § 52 I SGB III sind laut Bearbeitungshinweis erfüllt.

2. Erwerbstätigkeit

Chen Lu müsste gemäß § 52 II 1 SGB III eine **Erwerbstätigkeit** ausüben dürfen oder ihr müsste eine Erwerbstätigkeit erlaubt werden können. Gemäß § 4a IV AufenthG dürfen ausländische Staatsangehörige ohne Aufenthaltstitel eine Erwerbstätigkeit nur dann ausüben, wenn sie aufgrund einer zwischenstaatlichen Vereinbarung, eines Gesetzes oder einer Rechtsverordnung hierzu berechtigt sind oder die Ausübung durch die zuständige Behörde erlaubt wurde. § 61 II 1 AsylG bestimmt, dass Asylsuchenden nach drei Monaten die Ausübung einer Beschäftigung erlaubt werden kann; gemäß § 61 II 1 AsylG gilt dies jedoch nicht für die Dauer der Pflicht, in einer **Aufnahmeeinrichtung** zu wohnen. Demnach dürfte Chen Lu, die noch in einer Aufnahmeeinrichtung wohnt, keine Erwerbstätigkeit ausüben. Allerdings bestimmt § 61 I 2 Nr. 1 AsylG davon abweichend, dass die Ausübung einer Beschäftigung zu erlauben ist, wenn das Asylverfahren nach neun Monaten noch nicht abgeschlossen ist. Vorliegend hat Chen Lu ihren Asylantrag bereits vor 12 Monaten gestellt. Sie kommt auch nicht aus einem sogenannten **sicheren Herkunftsstaat**[1], was gemäß § 61 I 2 Nr. 3 AsylG eine weitere Voraussetzung für die Erteilung einer

---

1 Siehe zum Konzept der sicheren Herkunftsstaaten Nachtigall, *4) Familie Nkrumah* in diesem Fallbuch.

Beschäftigungserlaubnis ist. Chen Lu ist somit die Ausübung einer Erwerbstätigkeit zu erlauben.

3. Aufenthaltsdauer
Zudem bedarf es gemäß § 52 II 2 Nr. 1 SGB III eines erlaubten, gestatteten oder geduldeten Voraufenthalts im Bundesgebiet von mindestens 15 Monaten. Chen Lu lebt erst seit 12 Monaten mit einer Aufenthaltsgestattung gemäß § 55 I 1 AsylG in Deutschland. § 52 II 3 SGB III bestimmt jedoch, dass gestattete ausländische Staatsangehörige, die vor dem 1.8.2019 in das Bundesgebiet eingereist sind, sich abweichend von Satz 2 Nummer 1 nur seit mindestens drei Monaten erlaubt, gestattet oder geduldet dort aufhalten müssen. Da Chen Lu im Mai 2019 eingereist ist, findet auf sie die kürzere Voraufenthaltsdauer von drei Monaten Anwendung, die sie erfüllt.

4. Schul- und Sprachkenntnisse
Zuletzt müsste sie schulische Kenntnisse und **Kenntnisse der deutschen Sprache** besitzen, die einen erfolgreichen Übergang in eine Berufsausbildung erwarten lassen (§ 52 II 2 Nr. 2 SGB III). Dabei kommt es auf die bisher tatsächlich erlangten Kenntnisse und Fähigkeiten an, ein formaler Schulabschluss ist hingegen keine Voraussetzung.[2] Laut Sachverhalt hat sie die weiterführende Schule in China abgeschlossen und verfügt über ein Deutschsprachniveau von B1 des Gemeinsamen Europäischen Referenzrahmens. Die Voraussetzungen sind damit erfüllt.

5. Zwischenergebnis
Chen Lu ist somit förderungsberechtigt.

II. Förderungsfähige Bildungsmaßnahme
Laut Sachverhalt handelt es sich auch um eine förderungsfähige Bildungsmaßnahme im Sinne des § 51 II SGB III.

---

2 BT-Drs. 19/10053, S. 27.

Rhea Nachtigall

III. Ermessen

Gemäß § 51 I SGB III hat die Agentur für Arbeit zwar ein Ermessen[3], eine konkrete Maßnahme zu fördern, dieses müsste sie jedoch auch pflichtgemäß ausgeübt haben. Vorliegend ging die Agentur für Arbeit fälschlicherweise davon aus, dass Chen Lu aufgrund der Wohnverpflichtung nicht förderungsberechtigt sei, sodass die Tatbestandsvoraussetzungen bereits nicht erfüllt seien. Da die Agentur für Arbeit deshalb von ihrem Ermessen keinen Gebrauch machte, ist die Entscheidung ermessensfehlerhaft[4] und somit rechtswidrig.

IV. Ergebnis

Der Antrag der Chen Lu wurde zu Unrecht von der Agentur für Arbeit abgelehnt.

B. Fallfrage 2: Berufsbezogener Deutschsprachkurs

Chen Lu könnte zudem Zugang zu einem **berufsbezogenen Deutschsprachkurs** nach § 45a AufenthG haben. Konkretisiert wird der Zugang in der aufgrund von § 45a III AufenthG erlassenen Deutschsprachförderverordnung (DeuFöV)[5]. Darin bestimmt § 4 III DeuFöV, dass die Teilnahme an der berufsbezogenen Deutschsprachförderung ausreichende deutsche Sprachkenntnisse entsprechend dem Niveau B1 des Gemeinsamen Europäischen Referenzrahmens für Sprachen voraussetzt. Dieses Sprachniveau erfüllt Chen Lu laut Sachverhalt. Sie kann daher einen Antrag auf Teilnahme an einem berufsbezogenen Sprachkurs stellen. Die für den Antrag zuständige Behörde ist in ihrem Fall gemäß § 5 I DeuFöV die Agentur für Arbeit.

C. Abwandlung

I. Anordnung einer räumlichen Beschränkung

Fraglich ist, ob die Ausländerbehörde gegenüber Chen Lu eine **räumliche Beschränkung** anordnen durfte.

---

3 Zum Begriff des behördlichen Ermessens siehe Benrath, in: Eisentraut, Verwaltungsrecht in der Klausur, § 2 Rn. 729 ff.
4 Zum Ermessensnichtgebrauch als Ermessensfehler siehe Benrath, in: Eisentraut, Verwaltungsrecht in der Klausur, § 2 Rn. 745.
5 Deutschsprachförderverordnung vom 4.5.2016 (BAnz AT 4.5.2016 V1), zuletzt geändert durch Art. 27 G v. 10.8.2021 I 3436.

Weiterführendes Wissen

Die räumliche Beschränkung der Aufenthaltsgestattung ist in den §§ 56ff. AsylG geregelt und wird auch als **Residenzpflicht** bezeichnet. § 56 I AsylG regelt dabei den Grundsatz, dass die Aufenthaltsgestattung räumlich auf den Bezirk der Ausländerbehörde beschränkt ist, in dem die für die Aufnahme der asylsuchenden Person zuständige Aufnahmeeinrichtung liegt. § 59a I AsylG regelt das Erlöschen der räumlichen Beschränkung nach drei Monaten (S. 1), wobei sie solange nicht erlischt, wie eine Wohnverpflichtung in einer Aufnahmeeinrichtung besteht (S. 2). § 59b AsylG regelt, wann die räumliche Beschränkung trotz des Erlöschens erneut angeordnet werden kann. §§ 57 und 58 AsylG bestimmen, in welchen Fällen der Aufenthaltsbereich vorübergehend verlassen werden darf. Abzugrenzen ist die räumliche Beschränkung von der Wohnsitzauflage und der Wohnsitzverpflichtung.[6]

Gemäß § 59b AsylG kann die räumliche Beschränkung unter bestimmten Voraussetzungen erneut angeordnet werden. Vorliegend kommt die Anordnung einer räumlichen Beschränkung gemäß § 59b I Nr. 2 AsylG in Betracht, wenn Tatsachen die Schlussfolgerung rechtfertigen, dass die asylsuchende Person gegen Vorschriften des Betäubungsmittelgesetzes (BTMG)[7] verstoßen hat. Laut Sachverhalt könnte im mutmaßlichen Cannabiskonsum und -besitz von Chen Lu ein solcher Verstoß liegen. Gemäß § 29a BTMG macht sich strafbar, wer Betäubungsmittel in nicht geringer Menge besitzt, ohne sie aufgrund einer Erlaubnis gemäß § 3 I BTMG erlangt zu haben. Cannabisharz zählt gemäß § 1 I BTMG i.V.m. Anlage I als Betäubungsmittel. § 59b I Nr. 2 AsylG setzt jedoch voraus, dass Tatsachen die Schlussfolgerung eines BTMG-Verstoßes rechtfertigen müssen. Tatsachen, die die Schlussfolgerung rechtfertigen, sind solche, die verwertbar sind, der betroffenen Person vorgehalten und im Zweifelsfall auch belegt werden können.[8] Diesen Anforderungen genügt die bloße Vermutung eines nicht genauer bezeichneten Cannabis-Konsums aufgrund einer privaten Unterhaltung nicht. Die Anordnung der räumlichen Beschränkung war daher rechtswidrig.

II. Auswirkungen einer räumlichen Beschränkung auf die Ausbildung
Geht man von einer rechtmäßigen räumlichen Beschränkung aus, stellt sich die Frage, welche Auswirkung eine solche auf die Ausübung einer Ausbildung hat. Problematisch ist in diesem Fall, dass der Ausbildungsbetrieb in Bad Homburg und damit außerhalb des Geltungsbereichs der räumlichen Beschränkung liegt. Chen Lu

---

6 Siehe zur Wohnsitzauflage und Wohnsitzverpflichtung Wasnick, *32) Gefangen in Kreuztal*, A. in diesem Fallbuch.
7 Betäubungsmittelgesetz i.d.F. der Bekanntmachung vom 1.3.1994 (BGBl. I S. 358), zuletzt geändert durch Art. 1 V v. 14.1.2021 I 70.
8 BT-Drs. 18/3444, S. 6.

bedürfte daher einer **Verlassenserlaubnis** nach § 58 AsylG. Danach kann die Ausländerbehörde der betreffenden Person erlauben, den Geltungsbereich der Aufenthaltsgestattung vorübergehend zu verlassen oder sich allgemein im Bezirk einer anderen Ausländerbehörde aufzuhalten. Gemäß § 58 I 3 AsylG wird eine solche Verlassenserlaubnis in der Regel erteilt, wenn dies für eine Berufsausbildung notwendig ist. Die Verlassenserlaubnis darf also nur in atypischen Fällen nicht erteilt werden. Fraglich ist, ob die Anordnung einer räumlichen Beschränkung nach § 59b I AsylG einen solchen atypischen Fall darstellt. Dies darf nicht automatisch angenommen werden, vielmehr ist immer der konkrete Einzelfall zu betrachten und zu prüfen, ob die Verlassenserlaubnis etwa missbräuchlich dafür genutzt werden könnte, (weitere) Straftaten zu begehen.[9] Dafür bestehen vorliegend jedoch keine Anhaltspunkte, sodass zur Durchführung der Ausbildung eine Verlassenserlaubnis erteilt werden müsste.

III. Keine Berufsausbildungsbeihilfe mit Aufenthaltsgestattung

Die Gewährung von **Berufsausbildungsbeihilfe** ist in den §§ 56 ff. SGB III geregelt. Gemäß § 60 III SGB III haben Asylsuchende jedoch keinen Anspruch auf Berufsausbildungsbeihilfe, sodass Chen Lu keine Beihilfe gewährt werden kann.

i **Weiterführendes Wissen**

Der Lebensunterhalt von Asylsuchenden in einer Berufsausbildung wird stattdessen über Leistungen des AsylbLG abgesichert. Gemäß § 2 I 2–4 AsylbLG haben Asylsuchende nach 18 Monaten einen Anspruch auf aufstockende Analogleistungen[10] zur Sicherung des Lebensunterhalts.

Weiterführende Literatur
- Ausführlich zu den verschiedenen Möglichkeiten des Arbeitsmarktzugangs für Asylsuchende: Weiser, Rahmenbedingungen des Arbeitsmarktzugangs von Geflüchteten, 4. Aufl. Juli 2021, 10 ff.
- Übersichtabelle zum Zugang zur Ausbildungsförderung mit einer Aufenthaltsgestattung: Voigt (GGUA), Ausbildungsförderung mit Aufenthaltsgestattung, 15.11.2021, abrufbar unter einwanderer.net unter „Übersichten und Arbeitshilfen"
- Übersichtabelle zum Zugang zur Arbeitserlaubnis und Arbeitsförderung mit Aufenthaltsgestattung: Voigt (GGUA), Arbeitserlaubnis und Arbeitsförderung mit Aufenthaltsgestattung, 15.11.2021, abrufbar unter einwanderer.net unter „Übersichten und Arbeitshilfen"

---

9 Amir-Haeri, in: Huber/Mantel, AufenthG/AsylG, 3. Aufl. 2021, AsylG § 58 Rn. 5.
10 Siehe zu den Analogleistungen nach § 2 AsylbLG Ebert, *51) 18 Monate in Deutschland* in diesem Fallbuch.

Zusammenfassung: Die wichtigsten Punkte

- Asylsuchende haben grundsätzlich nach neun Monaten einen Anspruch auf Erteilung einer Beschäftigungserlaubnis, es sei denn, sie kommen aus sogenannten sicheren Herkunftsstaaten.
- Asylsuchende können grundsätzlich an berufsvorbereitenden Bildungsmaßnahmen teilnehmen.
- Die räumliche Beschränkung für Asylsuchende erlischt grundsätzlich nach drei Monaten, kann aber danach aufgrund von abschließend aufgezählten Gründen nach § 59b I AsylG gesondert angeordnet werden.
- Während des Asylverfahrens wird keine Berufsausbildungsbeihilfe gewährt, jedoch haben Asylsuchende Anspruch auf aufstockende Analogleistungen gemäß § 2 AsylbLG.

Dieser Fall darf gerne kommentiert, verändert und beliebig genutzt werden. Die Anleitung hierfür lässt sich über den abgebildete QR-Code mit der Smartphone-Kamera auf unserer Homepage aufrufen.

Rhea Nachtigall

Fall 6
Flucht aus der Ukraine

Behandelte Themen: Vorübergehender Schutz gemäß § 24 AufenthG, Aufenthalt zum Zwecke des Studiums gemäß § 16b AufenthG, Fiktionsbescheinigung, Arbeitsmarktzugang, Studium

Schwierigkeitsgrad: Anfänger*innen

Sachverhalt Fall 1

Aufgrund des Krieges in der Ukraine fliehen Roksana, ihre Lebensgefährtin Natalia und ihre beiden Kinder Andriy (acht Jahre alt) und Ana (zwölf Jahre alt) sowie ihr Neffe Bohdan (16 Jahre alt) Ende Oktober 2022 über Polen nach Deutschland, wo sie Anfang November an der Grenze erkennungsdienstlich behandelt werden. In Kiel angekommen, sucht Roksana am 6.11.2022 eure Beratungsstelle auf.

Roksana hat die ukrainische Staatsangehörigkeit; Natalia und die gemeinsamen Kinder jedoch die russische Staatsangehörigkeit. Sie haben als Familie zusammen im Südosten der Ukraine gelebt. Ihr Neffe, der Sohn der Schwester von Natalia, ist ebenfalls russischer Staatsangehöriger. Seit dessen Eltern infolge der Annexion der Krim ums Leben gekommen sind, lebt er bei Roksana und Natalia.

Roksana berichtet, dass sie vor Ort bei Freund*innen unterkommen konnten, aber dringend medizinische Versorgung für ihre Tochter Ana benötigen. Ana ist an Diabetes (Typ 1) erkrankt. Aufgrund des emotionalen Stresses während der Flucht hat sich ihr Diabetes verschlimmert, sodass sie dringend eine neue Insulin-Einstellung benötigt. Außerdem ist die Familie auf finanzielle Unterstützung angewiesen, weil sie die in der Ukraine noch schnell abgehobenen Hrywnja in Deutschland nicht umtauschen können und sich dieser Geldbetrag ohnehin in Grenzen hält (umgerechnet rund 4000 Euro). Sie fragt, ob es auch möglich sei, dass die Freund*innen für die Aufnahme der Familie in ihrem Haus vom Staat finanziell kompensiert würden. Gerne möchten Roksana und Natalia so schnell wie möglich in Deutschland wieder arbeiten. In der Ukraine hätten sie gemeinsam einen gut laufenden Elektronikfachhandel betrieben und würden einen solchen gerne auch in Kiel eröffnen, sobald sie sich etwas eingelebt hätten.

Abschließend will Roksana wissen, was sie jetzt am besten tun sollen und an welche Behörde sie sich wenden können, insbesondere ob sie einen Asylantrag stellen müssen. Sie haben gehört, dass ukrainische Staatsangehörige in der EU jetzt erst einmal auch „einfach so in Deutschland leben könnten", wissen aber nicht, ob das auch für russische Staatsangehörige gilt.

Fallfragen Fall 1

1) Was sind die Möglichkeiten der einzelnen Familienmitglieder für einen (längerfristigen) Aufenthalt in Deutschland und an wen müssen sie sich wenden?
2) In welchem Rahmen können sie dann finanzielle und medizinische Unterstützung erhalten?
3) Dürfen die beiden Frauen in Deutschland arbeiten und ein eigenes Geschäft betreiben?

Sachverhalt Fall 2

Auch der kamerunische VWL-Student Menkam erreicht am selben Tag die Beratungsstelle. Er ist ebenfalls nach Kriegsausbruch aus Kiew geflohen und schließlich nach Kiel gelangt. Er erzählt, dass er vor vier Jahren mit einem Studienvisum in die Ukraine gekommen sei und seitdem in Kiew studiert habe. Menkam hat einen ukrainischen befristeten Aufenthaltstitel.

In sein Heimatland Kamerun möchte er nicht zurückkehren, weil er glaubt, dort nicht sicher leben zu können. Stattdessen möchte er in Deutschland bleiben und sein Masterstudium am liebsten möglichst schnell fortsetzen. In der Ukraine hat er sein Studium mit Nebenjobs finanziert und fragt, ob dies in Deutschland auch möglich ist, oder wie er sein Studium sonst finanzieren könnte.

Fallfragen Fall 2

1) Welche aufenthaltsrechtlichen Möglichkeiten stehen ihm in Deutschland offen?
2) Kann er sein Studium hier fortsetzen?
3) Kann er neben seinem Studium arbeiten?

Lösungsvorschlag

A. Fall 1

I. Fallfrage 1

Gefragt wird, was die Möglichkeiten der Familienmitglieder für einen Aufenthalt in Deutschland sind und an wen sie sich dafür wenden müssen.

Aufgrund von § 2 I **Ukraine-Aufenthalts-Übergangsverordnung** (UkraineAufenthÜV)[1] vom 7.3.2022 können Ukrainer*innen und sonstige Personen, die sich am 24.2.2022 in der Ukraine aufgehalten haben, bis zum 31.5.23 rechtmäßig nach Deutschland einreisen und sich hier für 90 Tage aufhalten, ohne dafür einen Aufenthaltstitel zu benötigen. Die UkraineAufenthÜV schafft damit eine Ausnahme von dem in § 4 I 1 AufenthG normierten Grundsatz, dass jede ausländische Person für die Einreise nach und den Aufenthalt in Deutschland grundsätzlich einen Aufenthaltstitel benötigt, etwa in Form eines Visums oder einer Aufenthaltserlaubnis (vgl. § 4 I 2 AufenthG). Die Familie kann daher, wie sie es von anderen gehört hat, grundsätzlich für 90 Tage „einfach so in Deutschland" leben. Da sie allerdings länger fristig in Deutschland bleiben wollen und sowohl finanzielle als auch medizinische Unterstützung benötigen, stellt sich die Frage, welche aufenthaltsrechtlichen Optionen sie haben.

ℹ️ **Weiterführendes Wissen**

Wollen sich die betreffenden Personen länger als drei Monate in Deutschland aufhalten, müssen sie innerhalb der 90 Tage des rechtmäßigen visafreien Aufenthalts einen Antrag auf Erteilung eines Aufenthaltserlaubnis nach § 24 I AufenthG (oder einen anderen Aufenthaltstitel, siehe etwa B. Fall 2) stellen. In diesem Fall wird die Fiktionswirkung des § 81 III 1 AufenthG ausgelöst, durch die der Aufenthalt bis zur Entscheidung über die Erteilung des Aufenthaltstitels als erlaubt gilt. Gemäß § 81 III 2 AufenthG führt eine verspätete Antragstellung zwar nicht zur Fiktion der Rechtmäßigkeit ihres Aufenthalts, die Abschiebung gilt aber bis zur Entscheidung der Ausländerbehörde als ausgesetzt.

Grundsätzlich kommen unterschiedliche **Aufenthaltstitel** in Betracht, welche die Familienmitglieder beantragen könnten (ein Aufenthaltstitel wird grundsätzlich nur auf Antrag erteilt, § 81 I AufenthG). Da der Rat der Europäischen Union in seinem Durchführungsbeschluss (EU) 2022/382 vom 4.3.2022 (Durchführungs-

---

[1] Verordnung zur vorübergehenden Befreiung vom Erfordernis eines Aufenthaltstitels von anlässlich des Krieges in der Ukraine eingereisten Personen vom 7.3.2022, BAnz AT 8.3.2022 V1, zuletzt geändert durch die Dritte Verordnung zur Änderung der Ukraine-Aufenthalts-Übergangsverordnung vom 28.11.2022, BAnz AT 30.11.2022 V1, durch die die Befreiung vom Erfordernis eines Aufenthaltstitels für einen Zeitraum von 90 Tagen für Einreise bis zum 31.5.2023 verlängert wurde.

beschluss)[2] einen sogenannten Massenzustrom von Vertriebenen aus der Ukraine nach Art. 5 Richtlinie 2001/55/EG (**Vorübergehender-Schutz-RL**)[3] festgestellt hat, kann gemäß § 24 AufenthG eine Aufenthaltserlaubnis zum vorübergehenden Schutz beantragt werden.

Weiterführendes Wissen   `i`

Daneben ist grundsätzlich auch die Stellung eines „regulären" Asylantrags gemäß § 13 AsylG möglich, allerdings hat das Asylverfahren gegenüber dem Verfahren nach § 24 AufenthG einige Nachteile, die im Rahmen der Beratung bedacht werden sollten, beziehungsweise über die informiert werden sollte. Hierzu zählt zunächst, dass die individuelle Prüfung eines Asylantrags deutlich länger dauern dürfte als ein Antrag auf vorübergehenden Schutz nach § 24 AufenthG. Darüber hinaus ist die Erwerbstätigkeit frühestens nach drei Monaten gestattet und auch erst dann, wenn keine Wohnverpflichtung in einer Aufnahmeeinrichtung mehr besteht. Dazu kommt eine Residenzpflicht während der ersten drei Monate des Aufenthalts. Wendete man die bestehende Rechtsprechung zu anderen Kriegsgebieten auch auf die Ukraine an, ist zudem unsicher, ob Asylsuchende nicht auf inländische Schutzalternativen verwiesen würden, sodass ein Asylantrag unter Umständen abgelehnt würde. Die Ablehnung eines Asylantrags kann zudem zur Folge haben, dass eine Titelerteilungssperre für Aufenthaltstitel zu anderen Zwecken entsteht.[4]

Auch Aufenthaltstitel zum Zweck der Ausbildung oder der Erwerbstätigkeit, die in den §§ 16 ff. AufenthG geregelt sind, können erteilt werden, wenn die allgemeinen Voraussetzungen erfüllt sind. Dabei lässt sich zum Beispiel an einen Aufenthaltstitel zum Zwecke der Ausbildung (§ 16), des Studiums (§ 16b), als Fachkraft mit Berufsausbildung (§ 18a) oder akademischer Ausbildung (§ 18b AufenthG) denken. Siehe dazu unten Fall 2.

---

1. Formelle Erteilungsvoraussetzungen

Der Antrag auf Erteilung des **vorübergehenden Schutzes** nach § 24 AufenthG ist bei der örtlich zuständigen Ausländerbehörde zu stellen. Zuständig ist die Ausländerbehörde des Wohnorts der betreffenden Person; falls sie noch keinen festen Wohnort hat, die Ausländerbehörde des Aufenthaltsortes. Laut Sachverhalt wohnt die Familie bei Freund*innen in Kiel, sodass die Ausländerbehörde Kiel zuständig ist.

---

2 Durchführungsbeschluss (EU) 2022/382 des Rates zur Feststellung des Bestehens eines Massenzustroms von Vertriebenen aus der Ukraine im Sinne des Artikels 5 der Richtlinie 2001/55/EG und zur Einführung eines vorübergehenden Schutzes vom 4.3.2022, ABl. EU Nr. 71, S. 1.
3 Richtlinie 2001/55/EG des Rates über Mindestnormen für die Gewährung vorübergehenden Schutzes im Falle eines Massenzustroms von Vertriebenen und Maßnahmen zur Förderung einer ausgewogenen Verteilung der Belastungen, die mit der Aufnahme dieser Personen und den Folgen dieser Aufnahme verbunden sind, auf die Mitgliedstaaten vom 20.7.2001, ABl. EU Nr. L 212, S. 12.
4 Siehe zur Titelerteilungssperre ausführlich Seidl, *41) Spurwechsel? Nicht so einfach!* in diesem Fallbuch.

Weiterführendes Wissen

Während zu Beginn des Kriegsausbruchs Geflüchtete noch selbst ihren Wohnort wählen konnten, erfolgt ihre Verteilung innerhalb Deutschlands mittlerweile, wie in § 24 III AufenthG vorgesehen, nach dem Königsteiner Schlüssel. Seit dem 2.5.2022 wird die Verteilung mithilfe der Fachanwendung „FREE" (Fachanwendung zur Registerführung, Erfassung und Erstverteilung zum vorübergehenden Schutz) durchgeführt.[5] Gemäß § 24 IV 1 AufenthG steht es im Ermessen der obersten Landesbehörde, eine Zuweisungsentscheidung innerhalb des jeweiligen Bundeslandes zu erlassen. Diese erlischt mit Erteilung einer Aufenthaltserlaubnis (§ 24 IV 5 AufenthG).

---

2. Geschützter Personenkreis gemäß § 24 I AufenthG i. V. m. Art. 2 Durchführungsbeschluss

Zur Erteilung einer Aufenthaltserlaubnis nach § 24 AufenthG müssten Roksana und ihre Familie zum Personenkreis gehören, der vom **Durchführungsbeschluss** der EU erfasst ist. Nach dessen Art. 2 I gilt der vorübergehende Schutz für die folgenden Gruppen von Personen, die am oder nach dem 24.2.2022 infolge der militärischen Invasion der russischen Streitkräfte, die an diesem Tag begann, aus der Ukraine vertrieben wurden:

a) ukrainische Staatsangehörige, die vor dem 24.2.2022 ihren Aufenthalt in der Ukraine hatten,

b) Staatenlose und Staatsangehörige anderer Drittländer als der Ukraine, die vor dem 24.2.2022 in der Ukraine internationalen Schutz oder einen gleichwertigen nationalen Schutz genossen haben, und

c) Familienangehörige der unter den Buchstaben a und b genannten Personen.

a) Ukrainische Staatsangehörige, Art. 2 I lit. a Durchführungsbeschluss

Roksana ist laut Sachverhalt ukrainische Staatsangehörige und hat vor dem 24.2.2022 auch in der Ukraine gelebt. Sie ist damit gemäß Art. 2 I lit. a Durchführungsbeschluss vorübergehend schutzberechtigt. Für die restlichen Familienmitglieder, die russische Staatsangehörige sind, gilt dies nicht.

b) Familienangehörige, Art. 2 I lit. c Durchführungsbeschluss

Sie könnten jedoch unter Art. 2 I lit. c Durchführungsbeschluss fallen, wenn sie Familienangehörige von Roksana im Sinne des Beschlusses sind.

---

5 Siehe hierzu die Meldung des BAMF, IT-Fachanwendung: „FREE" im Einsatz, 1.6.2022.

aa) Natalia

Gemäß Art. 2 IV a Durchführungsbeschluss fallen hierunter Eheleute oder nicht verheiratete Partner*innen, die mit nach Art. 2 I a berechtigten Personen in einer dauerhaften Beziehung leben, sofern nicht-verheiratete Paare nach den nationalen aufenthaltsrechtlichen Rechtsvorschriften oder den Gepflogenheiten des aufnehmenden Mitgliedstaats verheirateten Paaren gleichgestellt sind.

Natalia ist die gleichgeschlechtliche, nicht verheiratete Partnerin von Roksana. Fraglich ist, ob auch sie von der Regelung erfasst ist. Das Bundesinnenministeriums (BMI) verweist diesbezüglich auf Bestimmungen des Freizügigkeitsgesetzes/EU (FreizügG/EU), welches für EU-Staatsangehörige und ihre Familienmitglieder gilt, und konkretisiert, dass nicht-verheiratete – auch gleichgeschlechtliche – Partner*innen, die in einer dauerhaften Beziehung leben, **Lebensgefährt*innen** im Sinne des § 1 II Nr. 4 lit. c FreizügG/EU sind.[6] Zur Frage, wann eine Beziehung auf Dauer angelegt ist, gelten gemäß den Anwendungshinweisen des BMI zum FreizügG/EU[7] – die laut BMI-Länderschreiben zur Auslegung herangezogen werden sollen – unter anderem als Anhaltspunkte:
- ein längerfristiges tatsächliches Zusammenleben in einer Wirtschafts- und Bedarfsgemeinschaft (3.1.5.3.3.5.),
- sowie dass ein oder mehrere gemeinsame Kinder existieren und die elterlichen Sorge gemeinsam ausgeübt wird (3.1.5.3.3.7.).

Laut Sachverhalt sind Andriy und Ana gemeinsame Kinder von Roksana und Natalia, über die sie die gemeinsame Sorge ausüben, zudem haben alle gemeinsam gelebt. Natalia ist daher Familienangehörige im Sinne des Art. 2 I lit. c Durchführungsbeschluss und als solche ebenfalls vorübergehend schutzberechtigt nach § 24 AufenthG.

bb) Andriy und Ana

Gemäß Art. 2 IV lit. b Durchführungsbeschluss zählen zu den Familienangehörigen auch die minderjährigen ledigen Kinder der in Absatz 1 Buchstabe a oder b genannten Personen oder ihrer Ehepartner*innen, gleichgültig, ob es sich um ehelich oder außerehelich geborene oder adoptierte Kinder handelt. Damit sind auch Andriy

6 BMI, Umsetzung des Durchführungsbeschlusses des Rates zur Feststellung des Bestehens eines Massenzustroms im Sinne des Artikels 5 der Richtlinie 2001/55/EG und zur Einführung eines vorübergehenden Schutzes, Az. M3-21000/33#6, 14.3.2022, S. 3.
7 Anwendungshinweise des BMI zur Umsetzung des Gesetzes zur aktuellen Anpassung des Freizügigkeitsgesetzes/EU und anderer Gesetze an das Unionsrecht in der Version 1.0 vom 22.1.2021.

und Ana Familienangehörige im Sinne des Art. 2 I lit. c Durchführungsbeschluss und als solche ebenfalls vorübergehend schutzberechtigt nach § 24 AufenthG.

cc) Bohdan

Gemäß Art. 2 IV lit. c Durchführungsbeschluss zählen schließlich zu den Familienangehörigen auch andere enge Verwandte, die zum Zeitpunkt der den vorübergehenden Schutz auslösenden Umstände innerhalb des **Familienverbands** lebten und vollständig oder größtenteils von einer in Absatz 1 Buchstabe a oder b genannten Person abhängig waren. Fraglich ist, ob Bohdan als Neffe von Natalia zu den engen Verwandten von Roksana gezählt werden kann. Das BMI-Länderschreiben vom 14.3.2022 konkretisiert, dass in Anlehnung an das FreizügG/EU für die Abhängigkeit eine nicht nur vorübergehende Unterhaltsgewährung am 24.2.2022 oder kurz davor ausreichend sein soll.[8] Auch wenn es sich bei Bohdan nur um den Neffen von Natalia und damit mangels Ehe zwischen ihr und Roksana nicht um einen leiblichen Verwandten von Roksana handelt, dürfte Bohdan nach Sinn und Zweck der Vorschrift enger Verwandter von ihr sein. Dafür spricht auch, dass er aufgrund des Todes seiner Eltern als Minderjähriger von ihr und Natalia vollständig abhängig ist und alle in einem gemeinsamen Familienverbund leben.

! **Hinweise zur Fallprüfung**

Sieht man das anders, ist zu prüfen, ob Bohdan nach Art. 2 II Durchführungsbeschluss als Drittstaatsangehöriger mit unbefristeten Aufenthaltstitel (davon kann ausgegangen werden) vom Schutz nach § 24 umfasst ist, weil er nicht sicher und dauerhaft in sein Herkunftsland zurückkehren kann.

---

3. Rechtsfolge

Alle Familienangehörigen haben gemäß § 24 I AufenthG i.V.m. Art. 2 Durchführungsbeschluss einen Anspruch auf Erteilung einer Aufenthaltserlaubnis zum vorübergehenden Schutz.

---

8 BMI, Umsetzung des Durchführungsbeschlusses des Rates zur Feststellung des Bestehens eines Massenzustroms im Sinne des Artikels 5 der Richtlinie 2001/55/EG und zur Einführung eines vorübergehenden Schutzes, Az. M3-21000/33#6, 14.3.2022, S. 3f.

Rhea Nachtigall

Weiterführendes Wissen

Gemäß § 24 VII AufenthG sind ausländische Personen, die vorübergehenden Schutz genießen, über bedeutsame Bestimmungen sowie über ihre Rechte und Pflichten zu informieren. Dies umfasst auch die Möglichkeit einer Asylantragstellung. Gemäß § 32a I 1 AsylG ruht das Asylverfahren allerdings automatisch, wenn bereits vorübergehender Schutz gewährt wurde. Art. 17 I Vorübergehender-Schutz-RL bestimmt ausdrücklich, dass zu gewährleisten ist, dass Personen, die vorübergehenden Schutz genießen, jederzeit einen Asylantrag stellen können. Wenn die ausländische Person das Asylverfahren daher betreiben möchte, muss sie dies dem BAMF mitteilen, das das Asylverfahren daraufhin fortsetzt.[9]

Dringend zu beachten ist in diesem Kontext, dass gemäß § 32a II AsylG nach Ablauf des vorübergehenden Schutzes dem BAMF unverzüglich angezeigt werden muss, dass das Asylverfahren fortgeführt werden soll, da der Asylantrag ansonsten als zurückgenommen gilt. Art. 17 II Massenzustrom-RL formuliert demgegenüber, dass die Prüfung etwaiger, bei Ablauf des vorübergehenden Schutzes noch nicht bearbeiteter Asylanträge dieser Personen nach Ablauf des vorübergehenden Schutzes zum Abschluss zu bringen ist. Auch hier ist daher fraglich, ob die Rücknahmefiktion des § 32a II AsylG unionsrechtskonform ist.

II. Fallfrage 2: Ausgestaltung des Aufenthalts

Roksana fragt, welche finanzielle und medizinische Unterstützung sie erhalten können.

1. Medizinische Unterstützung

Für die Frage der medizinischen Unterstützung ist zunächst relevant, welches System der sozialen Sicherung für Roksana und ihre Familie greift.

a) Einschlägiges System der sozialen Sicherung

Aus der Ukraine geflüchtete Personen können gemäß § 74 I SGB II reguläre **Sozialleistungen** nach dem SGB II beziehungsweise SGB XII erhalten, wenn sie gemäß § 49 AufenthG erkennungsdienstlich behandelt wurden, einen Aufenthaltstitel nach § 24 I AufenthG beantragt haben und ihnen eine **Fiktionsbescheinigung** nach § 81 V i. V. m. III AufenthG ausgestellt wurde.[10]

Vorliegend wurde die gesamte Familie bereits gemäß § 49 IVa AufenthG erkennungsdienstlich behandelt. Sie haben allerdings noch keinen Antrag auf Erteilung eines Aufenthaltstitels zum vorübergehenden Schutz gemäß § 24 I AufenthG gestellt

---

9 BMI, zweites Länderschreiben zur Umsetzung des Durchführungsbeschlusses des Rates zur Feststellung des Bestehens eines Massenzustroms im Sinne des Artikels 5 der Richtlinie 2001/55/EG und zur Einführung eines vorübergehenden Schutzes, Az. M3-21000/33#6, 14.4.2022, S. 18.
10 Gesetzesbeschluss des Deutschen Bundestages vom 13.5.2022, BR-Drs. 204/22, S. 2.

und dementsprechend noch keine Fiktionsbescheinigung erhalten. Es stellt sich daher die Frage, welche Leistungen sie bis zur Antragstellung während des visumfreien, rechtmäßigen Aufenthalts erhalten können.

Dem Wortlaut nach fallen sie eigentlich nicht unter den Anwendungsbereich des § 1 Asylbewerberleistungsgesetz (AsylbLG). Demgegenüber vertritt die Bundesregierung jedoch die Rechtsauffassung, dass bereits das Nachsuchen um Unterkunft, Verpflegung oder medizinische Versorgung beim Sozialamt als „Schutzgesuch" im Sinne eines „Asylgesuchs" gemäß § 1 I Nr. 1a AsylbLG zu werten sei und damit doch ein Anspruch auf Leistungen nach dem AsylbLG entstehe.[11]

❗ Hinweise zur Fallprüfung

Folgte man der Auffassung der Bundesregierung nicht, wäre fraglich, welche Sozialleistungen die Familie stattdessen erhalten könnte. Da gemäß § 7 I 2 Nr. 1 SGB II kein Anspruch auf Leistungen nach dem SGB II besteht, müssen in diesen Fällen sogenannte **Überbrückungsleistungen** nach § 23 III 3 SGB XII vom Sozialamt gewährt werden. Diese umfassen grundsätzlich ausschließlich den Bedarf an Nahrung, Kleidung, Unterkunftskosten sowie eine medizinische Notversorgung und werden nur einen Monat lang erbracht. Wenn es jedoch zur Vermeidung einer besonderen Härte erforderlich ist, müssen sie als „Härtefallleistungen" gemäß § 23 III 6 Hs. 2 SGB XII länger als einen Monat und in Höhe der regulären Sozialhilfe erbracht werden. Von einem entsprechenden Härtefall ist angesichts des Ukrainekrieges auszugehen. In der Praxis könnten sich angesichts der klaren Weisung der Bundesregierung allerdings große Probleme der Durchsetzbarkeit ergeben.

Die Familie hat daher nur einen Anspruch auf Leistungen nach dem AsylbLG (§ 1 I Nr. 1a AsylbLG).

❗ Hinweise zur Fallprüfung

Ihnen ist daher zu raten, zeitnah die Erteilung eines Aufenthaltstitels zum vorübergehenden Schutz nach § 24 I AufenthG zu beantragen. Sobald ihnen eine Fiktionsbescheinigung darüber ausgestellt wurde, können sie den Rechtskreiswechsel in das SGB II vollziehen. Erforderlich ist hierfür ein selbständiger Antrag auf Leistungen nach dem SGB II. Beginn des Anspruchs auf die Leistungen ist bei rechtzeitiger Antragstellung der erste Tag des Folgemonats nach Ausstellung der Fiktionsbescheinigung, da Leistungen nach dem AsylbLG gemäß § 1 IIIa 1 AsylbLG ab diesem Zeitpunkt ausgeschlossen sind (vgl. § 7 I 2 Nr. 3 SGB II). Wird ihnen also etwa im November 2022 eine Fiktionsbescheinigung ausgestellt, haben sie ab dem 1.12.2022 Anspruch auf Leistungen nach dem SGB II. Sofern sie allerdings vor Ausstellung der Fiktionsbescheinigung gar keine Leistungen nach dem AsylbLG bezogen haben, sondern nach Erteilung der Fiktionsbescheinigung erstmals Leistungen beantragen (nach SGB II), besteht ab dem Tag der Ausstellung der Fiktionsbescheinigung Anspruch auf Leistungen nach SGB II.

---

11 Vgl. das zweite, aktualisierte Länderschreiben des BMI vom 14.4.2022, Az. M3-21000/33#6, S. 7f.

b) Umfang der Leistungen: medizinische Behandlung

Roksana fragt konkret nach dem Umfang der medizinischen Leistungen, insbesondere ob dieser auch die Behandlung des Diabetes (Typ 1) von Ana umfasst.

Die aktuelle Leistungsberechtigung richtet sich nach dem AsylbLG (siehe a)). Gemäß § 4 I 1 AsylbLG werden grundsätzlich nur akute Krankheiten und Schmerzzustände behandelt. Gemäß § 6 I AsylbLG werden auch sonstige Leistungen gewährt, wenn dies im Einzelfall geboten erscheint. Angesichts der dringend notwendigen Insulin-Einstellung bei Ana ist davon auszugehen, dass ihr diese Leistungen gewährt wird. Notwendig für die Behandlung bei einem*einer Ärzt*in ist dann ein Behandlungsschein oder eine Gesundheitskarte, die von der zuständigen Behörde ausgehändigt wird.

Hinweise zur Fallprüfung ⚠️

Sobald Roksana und Natalie als erwerbsfähige Personen Leistungsberechtigte nach dem SGB II sind, sind sie zugleich in die gesetzliche Krankenversicherung als Pflichtversicherte (§ 5 I Nr. 2a SGB V) und die soziale Pflegeversicherung (§ 20 I 2 Nr. 2a SGB XI) miteinbezogen. Ana ist bei ihnen als minderjähriges Kind mitversichert. Nach Wahl einer Krankenkasse kann Anas Diabetes regulär bei einem*einer Diabetolog*in behandelt und über die Krankenkasse abgerechnet werden.

---

2. Finanzielle Unterstützung

Gefragt wird weiterhin, welche finanzielle Unterstützung gewährt wird und ob ihre Freund*innen die zusätzlichen Kosten für die private Unterkunft erstattet bekommen können. Da vorliegend (noch) das AsylbLG einschlägig ist, werden **Grundleistungen nach § 3 AsylbLG** gewährt.[12] Die Kosten für die private Unterbringung können – zumindest in Schleswig-Holstein – laut Runderlass des Ministerium für Inneres, ländliche Räume und Integration Schleswig-Holstein (MILIGSH) ebenfalls übernommen werden, solange es sich um „angemessene Unterbringungskosten" handelt.[13] Hierfür sollte die Familie mit den „Vermieter*innen" eine schriftliche Vereinbarung schließen und der Leistungsbehörde vorlegen.[14]

---

[12] Siehe zu den Grundleistungen nach § 3 AsylbLG Seidl, *50) Das gekürzte Existenzminimum* in diesem Fallbuch.
[13] Innenministerium SH, Durchführung des Asylbewerberleistungsgesetzes (AsylbLG); Anwendungshinweise im Rahmen der Aufnahme von Kriegsvertriebenen aus der Ukraine vom 21.3.2022, S. 3.
[14] Innenministerium SH, Durchführung des Asylbewerberleistungsgesetzes (AsylbLG); Anwendungshinweise im Rahmen der Aufnahme von Kriegsvertriebenen aus der Ukraine vom 21.3.2022, S. 3.

Rhea Nachtigall

❗ Hinweise zur Fallprüfung

Sobald sie nach SGB II leistungsberechtigt sind, übernimmt das Jobcenter die Kosten für eine angemessene Wohnung. Die Angemessenheit der Wohnung richtet sich nach den örtlichen Mietspiegeln und Richtlinien.

III. Fallfrage 3: Zugang zu Erwerbstätigkeit

Zuletzt wird danach gefragt, ob Roksana und Natalia in Deutschland arbeiten und ein eigenes Geschäft betreiben dürfen.

§ 4a I 1 AufenthG bestimmt, dass ausländische Personen, die über einen Aufenthaltstitel verfügen, eine **Erwerbstätigkeit** ausüben dürfen, es sei denn, ein Gesetz bestimmt ein Verbot. Sobald Roksana und Natalia eine Aufenthaltserlaubnis zum vorübergehenden Schutz gemäß § 24 I AufenthG besitzen, können sie jede Form der Erwerbstätigkeit[15] ausüben – sowohl eine Beschäftigung[16] als auch eine selbständige Tätigkeit –, da § 24 AufenthG kein Verbot bestimmt.[17]

Fraglich ist, ob die Erwerbstätigkeit auch schon vor Erteilung der Aufenthaltserlaubnis nach § 24 AufenthG möglich ist. Gemäß § 81 Va 1 AufenthG gilt bereits ab Beantragung eines Aufenthaltstitels zum Zwecke der Ausbildung oder Beschäftigung (Kapitel 2 Abschnitt 3 und 4) aus einem rechtmäßigen Aufenthalt heraus die Erwerbstätigkeit als erlaubt. Hierdurch wird die zeitliche Lücke zwischen der Veranlassung der Ausstellung und der tatsächlichen Ausgabe des Aufenthaltstitels geschlossen, sodass eine Erwerbstätigkeit ab Ausstellung der Fiktionsbescheinigung möglich ist. Bei § 24 AufenthG handelt es sich jedoch um einen Aufenthaltstitel aus humanitären Gründen (Abschnitt 5).

❗ Weiterführendes Wissen

Derzeit ist umstritten, ob eine Erwerbstätigkeit dennoch bereits mit der Fiktionsbescheinigung möglich ist. Laut Länderschreiben des BMI soll § 81 Va 1 AufenthG hier analog angewandt werden und die Fiktionsbescheinigung mit dem Vermerk „Erwerbstätigkeit erlaubt" versehen werden.[18] Das VGH Baden-Württemberg stellte in einer Entscheidung vom 26.10.2022 jedoch fest, dass eine analoge Anwendung des § 81 Va 1 AufenthG ausscheide, da es bereits an einer planwidrigen Regelungslücke fehle, aber auch

---

15 Siehe zur Legaldefinition § 2 II AufenthG.
16 Vgl. zur Definition der Beschäftigung § 7 I 1 SGB IV.
17 Dies war bis zum 1.6.2022 anders. § 24 VI 2 AufenthG a.F. bestimmte, dass die Aufenthaltserlaubnis zum vorübergehenden Schutz nicht (automatisch) zur Ausübung einer Beschäftigung berechtigt und diese nur nach § 4a II AufenthG erlaubt werden kann – die Entscheidung darüber also im Ermessen der zuständigen Behörde(n) liegt. Da diese Regelung allerdings nicht mit Art. 12 Vorübergehender-Schutz-RL im Einklang stand, wurde sie von der Gesetzgebung gestrichen.
18 Vgl. das zweite, aktualisierte Länderschreiben des BMI vom 14.4.2022, Az. M3-21000/33#6, S. 14.

Rhea Nachtigall

eine vergleichbare Interessenlage fehle, die beide für eine Analogie notwendig sind.[19] Hinsichtlich der anders lautenden Anwendungshinweise des BMI stellt das VGH Baden-Württemberg fest, dass es sich dabei um "bloße Anwendungshinweise" handle, die weder für die Behörde noch für das Gericht Bindungswirkung entfalteten. Antragstellende werden sich daher in der Praxis wohl nicht auf die Erteilung einer Beschäftigungserlaubnis aus § 81 Va 1 AufenthG analog berufen können. Es steht jedoch im Ermessen der Ausländerbehörde gemäß § 4a IV letzte Alt. AufenthG einer ausländischen Person, die keinen Aufenthaltstitel besitzt, auf Antrag eine Beschäftigungserlaubnis zu erteilen.

Roksana und Natalia haben somit keinen Anspruch auf Erteilung einer Beschäftigungserlaubnis, können diese aber bei der Ausländerbehörde beantragen. Wenn ihnen eine solche nicht erteilt wird, müssen sie die Erteilung einer Aufenthaltserlaubnis nach § 24 AufenthG abwarten. Im Rahmen von § 24 AufenthG ist auch die selbständige Tätigkeit umfasst, sodass sie ihr eigenes Geschäft eröffnen können.

B. Fall 2

Menkam fragt, welche aufenthaltsrechtlichen Möglichkeiten ihm in Deutschland offenstehen und ob er sein Studium hier fortsetzen kann.

Vorab ist festzustellen, dass auch Menkam als nicht-ukrainischer Drittstaatsangehöriger aufgrund der UkraineAufenthÜV ohne Visum rechtmäßig nach Deutschland einreisen durfte und sich hier ohne Aufenthaltstitel rechtmäßig für 90 Tage aufhalten darf. Grundsätzlich könnte er aus diesem rechtmäßigen Aufenthalt heraus ein Studium aufnehmen, das Aufenthaltsrecht enthält hierzu keine weiteren Voraussetzungen. Die jeweilige Hochschule setzt jedoch voraus, dass Studierende über eine Hochschulzulassung (etwa Hochschulreife oder ein ausländisches Pendant) verfügen und ein Deutschsprachniveau von etwa C1 des Gemeinsamen Europäischen Referenzrahmens besitzen.

Fraglich ist aber, wie er seinen Aufenthalt nach 90 Tagen in Deutschland sichern und sein Studium finanzieren kann. Grundsätzlich kommen unterschiedliche Aufenthaltstitel in Betracht, die er beantragen könnte. Die Vor- und Nachteile dieser Aufenthaltstitel werden im Folgenden untersucht.

---

19 VGH BW, Beschl. v. 26.10.2022, Az.: 11 S 1467/22, asyl.net: M31064.

I. § 24 AufenthG, Aufenthaltserlaubnis zum vorübergehenden Schutz

Zur Erteilung einer Aufenthaltserlaubnis nach § 24 AufenthG müsste Menkam zum Personenkreis gehören, der vom Durchführungsbeschluss der EU erfasst ist. Wie bereits in Fall 1 erläutert, gilt gemäß Art. 2 I der vorübergehende Schutz jedenfalls für ukrainische Staatsangehörige, die vor dem 24.2.2022 ihren Aufenthalt in der Ukraine hatten, Staatenlose und Staatsangehörige anderer Drittländer als der Ukraine, die vor dem 24.2.2022 in der Ukraine internationalen Schutz oder einen gleichwertigen nationalen Schutz genossen haben, und Familienangehörige der vorgenannten Personen. Als kamerunischer Staatsangehöriger, der mit einem **studienbezogenen Aufenthaltstitel** in der Ukraine gelebt hat, fällt Menkam nicht unter diesen Anwendungsbereich.

Darüber hinaus bestimmt Art. 2 II Durchführungsbeschluss jedoch, dass die Mitgliedstaaten entweder diesen Beschluss oder einen angemessenen Schutz nach ihrem nationalen Recht auch auf Staatenlose und Staatsangehörige anderer Drittländer als der Ukraine anwenden sollen, die nachweisen können, dass sie sich vor dem 24.2.2022 auf der Grundlage eines nach ukrainischem Recht erteilten gültigen unbefristeten Aufenthaltstitels rechtmäßig in der Ukraine aufgehalten haben, und die nicht in der Lage sind, sicher und dauerhaft in ihr Herkunftsland oder ihre Herkunftsregion zurückzukehren. Menkam verfügte in der Ukraine laut Sachverhalt allerdings nur über einen befristeten Aufenthaltstitel, sodass er nicht von Art. 2 II Durchführungsbeschluss erfasst ist.

Gemäß Art. 2 III Durchführungsbeschluss können die Mitgliedstaaten nach Art. 7 Vorübergeher-Schutz-RL diesen Beschluss auch auf andere Personen, insbesondere Staatenlose und Staatsangehörige anderer Drittländer als der Ukraine anwenden, die sich rechtmäßig in der Ukraine aufhielten und nicht sicher und dauerhaft in ihr Herkunftsland oder ihre Herkunftsregion zurückkehren können. Deutschland hat von dieser Möglichkeit Gebrauch gemacht und erteilt laut BMI-Rundschreiben Drittstaatsangehörigen mit einer temporären Aufenthaltserlaubnis, die nicht sicher und dauerhaft in ihr Herkunftsland oder ihre Herkunftsregion zurückzukehren können, eine Aufenthaltserlaubnis nach § 24 AufenthG.[20] Menkam würde mit seinem befristeten Aufenthaltstitel unter diesen Anwendungsbereich fallen, wenn er nicht sicher und dauerhaft nach Kamerun zurückkehren könnte.

---

[20] BMI, Umsetzung des Durchführungsbeschlusses des Rates zur Feststellung des Bestehens eines Massenzustroms im Sinne des Artikels 5 der Richtlinie 2001/55/EG und zur Einführung eines vorübergehenden Schutzes, Az. M3-21000/33#6, vom 14.3.2022, S. 5.

Rhea Nachtigall

Weiterführendes Wissen   **i**

In einer Mitteilung der EU-Kommission zu operativen Leitlinien für die Umsetzung des Durchführungs-beschlusses[21] äußert sich die Kommission auch zur Frage, wann eine dauerhafte und sichere Rückkehr (nicht) möglich ist:

> *„Die sichere und dauerhafte Rückkehr in das Herkunftsland oder die Herkunftsregion ist weder in der Richtlinie 2001/55/EG noch im Ratsbeschluss festgelegt. Nach Auffassung der Kommission handelt es sich dabei um ein Konzept sui generis der Richtlinie.*
>
> *Der Verweis auf die unmögliche sichere und dauerhafte Rückkehr in das eigene Herkunftsland oder die eigene Herkunftsregion sollte im Lichte von Artikel 2 Buchstabe c der Richtlinie 2001/55/EG gesehen wer-den, der sich konkret auf Situationen bewaffneter Konflikte, dauernder Gewalt oder die ernsthafte Gefahr systematischer oder weitverbreiteter Menschenrechtsverletzungen im Herkunftsland bezieht. Darüber hi-naus sieht Artikel 6 Absatz 2 der Richtlinie 2001/55/EG vor, dass die Lage im Herkunftsland eine sichere, dauerhafte Rückkehr der Personen, denen der vorübergehende Schutz gewährt wird, unter Wahrung der Menschenrechte und Grundfreiheiten sowie der Verpflichtungen der Mitgliedstaaten hinsichtlich der Nichtzurückweisung (4) zulassen muss, damit der vorübergehende Schutz endet.*
>
> *In diesem Zusammenhang kann die unmögliche „sichere Rückkehr" beispielsweise aus einem offensicht-lichen Risiko für die Sicherheit der betroffenen Person, aus bewaffneten Konflikten oder dauernder Ge-walt, dokumentierten Gefahren der Verfolgung oder einer anderen unmenschlichen oder erniedrigenden Behandlung resultieren.*
>
> *Für eine „dauerhafte" Rückkehr sollte die betreffende Person aktive Rechte in ihrem Herkunftsland oder ihrer Herkunftsregion in Anspruch nehmen können, damit sie Perspektiven für die Deckung ihrer Grund-bedürfnisse in ihrem Herkunftsland/ihrer Herkunftsregion und die Möglichkeit der Reintegration in die Gesellschaft hat.*
>
> *Bei der Beurteilung, ob eine „sichere und dauerhafte" Rückkehr möglich ist, sollten sich die Mitglied-staaten auf die allgemeine Lage im Herkunftsland oder der Herkunftsregion stützen. Dennoch sollte betreffende Person individuelle Anscheinsbeweise dafür erbringen, dass sie nicht sicher und dauerhaft in ihr Herkunftsland oder ihre Herkunftsregion zurückkehren kann. In diesem Zusammenhang sollten die Mitgliedstaaten berücksichtigen, ob die betreffende Person nach wie vor einen bedeutsamen Bezug zu ihrem Herkunftsland/ihrer Herkunftsregion hat, beispielsweise indem der in der Ukraine verbrach-ten Zeit oder der Familie in ihrem Herkunftsland Rechnung getragen wird. Besondere Aufmerksamkeit sollte den besonderen Bedürfnissen von schutzbedürftigen Menschen und Kindern – insbesondere un-begleiteten Minderjährigen und Waisen – auf der Grundlage des Grundsatzes des Kindeswohls gewid-met werden."*

Als Prüfungsmaßstab, wann eine sichere und dauerhafte Rückkehr nicht möglich sein soll, können laut BMI die Voraussetzungen der nationalen **Abschiebeverbote nach § 60 V und VII AufenthG** heran-gezogen werden. Jedenfalls für Eritrea, Syrien und Afghanistan kann laut BMI aktuell keine sichere und dauerhafte Rückkehrmöglichkeit angenommen werden.[22] In der Praxis stellt sich bei der Prüfung der-zeit ein Kompetenzproblem: Für die Prüfung dieser sogenannten **zielstaatsbezogenen Ausreisehin-**

---

21 Mitteilung der Kommission zu operativen Leitlinien für die Umsetzung des Durchführungs-beschlusses 2022/382 des Rates zur Feststellung des Bestehens eines Massenzustroms von Vertriebe-nen aus der Ukraine im Sinne des Artikels 5 der Richtlinie 2001/55/EG und zur Einführung eines vo-rübergehenden Schutzes, EU ABl. C 126 I vom 21.3.2022, S. 1.
22 Zweites, aktualisiertes Länderschreiben des BMI vom 14.4.2022, Az. M3-21000/33#6, S. 8.

dernisse wäre nach der ausländerrechtlichen Systematik eigentlich das BAMF zuständig.[23] Vorliegend obliegt die Prüfung der Erteilungsvoraussetzungen für einen Aufenthaltstitel nach § 24 AufenthG, und damit die Prüfung der sicheren und dauerhaften Rückkehrmöglichkeit, aber der Ausländerbehörde. Diese prüft nach der bisherigen Systematik nur inlandsbezogene Ausreisehindernisse und hat daher keine Expertise für eine zielstaatsbezogene Prüfung. Da auch das BMI (mittlerweile) die begrenzte Sachkompetenz der Ausländerbehörden als Problem erkannt hat, bestimmt es in einem zweiten Länderschreiben:

> „[...] kann die Ausländerbehörde darüber hinaus auch nicht durch eigene Sachkunde feststellen, ob eine sichere und dauerhafte Rückkehrmöglichkeit besteht, kann eine Beteiligung des BAMF erfolgen, hier insbesondere bei Vortrag zur Zugehörigkeit zu vulnerablen Gruppen (alleinstehende Frauen mit kleinen Kindern, behinderte Menschen), zu medizinischen Gründen (Krankheiten) oder in Bezug auf ein fehlendes Existenzminimum. Hierbei handelt es sich um die Anwendung eines zwischen den Ausländerbehörden und dem BAMF etablierten Verfahrens: in Anlehnung an § 72 Absatz 2 AufenthG richten die Ausländerbehörden Anfragen an das BAMF und erhalten eine Einschätzung des BAMF zum Vorliegen von nationalen Abschiebungsverboten, die der Entscheidung über die Erteilung einer Aufenthaltserlaubnis gemäß § 24 AufenthG zugrunde gelegt werden kann.".[24]

Hinsichtlich nicht-ukrainischer Drittstaatsangehöriger, bei denen „begründete Aussicht auf die Erteilung eines anderen Aufenthaltstitels" besteht, soll laut BMI die Ausländerbehörde die Prüfung der sicheren und dauerhaften Rückkehrmöglichkeit zunächst zurückstellen.[25] Fraglich ist, was aus dieser Anweisung folgen soll, wenn ausdrücklich nur ein Antrag auf Erteilung einer Aufenthaltserlaubnis nach § 24 AufenthG gestellt wurde. Wenn hingegen etwa auch ein Antrag auf Erteilung einer Aufenthaltserlaubnis zum Zweck des Studiums gemäß § 16b AufenthG (siehe dazu sogleich) gestellt wurde, soll dies wohl den Zweck verfolgen, dass dieser Antrag vorrangig geprüft wird, um die Ausländerbehörde von den Prüfungsschwierigkeiten hinsichtlich des § 24 AufenthG zu entlasten. Ähnlich unklar ist der Hinweis des BMI, dass wenn betreffende Personen der Ausländerbehörde im Rahmen der Prüfung des § 24 AufenthG Belange vortrügen, welche die Anforderungen des § 13 AsylG erfüllten, diese auf eine Asylantragstellung beim BAMF zu verweisen seien, da das Verfahren zur Feststellung des Anspruchs auf vorübergehenden Schutzes in diesem Fall „zu komplex" würde.[26] Das würde in der Praxis bedeuten, dass die antragstellenden Personen entgegen ihrem ausdrücklichen Willen, einen Schutz nach § 24 AufenthG zu erhalten, in das Asylverfahren gezwungen würden, allein, weil es der Ausländerbehörde an fachlicher Kompetenz zur Prüfung des vorgetragenen Sachverhalts und der Subsumption unter den unbestimmten Rechtsbegriff der „dauerhaften und sicheren Rückkehr" fehlt.

Hinsichtlich Menkams Herkunftsland Kamerun ist zumindest unklar, ob eine sichere und dauerhafte Rückkehr möglich ist. Dies richtet sich nach der konkreten aktuellen Situation in Kamerun, aber insbesondere auch nach Menkams individueller

---

23 Siehe zu den zielstaatsbezogenen Ausreisehindernissen ausführlich Schiebel, *22) Dialyse in Armenien* in diesem Fallbuch.
24 Zweites, aktualisierte Länderschreiben des BMI vom 14.4.2022, Az. M3-21000/33#6, S. 8.
25 Zweites, aktualisierte Länderschreiben des BMI vom 14.4.2022, Az. M3-21000/33#6, S. 8.
26 Zweites, aktualisierte Länderschreiben des BMI vom 14.4.2022, Az. M3-21000/33#6, S. 9.

Situation, von der im Sachverhalt nichts bekannt ist. Relevant könnten zum Beispiel eine Unterstützung der politischen Opposition oder seine sexuelle Identität und Orientierung sein.[27]

Sollte Menkam eine sichere und dauerhafte Rückkehr nicht möglich sein, kann er eine Aufenthaltserlaubnis zum vorübergehenden Schutz nach § 24 AufenthG erhalten. Mit dieser könnte er auch ein Studium aufnehmen. Fraglich ist, ob er zur Finanzierung einen Anspruch auf die Gewährung von BAföG hätte.

Seit dem 1.6.2022 haben Personen, die eine Aufenthaltserlaubnis zum vorübergehenden Schutz gemäß § 24 AufenthG besitzen oder eine solche beantragt haben und ihnen eine Fiktionsbescheinigung gemäß § 81 V i.V.m. III AufenthG ausgestellt wurde, einen Anspruch auf BAföG-Leistungen (§ 61 I BAföG), wenn sie die sonstigen allgemeinen Voraussetzungen hierfür erfüllen.[28] Auch hier ist allerdings Voraussetzung, dass sie bereits erkennungsdienstlich behandelt wurden.

Er dürfte zudem erwerbstätig sein (siehe oben), sodass er sich das Studium gegebenenfalls auch durch einen Nebenjob finanzieren könnte.

Weiterführendes Wissen

Achtung: Die Erteilung eines Aufenthaltstitels gemäß § 24 AufenthG entfaltet zwar gemäß § 19f I Nr. 2 AufenthG eine Sperrwirkung gegenüber einer Reihe von Aufenthaltstiteln zum Zweck der Ausbildung und Erwerbstätigkeit – etwa zum Zweck des Studiums gemäß § 16b AufenthG. Bei Ablehnung einer Aufenthaltserlaubnis nach § 24 AufenthG oder bei Rücknahme des Antrags soll anschließend die Erteilung einer Aufenthaltserlaubnis etwa zum Zwecke des Studiums aber wieder möglich sein.[29]

---

27 Vgl. Herkunftslandinformationen zu Kamerun aber auch zu anderen Staaten unter asyl.net unter „Länder".
28 BR-Drs. 204/22, S. 19, 35.
29 Vgl. das zweite, aktualisierte Länderschreiben des BMI vom 14.4.2022, Az. M3-21000/33#6, S. 13. Entsprechend wird das Schreiben auch in den Verfahrenshinweisen zum Aufenthalt in Berlin (VAB) ausgelegt: „Das BMI teilte mit Schreiben vom 14.04.22 zur Umsetzung des Durchführungsbeschlusses des Rates in der Bundesrepublik mit, dass es aus der Ukraine geflüchteten Personen, die einen Schutzstatus nach der RL 2001/55/EG erworben haben, bei ausdrücklicher Ablehnung dieses Schutzstatus oder ausdrücklicher Rücknahme auf Zuerkennung dieses Schutzstatus frei steht, eine Aufenthaltserlaubnis nach §§ 16a, 16b, 16c, 16e, 16f, 18a, 18b Absatz 1 oder Absatz 2 oder §§ 18d, 18e, 18f oder 19e zu beantragen (§ 5 II 2 kommt hier zur Anwendung). In diesen Fällen greift die Sperrklausel des § 19f I Nr. 2 ausdrücklich nicht, sodass ein Zweckwechsel beispielsweise zum Studium direkt möglich ist.", siehe LEA, Verfahrenshinweise zum Aufenthalt in Berlin, Stand 1.6.2022, VAB. A.24.3.

II. § 16b AufenthG, Aufenthaltserlaubnis zum Zweck des Studiums

Denkbar ist auch, dass Menkam eine **Aufenthaltserlaubnis zum Zweck des Studiums** gemäß § 16b AufenthG beantragt, die für mindestens ein Jahr und für bis zu zwei Jahre erteilt wird (§ 16b II 1 AufenthG).[30]

Gemäß § 16b I 1 AufenthG besteht ein Anspruch auf Erteilung der Aufenthaltserlaubnis, wenn die antragstellende Person von einer staatlichen Hochschule oder einer vergleichbaren Bildungseinrichtung zugelassen wurde. Daneben ist zu beachten, dass auch die **allgemeinen Erteilungsvoraussetzungen** in § 5 AufenthG, wie etwa die Lebensunterhaltssicherung und die **Passpflicht**, erfüllt sein müssen.[31] Die Voraussetzung der Einreise mit dem erforderlichen Visum gemäß § 5 II 1 Nr. 1 AufenthG entfällt aufgrund von § 2 I UkraineAufenthÜV für 90 Tage.

Menkam müsste sich also zunächst auf einen Studienplatz, beispielsweise an der Christian-Albrechts-Universität zu Kiel, bewerben und nachweisen können, dass er seinen Lebensunterhalt sichern kann.

ℹ Weiterführendes Wissen

In der Praxis dürfte der Nachweis der **Lebensunterhaltssicherung**, der auch einen ausreichenden Krankenversicherungsschutz umfasst, eine der größten Hürden darstellen. Für Studierende wird der Bedarf gemäß § 2 III 5 AufenthG anhand der aktuellen BAföG-Sätze (§§ 13, 13a I BAföG) berechnet, sodass grundsätzlich von einem Bedarf von 861 Euro monatlich oder 10.332 Euro jährlich ausgegangen wird. Wenn nachgewiesen werden kann, dass bestimmte Kosten tatsächlich geringer ausfallen, etwa weil bei einer Nebenerwerbstätigkeit die Krankenversicherung Teil der Sozialabgaben ist, reduziert sich der nachzuweisende Betrag entsprechend (dies gilt etwa auch für eine Unterkunft, die günstiger als die veranschlagten 325 Euro ist).[32] Der Nachweis kann mittels eines sogenannten Sperrkontos, einer unwiderruflichen Bankbürgschaft oder einer Verpflichtungserklärung nach § 68 AufenthG erfolgen.

Mit einer Aufenthaltserlaubnis nach § 16b I AufenthG dürfte er gemäß § 16b III 1 AufenthG 120 Tage oder 240 halbe Tage im Jahr arbeiten sowie studentische Nebentätigkeiten ausüben.[33] Zudem müsste er über die für den konkreten Studiengang erforderlichen Sprachkenntnisse verfügen und diese entweder im Rahmen

---

30 Siehe zur Aufenthaltserlaubnis zum Zweck des Studiums Seidl, *53) Studium wechsel dich!* in diesem Fallbuch.

31 Siehe ausführlich zu den allgemeinen Erteilungsvoraussetzungen nach § 5 AufenthG Hinder/Nachtigall, *45) Auszubildend – und gut integriert?*, A. III. in diesem Fallbuch.

32 Siehe Voigt, Arbeitshilfe: Erforderliche Mindestbeträge für die Sicherung des Lebensunterhalts bei Aufenthalten zu Bildungs- und Erwerbszwecken, Stand 7.1.2022, S. 2.

33 Siehe ausführlich zu studentischen Nebentätigkeiten, Seidl, *54) Nicht nur Uni, sondern auch Arbeit?* in diesem Fallbuch.

der Zulassung durch die Universität oder bei der Antragsprüfung durch die Ausländerbehörde nachweisen (§ 16b I 4 AufenthG). Falls es sich um einen englischsprachigen Studiengang handelt, wären die erforderlichen Englischkenntnisse nachzuweisen.

Alternativ steht die Erteilung einer Aufenthaltserlaubnis gemäß § 16b V AufenthG in einer Reihe von Konstellationen im Ermessen der Ausländerbehörde. Dies ist etwa der Fall, wenn die antragstellende Person zur Teilnahme an einem studienvorbereitenden **Sprachkurs** zugelassen wurde, ohne dass bereits eine Zulassung der Hochschule zum Zwecke des Studiums vorliegt (§ 16b V 1 Nr. 2 AufenthG) oder wenn die Zusage eines Betriebs für das Absolvieren eines studienvorbereitenden Praktikums vorliegt (§ 16b V 1 Nr. 3 AufenthG). In diesen Fällen berechtigt die Aufenthaltserlaubnis jedoch nur zur Beschäftigung in der Ferienzeit sowie zur Ausübung des besagten Praktikums (§ 16b V 3 AufenthG). Auch hier müssen die allgemeinen Erteilungsvoraussetzungen in § 5 AufenthG erfüllt sein.

Der Besuch eines studienvorbereitenden Sprachkurses oder die Absolvierung eines studienvorbereitenden Praktikums könnten Menkam die Möglichkeit geben, zunächst die für die Zulassung zum Studium erforderlichen (Sprach-)Kenntnisse zu erwerben und im Anschluss einen Antrag gemäß § 16b I AufenthG zu stellen. Eine Aufenthaltserlaubnis zum Zweck des Studiums wird für mindestens ein Jahr und bis zu zwei Jahren erteilt (§ 16b II 1 AufenthG).

III. Asylantrag

Schließlich ist grundsätzlich auch die Stellung eines „regulären" Asylantrags gemäß § 13 AsylG möglich. Sinnvoll kann dies dann sein, wenn Aussicht auf die Gewährung internationalen Schutzes (Asyl/Flüchtlingsschutz oder subsidiärer Schutz) besteht, allerdings sind die unterschiedlichen Rechtsfolgen sorgfältig abzuwägen (siehe oben Fall 1). Wird ein Asylantrag als offensichtlich unbegründet abgelehnt, droht eine Titelerteilungssperre für Aufenthaltstitel zu anderen Zwecken gemäß § 10 III AufenthG.[34]

---

[34] Ausführlich zur Titelerteilungssperre Seidl, *41) Spurwechsel? Nicht so einfach!* In diesem Fallbuch.

Weiterführende Literatur
- Perspektiven für aus der Ukraine geflohene Drittstaatsangehörige: Voigt, Fragen und Antworten: Perspektiven für nicht-ukrainische Staatsangehörige, die aus der Ukraine geflüchtet sind, 20.4.2022
- Frings, Sozialleistungen für Geflüchtete aus der Ukraine ab dem 1. Juni 2022, Asylmagazin 2022, 203

Zusammenfassung: Die wichtigsten Punkte
- Ukrainische Staatsangehörige, ihre Familienmitglieder sowie Drittstaatsangehörige und Staatenlose, die in der Ukraine zuvor internationalen Schutz genossen haben, können in Deutschland einen Aufenthaltstitel zum vorübergehenden Schutz gemäß § 24 I AufenthG erhalten.
- Für sonstige Drittstaatsangehörige, die in der Ukraine zuvor einen befristeten oder unbefristeten Aufenthaltstitel hatten, gilt dies nur, wenn sie nicht sicher und dauerhaft in ihr Herkunftsland zurückkehren können.
- Sobald eine Fiktionsbescheinigung über die Beantragung eines Aufenthaltstitels nach § 24 I AufenthG ausgestellt wurde und eine erkennungsdienstliche Behandlung stattgefunden hat, können die Antragstellenden Sozialleistungen nach dem SGB II beziehungsweise SGB XII erhalten (und fallen nicht mehr unter das AsylbLG) und dürfen jede Erwerbstätigkeit ausüben.
- Insbesondere für nicht-ukrainische Drittstaatsangehörige ist in jedem Einzelfall gründlich zu prüfen, welche aufenthaltsrechtlichen Möglichkeiten am Erfolg versprechendsten sind (humanitärer Aufenthaltstitel, Aufenthaltserlaubnis zum Zweck der Ausbildung oder Erwerbstätigkeit etc.).

Dieser Fall darf gerne kommentiert, verändert und beliebig genutzt werden. Die Anleitung hierfür lässt sich über den abgebildete QR-Code mit der Smartphone-Kamera auf unserer Homepage aufrufen.

Rhea Nachtigall

Fall 7
Vorbereitung ist die halbe Miete

Behandelte Themen: Grundlagen des Dublin-Verfahrens: Ablauf, Rechte und Pflichten, Überblick Zuständigkeitskriterien

Schwierigkeitsgrad: Anfänger*innen

Sachverhalt

Mohammad Ahmadi (31 Jahre alt) kommt in die offene Sprechstunde einer Refugee Law Clinic. Er kommt ursprünglich aus Herat in Afghanistan, hat lange im Iran gelebt und ist schließlich, als sich die Situation afghanischer Menschen im Iran zuspitzte, über die Türkei, Bulgarien, Serbien, Ungarn und Österreich nach Deutschland gekommen. Er erzählt, dass er im Iran keine Rechte gehabt habe und versucht worden sei, ihn nach Syrien in den Krieg zu schicken. In Bulgarien sei er vom Grenzschutz aufgegriffen, mit Fingerabdrücken registriert und inhaftiert worden. Um aus der Haft entlassen zu werden, habe er einen Asylantrag gestellt. Den Ausgang des Verfahrens habe er nicht abgewartet, sondern Bulgarien umgehend nach seiner Freilassung in Richtung Deutschland verlassen.

Nachdem er in Deutschland ankam, äußerte er gegenüber Polizist*innen am Bahnhof in München den Wunsch, Asyl zu beantragen. Diese verwiesen ihn an die nächstgelegene Außenstelle des Bundesamtes für Migration und Flüchtlinge (BAMF) in einem AnkER-Zentrum[1]. Dort wurde er registriert und untergebracht; er hat auch einen Ankunftsnachweis bekommen, den er mitgebracht hat. Kurze Zeit später stellte er bei einem persönlichen Termin einen Asylantrag.

Auf Nachfrage der Berater*innen schildert Mohammad, dass er übermorgen sein erstes Interview beim Bundesamt habe. Er fragt sich, ob er in Deutschland bleiben könne und was er in dem anstehenden Interview gefragt werde. Außerdem möchte er wissen, was es für Konsequenzen habe, dass er in Bulgarien registriert worden sei und einen Asylantrag gestellt habe. Auf weitere Nachfrage bringt er vor, dass er unter keinen Umständen zurück nach Bulgarien wolle, weil er dort von Be-

---

[1] AnkER ist ein Akronym für „Zentrum für Ankunft, Entscheidung, Rückführung". Diese Form der Aufnahmeeinrichtung soll möglichst alle Schritte des Verfahrens unter einem Dach bündeln – bis zur Verteilung auf die Kommunen, im Falle eines positiven Verfahrensausganges, oder der Abschiebung, im Falle einer Asylantragsablehnung. Die Zivilgesellschaft kritisiert AnkER-Zentren als Orte der Isolation, Entrechtung und Ausgrenzung.

amt*innen des Grenzschutzes bedroht und geschlagen worden sei und die Zeit in Haft ihn schwer traumatisiert habe. Auch von Bekannten wisse er, dass Geflüchtete in Bulgarien sehr schlecht behandelt würden. Er habe nie vorgehabt, in Bulgarien zu bleiben. Sein Ziel sei von vornherein Deutschland gewesen, da er hier Familie habe, die ihn unterstütze. Bei den Verwandten handele es sich um erwachsene Geschwister sowie eine Tante und ihre Familie. Er fürchtet in Bulgarien entweder erneut inhaftiert oder obdachlos zu werden, falls er zurückmüsste.

Fallfragen

Bereite Mohammad Ahmadi bestmöglich auf sein bevorstehendes Interview vor!

1. Um welches Interview dürfte es sich hierbei handeln?
2. Welche Zuständigkeitskriterien, welches Verfahren und welche Rechte und Pflichten sieht die Dublin-III-VO vor?
3. Welcher EU-Mitgliedstaat dürfte zunächst nach der Dublin-III-VO für seinen Asylantrag zuständig sein?
4. Welche Möglichkeiten, eine Zuständigkeit Deutschlands zu begründen, gibt es?

Lösungsvorschlag

Bei diesem Fall handelt es sich um einen Einführungsfall, der einen Überblick über das Dublin-Verfahren aus der Beratungsperspektive verschaffen soll. Dabei werden auch Problemkomplexe angesprochen, die in den nachfolgenden Fällen des Kapitels vertieft werden.

A. Fallfrage 1: Um welches Interview dürfte es sich bei dem bevorstehenden Interview handeln?

Zunächst sollte anhand der vorhandenen Sachverhaltsinformationen der Verfahrensstand bestimmt werden, um beurteilen zu können, welches Interview Mohammad Ahmadi unmittelbar bevorsteht. Im **Asylverfahren** wird in der Regel im Anschluss an die Asylantragsstellung ein Interview im Hinblick auf den Reiseweg und die Bestimmung des nach der Dublin-III-VO[2] zuständigen Staates durchgeführt (siehe dazu vertiefend unter B. III. 1.). Dieses Interview wird teilweise auch „**Dublin-Interview**" oder von Schutzsuchenden schlicht „kleines beziehungsweise erstes Interview" in Abgrenzung zu der Anhörung zu den Fluchtgründen („großes beziehungsweise zweites Interview") genannt. Teilweise werden in der Praxis indes beide Interviews am selben Tag durchgeführt.

B. Fallfrage 2: Welche Zuständigkeitskriterien, welches Verfahren und welche Rechte und Pflichten sieht die Dublin-III-VO vor?

Dem Ratsuchenden sollte zunächst ein Überblick über das Dublin-Verfahren vermittelt werden.[3]

❗ Hinweise zur Fallprüfung

Aus didaktischen Gründen fällt die Darstellung umfangreicher aus, als dies in einem Beratungsgespräch der Fall wäre. Die Dublin-Beratung orientiert sich am Verfahrensstand der ratsuchenden Person; Eventualitäten, die den Einzelfall nicht betreffen, würden in einer Beratung vorzugsweise weggelassen wer-

---

2 Verordnung (EU) Nr. 604/2013 des Europäischen Parlaments und des Rates vom 26. Juni 2013 zur Festlegung der Kriterien und Verfahren zur Bestimmung des Mitgliedstaats, der für die Prüfung eines von einem Drittstaatsangehörigen oder Staatenlosen in einem Mitgliedstaat gestellten Antrags auf internationalen Schutz zuständig ist, ABl. EU Nr. 180/31.
3 Für einen ersten Einstieg ins Thema: Informationsverbund Asyl & Migration, Basisinformation für die Beratungspraxis Nr. 2: Das „Dublin-Verfahren", 2. Aufl. 2021.

Mailin Loock

den. Außerdem sollte zu Beginn jeder Beratung das Begehren der ratsuchenden Person ermittelt werden, in welchem Dublin-Staat sie ihr Asylverfahren durchführen möchte.

Da Mohammad Ahmadi vorliegend fragt, ob er in Deutschland bleiben könne, wird nachfolgend zu prüfen sein, ob eine Zuständigkeit Deutschlands begründet werden kann.

I. Was ist das Dublin-Verfahren?
Das Dublin-Verfahren dient der **Klärung der Zuständigkeit** für die Durchführung eines Asylverfahrens in der EU und vier weiteren europäischen Staaten (siehe unten), die sich ein gemeinsames Zuständigkeitssystem gegeben haben. Als ersten Prüfungsschritt eines jeden Asylverfahrens in Deutschland prüft das BAMF daher, ob Deutschland für einen Antrag auf internationalen Schutz zuständig ist. Eine inhaltliche Prüfung der Fluchtgründe erfolgt nur, wenn Deutschland seine Zuständigkeit annimmt. Wenn die Zuständigkeit eines anderen Dublin-Staates festgestellt wurde und dieser einer (Wieder-)Aufnahme der betroffenen Person zustimmt, lehnt das BAMF den entsprechenden Asylantrag als unzulässig ab und der betroffenen Person droht eine Überstellung (Dublin-Abschiebung) in den zuständigen Staat (§ 29 I Nr. 1 a) AsylG, Art. 29 Dublin-III-VO).

Maßgeblich für diese **Zuständigkeitsprüfung** ist die Dublin-III-VO, die als europäische Verordnung im Sinne des Art. 288 II AEUV in allen EU-Mitgliedstaaten unmittelbar anwendbar ist und zusätzlich in der Schweiz, Norwegen, Liechtenstein und Island Geltung beansprucht. Das Dublin-Zuständigkeitssystem ist Teil des Gemeinsamen Europäischen Asylsystems (GEAS), dem die Annahme zugrunde liegt, dass innerhalb der Europäischen Union einheitliche Mindeststandards gelten, die in den sogenannten Asylrichtlinien geregelt sind (Asylverfahrens-, Qualifikations- und Aufnahme-RL).

Grundgedanke des Dublin-Verfahrens ist einerseits, dass sich innerhalb der am Dublin-System beteiligten Staaten (gemeint: EU-Mitgliedstaaten, Schweiz, Norwegen, Liechtenstein, Island) für jeden Asylantrag unzweifelhaft ein zuständiger Staat bestimmen lassen soll und Betroffene nicht von Staat zu Staat weiterverwiesen werden („no refugee in orbit"). Zugleich soll grundsätzlich nur eine einzige inhaltliche Prüfung des Schutzbegehrens durchgeführt und eine Weiterwanderung von Mitgliedstaat zu Mitgliedstaat (sogenannte Sekundärmigration) verhindert werden („one chance only").

II. Wonach beurteilt sich die Zuständigkeit für ein Asylverfahren?

Der für ein Asylverfahren zuständige Staat wird grundsätzlich nach den Kriterien des **Minderjährigenschutzes**, der **Familieneinheit** und der **Verursachung der Einreise** bestimmt (Art. 7–15 Dublin-III-VO). Gemäß Art. 7 I Dublin-III-VO finden die Zuständigkeitskriterien in der in den Art. 8–15 Dublin-III-VO genannten Rangfolge Anwendung.

1. Die primären Zuständigkeitskriterien (Kapitel III der Dublin-III-VO)[4]

Wenn **eine unbegleitete minderjährige Person** betroffen ist, so ist der Staat zuständig, in dem sich eine*ein Familienangehörige*r rechtmäßig aufhält, sofern dies dem Wohl des*der Minderjährigen entspricht. Als zuständigkeitsbegründende Familienangehörige minderjähriger unbegleiteter Geflüchteter kommen zunächst die Eltern (Art. 2 lit. g Dublin-III-VO) oder Geschwister in Betracht; es können jedoch auch sonstige Verwandte (Art. 2 lit. h Dublin-III-VO) die Zuständigkeit für das Asylverfahren auslösen, wenn sie die Sorge des Kindes übernehmen und dies dem Wohl des Kindes dient (Art. 8 II Dublin-III-VO). Im Übrigen ist der Staat zuständig, in welchem die minderjährige Person nunmehr ihren Antrag gestellt hat (Art. 8 IV Dublin-III-VO). Das Kindeswohl ist in jedem Fall der vorrangig zu berücksichtigende Gesichtspunkt (Art. 8, 7 I Dublin-III-VO).

Wenn sich Angehörige der **Kernfamilie**[5] (Ehepartner*innen, minderjährige Kinder und ihre Eltern) der antragstellenden Person in einem anderen Dublin-Staat im Asylverfahren befinden oder bereits als international schutzberechtigt anerkannt wurden, so ist auf Wunsch der antragstellenden Person dieser Staat zuständig (Art. 9–11 Dublin-III-VO; Prinzip der Familieneinheit[6]). Damit soll für (Kern-)Familien eine einheitliche Zuständigkeit bewirkt werden, um dem menschenrechtlich gebotenen Schutz der Familie Rechnung zu tragen (Art. 8 EMRK, Art. 7, 9, 33 GR-Charta).

Das in der Praxis bedeutendste Zuständigkeitskriterium ist hingegen das der **Verursachung der Einreise** (sogenanntes Verantwortungs- beziehungsweise Verursachungsprinzip[7]). Danach ist derjenige Staat für die Prüfung eines Asylantrages zuständig, der die Einreise einer asylsuchenden Person ermöglicht oder nicht ver-

---

4 Siehe ausführlich zu den primären Zuständigkeitskriterien Greilich, *8) Das Dublin-Roulette Teil 1: Wer ist zuständig?* in diesem Fallbuch.

5 Siehe zu Angehörigen der Kernfamilie Schiebel, *11) Über ganz Europa verstreut* in diesem Fallbuch.

6 Näheres zum Prinzip der Familieneinheit Greilich, *8) Das Dublin-Roulette Teil 1: Wer ist zuständig?* in diesem Fallbuch.

7 Siehe zum Verursachungsprinzip Greilich, *8) Das Dublin-Roulette Teil 1: Wer ist zuständig?* in diesem Fallbuch.

hindert hat. Die Zuständigkeit aufgrund „illegaler" Einreise endet jedoch zwölf Monate nach dem Grenzübertritt gemäß Art. 13 I 2 Dublin-III-VO.

Weiterführendes Wissen

Das Verursachungsprinzip

Im Einzelnen kann eine Zuständigkeit nach dem Verursachungsprinzip begründet werden durch: Ausstellung eines Visums oder eines Aufenthaltstitels (Art. 12 Dublin-III-VO), eine unerlaubte Einreise (Art. 13 I Dublin-III-VO), eine visumsfreie Einreise (Art. 14 Dublin-III-VO) oder im Falle einer Asylantragsstellung im Transitbereich eines Flughafens (Art. 15 Dublin-III-VO).

Wenn sich anhand der beschriebenen Kriterien kein zuständiger Staat ermitteln lässt, ist der Dublin-Staat zuständig, in dem erstmals ein Asylantrag gestellt wurde (Art. 3 II 1 Dublin-III-VO). In der Konstellation, in der in einem anderen Dublin-Staat bereits Asyl beantragt wurde, findet das Dublin-Verfahren indes nur Anwendung, wenn der Asylantrag in dem anderen Staat noch nicht bewilligt oder abgelehnt wurde. In sogenannten Anerkannten- beziehungsweise Drittstaaten-Fällen[8] ist die Dublin-III-VO hingegen nicht einschlägig. Wenn sich anhand der genannten Kriterien keine Zuständigkeit eines anderen Staates beweisen lässt, folgt aus Art. 3 II 1 Dublin-III-VO die Zuständigkeit des aktuell prüfenden Staates.

Wichtigstes Indiz für die Zuständigkeit[9] eines anderen Staates nach dem Verursachungsprinzip ist die sogenannte **Eurodac-Datenbank**, in der Fingerabdrücke von Asylantragssteller*innen und illegalisierten Migrant*innen europaweit erfasst und abgeglichen werden. Sofern eine Zuständigkeit möglicherweise aus der Ausstellung eines Visums folgt, werden die Daten wiederum mit dem europäischen Visa-Informationssystem (VIS) abgeglichen. Im Übrigen werden als Beweismittel und Indizien für die Bewertung der Zuständigkeit insbesondere nachprüfbare Erklärungen der schutzsuchenden Person, Unterlagen wie Fahrausweise etc., oder Einreisestempel im Reisepass herangezogen.

---

8 Näheres zu Drittstaaten-Fällen Loock, *12) Anerkannt in Griechenland – zurück nach Moria?* in diesem Fallbuch.
9 Näheres zu Fragen des Beweises Greilich, *8) Das Dublin-Roulette Teil 1: Wer ist zuständig?* in diesem Fallbuch.

2. Anderweitige Zuständigkeit aus humanitären Gründen oder wegen Fristablaufs

Auch wenn nach den beschriebenen Kriterien die Zuständigkeit eines anderen Mitgliedstaates indiziert ist, kann unter Umständen dennoch eine Zuständigkeit Deutschlands begründet werden.

Einerseits können **humanitäre Gründe** für eine Zuständigkeit Deutschlands sprechen.

Nach Art. 16 Dublin-III-VO ist in der Regel eine Zuständigkeit wegen familiärer Abhängigkeit[10] anzunehmen, wenn Antragstellende wegen Schwangerschaft, eines neugeborenen Kindes, schwerer Krankheit oder Behinderung, oder hohen Alters auf die Unterstützung von rechtmäßig aufhältigen Familienangehörigen angewiesen sind, oder andersherum Familienangehörige aus den genannten Gründen auf die Unterstützung durch die antragstellende Person angewiesen sind.

Darüber hinaus kann jeder Mitgliedstaat nach Art. 17 Dublin-III-VO den **Selbsteintritt** erklären und damit die Zuständigkeit für ein Asylverfahren an sich ziehen. Dies kann aus politischen oder humanitären Erwägungen heraus geschehen, liegt jedoch im Ermessen der Mitgliedstaaten („kann"). Nach Art. 17 II Dublin-III-VO können sich humanitäre Gründe für einen Selbsteintritt ebenfalls aus dem familiären oder kulturellen Kontext ergeben, so auch zur Zusammenführung von Familienmitgliedern außerhalb der Kernfamilie. Das Ermessen kann bei drohenden Grund- oder Menschenrechtsverstößen[11], aus gewichtigen humanitären Gründen[12] oder bei einer gegen den **Beschleunigungsgrundsatz** verstoßenden, überlangen Verfahrensdauer[13] auf Null reduziert sein.

Weisen das Asylverfahren oder die Aufnahmebedingungen im eigentlich zuständigen Staat **systemische Mängel**[14] auf, die eine unmenschliche oder erniedrigende Behandlung für Schutzsuchende mit sich bringen, so ergibt sich eine Zuständigkeit aus Art. 3 II 2 Dublin-III-VO.[15] Solche systemischen Schwachstellen sind anzunehmen, wenn ein Staat grundsätzlich nicht in der Lage ist, Schutzsuchende angemessen zu versorgen und/oder ein faires Asylverfahren zu gewährleisten. Dies wurde und wird teilweise im Hinblick etwa auf Griechenland, Bulgarien, Italien und Ungarn angenommen. Die Rechtsprechung dazu ist jedoch bisweilen uneinheitlich.

---

10 Näheres zu Art. 16 Dublin-III-VO Greilich, 8) Das Dublin-Roulette Teil 1: Wer ist zuständig? in diesem Fallbuch.
11 Vgl. VGH Bayern, Urt. v. 3.12.2015, Az.:13a B 15.50124, Rn. 22, 24 f., asyl.net: M23598.
12 Vgl. VG Berlin, Beschl. v. 8.11.2019, Az.: 37 L 462.19 A, Rn. 22, asyl.net: M27908.
13 Bergmann, in: Bergmann/Dienelt, Ausländerrecht, 14. Aufl. 2022, AsylG § 29 Rn. 28.
14 Siehe hierzu auch Greilich, *8) Das Dublin-Roulette Teil 1: Wer ist zuständig?* in diesem Fallbuch.
15 Die Regelung des Art. 3 II 2 Dublin-III-VO geht zurück auf die Entscheidung M.S.S. gegen Belgien und Griechenland, EGMR, Urt. v. 21.1.2011, Az.: 30696/09, asyl.net: M18077.

Der VGH Baden-Württemberg[16], Urt. v. 10.11.2014, Az.: A 11 S 1778/14 definiert systemische Mängel wie folgt:

> „Systemische Schwachstellen sind solche, die entweder bereits im Asyl- und Aufnahmeregime selbst angelegt sind und von denen alle Asylbewerber oder bestimmte Gruppen von Asylbewerkern deshalb nicht zufällig und im Einzelfall, sondern vorhersehbar und regelhaft betroffen sind, oder aber tatsächliche Umstände, die dazu führen, dass ein theoretisch sachgerecht konzipiertes und nicht zu beanstandendes Asyl- und Aufnahmesystem – aus welchen Gründen auch immer – faktisch ganz oder in weiten Teilen seine ihm zugedachte Funktion nicht mehr erfüllen kann und weitgehend unwirksam wird. Dabei ist der Begriff der systemischen Schwachstelle nicht in einer engen Weise derart zu verstehen, dass er geeignet sein muss, sich auf eine unüberschaubare Vielzahl von Antragstellern auszuwirken. Vielmehr kann ein systemischer Mangel auch dann vorliegen, wenn er von vornherein lediglich eine geringe Zahl von Asylbewerbern betreffen kann, sofern er sich nur vorhersehbar und regelhaft realisieren wird und nicht gewissermaßen dem Zufall oder einer Verkettung unglücklicher Umstände beziehungsweise Fehlleistungen von in das Verfahren involvierten Akteuren geschuldet ist."

Jenseits von systemischen Schwachstellen kann sich eine Unmöglichkeit der Überstellung und damit ein Zuständigkeitsübergang auch aus einer **Gefahr schwerwiegender Menschenrechtsverletzungen** im konkreten Einzelfall, beispielsweise aufgrund einer besonderen Schutzbedürftigkeit, ergeben.[17] Der EuGH hat in seiner Jawo-Entscheidung klargestellt, dass aus dem allgemeinen und absoluten Charakter des Verbots der unmenschlichen oder erniedrigenden Behandlung in Art. 4 der GR-Charta folgt, dass die Überstellung Schutzsuchender – und dies gilt ungeachtet des Verfahrensstandes, das heißt auch nach Abschluss des Asylverfahrens – in einen anderen Mitgliedstaat in all jenen Situationen ausgeschlossen ist, in denen ernsthafte und durch Tatsachen bestätigte Gründe für die Annahme vorliegen, dass der*die Schutzsuchende durch die Überstellung einer solchen Gefahr ausgesetzt würde.[18] Dies wurde unter anderem bei drohender Obdachlosigkeit für Familien mit kleinen Kindern bezüglich Italien angenommen, sofern nicht eine angemessene Unterbringung individuell zugesichert wurde.

Sofern sonstige persönliche Gründe vorliegen, die einer Abschiebung entgegenstehen, wie beispielsweise eine schwerwiegende Krankheit oder drohende schwerwiegende Menschenrechtsverletzungen im Zielstaat einer Dublin-Überstellung, können zudem **Abschiebungsverbote** festzustellen sein (§ 60 V beziehungsweise VII AufenthG).[19] Das Bundesamt ist gemäß § 31 III AsylG auch bei einer Ablehnung eines Asylantrages als unzulässig zur Prüfung von Abschiebungsverboten verpflich-

16 VGH BW, Urt. v. 10.11.2014, Az.: A 11 S 1778/14.
17 EGMR, Urt. v. 4.11.2014, 29217/12, asyl.net: M22411.
18 EuGH, Urt. v. 19.3.2019, Az.: C-163/17, Tz. 87 ff.
19 Lehnert, in: Huber/Mantel, AufenthG/AsylG, 3. Aufl. 2021, AsylG § 24 Rn. 11.

tet. Zusätzlich prüft das Bundesamt nach § 34a I 1 AsylG in Dublin-Fällen ausnahmsweise auch **inlandsbezogene Vollstreckungshindernisse** im Sinne des § 60a II 1 AufenthG, sodass beispielsweise auch eine längerfristige Reiseunfähigkeit aus gesundheitlichen Gründen zu einer Verpflichtung zur Ausübung des Selbsteintrittsrechts nach Art. 17 I Dublin-III-VO führen kann.[20] Ferner kann in solchen Fällen ein Zuständigkeitsübergang durch Fristablauf eintreten, Art. 29 II 1 Dublin-III-VO.

Andererseits ist das Dublin-Verfahren von einer Reihe zwingender Fristen geprägt, deren Ablauf einen Zuständigkeitsübergang bewirkt (dazu sogleich unter A.III.5.). Die Fristenregelungen der Dublin-III-VO vermitteln Schutzsuchenden subjektive Rechte, sodass sie sich auf den Ablauf der Fristen und einen damit einhergehenden **Zuständigkeitsübergang** gegebenenfalls im Rechtsbehelfsverfahren berufen können.[21] Sie werden auch sekundäre Zuständigkeitskriterien[22] genannt.

III. Wie läuft das Verfahren ab und welche Rechte und Pflichten sieht die Dublin-III-VO vor?

Sobald Anhaltspunkte für die mögliche Zuständigkeit eines anderen Staates vorliegen – sei es aufgrund eines sogenannten Eurodac-Treffers oder aufgrund der Schilderung des Reiseweges – leitet das BAMF ein Dublin-Verfahren ein.[23] Darüber muss die betroffene Person in einer ihr verständlichen Sprache schriftlich informiert werden (Art. 4 Dublin-III-VO). Diese Information muss unter anderem das Ziel des Dublin-Verfahrens, die Zuständigkeitskriterien, das Recht auf ein persönliches Gespräch und die Möglichkeit, Gründe vorzutragen, die für oder gegen eine Überstellung in einen anderen Staat sprechen, sowie Möglichkeiten des Rechtsschutzes umfassen.

1. Das Dublin-Interview

Die Dublin-III-VO sieht ein persönliches Gespräch zur Bestimmung der Zuständigkeit vor (auch „Dublin-Interview" genannt, Art. 5 Dublin-III-VO). Diese Anhörung findet in der Regel unter Zuhilfenahme von Sprachmittelnden in einer Sprache statt, in welcher der*die Antragsteller*in sich verständigen kann (Art. 5 IV Dublin-

---

20 Hruschka, in: Huber/Mantel, AufenthG/AsylG, 3. Aufl. 2021, AsylG § 29 Rn. 24.
21 EuGH, Urt. v. 26.7.2017, Az.: C-670/16, Tz. 62; EuGH, Urt. v. 7.7.2016, Az.: C-63/15, Tz. 52ff.; Schmalz, Verfassungsblog, 29.7.2017.
22 Näheres zu den sekundären Zuständigkeitskriterien Greilich, *9) Das Dublin-Roulette Teil 2: Wer ist zuständig?* in diesem Fallbuch.
23 Für einen systematischen Überblick über den Ablauf des Dublin-Verfahrens: Greilich/Heuser/Markard, Teaching Manual Refugee Law Clincs, 2020, 77f.

III-VO). Darin werden Antragsteller*innen zu ihren Personalien, ihrem Fluchtweg, zu Verwandten im Bundesgebiet oder in anderen europäischen Staaten sowie zu Gründen, die gegen die Überstellung in einen anderen europäischen Staat sprechen, befragt. Wichtig ist, dass alle Gründe, die für die gewünschte Zuständigkeit sprechen, ausführlich vorgetragen werden. Das bedeutet – für den Fall einer „Wunschzuständigkeit" Deutschlands –, dass neben einer möglichen Minderjährigkeit oder Familienangehörigen im Bundesgebiet ein besonderes Augenmerk auf die Erfahrungen im anderen Dublin-Staat gelegt werden sollte, insbesondere auf etwaige Unzulänglichkeiten in der Versorgung mit Obdach, Nahrung und Hygiene sowie Inhaftierung oder Gewalterfahrungen. Diese prekären Erfahrungen sollten umfassend berichtet und gegebenenfalls vorab in einem Erfahrungsbericht[24] strukturiert werden, um den Vortrag zu systemischen Mängeln und drohenden Menschenrechtsverletzungen zu substantiieren. Persönliche Umstände, die für eine besondere Schutzbedürftigkeit sprechen, sollten ebenfalls ausführlich und gegebenenfalls eigeninitiativ vorgebracht werden. Da das Bundesamt in Dublin-Fällen befugt ist, unmittelbar die Abschiebung anzuordnen, muss es gemäß § 34a AsylG auch die „tatsächliche Durchführbarkeit" der Abschiebung prüfen. Daher sollten auch sogenannte inlandsbezogene Abschiebungshindernisse, wie familiäre Bindungen zu aufenthaltsberechtigten oder deutschen Personen, Reiseunfähigkeit, Schwangerschaft oder Erkrankungen, gegenüber dem BAMF vorgetragen werden. Antragsteller*innen sind dazu verpflichtet, die Fragen des Bundesamtes wahrheitsgemäß zu beantworten.

2. Die Prüfung der Zuständigkeit und das Übernahmeersuchen

Im Anschluss prüft das BAMF anhand der oben skizzierten Kriterien die Zuständigkeit. Zunächst prüft es dabei, ob aufgrund eines „Treffers" in der Eurodac-Kartei, also eines registrierten Fingerabdruckes oder Asylantrages in einem anderen Dublin-Staat, oder aufgrund von Angaben im persönlichen Gespräch zu Fluchtweg, Minderjährigkeit oder Familienangehörigen Anhaltspunkte für die Zuständigkeit eines anderen Staates bestehen. Sofern danach ein anderer Staat zuständig sein könnte, prüft das Bundesamt in einem zweiten Schritt die Gründe, die ausnahmsweise dennoch eine Zuständigkeit Deutschlands begründen können.

Nimmt das Bundesamt danach die Zuständigkeit eines anderen Dublin-Staates an, richtet es ein **Übernahmeersuchen** an diesen Staat.

---

24 Diakonisches Werk Kassel, Merkblatt zur Erstellung eines Erfahrungsberichts im Rahmen des Dublin-III-Verfahrens, 2014, abrufbar in mehreren Sprachen.

Mailin Loock

Dabei differenziert die Dublin-III-VO zwischen einem Aufnahme- (Art. 21–22) und einem Wiederaufnahmegesuch (Art. 23–25), je nachdem, ob die Person in dem entsprechenden Dublin-Staat bereits einen Antrag auf internationalen Schutz gestellt hatte (Wiederaufnahmegesuch) oder nicht (Aufnahmegesuch).

Für dieses Übernahmeersuchen gilt eine Frist von drei Monaten ab Asylantragstellung (Art. 21 I 1, 23 II 2 Dublin-III-VO) beziehungsweise zwei Monaten ab dem Zeitpunkt der Eurodac-Treffermeldung (Art. 21 I 2, 23 II 1, 24 II 1 Dublin-III-VO). Wenn das BAMF das (Wieder-) Aufnahmeersuchen nicht innerhalb der genannten Frist stellt, wird Deutschland für den Asylantrag zuständig (Art. 21 I 3, 23 III Dublin-III-VO). Im Anschluss gilt für den ersuchten Staat ebenfalls eine Frist, der (Wieder-)Aufnahme der betroffenen Person zuzustimmen. Läuft diese Frist jedoch ab, ohne dass der ersuchte Staat reagiert, so gilt die Zustimmung als erteilt (**Zustimmungsfiktion**, Art. 22 VII, 25 II Dublin-III-VO).

i **Weiterführendes Wissen**

Bei der Frist für die Antwort des anderen Dublin-Staates für die (Nicht-)Zustimmung zur (Wieder-)Aufnahme werden verschiedene Konstellationen unterschieden. Die Frist beträgt nach Eingang des Ersuchens:
- zwei Monate im Rahmen eines Aufnahmeersuchens (Art. 22 I Dublin-III-VO)
- gegebenenfalls verkürzt sich die Frist bei Dringlichkeitsfällen (Art. 21 II, 22 VI Dublin-III-VO)
- zwei Wochen bei einem Eurodac-Treffer im Rahmen eines Wiederaufnahmeersuchens (Art. 25 I Dublin-III-VO)
- einen Monat bei anderen Beweismitteln im Rahmen eines Wiederaufnahmeersuchens (Art. 25 I Dublin-III-VO).

3. Der Dublin-Bescheid

Wenn der ersuchte Staat einer Übernahme zugestimmt hat oder die Zustimmung fingiert wurde, erlässt das BAMF einen sogenannten Dublin-Bescheid (Art. 26 Dublin-III-VO). Darin erklärt es den Asylantrag für unzulässig (§ 29 I Nr. 1 a) AsylG) und ordnet die Abschiebung in den zuständigen Dublin-Staat an (§ 34a AsylG). Dieser Bescheid wird der betroffenen Person persönlich beziehungsweise gegebenenfalls ihrem*ihrer bevollmächtigten Rechtsanwält*in zugestellt und zugleich der Ausländerbehörde übersandt, da diese für den Vollzug der Abschiebung zuständig ist. Der Bescheid muss eine Rechtsbehelfsbelehrung enthalten (Art. 26 II Dublin-III-VO).

4. Rechtsschutz[25]

Gegen einen Dublin-Bescheid kann der*die Betroffene (nur) gerichtlich vorgehen. Die Klagefrist beträgt in Dublin-Fällen lediglich eine Woche ab Zustellung der Entscheidung (§ 74 I Hs. 2 AsylG). Da einer Klage gegen einen Dublin-Bescheid keine aufschiebende Wirkung zukommt (vgl. §§ 34a II, 75 I 1 AsylG), das heißt diese nicht vor Abschiebung schützt, ist gegebenenfalls zusätzlich Eilrechtsschutz zu beantragen (Antrag auf Anordnung der aufschiebenden Wirkung, § 80 V VwGO). Solange über einen Eilantrag nicht entschieden wurde, darf keine Abschiebung vollzogen werden.

5. Übergang der Zuständigkeit durch Ablauf der Überstellungsfrist

Zu beachten ist jedoch, dass auch für die Überstellung in den zuständigen Staat Ausschlussfristen gelten. Grundsätzlich muss eine Überstellung innerhalb von sechs Monaten ab Zustimmung des zuständigen Staates beziehungsweise einer Zustimmungsfiktion erfolgen. Durch Ablauf dieser Frist geht die Zuständigkeit wiederum auf Deutschland über (Art. 29 I 1, II 1 Dublin-III-VO). Wenn beim Gericht Eilrechtsschutz beantragt wird, beginnt die Frist nach der Rechtsprechung des BVerwG ab einer negativen Entscheidung im Eilverfahren von Neuem zu laufen.[26] Dies ist bei der Frage, ob ein Eilantrag eingelegt wird, mit abzuwägen. Wegen der Komplexität des Dublin-Verfahrens und der Auswirkung eines Eilantrages auf den Ablauf der Überstellungsfrist, sollte hierbei stets qualifizierter Rechtsrat durch entsprechend spezialisierte Rechtsanwält*innen hinzugezogen werden!

Die Überstellungsfrist kann im Falle einer Inhaftierung auf zwölf, wenn eine Person als flüchtig beziehungsweise untergetaucht gilt, auf 18 Monate verlängert werden (Art. 29 II 2 Dublin-III-VO). Wegen dieser Rechtsfolge eines sogenannten Untertauchens muss das BAMF stets über Adresswechsel in Kenntnis gesetzt werden; diese Pflicht folgt auch aus § 10 I AsylG.

Zu jedem Verfahrenszeitpunkt kann Akteneinsicht beantragt werden, um Kenntnis über den aktuellen Verfahrensstand zu erlangen (Art. 41 GR-Charta).

In besonderen Härtefällen kann das nicht-rechtliche Institut des Kirchenasyls[27] in Betracht gezogen werden.[28] Bei besonders schutzbedürftigen Personen und außergewöhnlichen Härten (beispielsweise durch eine drohende Kettenabschie-

---

25 Ausführlich zu den Rechtsschutzmöglichkeiten Greilich/Loock, *10) Dublin-Bescheid – was nun?* in diesem Fallbuch.

26 BVerwG, Urt. v. 26.5.2016, Az.: 1 C 15.15.

27 Siehe zur Thematik des Kirchenasyls Greilich/Loock, *10) Dublin-Bescheid – was nun?* in diesem Fallbuch.

28 Ökumenische Bundesarbeitsgemeinschaft Asyl in der Kirche, Erstinformation Kirchenasyl, 2017.

bung über einen Dublin-Staat in einen Verfolgerstaat oder humanitär bedenklichen Aufnahmebedingungen im Zielstaat der Abschiebung) gewähren einige Kirchengemeinden Asylsuchenden vorübergehend Schutz in kirchlichen Räumen. Wenn ein Kirchenasyl den Behörden gegenüber offen kommuniziert wird, führt dies nicht zu einer Fristverlängerung wegen „Untertauchens"[29].[30] Die entsprechenden Kirchengemeinden erstellen in diesen Fällen ein Härtefalldossier, das sie an das BAMF übermitteln. Wenn die Überstellungsfrist während des Kirchenasyls abläuft, geht die Zuständigkeit für das Asylverfahren damit ebenfalls auf Deutschland über.

C. Fallfrage 2: Zuständigkeit im vorliegenden Fall nach den primären Zuständigkeitskriterien

Die Frage der Zuständigkeit ist zunächst anhand der primären Zuständigkeitskriterien der Art. 7–15 Dublin-III-VO zu beurteilen.

Da der Ratsuchende weder minderjährig ist noch (Kern-)Familienangehörige in Deutschland oder anderen Dublin-Staaten hat, richtet sich die Zuständigkeit vorliegend nach dem sogenannten Verantwortungs- beziehungsweise Verursachungsprinzip.

Aufgrund der in Bulgarien registrierten unerlaubten Einreise könnte eine Zuständigkeit Bulgariens gemäß Art. 13 I 1 Dublin-III-VO gegeben sein. Mangels zeitlicher Angaben lässt sich vorliegend nicht beurteilen, ob der zuständigkeitsbegründende unerlaubte Grenzübertritt nicht länger als zwölf Monate zurückliegt (Art. 13 I 2 Dublin-III-VO). Im Übrigen ergäbe sich jedoch eine Zuständigkeit Bulgariens aufgrund der dortigen Asylantragstellung gemäß Art. 3 II 1 Dublin-III-VO. Als Beweismittel wird das BAMF den entsprechenden Treffer in der Eurodac-Kartei heranziehen. Zunächst lässt sich anhand der primären Zuständigkeitskriterien demnach eine Zuständigkeit Bulgariens für die Durchführung des Asylverfahrens feststellen.

D. Fallfrage 3: Möglichkeiten eine Zuständigkeit Deutschlands zu begründen

Fraglich ist, ob Mohammad Ahmadi Gründe für die gewünschte Zuständigkeit Deutschlands beziehungsweise gegen eine Überstellung nach Bulgarien geltend machen kann.

---

29 Siehe zu den Auswirkungen des Kirchenasyls auf die Überstellungsfrist Greilich/Loock, *10) Dublin-Bescheid – was nun?*, D.IV. in diesem Fallbuch.
30 BVerwG, Urt. v. 26.1.2021, Az.: 1 C 42.20; VG Hamburg, Beschl. v. 23.5.2019, Az.: 9 AE 1846/19.

Eine Zuständigkeit Deutschlands könnte sich aus den menschenrechtlich bedenklichen Zuständen und Erlebnissen in Bulgarien ergeben, sofern systemische Mängel und daraus folgend eine drohende schwerwiegende Menschenrechtsverletzung bejaht werden können (Art. 3 II 2, 3 Dublin-III-VO). Die Rechtsprechung bewertet die Frage, ob Asylverfahren und/oder Aufnahmebedingungen in Bulgarien an systemischen Mängeln leiden, nicht einheitlich.[31] In jedem Fall sollten die angedeuteten traumatischen Erfahrungen in Haft im persönlichen Gespräch ausführlich dargestellt werden, ebenfalls die erlebte Gewalt durch den Grenzschutz und was der Betroffene im Falle einer Rückkehr nach Bulgarien befürchtet. Zwar fordert der EuGH, dass systemische Schwachstellen eine besonders hohe Schwelle der Erheblichkeit erreichen müssen, um als unmenschliche oder erniedrigende Behandlung nach Art. 4 GR-Charta anerkannt zu werden.[32] Zugleich gilt es bei der Beurteilung, ob Asylsuchenden in Bulgarien eine unmenschliche oder erniedrigende Behandlung droht, die Rechtsprechung des EGMR zu Art. 3 EMRK zu beachten, dass Asylsuchende grundsätzlich besonders benachteiligt und verletzlich und mithin besonders schutzbedürftig sind.[33] Im Hinblick auf eine Abschiebung Asylsuchender (und auch Anerkannter) nach Bulgarien wird die menschenrechtliche Situation Schutzsuchender stets eingehend problematisiert. Der Sachaufklärung kommt aufgrund des Ranges drohender Rechtsverletzungen verfassungsrechtliches Gewicht zu, sodass sämtliche Anhaltspunkte für eine drohende unmenschliche oder erniedrigende Behandlung vorgetragen werden sollten.[34]

Bei der Beurteilung, ob die Voraussetzungen eines Übergangs der Zuständigkeit gemäß Art. 3 II 2, 3 Dublin-III-VO vorliegen, ist über systemische Schwachstellen des Asylverfahrens und der Aufnahmebedingungen hinaus auch die Situation von Schutzsuchenden nach der Beendigung des Asylverfahrens in den Blick zu nehmen.[35] Viele (Ober-)Verwaltungsgerichte erkennen an, dass Schutzsuchenden nach Abschluss des Asylverfahrens in Bulgarien Obdachlosigkeit droht.[36] Auch unabhängig von etwaigen systemischen Mängeln sollten daher drohende Menschenrechtsverletzungen herausgearbeitet und geltend gemacht werden. Diesbezüglich sollte

---

31 Systemische Mängel bejahend: u.a. VG Gießen, Beschl. v. 23.12.2021, Az.: 10 L 2733/21.GI.A; VG Lüneburg, Urt. v. 10.7.2019, 8 A 6/18; VG Sigmaringen, Urt. v. 22.3.2018, Az.: A 3 K 6441/17; die beachtliche Gefahr schwerwiegender Menschenrechtsverletzungen bei gesunden, arbeitsfähigen Antragsteller*innen verneinend: u.a. VG Bremen, Urt. v. 4.6.2021, Az.: 2 K 262/19.
32 EuGH, Beschl. v. 13.11.2019, Az.: C-540-17; EuGH, Urt. v. 19.3.2019, Az.: C-297/17.
33 EGMR, Urt. v. 21.1.2011, Az.: 30696/09, asyl.net: M18077.
34 Eingehend zur Situation von Dublin-Rückkehrer*innen und Anerkannten in Bulgarien: Speer/Fiedler, Get Out! Zur Situation von Geflüchteten in Bulgarien, 2020, 64–78.
35 Vgl. EuGH, Urt. v. 19.3.2019, Az.: C-163/17, Tz. 87 ff.
36 Unter anderem OVG SH, Urt. v. 24.5.2018, Az.: 4 LB 17/17; OVG Saarland, Urt. v. 19.4.2018, Az.: 2 A 737/17; OVG Nds, Urt. v. 29.1.2018, Az.: 10 LB 82/17; vgl. auch BVerwG, Beschl. v. 13.8.2018, Az.: 1 B 24.18.

zu einer besonderen Vulnerabilität vorgetragen werden, sofern eine solche anzunehmen ist; so könnte gegebenenfalls eine Traumatisierung durch psychologische oder psychiatrische Gutachten belegt werden. Sämtliche persönliche Umstände, die gegen eine besondere Durchsetzungsfähigkeit und Resilienz des Betroffenen sprechen, sollten erörtert werden. Tatsächlich wurde in Fällen besonders schutzbedürftiger Personen europaweit davon abgesehen, Bulgarien um eine Dublin-Übernahme zu ersuchen.[37]

Aus den genannten Gründen könnte ebenfalls ein Abschiebungsverbot hinsichtlich Bulgarien nach § 60 V AufenthG i.V.m. Art. 3 EMRK festgestellt werden.

Ein weiterer Anknüpfungspunkt für eine mögliche Zuständigkeit Deutschlands sind die erwachsenen Geschwister und die Tante, die nach der Ermessensvorschrift des Art. 17 II Dublin-III-VO einen Selbsteintritt Deutschlands begründen können. Diesbezüglich sollte Näheres zum familiären Verhältnis, einer gelebten familiären Gemeinschaft und Ähnlichem vorgetragen werden.

Im Übrigen ist ein Übergang der Zuständigkeit durch Ablauf der Frist zum Stellen eines (Wieder-)Aufnahmegesuches oder zur Überstellung möglich (Art. 21 I 3, 23 III, 29 I 1, II 1 Dublin-III-VO). Statistische Erhebungen der vergangenen Jahre zeigen, dass nur ein sehr geringer Anteil der an Bulgarien gerichteten Übernahmeersuchen zu einer tatsächlichen Überstellung führte (2020: Ersuchen: 1,904, Überstellungen: 14; 2019: Ersuchen: 3,097, Überstellungen: 73).[38] Somit ist es erfahrungsgemäß sogar sehr wahrscheinlich, dass eine Überstellung nicht erfolgt und durch Ablauf der Überstellungsfrist die Zuständigkeit auf Deutschland übergeht. Ob die entsprechenden Fristen eingehalten wurden, beziehungsweise wann diese ablaufen und gegebenenfalls ein Übergang ins nationale Asylverfahren erfolgt, sollte durch Akteneinsicht in Erfahrung gebracht werden.

Weiterführende Literatur
- Für einen ersten Einstieg ins Thema: Informationsverbund Asyl & Migration, Einheitliche Verlinkung – oben ist der Link nur hinter „Das Dublin-Verfahren" hinterlegt. „Das Dublin-Verfahren", 2. Aufl. 2021
- Hruschka, in: Huber/Mantel, AufenthG/AsylG, 3. Aufl. 2021, AsylG § 29 Rn. 2–51
- Bergmann, in: Bergmann/Dienelt, Ausländerrecht, 14. Aufl. 2022, AsylG § 29 Rn. 23–40

Zusammenfassung: Die wichtigsten Punkte
- Das Dublin-Verfahren dient der Klärung des zuständigen Staates für ein Asylverfahren und ist in der Dublin-III-VO geregelt, die in allen Mitgliedstaaten unmittelbar anwendbar ist.
- Die Zuständigkeit beurteilt sich zunächst nach den Prinzipien des Minderjährigenschutzes, der Familieneinheit und subsidiär nach dem Verursachungs- beziehungsweise Verantwortungsprin-

---

37 AIDA, Country Report Bulgaria 2020, 34.
38 AIDA, Country Report Bulgaria 2020, 28–33.

zip. In der Praxis ist das letztgenannte Prinzip trotz des Vorranges des Minderjährigenschutzes und der Familieneinheit am häufigsten einschlägig, denn zumeist beurteilt sich die Zuständigkeit nach dem Staat der ersten unerlaubten Einreise.
- Auch wenn nach den primären Zuständigkeitskriterien die Zuständigkeit eines anderen Staates indiziert ist, kann eine Zuständigkeit Deutschlands (oder eines dritten Dublin-Staates) wegen systemischer Mängel im eigentlich zuständigen Staat, aus familiären, humanitären oder menschenrechtlichen Gründen oder wegen Fristablaufs begründet werden.
- Ergeht ein Dublin-Bescheid, so beträgt die Rechtsbehelfsfrist zur Einlegung von Klage und Eilantrag lediglich eine Woche und der Klage kommt keine aufschiebende Wirkung zu.
- Aufgrund der Auswirkungen eines Eilantrages auf den Fristablauf, sollte bei der Entscheidung über die einzuleitenden Schritte stets anwaltlicher Rat hinzugezogen werden.

Dieser Fall darf gerne kommentiert, verändert und beliebig genutzt werden. Die Anleitung hierfür lässt sich über den abgebildete QR-Code mit der Smartphone-Kamera auf unserer Homepage aufrufen.

Mailin Loock

Fall 8
Das Dublin-Roulette Teil 1: Wer ist zuständig?

Behandelte Themen: Minderjährigenschutz; Prinzip der Familieneinheit, Verantwortungsprinzip, systemische Schwachstellen (primäre Zuständigkeitskriterien im Rahmen des Dublin-Verfahrens)

Schwierigkeitsgrad: Anfänger*innen/Fortgeschrittene

Sachverhalt: Kurzfälle mit Fragen und Abwandlungen

Du bist Rechtsberater*in in einer Refugee Law Clinic. Dein Beratungsstandort ist spezialisiert auf Dublin-Fälle. Unter den Ratsuchenden sind heute einige, die zum ersten Mal in die Sprechstunde gekommen sind. Bei jedem Beratungsgespräch kommt erneut die Frage auf:
- Liegt ein Dublin-Fall vor? Ist Deutschland oder ein anderer Dublin-Mitgliedstaat zuständig?
- Beurteile die verschiedenen Konstellationen anhand der primären Zuständigkeitskriterien unter Heranziehung der einschlägigen Regelungen der Dublin-III-VO.

A. Absoluter Vorrang

Ozan ist 17 Jahre alt und kommt aus dem Irak. Weil ihm die Zwangsrekrutierung durch die Al-Asaib-Miliz drohte, machte er sich alleine auf den gefährlichen Weg nach Europa und ließ seine Eltern und Geschwister zurück. Nach vielen Wochen im überfüllten Geflüchtetenlager auf der Insel Lesbos brach dort ein Brand aus. Daher wurde er von der griechischen Polizei in ein Lager auf das Festland gebracht. Von hier aus gelang es ihm, über die Balkanstaaten weiter nach Deutschland zu reisen, wo er sich zurzeit in einer Geflüchtetenunterkunft in Hamburg aufhält. In Köln wohnt eine Tante von Ozan. Er kennt sie aus Kindheitstagen und hat eine gute Beziehung zu ihr. Nach Griechenland will er auf keinen Fall zurück. Er hat dort im Geflüchtetenlager traumatische Erfahrungen gemacht. Weiter darüber reden will er aber nicht. Von den griechischen Behörden wurde er behördlich registriert und hat bei diesen auch einen Asylantrag gestellt.

Fragen und Abwandlungen

I. Kann Ozan in Deutschland bleiben, wenn seine Tante bereit ist, ihn aufzunehmen, oder ist ein anderer Dublin-Mitgliedstaat für sein Asylverfahren zuständig?

II. Angenommen Ozan hat dem BAMF keine Dokumente vorgelegt, um sein Alter nachzuweisen. Eine medizinische Untersuchung zur forensischen Alterseinschätzung kam zum Ergebnis, dass Ozan mindestens 18 Jahre alt sein muss. Daher stellte das BAMF Ozan einen sogenannten Dublin-Bescheid zu, in welchem Ozans Asylantrag als unzulässig abgelehnt und die Abschiebung nach Griechenland angeordnet wurde. Gegen diesen hat Ozan mithilfe seiner Anwältin Klage erhoben. Ändert sich etwas an der Zuständigkeit, wenn das Gericht richtigerweise zur Überzeugung gelangt, dass Ozan im Zeitpunkt der Asylantragstellung 17 Jahre alt war; er inzwischen aber volljährig geworden ist? Was könnte darüber hinaus gegen eine Überstellung nach Griechenland sprechen?

III. Welcher Mitgliedstaat wäre zuständig, wenn in keinem Mitgliedstaat Familienangehörige, Geschwister oder Verwandte von Ozan leben würden?

B. Familie ist nicht gleich Familie?!

Sarah ist eine Ärztin aus Afghanistan. Aufgrund ihrer beruflichen Tätigkeit in einem Krankenhaus in Kunduz wurden sie und ihre Familie von Mitgliedern der Taliban mehrfach bedroht. Zudem wurde das Krankenhaus, in dem sie gearbeitet hat, vom US-Militär angegriffen. Aufgrund der gefährlichen Lage sah sie keinen anderen Ausweg mehr als zu fliehen. In Deutschland wurde Sarah subsidiärer Schutz gewährt. Ihr Ehemann und ihr Sohn, die ein paar Monate nach ihr Afghanistan verlassen haben, befinden sich zurzeit noch auf der griechischen Insel Chios. Dort wurden sie bereits registriert.

Fragen und Abwandlungen

I. Welcher Mitgliedstaat ist für die Asylanträge von Sarahs Ehemann und ihrem gemeinsamen minderjährigen Sohn zuständig?

II. Wie ist der Fall zu beurteilen, wenn Sarahs achtzigjähriger Vater in Griechenland ist und als Asylsuchender die Familienzusammenführung mit seiner Tochter in Deutschland begehrt?

C. (Ir-)relevante Verursachung

Sasha ist mit einem Schengen-Visum, das Sasha von den lettischen Behörden erteilt worden ist, zunächst über Riga in die EU eingereist. Ursprünglich kommt Sasha aus

Russland, wo Sasha systematisch diskriminiert worden ist, da Sasha non-binär ist. Mit dem in Sashas Geburtsurkunde eingetragenen männlichen Geschlecht kann sich Sasha nicht identifizieren; Sasha definiert sich weder als ausschließlich männlich noch weiblich und möchte daher auch ohne Pronomen angesprochen werden. Zuletzt hat Sasha den Job als Lehrer*in verloren. In Lettland hat Sasha sich bei Bekannten aufgehalten. Sashas Visum ist bereits seit acht Monaten abgelaufen. Nun ist Sasha in Berlin. Hier fühlt Sasha sich sehr wohl. Ein Freund hat Sasha geraten, einen Asylantrag zu stellen, was Sasha bisher noch nicht getan hat.

Fragen und Abwandlungen
I. Welcher EU-Mitgliedstaat wäre für Sashas Asylantrag zuständig, wenn Sasha ihn in Deutschland stellen würde?
II. Angenommen Sasha hat in Lettland bereits erfolglos Asyl beantragt und stellt nun in Deutschland erneut einen Asylantrag. Wie wird das BAMF entscheiden beziehungsweise wovon wird die Entscheidung des BAMF maßgeblich abhängen?

D. Alles eine Frage des Beweises

Rahil hat gemeinsam mit ihrem Bruder Adil ihre Heimatstadt Homs verlassen. Aufgrund des anhaltenden Krieges sahen die beiden volljährigen Geschwister keine andere Möglichkeit, als in Europa Schutz zu suchen. Über die Türkei, Georgien und Russland erreichten sie schließlich die finnische Kleinstadt Vaalimaa. Dort wurden ihnen auch Fingerabdrücke abgenommen. Rahil kann Deutsch sprechen, da sie vor Ausbruch des Krieges in der Tourismusbranche gearbeitet hat. Aus diesem Grund sind Rahil und Adil nach einem zweiwöchigen Aufenthalt in Finnland weiter nach Deutschland gereist. Beide haben hier sofort einen Asylantrag gestellt.

Fragen und Abwandlungen
I. Welcher Dublin-Mitgliedstaat ist für Rahils und Adils Asylanträge zuständig?
II. Angenommen Rahil und Adil hätten keine Fingerabdrücke abgegeben, ist dann ein anderer Dublin-Mitgliedstaat für ihre Asylanträge zuständig, sodass eine Dublin-Überstellung droht?

E. Die Grenzen des Vertrauens

Familie Tulu kommt aus Eritrea. Zu ihr gehören das dreijährige Kind Amanuel und seine Eltern, Alemee und Ermias. Zudem erwartet Familie Tulu Nachwuchs: Alemee

Sophie Greilich

ist im fünften Monat schwanger. Mit vielen weiteren Menschen sind sie in einem Schlauchboot von Libyen nach Lampedusa gelangt. Dort wurden sie auch samt Fingerabdrücken behördlich registriert und haben einen Asylantrag gestellt. Allerdings war ihre Geflüchtetenunterkunft sehr überfüllt und die dortigen Hygienestandards katastrophal: Defekte Duschen, kein Heißwasser und mangelnde Elektrizität waren keine Seltenheit! Aus diesem Grund sind sie weiter nach Deutschland gereist. Gestern hatte Familie Tulu ihren Termin zur Stellung ihrer Asylanträge hier in Deutschland. Von dem Mitarbeiter des Bundesamtes für Migration und Flüchtlinge wurden sie im Zuge dessen auch zu ihrer Fluchtroute befragt. Familie Tulu hat große Angst, wieder nach Italien zurücküberstellt zu werden.

Fragen und Abwandlungen

I.   Welcher Mitgliedstaat wäre dem Grundsatz nach für die Asylverfahren der Familie Tulu zuständig? Ergibt sich vorliegend ausnahmsweise ein Zuständigkeitsübergang auf einen anderen Mitgliedstaat?

II. Welcher Mitgliedstaat wird für den Asylantrag des neugeborenen Kindes zuständig sein? Ist die Stellung eines förmlichen Asylantrags für das Kind erforderlich?

III. Was gilt für den Onkel von Ermias, der gemeinsam mit Familie Tulu geflüchtet ist, und auch in Italien in einer Geflüchtetenunterkunft gewohnt und dort einen Asylantrag gestellt hat, jedoch in Deutschland bleiben möchte? Er beruft sich auf Mängel im italienischen Sozialsystem: In Italien gäbe es für ihn keine Perspektive. Zudem seien Personen, die im Rahmen des Dublin-Verfahrens zurücküberstellt werden, einem hohen Risiko ausgesetzt, obdachlos zu werden und ein Leben am Rande der Gesellschaft führen zu müssen.

Sophie Greilich

Lösungsvorschlag

Vorliegend ist für jeden Beratungsfall zu prüfen, welcher Dublin-Mitgliedstaat für die Prüfung des Asylantrags zuständig ist. Es stellt sich stets die Frage, ob die Klient*innen in Deutschland bleiben können oder ob eine Dublin-Überstellung droht.

! **Hinweise zur Fallprüfung**

Die Dublin-III-VO[1] legt in den Art. 8ff. folgende (primäre) Zuständigkeitskriterien fest, welche in der in Art. 7 I Dublin-III-VO festgelegten Reihenfolge zu prüfen sind:
1. Minderjährigenschutz (Art. 8 Dublin-III-VO)
2. Prinzip der Familieneinheit (Art. 9 bis 11 Dublin-III-VO)
3. Verantwortungs- beziehungsweise Verursachungsprinzip (Art. 12 bis 15 Dublin-III-VO)
4. Humanitäre Klausel (Art. 16 Dublin-III-VO)
5. Auffangzuständigkeit (Art. 3 II 1 Dublin-III-VO)
6. Ausschluss der Überstellung wegen systemischer Mängel (Art. 3 II 2 Dublin-III-VO) beziehungsweise wegen individueller Überstellungsverbote
7. Selbsteintritt nach Ermessen (Art. 17 Dublin-III-VO)

---

i **Weiterführendes Wissen**

In der Beratung sollten die Kriterien durch gezielte Fragen und Sichtung der mitgebrachten Dokumente „abgeklopft" werden. Wichtig ist zu beachten: Sofern der*die Klient*in bereits in einem anderen Dublin-Staat anerkannt[2] worden ist, ist die Dublin-III-VO nicht anwendbar.

Beispiel-Fragen für die Beratung
- Wie alt bist Du/sind Sie?
- Hast Du/Haben Sie hier in Deutschland oder in einem anderen Dublin-Mitgliedstaat Familie?
- Wie war Dein/Ihr Fluchtweg? Wurde Dir/Ihnen in einem anderen Mitgliedstaat ein Fingerabdruck abgenommen? Hast Du/Haben Sie in einem anderen Mitgliedstaat einen Asylantrag gestellt? Wurde über diesen Asylantrag bereits entschieden?
- Im Falle der Zuständigkeit eines anderen Mitgliedstaates: Gibt es Härtefallgründe, die gegen eine Überstellung sprechen? Droht bei einer Überstellung in den (eigentlich) zuständigen Zielstaat die Gefahr einer unmenschlichen oder erniedrigenden Behandlung?

---

1 Verordnung (EU) Nr. 604/2013 des Europäischen Parlaments und des Rates zur Festlegung der Kriterien und Verfahren zur Bestimmung des Mitgliedstaats, der für die Prüfung eines von einem Drittstaatsangehörigen oder Staatenlosen in einem Mitgliedstaat gestellten Antrags auf internationalen Schutz zuständig ist vom 26.6.2013, ABl. EU Nr. 180, S. 31.
2 Siehe zur Thematik der sogenannten Drittstaaten-Fälle Loock, 12) *Annerkannt in Griechenland – zurück nach Moria?* in diesem Fallbuch.

Sophie Greilich

A. Absoluter Vorrang

I. Berücksichtigung von verwandtschaftlichen Beziehungen bei Minderjährigkeit

Für unbegleitete minderjährige Schutzsuchende bestimmt sich der zuständige Mitgliedstaat nach Art. 8 Dublin-III-VO. Der **Minderjährigenschutz** hat Vorrang vor allen anderen Kriterien. Dies ergibt sich daraus, dass Art 8 Dublin-III-VO an erster Stelle der in Art. 7 I Dublin-III-VO benannten Rangfolge steht. Darüber hinaus ist der Schutz minderjähriger Geflüchteter beispielsweise auch in Art. 23, Art. 24 Aufnahme-RL[3], Art. 24 GR-Charta oder in Art. 22 UN-Kinderrechtskonvention verankert.

Was unter „Minderjähriger" sowie **„unbegleiteter Minderjähriger"** zu verstehen ist, ist in Art. 2 lit. i und j Dublin-III-VO festgelegt. Ozan hat das 18. Lebensjahr noch nicht erreicht und ist daher mit seinen 17 Jahren noch minderjährig im Sinne des Art. 2 lit. i Dublin-III-VO. Ferner ist er auch ein „unbegleiteter Minderjähriger" im Sinne des Art. 2 lit. j Dublin-III-VO, da er ohne Begleitung eines für ihn verantwortlichen Erwachsenen (in der Regel die Eltern, siehe Art. 2 lit. g, dritter Gedankenstrich Dublin-III-VO) nach Deutschland eingereist ist und sich auch nicht in der Obhut eines solchen Erwachsenen befindet.

Hält sich ein*e Familienangehörige*r oder eines der Geschwister eines*r unbegleiteten Minderjährigen rechtmäßig in einem Mitgliedstaat auf, so ist dieser nach Art. 8 I Dublin-III-VO für das Asylverfahren des*der Minderjährigen zuständig, sofern es dem Wohl der*des Minderjährigen dient.

Wer „Familienangehöriger" im Sinne des Art. 8 I Dublin-III-VO ist, definiert Art. 2 lit. g Dublin-III-VO. Aus der Aufzählung (im Wesentlichen: Eltern, minderjährige Kinder, Ehegatten) geht hervor, dass der Dublin-III-VO ein enges Verständnis von Familie zu Grunde liegt, denn unter den Begriff „Familienangehöriger" fallen lediglich Mitglieder der sogenannten **Kernfamilie**.

In Ozans Fall ist Art. 8 I Dublin-III-VO für die **Bestimmung des zuständigen Mitgliedstaates** daher nicht einschlägig; weder hält sich ein*e Familienangehörige*r von ihm noch eines seiner Geschwister in einem Mitgliedstaat auf.

Ozans Tante ist nach der Dublin-III-VO keine Familienangehörige. Jedoch ist sie eine Verwandte im Sinne von Art. 8 II Dublin-III-VO. Nach Art. 2 lit. h Dublin-III-VO ist „Verwandter" der volljährige Onkel, die volljährige Tante oder ein Großelternteil der antragstellenden Person, der*die sich im Hoheitsgebiet eines Mitgliedstaats aufhält. Nach Art. 8 II Dublin-III-VO ist Deutschland zuständiger Mitgliedstaat für

---

3 Richtlinie 2013/33/EU des Europäischen Parlaments und des Rates zur Festlegung von Normen für die Aufnahme von Personen, die internationalen Schutz beantragen vom 26.6.2013, ABl. EU Nr. L 180, S. 96.

Ozans Asylverfahren, da sich die Tante von Ozan rechtmäßig in Deutschland aufhält, sie für ihn sorgen möchte und die Zusammenführung der beiden augenscheinlich dem Wohl von Ozan dient. Dass vorliegend aufgrund der irregulären Einreise nach Griechenland auch Art. 13 Dublin-III-VO berührt ist, ist aufgrund des Vorrangs des Minderjährigenschutzes irrelevant.

II. Das Versteinerungsprinzip

Für diesen Fall stellt sich die Frage, welcher Zeitpunkt für die Bestimmung der Zuständigkeitskriterien relevant ist. Nach § 77 I AsylG hat das Gericht auf die Sach- und Rechtslage im Zeitpunkt der letzten mündlichen Verhandlung beziehungsweise der Entscheidung abzustellen. Demnach wäre Ozan vorliegend als volljährig zu behandeln. Dies steht jedoch im Widerspruch zu der Regelung in Art. 7 II Dublin-III-VO: Danach wird für die Bestimmung der Zuständigkeit eines Mitgliedstaates von der Situation ausgegangen, die zu dem Zeitpunkt gegeben war, zu dem die antragstellende Person ihren Antrag auf internationalen Schutz zum ersten Mal in einem Mitgliedstaat gestellt hat (sogenanntes **Versteinerungsprinzip**).

Aufgrund des Anwendungsvorrangs des Unionsrechts, welcher dem *effet utile*-Gedanken des Art. 4 III EUV entspringt, ist vorliegend somit der Zeitpunkt maßgeblich, in dem Ozan erstmals einen Asylantrag gestellt hat. Daher ist die Zuständigkeit nach Art. 8 Dublin-III-VO zu beurteilen und das Gericht muss den Dublin-Bescheid aufheben. Abgesehen davon wäre eine Überstellung nach Griechenland wegen Art. 3 II 2 Dublin-III-VO sehr bedenklich. Die Verwaltungsgerichte in Deutschland nehmen zu Recht überwiegend **systemische Mängel** im griechischen Asylsystem an und bejahen zumindest bei vulnerablen Personen (unbegleitete Minderjährige, Menschen mit Behinderungen, alleinstehende und/oder schwangere Frauen, ältere Menschen, LGBTIQ*-Personen, Menschen, die Folter, Vergewaltigung oder anderen Formen schwerer psychischer, physischer oder sexueller Gewalt ausgesetzt waren) ein Überstellungshindernis nach Griechenland.[4]

III. Keine familiäre oder verwandtschaftliche Beziehung?

Art. 8 IV Dublin-III-VO regelt für diese Konstellation, in welcher keinerlei Familienangehörige oder Verwandte in einem Dublin-Staat leben, dass der Mitgliedstaat zuständig ist, in welchem der*die Minderjährige den Antrag auf internationalen Schutz gestellt hat; hier also Deutschland.

---

4 EGMR, Urt. v. 21.1.2011, Az.: 30696/09; EuGH, Urt. v. 21.12.2011, Az.: C-411/10, C-493/10.

Sophie Greilich

B. Familie ist nicht gleich Familie?!

I. Das Prinzip der (Kern-)Familieneinheit

Sofern Antragstellende Familienangehörige in einem Mitgliedstaat haben, die bereits Begünstigte internationalen Schutzes sind oder internationalen Schutz beantragt haben, ist für die Bestimmung des zuständigen Mitgliedstaates das vorrangige Prinzip der **Familieneinheit** entscheidend. Dieses kommt in Art. 9–11 Dublin-III-VO zum Ausdruck. Sarah ist sowohl im Verhältnis zu ihrem Ehemann als auch zu ihrem minderjährigen Sohn Familienangehörige im Sinne von Art. 2 lit. g Dublin-III-VO. Da Sarah bereits internationaler Schutz[5] von Deutschland gewährt wurde, richtet sich die Zuständigkeit für die Asylverfahren von Sarahs Ehemann und ihrem gemeinsamen minderjährigen Sohn nach Art. 9 Dublin-III-VO. Danach ist im Falle einer entsprechenden schriftlichen Kundgabe dieses Wunsches Deutschland zuständiger Mitgliedstaat, da Sarah sich hier aufhält und bereits einen Schutzstatus hat.

II. Art. 16 Dublin-III-VO als humanitäre Härtefallnorm

Sarahs Vater kann sein Überstellungsgesuch nach Deutschland – im Gegensatz zu ihrem Ehemann und ihrem minderjährigen Sohn – nicht auf Art. 9 Dublin-III-VO stützen, denn Sarah ist als volljährige Tochter keine Familienangehörige im Sinne von Art. 2 lit g. Indes könnte vorliegend Art. 16 Dublin-III-VO greifen: Danach ist eine antragstellende Person, sofern sie aus einem der genannten Gründe auf die Unterstützung eines Familienmitglieds (namentlich ihres Kindes, Geschwister- oder Elternteils) angewiesen ist, von diesem in der Regel nicht zu trennen beziehungsweise mit diesem zusammenzuführen. Als Gründe für ein solches Abhängigkeitsverhältnis werden in Art. 16 Dublin-III-VO genannt: Schwangerschaft, ein neugeborenes Kind, schwere Krankheit, Behinderung oder hohes Alter. Aufgrund des fortgeschrittenen Alters von Sarahs Vater (80 Jahre alt) liegt eine persönliche Abhängigkeit vorliegend nahe. Da Art. 16 Dublin-III-VO als Sollvorschrift ausgestaltet ist, besteht somit ein Anspruch auf Übernahme, wenn Sarahs Vater seine Hilfebedürftigkeit darlegen kann, der Zusammenführungswunsch schriftlich kundgetan wird und keine erheblichen Abweichungen vom Regelfall bestehen.

In Konstellationen, in denen familiäre Bindungen eine Rolle spielen und die engen Voraussetzungen von Art. 16 Dublin-III-VO nicht vorliegen, gibt es darüber hi-

---

5 Internationaler Schutz bezeichnet die europarechtlich harmonisierten Schutzformen des Flüchtlingsstatus und subsidiären Schutzstatus gemäß Art. 2 lit. a Qualifikations-RL (vgl. auch § 2 XIII AufenthG).

naus die Möglichkeit, dass Mitgliedstaaten zur Wahrung der Familieneinheit ihr Selbsteintrittsrecht nach Art. 17 Dublin-III-VO ausüben und sich für Asylverfahren von Familienmitgliedern zuständig erklären, die nicht zur Kernfamilie gehören.[6] Art. 17 Dublin-III-VO ist zwar eine Ermessensregelung, allerdings kann in besonders gelagerten Fällen – insbesondere wenn besonders schutzbedürftige Personen im Sinne von Art. 16 Dublin-III-VO und Art. 21 Aufnahme-RL betroffen sind – aus Art. 6 I GG beziehungsweise Art. 8 EMRK und Art. 7 GR-Charta auch eine Verpflichtung der Mitgliedstaaten zur Aufnahme von Familienmitgliedern folgen (sogenannte Ermessensreduzierung auf Null).[7]

C. (Ir-)relevante Verursachung

I. Verursachung gleich Zuständigkeit?

Sasha ist nicht minderjährig und hat auch keine Familienangehörigen in einem Mitgliedstaat, weshalb die vorrangigen Prinzipien des Minderjährigenschutzes und der Familieneinheit (Art. 8–11 Dublin-III-VO) zur Bestimmung der Zuständigkeit nicht greifen. Die nachrangig zu prüfenden Kriterien (namentlich: Ausstellung von Aufenthaltstiteln oder Visa, irreguläre(r) Einreise oder Aufenthalt sowie die Antragstellung im **Transitbereich** eines mitgliedstaatlichen Flughafens) fallen allesamt unter das dritte zuständigkeitsbegründende Prinzip: das sogenannte **Verursachungs-** beziehungsweise **Verantwortungsprinzip**. Nach diesem ist immer der Mitgliedstaat für das Asylverfahren einer schutzsuchenden Person zuständig, welcher die Einreise in das Hoheitsgebiet der EU ermöglicht beziehungsweise nicht verhindert hat. Vorliegend könnte Art. 12 II Dublin-III-VO einschlägig sein. Nach dieser Vorschrift ist – sofern die antragstellende Person ein gültiges Visum besitzt – der Mitgliedstaat für die Prüfung des Antrags auf internationalen Schutz zuständig, der das Visum erteilt hat. Hier hat Lettland Sasha ein Visum ausgestellt hat. Allerdings ist dieses bereits seit acht Monaten nicht mehr gültig, sodass Art. 12 II Dublin-III-VO nicht anwendbar ist. Vielmehr ist hier Art. 12 IV Dublin-III-VO zu beachten, der im Falle eines abgelaufenen Visums die Zuständigkeiten der Mitgliedstaaten regelt. Solange die antragstellende Person das Hoheitsgebiet der Mitgliedstaaten nicht verlassen hat, kommt es darauf an, wie lange das Visum bereits abgelaufen ist: Sind es weniger als sechs Monate, so findet Art. 12 II Dublin-III-VO entsprechend Anwendung. Ist das Visum jedoch – wie in Sashas Fall – bereits mehr als sechs Monate nicht mehr gültig, wird der Mitgliedstaat zuständig, in welchem der Antrag auf internationalen

---

6 Marx, Aufenthalts-, Asyl- und Flüchtlingsrecht, 7. Aufl. 2020, § 9 Rn. 45 f.
7 Nestler/Vogt, ZAR 2017, 21 (26).

Schutz gestellt wird. Für die Beantwortung der Fallfrage bedeutet dies: Deutschland wäre für Sashas Asylantrag zuständig, denn Sashas Visum ist bereits seit acht Monaten abgelaufen.

Weiterführendes Wissen

Die Ausgestaltung des Dublin-Systems steht schon seit Jahren scharf in der Kritik. Zu seiner Dysfunktionalität trägt zum einen das Kriterium der Ersteinreise als Ausprägung des Verantwortungsprinzips bei: Für die meisten Geflüchteten sind die Mittelmeeranrainerstaaten die erste Station in Europa, sodass diese überwiegend für die Asylantragsprüfung zuständig werden. An einer solidarischen Verantwortungsaufteilung fehlt es indes. Zum anderen werden uneinheitliche Standards in Bezug auf die Aufnahmebedingungen und die Anerkennungspraxis beklagt. Auch wird bemängelt, dass die Dublin-III-VO die individuellen Schutzbedürfnisse und sozialen Bindungen der Geflüchteten zu wenig berücksichtige.[8]

Als Reaktion auf die Reformrufe legte die EU-Kommission 2016 erstmals einen Entwurf für eine (neue) Dublin-IV-VO[9] vor. Dieser scheiterte jedoch an der Zustimmung der verschiedenen EU-Länder. Nun kam es im September 2020 zu einem erneuten Vorschlag der EU-Kommission: Verhandelt wird derzeit eine Asyl- und Migrationsmanagement-Verordnung[10], welche die Dublin-III-VO ablösen soll. Sie unterscheidet sich in weiten Teilen nicht von der Dublin-III-VO. Allerdings enthält sie beispielsweise einen Solidaritätsmechanismus. Aufgrund vieler Uneinigkeiten zwischen den Dublin-Staaten bleibt es abzuwarten, ob und wann sich die Dublin-Staaten (endlich) auf ein neues Zuständigkeitssystem einigen können, welches die menschenrechtlichen Belange der Schutzsuchenden nicht aus den Augen verliert.[11] Der von zivilgesellschaftlichen Organisationen geforderte Vorschlag, das Prinzip der freien Wahl des Mitgliedstaates durch die schutzsuchende Person („free choice") einzuführen und dieses mit einem finanziellen Ausgleichssystem zu verbinden, liefert vor diesem Hintergrund einen produktiven Lösungsansatz und gibt Antworten auf die Frage, wie die aufgezeigten Mängel des Dublin-Systems überwunden werden könnten.[12]

---

8 Siehe zusammenfassend zum Diskussionsstand: Greilich/Heuser/Markard, Teaching Manual Refugee Law Clinics, 2020, S. 80 f.

9 Vorschlag für eine Verordnung des Europäischen Parlaments und des Rates zur Festlegung der Kriterien und Verfahren zur Bestimmung des Mitgliedstaats, der für die Prüfung eines von einem Drittstaatsangehörigen oder Staatenlosen in einem Mitgliedstaat gestellten Antrags auf internationalen Schutz zuständig ist (Neufassung) vom 4.5.2016, COM(2017) 270 final, 2016/0133(COD).

10 Vorschlag für eine Verordnung des Europäischen Parlaments und des Rates über Asyl- und Migrationsmanagement und zur Änderung der Richtlinie (EG) 2003/109 des Rates und der vorgeschlagenen Verordnung (EU) vom 23.9.2020, COM(2020) 610 final, 2020/0279(COD).

11 Siehe ausführlich zur in der Diskussion stehenden Asyl- und Migrationsmanagement-Verordnung: Lührs, NVwZ 2021, 1329.

12 AWO/Diakonie/der Paritätische u.a., Für die freie Wahl des Zufluchtslandes in der EU – Die Interessen der Flüchtlinge achten, Juni 2015.

Sophie Greilich

II. Nach erfolglosem Asylverfahren in einem anderen Dublin-Staat: Erst- oder Zweitantrag?

Im Falle eines erfolglosen Asylantrags in einem anderen EU-Mitgliedstaat ist ein anschließend in Deutschland gestellter Asylantrag in der Regel als **Zweitantrag**[13] im Sinne von § 71a AsylG zu werten, sodass ein weiteres Asylverfahren seitens Deutschland nur durchzuführen ist, sofern die Voraussetzungen des § 51 I, II VwVfG für ein Wiederaufgreifen des Verfahrens vorliegen, namentlich:

– Vorliegen eines **Wiederaufgreifensgrundes** nach § 51 I VwVfG
– Kein grobes Verschulden bezüglich der vorherigen Nichtgeltendmachung

Die dreimonatige Präklusionsvorschrift[14] des § 51 III VwVfG ist indes nicht anwendbar, da diese nicht im Einklang mit der Asylverfahrens-RL[15] steht.[16]

Wiederaufgreifensgründe sind beispielsweise eine veränderte Sach- oder Rechtslage beziehungsweise neue Erkenntnisse oder das Vorliegen neuer Beweismittel, wobei dem Betroffenen kein Verschulden dahingehend vorgeworfen werden darf, den Grund für das Wiederaufgreifen nicht bereits in dem früheren Verfahren geltend gemacht zu haben. Werden die hohen Anforderungen des § 51 I, II VwVfG für eine erneute Prüfung nicht erfüllt, so ist der Asylantrag seitens des BAMF gemäß § 29 I Nr. 5 AsylG als unzulässig abzulehnen. Etwas anderes gilt bei einer richtlinienkonformen Auslegung im Hinblick auf die Voraussetzung des erfolglos abgeschlossenen Asylverfahrens, wenn der Asylantrag in dem anderen Mitgliedstaat ohne inhaltliche Prüfung abgelehnt wurde beziehungsweise wenn das Verfahren nach der Rechtsordnung dieses Staates in der Weise wiederaufgenommen werden kann, dass eine volle sachliche Prüfung des Antrags stattfindet.[17] Dann wird der in Deutschland gestellte Antrag als Erstantrag behandelt. Infolge seiner Amtsermittlungspflicht trägt dabei grundsätzlich das BAMF die Beweislast hinsichtlich der endgültigen Beendigung des Asylverfahrens in dem anderen Mitgliedstaat.[18] Zudem sind genaue Kenntnisse über den Vortrag im Erstverfahren erforderlich, um die

---

13 Siehe zur Thematik der Zweitanträge Schloss, *27) Von einem EU-Mitgliedstaat in den nächsten* in diesem Fallbuch.
14 Der Rechtsbegriff der Präklusion bezeichnet den Ausschluss eines bestimmten Rechtes unter bestimmten Voraussetzungen.
15 Richtlinie 2013/32/EU des Europäischen Parlaments und des Rates zu gemeinsamen Verfahren für die Zuerkennung und Aberkennung des internationalen Schutzes vom 26.6.2013, ABl. EU Nr. L 180, S. 60.
16 EuGH, Urt. v. 9.9.2021, Az.: C-18/20.
17 BVerwG, Urt. v. 14.12.2016, Az.: 1 C 4.16.
18 Adam, ZAR 2021, 283 (286); Bruns, in: Oberhäuser (Hrsg.), Migrationsrecht in der Beratungspraxis, 2019, § 18 Rn. 82; Haubner/Kalin, Einführung in das Asylrecht, 2017, Kapitel 4 Rn. 147.

Sophie Greilich

schuldhafte Versäumung des Nichtvorbringens im Erstverfahren feststellen zu können.[19]

Die Entscheidung des BAMF wird im Fall von Sasha also maßgeblich davon abhängen, ob die lettischen Behörden eine negative Sachentscheidung nach inhaltlicher Prüfung getroffen haben und diese bestandskräftig ist. In diesem Fall müsste Sasha Gründe für ein Wiederaufgreifen des Verfahrens geltend machen, beispielsweise neue Beweismittel für Sashas Verfolgung. Andernfalls erfolgt eine Ablehnung als unzulässig.

Weiterführendes Wissen

Zwar regelt § 51 II VwVfG, auf den § 71a AsylG (Zweitantrag) beziehungsweise § 71 AsylG (Folgeantrag) verweist, dass ein verschuldetes Nichtvorbringen von Gründen im Erstantragsverfahren im Rahmen des Zweit- beziehungsweise Folgeantragsverfahrens keine Berücksichtigung finden kann. Allerdings ist fraglich, ob diese Regelung – insbesondere im Hinblick auf das erst kürzlich vom EuGH gefällte Urteil im September 2021 in der Rechtssache XY gegen Österreich[20] – unionsrechtskonform ist. Denn die nationalen Vorschriften hinsichtlich des Zweit- beziehungsweise Folgeantrags sind vor dem Hintergrund der Art. 40ff. Asylverfahrens-RL zu beurteilen. Zwar sieht Art. 40 IV Asylverfahrens-RL die Möglichkeit einer Präklusionsvorschrift (wie die des § 51 II VwVfG) vor. Für eine unionsrechtskonforme Umsetzung genügt womöglich ein schlichter Verweis auf die allgemeinen nationalen Verwaltungsvorschriften jedoch nicht. Es könnte vielmehr erforderlich sein, dass Deutschland Art. 40 IV Asylverfahrens-RL ausdrücklich in nationales Recht umsetzen muss.[21]

D. Alles eine Frage des Beweises

I. Fingerabdrücke als „sicheres" Beweismittel

Zuständiger Mitgliedstaat für die Prüfung der Asylanträge von Rahil und Adil ist vorliegend Finnland. Finnland wird die irreguläre Einreise der beiden in die EU gemäß Art. 13 I Dublin-III-VO zugerechnet. Als Beweismittel dienen die abgegebenen Fingerabdrücke, die zu einem positiven Eurodac-Treffer führen werden (vgl. Art. 22 III Dublin-III-VO i.V.m. Anhang II, A.I.7., erster Gedankenstrich Dublin-DVO). Auch hier greift somit das sogenannte Verantwortungsprinzip. Die Ausnahmeregelung des Art. 13 II 1 Dublin-III-VO ist indes nicht einschlägig. Danach ist derjenige Mitgliedstaat zuständig, in dem sich die antragstellende Person vor der Antragstellung während eines ununterbrochenen Zeitraums von mindestens fünf Monaten auf-

---

19 Bruns, in: Oberhäuser (Hrsg.), Migrationsrecht in der Beratungspraxis, 2019, § 18 Rn. 89.
20 EuGH, Urt. v. 9.9.2021, Az.: C-18/20.
21 Siehe hierzu die Meldung des Informationsverbundes Asyl & Migration, EuGH stärkt Rechte von Asylsuchenden bei Asylfolgeanträgen, 28.10.2021.

Sophie Greilich

gehalten hat, sofern kein anderer Mitgliedstaat nach Art. 13 I 1 Dublin-III-VO zuständig ist (etwa bei Ablauf der zwölfmonatigen Frist nach Art. 13 I 2 Dublin-III-VO oder wenn der Nachweis der illegalen Einreise nach Art. 13 I Dublin-III-VO nicht geführt werden kann). Das ist hier nicht der Fall. Rahil und Adil haben sich nur zwei Wochen in Finnland aufgehalten und sind nun erst seit Kurzem in Deutschland.

ℹ Weiterführendes Wissen

Nach Art. 22 II Dublin-III-VO werden zur Bestimmung des zuständigen Mitgliedstaates Beweismittel und Indizien verwendet. Unter Beweismittel fallen gemäß Art. 22 III lit. a (i) Dublin-III-VO förmliche Beweismittel, die insoweit über die Zuständigkeit nach der Dublin-III-VO entscheiden, als sie nicht durch Gegenbeweise widerlegt werden. Davon abzugrenzen sind sogenannte Indizien im Sinne von Art. 22 III lit. b Dublin-III-VO: Hierunter fallen einzelne Anhaltspunkte, die, obwohl sie anfechtbar sind, in einigen Fällen nach der ihnen zugebilligten Beweiskraft ausreichen können. Dies ist von Fall zu Fall zu bewerten. Liegen keine förmlichen Beweismittel vor, erkennt der ersuchte Mitgliedstaat nach Art. 22 V Dublin-III-VO seine Zuständigkeit an, wenn die Indizien kohärent, nachprüfbar und hinreichend detailliert sind, um die Zuständigkeit zu begründen. Die möglichen Beweismittel und Indizien sind in Anhang II der Dublin-DVO aufgeführt. Das prominenteste Beweismittel hinsichtlich einer Zuständigkeit nach Art. 12 Dublin-III-VO (siehe Kurzfall C.I.) ist ein sogenannter VIS-Treffer. VIS steht dabei für das Visa-Informationssystem der Mitgliedstaaten des Schengenraums, welches den Austausch und Abgleich von Visa-Daten ermöglicht. Für die Frage, ob eine Zuständigkeit nach Art. 13 I Dublin-III-VO („illegale Einreise") gegeben und auch beweisbar ist, ist zumeist entscheidend, ob der schutzsuchenden Person in einem anderen Mitgliedstaat ein Fingerabdruck abgenommen worden ist. In einem solchen Fall kann – soweit keine vorrangigen Kriterien greifen – der nach dem Verantwortungsprinzip zuständige Mitgliedstaat mithilfe der **Fingerabdruck-Datenbank Eurodac** ermittelt werden.

II. Auffangtatbestand des Art. 3 II 1 Dublin-III-VO

Lässt sich die irreguläre Einreise und/oder der Aufenthalt im Sinne von Art. 13 Dublin-III-VO nicht aufgrund von den im Anhang II der Dublin-DVO aufgeführten Beweismitteln oder Indizien nachweisen, so ist nach dem Auffangtatbestand des Art. 3 II 1 Dublin-III-VO der erste Mitgliedstaat, in dem der Antrag auf internationalen Schutz gestellt wurde, zuständig. Da Rahil und Adil weder in Finnland noch in einem anderen Mitgliedstaat ein Fingerabdruck abgenommen wurde und Deutschland das erste Land ist, in dem sie einen Asylantrag stellen, droht keine Dublin-Überstellung. Deutschland ist für die Prüfung der Asylanträge zuständig.

E. Die Grenzen des Vertrauens

I. Systemische Schwachstellen und drohende Verletzung des Art. 4 GR-Charta als menschenrechtliches Stoppschild

Aufgrund des Verantwortungsprinzips wäre für die Asylverfahren der Familie Tulu grundsätzlich Italien als Land der Ersteinreise nach Art. 13 I Dublin-III-VO zuständig, was zu einer Ablehnung ihrer Asylanträge als unzulässig nach § 29 I Nr. 1a AsylG führen würde. § 29 I Nr. 1a AsylG, der eine Ablehnung von Asylanträgen ohne weitere inhaltliche Prüfung ermöglicht, ist Ausdruck des sogenannten **Prinzips des gegenseitigen Vertrauens**, auf dem das Gemeinsame Europäische Asylsystem (GE-AS) beruht. Dieses stellt die (widerlegbare) Vermutung auf, dass die Asylverfahren und Aufnahmebedingungen in allen Staaten, die Teil des GEAS sind, im Einklang mit den Vorschriften der Genfer Flüchtlingskonvention (GFK), der Europäischen Konvention für Menschenrechte (EGMR) und der Charta der Grundrechte der Europäischen Union (GR-Charta) seien. Insoweit dürften sich die beteiligten Staaten daher Vertrauen entgegenbringen und Asylanträge grundsätzlich im Sinne des *effet utile*-Grundsatzes unter Verweis auf die Zuständigkeit eines anderen Dublin-Staates als unzulässig ablehnen.

Das Prinzip des gegenseitigen Vertrauens findet jedoch dort seine Grenzen, wenn Asylverfahren oder Aufnahmebedingungen in Mitgliedstaaten systemische Schwachstellen aufweisen, die eine **Gefahr einer unmenschlichen oder erniedrigenden Behandlung** im Sinne von Art. 4 GR-Charta beziehungsweise Art. 3 EMRK mit sich bringen.[22] Für solche Fälle bestimmt Art. 3 II Dublin-III-VO, dass die antragstellenden Personen nicht in den betreffenden Mitgliedstaat überstellt werden dürfen. Aufgrund der absoluten Schutzwirkung von Art. 4 GR-Charta beziehungsweise Art. 3 EMRK gilt dies auch bei einer drohenden unmenschlichen oder erniedrigenden Behandlung, die nicht systemisch bedingt ist.[23] In einem solchen Fall ergibt sich ein individuelles **Überstellungsverbot**.

Der EuGH stellte diesbezüglich bereits klar:

> *„Auch wenn es keine wesentlichen Gründe für die Annahme gibt, dass in dem für die Prüfung des Asylantrags zuständigen Mitgliedstaat systemische Schwachstellen bestehen, darf die Überstellung eines Asylbewerbers im Rahmen der Verordnung Nr. 604/2013 nur unter Bedingungen vorgenommen werden, die es ausschließen, dass mit seiner Überstellung eine tatsächliche und er-*

---

22 EGMR, Urt. v. 21.1.2011, Az.: 30696/09; EuGH, Urt. v. 21.12.2011, Az.: C-411/10, C-493/10.
23 EuGH, Urt. v. 26.7.2017, Az.: C-646/16, Tz. 101; EuGH, Urt. v. 16.2.2017, Az.: C-578/16 PPU, Tz. 59, 65, 68; Hruschka, in: Dörig (Hrsg.), Handbuch Migrations- und Integrationsrecht, 2. Aufl. 2020, § 18 Rn. 157; Marx, Aufenthalts-, Asyl- und Flüchtlingsrecht, 7. Aufl. 2020, § 9 Rn. 49 f. siehe hierzu auch Loock, *7) Vorbereitung ist die halbe Miete* in diesem Fallbuch.

Sophie Greilich

wiesene Gefahr verbunden ist, dass er eine unmenschliche oder erniedrigende Behandlung im Sinne dieses Artikels erleidet."[24]

Fraglich ist vorliegend also, wie sich die prekären Verhältnisse für Schutzsuchende in Italien auf die Zuständigkeit nach der Dublin-III-VO auswirken: Kann die Gefahr einer unmenschlichen oder entwürdigenden Behandlung (infolge von systemischen Schwachstellen) bei einer Überstellung nach Italien im hiesigen Fall angenommen werden?

Diese Prüfung obliegt den nationalen Gerichten, wobei auf die aktuellsten Erkenntnisquellen zurückgegriffen werden muss und die individuellen Besonderheiten jedes Einzelfalls zu berücksichtigen sind. In der Vergangenheit hat sich eine recht uneinheitliche Rechtsprechung herausgebildet. Das ist dem Umstand geschuldet, dass die in Art. 3 II 2 Dublin-III-VO genannte Voraussetzung – „systemische Schwachstellen, die eine Gefahr einer unmenschlichen oder entwürdigenden Behandlung im Sinne von Art. 4 GR-Charta mit sich bringen" – ein unbestimmter Rechtsbegriff und daher auslegungsbedürftig ist. Der für die Auslegung der Dublin-III-VO zuständige EuGH legt hier aufgrund des vorgenannten Vertrauensgrundsatzes einen strengen Maßstab zugrunde.[25] Eine ausnahmsweise Durchbrechung des Prinzips des gegenseitigen Vertrauens sei nur dann möglich, wenn die asylrelevanten Schwachstellen eine besonders hohe Schwelle der Erheblichkeit erreichten.[26] In seinen Grundsatz-Urteilen Jawo[27] und Ibrahim[28] konstatierte er, dass asylrelevante Schwachstellen eines Mitgliedstaates nur dann bedeutend seien, wenn diese zu einem Verstoß gegen Art. 4 GR-Charta führen; das heißt, wenn die Gefahrenprognose im Einzelfall ergebe, dass die schutzsuchende Person in dem betreffenden Mitgliedstaat mit hoher Wahrscheinlichkeit (**„real risk"**) in eine Situation extremer materieller Not geriete, die es nicht erlaube, die elementarsten Bedürfnisse zu befriedigen (kurz: Fehlen von „Bett, Brot, Seife").[29] Eine solche extreme materielle Not sei laut EuGH selbst bei großer Armut oder einer starken Verschlechterung der Lebensverhältnisse nicht anzunehmen, wenn diese nicht folterähnlich

---

24 EuGH, Urt. v. 16.2.2017, Az.: C-578/16 PPU, Tz. 98.

25 Bergmann, in: Bergmann (Hrsg.), Handlexikon der Europäischen Union, 6. Aufl. 2021, J. Jawo/Ibrahim-Asylurteile. Bergmann deutet diese Linie des EuGH als politisches Signal. Vor dem Hintergrund der Urteile Ghezelbash und Karim, welche die Dublin-Fristen als drittschützend anerkennen, wolle der EuGH Dublin-Überstellungen nicht weiter erschweren, siehe dazu auch: Bergmann, in: Bergmann/Dienelt, Ausländerrecht, 13. Aufl. 2020, AsylG § 29 Rn. 26.

26 EuGH, Urt. v. 19.3.2019, Az.: C-163/17, Tz. 91 ff.

27 EuGH, Urt. v. 19.3.2019, Az.: C-163/17, Tz. 94 ff.

28 EuGH, Urt. v. 19.3.2019, Az.: C-297/17, C-318/17, C-319/17, C-438/17, Tz. 93.

29 EuGH, Urt. v. 19.3.2019, Az.: C-163/17, Tz. 92; VGH BW, Urt. v. 29.7.2019; Az.: A 4 S 749/19.

sei.[30] Bei vulnerablen Gruppen – wie hier Familien mit Schwangeren und Kleinkindern – die unabhängig vom eigenen Willen und persönlichen Entscheidungen in eine Situation extremer materieller Not geraten können, setzt der EuGH indes die Hürde für die Annahme eines Überstellungshindernisses nach Art. 3 II 2 Dublin-III-VO nicht ganz so hoch an.[31] Dies steht im Einklang mit der EGMR-Rechtsprechung im Fall Tarakhel[32]. Hier nahm der EGMR bei der drohenden **Dublin-Überstellung** einer Familie mit minderjährigen Kindern nach Italien eine Verletzung des mit Art. 4 GR-Charta inhaltsgleichen Art. 3 EMRK an. Die Schweiz als anfragender Mitgliedstaat wäre gemäß den Richter*innen des EGMR verpflichtet gewesen, vor der Rückführung von den italienischen Behörden eine Zusicherung einzuholen, dass in Italien eine altersgerechte Beherbergung für die Kinder sowie die Einheit der Familie gewährleistet seien. Auch das Bundesverfassungsgericht hat sich bereits in einer ähnlichen Konstellation mit Dublin-Überstellungen von besonders schutzbedürftigen Personen nach Italien auseinandergesetzt. Im konkreten Fall[33] gab es (zu Recht) der Verfassungsbeschwerde statt, da es eine allgemeine Schutzzusicherung Italiens für Dublin-Rückkehrer*innen als nicht ausreichend erachtete. Dies deckt sich auch mit der aktuellen verwaltungsgerichtlichen Rechtsprechung, die bei Familien mit Kleinkindern eine individuelle und einzelfallbezogene Zusicherung der italienischen Behörden im Hinblick auf die gesicherte Unterbringung aller Familienmitglieder verlangt.[34]

Da hier keine solche qualifizierte Zusicherung vorliegt, darf Familie Tulu nicht nach Italien überstellt werden. Vielmehr ist Deutschland für die Prüfung der Asylanträge nach Art. 3 II 2 Dublin-III-VO zuständig. Denn ein anderer Staat, der nach den Kriterien des Kapitels III der Dublin-III-VO zuständig sein könnte, ist vorliegend nicht ermittelbar.[35]

---

30 EuGH, Urt. v. 19.3.2019, Az.: C-163/17, Tz. 93.

31 EuGH, Urt. v. 19.3.2019, Az.: C-297/17, C-318/17, C-319/17, C-438/17, Tz. 93; VGH BW, Beschl. v. 27.5.2019; Az.: A 4 S 1329/19.

32 EGMR, Urt. v. 4.11.2014, Az.: 29217/12; siehe jedoch auch die jüngste Rechtsprechung EGMR, Urt. v. 23.3.2021, Az.: 46595/19 (in dieser negativen Entscheidung fällt der Gerichtshof hinter seine eigenen Standards zurück).

33 BVerfG, Beschl. v. 10.10.2019, Az.: 2 BvR 1380/19.

34 Statt vieler: VG Braunschweig, Urt. v. 5.6.2020, Az.: 7 A 512/18, asyl.net: M28469.

35 Der Wortlaut von Art. 3 II 2 Dublin-III-VO verlangt eine Fortsetzung der Zuständigkeitsprüfung („so setzt der die Zuständigkeit prüfende Mitgliedstaat, die Prüfung der in Kapitel III vorgesehenen Kriterien fort, um festzustellen, ob ein anderer Mitgliedstaat als zuständig bestimmt werden kann"). In der Praxis wird in der Regel das Selbsteintrittsrecht seitens des Aufenthaltsstaates gemäß Art. 17 Dublin-III-VO ausgeübt. Dies ist im Sinne des Beschleunigungsgebots der Dublin-III-VO (siehe Hruschka, in: Huber/Mantel, AufenthG/AsylG, 3. Aufl. 2021, AsylG § 29 Rn. 22, 26).

Sophie Greilich

Weiterführendes Wissen

Insbesondere bei drohenden Dublin-Überstellungen nach Griechenland[36], Italien[37], Rumänien[38], Ungarn[39] oder Bulgarien[40] ist zu prüfen, ob die Betroffenen im konkreten Fall einer extremen Notlage ausgesetzt wären. Die verwaltungsgerichtliche Rechtsprechung nimmt das für diese Länder überwiegend an. Im Rahmen der Prognoseentscheidung kommt sie jedoch teilweise im Hinblick auf die Vulnerabilität der schutzsuchenden Personen zu differenzierten Ergebnissen.

Auch für Malta[41], Norwegen[42], die Slowakei[43] und Schweden[44] wurden in der Vergangenheit vereinzelt systemische Schwachstellen festgestellt.

II. Die Zuständigkeit bei nachgeborenen Kinder

Die Zuständigkeit im Falle eines **nachgeborenen Kindes** bestimmt Art. 20 III 2 Dublin-III-VO. Die Situation des Kindes ist untrennbar mit der seiner Kernfamilie verbunden. Daher ist der Mitgliedstaat für das Asylverfahren des nachgeborenen Kindes verantwortlich, welcher für die Prüfung der Anträge seiner Familienangehörigen beziehungsweise Eltern zuständig ist. Ein neues Zuständigkeitsverfahren muss deshalb nicht eingeleitet werden. Somit lautet mit Blick auf die vorangegangene Begründung zur Verneinung der Zuständigkeit Italiens die richtige Antwort: Deutschland.

Wird ein Kind geboren, nachdem ein Elternteil einen Asylantrag in Deutschland gestellt hat, so genügt eine entsprechende Anzeige beim BAMF. Mit dem Zugang der Anzeige beim BAMF wird nach § 14a II 3 AsylG dessen Asylantrag fingiert; eine förmliche Asylantragstellung ist daher entbehrlich.

Weiterführendes Wissen

Es stellt sich die Frage, wie die Situation nachgeborener Kinder von in *anderen* Mitgliedstaaten Anerkannten zu beurteilen ist. Das BVerwG erachtet in dieser Konstellation ein eigenes Zuständigkeitsverfahren hinsichtlich des nachgeborenen Kindes für erforderlich. Die Sonderregelung in Art. 20 III 2, letzter Hs. Dublin-III-VO, wonach es der Einleitung eines „neuen Zuständigkeitsverfahrens" für das Kind nicht bedarf, sei hier nicht analog anwendbar. Die Zuständigkeit des Aufenthaltsstaates sei jedoch immer

---

36 VG Münster, Urt. v. 28.2.2020, Az.: 2 K 2357/19.A, asyl.net: M28224.
37 OVG NRW, Urt. v. 20.7.2021, Az.: 11 A 1689/20.A.
38 VG Köln, Urt. v. 19.4.2021, Az.: 20 K 653/21.A.
39 VG Karlsruhe, Beschl. v. 4.10.2021, Az.: A 13 K 3013/21, asyl.net: M30056.
40 VG Lüneburg, Urt. v. 21.8.2019, Az.: 8 A 117/19, asyl.net: M27578.
41 VG Hannover, Beschl. v. 23.2.2018, Az.: 10 B 921/18.
42 VG Dresden, Beschl. v. 5.12.2016, Az.: 11 L 928/16, asyl.net: M24520.
43 VG Frankfurt a.M., Urt. v. 11.5.2016, Az.: 9 K 1085.14.F.A, asyl.net: M23867.
44 VG Karlsruhe, Beschl. v. 11.7.2019, Az.: A 13 K 718/19.

dann gegeben, wenn der Mitgliedstaat, der den Eltern internationalen Schutz gewährt hat, nicht binnen der in Art. 21 I 1, 2 Dublin-III-VO genannten Fristen um die Aufnahme des Kindes ersucht wurde.[45]

Hinweis: Inzwischen hat der EuGH bestätigt, dass eine analoge Anwendung des Art. 20 III Dublin-III-VO ausscheide, wenn Eltern in einem anderen Mitgliedstaat internationaler Schutz zuerkannt worden ist. Auch dürfe ein etwaiger Asylantrag nicht nach Art. 33 II lit. a Asylverfahrens-RL als unzulässig abgewiesen werden.[46]

III. Anderer Maßstab für alleinstehende, gesunde Männer, die arbeitsfähig sind?

In der Vergangenheit unterschied der EGMR und die verwaltungsgerichtliche Rechtsprechung im Falle von Italien zwischen sogenannten vulnerablen Gruppen, wie zum Beispiel Familien mit Kleinkindern (siehe oben unter E.I.) und alleinstehenden Männern, sofern sie nicht besonders schutzbedürftig sind.[47] Während eine Überstellung nach Italien für Menschen mit besonderen Schutzbedürfnissen (vgl. Art. 21 Aufnahme-RL) aufgrund der prekären Unterbringungs- und Versorgungssituation mit Art. 4 GR-Charta nicht vereinbar sei,[48] sollte ein anderer Maßstab für alleinstehende, gesunde Männer, die arbeitsfähig sind, gelten: Das italienische Asylsystem sei trotz Mängeln funktionsfähig, weshalb für Personengruppen ohne besondere Schutzbedürfnisse ein **Zuständigkeitsübergang** nicht gerechtfertigt sei.[49] Auch der EuGH betont stets die hohe Schwelle der Erheblichkeit (siehe oben) und lässt beispielsweise Mängel im Sozialsystem der einzelnen Mitgliedstaaten[50] – wie vorliegend seitens des Onkels von Ermias vorgetragen – oder gänzlich fehlende existenzsichernde Leistungen[51] bei gesunden und arbeitsfähigen Männern ohne Vorliegen anderer besonderer Umstände nicht ausreichen.

Im Hinblick auf Italien hat sich seit 2020 die Rechtsprechung der Verwaltungsgerichte jedoch zugunsten einer menschenrechtlichen Perspektive gewandelt. Danach drohe derzeit in Italien auch Menschen, die keine zusätzlichen Vulnerabilitätsmerkmale aufweisen, die Gefahr einer extremen materiellen Notlage, weil der

---

45 BVerwG, Urt. v. 23.6.2020, Az.: 1 C 37.19; Urt. v. 25.5.2021 – 1 C 2.20.

46 EuGH, Urt. v. 1.8.2022, Az.: C-720/20, asyl.net: M30812.

47 EGMR, Urt. v. 5.2.2015, Az.: 51428/10; VG Augsburg, Urt. v. 10.11.2020, Az.: Au 3 K 20.31390; zur Unterscheidung bei Dublin-Überstellungen nach Bulgarien: vgl. VGH BW, Beschl. v. 27.5.2019, Az.: A 4 S 1329/19.

48 EGMR, Urt. v. 4.11.2014; Az.: 29217/12; VG Braunschweig, Urt. v. 14.7.2020, Az.: 1 A 250/18.

49 Vgl. zum Beispiel VG München, Beschl. v. 7.7.2016, Az.: M 1 S 16.50387.

50 EuGH, Urt. v. 19.3.2019, Az.: C-163/17, Tz. 93.

51 EuGH, Urt. v. 19.3.2019, Az.: C-297/17, C-318/17, C-319/17, C-438/17, Tz. 93.

Zugang zum Aufnahme- und Versorgungssystem für sie nicht sichergestellt ist.[52] Dies gälte insbesondere für Menschen, denen in Italien bereits eine Unterkunft zugewiesen worden war.[53] Das italienische Recht sieht mit der Regelung in Art. 23 III des Decreto Legislativo 18 agosto 2015 (Dekret 142/2015) vor, dass Asylsuchenden das Recht auf Unterbringung einschließlich der damit verbundenen staatlichen Versorgung entzogen werden kann, wenn diese unentschuldigt mehr als 72 Stunden abwesend sind oder in der ihnen zugewiesenen Unterkunft erst gar nicht erscheinen. Auch die jüngsten Berichte der Schweizerischen Flüchtlingshilfe[54] über die Aufnahmebedingungen in Italien, auf welche sich die aktuelle Rechtsprechung stützt, unterstreichen die besorgniserregende Situation für Geflüchtete im italienischen Asylsystem.

Angesichts dessen dürfte sich auch der Onkel von Ermias auf eine drohende Verletzung von Art. 4 GR-Charta berufen können. Zwar genügt das Argument, dass das italienische Sozialsystem mangelhaft sei, im Hinblick auf die vom EuGH aufgestellten hohen Hürden zu Art. 4 GR-Charta nicht. Allerdings ist es sehr wahrscheinlich, dass der Onkel von Ermias (da er in Italien bereits in einer Unterkunft gelebt hat) seinen Anspruch auf eine Unterbringung in Italien verloren hat, sodass er bei einer etwaigen Überstellung nach Italien einem sehr hohen Risiko der Obdachlosigkeit ausgesetzt wäre. Dies wäre unvereinbar mit Art. 20 I i.V.m. Art. 18 Aufnahme-RL und nähme ihm die Möglichkeit, seine elementarsten Bedürfnisse zu befriedigen.[55]

❗ Hinweise zur Fallprüfung

Dieses Fallbeispiel zeigt, dass vereinfachte Leerformeln (wie „gesunde und arbeitsfähige Männer bedürfen keines Überstellungsschutzes") mit größter Vorsicht anzuwenden sind. Die Gefahrenprognose hinsichtlich Art. 4 GR-Charta erfordert stets eine sorgfältige und einzelfallbezogene Prüfung unter Einbeziehung der aktuellsten Erkenntnismittel.

---

52 OVG NRW, Urt. v. 20.7.2021, Az.: 11 A 1689/20.A; VG Berlin, Beschl. v. 27.4.2021, Az.: 33 L 66/21 A; VG Hannover, Urt. v. 12.2.2021, Az.: 4 A 2210/18, asyl.net: M29410; VG Braunschweig, Urt. v. 5.6.2020, Az.: 7 A 512/18, asyl.net: M28469.
53 VG Berlin, Beschl. v. 27.4.2021, Az.: 33 L 66/21 A, Rn. 20.
54 Schweizerische Flüchtlingshilfe, Aufnahmebedingungen in Italien. Aktualisierter Bericht über die Situation von Asylsuchenden und Schutzberechtigten, insbesondere Dublin-Rückkehrern, in Italien, Januar 2020; ders., Aufnahmebedingungen in Italien. Aktuelle Entwicklungen. Ergänzung zum Bericht zur Lage von Asylsuchenden und Personen mit Schutzstatus, insbesondere Dublin-Rückkehrenden, in Italien vom Januar 2020, Juni 2021.
55 Siehe hierzu auch EuGH, Urt. v. 19.11.2019, Az.: C-233/18, Tz. 47.

Sophie Greilich

Weiterführendes Wissen

Informationen zu den Dublin-Zielstaaten
Um die Situation in den verschiedenen Dublin-Mitgliedstaaten im Hinblick auf die Asyl- und Aufnahmesituation beurteilen zu können, sind die Datenbank AIDA (Asylum Information Database) des European Council on Refugees and Exiles oder die Länderberichte der Schweizerschen Flüchtlingshilfe sehr hilfreich:
https://asylumineurope.org
https://www.fluechtlingshilfe.ch/publikationen/dublin-laenderberichte
Nationale Dublin-Gerichtsentscheidungen können auf der Seite des Informationsverbundes Asyl & Migration abgerufen werden:
https://www.asyl.net/recht/dublin-entscheidungen/

Weiterführende Literatur
- EGMR, Urt. v. 5.2.2015, Az.: 51428/10 – A.M.E
- EGMR, Urt. v. 4.11.2014, Az.: 29217/12 – Tarakhel
- EuGH, Urt. v. 19.3.2019, Az.: C-163/17 – Jawo
- EuGH, Urt. v. 19.3.2019, Az.: C-297/17, C-318/17, C-319/17, C-438/17 – Ibrahim
- BVerfG, Beschl. v. 10.10.2019, Az.: 2 BvR 1380/19
- OVG NRW, Urt. v. 20.7.2021, Az.: 11 A 1689/20.A
- Haubner/Kalin, Einführung in das Asylrecht, 2017, Kapitel 3 Rn. 3–32.
- Themenschwerpunkt im Asylmagazin 2021, Verfahren in „Dublin-Fällen" und bei „Anerkannten", 198–217.
- Lübbe, Prinzipien der Zuordnung von Flüchtlingsverantwortung und Individualrechtsschutz im Dublin-System, ZAR 2015, 125.

Zusammenfassung: Die wichtigsten Punkte
- Wird ein Antrag auf internationalen Schutz gestellt, erfolgt zunächst die Prüfung der Zuständigkeitskriterien, welche sich nach den in der Dublin-III-VO festgelegten Kriterien und dort vorgeschriebenen Reihenfolge (vgl. Art. 7 bis 15 Dublin-III-VO) richtet.
- Dabei gilt nach Art. 7 II Dublin-III-VO das sogenannte Versteinerungsprinzip, nach welchem für die Bestimmung des zuständigen Dublin-Staates diejenige Situation maßgeblich ist, die zur Zeit der Asylantragstellung vorlag.
- Vorrangige Kriterien sind der Minderjährigenschutz (Art. 8 Dublin-III-VO) und das Prinzip der Familieneinheit (Art. 9 bis 11 Dublin-III-VO). Sofern diese nicht einschlägig sind, greift das sogenannte Verantwortungsprinzip (Art. 12 bis 15 Dublin-III-VO). Kann nach den vorgenannten Kriterien kein Mitgliedstaat ermittelt werden, kommt subsidiär Art. 3 II 1 Dublin-III-VO zur Anwendung. Danach ist das Land zuständig, in dem der Asylantrag gestellt worden ist.
- Die Dublin-III-VO enthält zwei Ermessensvorschriften: Art. 16 und 17 Dublin-III-VO. Art. 16 Dublin-III-VO ist als Sollvorschrift ausgestaltet und adressiert Fälle, in denen die antragstellende Person selbst oder ein*e Familienangehörige*r (zum Beispiel aufgrund einer Krankheit) auf verwandtschaftliche Unterstützung angewiesen ist. Dabei ist ein weiterer Familienbegriff als in Art. 9 ff. Dublin-III-VO zugrunde zu legen. Darüber hinaus kann jeder Mitgliedstaat nach Art. 17 Dublin-III-VO den Selbsteintritt erklären und damit die Zuständigkeit für ein Asylverfahren an sich ziehen.
- Droht bei einer Überstellung in den (eigentlich) zuständigen Zielstaat die Gefahr einer unmenschlichen oder erniedrigenden Behandlung im Sinne von Art. 4 GR-Charta beziehungsweise Art. 3 EMRK (infolge des Vorliegens von systemischen Schwachstellen gemäß Art. 3 II 2 Dub-

lin-III-VO), so wird entweder der die Zuständigkeit prüfende Dublin-Staat zuständig oder (aufgrund von subsidiär einschlägigen Dublin-Kriterien) ein anderer Mitgliedstaat. In der Praxis geht in der Regel die Zuständigkeit auf den aktuellen Aufenthaltsstaat über.

Dieser Fall darf gerne kommentiert, verändert und beliebig genutzt werden. Die Anleitung hierfür lässt sich über den abgebildete QR-Code mit der Smartphone-Kamera auf unserer Homepage aufrufen.

Sophie Greilich

Fall 9
Das Dublin-Roulette Teil 2: Wer ist zuständig?

Behandelte Themen: (Wieder-)Aufnahme-, Antwort- und Überstellungsfristen im Rahmen des Dublin-Verfahrens (sekundäre Zuständigkeitskriterien)

Schwierigkeitsgrad: Anfänger*innen/Fortgeschrittene

Sachverhalt

Rahil und Adil kommen erneut in die Beratung der Refugee Law Clinic.[1] Auf ihrer Flucht von Syrien nach Deutschland wurden ihnen in Finnland Fingerabdrücke abgenommen. Einen Asylantrag haben die beiden jedoch erst hier in Deutschland am 21.1.2021 gestellt. Das letzte Mal haben ihnen die Beratenden der Refugee Law Clinic bereits erklärt, dass grundsätzlich Finnland für sie zuständig sei. Seitdem ist jedoch sehr viel Zeit vergangen. Einen sogenannten Dublin-Bescheid vom BAMF haben Rahil und Adil noch nicht erhalten. Daher haben sie mit Unterstützung der Refugee Law Clinic Akteneinsicht beantragt.

Weiterführendes Wissen   **i**

Das Recht auf Akteneinsicht stellt eine wichtige Verfahrensgarantie dar (vgl. Art. 41 II lit. b GR-Charta), mithilfe dessen ermittelt werden kann, ob ein Dublin-Fall vorliegt, wie der aktuelle Verfahrensstand ist und welche Fristen gelten beziehungsweise gegebenenfalls bereits abgelaufen sind.

Der zugesandten Akte lässt sich entnehmen, dass Rahil und Adil am 6.1.2021 ein Ankunftsnachweis ausgestellt worden ist, wovon das BAMF auch via Datensystem Kenntnis erhielt. Ebenfalls in der Akte zu finden sind zwei Eurodac-Treffermeldungen der Kategorie 2 vom 21.1.2021 sowie ein an Finnland gerichtetes Aufnahmeersuchen seitens Deutschlands, welches auf den 22.3.2021 datiert ist.

---

[1] Siehe zur Vorgeschichte Greilich, *8) Dublin-Roulette Teil 1: Wer ist zuständig?*, D. in diesem Fallbuch.

---

i **Weiterführendes Wissen**

Eurodac-Treffermeldung
Bei der Speicherung der Fingerabdrücke auf Grundlage der Eurodac-VO gilt folgendes Kategoriensystem (vgl. Art. 24 IV Eurodac-VO):
Kategorie 1: Personen, die internationalen Schutz beantragt haben
Kategorie 2: Personen, die – aus einem Drittstaat kommend – von den zuständigen Kontrollbehörden beim irregulären Überqueren einer Außengrenze der Union aufgegriffen und nicht zurückgewiesen worden sind, oder die sich weiterhin im Hoheitsgebiet der Mitgliedstaaten aufhalten
Kategorie 3: Personen, die sich irregulär im Hoheitsgebiet eines EU-Mitgliedstaats aufhalten

---

Fallfragen mit Abwandlungen

A. (Wieder-)Aufnahmeersuchen von Deutschland

I. Ist das Aufnahmeersuchen Deutschlands noch innerhalb der geltenden Frist erfolgt?

II. Was sind die Voraussetzungen für ein wirksames (Wieder-)Aufnahmeersuchen?

III. Vorausgesetzt das BAMF hat das Aufnahmeersuchen an Finnland verspätet gerichtet. Was ist die Folge eines nicht rechtzeitigen (Wieder-)Aufnahmeersuchens? Können Rahil und Adil sich auf den Fristablauf in einem etwaigen Klageverfahren berufen?

IV. Wie ist der Fall zu bewerten, wenn sich aus der Akte ergibt, dass das BAMF erst am 5.5.2021 die Eurodac-Treffermeldungen eingeholt und am 7.6.2021 das Aufnahmeersuchen an Finnland gerichtet hat?

V. Rahil und Adil haben ihre Asylanträge aus Angst vor einer Dublin-Überstellung unter Aliaspersonalien gestellt. Ihnen wird Fluchtgefahr vorgeworfen, da sie ihre Angaben bislang nicht berichtigt haben. Dies führte dazu, dass die beiden nun in Überstellungshaft sind. Welche Frist gilt hier für das Aufnahmeersuchen, wenn die Eurodac-Treffermeldungen wie im Ausgangsfall am 21.1.2021 eingingen?

B. Antwort des ersuchten Dublin-Mitgliedstaats

I. Wann läuft die Frist für die Antwort seitens Finnlands in den jeweiligen Konstellationen ab?
1. Aufnahmeersuchen am 10.3.2021
2. Wiederaufnahmeersuchen am 10.3.2021:

Sophie Greilich

a) nach Erhalt einer Eurodac-Treffermeldung
b) ohne Eurodac-Treffermeldung
3. (Wieder-)Aufnahmeersuchen am 10.3.2021, wenn schutzsuchende Person in Überstellungshaft

II. Angenommen Deutschland erhält keine Antwort von Finnland – wird Finnland trotzdem für das Asylverfahren von Rahil und Adil zuständig?
III. Welches Verfahren sehen die Vorschriften zum Dublin-Verfahren vor, falls die Mitgliedstaaten sich über die Zuständigkeit uneinig sind?

C. Überstellung in den ersuchten Dublin-Mitgliedstaat

Laut der Akte hat Finnland Deutschland im Falle von Rahil und Adil am 4.5.2021 eine zustimmende Antwort erteilt.
I. Bis wann hat Deutschland grundsätzlich Zeit, die beiden nach Finnland zu überstellen? In welchen Fällen gilt ausnahmsweise eine längere Überstellungsfrist beziehungsweise wird diese unterbrochen?
II. Die Überstellungsfrist ist abgelaufen. Welche Konsequenz ergibt sich hieraus für die Zuständigkeit des Asylverfahrens?

Sophie Greilich

Lösungsvorschlag

Der Fall orientiert sich an folgenden Fragen, die bei Vorliegen eines Dublin-Falls relevant werden:

- Je nach Verfahrensstand: Ist die (Wieder-)Aufnahmefrist/Antwortfrist/Überstellungsfrist abgelaufen?
- Welche Folge hat der jeweilige Fristablauf für die Zuständigkeitsbegründung bezüglich der Asylantragsprüfung?

! Hinweis

Tipp für die Berechnung der Fristen
Für die Berechnung der Fristen kann es hilfreich sein, sich zunächst einen Zeitstrahl mit den relevanten Daten aufzuzeichnen.
- Stellung des Asylgesuchs beziehungsweise Ausstellung des Ankunftsnachweises
- Eingang der Eurodac-Treffermeldung
- (Wieder-)Aufnahmeersuchen seitens des ersuchenden Dublin-Staates
- Zustimmung beziehungsweise Zustimmungsfiktion seitens des ersuchenden Dublin-Staates

---

A. (Wieder-)Aufnahmeersuchen von Deutschland

---

i Weiterführendes Wissen

Aufnahme- oder Wiederaufnahmegesuch?
Die Dublin-III-VO[2] unterscheidet begrifflich zwischen einem sogenannten **Aufnahme- und einem Wiederaufnahmegesuch**. Hat die schutzsuchende Person bereits einen Asylantrag in einem anderen EU-Mitgliedstaat gestellt, so sind die Regelungen zum Wiederaufnahmeverfahren in den Art. 23 ff. Dublin-III-VO zu beachten. Ist dies nicht der Fall, gelten die Vorschriften zum Aufnahmeverfahren (Art. 21 f. Dublin-III-VO). Wichtig ist die Differenzierung für die Fristenberechnung: Ist das Wiederaufnahmeverfahren einschlägig, gelten kürzere Antwortfristen. Die Fristen für das Anfangsgesuch sind jedoch sowohl für das Aufnahme- als auch für das Wiederaufnahmeverfahren gleich lang.[3] Wird im Rahmen des Dublin-Verfahrens ein nach der Dublin-III-VO unzuständiger Mitgliedstaat angefragt, so bewirkt das (Wieder-)Aufnahmeverfahren jedoch keinen Zuständigkeitsübergang. Es besteht auch keineswegs eine Pflicht zur Stellung eines (Wieder-)Aufnahmegesuchs. Vielmehr eröffnen die genannten Vorschriften Ermessen

---

2 Verordnung (EU) Nr. 604/2013 des Europäischen Parlaments und des Rates vom 26. Juni 2013 zur Festlegung der Kriterien und Verfahren zur Bestimmung des Mitgliedstaats, der für die Prüfung eines von einem Drittstaatsangehörigen oder Staatenlosen in einem Mitgliedstaat gestellten Antrags auf internationalen Schutz zuständig ist, ABl. EU Nr. 180/31.
3 Hier gilt als Faustformel: zwei Monate bei Vorliegen eines Eurodac-Treffers sowie drei Monate bei anderen Beweismitteln.

Sophie Greilich

(„kann"). Dublin-Staaten können daher jederzeit ihr **Selbsteintrittsrecht** nach Art. 17 Dublin-III-VO ausüben, anstatt ein Dublin-Verfahren einzuleiten.[4]

I. Fristgemäßes Aufnahmeersuchen seitens Deutschlands?

Zur Beantwortung der Frage, ob das Aufnahmeersuchen Deutschlands noch innerhalb der geltenden Frist erfolgt ist, ist die maßgebliche Fristdauer sowie das frist-
auslösende Ereignis zu bestimmen.

Da Rahil und Adil ihre Asylanträge erst hier in Deutschland gestellt haben, ist
vorliegend Art. 21 Dublin-III-VO („Aufnahmegesuch") einschlägig. Fraglich ist jedoch, ob die Dreimonatsfrist des Art. 21 I 1 Dublin-III-VO oder die Zweimonatsfrist
des Art. 21 I 2 Dublin-III-VO zu Grunde zu legen ist.

Im Rahmen der Dreimonatsfrist ist für die Auslösung der Frist der Zeitpunkt
entscheidend, in dem das BAMF alle erforderlichen Informationen für die Ausstellung eines Ankunftsnachweises erhalten hat. Die Frist beginnt daher gemäß Art. 42
lit. a Dublin-III-VO – § 187 BGB entsprechend – einen Tag nach Kenntnisnahme des
Asylgesuchs, also am 7.1.2021. Nicht abzustellen ist indes auf den Zeitpunkt der
förmlichen Asylantragstellung.[5] Nach Maßgabe der Dreimonatsfrist wäre Fristende
demnach also am 6.4.2021 (vgl. 42 lit. b Dublin-III-VO).

Da das BAMF jedoch am 21.1.2021 eine **Eurodac-Treffermeldung** erhalten hat,
ist die – am 21.3.2021[6] (früher) ablaufende – Zweimonatsfrist ausschlaggebend (siehe ausführlicher zum Konkurrenzverhältnis von Zwei- und Dreimonatsfrist: unter
A.IV.).

Folglich wäre das Aufnahmeersuchen seitens Deutschlands vom 22.3.2021 nicht
mehr fristgemäß.

Weiterführendes Wissen

Asylgesuch oder Asylantrag als fristauslösendes Ereignis?
Vor dem EuGH-Urteil 2017 im Fall Mengesteab war streitig, was unter einem Antrag auf internationalen
Schutz im Sinne von Art. 20 I, II Dublin-III-VO zu verstehen ist und wann folglich die Frist für das (Wie-
der-)Aufnahmeersuchen zu laufen beginnt.
Diesbezüglich hat der EuGH klargestellt, dass nicht auf den förmlichen Asylantrag, sondern grundsätzlich auf das **Asylgesuch** abzustellen ist. Entscheidend sei, wann die zuständige Behörde ein Schriftstück zugegangen ist, das von einer Behörde erstellt wurde und bescheinigt, dass die Person um interna-

---

4 Hruschka, ZAR 2018, 281 (282).
5 EuGH, Urt. v. 26.7.2017, Az.: C-670/16, Tz. 103.
6 Dabei ist es unerheblich, dass der 21.3.2021 ein Sonntag war. Siehe dazu: Koehler, Praxiskommen-
tar zum Europäischen Asylzuständigkeitssystem, 2018, Art. 41 Rn. 6.

Sophie Greilich

tionalen Schutz ersucht hat.[7] Somit ist hier in Deutschland der Zeitpunkt relevant, in dem das BAMF alle wichtigen Informationen zur Ausstellung eines Ankunftsnachweises im Sinne von § 63a AsylG erhält.

II. Folge eines unvollständigen oder nicht rechtzeitigen (Wieder-) Aufnahmeersuchens

Zunächst ist festzuhalten, dass das (Wieder-)Aufnahmeersuchen vollständig sein muss. Fehlen erhebliche Informationen (zum Beispiel zum Reiseweg trotz Kenntnis), so ist es nicht wirksam und hat keine Auswirkung auf die (Wieder-)Aufnahmeersuchensfrist.[8]

Das VG München führt dazu treffend an:

„Ein Aufnahmeersuchen ist nur dann fristwahrend, wenn das Gesuch alle dem ersuchenden Staat bekannten Informationen und Hinweise enthält, die für eine Zuständigkeitsentscheidung erheblich sein können. Ist das Aufnahmeersuchen unvollständig bzw. weist es inhaltliche Fehler auf, wird die Frist für die Anbringung des Aufnahmegesuches nicht gewahrt."[9]

Darüber hinaus muss das (Wieder-)Aufnahmeersuchen innerhalb der jeweils geltenden Frist erfolgen. Die Folge eines nicht rechtzeitigen Ersuchens regelt Art. 21 I 3 Dublin-III-VO hinsichtlich des **Aufnahmegesuchs** und Art. 23 III sowie 24 III Dublin-III-VO in Bezug auf das **Wiederaufnahmegesuch**: Wird das Gesuch um (Wieder-)Aufnahme einer antragstellenden Person nicht innerhalb der vorgeschriebenen Frist unterbreitet, so ist der Mitgliedstaat, in dem der (neue) Antrag auf internationalen Schutz gestellt wurde beziehungsweise in dem sich die betreffende Person aufhält, für die Prüfung des Antrags zuständig.[10] Dies soll insbesondere im Sinne des im 5. Erwägungsgrund der Dublin-III-VO erwähnten Ziels der zügigen Bearbeitung der Anträge auf internationalen Schutz (sogenanntes **Beschleunigungsgebot**) eine zeitnahe Bestimmung des zuständigen Mitgliedstaats ermöglichen.

III. Verspätetes Aufnahmeersuchen an Finnland

Sofern vorliegend das Aufnahmeersuchen an Finnland verspätet erfolgt ist, geht die Zuständigkeit der materiellen Asylantragsprüfung auf Deutschland über (vgl. Art. 18 II 1 Dublin-III-VO). Auf den Ablauf der Frist können sich Rahil und Adil auch

---

7 EuGH, Urt. v. 26.7.2017, Az.: C-670/16, Tz. 103.
8 Bruns, in: Oberhäuser (Hrsg.), Migrationsrecht in der Beratungspraxis, 2019, § 18 Rn. 43.
9 VG München, Beschl. v. 8.7.2016, Az.: M 8 S 16.50302, Rn. 34 – openJur.
10 Vgl. EuGH, Urt. v. 26.7.2017, Az.: C-670/16, Tz. 52 f.

berufen, denn sowohl das BVerwG[11] als auch der EuGH[12] sind der Auffassung, dass (Wieder-)Aufnahme- und Überstellungsfristen individualschützend sind. Unerheblich ist dabei auch, ob Finnland trotzdem aufnahmebereit wäre.[13]

Weiterführendes Wissen

Dublin-Fristen vermitteln Individualschutz

Lange Zeit herrschte keine Klarheit darüber, ob sich schutzsuchende Personen auf den Ablauf von Dublin-Fristen berufen können. Der EuGH hatte 2013 in der Rechtssache Abdullahi[14] zur Dublin-II-VO noch befunden, dass die **Dublin-Zuständigkeitsregelungen** lediglich „organisatorische Vorschriften" der Mitgliedstaaten seien und verneinte daher ihre drittschützende Wirkung. Dieser Linie hat der EuGH jedoch seit dem Ghezelbash-Urteil vom 7.6.2016 den Rücken gekehrt. In diesem stellte er fest, dass die in der Abdullahi-Entscheidung aufgestellten Grundsätze nicht auf die Dublin-III-VO übertragbar seien und bejahte, dass sich aus den **Zuständigkeitskriterien** der Dublin-III-VO grundsätzlich auch subjektive Rechte herleiten lassen.[15] In der Folge bestätigte der EuGH diese Rechtsauffassung 2017 im Mengesteab- sowie im Shiri-Urteil.

IV. Verspätet eingeholte Eurodac-Treffermeldung

Fraglich ist, wie der Fall zu bewerten ist, wenn sich aus der Akte ergibt, dass das BAMF erst am 5.5.2021 die Eurodac-Treffermeldungen eingeholt und am 7.6.2021 das Aufnahmeersuchen an Finnland gerichtet hat.

Hierfür ist zunächst zu klären, ob sich die Frist in einem solchen Fall nach der Zwei- oder Dreimonatsfrist bemisst:

–   Die Dreimonatsfrist des Art. 21 I 1 Dublin-III-VO begann am 7.1.2021 zu laufen und endete am 6.4.2021.
–   Würde die Zweimonatsfrist des Art. 21 I 2 Dublin-III-VO hier jedoch als maßgeblich erachtet werden, war der Fristbeginn erst am 6.5.2021 und das Fristende am 5.7.2021.

Das am 7.6.2021 an Finnland gerichtete Aufnahmeersuchen wäre also nach Maßgabe der Dreimonatsfrist verspätet, im Hinblick auf die Zweimonatsfrist jedoch noch rechtzeitig.

Möglicherweise könnte sich das BAMF daher hier auf den Standpunkt stellen, dass die mit einer Eurodac-Treffermeldung anlaufende Zweimonatsfrist des Art. 21 I

---

11 BVerwG, Urt. v. 9.8.2016, Az.: 1 C 6.16.
12 EuGH, Urt. v. 25.10.2017, Az.: C-201/16; EuGH, Urt. v. 26.7.2017, Az.: C-670/16.
13 EuGH, Urt. v. 26.7.2017, Az.: C-670/16, Tz. 74.
14 EuGH, Urt. v. 10.12.2013, Az.: C-394/12, Tz. 56.
15 EuGH, Urt. v. 7.6.2016, Az.: C-63/15, Tz. 46.

2 Dublin-III-VO spezieller sei als die „auf andere Beweismittel" abstellende Drei-monatsfrist des Art. 21 I 1 Dublin-III-VO. Der EuGH hat in seinem Mengesteab-Urteil 2017[16] einer solchen Ansicht eine Absage erteilt: Demnach findet die Zweimonatsfrist nur alternativ Anwendung. Sie verlängert jedoch nicht den Dreimonatszeitraum, so-dass kein Verzögern „durch die Hintertür", also aufgrund einer verspätet eingeholten Eurodac-Treffermeldung, möglich ist. Der EuGH begründet dies damit, dass sich be-reits aus dem Wortlaut des Art. 21 Dublin-III-VO ergebe, dass die dreimonatige Frist des Absatzes 1 zwingend einzuhalten sei. Die Bestimmung des zuständigen Mitglied-staates auf Grundlage des Eurodac-Systems sei dazu gedacht, das Verfahren zu verein-fachen. Im Falle eines Eurodac-Treffers könne daher die dreimonatige Frist im Sinne von Art. 21 I 2 Dublin-III-VO verkürzt werden. Eine zusätzliche Frist, die das Verfahren verlängert, sei jedoch mit der abweichenden Frist von zwei Monaten nicht bezweckt und stünde im Widerspruch mit dem Beschleunigungsgebot der Dublin-III-VO. Da vorliegend folglich die Dreimonatsfrist des Art. 21 I 1 Dublin-III-VO anzuwenden ist, ist das Aufnahmeersuchen an Finnland nicht mehr innerhalb der Frist erfolgt, sodass die Zuständigkeit Deutschlands für die Prüfung der Asylanträge begründet ist.

i | Weiterführendes Wissen

Erfolgt die Eurodac-Abfrage nach Stellung des Asylantrags, ist die Frist einschlägig, die zuerst abläuft.

V. Besonderheiten bei einer Überstellungshaft
Sofern sich Asylsuchende in **Überstellungshaft** befinden, gelten besondere Fristen (vgl. Art. 28 Dublin-III-VO). Der Ablauf der einmonatigen Anfragefrist im Sinne von Art. 28 III 2 Dublin-III-VO führt allerdings nicht zu einem Zuständigkeitsübergang. Vielmehr bewirkt dieser lediglich die Pflicht zur Haftentlassung (vgl. Art. 28 III 4 Dublin-III-VO); die Art. 21, 23, 24 und 29 Dublin-III-VO gelten weiterhin entspre-chend. Wenn die Eurodac-Treffermeldungen wie im Ausgangsfall am 21.1.2021 ein-gingen, läuft die Frist für das Aufnahmeersuchen somit am 21.3.2021 ab.

i | Weiterführendes Wissen

Dublin-Überstellungshaft
An die Überstellungshaft sind sehr hohe Anforderungen zu stellen. Art. 28 Dublin-III-VO bestimmt dies-bezüglich, dass die Mitgliedstaaten eine Person nicht allein deshalb in Haft nehmen dürfen, weil sie dem durch die Dublin-III-VO festgelegten Verfahren unterliegt. Sie dürfen Personen nach einer Einzelprüfung nur zwecks Sicherstellung von Überstellungsverfahren im Einklang mit der Dublin-III-VO in Haft nehmen,

---

16 EuGH, Urt. v. 26.7.2017, Az.: C-670/16, Tz. 63 ff.

Sophie Greilich

wenn eine erhebliche Fluchtgefahr besteht. Eine weitere Voraussetzung ist, dass die Haft verhältnismäßig sein muss und sich weniger einschneidende Maßnahmen nicht wirksam anwenden lassen. Zudem ist die Haft so kurz wie möglich zu halten und darf nicht länger sein als bei angemessener Handlungsweise notwendig ist, um die erforderlichen Verwaltungsverfahren mit der gebotenen Sorgfalt durchzuführen, bis die Überstellung durchgeführt wird. Wann eine Fluchtgefahr anzunehmen ist, definiert wiederum Art. 2 lit. n Dublin-III-VO: Danach müssen Gründe im Einzelfall vorliegen, die auf objektiven gesetzlich festgelegten Kriterien beruhen und zu der Annahme Anlass geben, dass sich ein*e Antragsteller*in, ein*e Drittstaatsangehörige*r oder Staatenlose*r, gegen den*die ein Überstellungsverfahren läuft, diesem Verfahren möglicherweise durch Flucht entziehen könnte. Der deutsche Gesetzgeber hat in § 2 XIV AufenthG festgelegt, dass § 62 IIIa AufenthG für die widerlegliche Vermutung einer Fluchtgefahr und § 62 IIIb Nummer 1–5 AufenthG als objektive Anhaltspunkte für die Annahme einer Fluchtgefahr im Sinne von Art. 2 lit. n Dublin-III-VO entsprechend gelten. Im Falle von Identitätstäuschungen (vgl. § 62 IIIa Nr. 1 und IIIb Nr. 1 AufenthG) darf eine erhebliche Fluchtgefahr nicht pauschal angenommen werden. Vielmehr ist ein aktuelles beziehungsweise fortdauerndes Täuschungsverhalten erforderlich, welches eine gegenwärtige Entziehungsabsicht zum Ausdruck bringt.

B. Antwort des ersuchten Dublin-Mitgliedstaates

I. Ablauf der Antwortfrist seitens Finnlands
1. Aufnahmeersuchen vom 10.3.2021

Fristdauer	Fristablauf	Norm
Zweimonatsfrist	10.5.2021	Art. 22 I Dublin-III-VO
Einmonatsfrist *bei Dringlichkeit*	10.4.2021	Art. 22 VI 2 Dublin-III-VO

2. Wiederaufnahmeersuchen vom 10.3.2021

Fristdauer	Fristablauf	Norm
Zweiwochenfrist *nach Erhalt einer Eurodac-Treffermeldung*	24.3.2021	Art. 25 I 2 Dublin-III-VO
Einmonatsfrist *ohne Eurodac-Treffermeldung*	10.4.2021	Art. 25 I 1 Dublin-III-VO

Sophie Greilich

3. (Wieder-)Aufnahmeersuchen am 10.3.2021

Fristdauer	Fristablauf	Norm
Zweiwochenfrist *bei Überstellungshaft*	24.3.2021	Art. 28 III 4 Dublin-III-VO

II. Zuständigkeitsübergang ohne Antwort?

Schweigt der ersuchte Mitgliedstaat, so wird seine Antwort gemäß Art. 22 VII, 25 II beziehungsweise 28 III 5 Dublin-III-VO fingiert (sogenannte **Zustimmungsfiktion**) und es erfolgt ein **automatischer Zuständigkeitsübergang**. Somit wäre Finnland für das Asylverfahren von Rahil und Adil trotzdem zuständig.

III. Verfahren bei Uneinigkeit

Antwortet der betreffende Staat hingegen mit einer Ablehnung[17], so wird aufgrund des **Konsensprinzips** der Dublin-III-VO kein Zuständigkeitsübergang begründet. Es gibt in diesen Fällen jedoch die Möglichkeit, ein **Remonstrationsverfahren** einzuleiten. Art. 5 II Dublin-DVO bestimmt dazu Folgendes:

> „Vertritt der ersuchende Mitgliedstaat die Auffassung, dass die Ablehnung auf einem Irrtum beruht, oder kann er sich auf weitere Unterlagen berufen, ist er berechtigt, eine neuerliche Prüfung seines Gesuchs zu verlangen. Diese Möglichkeit muss binnen drei Wochen nach Erhalt der ablehnenden Antwort in Anspruch genommen werden. Der ersuchte Mitgliedstaat erteilt binnen zwei Wochen eine Antwort."

Im Remonstrationsverfahren wird dem Schweigen des ersuchten Staates im Gegensatz zum (Wieder-)Aufnahmeverfahren kein Erklärungswert beigemessen. Vielmehr gilt hier der Grundsatz: Wer schweigt, scheint nicht zuzustimmen („qui tacet consentire non videtur"). Es bedarf somit immer einer ausdrücklichen Zustimmung. Antwortet der ersuchte Staat im Rahmen des Remonstrationsverfahrens nicht in der zweiwöchigen Frist, so ist laut EuGH das zusätzliche Verfahren der neuerlichen Prüfung endgültig abgeschlossen, sodass der ersuchende Mitgliedstaat nach Ablauf dieser Frist als zuständig anzusehen ist.[18]

Stimmt der ersuchte Staat hingegen zu, stellt sich die Frage, inwiefern sich dies auf den **Beginn der Überstellungsfrist** auswirkt: Gilt als fristauslösendes Ereignis

---

17 Eine solche ist mit einer ausführlichen Begründung zu versehen (vgl. Art. 5 I Dublin-DVO).
18 EuGH, Urt. v. 13.11.2018, Az.: C-47/17, C-48/17.

die erste (ablehnende) oder die zweite (zustimmende) Antwort? Hierzu wird vertreten, dass im Hinblick auf den Wortlaut des Art. 5 II Dublin-DVO eine Zustimmung im Remonstrationsverfahren auf den Zeitpunkt der ablehnenden Antwort zurückwirkt.[19]

C. Überstellung in den ersuchten Dublin-Mitgliedstaat

I. Grundsätzliche Überstellungsfrist und Modifikationen

Grundsätzlich hat die Überstellung innerhalb von sechs Monaten als absolute Höchstfrist im Sinne von Art. 29 I Dublin-III-VO zu erfolgen. Demnach müsste Deutschland Rahil und Adil bis zum 4.11.2021 nach Finnland überstellt haben.

Ausnahmsweise gilt eine Frist von einem Jahr, wenn die Überstellung aufgrund der Inhaftierung der betreffenden Person nicht erfolgen konnte, oder eine achtzehnmonatige Frist, wenn die betreffende Person flüchtig ist (vgl. Art. 29 II Dublin-III-VO).[20]

Weiterführendes Wissen [i]

Aufgrund des grundsätzlichen Ziels der Dublin-III-VO rasch die Zuständigkeit zu bestimmen, ist der Begriff des Flüchtigseins als Ausnahmetatbestand eng auszulegen. Nach der Rechtsprechung des EuGH ist eine Person „flüchtig" im Sinne des Art. 29 II 2 Dublin-III-VO, wenn sie sich den für die Durchführung ihrer Überstellung zuständigen nationalen Behörden **gezielt entzieht, um die Überstellung zu vereiteln.**[21] Allein die Verletzung ihrer Mitwirkungspflichten, wie beispielsweise ihr Nichterscheinen bei der Polizei oder ihre Abwesenheit zum Zeitpunkt der Abholung, rechtfertigt indes nicht die Annahme, dass sie die Überstellung habe vereiteln wollen.[22]

Zudem wirkt sich die Ablehnung beziehungsweise Stattgabe eines **Eilrechtsschutzantrags**[23] im Rahmen eines Klageverfahrens gemäß Art. 29 I Dublin-III-VO auf die Überstellungsfrist aus. Nach Ansicht des BVerwG wird die Überstellungsfrist im Falle einer ablehnenden Eilentscheidung neu in Gang gesetzt.[24] Gibt das Gericht dem Eilantrag hingegen statt, beginnt die Überstellungsfrist erst mit der endgültigen Entscheidung über den Rechtsbehelf erneut zu laufen; unter Berücksichtigung der An-

---

19 Hruschka, ZAR 2018, 281 (286).
20 Siehe hierzu ausführlich Greilich/Loock, *10) Dublin-Bescheid – was nun?*, C.I. in diesem Fallbuch.
21 EuGH, Urt. v. 19.3.2019, Az.: C-163/17, Tz. 70.
22 BVerwG, Urt. v. 17.8.2021, Az.: 1 C 38.20, Rn. 21.
23 Ausführlich zu den Rechtsschutzmöglichkeiten Greilich/Loock, *10) Dublin-Bescheid – was nun?* in diesem Fallbuch.
24 BVerwG, Urt. v. 26.5.2016, Az.: 1 C 15.15, Rn. 12.

Sophie Greilich

trags- und Begründungsfrist für die Berufung im Sinne von § 80b I VwGO i.V.m. § 78 IV AsylG also vier Monate nach Zustellung des abweisenden Urteils.[25]

Muss die sechsmonatige Überstellungsfrist aus den genannten Gründen verlängert werden, ist Art. 9 Dublin-DVO zu beachten. Danach ist der Dublin-Staat, in den die Überstellung erfolgen soll, über die zur Fristverlängerung führenden Umstände zu unterrichten.

II. Zuständigkeitsübergang bei einer nicht fristgemäßen Überstellung

Wird die Überstellung nicht innerhalb der Frist von sechs Monaten durchgeführt, ist der zuständige Mitgliedstaat nicht mehr zur Aufnahme oder Wiederaufnahme der betreffenden Person verpflichtet und die Zuständigkeit geht auf den ersuchenden Mitgliedstaat über. Dies regelt Art. 29 II Dublin-III-VO. Der Ablauf der Überstellungsfrist begründet daher eine Zuständigkeit Deutschlands.

Fristen im Dublin-Verfahren (vereinfachte Übersicht)[26]

	Fristauslösendes Ereignis	Fristdauer	Folge bei Nichteinhaltung der Frist
Frist für das (Wieder-)Aufnahmeersuchen	Eurodac-Treffermeldung Asylgesuchstellung	2 Monate 3 Monate	Zuständigkeit des aktuellen Mitgliedstaates
Antwortfrist	Aufnahmeersuchen	2 Monate *beziehungsweise 1 Monat bei Dringlichkeits- fällen*	Zustimmungsfiktion: Zuständigkeit des ersuchten Mitgliedstaates
	Wiederaufnahmeersuchen	2 Wochen *nach Eurodac- Treffermeldung* 1 Monat *nach Asylgesuch- stellung*	

---

25 BVerwG, Urt. v. 9.8.2016, Az.: 1 C 6.16, Rn. 20.
26 Informationsverbund Asyl und Migration, Basisinformationen für die Beratungspraxis Nr. 2: Das „Dublin-Verfahren", 2. Aufl. 2021, S. 6.

Sophie Greilich

	Fristauslösendes Ereignis	Fristdauer	Folge bei Nichteinhaltung der Frist
Überstellungsfrist	Zustimmung beziehungs- Zustimmungsfiktion *Achtung: Abweichungen bei Einlegung eines Eilrechtsschutzantrags*	6 Monate 12 Monate bei Inhaftierung 18 Monate Untertauchen („flüchtig sein")	Zuständigkeit des aktuellen Mitgliedstaates

Weiterführende Literatur
- EuGH, Urt. v. 26.7.2017, Az.: C-670/16 – Mengesteab
- Haubner/Kalin, Einführung in das Asylrecht, 2017, Kapitel 3 Rn. 65
- Hruschka, Fristen in Dublin-Verfahren, ZAR 2018, 281

Zusammenfassung: Die wichtigsten Punkte
- Es gibt drei relevante Fristen im Dublin-Verfahren: (Wieder-)Aufnahme-, Antwort- und Überstellungsfristen.
- Die Dublin-III-VO differenziert begrifflich zwischen einem Wiederaufnahme- und Aufnahmegesuch. Diese Unterscheidung wirkt sich auf die Länge der Antwortfrist aus.
- Im Rahmen der Dreimonatsfrist für das (Wieder-)Aufnahmegesuch ist grundsätzlich auf den Zeitpunkt des Asylgesuchs als fristauslösendes Ereignis und nicht auf die förmliche Asylantragstellung abzustellen.
- Eine vom BAMF verspätet eingeholte Eurodac-Treffermeldung löst nicht den Lauf der Zweimonatsfrist aus, sofern die Dreimonatsfrist zuvor abläuft. Insofern besteht kein Spezialitätsverhältnis zwischen der Zwei- und der Dreimonatsfrist.
- Ist die asylsuchende Person in Überstellungshaft, so gelten besondere Fristen.
- Der Ablauf von Dublin-Fristen hat unmittelbare Auswirkung auf die Zuständigkeitsbestimmung: Verstreicht die Frist für das (Wieder-)Aufnahmegesuch, geht die Zuständigkeit auf den Mitgliedstaat über, in dem der (neue) Antrag auf internationalen Schutz gestellt wurde beziehungsweise in dem sich die betreffende Person aufhält. Dasselbe gilt bei Ablauf der Überstellungsfrist.
- Schweigt der angefragte Mitgliedstaat und antwortet nicht innerhalb der vorgegebenen Frist, wird seine Zustimmung fingiert (sogenannte Zustimmungsfiktion).
- Dublin-Fristen sind individualschützend. Das bedeutet, dass sich Schutzsuchende auf den Ablauf dieser berufen können.
- Die sechsmonatige Überstellungsfrist kann sich in folgenden Fällen verlängern: bei Inhaftierung oder Flüchtigsein der betreffenden Person sowie bei Stattgabe beziehungsweise Ablehnung eines Eilrechtsschutzantrags im Rahmen eines Dublin-Klageverfahrens.

Sophie Greilich

Dieser Fall darf gerne kommentiert, verändert und beliebig genutzt werden. Die Anleitung hierfür lässt sich über den abgebildete QR-Code mit der Smartphone-Kamera auf unserer Homepage aufrufen.

Sophie Greilich

Fall 10
Dublin-Bescheid – was nun?

Behandelte Themen: Rechtsschutz im Dublin-Verfahren, Verlängerung der Überstellungsfrist, nächtlicher Hausarrest, Flüchtigsein, Aufforderung zur Selbstgestellung, Kirchenasyl, freiwillige Ausreise

Schwierigkeitsgrad: Fortgeschrittene/Expert*innen

Sachverhalt

Als RLC-Rechtsberater*in begleitest Du Rahil und Adil weiterhin auf ihrem Weg.[1] Dieses Mal kommen sie beide mit einem gelben Umschlag in die Beratung.

In diesen befinden sich – wie erwartet – die jeweiligen Bescheide des BAMF mit folgender Tenorierung:
1. Der Antrag wird als unzulässig abgelehnt.
2. Abschiebungsverbote nach § 60 V, VII 1 liegen nicht vor.
3. Die Abschiebung nach Finnland wird angeordnet.
4. Das gesetzliche Einreise- und Aufenthaltsverbot gemäß § 11 I AufenthG wird auf sechs Monate ab dem Tag der Abschiebung befristet.

Fallfragen mit Abwandlungen

A. Rechtsschutz im Dublin-Verfahren

Aus der damals gesichteten Akte ging hervor, dass das BAMF das Aufnahmeersuchen an Finnland verspätet gerichtet hat. Daher möchten Rahil und Adil nun vor das Verwaltungsgericht ziehen.
I.   Welche Rechtsschutzmöglichkeiten, gegen die Bescheide vorzugehen, gibt es?
II. Bis wann müssen Rahil und Adil Rechtsbehelfe einlegen
   1. wenn ihnen – wie auf den gelben Umschlägen vermerkt – die Bescheide am 12.6.2021 (Samstag) zugestellt worden sind?
   2. wenn die Zustellung wie in 1. erfolgte, ein Abdruck der Entscheidungen der von den Geschwistern bevollmächtigten Rechtsanwältin allerdings erst

---

1 Siehe Greilich, *9) Dublin-Roulette Teil 1*, D. und *10) Dublin-Roulette Teil 2* in diesem Fallbuch.

am 15.6.2021 zuging und dem BAMF eine entsprechende Vollmacht vorliegt?
III. Wie wirkt sich eine etwaige Ablehnung des Eilantrags auf die Überstellungsfrist
aus?
IV. Muss das Gericht die Abschiebungsanordnung im Fall von Adil aufheben, wenn
dieser geltend macht, dass eine Eheschließung mit seinem Freund, dem die
Flüchtlingseigenschaft bereits zuerkannt worden ist, unmittelbar bevorsteht?

B. Nächtlicher Hausarrest

Nach Erhalt der Dublin-Bescheide fordert die Ausländerbehörde die Geschwister
mit Bescheid vom 21.7.2021 (unter Anordnung der sofortigen Vollziehung) auf, sich
bis zum 21.10.2021 montags bis freitags nachts zwischen 0:00 Uhr und 6:00 Uhr in
dem ihnen zugewiesenen Zimmer ihrer Erstaufnahmeeinrichtung aufzuhalten. Ein
kurzfristiges Verlassen des Zimmers für jeweils 15 Minuten während dieser Zeit,
um andere Räume der Einrichtung aufzusuchen oder sich im Freien aufzuhalten,
sei zulässig. Die Anordnung sei erforderlich, da die Abflugzeiten im Rahmen einer
Abschiebung in der Regel die Abholung in der Nachtzeit erforderten. In den Näch-
ten von Sonnabend auf Sonntag stehe es den beiden allerdings weiterhin frei, sich
außerhalb des Zimmers aufzuhalten. Sollten die beiden der Aufforderung an einem
bestimmten Tag einmal nicht nachkommen können, werden sie aufgefordert, die
Ausländerbehörde darüber mindestens zwölf Stunden vorher per E-Mail zu informieren. Sofern sie dies versäumten, gehe die Ausländerbehörde davon aus, dass sie
sich einer Abschiebung entziehen wollen, und werde unverzüglich Abschiebungshaft beantragen. Die Anordnung erfolge auf Grundlage von § 46 I AufenthG.
I. Was können Rahil und Adil gegen diese Ordnungsverfügung tun?
II. Beurteile die Rechtslage. Ist ein solcher „nächtlicher Hausarrest" rechtmäßig?

C. Besonderheiten beim Ablauf der Überstellungsfrist

Rahil und Adil klagen nach Erhalt des Dublin-Bescheids nicht. Sie ziehen aus der ihnen zugewiesenen Einrichtung aus und kommen bei ihrem Onkel unter, ohne dies
dem BAMF mitzuteilen.
I. Wann läuft in diesem Fall die Überstellungsfrist ab?
II. Ändert sich die Frist in I., wenn Rahil und Adil nach zwei Monaten (innerhalb
der sechsmonatigen Überstellungsfrist) das BAMF über ihren aktuellen Aufenthaltsort informieren und dieses noch keine Verlängerungsentscheidung getroffen hat?

Sophie Greilich/Mailin Loock

III. Wie wirkt es sich auf die Überstellungsfrist aus, wenn Rahil und Adil mit Schreiben vom 15.9.2021 von der Ausländerbehörde aufgefordert werden, sich zur Durchführung der Abschiebung am 29.9.2021 im Polizeipräsidium einzufinden, und dort nicht erscheinen?

D. Handlungsmöglichkeiten bei humanitären Härtefällen

Angenommen, das Verwaltungsgericht hat die Eilanträge von Rahil und Adil abgelehnt, da diese verspätet eingereicht worden sind. Nun befürchten die Geschwister, jederzeit nach Finnland überstellt zu werden. Ein Psychologe hat vor ein paar Tagen (nach Ablauf der Frist für den Eilantrag) festgestellt, dass beide schwer traumatisiert und sogar akut suizidgefährdet sind. In Deutschland haben sie ein großes familiäres Netzwerk: Es wohnen hier mehrere Tanten, Onkel und deren Kinder, die sie unterstützen könnten. Das BAMF, welches über die Situation informiert ist, meint jedoch, dass trotzdem eine Überstellung erfolgen solle, da die medizinische Versorgungssituation in Finnland auf einem hohen Niveau sei. Andere humanitäre Erwägungen wie die familiären Bindungen in Deutschland müsse es in seine Entscheidung nicht einbeziehen.

I. Inwiefern steht der psychische Zustand der beiden rechtlich einer Überstellung entgegen?

II. Ist die Angst vor einer bevorstehenden Überstellung bis zur Entscheidung des Gerichts über die Anfechtungsklage berechtigt?

III. Was wirst Du den beiden raten?
  1. Siehst Du einen Weg, dass die beiden aufgrund ihres aktuellen psychischen Zustands doch Eilrechtsschutz gewährt bekommen können?
  2. Falls kein gerichtlicher Eilrechtsschutz erlangt werden kann beziehungsweise dieser erfolglos bleibt: Gibt es eine Möglichkeit, um in Härtefällen für die Zeit der (hier vermeintlich laufenden) Überstellungsfrist von einer anderen (nicht-staatlichen) Stelle Schutz zu erhalten?

IV. Welche Folgen hätte eine solche Schutzgewährung für die Überstellungsfrist?

E. Freiwillige Ausreise nach einem Dublin-Bescheid

Gesetzt den Fall, dass eine Klage – abweichend von der Ausgangssituation in A. – keine Erfolgsaussichten verspricht:

I. Gibt es die Möglichkeit, dass Rahil und Adil freiwillig ausreisen?

II. Warum könnte eine freiwillige Ausreise vorteilhaft sein?

Sophie Greilich/Malin Loock

Lösungsvorschlag

A. Rechtsschutz im Dublin-Verfahren

Im Nachfolgenden wird skizziert, welche **Rechtsschutzmöglichkeiten** Rahil und Adil nach Erhalt der **sogenannten Dublin-Bescheide** zur Verfügung stehen.

---

i **Weiterführendes Wissen**

Der Rechtsschutz in Dublin-Verfahren unterliegt weitreichenden Beschränkungen. Gemäß § 11 AsylG findet gegen Entscheidungen nach dem AsylG – zu denen auch Dublin-Bescheide zählen – kein Widerspruchsverfahren statt. Die Klage gegen einen Dublin-Bescheid hat keine aufschiebende Wirkung (Umkehrschluss zu § 75 I 1 AsylG), das heißt, sie allein schützt nicht gegen eine Dublin-Überstellung. Dadurch verlagert sich das Rechtsschutzverfahren faktisch in das Eilverfahren, da bereits darin alle wesentlichen Gesichtspunkte gegen eine Dublin-Überstellung vorgetragen werden müssen. Die Frist zur Einreichung von Klage und **Eilantrag**[2] (§ 80 V VwGO) beträgt lediglich eine Woche (§§ 74 I Hs. 2, 34a II 1 AsylG). Regelhaft erfolgt die Entscheidung des Gerichts – wie auch in sonstigen asylrechtlichen Streitigkeiten – anstelle der Kammer durch den*die Einzelrichter*in (§ 76 I, IV 1 AsylG). Der Zugang zur zweiten Instanz, das Berufungsverfahren, ist in Dublin-Verfahren wie in sonstigen asylrechtlichen Streitigkeiten gemäß § 78 III AsylG beschränkt auf Rechtssachen grundsätzlicher Bedeutung (Nr. 1), Divergenz von obergerichtlicher Rechtsprechung (Nr. 2) sowie revisible Verfahrensfehler (Nr. 3 i.V.m. § 138 VwGO). Ernstliche Zweifel an der Rechtmäßigkeit der Entscheidung genügen hingegen ebenso wenig für eine Zulassung der Berufung wie besondere tatsächliche oder rechtliche Schwierigkeiten der Rechtssache (≠ § 124 II Nr. 1, Nr. 2 VwGO). Art. 27 I Dublin-III-VO[3] schreibt lediglich ein wirksames Rechtsmittel gegen eine Überstellungsentscheidung vor, sodass die Beschränkung auf eine Überprüfungsinstanz europarechtlich zulässig ist. Art. 27 II Dublin-III-VO sieht jedoch vor, dass für die Wahrnehmung des Rechts auf einen wirksamen Rechtsbehelf eine angemessene Frist vorzusehen ist. Ob eine Woche angesichts der Komplexität der Rechtslage sowie der strukturellen Barrieren, die Geflüchtete beim Ersuchen um **Rechtsschutz** treffen, als angemessen bewertet werden kann, erscheint durchaus zweifelhaft.[4]

---

2 Zur Thematik des einstweiligen Rechtsschutzes siehe Heilmann/Burbach et al., in: Eisentraut, Verwaltungsrecht in der Klausur, § 8.
3 Verordnung (EU) Nr. 604/2013 des Europäischen Parlaments und des Rates vom 26. Juni 2013 zur Festlegung der Kriterien und Verfahren zur Bestimmung des Mitgliedstaats, der für die Prüfung eines von einem Drittstaatsangehörigen oder Staatenlosen in einem Mitgliedstaat gestellten Antrags auf internationalen Schutz zuständig ist, ABl. EU Nr. 180/31.
4 Hruschka, in: Huber/Mantel, AufenthG/AsylG, 3. Aufl. 2021, AsylG § 29 Rn. 51.

I. Rechtsschutz gegen die Dublin-Bescheide

Gegen die Ziffern 1 und 3 des Dublin-Bescheids ist eine Anfechtungsklage[5] nach § 42 I, Alt. 1 VwGO beim zuständigen Verwaltungsgericht[6] statthaft, da diese Verwaltungsakte im Sinne des § 35 S. 1 VwVfG darstellen und das Klagebegehren[7] ihre gerichtliche Aufhebung ist. Eine (zusätzliche) Leistungs- beziehungsweise Verpflichtungsklage auf Fortsetzung des Verfahrens beziehungsweise auf Zuerkennung des Flüchtlingsstatus ist hingegen nicht zu erheben, da das BAMF das Asylverfahren bei einer gerichtlichen Feststellung der Zuständigkeit Deutschlands von Amts wegen weiterführen muss[8] und die Dublin-III-VO ein von der materiellen Prüfung eines Asylantrags gesondertes behördliches Verfahren für die Bestimmung des zuständigen Staats vorsieht.[9]

Der Klage kommt jedoch keine aufschiebende Wirkung zu, wenn – wie regelmäßig der Fall – gleichzeitig eine **Abschiebungsanordnung** ergeht. Diese Ausnahme zu dem in § 80 I 1 VwGO zum Ausdruck kommenden Grundsatz ergibt sich aus § 75 I AsylG i.V.m. § 80 II 1 Nr. 3 VwGO. Daher sollte gleichzeitig ein Eilantrag im Sinne von § 80 V 1, Alt. 1 VwGO[10] gegen die Abschiebungsanordnung beim Verwaltungsgericht eingereicht werden. Da durch die Einlegung eines solchen Antrags die **Überstellungsfrist** verlängert werden kann (siehe unten A.III.), ist es in der Praxis zu raten, sich vor Erhebung der Klage und des flankierenden Eilrechtsschutzantrags anwaltlich beraten zu lassen.

Weiterführendes Wissen

Das Gesetz differenziert im Hinblick auf die Vollstreckung einer negativen asylrechtlichen Entscheidung zwischen einer **Abschiebungsandrohung** und einer **Abschiebungsanordnung**, welche jeweils für verschiedene Varianten der Antragsablehnung vorgesehen und mit sehr unterschiedlichen Rechtsfolgen verbunden sind.

Gemäß § 34 AsylG erlässt das BAMF im Fall einer Ablehnung des Asylantrages eine Abschiebungsandrohung, wenn der*die Antragsteller*in weder als Asylberechtige*r, GFK-Flüchtling oder subsidiär schutzberechtigt anerkannt wird noch ein Abschiebungsverbot nach § 60 V beziehungsweise VII AufenthG festgestellt wird und zudem kein Aufenthaltstitel besteht. Diese Abschiebungsandrohung ergeht in der Regel zusammen mit dem Ablehnungsbescheid und ist mit einer Frist zur freiwilligen Ausreise zu

---

5 Umfassend zur Anfechtungsklage siehe Eisentraut, in: Eisentraut, Verwaltungsrecht in der Klausur, § 2.
6 Dieses kann der Rechtsbehelfsbelehrung entnommen werden.
7 Siehe allgemein zum Klagebegehren Milker, in: Eisentraut, Verwaltungsrecht in der Klausur, § 2 Rn. 9.
8 OVG NRW, Urt. v. 16.9.2015, Az.: 3 A 2159/14.A.
9 BVerwG, Urt. v. 27.10.2015, Az.: 1 C 32.14.
10 Siehe zum Eilrechtsschutz nach § 80 V VwGO ausführlich Eisentraut, Verwaltungsrecht in der Klausur, § 8.

verbinden (§ 34 I 1 AsylG i. V. m. § 59 I 1 AufenthG, § 38 I AsylG). Die Abschiebung wird nur für den Fall angedroht, dass die Ausreise nicht innerhalb dieser gesetzten Frist erfolgt. Das BAMF prüft keine inlandsbezogenen Vollstreckungshindernisse, da diese im nachgelagerten Vollstreckungsverfahren durch die dafür allein zuständige Ausländerbehörde geprüft werden (beispielsweise familiäre Duldungsgründe, Reiseunfähigkeit aus gesundheitlichen Gründen etc.). Die Abschiebungsandrohung hat die Warnfunktion, dass sich die betroffene Person nach Ablauf der Ausreisefrist auf Abschiebemaßnahmen einstellen muss. Bei Ablehnung des Asylantrages als unzulässig gemäß § 29 I Nr. 2 (Anerkannten-Fall) oder Nr. 4 AsylG, ergeht die Abschiebungsandrohung nach § 35 AsylG.

Demgegenüber erlässt das BAMF eine Abschiebungsanordnung nach § 34a AsylG, wenn eine asylsuchende Person in einen sogenannten sicheren Drittstaat (§ 26a) oder den zuständigen Dublin-Staat abgeschoben werden soll, das heißt bei einer Ablehnung des Asylantrages als unzulässig gemäß § 29 I Nr. 1, 3 AsylG. In diesen Konstellationen bedarf es keiner zusätzlichen Abschiebungsandrohung und es wird keine Frist zur freiwilligen Ausreise gesetzt.[11] Das BAMF prüft vor Erlass einer Abschiebungsanordnung, ob die Abschiebung durchgeführt werden kann (§ 34a I 1 a. E. AsylG). Diese Prüfung erstreckt sich in jedem Fall auf **zielstaatsbezogene Abschiebungsverbote**, der überwiegenden Meinung nach jedoch auch auf **inlandsbezogene Vollstreckungshindernisse**, deren Prüfung üblicherweise allein den Ausländerbehörden obliegt.[12]

II. Berechnung der Rechtsbehelfsfristen
Fraglich ist, innerhalb welcher Fristen Rahil und Adil um **Rechtschutz** nachsuchen müssen.

i **Hinweis**

Die Sätze 5 bis 7 des § 31 I AsylG wurden durch das Gesetz zur Beschleunigung der Asylgerichtsverfahren und Asylverfahren vom 1.1.2023 aufgehoben, weil diese laut der Gesetzesbegründung in der Praxis zu Unsicherheiten hinsichtlich des Beginns der Rechtsmittelfrist geführt haben. Da die Gesetzesänderung erst nach Redaktionsschluss des Fallbuchs in Kraft getreten ist, erfolgt die Falllösung an dieser Stelle noch nach der alten Rechtslage. Der Fall ist in seiner Online-Version aber bereits entsprechend aktualisiert.

1. Zustellung am 12.6.2021
Zunächst ist klärungsbedürftig, bis wann **Rechtsbehelfe** eingelegt werden müssen, wenn eine Zustellung an die Betroffenen am 12.6.2021 erfolgte. Wie oben dargestellt, ist es Rahil und Adil zu raten, sowohl eine Anfechtungsklage als auch einen Eilantrag beim Verwaltungsgericht einzureichen. Für die Klage (§ 74 I Hs. 2 AsylG) und

---

11 Müller, in: Hoffmann, AsylG, 2. Aufl. 2016, § 34a Rn. 19.
12 BVerfG, Beschl. v. 17.9.2014, Az.: 2 BvR 732/14.

den Eilantrag (§ 34a II 1 AsylG) ist die Frist sehr kurz bemessen: Sie beträgt lediglich eine Woche. Fristauslösendes Ereignis ist die Zustellung an die asylantragstellende Person (§ 31 I 5 AsylG). Das Datum der Zustellung befindet sich in der Regel auf dem gelben Umschlag vermerkt, in welchem sich der Bescheid befindet.

Da Rahil und Adil die Bescheide am 12.6.2021 zugestellt worden sind, begann die Frist nach § 57 II VwGO i.V.m. § 222 I ZPO i.V.m. § 187 I BGB am 13.6.2021 um 0:00 Uhr zu laufen und endet(e) gemäß § 57 II VwGO i.V.m. § 222 I, II ZPO i.V.m. § 188 II ZPO am 21.6.2021 um 24:00 Uhr.

2. Spätere Zustellung bei bevollmächtigter Rechtsanwältin am 15.6.2021

Weiterhin stellt sich die Frage, wie es sich auswirkt, wenn die Zustellung wie in 1. erfolgte, ein Abdruck der Entscheidungen der von den Geschwistern bevollmächtigten Rechtsanwältin allerdings erst am 15.6.2021 zuging und dem BAMF eine entsprechende Vollmacht vorliegt. Fraglich ist hier, ob § 7 I 2 VwZG greift. Diese Vorschrift regelt, dass im Falle der Bevollmächtigung eines Rechtsbeistandes und der Vorlage einer entsprechenden schriftlichen Vollmachtsurkunde zwingend an diesen zugestellt werden muss. Zustellungen an den*die Vollmachtgeber*in sind in diesen Fällen unwirksam.[13] § 31 I 5 AsylG enthält jedoch hierzu eine spezialgesetzliche Ausnahme.[14] Nach dieser Sonderregelung ist die Entscheidung der asylantragstellenden Person selbst zuzustellen, das heißt allein diese wirkt fristauslösend.[15] § 31 I 7 AsylG sieht lediglich die Zuleitung eines Abdrucks der Entscheidung an die bevollmächtigte oder empfangsberechtigte Person vor. Im Hinblick auf den in Art. 27 V Dublin-III-VO unionsrechtlich verankerten Anspruch auf Rechtsberatung während des Dublin-Verfahrens und der damit einhergehenden Einschränkungen hinsichtlich eines effektiven Rechtsschutzes wird die Vorschrift kritisiert.[16] Bei einer verspäteten beziehungsweise unterbliebenen Weiterleitung an die bevollmächtigte Person erscheint daher jedenfalls eine Wiedereinsetzung in den vorigen Stand[17] geboten.

---

13 OVG Nds, Beschl. v. 13.3.2009, Az.: 11 PA 157/09.

14 Ronellenfitsch, in: BeckOK VwVfG, 55. Ed. 1.10.2019, VwZG § 7 Rn. 32.

15 VG München, Beschl. v. 3.5.2017, Az.: M 8 S 17.50959.

16 Lehnert, in: Huber/Mantel, AufenthG/AsylG, 3. Aufl. 2021, AsylG § 31 Rn. 9; Schröder, in: Hofmann, AsylG, 2. Aufl. 2016, § 31 Rn. 15.

17 Ein weiterer Beispielsfall aus dem Polizei- und Ordnungsrecht siehe Skobel, in: Eisentraut, Verwaltungsrecht in der Klausur – Das Fallbuch, § 3, Fall 5.

III. Auswirkung der Einlegung eines Eilantrags auf die Überstellungsfrist

Nun ist zu klären, wie sich eine etwaige Ablehnung des Eilantrags auf die Überstellungsfrist auswirkt. Grundsätzlich beginnt die sechsmonatige Überstellungsfrist mit Zustimmung beziehungsweise **Zustimmungsfiktion** des angefragten Staates (Art. 29 I Dublin-III-VO). Fraglich ist jedoch, wie sich eine Klageerhebung bei gleichzeitiger Beantragung von Eilrechtsschutz auf die Überstellungsfrist auswirkt.

Die Klageerhebung allein hat keinerlei Auswirkungen auf den Lauf der Überstellungsfrist, da ihr keine aufschiebende Wirkung zukommt. Wie sich hingegen ein mit der Klageerhebung verbundener Eilantrag (auf Anordnung der aufschiebenden Wirkung der Klage, § 80 V 1, Alt. 1 VwGO) auswirkt, ist umstritten:

Das BVerwG vertritt die Ansicht, dass die Überstellungsfrist bei Einlegung eines Eilrechtsschutzantrags im Falle einer ablehnenden Entscheidung neu in Gang gesetzt wird. Als Argument führt es an, dass sich aus der EuGH-Rechtsprechung zu Art. 20 I lit. d Dublin-II-VO ergebe, dass dem Mitgliedstaat in Fällen der Inanspruchnahme von Rechtsschutz stets die volle Überstellungsfrist zur Vorbereitung und Durchführung zur Verfügung stehen müsse und die Frist für die Durchführung der Überstellung daher erst zu laufen beginne, wenn sichergestellt sei, dass die Überstellung in Zukunft erfolgen könne und lediglich deren Modalitäten zu regeln blieben. Sofern hingegen das Verwaltungsgericht die aufschiebende Wirkung der Klage gegen eine Abschiebungsanordnung anordnet, die Klage in der Hauptsache aber abweist, beginne die Überstellungsfrist laut BVerwG nach Ende der aufschiebenden Wirkung im Sinne von § 80b I VwGO; also nach Ablauf von vier Monaten nach Zustellung des Urteils.[18] Die vier Monate ergeben sich dabei unter Berücksichtigung der einmonatigen Antrags- und Begründungsfrist für die Berufungszulassung im Sinne von § 78 IV AsylG.

---

[18] Die viermonatige Frist gilt allerdings nur, sofern das zuständige OVG als Rechtsmittelgericht nicht anordnet, dass die aufschiebende Wirkung fortdauert, vgl. § 80b II VwGO.

Sophie Greilich/Mailin Loock

Weiterführendes Wissen　　　　　　　　　　　　　　　　　　　　　**i**

Für die Frage, wie das BVerwG hinsichtlich des Fristbeginns auf die vier Monate nach Zustellung des abweisenden Urteils kommt, ist ein Blick in § 80b I VwGO i.V.m. § 78 IV AsylG erforderlich: § 80b I VwGO bestimmt, dass die aufschiebende Wirkung einer abgewiesenen Anfechtungsklage drei Monate nach Ablauf der gesetzlichen Begründungsfrist des gegen die abweisende Entscheidung gegebenen Rechtsmittels endet. Im Falle einer Klage gegen einen Dublin-Bescheid ist der Antrag auf Zulassung der Berufung im Sinne von § 78 IV AsylG das einschlägige Rechtsmittel, welcher innerhalb der einmonatigen Frist zu begründen ist.

Stimmen aus der Literatur halten die Verschiebung des Beginns der Überstellungsfrist lediglich im letzteren Fall – bei Stattgabe eines Antrags nach § 80 V VwGO – mit der Maßgabe für gerechtfertigt, dass die Frist aufgrund des eindeutigen Wortlauts des Art. 29 I Dublin-III-VO („Die Überstellung [...] erfolgt [...] spätestens innerhalb einer Frist von sechs Monaten nach [...] der endgültigen Entscheidung über einen Rechtsbehelf [...]") in Abgrenzung zu Art. 28 III 3 Dublin-III-VO mit dem Tag des Urteils neu zu laufen beginne.[19] Der Standpunkt des BVerwG, bei Ablehnung des Eilantrags die Überstellungsfrist neu laufen zu lassen, stehe im Widerspruch mit dem in Art. 27 III lit. c Dublin-III-VO verankerten Beschleunigungsgrundsatz und beschneide die antragstellenden Personen in ihrem Anspruch auf einen effektiven Rechtsschutz aus Art. 47 GR-Charta.[20] Zudem adressiere Art. 29 I 1 Dublin-III-VO nicht den Eilantrag nach Art. 27 III lit. c Dublin-III-VO, sondern lediglich den Hauptsacherechtsbehelf.[21]

Eine vermittelnde Meinung nimmt in der Zeit zwischen der Zustellung des Bescheids bis zur Zustellung der negativen Entscheidung des Verwaltungsgerichts im Verfahren des vorläufigen Rechtsschutzes eine Ablaufhemmung mit der Folge an, dass die Frist sich entsprechend verlängert.[22]

Weiterführendes Wissen　　　　　　　　　　　　　　　　　　　　　**i**

Verspätet eingereichte oder sonstig unzulässige Eilanträge unterbrechen die Überstellungsfrist nach der Rechtsprechung nicht.[23]

---

19 Lehnert/Werdermann, NVwZ 2020, 1308 (1309).
20 Hruschka, in: Huber/Mantel, AufenthG/AsylG, 3. Aufl. 2021, AsylG § 29 Rn. 36.
21 Lehnert/Werdermann, NVwZ 2020, 1308 (1309).
22 VGH BW, Urt. v. 27.8.2014, Az.: A 11 S 1285/14.
23 BVerwG, Urt. v. 8.1.2019, Az.: 1 C 16.18.

IV. Aussetzung der Abschiebung wegen bevorstehender Eheschließung

Erlässt das BAMF mit der ablehnenden Dublin-Entscheidung auch eine Abschiebungsanordnung, hat es zuvor zu prüfen, ob im Sinne von § 34a I AsylG „feststeht", dass die Abschiebung durchgeführt werden kann. Insofern hat es sowohl zielstaatsbezogene Abschiebungshindernisse nach § 60 V und VII AufenthG als auch (ausnahmsweise) der Abschiebung entgegenstehende inlandsbezogene Vollzugshindernisse zu prüfen.[24]

Nach der verwaltungsgerichtlichen Rechtsprechung setzt ein Anspruch auf Aussetzung der Abschiebung wegen einer bevorstehenden Eheschließung mit einem in Deutschland anerkannten Flüchtling und eine daraus resultierende Unmöglichkeit der Abschiebung gemäß § 60a II 1 AufenthG wegen der nach Art. 6 GG, Art. 12 EMRK geschützten Eheschließungsfreiheit voraus, dass die Eheschließung im Bundesgebiet unmittelbar bevorsteht. Letzteres wird regelmäßig nur dann angenommen, wenn der Eheschließungstermin feststeht oder jedenfalls verbindlich bestimmbar ist.[25]

Die im Hinblick auf eine beabsichtigte Eheschließung behauptete rechtliche Unmöglichkeit der Abschiebung kann auch noch im Klageverfahren geltend gemacht werden. Denn in Streitigkeiten nach dem Asylgesetz stellt das Gericht nach § 77 I 1 AsylG auf die Sach- und Rechtslage im Zeitpunkt der letzten mündlichen Verhandlung oder – im Falle einer Entscheidung ohne mündliche Verhandlung – auf den Zeitpunkt der Entscheidung ab.[26]

B. Nächtlicher Hausarrest

I. Rechtsschutz gegen die Ordnungsverfügung

Die Frage ist zunächst, wie sich Rahil und Adil gegen diese **Ordnungsverfügung** zur Wehr setzen können. Die auf Grundlage von § 46 I AufenthG erlassene Ordnungsverfügung stellt einen belastenden Verwaltungsakt im Sinne von § 35 S. 1 VwVfG dar.[27] Grundsätzlich ist gegen einen solchen zunächst ein Widerspruch gemäß § 68 VwGO zu erheben. Vorliegend ergibt sich jedoch eine Besonderheit: Die Ausländerbehörde hat hier die sofortige Vollziehung der Anordnung nach § 80 II 1 Nr. 4 VwGO angeordnet. Dies hat zur Folge, dass die aufschiebende Wirkung des Widerspruchs (und der Anfechtungsklage) ausnahmsweise entfällt (§ 80 II 1 i.V.m. § 80 I 1 VwGO),

---

24 BVerfG, Beschl. v. 17.9.2014, Az.: 2 BvR 1795/14.
25 VG Ansbach, Beschl. v. 3.6.2019, Az.: AN 18 S 18.50559.
26 VGH Bayern, Beschl. v. 14.10.2015, Az.: 10 CE 15.2165, 10 C 15.2212.
27 Ausführlich zum Verwaltungsakt Milker, in: Eisentraut, Verwaltungsrecht in der Klausur, § 2 Rn. 38 ff.

sodass für einen wirksamen und sofortigen Rechtsschutz gegen die Ordnungsverfügung ein zusätzlicher Eilrechtsschutzantrag nach § 80 V, Alt. 2 VwGO erforderlich ist.

II. Rechtmäßigkeit eines „nächtlichen Hausarrests"[28]

Sodann ist fraglich, ob ein solcher „nächtlicher Hausarrest" rechtmäßig ist. Die von der Ausländerbehörde verfügte Verpflichtung, sich nachts in der Unterkunft aufhalten zu müssen, könnte mangels hinreichender Ermächtigungsgrundlage rechtswidrig sein. Fraglich ist, ob die Anordnung, nachts das Zimmer nur kurzfristig für jeweils 15 Minuten verlassen zu dürfen, unter der Maßgabe, sich bis 12:00 Uhr mittags für die folgende Nacht abmelden zu können, angesichts der im Falle der Zuwiderhandlung angedrohten unverzüglichen Beantragung von Abschiebungshaft eine Freiheitsentziehung darstellt. In diesem Fall bedürfte es einer mit den erforderlichen Verfahrensgarantien nach Art. 104 II GG ausgestatteten Rechtsgrundlage.

Der Schutzbereich der von Art. 2 II 2 i.V.m. Art. 104 GG geschützten **Fortbewegungsfreiheit**[29] umfasst sowohl freiheitsbeschränkende (Art. 104 I 1 GG) als auch freiheitsentziehende (Art. 104 II GG) Maßnahmen. Nach der Rechtsprechung des Bundesverfassungsgerichts erfolgt eine Abgrenzung hierzwischen nicht qualitativ, sondern allein graduell nach der Intensität des Eingriffs.[30] Eine Freiheitsbeschränkung liegt vor, wenn jemand durch die öffentliche Gewalt gegen seinen Willen daran gehindert wird, einen Ort aufzusuchen oder sich dort aufzuhalten, der ihm an sich (tatsächlich und rechtlich) zugänglich wäre.[31] Eine Freiheitsentziehung als schwerste Form der Freiheitsbeschränkung liegt demgegenüber dann vor, wenn eine tatsächlich und rechtlich an sich gegebene Bewegungsfreiheit nach jeder Richtung aufgehoben wird; sie setzt eine besondere Eingriffsintensität in räumlicher Hinsicht voraus.[32]

Gemessen an diesen Maßstäben dürfte hier eine Freiheitsentziehung vorliegen. Der Begriff der Freiheitsentziehung erfordert, dass der Betroffene an einem eng umgrenzten Ort – etwa in einem Raum – festgehalten wird.[33] Das ist vorliegend der Fall. Ist der von der Ausländerbehörde vorgegebene Zeitpunkt zur Abmeldung –

---

28 Angelehnt an: VG Hamburg, Beschl. v. 6.3.2019, Az.: 19 E 792/19.
29 Näheres zur Fortbewegungsfreiheit siehe Würkert, in: Hahn/Petras/Valentiner/Wienfort, Grundrechte, § 25.1. S. 563 ff.
30 Vgl. BVerfG, Urt. v. 24.7.2018, Az.: 2 BvR 309/15, 2 BvR 502/16, Rn. 57.
31 Vgl. BVerfG, Urt. v. 24.7.2018, Az.: 2 BvR 309/15, 2 BvR 502/16, Rn. 67.
32 Vgl. BVerfG, Urt. v. 24.7.2018, Az.: 2 BvR 309/15, 2 BvR 502/16, Rn. 57.
33 Dürig, in: Maunz/Dürig, GG, 85. EL November 2018, Art. 104 Rn. 7.

12:00 Uhr – einmal verstrichen, sind Rahil und Adil rechtlich daran gehindert, das Zimmer nachts für länger als 15 Minuten zu verlassen.[34]

Es ist ferner erforderlich, dass die Freiheit gegen oder ohne den Willen des Betroffenen entzogen wird.[35] Aus dem Umstand, dass die Adressat*innen der Verfügung nicht von der Möglichkeit Gebrauch machen, sich jeweils vor 12:00 Uhr bei der Ausländerbehörde abzumelden, kann nicht geschlossen werden, dass sie mit der nächtlichen Beschränkung auf ihr Zimmer einverstanden sind.[36]

Die Freiheit von Rahil und Adil wird hier auch durch Zwang entzogen. Art. 104 GG betrifft nicht lediglich Eingriffe in die körperliche Bewegungsfreiheit durch unmittelbaren körperlichen Zwang. Es genügt vielmehr auch die Anwendung psychischen Zwanges. Ein solcher psychischer Zwang ist hier gegeben, weil die Ausländerbehörde den Betroffenen für den Fall der Zuwiderhandlung die Beantragung (und Vollziehung) von **Abschiebungshaft** angedroht hat.[37]

Schließlich liegen die zeitlichen Mindestanforderungen an eine Freiheitsentziehung vor. Die Freiheitsentziehung setzt eine „nicht nur kurzfristige Dauer" der Maßnahme voraus. Vorliegend gilt der verfügte nächtliche „Hausarrest" wiederkehrend für sechs Stunden zwischen 0:00 und 6:00 Uhr, sodass für eine nicht nur kurzfristige Dauer die Freiheit entzogen wird.

Nach alledem handelt es sich bei dem nächtlichen Hausarrest um eine Freiheitsentziehung im Sinne des Art. 104 II GG, sodass als Ermächtigungsgrundlage ein formelles Gesetz, das unter anderem einen Richter*innenvorbehalt enthalten muss, erforderlich wäre. Da § 46 I AufenthG dies nicht vorsieht, fehlt es bereits an einer tauglichen Ermächtigungsgrundlage für die in Rede stehende Freiheitsentziehung. Darüber hinaus begegnet die Heranziehung des § 46 I AufenthG als Ermächtigungsgrundlage für eine Freiheitsentziehung erheblichen verfassungsrechtlichen Bedenken im Hinblick auf die fehlende Bestimmtheit der Norm – sowohl bezüglich der Voraussetzungen als auch der zulässigen grundrechtsbeschränkenden Maßnahmen (Art. 20 III GG).

Selbst wenn man von einer bloßen Freiheitsbeschränkung im Sinne von Art. 104 I 1 GG ausginge, wäre § 46 I AufenthG – die allein in Betracht kommende Norm – als Ermächtigungsgrundlage nicht ausreichend. Nach Art. 104 I 1 GG darf die in Art. 2 II 2 GG gewährleistete Freiheit der Person nur auf Grund eines förmlichen Gesetzes beschränkt werden. Die Eingriffsvoraussetzungen müssen sich dabei unmittelbar und hinreichend bestimmt aus dem Gesetz selbst ergeben. Dem entspricht § 46 I AufenthG nicht, da als einzige tatbestandliche Voraussetzung eine

---

34 Vgl. VG Hamburg, Beschl. v. 6.3.2019, Az.: 19 E 792/19, Rn. 26 – openJur.
35 Dürig, in: Maunz/Dürig, GG, 85. EL November 2018, Art. 104 Rn. 9.
36 Vgl. VG Hamburg, Beschl. v. 6.3.2019, Az.: 19 E 792/19, Rn. 28 – openJur.
37 VG Hamburg, Beschl. v. 6.3.2019, Az.: 19 E 792/19, Rn. 30 – openJur.

vollziehbare Ausreisepflicht normiert wird und zudem auf der Rechtsfolgenseite keine freiheitsbeschränkenden Maßnahmen im Sinne des Art. 104 I 1 GG vorgesehen sind.

Weiterführendes Wissen   <kbd>i</kbd>

In der Rechtsprechung werden sogenannte Hausarrest-Verfügungen wohl überwiegend nicht als Freiheitsentziehung, sondern als freiheitsbeschränkende Maßnahmen eingestuft. An der Bewertung der Maßnahme als unzulässig und des § 46 I AufenthG als untaugliche Ermächtigungsgrundlage ändert dies indes nichts.[38] So führt beispielsweise das OVG Niedersachsen aus: „Die vom Antragsgegner verfügte nächtliche Aufenthaltsverpflichtung in seiner Unterkunft geht über diese nach § 46 I AufenthG zulässigen Maßnahmen hinaus. Sie erschöpft sich nicht in einer Wohnsitzauflage, der Zuweisung einer speziellen Unterkunft oder einer Meldeverpflichtung, sondern gibt dem Antragsteller positiv die Verpflichtung auf, sich zu bestimmten Zeiten an einem bestimmten Ort aufzuhalten. Damit weist sie einen freiheitsbeschränkenden Charakter auf, der von § 46 I AufenthG nicht gedeckt ist.“[39]

C. Besonderheiten beim Ablauf der Überstellungsfrist

I. Ablauf der Überstellungsfrist bei „Flüchtigsein"

In dieser Fallvariante haben Rahil und Adil nach Erhalt des Dublin-Bescheids keine Klage erhoben und sind aus der ihnen zugewiesenen Einrichtung ausgezogen, ohne dies dem BAMF mitzuteilen. Fraglich ist, wann in diesem Fall die Überstellungsfrist abläuft. Abweichend von der grundsätzlichen Überstellungsfrist von sechs Monaten nach Zustimmung beziehungsweise Zustimmungsfiktion verlängert sich die Frist auf 18 Monate, wenn eine schutzsuchende Person als „flüchtig" im Sinne von Art. 29 II 2 Dublin-III-VO gilt.

Nach der Jawo-Rechtsprechung des EuGH[40] ist eine Person „flüchtig" im Sinne der Dublin-III-VO, wenn sie sich den für die Durchführung ihrer Überstellung zuständigen nationalen Behörden gezielt entzieht, um die Überstellung zu vereiteln, und ihr Verhalten kausal dafür ist, dass eine Überstellung tatsächlich (zeitweilig) objektiv unmöglich ist. Aufgrund der erheblichen Schwierigkeiten, den Beweis für die innere Tatsache der Entziehungsabsicht zu führen und um das effektive Funktionieren des Dublin-Systems zu gewährleisten, darf aus dem Umstand des Verlassens der zugewiesenen Wohnung, ohne die Behörden über die Abwesenheit zu informieren, jedoch zugleich auf die Absicht geschlossen werden, sich der Überstel-

---

38 Vgl. OVG Nds, Beschl. v. 22.1.2018, Az.: 13 ME 442/17; OVG SH, Beschl. v. 24.7.2019, Az.: 4 MB 41/19; andere Ansicht: VG Hamburg, Beschl. v. 16.11.2018, Az.: 7 E 4941/18.
39 OVG Nds, Beschl. v. 22.1.2018, Az.: 13 ME 442/17, Rn. 11 – OpenJur.
40 EuGH, Urt. v. 19.3.2019, Az.: C 163/17, Tz. 70.

lung zu entziehen, sofern die betroffene Person ordnungsgemäß über die ihm insoweit obliegenden Pflichten unterrichtet wurde. Sie kann jedoch – im Sinne einer Beweislastumkehr – den Nachweis führen, dass sie den Behörden ihre Abwesenheit aus stichhaltigen Gründen nicht mitgeteilt hat, und nicht in der Absicht, sich den Behörden zu entziehen.

Sofern Rahil und Adil also vorliegend einen solchen Gegenbeweis nicht erbringen können und eine Abschiebung daran scheitert, dass dem BAMF ihr Aufenthaltsort nicht bekannt ist, so wird das Bundesamt Finnland mitteilen, dass die Überstellung nicht stattfinden kann, da die beiden flüchtig sind. Im Hinblick auf Art. 9 II Dublin-DVO[41] hat es dabei anzugeben, bis wann die Überstellung vollzogen werden kann. Als Folge wird die Frist sodann auf höchstens 18 Monate verlängert. Eine Einigung mit Finnland als Zielstaat ist dabei nicht erforderlich.

ℹ️ Weiterführendes Wissen

Die Beurteilung des „**Flüchtigseins**" ist in der Rechtsprechung teilweise uneinheitlich. So hat beispielsweise das VG Berlin entschieden, dass eine asylsuchende Person nicht flüchtig sei, wenn sie zwar bei einem Dublin-Überstellungsversuch in ihrem Zimmer in der Gemeinschaftsunterkunft nicht angetroffen wird, dort aber ihren Lebensmittelpunkt hat und nicht unentschuldigt Termine bei der Ausländerbehörde versäumt.[42] Bei einem einmaligen Nicht-Antreffen könne dann nicht ohne Weiteres auf ein Flüchtigsein geschlossen werden. Das VG Minden[43] erklärt zur Grundvoraussetzung, dass eine zu überstellende Person im Sinne des Art. 29 II 2 Dublin-III-VO flüchtig ist, dass sie sich für einen nicht unerheblichen Zeitraum aus von ihr zu vertretenden Gründen an einem Ort aufhält, der den zuständigen Behörden des ersuchenden Mitgliedstaats nicht bekannt ist. Werde eine zu überstellende Person anlässlich eines Überstellungsversuchs zu einer Zeit nicht in ihrer Unterkunft angetroffen, zu der nach der allgemeinen Lebenserfahrung damit zu rechnen ist, dass sie sich dort aufhält (im konkreten Fall: 4:30 Uhr), sei dies ein starkes Indiz dafür, dass sie flüchtig ist. In einem solchen Fall habe die betreffende Person im Rahmen ihrer Mitwirkungspflicht gemäß § 15 AsylG plausibel darzulegen, dass sie nicht flüchtig war, indem sie konkret angibt, wann sie sich wo zu welchem Zweck aufgehalten hat, und ihre Angaben gegebenenfalls unter Beweis zu stellen. Das VG Leipzig[44] hielt eine Person für flüchtig, die sich für einen mehrtägigen Besuch bei Verwandten aufhielt und dies der Ausländerbehörde nicht mitteilte. Überwiegend dürfte demgemäß angenommen werden, dass es für ein Flüchtigsein einer zeitlichen Verfestigung dieses Zustands bedarf, da andernfalls vom Betroffenen verlangt werden würde, sich ununterbrochen an der der zuständigen Behörde bekannten Anschrift aufzuhalten, was zumindest nach derzeitiger Rechtslage nicht gefordert wird. Der Generalanwalt äußerte diese Rechtsauslegung auch in seinem Schlussantrag in der

---

41 Durchführungsverordnung (EU) Nr. 118/2014 der Kommission vom 30. Januar 2014 zur Änderung der Verordnung (EG) Nr. 1560/2003 mit Durchführungsbestimmungen zur Verordnung (EG) Nr. 343/2003 des Rates zur Festlegung der Kriterien und Verfahren zur Bestimmung des Mitgliedstaats, der für die Prüfung eines von einem Drittstaatsangehörigen in einem Mitgliedstaat gestellten Asylantrags zuständig ist, ABl. EU Nr. L 39, S. 1.
42 VG Berlin, Beschl. v. 20.11.2019, Az.: 32 L 420.19 A.
43 VG Minden, Beschl. v. 16.3.2018, Az.: 10 L 258/18.A.
44 VG Leipzig, Urt. v. 19.9.2018, Az.: 6 K 445/18.A.

Rechtssache Jawo, indem er es für erforderlich hielt, dass eine Person „sich über einen längeren Zeitraum nicht mehr in der ihr zugewiesenen Wohnung aufhält".[45] Teilweise nehmen Verwaltungsgerichte ein Flüchtigsein jedoch auch schon dann an, wenn Personen im Falle einer vorherigen Ankündigung der Überstellung, zum besagten Zeitpunkt einmalig nicht in der Wohnunterkunft angetroffen werden, selbst wenn vorher keine Belehrung stattgefunden hat.[46] Befindet sich eine Person hingegen im sogenannten **offenen Kirchenasyl** – ist also den Behörden die Kirchenasylgewährung und der Aufenthaltsort bekannt – so kann nach der Rechtsprechung des BVerwG **kein Flüchtigsein** angenommen werden, da der Aufenthaltsort den Behörden bekannt ist.[47]

II. Wiederauftauchen vor Verlängerungsentscheidung

Anknüpfend an I., soll nun der Frage nachgegangen werden, ob sich am Ergebnis etwas ändert, wenn Rahil und Adil nach zwei Monaten (innerhalb der sechsmonatigen Überstellungsfrist) das BAMF über ihren aktuellen Aufenthaltsort informieren und dieses noch keine Verlängerungsentscheidung getroffen hat. Bei Wiederauftauchens-Konstellationen nach einem vorangegangenen Flüchtigsein kommt es für die Beurteilung auf den Zeitpunkt an, wann sich die asylsuchende Person beim BAMF wieder meldet.

Im vorliegenden Fall des Wiederauftauchens vor Erlass einer Verlängerungsentscheidung innerhalb der sechsmonatigen Frist wird teilweise angenommen, dass dies das BAMF nicht daran hindert, die Dublin-Überstellungsfrist dennoch zu verlängern. Begründet wird dies auf Grundlage des Petrosian-Urteils des EuGH[48]: Den Mitgliedstaaten müsste grundsätzlich eine zusammenhängende Frist von sechs Monaten zur Überstellung zur Verfügung gestellt werden. Insoweit dürfte die Verlängerung auf sechs weitere Monate im Falle des Wiederauftauchens erfolgen; die Höchstfrist von 18 Monaten als absolute Obergrenze jedoch nicht ausgereizt werden.[49]

Eine solche Auffassung ist jedoch abzulehnen, da sie nicht im Einklang mit Unionsrecht steht. Am 26.1.2021 wurde höchstgerichtlich entschieden, dass die asylsuchende Person im Zeitpunkt der Verlängerung der Dublin-Überstellung noch (aktuell) flüchtig sein muss. Das BVerwG führt hierzu aus:

> „Nach dem insoweit klaren und eindeutigen Wortlaut des Art. 29 II 2 Alt. 2 Dublin-III-VO entfällt die tatbestandliche Voraussetzung des „Flüchtigseins" zu dem Zeitpunkt, zu dem der Ast. dem

---

45 EuGH, Schlussantrag des Generalanwalts v. 25.7.2018, Az.: C-163/17, Tz. 68.
46 VG Trier, Urt. v. 10.7.2019, Az.: 7 K 3478/18.TR.
47 BVerwG, Urt. v. 26.1.2021, Az.: 1 C 42.20.
48 EuGH, Urt. v. 29.1.2009, Az.: C 19/08, Tz. 43 f.
49 Brauer, ZAR 2019, 256 (262).

*Bundesamt seinen Aufenthaltsort offenlegt. Ab diesem Zeitpunkt ist eine Verlängerung der Über-
stellungsfrist auf 18 Monate unzulässig, weil sich der Ast. der Überstellung nicht mehr gezielt
entzieht und die Durchsetzung der Überstellung möglich ist. Dass für eine Überstellung grundsätzlich ein zusammenhängender Zeitraum von sechs Monaten zur Verfügung stehen soll
(EuGH, C-19/08, ECLI:EU:C:2009:41), um die Überstellung zu bewerkstelligen, rechtfertigt deswegen keine andere Beurteilung, weil es die Bekl. selbst in der Hand hat, bei zwischenzeitlichen
Überstellungshindernissen in Folge einer Flucht im Sinne des Art. 29 II 2 Dublin-III-VO zeitnah
durch eine Verlängerung der Überstellungsfrist zu reagieren.*"[50]

Neben dem Wortlaut-Argument lässt sich die Rechtswidrigkeit der Verlängerung
nach dem Wiederauftauchen einer asylsuchenden Person auch auf das **Beschleunigungsgebot** stützen.[51]

---

i **Weiterführendes Wissen**

Taucht eine „flüchtige" Person nach der Verlängerungsmitteilung an den ersuchenden Dublin-Staat wieder auf und ist die 18-monatige (Höchst-)Frist noch nicht zuvor ausgelaufen, so wird von einer Ansicht
vertreten, dass sich die (auf 18 oder weniger Monate verlängerte) Überstellungsfrist nicht automatisch
wieder verkürze. Allenfalls könne ein Anspruch auf Neufestsetzung einer sechsmonatigen Frist aus der
drittschützenden Norm des Art. 29 I Dublin-III-VO hergeleitet werden.[52] Eine andere Ansicht geht davon
aus, dass sich die Frist bei Vorliegen eines solchen Sachverhalts zwingend verkürze.[53] Das Ermessen des
BAMF sei in diesen Fällen in der Regel auf Null reduziert.[54]

III. Nichterscheinen zur Selbstgestellung

Weiterhin ist zu klären, wie es sich auf die Überstellungsfrist auswirkt, wenn Rahil
und Adil mit Schreiben vom 15.9.2021 von der Ausländerbehörde aufgefordert werden, sich zur Durchführung der Abschiebung am 29.9.2021 im Polizeipräsidium einzufinden, und dort nicht erscheinen. Fraglich ist, ob Rahil und Adil aufgrund des
Nichterscheinens zur Selbstgestellung flüchtig im Sinne von Art. 29 II 2 Dublin-III-VO
sind. Gemessen an den vom EuGH im Jawo-Urteil aufgestellten Leitsätzen zum Begriff
des Flüchtigseins ist dies nicht der Fall, denn diese erfordern ein gezieltes Sich-Entziehen zur Vereitelung der Überstellung. Laut der Rechtsprechung des EuGH muss das
Verhalten der betreffenden Person dazu führen, dass sie dem staatlichen Vollstre-
ckungszugriff nicht (mehr) ausgesetzt ist. Grundsätzlich kommt es daher nicht darauf
an, ob die asylsuchende Person gegen Mitwirkungspflichten zur Förderung ihrer

---

50 BVerwG, Urt. v. 26.1.2021, Az.: 1 C 42.20, Rn. 27.
51 Bruns, in: Hofmann, AsylG, 2. Aufl. 2016, § 27a Rn. 66.
52 Bergmann, in: Bergmann/Dienelt, Ausländerrecht, 13. Aufl. 2020, AsylG § 29 Rn. 43.
53 Hruschka, NVwZ 2019, 712 (713).
54 VG Trier, Urt. v. 16.11.2018, Az.: 1 K 12434/17.TR.

Überstellung verstößt, wenn es den zuständigen Behörden weiterhin möglich bleibt, sie – gegebenenfalls zwangsweise – zu überstellen. Ist der behördliche Zugriff lediglich erschwert, rechtfertigt dies nicht die Annahme, dass die betreffende Person flüchtig ist. Dies ergibt sich auch aus dem Wortlaut des Art. 29 II 2 Dublin-III-VO („flüchtig" beziehungsweise in der französischen Version „prend la fuite"), der ein aktives Verhalten erfordert. Zudem kann das auf den Zweck der Vorschrift des Art. 29 Dublin-III-VO gestützt werden: Im Hinblick auf den Beschleunigungsgrundsatz und das Bedürfnis nach Rechtssicherheit stellt die Verlängerung auf (maximal) 18 Monate eine absolute Ausnahme zu der grundsätzlichen sechsmonatigen Überstellungsfrist dar, weshalb das Tatbestandsmerkmal des Flüchtigseins restriktiv auszulegen ist.[55]

D. Handlungsmöglichkeiten bei humanitären Härtefällen

In dieser Fallvariante sollen weitere Handlungsmöglichkeiten für den Fall einer Ablehnung des Eilantrages erörtert werden. Die Klage gegen die Dublin-Bescheide ist weiter anhängig.

I. Suizidgefahr als Abschiebungshindernis

Fraglich ist hier, ob eine aktuell diagnostizierte schwere Traumatisierung mit akuter Suizidgefahr einer Überstellung rechtlich entgegensteht. Das BAMF muss – auch nachträglich entstandene oder vorgebrachte – Abschiebungshindernisse zielstaats- und inlandsbezogener Art prüfen.[56] Liegen solche vor, so steht nach Maßgabe des § 34a I 1 AsylG nicht mehr fest, dass eine Abschiebung durchgeführt werden kann.

Eine Suizidgefahr infolge psychischer Erkrankungen aufgrund einer drohenden Abschiebung wird überwiegend als Abschiebungshindernis mit Inlandsbezug nach § 60a II 1 Alt. 2 AufenthG qualifiziert,[57] wobei die strengen Anforderungen an die Glaubhaftmachung der Reiseunfähigkeit nach Absatz 2 c zu beachten sind. Gemäß § 60a IIc 1 AufenthG wird gesetzlich vermutet, dass gesundheitliche Gründe einer Abschiebung nicht entgegenstehen. Um dies zu widerlegen, muss ein qualifiziertes **ärztliches Attest** nach den Vorgaben des § 60a IIc 2–4 vorgelegt werden. Da hier lediglich eine Bescheinigung eines Psychologen vorliegt, müsste zwecks Glaubhaftmachung zunächst ein qualifiziertes Attest eines*einer approbierten Ärzt*in eingeholt werden.

---

55 OVG BB, Urt. v. 20.2.2020, Az.: 3 B 22.19.

56 EuGH, Urt. v. 15.4.2021, Az.: C-194/19; Hruschka, in: Huber/Mantel, AufenthG/AsylG, 3. Aufl. 2021, AsylG § 29 Rn. 30.

57 Jentsch, in: Informationsverbund Asyl & Migration/Deutsches Rotes Kreuz, Krankheit als Abschiebungshindernis, 2. Aufl. 2020, S. 11, 42, 46.

Sophie Greilich/Mailin Loock

Liegt eine die Abschiebung hindernde Reiseunfähigkeit vor, so hat das BAMF zu prüfen, ob es den **Selbsteintritt** nach Art. 17 Dublin-III-VO erklärt.[58] Bei einer bestehenden Suizidalität der schutzsuchenden Person, wie im hiesigen Fall, ist das Ermessen regelmäßig auf Null reduziert.[59]

Auf die verwandtschaftlichen Beziehungen können sich Rahil und Adil indes nicht direkt berufen. Die Dublin-III-VO sieht zwar in Art. 16 Dublin-III-VO eine Sonderregelung vor, welche die Abhängigkeit von familiärer Unterstützung aufgrund schwerer Krankheiten der asylantragstellenden Person im Rahmen der Zuständigkeitsbestimmung berücksichtigt. Allerdings fallen Verwandte dritten oder vierten Grades wie Tanten, Onkel und Cousinen nicht unter den Unterstützungskreis im Sinne von Art. 16 Dublin-III-VO. Dennoch sind die familiären Verhältnisse im Rahmen der Ermessensvorschrift des Art. 17 Dublin-III-VO zu berücksichtigen.

II. Folgen eines erfolglosen Eilantrags für die Abschiebung
Da der Eilantrag erfolglos war, kann die **Abschiebung** trotz des laufenden Klageverfahrens theoretisch jederzeit vollzogen werden (vgl. § 34a II 2 AsylG), auch wenn sie, wie vorliegend – sowohl im Hinblick auf den Zuständigkeitsübergang wegen Fristablaufs[60] als auch aufgrund der Reiseunfähigkeit der beiden (siehe D.I.) – rechtswidrig wäre.

III. Handlungsmöglichkeiten
Bei der Frage nach weiteren Handlungsmöglichkeiten sind sowohl förmliche Rechtsbehelfe als auch humanitäre Handlungsspielräume in den Blick zu nehmen.

1. Eilrechtsschutz nach § 123 VwGO
Zu denken wäre an einen Antrag auf eine einstweilige Anordnung nach § 123 I 1 VwGO.[61] Grundsätzlich ist dieser subsidiär gegenüber einem Eilantrag nach § 80 V VwGO (vgl. § 123 V VwGO). Zur Vermeidung einer mit Art. 19 IV GG nicht verein-

---

58 Hruschka, in: Huber/Mantel, AufenthG/AsylG, 3. Aufl. 2021, AsylG § 29 Rn. 27; jedenfalls bei nicht nur kurzfristiger Dauer, vgl. Gräser, in: Decker/Bader/Kothe, BeckOK MigR, 11. Ed. 15.4.2022, Dublin-III-VO Art. 26 Rn. 3; Vollrath, in: Decker/Bader/Kothe, BeckOK MigR, 11. Ed. 15.4.2022, Dublin-III-VO Art. 17 Rn. 5.
59 Marx, Aufenthalts-, Asyl- und Flüchtlingsrecht, 7. Aufl. 2020, § 9 Rn. 46.
60 Ausführlich hierzu Greilich, *9) Das Dublin-Roulette Teil 2: Wer ist zuständig?* in diesem Fallbuch.
61 Siehe zum Eilrechtsschutz nach § 123 VwGO Wichmann, in: Eisentraut, Verwaltungsrecht in der Klausur, § 10 Rn. 2 ff.

baren Rechtsschutzlücke ist § 123 V VwGO jedoch einschränkend dahingehend auszulegen, dass der Zugang zum Verfahren des vorläufigen Rechtsschutzes nach § 123
I–III VwGO jedenfalls dann nicht gesperrt ist, wenn vorläufiger Rechtsschutz gemäß
§ 80 V VwGO gegen eine Abschiebungsanordnung nach § 34a AsylG wegen Ablaufs
der Antragsfrist (§ 34a II 1 AsylG) nicht mehr offen steht und sich die betroffene Person auf Umstände oder Mittel zur Glaubhaftmachung stützt, die sie ohne Verschulden nicht in der Antragsfrist geltend gemacht hat. In einem solchen Fall könnte das
Gericht im Rahmen des Eilrechtsschutzverfahrens nach § 123 VwGO das BAMF dazu
verpflichten, dass es der zuständigen Ausländerbehörde mitteilt, dass bis zum Abschluss des Klageverfahrens eine Abschiebung nicht erfolgen kann.[62]

2. Letzter Ausweg: Kirchenasyl
Für Menschen in prekären Lebenssituationen (wie zum Beispiel bei Suizidalität,
schweren Erkrankungen, Schwangerschaft, Familientrennungen), denen eine Dublin-Abschiebung droht, gibt es die Möglichkeit des sogenannten **Kirchenasyls**.
Die Evangelische Kirche in Deutschland (EKD) umschreibt dieses wie folgt:

*„Beim Kirchenasyl werden Flüchtlinge ohne legalen Aufenthaltsstatus von Kirchengemeinden
zeitlich befristet beherbergt. Ziel ist, Härtefälle zu vermeiden, bei denen durch Abschiebung Gefahr für Leib, Leben und Freiheit droht oder unzumutbare Härten entstehen und eine erneute
Prüfung des Falles zu erreichen."[63]*

Für sogenannte Dublin-Fälle wurde zwischen dem BAMF und den Kirchen ein
Verfahren verabredet, welches jedoch keinen rechtsverbindlichen Charakter auf-
weist.[64] Es sieht vor, dass über die kirchlichen Ansprechpartner*innen der jeweili-
gen Gemeinden sogenannte **Härtefalldossiers** zu den im Kirchenasyl befindlichen
Personen eingereicht werden, auf Grundlage derer das BAMF eine erneute Einzel-
fallprüfung veranlasst. Ist diese Prüfung positiv, so erklärt es den Selbsteintritt nach
Art. 17 Dublin-III-VO.[65]
Folgt das BAMF der Empfehlung nicht, so bleibt die Person weiterhin bis zum
Ablauf der Überstellungsfrist im Kirchenasyl.[66]

---

62 VG Düsseldorf, Beschl. v. 19.6.2015, Az.: 22 L 486/15.A.
63 Siehe EKD, Dossier Nr. 7, März 2015: Kirchenasyl.
64 BT-Drs. 19/2349, S. 1.
65 Siehe https://www.kirchenasyl.de/erstinformation/.
66 Siehe EKD, Dossier Nr. 7, März 2015: Kirchenasyl.

IV. Auswirkungen des Kirchenasyls auf die Überstellungsfrist

Zur Beantwortung der Frage, wie sich ein sogenanntes Kirchenasyl auf die Überstellungsfrist auswirkt, kommt es darauf an, ob dem BAMF der Aufenthaltsort der im Kirchenasyl befindlichen Person mitgeteilt wurde oder nicht. Hieran anknüpfend wird zwischen offenem und verdecktem Kirchenasyl unterschieden.

Eine im offenen Kirchenasyl befindliche Person ist aufgrund der behördlichen Kenntnis des Aufenthaltsortes nicht „flüchtig" im Sinne von Art. 29 II 2 Dublin-III-VO, sodass es auch keine Rechtsgrundlage für die Verlängerung der Überstellungsfrist gibt.

Die Auslegung des Wortlauts durch die Gegenansicht[67], wonach eine asylsuchende Person im Kirchenasyl sich bewusst der Ordnung des Staates entziehe, indem sie durch ihr Verhalten den erfolglosen Ablauf der Regelüberstellungsfrist herbeizuführen bezweckt, widerspricht dem Gesetz und ist mit der BVerwG- sowie EuGH-Rechtsprechung nicht vereinbar.[68]

Die staatliche Respektierung des Kirchenasyls begründet kein Vollstreckungshindernis, aufgrund dessen die Behörden gehindert wären, eine Überstellung durchzuführen. Die politische Entscheidung, eine Überstellung zu unterlassen, schafft keine Rechtsgrundlage für eine Verlängerung der Überstellungsfrist und führt nicht dazu, dass das offene Kirchenasyl der Überstellung tatsächlich entgegensteht. Vielmehr verzichtet der Staat als Ausdruck des Respekts vor einer christlich-humanitären Tradition und aufgrund einer unverbindlichen Verfahrensabsprache mit den Kirchen[69] bewusst darauf, das Recht durchzusetzen.[70] Dies kann nicht zu Lasten der schutzsuchenden Personen gehen.[71] Der Eintritt in ein offenes Kirchenasyl ist auch keine rechtsmissbräuchliche Handlung, sodass Schutzsuchenden im offenen Kirchenasyl ihr Rechtsschutzbedürfnis nicht zu versagen ist.[72]

Bei einem verdeckten Kirchenasyl wird ein Flüchtigsein jedoch regelmäßig anzunehmen sein, sofern die in C.I. dargelegten Voraussetzungen vorliegen. Im Falle eines „Wiederauftauchens" innerhalb der sechsmonatigen Überstellungsfrist ist dies jedoch zu verneinen, wenn dem BAMF der Aufenthaltsort vor Erlass der Verlängerungsentscheidung bekannt geworden ist.[73]

67 Statt vieler VG Saarlouis, Urt. v. 6.3.2015, Az.: 3 K 830/14.
68 BVerwG, Urt. v. 26.1.2021, Az.: 1 C 42.20.
69 Vgl. BT-Drs. 19/2349, S. 1.
70 BVerwG, Urt. v. 26.1.2021, Az.: 1 C 42.20, Rn. 26.
71 Bergmann, in: Bergmann/Dienelt, Ausländerrecht, 13. Aufl. 2020, AsylG § 29 Rn. 53.
72 Botta, ZAR 2017, 434 (440).
73 BVerwG, Urt. v. 26.1.2021, Az.: 1 C 42.20, Rn. 27.

Weiterführendes Wissen

Um den Dublin-Mitgliedstaaten eine zusammenhängende sechsmonatige Frist zu gewähren, wird teilweise vertreten, dass in Fällen des Kirchenasyls die Überstellungsfrist durch die Aussetzung der Abschiebungsanordnung gemäß § 80 IV VwGO unterbrochen werden könne, sodass die sechsmonatige Frist erst nach Ende des Kirchenasyls wieder in Gang gesetzt werden würde.[74] Dies wird darauf gestützt, dass das BVerwG entschieden hat, dass die Überstellungsfrist durch eine vor ihrem Ablauf verfügte Aussetzung der Vollziehung der Abschiebungsanordnung durch das BAMF jedenfalls dann unterbrochen werden kann, wenn diese aus sachlich vertretbaren Erwägungen erfolgt sei.[75]

Gegen eine etwaige Auswirkung der nach § 80 IV VwGO angeordneten Aussetzung spricht jedoch, dass Art. 29 I Dublin-III-VO i.V.m. Art. 27 IV Dublin-III-VO – zum Zwecke der Gewährung eines effektiven Rechtsschutzes – nur eine Aussetzung bis zur endgültigen Entscheidung über einen Rechtsbehelf oder eine Überprüfung vorsieht, nicht jedoch Aussetzungen aus anderen Gründen, wie beispielsweise die (grenzenlose) Verlängerung der Frist im Falle des Kirchenasyls oder im Zuge der Corona-Pandemie.[76] Ansonsten könnten die Behörden den Fristbeginn manipulieren.[77] Ferner steht eine solche Möglichkeit im Widerspruch mit dem in Erwägungsgrund 5 der Dublin-III-VO verankerten Beschleunigungsgedanken, welcher vorliegend Vorrang vor der Verhinderung von Sekundärmigration und der Gewährung einer zusammenhängenden sechsmonatigen Frist hat.[78]

E. Freiwillige Ausreise nach einem Dublin-Bescheid

Schließlich stellt sich die Frage, ob Rahil und Adil freiwillig ausreisen können und welche Vorteile dies haben könnte.

I. Möglichkeit der freiwilligen Ausreise

Gemäß Art. 7 Dublin-DVO kann die Überstellung in drei unterschiedlichen Formen ablaufen: erstens auf Initiative der asylsuchenden Person, zweitens in Form der kontrollierten Ausreise oder drittens in Begleitung.

Im Rahmen des Dublin-Verfahrens wird zwar in der Regel eine Abschiebungsanordnung nach § 34a AsylG erlassen, um die Überstellung als Abschiebung vollziehen zu können. Laut BVerwG gebietet der Grundsatz der Verhältnismäßigkeit es je-

---

74 Brauer, ZAR 2019, 256 (269).
75 BVerwG, Urt. v. 8.1.2019, Az.: 1 C 16.18.
76 VG Halle, Beschl. v. 12.10.2020, Az.: 5 B 364/20 HAL, asyl.net: M29170; zur rechtswidrigen BAMF-Praxis der behördlichen Aussetzung der Vollziehung während der Corona-Pandemie siehe ausführlich: Lehnert/Werdermann, NVwZ 2020, 1308; Neumann, ZAR 2020, 314 (318); EuGH, Urt. v. 22.9.2022, Az.: C-245/21, C-248/21; OVG Nds, Beschl. v. 27.10.2020, Az.: 10 LA 217/20.
77 Hruschka, Huber/Mantel, AufenthG/AsylG, 3. Aufl. 2021, AsylG § 29 Rn. 41.
78 Vgl. auch Lehnert/Werdermann, NVwZ 2020, 1308 (1310).

doch der asylsuchenden Person dann eine Überstellung ohne Verwaltungszwang zu ermöglichen, wenn gesichert erscheint, dass sie sich freiwillig in den für die Prüfung ihres Antrags zuständigen Mitgliedstaat begibt und sich dort fristgerecht bei der verantwortlichen Behörde meldet.[79] Dieses Regel-Ausnahme-Verhältnis wird teilweise kritisiert.[80]

II. Vorteile einer freiwilligen Ausreise

Für Fälle der Überstellung ohne Verwaltungszwang nach Art. 7 I lit. a Dublin-DVO besitzt die vom BAMF nach § 11 I AufenthG festgesetzte Sperrfrist keine Geltung.

Das BVerwG führt hierzu an:

> *„Denn nur eine vollzogene Abschiebung bewirkt ein Einreise- und Aufenthaltsverbot nach § 11 AufenthG, die Abschiebungsanordnung allein reicht hierfür nicht. Ferner kann die (nachträgliche) Reduzierung einer festgesetzten Sperrfrist bei Kooperation des Ausländers im Rahmen einer zwangsweisen Überstellung geboten sein, die im Einzelfall sogar zu einer Reduzierung der Sperre auf Null führen kann."[81]*

Die freiwillige Ausreise kann bei einer unabwendbaren Überstellung/Abschiebung mithin in Betracht gezogen werden, um eine Wiedereinreise- und Aufenthaltssperre nach § 11 AufenthG zu verhindern.

Weiterführende Rechtsprechung und Literatur
- EuGH, Urt. v. 19.3.2019, Az.: C-163/17
- EuGH, Urt. v. 29.1.2009, Az.: C-19/08
- BVerwG, Urt. v. 26.5.2016, Az.: 1 C 15.15
- BVerwG, Urt. v. 26.1.2021, Az.: 1 C 42.20
- Botta, Das Kirchenasyl als rechtsfreier Raum? Zum Rechtsschutzbedürfnis von Kirchenasylflüchtlingen, ZAR 2017, 434
- Lehnert/Werdermann, Aussetzungen der Dublin-Überstellungen durch das Bundesamt für Migration und Flüchtlinge während der Corona-Krise, NVwZ 2020, 1308

Zusammenfassung: Die wichtigsten Punkte
- Der Rechtsschutz im Dublin-Verfahren ist stark eingeschränkt: Der Klage kommt keine aufschiebende Wirkung zu. Die Frist für den Eilantrag und die Anfechtungsklage beträgt lediglich eine Woche.
- Die Einlegung eines Eilantrags wirkt sich nach Auffassung des BVerwG auf die Überstellungsfrist aus. Bei einem erfolglosen Eilrechtsschutzantrag beginnt die Frist mit der Ablehnung neu zu laufen. Etwas anderes gilt bei einem erfolgreichen Antrag nach § 80 V VwGO, wenn die An-

---

79 BVerwG, Urt. v. 17.9.2015, Az.: 1 C 26.14.
80 Hruschka, in: Huber/Mantel, AufenthG/AsylG, 3. Aufl. 2021, AsylG § 29 Rn. 37.
81 BVerwG, Urt. v. 17.9.2015, Az.: 1 C 26.14, Rn. 27.

fechtungsklage abgewiesen wird. In diesem Fall beginnt die Überstellungsfrist laut EVerwG nach Ablauf der aufschiebenden Wirkung gemäß § 80b VwGO.

- Sogenannte Hausarrest-Verfügungen, die in der Praxis von Ausländerbehörden als Mittel zur Erleichterung von Dublin-Überstellungen eingesetzt werden, sind nach überwiegender Verwaltungsrechtsprechung rechtswidrig.
- Die Überstellungsfrist kann sich auf maximal 18 Monate verlängern, wenn der*die Adressat*in des Dublin-Bescheides flüchtig ist. Flüchtigsein setzt nach der Jawo-Rechtsprechung des EuGH ein bewusstes Sich-Entziehen voraus, was zum Beispiel bei einem bloßen Nichterscheinen zur Selbstgestellung nicht angenommen werden kann. Bei einem Wiederauftauchen nach einem vorangegangenen Flüchtigsein ist zu prüfen, ob die betreffende Person sich vor oder nach einer Verlängerungsentscheidung des BAMF wieder gemeldet hat.
- In Härtefällen gibt es die Möglichkeit, dass schutzsuchenden Personen, die einen Dublin-Bescheid erhalten haben, ein sogenanntes Kirchenasyl gewährt wird. Ein offenes Kirchenasyl, bei dem der Aufenthaltsort der jeweiligen Person den Behörden bekannt ist, wirkt sich nicht auf die Überstellungsfrist aus.
- Aus Gründen der Verhältnismäßigkeit ist asylsuchenden Personen, für die ein anderer Dublin-Staat zuständig ist, die freiwillige Ausreise zu ermöglichen.

Dieser Fall darf gerne kommentiert, verändert und beliebig genutzt werden. Die Anleitung hierfür lässt sich über den abgebildete QR-Code mit der Smartphone-Kamera auf unserer Homepage aufrufen.

Sophie Greilich/Mailin Loock

Fall 11
Über ganz Europa verstreut

Behandelte Themen: Dublin-III-Verordnung, Familienzusammenführung, Frist zur Stellung Übernahmeersuchen, humanitäre Klausel

Schwierigkeitsgrad: Fortgeschrittene

Sachverhalt

Die Familie Khaled hat die syrische Staatsangehörigkeit. Saad (S), ein minderjähriger Sohn der Familie, reist 2015 aus Syrien nach Deutschland ein. Im Jahr 2017 wird ihm die Flüchtlingseigenschaft zuerkannt. Sein Vater Faris (V) zieht Anfang 2019 nach Deutschland nach und stellt einen Asylantrag, über den bisher noch nicht entschieden wurde. Sie wohnen in Berlin. Die Mutter Manal (M) und die minderjährige Tochter Tarana (T) reisen am 1.5.2019 in Griechenland ein. Sie äußern am nächsten Tag im Rahmen der Erstregistrierung den Wunsch gegenüber den griechischen Behörden, Anträge auf internationalen Schutz stellen zu wollen, können ihre förmlichen Asylanträge jedoch erst am 1.10.2019 stellen. Im Folgenden bringen sie ihr Begehren zum Ausdruck, ihr Asylverfahren in Deutschland weiter zu betreiben.

Am 1.1.2020 richtet die Dublin-Einheit der griechischen Asylbehörde Aufnahmeersuchen an die deutsche Dublin-Einheit beim BAMF. Dabei legt sie unter anderem einen Auszug aus einem nationalen Register mit einer Eurodac-Treffermeldung der Kategorie 2[1] vom 1.5.2019 und einer solchen der Kategorie 1 vom 1.10.2019 vor sowie einen Auszug aus dem Familienregister und jeweils eine von M und V unterschriebene Erklärung, in der sie sich mit einer Familienzusammenführung in Deutschland einverstanden erklären. Das BAMF, als zuständige deutsche Dublin-Einheit, lehnt das Aufnahmeersuchen unter Hinweis darauf ab, dass dieses zu spät gestellt worden sei. Die dreimonatige Frist zur Übersendung eines Gesuchs nach Asylantragstellung sei vorliegend abgelaufen. Hiergegen remonstrieren die griechischen Behörden, das BAMF aber bestätigt seine Entscheidung. M und T reichen daraufhin (zusammen mit S und V) Eilanträge beim Verwaltungsgericht ein.

---

1 Siehe zu den Treffer-Kategorien der Eurodac-Datenbank die Erklärungen im Sachverhalt bei Greilich, *9) Das Dublin-Roulette Teil 2: Wer ist zuständig?*, in diesem Fallbuch.

Fallfrage

Welches Verwaltungsgericht ist örtlich zuständig und wie wird es voraussichtlich entscheiden?

Abwandlungen

Abwandlung 1: Angenommen, das Aufnahmegesuch wurde tatsächlich nicht fristgemäß gestellt: Welche Möglichkeit verbleibt für die Familienzusammenführung?

Abwandlung 2: Wie stellt sich die Rechtslage in der folgenden Konstellation dar? Die gesamte Familie reist zunächst gemeinsam nach Griechenland ein und stellt dort Asylanträge. Im Anschluss reisen S und V weiter nach Deutschland. Erst über sechs Monate danach führt Deutschland das Asylverfahren von S und V durch und erkennt V die Flüchtlingseigenschaft zu. Er findet Arbeit als Übersetzer. T erkrankt in Griechenland schwer an Krebs, wobei M nicht über die finanziellen oder über sonstige Möglichkeiten verfügt, für eine angemessene medizinische Versorgung zu sorgen.

Bearbeitungshinweis:
Der Lösungsvorschlag ist im Urteilsstil formuliert.

Lösungsvorschlag

A. Ausgangsfall

Familie Khaled möchte wissen, ob M und T mit V und S in Deutschland zusammengeführt werden können. Da Deutschland das griechische Aufnahmeersuchen abgelehnt hat, hat die Familie einen Eilrechtsschutzantrag vor Gericht gestellt. Die Betroffenen fragen auch, welches Gericht zuständig ist.

Der gerichtliche **Eilrechtsschutzantrag** nach § 123 VwGO ist darauf gerichtet, die Bundesrepublik Deutschland als Antragsgegnerin im Wege der einstweiligen Anordnung zu verpflichten, sich unter Aufhebung der Ablehnung des Übernahmegesuchs der griechischen Dublin-Einheit bezüglich M und T für zuständig zu erklären.[2] Er ist voraussichtlich zulässig und begründet.

I. Örtlich zuständiges Gericht

Das VG Berlin dürfte das **örtlich zuständige** Gericht sein.

Auch wenn die Mitwirkung des BAMF im Dublin-Verfahren nicht im AsylG geregelt ist, handelt es sich bei diesbezüglichen Streitigkeiten um solche nach dem AsylG im Sinne von § 52 Nr. 2 S. 3 VwGO.[3]

Für die Anträge von M und T ist zwar im Ausgangspunkt das VG Ansbach zuständig. Denn sie haben weder ihren Aufenthalt nach den Vorschriften des AsylG an einem bestimmten Ort zu nehmen noch verfügen sie über einen Wohnsitz im Bundesgebiet (§ 52 Nr. 2 S. 3 Hs. 1 und Nr. 3 Satz 2 VwGO). Deshalb kommt es nach der Auffangregelung des § 52 Nr. 3 S. 3, Nr. 5 VwGO auf den Bezirk an, in dem die Antragsgegnerin ihren Sitz hat, hier also das BAMF als die für Deutschland handelnde Behörde mit Sitz in Nürnberg.[4]

Allerdings ist das VG Berlin für die Anträge von V und S zuständig. Erwägungen der Prozessökonomie gebieten einen einheitlichen Gerichtsstand für alle Familienangehörigen am Wohnsitz der bereits in Deutschland aufhältigen Familienmitglieder.[5] Das BAMF hat dort eine Außenstelle, die bereits mit deren Asylverfahren betraut ist. Sollte eine Familienzusammenführung erfolgen und M und T ihren Wohnsitz in Berlin begründen, wäre das dortige VG auch für alle weiteren asylrechtlichen Streitigkeiten gemäß § 52 Nr. 2 S. 3 VwGO örtlich zuständig. Angesichts

---

2 Siehe zum Eilrechtsschutz nach § 123 VwGO Wichmann, in: Eisentraut, Verwaltungsrecht in der Klausur, § 10 Rn. 2ff.

3 BVerwG, Beschl. v. 2.7.2019, Az.: 1 AV 2/19, Rn. 4, asyl.net: M27524.

4 BVerwG, Beschl. v. 2.7.2019, Az.: 1 AV 2/19, Rn. 6, asyl.net: M27524.

5 BVerwG, Beschl. v. 2.7.2019, Az.: 1 AV 2/19, Rn. 14, asyl.net: M27524.

der gefestigten obergerichtlichen Rechtsprechung und unter dem Eindruck der Eilbedürftigkeit erscheint eine Anrufung des BVerwG im Rahmen des Zuständigkeitsbestimmungsverfahrens gemäß § 53 VwGO entbehrlich.[6]

II. Übrige Zulässigkeitsvoraussetzungen

Der Antrag ist auch im Übrigen zulässig. Insbesondere sind alle Familienmitglieder in entsprechender Anwendung des § 42 II VwGO antragsbefugt. Es erscheint möglich, dass die dem Kindeswohl und dem Schutz der Familie dienenden Vorschriften der Art. 9, 10, 20 III 1 Dublin-III-VO sowohl den im zuständigen Mitgliedstaat ansässigen V und S als auch den eine Überstellung begehrenden M und T ein subjektives Recht auf die Einhaltung der besagten Bestimmungen zu ihren Gunsten vermitteln.[7]

III. Begründetheit

Den Antragstellenden wird es voraussichtlich gelingen, einen nach § 123 I VwGO erforderlichen Anordnungsanspruch sowie die besondere **Eilbedürftigkeit** (Anordnungsgrund) glaubhaft zu machen, wobei hier ausnahmsweise die Vorwegnahme der Hauptsache geboten ist.[8]

1. Anordnungsanspruch
a) Anspruch nach Art. 9 Dublin-III-VO

Die Tatbestandsvoraussetzungen des Art. 9 Dublin-III-VO liegen in Bezug auf S vor. Haben danach Antragstellende ein Familienmitglied, das in seiner Eigenschaft als schutzberechtigte Person in einem Mitgliedstaat aufenthaltsberechtigt ist, so ist dieser Mitgliedstaat für die Prüfung des Schutzantrags zuständig, sofern die betreffenden Personen diesen Wunsch schriftlich kundtun.

aa) Familienangehörige

S ist als unverheirateter minderjähriger Sohn der M ihr Familienangehöriger im Sinne des Art. 2 lit. g Dublin-III-VO.

Die Geschwisterbeziehung zwischen S und T erfüllt als solche die Voraussetzungen des Art. 2 lit. g Dublin-III-VO nicht. Die Zuständigkeit Deutschlands für die

---

6 Vgl. BVerwG, Beschl. v. 2.7.2019, Az.: 1 AV 2/19, Rn. 2, asyl.net: M27524.
7 BVerwG, Beschl. v. 2.7.2019, Az.: 1 AV 2/19, Rn. 12, asyl.net: M27524.
8 Siehe zum Anordnungsanspruch und Anordnungsgrund im Rahmen des § 123 VwGO Wichmann, in: Eisentraut, Verwaltungsrecht in der Klausur, § 10, Rn. 34 ff.

Durchführung des Asylverfahrens der T begründet sich allerdings aus dem Schutz und der Wahrung der **Familieneinheit** und einer insoweit über Art. 20 III 1 Dublin-III-VO vermittelten verfahrensrechtlichen Akzessorietät zum Verfahren ihrer Mutter.[9]

ℹ **Weiterführendes Wissen**

Im Rahmen der Art. 9 und 10 Dublin-III-VO gilt der enge Familienbegriff im Sinne des Art. 2 lit. g Dublin-III-VO. Die Familie muss, sofern nicht wie in Art. 9 Dublin-III-VO explizit etwas anderes bestimmt ist, bereits im Heimatstaat bestanden haben. Die sogenannte **Kernfamilie** erfasst etwa keine Geschwister. Diese sind jedoch für unbegleitete Minderjährige ausdrücklich neben Familienangehörigen in Art. 8 I Dublin-III-VO genannt. Nimmt die Norm nicht auf „Familienangehörige", sondern auf „Verwandte" Bezug, wie etwa Art. 8 II Dublin-III-VO, gilt ein weiteres Verständnis, das gemäß Art. 2 lit. h Dublin-III-VO etwa auch Onkel, Tanten oder Großeltern erfasst.

Die Familienzugehörigkeit wurde durch Vorlage des Registerauszuges glaubhaft gemacht.

ℹ **Weiterführendes Wissen**

Taugliche Beweismittel zum **Nachweis der Familienzugehörigkeit** können etwa Geburtsurkunden, Familienbücher, Registerauszüge oder – als letztes Mittel – DNA-Tests sein und sind im Anhang II der Dublin-Durchführungs-VO aufgeführt.[10] Die Anforderungen an Beweise sollten gemäß Art. 22 IV Dublin-III-VO nicht das erforderliche Maß übersteigen. Wird ein Beweismittel im Sinne des Anhangs II der Dublin-Durchführungs-VO vorgelegt, ist eine Widerlegung nur durch Gegenbeweis möglich. Zudem ergibt sich aus Art. 22 I, III lit. b, V Dublin-III-VO, dass neben Beweisen auch Indizien als Nachweis gelten und sich die Zuständigkeit mangels Vorliegens von Beweisen auch allein aufgrund von Indizien ergeben kann. Die erforderliche Identitätsfeststellung der Referenzperson erfolgt im ersuchten Staat im Asylverfahren, diejenige der antragstellenden Person ist Aufgabe des ersuchenden Staates.

---

bb) Schutzberechtigtes Familienmitglied

Dem S wurde die Flüchtlingseigenschaft zuerkannt. Er ist mithin Begünstigter internationalen Schutzes im Sinne des Art. 2 lit. f Dublin-III-VO.

---

9 VG Ansbach, Beschl. v. 24.8.2020, Az: AN 17 E 20.50232, Rn. 29.
10 Durchführungsverordnung (EU) Nr. 118/2014 der Kommission zur Änderung der Verordnung (EG) Nr. 1560/2003 mit Durchführungsbestimmungen zur Verordnung (EG) Nr. 343/2003 des Rates zur Festlegung der Kriterien und Verfahren zur Bestimmung des Mitgliedstaats, der für die Prüfung eines von einem Drittstaatsangehörigen in einem Mitgliedstaat gestellten Asylantrags zuständig ist vom 30.1.2014, ABl. EU Nr. L 39, S. 1.

Weiterführendes Wissen i

Für die Voraussetzung der **Schutzberechtigung** erforderlich ist die Zuerkennung der Flüchtlingseigenschaft oder des subsidiären Schutzes im Sinne der Qualifikationsrichtlinie 2011/95/EU, auf die Art. 2 lit. f der Dublin-III-VO verweist. Die Feststellung eines nationalen Abschiebungsverbots nach § 60 V oder VII AufenthG oder eine Duldung ist nicht ausreichend.

Da der Asylantrag des V zum Zeitpunkt der Asylantragstellung der M und T in Griechenland im Jahr 2019 noch nicht beschieden worden war, scheidet die Anwendung des Art. 9 Dublin-III-VO bezüglich seiner Person aus. Für die Frage, ob dem Familienmitglied internationaler Schutz zuerkannt worden ist, kommt es also maßgeblich auf den Zeitpunkt der (ersten) Asylantragstellung in einem Mitgliedstaat (hier in Griechenland) an. Gemäß Art. 7 II Dublin-III-VO gilt dies für alle für die Zuständigkeitsbestimmung maßgeblichen Kriterien (zum Beispiel auch die Minderjährigkeit einer antragstellenden Person). Danach werden die Umstände „eingefroren", wie sie zum Zeitpunkt der ersten Antragstellung vorlagen (sogenanntes **Versteinerungsprinzip**[11]).

---

cc) Schriftlicher Wunsch

Die beidseitig notwendigen schriftlichen Zustimmungserklärungen zur Familienzusammenführung liegen vor. Dabei ist davon auszugehen, dass M in ihrer Erklärung auf V und S Bezug nimmt. Daher muss die (streitige) Frage nicht entschieden werden, ob es ausreicht, wenn der Erklärung generell der Wunsch zu entnehmen ist, mit Familienangehörigen in Deutschland zusammengeführt zu werden, ohne dass eine explizite Bezugnahme auf die konkreten Familienangehörigen erfolgt. Auch konnte sich V als gesetzlicher Vertreter des S erkennbar in dessen Willen äußern.

b) Anspruch nach Art. 10 Dublin-III-VO

Bezogen auf V liegen die Voraussetzungen des Art. 10 Dublin-III-VO vor. Haben danach Antragstellende in einem Mitgliedstaat ein Familienmitglied, über dessen Antrag auf internationalen Schutz noch keine Erstentscheidung in der Sache ergangen ist, so ist dieser Mitgliedstaat für die Prüfung des Schutzantrags zuständig, sofern die betreffenden Personen diesen Wunsch schriftlich kundtun. V ist sowohl für M als auch für T als Ehegatte und Vater Familienangehöriger im Sinne des Art. 2 lit. g Dublin-III-VO. Zu dem nach Art. 7 II Dublin-III-VO relevanten Zeitpunkt hatte er in Deutschland einen Asylantrag gestellt, über den noch nicht entschieden worden war.

---

11 Siehe hierzu auch Greilich, *8) Das Dublin-Roulette Teil 1: Wer ist zuständig?*, A. II. in diesem Fallbuch.

Britta Schiebel

Nach in der Rechtsprechung wohl überwiegender Auffassung liegt eine „**Erstentscheidung in der Sache**", wie Art. 10 Dublin-III-VO sie vorsieht, erst bei einer bestands- beziehungsweise rechtskräftigen Entscheidung über einen Antrag auf internationalen Schutz vor.[12] Dies bedeutet, dass diese Norm auch dann noch Anwendung findet, also eine Familienzusammenführung nach dieser Norm möglich ist, wenn nach einer Ablehnung durch das BAMF ein Klageverfahren zum Zeitpunkt der ersten Asylantragstellung der Angehörigen (s. o. weiterführendes Wissen) anhängig war.

c) Kein Zuständigkeitsübergang wegen Fristablauf

Die sich aus dem Vorstehenden ergebende Zuständigkeit Deutschlands für die Entscheidung über die Anträge der M und der T ist nicht aufgrund des Ablaufs der dreimonatigen Ersuchensfrist gemäß Art. 21 I UAbs. 3 Dublin-III-VO auf Griechenland übergegangen. Danach wird der Mitgliedstaat zuständig, in dem der Asylantrag gestellt wurde, wenn nicht innerhalb von drei Monaten nach Antragstellung ein **Übernahmeersuchen** im Sinne des Art. 21 I Dublin-III-VO gestellt wird.[13] Entscheidend ist dabei, wann die Frist zu laufen beginnt, also wann ein Asylantrag in Griechenland, dem ersuchenden Mitgliedstaat, gestellt wurde. Hier haben M und T glaubhaft gemacht, dass sie ihre Asylanträge nicht schon am 1.5.2019, sondern erst am 1.10.2019 gestellt haben und daher das Übernahmegesuch vom 1.1.2020 noch rechtzeitig gestellt wurde.

Von einer Antragstellung im Sinne des Art. 20 II der Dublin-III-VO ist auszugehen, wenn der zuständigen Behörde ein behördliches Schriftstück zugegangen ist, das ein Ersuchen um internationalen Schutz bescheinigt oder jedenfalls die wichtigsten in einem solchen Schriftstück enthaltenen Informationen.[14] Die bloße Erklärung von M und T vom 1.5.2019, Asylanträge stellen zu wollen, erfüllt diese Voraussetzungen in dem vorliegenden Fall nicht.

Zu bedenken ist zwar, dass die formalen Anforderungen für die Annahme eines **fristauslösenden Antrags** durch die Rechtsprechung des EuGH in der Rechtssache Mengesteab abgesenkt wurden. So reicht es, um das Verfahren zur Bestimmung des zuständigen Mitgliedstaates wirksam einleiten zu können, aus, dass die zuständige Behörde des Mitgliedstaats zuverlässig darüber informiert worden ist, dass eine Person ein Asylgesuch geäußert hat. Demnach ist ein Asylgesuch in den meisten Fäl-

---

12 OVG BB, Beschl. v. 3.9.2019, Az.: OVG 6 N 58.19, Rn. 10 ff.
13 Für die Fristberechnung enthält die Dublin-III-VO keine eigene Regelung; sie richtet sich nach der Verordnung (EWG, Euratom) Nr. 1182/71 des Rates zur Festlegung der Regeln für die Fristen, Daten und Termine vom 3.6.1971, ABl. EG Nr. L 124, S. 1 und entspricht insoweit den deutschen Regelungen.
14 EuGH, Urt. v. 26.7.2017, Az.: C-670/16, Tz. 103, asyl.net: M25274.

len als **fristauslösendes Ereignis** anzusehen. Voraussetzung ist jedoch nach wie vor, dass ein Antrag auf internationalen Schutz gestellt und dieser bei einer Behörde auf einem Formblatt schriftlich festgehalten wurde.[15] Ein solcher wurde nach den Angaben der griechischen Dublin-Einheit erst am 1.10.2019 gestellt. Dafür, dass ein Formblatt mit dem schriftlichen Wunsch der Antragstellenden, Asyl zu beantragen, schon vorher bei einer Behörde vorlag, bestehen keinerlei Anhaltspunkte.

Lediglich aufgrund einer vorherigen Einreise kann zudem nicht darauf geschlossen werden, dass die nach der zitierten EuGH-Rechtsprechung erforderlichen Informationen an die zuständige griechische Behörde – die Asylbehörde – weitergeleitet wurden. Dabei ist anzumerken, dass die bloße Absichtserklärung gegenüber allen griechischen Behörden – wie auch dem Grenzschutz oder der Polizei – erklärt werden kann und somit schon die zuständige Behörde keine Kenntnis dieser Absicht erlangt. Eine solche Einreise begründet allenfalls eine Zuständigkeit nach Art. 13 Dublin-III-VO, die jedoch hinter eine Zuständigkeit im Rahmen der **Familienzusammenführung** zurücktritt, Art. 7 I Dublin-III-VO.

Die griechischen Behörden bestreiten auch dezidiert, dass bereits zu diesem Zeitpunkt ein formaler Asylantrag gestellt wurde. Dies ist im Sinne des europäischen Vertrauensgrundsatzes bereits als Nachweis anzusehen. Zudem dokumentiert der **Eurodac**-Treffer der Kategorie 2[16] vom 1.5.2019 lediglich die illegale Einreise.[17] Der Eurodac-Treffer der Kategorie 1 vom 1.10.2019 erbringt hingegen den Beweis der Asylantragstellung im Sinne des Art. 22 III lit. a Dublin-III-VO, wobei dem BAMF ein Gegenbeweis nicht gelungen ist.

Weiterführendes Wissen

Auf die Streitfrage, ob ein etwaiger Fristablauf im Bereich der Familienzusammenführung beachtlich ist, kommt es daher hier nicht an. Hierzu werden im Wesentlichen folgende Auffassungen vertreten. Dies betrifft sowohl die Ersuchensfrist als auch die Überstellungsfrist (vgl Art. 29 II Dublin-III-VO).[18]

1) **Fristablauf unbeachtlich:** Der vorrangige Schutz der Familieneinheit und des Kindeswohls bei der Familienzusammenführung lasse das grundsätzlich im (Wieder-)Aufnahmeverfahren anwendbare strenge Fristenregime der Dublin-III-VO zurücktreten. Der Zuständigkeitsübergang aufgrund Fristablaufs solle grundsätzlich auch die Antragstellenden schützen und im Sinne des Beschleunigungsgrundsatzes schnell Klarheit über den zuständigen Mitgliedstaat schaffen. Im Rahmen der Familienzusammenführung würden diese Interessen jedoch faktisch umgekehrt: Das vorrangige Interesse von Familienangehörigen bestehe auch nach Ablauf der Frist noch in der Zusammenfüh-

---

15 EuGH, Urt. v. 26.7.2017, Az.: C-670/16, Tz. 103, asyl.net: M25274.
16 Siehe zu den Treffer-Kategorien der Eurodac-Datenbank die Erklärungen im Sachverhalt bei Greilich, *9) Das Dublin-Roulette Teil 2: Wer ist zuständig?*, in diesem Fallbuch.
17 Vgl. Art. 9, 14, 24 IV der Eurodac-Verordnung (EU) Nr. 603/2013.
18 Pertsch, Asylmagazin 2019, S. 287–294.

Britta Schiebel

rung.[19] Ihr Menschenrecht auf Familieneinheit könne ihnen nicht aufgrund der Fristversäumnis durch eine staatliche Behörde entzogen werden.

2) **Fristen beachtlich, aber Aufnahme aus humanitären Gründen und Ermessensreduzierung:** Die Fristen seien auch im Rahmen der Familienzusammenführung aus Gründen der Rechtssicherheit einzuhalten. Allerdings sei bei einem Fristversäumnis ein Rückgriff auf die Ermessensklausel des Art. 17 II Dublin-III-VO (Aufnahme aus humanitären, insbesondere familiären Gründen) möglich und es sei regelmäßig von einer Ermessensreduzierung auf Null auszugehen, insbesondere wenn die übrigen Voraussetzungen der Art. 8 ff. Dublin-III-VO vorlägen und die Fristversäumnis allein auf ein Verschulden der am Verfahren beteiligten Mitgliedstaaten zurückzuführen sei.

3) **Fristen beachtlich und Aufnahme nur aus humanitären Gründen, keine Ermessensreduzierung:** Bei einem Fristversäumnis würden die bindenden Zuständigkeitsregelungen des 3. Kapitels der Dublin-III-Verordnung im Sinne der Rechtssicherheit ausscheiden (also auch zur Familieneinheit). Es komme lediglich eine Zuständigkeit nach der humanitären Ermessensklausel des Art. 17 II Dublin-III-VO in Betracht, wobei nicht von einem intendierten Ermessen auszugehen sei, sondern die jeweiligen Umstände des Einzelfalls zu betrachten seien. Diese führten nach Fristablauf nur zu einer Pflicht, das Ersuchen beziehungsweise die zu überstellenden Personen anzunehmen, wenn über den „Normalfall" hinaus humanitäre Gründe vorlägen, die jede andere Entscheidung als ungerechtfertigt erscheinen ließen.

d) Subjektive Rechte

Mit der wohl überwiegenden Auffassung in der Rechtsprechung war bereits bisher davon auszugehen, dass die Antragstellenden sich auf die fehlerhafte Anwendung der Zuständigkeitskriterien der Dublin-III-VO berufen können – und somit auch auf die familieneinheitsbezogenen Kriterien, da nach der Rechtsprechung des EuGH selbst bloße Verfahrensrechte den Betroffenen subjektive Rechte vermitteln.[20] Die Frage, inwieweit im Familienzusammenführungsverfahren nach der Dublin-III-VO subjektive Rechte bestehen und somit inwieweit Ablehnungen justiziabel sind, wurde inzwischen auf ein Vorabentscheidungsersuchen eines niederländischen Gerichts durch den EuGH geklärt.[21] Jedenfalls im Fall von unbegleiteten Minderjährigen im Rahmen des Art. 8 Dublin-III-VO muss laut Gerichtshof eine gerichtliche Überprüfung einer Ablehnung zum Schutz des Kindeswohls und der Familieneinheit gewährleistet sein.

---

19 Nestler/Vogt: ZAR 2017, 21.
20 Vgl. etwa VG Ansbach, Beschl. v. 24.8.2020, Az.: AN 17 E 20.50232, Rn. 26; VG Karlsruhe, Beschl. v. 13.3.2020, Az.: A 1 K 155/20, Rn. 15; allgemein zur individualschützenden Wirkung der Zuständigkeitsbestimmungen nach der Dublin-III-VO EuGH, Urt. v. 7.6.2016, Az: C-63/15, asyl.net: M23883; Habbe, Asylmagazin 2016, 206 ff.
21 EuGH, Urt. v. 1.8.2022, Az.: C-19/21, asyl.net: M30813; vgl. Pertsch, Asylmagazin 2022, 299 ff.

Britta Schiebel

2. Anordnungsgrund

Die besondere Eilbedürftigkeit ergibt sich daraus, dass die griechischen Behörden die Asylanträge der M und T bescheiden könnten und sie dann aus dem sogenannten Dublin-Regime herausfallen würden. Folge wäre, dass eine Familienzusammenführung nach den dort vorgesehenen Regeln ausscheiden würde, was diese dann unabsehbar verzögern oder gar komplett vereiteln könnte.

B. Abwandlungen

I. Abwandlung 1

Familie Khaled möchte wissen, welche Möglichkeiten der Familienzusammenführung verbleiben, wenn das griechische Aufnahmeersuchen nicht fristgemäß gestellt wurde.

Sofern von der Anwendbarkeit des Fristenregimes auch im Rahmen der Familienzusammenführung ausgegangen wird (vgl. oben weiterführendes Wissen zum Streitstand) und das **Aufnahmegesuch** tatsächlich nicht fristgemäß gestellt wurde, könnte die Zuständigkeit nach der Regelung des Art. 17 II UAbs. 1 Dublin-III-VO auf Deutschland übergehen. Danach kann unter anderem der eigentlich zuständige Mitgliedstaat (hier Griechenland) vor einer Entscheidung in der Sache jederzeit einen anderen – eigentlich unzuständigen – Mitgliedstaat (hier Deutschland) ersuchen, die antragstellende Person aufzunehmen. Dies kann gemäß der Ermessensnorm aus humanitären Gründen erfolgen, die sich insbesondere aus dem familiären oder kulturellen Kontext ergeben. Dabei können Personen jeder verwandtschaftlichen Beziehung zusammengeführt werden, sofern die betroffenen Personen dem schriftlich zustimmen. Die Übernahme setzt eine Prüfung des Einzelfalls voraus, wobei Art. 17 II Dublin-III-VO als Auffangklausel fungiert. Da die Anwendung der humanitären Klausel im Ermessen der Mitgliedstaaten steht, ist eine gerichtliche Durchsetzung nur möglich, wenn im Einzelfall eine Ermessensreduzierung auf Null vorliegt.

Weiterführendes Wissen

Eine solche Ermessensreduzierung ist nach der Rechtsprechung der deutschen Verwaltungsgerichte insbesondere bei jungen, unbegleiteten Kindern anzunehmen, wobei teilweise eine Grenze bei 15 Jahren gezogen wird. Grundsätzlich gilt, dass fundierte medizinische Berichte sowie aussagekräftige Berichte von Fachleuten, die die soziale und familiäre Situation der Familienangehörigen im Einzelnen darstellen, die Notwendigkeit der Zusammenführung aus humanitären Gründen untermauern können.

Britta Schiebel

II. Abwandlung 2

Zu prüfen ist, unter welchen Voraussetzungen eine Familienzusammenführung möglich ist, wenn die gesamte Familie zunächst gemeinsam nach Griechenland einreist und dort Asylanträge stellt, S und V im Anschluss weiter nach Deutschland reisen, dort erst über sechs Monate danach das Asylverfahren von V und S durchgeführt und V die Flüchtlingseigenschaft zuerkannt wird und T in Griechenland schwer an Krebs erkrankt.

Hier könnte eine Familienzusammenführung nach Deutschland zur Durchführung von Asylverfahren nach Maßgabe des Art. 16 I Dublin-III-VO in Betracht kommen. Nach dieser Vorschrift soll (in der Regel) der Mitgliedstaat, in dem sich ein Familienmitglied rechtmäßig aufhält (hier Deutschland) auch die Asylanträge von denjenigen Familienangehörigen bearbeiten, die aufgrund bestimmter Umstände (etwa Schwangerschaft, neugeborenes Kind, schwere Erkrankung, ernsthafte Behinderung, hohes Alter) auf die Unterstützung des Familienmitglieds angewiesen sind. Dabei muss es sich bei dem Familienmitglied um ein Kind, Geschwister oder Elternteil handeln und dieses zu der erforderlichen Unterstützung in der Lage sein. Zudem muss die Familie bereits im Heimatstaat bestanden haben und es darf keine dauerhafte Reiseunfähigkeit vorliegen.

Allerdings ist eine Zusammenführung nach Art. 16 I Dublin-III-VO an die dreimonatige Frist zur Stellung eines Aufnahmegesuchs nach Art. 21 I Dublin-III-VO gebunden. Diese Frist ist – schon aufgrund des Ablaufs der sechsmonatigen Überstellungsfrist – bereits verstrichen. Daher kommt wiederum nur Art. 17 II Dublin-III-VO in Betracht. In dieser als „Vorsendefall" bezeichneten Konstellation lehnt das BAMF eine Aufnahme nach Art. 17 II Dublin-III-VO jedoch grundsätzlich mit der Begründung ab, dass die Familie sich „freiwillig" getrennt habe. Ob ein angerufenes Gericht im vorliegenden Fall einer schwerwiegenden Erkrankung von einer Ermessensreduzierung auf Null ausgehen würde, ist unklar. Eine solche Ermessensreduzierung wird zum Teil im Fall von Kindern unter 14 Jahren angenommen, denen die „freiwilligen Trennung" nicht zurechenbar sein soll.[22]

Weiterführende Literatur
- Pertsch, „Dublin reversed" vor Gericht, Aktuelle Rechtsprechung zur Dublin-Familienzusammenführung, Asylmagazin 2019, 287
- Nestler/Vogt: Dublin-III reversed – Ein Instrument zur Familienzusammenführung?, ZAR 2017, 2

---

22 Vgl. etwa VG Ansbach, Beschl. v. 26.5.2021, Az.: AN 17 E 21.50085, Rn. 34 ff.

Britta Schiebel

Dieser Fall darf gerne kommentiert, verändert und beliebig genutzt werden. Die Anleitung hierfür lässt sich über den abgebildete QR-Code mit der Smartphone-Kamera auf unserer Homepage aufrufen.

Britta Schiebel

Fall 12
Anerkannt in Griechenland – zurück nach Moria?

Behandelte Themen: Drittstaaten-Fälle (auch Dublin-Plus oder Anerkannten-Fälle genannt)

Schwierigkeitsgrad: Fortgeschrittene

Sachverhalt

Familie Sido, eine kurdische Familie aus dem Norden Syriens bestehend aus Mutter Meryem, Vater Kenan und drei Kindern – der zwölfjährigen Jiyan, dem siebenjährigen Bari und der dreijährigen Derya –, floh 2016 vor dem Krieg in Syrien über den Libanon und die Türkei nach Europa. Sie gelangten über die Ägäis auf die griechische Insel Lesbos. Dort wurden ihnen Fingerabdrücke abgenommen und ein Asylverfahren eingeleitet. Der Familie wurde mit griechischem Asylbescheid vom 22.10.2016 der Flüchtlingsstatus zuerkannt. Angesichts der desaströsen Lebensbedingungen im Camp Moria und mangels Unterstützung auf dem griechischen Festland reisen sie 2017 weiter in die Bundesrepublik Deutschland.

In Deutschland stellten sie am 17.3.2017 erneut einen Asylantrag. Aufgrund eines Eintrages der Kategorie 1[1] aus Griechenland in der Eurodac-Datenbank leitete das Bundesamt für Migration und Flüchtlinge (BAMF) ein Dublin-Verfahren ein und richtete ein Wiederaufnahmegesuch an die griechischen Behörden. Dieses wurde mit der Begründung zurückgewiesen, dass der Familie in Griechenland bereits der Flüchtlingsstatus zuerkannt worden sei und somit das Wiederaufnahmeersuchen nach der Dublin-III-VO unstatthaft sei.

Das BAMF lehnte daraufhin die Asylanträge der Familie Sido mit Bescheid vom 21.5.2018 (zugestellt am 23.5.2018) als unzulässig ab und drohte gemäß § 35 AsylG die Abschiebung nach Griechenland an.[2] Abschiebungshindernisse im Hinblick auf die humanitären Aufnahmebedingungen in Griechenland wurden erörtert, jedoch nicht festgestellt.

---

1 Siehe zu den Treffer-Kategorien der Eurodac-Datenbank die Erklärungen im Sachverhalt bei Greilich, *9) Das Dublin-Roulette Teil 2: Wer ist zuständig?*, in diesem Fallbuch.

2 Zwischenzeitlich hat das BAMF bei Familien mit zuerkanntem internationalem Schutzstatus in Griechenland seinerseits nach § 80 IV VwGO die Vollziehung der Abschiebungsandrohung ausgesetzt. Aus didaktischen Gründen wurde der Fall diesbezüglich leicht vereinfacht.

Gegen diesen Bescheid hat Familie Sido am 29.5.2018 (Dienstag) Klage erhoben und beantragt, den Bescheid aufzuheben und das Bundesamt zu verpflichten, ihnen den Flüchtlingsstatus, hilfsweise subsidiären Schutz zu gewähren, weiter hilfsweise das Asylverfahren fortzuführen.

Am 15.2.2021 findet die mündliche Verhandlung vor dem zuständigen Verwaltungsgericht statt. Auf Nachfragen des Gerichts schildert Meryem Sido, dass sie zunächst in Moria in einer selbst errichteten, zeltähnlichen Behausung gelebt hätten und die Kinder aufgrund der schlechten hygienischen Bedingungen und Ernährung krank geworden seien. Nach der Anerkennung seien sie schließlich weiter auf das Festland gereist. In Athen hätten sie jedoch keinerlei Unterstützung von den dortigen Behörden erhalten und mit weiteren syrischen Familien in verlassenen Häusern gelebt, die nicht an die Wasser- und Stromversorgung angeschlossen gewesen seien. Nahrung hätten sie sporadisch von der nahegelegenen Suppenküche erhalten.

Fallfragen

1. Hat die Klage der Familie Sido Aussicht auf Erfolg? Wie wird das Verwaltungsgericht voraussichtlich entscheiden?
2. Ist neben der Klageerhebung ein Eilantrag geboten?

Abwandlung

Einem Cousin von Meryem Sido, Ciwan (geboren 1992), wurde in Griechenland der subsidiäre Schutzstatus gewährt. Dort war er zuletzt obdachlos, nachdem er das Flüchtlingscamp verlassen musste. Daher entschied er, seinen Verwandten nach Deutschland zu folgen. Er stellte am 28.7.2019 einen Asylantrag bei der zuständigen Außenstelle des BAMF. Im Oktober 2019 wurde er zu seinen Lebensbedingungen in Griechenland angehört. Eine Entscheidung ist seither nicht ergangen (Bearbeitungszeitpunkt: 4.10.2021). Auf Anfrage nach dem Verfahrensstand gibt das Bundesamt die Auskunft, dass es auf ein Ersuchen um nähere Informationen zu Unterbringungsmöglichkeiten des Antragstellers bei den griechischen Behörden noch keine Antwort erhalten habe; das Ersuchen sei am 14.4.2020 sowie erneut am 30.8.2020 an die griechischen Behörden versandt worden.

Fallfragen Abwandlung

1. Hat der Asylantrag von Ciwan Sido Aussicht auf Erfolg?
2. Welche Handlungsmöglichkeiten bestehen, um das Verfahren zu beschleunigen?

Mailin Loock

Lösungsvorschlag

Die Klage der Familie Sido hat Aussicht auf Erfolg, soweit sie zulässig und begründet ist.

A. Zulässigkeit

I. Eröffnung des Verwaltungsrechtsweges und Zuständigkeit des angerufenen Gerichts

An der Eröffnung des Verwaltungsrechtsweges und der Zuständigkeit des Gerichtes bestehen keine Zweifel.[3]

II. Statthafte Klageart

Fraglich ist, welche Klageart statthaft ist. Die statthafte Klageart richtet sich gemäß § 88 VwGO nach dem **Klagebegehren**. Das Begehren der Familie Sido dürfte darauf gerichtet sein, die Unzulässigkeitsentscheidung des BAMF aufzuheben und ihr Asylverfahren in Deutschland fortzuführen. Bei der Entscheidung des Bundesamtes handelt es sich um einen Verwaltungsakt[4] gemäß § 35 1 VwVfG, dessen Aufhebung begehrt wird. Die Klaganträge sind zwar darauf gerichtet, in Deutschland einen Schutzstatus zu erlangen. Da das BAMF indes den Asylantrag als unzulässig abgelehnt hat und eine inhaltliche Prüfung der Fluchtgründe noch nicht stattgefunden hat, kann das Gericht über den Anspruch auf Zuerkennung eines Schutzstatus mangels Spruchreife nicht befinden. Es ist daher sachdienlich, das Klagebegehren gemäß § 86 III VwGO dahingehend auszulegen, die Entscheidung des BAMF ohne weitergehende Verpflichtung aufzuheben, da nach einer etwaigen gerichtlichen Aufhebung automatisch das nationale Asylverfahren durch das BAMF fortgeführt wird. Auch einer Verpflichtung des BAMF zum Fortführen des Asylverfahrens bedarf es daher nicht.[5] Mithin ist die Klage als Anfechtungsklage nach § 42 I 1. Alt VwGO statthaft.[6]

---

3 Siehe zur Eröffnung des Verwaltungsrechtswegs Eisentraut, in: Eisentraut, Verwaltungsrecht in der Klausur, § 1 Rn. 162 ff.

4 Ausführlich zum Verwaltungsakt Milker, in: Eisentraut, Verwaltungsrecht in der Klausur, § 2 Rn. 38 ff.

5 BVerwG, Urt. v. 20.05.2020, Az.: 1 C 34/19, Rn. 10.

6 Siehe ausführlich zur Anfechtungsklage Eisentraut, in: Eisentraut, Verwaltungsrecht in der Klausur, § 2.

III. Klagefrist

Die Klage müsste fristgemäß erhoben worden sein. Die **Klagefrist** beträgt in asylrechtlichen Streitigkeiten nach § 74 I Hs. 1 AsylG in der Regel zwei Wochen ab der Zustellung der Entscheidung. Etwas anderes gilt nach § 74 I Hs. 2 AsylG, wenn der Antrag nach § 80 V VwGO innerhalb einer Woche zu stellen ist. Bei Unzulässigkeitsentscheidungen gemäß § 29 I Nr. 2 AsylG (sogenannte Drittstaaten- beziehungsweise **Anerkanntenfälle**) schreibt § 36 III 1 AsylG eine Wochenfrist für den Eilantrag nach § 80 V VwGO gegen die auf § 35 AsylG gestützte **Abschiebungsandrohung** vor, sodass vorliegend auch die Klage innerhalb einer Woche zu erheben ist. Der Bescheid wurde der Familie am 23.5.2018 zugestellt. Die Frist endete mithin gemäß § 57 II VwGO i. V. m. § 222 I ZPO i. V. m. §§ 187 I, 188 II BGB am 30.5.2018, sodass die Klageerhebung am 29.5.2018 innerhalb der Frist erfolgte.

Weiterführendes Wissen   i

Bei Unzulässigkeitsentscheidungen nach § 29 I Nr. 2 AsylG gelten die Sonderregelungen §§ 35–37 AsylG, die unter anderem für das Eilrechtsschutzverfahren Modifikationen vorsehen. Eine Besonderheit stellt § 37 I AsylG dar, wonach bei einer verwaltungsgerichtlichen Stattgabe im Eilverfahren nach § 80 V VwGO die Unzulässigkeitsentscheidung nach § 29 I Nr. 2, Nr. 4 AsylG und die Abschiebungsandrohung aufzuheben sind und das Asylverfahren fortzuführen ist. Aus diesem Grund setzt das BAMF oftmals seinerseits gemäß § 80 IV VwGO die Vollziehung aus.[7] In diesen Fällen beträgt die Klagefrist gemäß § 74 I Hs. 1 AsylG zwei Wochen. Daher ist bei der Begutachtung des BAMF-Bescheides ein besonderes Augenmerk auf die Abschiebungsandrohung, eine etwaige behördliche Aussetzung der Vollziehung sowie die Rechtsbehelfsbelehrung zu legen.

IV. Klagebefugnis

Als Empfänger*innen der ablehnenden Entscheidung und der Abschiebungsandrohung nach Griechenland sind die Familienmitglieder Adressat*innen eines belastenden Verwaltungsaktes. Mithin sind sie auch gemäß § 42 II VwGO klagebefugt, da eine Verletzung ihrer Rechte u. a. aus Art. 3 EMRK beziehungsweise Art. 4 GR-Charta jedenfalls nicht ausgeschlossen werden kann.

V. Zulässigkeit im Übrigen

Die übrigen Zulässigkeitsvoraussetzungen sind unbedenklich und bedürfen keiner weiteren Erörterung.

---

7 Broscheit, in: Huber/Mantel, AufenthG/AsylG, 3. Aufl. 2021, AsylG § 36 Rn. 6.

VI. Zwischenergebnis zur Zulässigkeit

Das Verwaltungsgericht wird die Klage daher voraussichtlich für zulässig erklären.

B. Begründetheit

Die Klage müsste auch begründet sein.

Eine Anfechtungsklage ist gemäß § 113 I 1 VwGO begründet, wenn sich die angefochtene Entscheidung, hier: der Bescheid vom 21.5.2018, als rechtswidrig erweist und die Kläger*innen in ihren Rechten verletzt.[8]

I. Maßgeblicher Zeitpunkt für die Beurteilung der Sach- und Rechtslage

Das Gericht wird gemäß § 77 I 1 AsylG auf die Sach- und Rechtslage im Zeitpunkt der letzten mündlichen Verhandlung abstellen, sodass das AsylG in seiner am 15.2.2021 aktuellen Fassung maßgeblich ist.

II. Rechtsgrundlage

Fraglich ist zunächst, auf welcher Rechtsgrundlage die Entscheidung des BAMF erging.

1. § 29 I Nr. 1 lit. a AsylG

Die Ablehnung des Asylantrages als unzulässig kann nicht auf die Zuständigkeit eines anderen Staates nach den Vorschriften der Dublin-III-VO[9] gemäß § 29 I Nr. 1 lit. a AsylG gestützt werden. Denn aus Art. 18 I Dublin-III-VO ergibt sich, dass das Dublinverfahren nur einschlägig ist, wenn über einen Asylantrag im zuständigen Mitgliedstaat noch nicht entschieden (Art. 18 I lit. a Dublin-III-VO), dieser zurückgenommen (Art. 18 I lit. c Dublin-III-VO) oder abgelehnt wurde (Art. 18 I lit. d Dublin-III-VO); nicht jedoch, wenn diesem durch Zuerkennung internationalen Schutzes stattgegeben wurde.

---

8 Siehe zur Begründetheitsprüfung der Anfechtungsklage Kowalczyk, in: Eisentraut, Verwaltungsrecht in der Klausur, § 2 Rn. 507 ff.

9 Verordnung (EU) Nr. 604/2013 des Europäischen Parlaments und des Rates zur Festlegung der Kriterien und Verfahren zur Bestimmung des Mitgliedstaats, der für die Prüfung eines von einem Drittstaatsangehörigen oder Staatenlosen in einem Mitgliedstaat gestellten Antrags auf internationalen Schutz zuständig ist, vom 26.6.2013, ABl. EU Nr. L 180, S. 31.

2. § 29 I Nr. 3 AsylG

Die Entscheidung des Bundesamtes konnte auch nicht nach § 29 I Nr. 3 AsylG ergehen. Nach § 29 I Nr. 3 AsylG ist ein Asylantrag unzulässig, wenn ein Staat als für eine ausländische Person **sicherer Drittstaat** gemäß § 26a AsylG betrachtet wird und dieser bereit ist, die ausländische Person wieder aufzunehmen. Sichere Drittstaaten im Sinne des § 29 I Nr. 3 i. V. m. § 26a AsylG sind bei unionsrechtskonformer Auslegung indes nur Staaten, die keine Mitgliedstaaten der Europäischen Union sind. Die Begründung einer **Unzulässigkeitsentscheidung** nach der nationalen Drittstaatenregelung des § 26a AsylG verstößt gegen Art. 33 II Asylverfahrens-RL[10], der die Gründe, aus denen die Mitgliedstaaten einen Antrag auf internationalen Schutz als unzulässig ablehnen dürfen, abschließend aufzählt.[11] In Art. 33 II lit. a und c Asylverfahrens-RL wird unterschieden zwischen einer Unzulässigkeitsentscheidung, weil a) ein anderer Mitgliedstaat internationalen Schutz gewährt hat oder c) ein Staat, der kein Mitgliedstaat ist, als für den*die Antragsteller*in sicherer Drittstaat gemäß Art. 38 Asylverfahrens-RL betrachtet wird. Aus diesem Grund kann eine Unzulässigkeit des Asylantrages im Hinblick auf die Zuerkennung internationalen Schutzes in Griechenland nicht auf Grundlage von § 29 I Nr. 3 i. V. m. § 26a AsylG erfolgen.

3. § 29 I Nr. 2 AsylG

Als Rechtsgrundlage kommt demnach allein § 29 I Nr. 2 AsylG in Betracht. Nach dieser Vorschrift ist ein Asylantrag unzulässig, wenn ein anderer Mitgliedstaat der Europäischen Union der schutzsuchenden Person bereits internationalen Schutz im Sinne des § 1 I Nr. 2 AsylG gewährt hat. Internationaler Schutz bezeichnet die unionsrechtlich harmonisierten Schutzformen, also den Flüchtlingsstatus nach der Genfer Flüchtlingskonvention sowie den subsidiären Schutzstatus. Da Familie Sido mit griechischem Asylbescheid vom 22.10.2016 der Flüchtlingsstatus zuerkannt wurde, ist diese Regelung vorliegend einschlägig und kann als Rechtsgrundlage für die Ablehnung des Asylantrages als unzulässig grundsätzlich herangezogen werden.

III. Rechtmäßigkeit der Unzulässigkeitsentscheidung des Bundesamtes

Fraglich ist nunmehr, ob die Entscheidung nach § 29 I Nr. 2 AsylG rechtmäßig ist.

---

10 Richtlinie 2013/32/EU des Europäischen Parlaments und des Rates zu gemeinsamen Verfahren für die Zuerkennung und Aberkennung des internationalen Schutzes, vom 26.6.2013, ABl. EU Nr. L 180, S. 60.
11 EuGH, Urt. v. 19.3.2019, Az.: C-297/17 – Ibrahim, Tz. 76; EuGH, Beschl. v. 19.3.2020, Az.: C-564/18, Tz. 29 f.

1. Rechtmäßigkeit nach dem Wortlaut des § 29 I Nr. 2 AsylG

Die Ablehnung des Asylantrages der Familie Sido ist vom Wortlaut des § 29 I Nr. 2 AsylG gedeckt, dessen einzige geschriebene Voraussetzung die Gewährung internationalen Schutzes im Sinne des § 1 I Nr. 2 AsylG – Flüchtlingsstatus oder subsidiärer Schutz – in einem anderen Mitgliedstaat der EU ist. Aufgrund der Zuerkennung des Flüchtlingsstatus durch die griechischen Asylbehörden mit Bescheid vom 22.10.2016 ist diese Voraussetzung erfüllt.

2. Unions- und menschenrechtlichskonforme Auslegung des § 29 I Nr. 2 AsylG

Fraglich ist, ob diese Beurteilung einer (unions- und menschen-)rechtlichen Überprüfung standhält.

a) Hintergrund: Art. 33 II lit. a Asylverfahrens-RL und der Grundsatz gegenseitigen Vertrauens

Der Regelung des § 29 I Nr. 2 AsylG liegt Art. 33 II lit. a der Asylverfahrens-RL zugrunde. Art. 33 II lit. a Asylverfahrens-RL erlaubt es den Mitgliedstaaten, Asylanträge als unzulässig abzulehnen, wenn ein anderer Mitgliedstaat bereits internationalen Schutz gewährt hat. Die Vorschrift ist **Ausdruck des Grundsatzes gegenseitigen Vertrauens**, demgemäß Mitgliedstaaten davon ausgehen dürfen, dass in den anderen Mitgliedstaaten europäisches Recht geachtet wird und es entsprechend funktionierende Asylverfahren und menschenwürdige Aufnahmebedingungen gibt. Daraus leitet der EuGH die widerlegliche Vermutung[12] ab, dass im Kontext des Gemeinsamen Europäischen Asylsystems (GEAS) die Behandlung von Begünstigten internationalen Schutzes in allen Mitgliedstaaten im Einklang mit der GR-Charta, der GFK und der EMRK steht.[13]

ℹ Weiterführendes Wissen

Der EuGH misst dem Grundsatz des gegenseitigen Vertrauens zwischen den Mitgliedstaaten fundamentale Bedeutung bei, da erst dadurch die Schaffung und Aufrechterhaltung eines Raums ohne Binnengrenzen ermöglicht werde. Art. 33 II lit. a Asylverfahrens-RL ist Ausdruck dieses Vertrauensgrundsatzes, indem den Mitgliedstaaten zugestanden wird, einen Asylantrag ohne inhaltliche Prüfung als unzulässig abzulehnen, wenn bereits ein anderer EU-Mitgliedstaat internationalen Schutz gewährt hat, und in der Folge die Abschiebung in diesen Staat anzudrohen.

---

12 Siehe hierzu ausführlich Greilich, *8) Das Dublin-Roulette Teil 1: Wer ist zuständig?* in diesem Fallbuch.
13 EuGH, Urteil vom 19.3.2019, Az.: C-163/17 – Jawo, Tz. 91.

Deshalb verlangt der EuGH für die Widerlegung dieses Grundsatzes eine besonders hohe Schwelle der Erheblichkeit etwaiger Schwachstellen im Asylsystem eines anderer Mitgliedstaates.[14]

b) Ausnahme: menschenrechtswidrige Aufnahmebedingungen im Staat der ersten Statusgewährung

Dieser Grundsatz des gegenseitigen Vertrauens ist hingegen widerlegt, wenn die Lebensbedingungen, die eine schutzsuchende Person im Staat der ersten Statusgewährung erwarten, einer **unmenschlichen oder erniedrigenden Behandlung** im Sinne des Art. 4 GR-Charta beziehungsweise Art. 3 EMRK gleichkommen. In der Folge ist es den Mitgliedstaaten verboten, einen Asylantrag einer in einem anderen Mitgliedstaat als international schutzberechtigt anerkannten Person als unzulässig abzulehnen, wenn die Lebensverhältnisse, die sie in dem anderen Mitgliedstaat erwarten, sie der ernsthaften Gefahr aussetzen würden, eine unmenschliche oder erniedrigende Behandlung nach Art. 4 GR-Charta (beziehungsweise Art. 3 EMRK) zu erfahren.[15]

Der EuGH hat damit – entgegen der bisherigen deutschen Entscheidungspraxis – deutlich gemacht, dass drohende **Menschenrechtsverletzungen** im Staat der ersten Statusgewährung nicht erst im Rahmen von Abschiebungsverboten hinsichtlich des anderen Mitgliedstaates zu berücksichtigen sind, sondern bereits die Ablehnung eines Asylantrages als unzulässig nach § 29 I Nr. 2 AsylG verbieten. Mithin ist § 29 I Nr. 2 AsylG unionsrechtskonform dahingehend auszulegen, dass eine Unzulässigkeitsentscheidung ausgeschlossen ist, wenn der schutzsuchenden Person im Staat der ersten Statusgewährung **menschenrechtswidrige Lebensbedingungen** drohen.

Weiterführendes Wissen

Dies hat weitreichende Auswirkungen auf die Rechtsstellung Betroffener in Deutschland. So ist beispielsweise ein Anspruch auf **Familienzusammenführung** in Deutschland derzeit anerkannten Flüchtlingen beziehungsweise Asylberechtigten vorbehalten (§ 3 AsylG beziehungsweise Art. 16a I GG, § 29 II 2, 1 i.V.m. § 25 I 1, II 1, 1. Alt AufenthG). Nach der vormaligen deutschen Praxis der Gewährung von Abschiebungsverboten im Hinblick auf den Staat der ersten Anerkennung (sogenannte **aufenthaltsrechtliche Lösung**) konnte mithin kein Anspruch auf Familiennachzug geltend gemacht werden. Nunmehr ist (mindestens) ein nationales Asylverfahren, das heißt eine inhaltliche Prüfung der Fluchtgründe, durchzuführen (sogenannte **asylrechtliche Lösung**).

---

14 EuGH, Urt. v. 19.3.2019, Az.: C-297/17, C-318/17, C-319/17, C-438/17 – Ibrahim; EuGH, Beschl. v. 13.11.2019, Az.: C-540/17, C-541/17 – Hamed und Omar.
15 EuGH, Beschl. v. 13.11.2019, Az.: C-540, 541/17 – Hamed und Omar; in Fortführung von EuGH, Urt. v. 19.3.2019, Az.: C-297/17 – Ibrahim.

c) Maßstab nach Art. 4 GR-Charta beziehungsweise Art. 3 EMRK

Fraglich ist demnach, ob Familie Sido in Griechenland Aufnahmebedingungen zu erwarten hat, die einer unmenschlichen oder erniedrigenden Behandlung im Sinne des Art. 4 GR-Charta beziehungsweise Art. 3 EMRK gleichkommen und sich die Unzulässigkeitsentscheidung aus diesem Grunde als rechtswidrig erweist.

Nach der Rechtsprechung des EuGH (Hamed und Omar, Ibrahim – siehe oben) ist eine Verletzung von Art. 4 GR-Charta anzunehmen, wenn die Gleichgültigkeit der Behörden eines Mitgliedstaates zur Folge hätte, dass eine vollständig von öffentlicher Unterstützung abhängige Person sich unabhängig von ihrem Willen und ihren persönlichen Entscheidungen in einer Situation extremer materieller Not befände, die es ihr nicht erlaubte, ihre elementarsten Grundbedürfnisse zu befriedigen – wie insbesondere sich zu ernähren, zu waschen und eine Unterkunft zu finden –, und die ihre physische oder psychische Gesundheit beeinträchtigte oder sie in einen Zustand der Verelendung versetzte, die mit der Menschenwürde unvereinbar wäre.

Kurzum: Der EuGH verbietet eine Ablehnung eines Asylantrages als unzulässig, wenn ein Verstoß gegen Art. 4 GR-Charta durch menschenrechtswidrige Aufnahmebedingungen im Staat der ersten Statusgewährung droht. Ein solcher Verstoß droht insbesondere bei fehlendem Zugang zu „Bett, Brot und Seife".

---

i **Weiterführendes Wissen**

In der deutschen Verwaltungsgerichtsrechtsprechung wurde der EuGH-Rechtsprechung eine „besonders hohe Schwelle der Erheblichkeit" der drohenden Menschenrechtsverletzungen entnommen. In der Zivilgesellschaft hingegen liegt die Betonung eher auf der Unantastbarkeit der Menschenwürde, die der EuGH im Hinblick auf menschenunwürdige Aufnahmebedingungen (insbesondere in Griechenland, Italien, Bulgarien) stärkt. Schließlich hat der EuGH bereits mehrfach deutsche Asylbescheide, die Schutzsuchende auf ihren Schutzstatus in Griechenland beziehungsweise Bulgarien verwiesen und den Asylantrag als unzulässig ablehnten, als unionsrechtswidrig verurteilt.[16]

---

d) Subsumption

Fraglich ist demnach, ob Familie Sido nach ihrem Vortrag und den tagesaktuellen Erkenntnismitteln im Falle einer Abschiebung nach Griechenland die ernsthafte Gefahr einer unmenschlichen oder erniedrigenden Behandlung (Art. 4 GR-Charta beziehungsweise Art. 3 EMRK) drohte.

---

16 Vgl. nur ProAsyl, Pressemitteilung v. 4.12.2019.

Dafür maßgeblich ist, ob sie mit beachtlicher Wahrscheinlichkeit unabhängig von ihrem Willen extremer materieller Not durch fehlenden Zugang zu Unterkunft, Nahrung und Hygiene ausgesetzt wäre.

aa) Zugang zu Obdach

Nach den aktuellen Erkenntnissen ist davon auszugehen, dass international Schutzberechtigte bereits keinen Zugang zu menschenwürdiger Unterbringung finden.[17] Sobald Geflüchtete einmal die staatlichen Aufnahmeeinrichtungen verlassen haben, haben sie keinen Anspruch darauf, erneut dort unterzukommen. Auch vom UNHCR und der EU finanzierte sogenannte ESTIA-Unterkünfte stehen für anerkannt Schutzberechtigte nicht zur Verfügung. Eine anderweitige sozialstaatliche Unterbringung anerkannt Schutzberechtigter – jenseits der bereits ausgelasteten Obdachlosenunterkünfte – erfolgt nicht, sodass Familie Sido im Falle einer Rückkehr auf sich allein gestellt wäre, auf dem freien Wohnungsmarkt eine Unterkunft zu finden. Da es auch keine (auskömmlichen) Sozialleistungen für anerkannt Schutzberechtigte in Griechenland gibt beziehungsweise die Familie Sido jedenfalls die Voraussetzungen für die Gewährung nicht erfüllt, wäre die Familie im Falle einer Abschiebung nach Griechenland auf unbestimmte Zeit der Obdachlosigkeit preisgegeben.[18] Spätestens seit die griechische Regierung im Juni 2020 11.237 anerkannt Schutzberechtigte zum Verlassen der Camps aufforderte und auf die Straße setzte, ist die verbreitete Obdachlosigkeit international Schutzberechtigter in Griechenland nicht mehr zu leugnen.[19] Weitere 12.000 Geflüchtete sind durch den Brand im Flüchtlingslager Moria im September 2020 obdachlos geworden. Anerkannte Schutzberechtigte sind in Griechenland auf sich allein gestellt – Sozialleistungen und Unterbringung werden ihnen einen Monat nach Schutzgewährung entzogen – betont auch der griechische Migrationsminister.[20] Angesichts der hohen Arbeitslosigkeit in Griechenland und besonderer Zugangsbarrieren (bürokratische Hindernisse, mangelnde Sprachkenntnisse, Fehlen eines Netzwerkes) können anerkannt Schutzberechtigte – jedenfalls im Fall besonders schutzbedürftiger Personen, wie vorliegend einer fünfköpfigen Familie mit kleinen Kindern – nicht auf den Aufbau

---

17 Siehe im Einzelnen: OVG NRW, Urt. v. 21.1.2021, Az.: 11 A 1564/20.A, asyl.net: M29253; OVG Nds, Urt. v. 19.4.2021, Az.: 10 LB 244/20, Parallelentscheidung: 10 LB 245/20, asyl.net: M29568; andere Ansicht: OVG SH, Beschl. v. 16.2.2021, Az.: 4 LA 259/19, asyl.net: M29600.
18 Dazu eingehend: Pressemitteilungen von ProAsyl v. 12.4.2021, v. 14.9.2020; sowie Pro Asyl/RSA-Bericht v. April 2021.
19 Christides/Lüdke, Flüchtlinge in Griechenland – Plötzlich vor dem Nichts, Spiegel vom 6.6.2020.
20 Interview des Migrationsministers Mitarakis vom 25.4.2020; AIDA, Country Report: Greece, Stand: 31.12.2020, 245.

einer menschenwürdigen Existenz durch die eigene Arbeitskraft verwiesen werden. Somit drohen **menschenrechtswidrige Aufnahmebedingungen** bereits aufgrund der mit hoher Wahrscheinlichkeit zu erwartenden Obdachlosigkeit der betroffenen Familie.

bb) Zugang zu Nahrung und sanitären Einrichtungen

Seit einer Gesetzesänderung im März 2020 gibt es in Griechenland zudem bereits 30 Tage nach der Zuerkennung eines Schutzstatus keine staatliche Unterstützung im Hinblick auf Unterbringung und Verpflegung mehr.[21] Angesicht der grassierenden Obdachlosigkeit und der Verschärfung der humanitären Lage durch die Pandemie ist der Zugang zu Nahrung und sanitären Einrichtungen nicht (mehr) gewährleistet.

cc) Vortrag der Familie in der mündlichen Verhandlung

Diese Erkenntnisse decken sich mit dem Vortrag der Familie Sido in der mündlichen Verhandlung, dass sie keinerlei Unterstützung von griechischen Behörden erhielten. Sie schilderten, dass sie zunächst in Camp Moria in selbst errichteten Behausungen lebten und sodann auf dem Festland in verlassenen Häusern, ohne Zugang zu Wasser und Strom. Die Lebensverhältnisse waren geprägt von schlechten hygienischen Bedingungen und unzureichender Ernährung, sodass die Kinder krank wurden.

3. Zwischenergebnis

Familie Sido wäre im Falle einer Abschiebung nach Griechenland mithin der Verelendung preisgegeben. Die sie erwartenden Lebensbedingungen kommen einer unmenschlichen und erniedrigenden Behandlung im Sinne des Art. 4 GR-Charta beziehungsweise Art. 3 EMRK gleich, da ihnen akut Obdachlosigkeit – und damit einhergehend Mangelernährung und fehlender Zugang zu Hygiene – droht.

Im Ergebnis erweist sich die Entscheidung des Bundesamtes demnach als rechtswidrig.

IV. Rechtsverletzung (§ 113 I 1 VwGO)

Die rechtswidrige Entscheidung des Bundesamtes verletzt die Kläger*innen jedenfalls in ihren Rechten aus Art. 4 GR-Charta, Art. 3 EMRK, Art. 1 I GG, Art. 2 II 1 GG.

---

21 OVG NRW, Urt. v. 21.1.2021, Az.: 11 A 1564/20.A, asyl.net: M29253.

V. Rechtsfolge

Fraglich ist, welche Rechtsfolge die Rechtswidrigkeit der Unzulässigkeitsentscheidung auslöst. In Betracht kommt die Fortführung des Asylverfahrens oder darüberhinausgehend die Übernahme des Schutzstatus aus Griechenland.

1. Übergang ins nationale Asylverfahren

Als Rechtsfolge der Aufhebung der Unzulässigkeitsentscheidung kommt zunächst die Fortsetzung des nationalen Asylverfahrens in Betracht. Der Übergang ins nationale Asylverfahren impliziert eine (erneute) Anhörung und materiell-rechtliche Prüfung der Fluchtgründe. Fraglich ist, inwiefern die Erwägungen des ersten Asylverfahrens in dem anderen Mitgliedstaat, hier: Griechenland, dabei Berücksichtigung finden. Nach der ständigen Praxis des Bundesamtes erfolgt eine eigenständige Prüfung ohne Berücksichtigung der Erwägungen des Asylbescheides des anderen Mitgliedstaates.[22] Auch das Bundesverwaltungsgericht scheint dieser Vorgehensweise zugeneigt zu sein.[23]

2. Bindungswirkung der griechischen Statusgewährung

Darüber hinausgehend könnte die im griechischen Asylverfahren erfolgte Zuerkennung der Flüchtlingseigenschaft eine **Bindungswirkung** für das deutsche Asylverfahren entfalten.[24] Dafür spricht der Grundsatz gegenseitigen Vertrauens, der den Ausgangspunkt des GEAS bildet (siehe oben). Dieser erlaubt es den Mitgliedstaaten beispielsweise im Falle einer Ablehnung eines Asylantrages in einem anderen Mitgliedstaat, die Entscheidung ohne eigene Überprüfung zu übernehmen (§ 71a i.V.m. § 29 I Nr. 5, 2. Alt. AsylG). Auch in der hiesigen Konstellation der sogenannten Drittstaaten-Fälle werden Schutzsuchende mit der Ausnahme menschenunwürdiger Aufnahmebedingungen auf ihr Asylverfahren im Staat der ersten Statusgewährung verwiesen. Die Annahme Art. 4 GR-Charta widersprechender Aufnahmebedingungen lässt nicht ohne weiteres einen Schluss auf unionsrechtswidrige Asylverfahren im Staat der ersten Statusgewährung zu. Es ist vielmehr im GEAS verankert, dass innerhalb der EU nur *eine* materiell-rechtliche Prüfung des Asylantrages erfolgen soll (Art. 3 I 2 Dublin-III-VO). Es erscheint daher naheliegend, eine Bindungswirkung der asylrechtlichen Entscheidung des anderen Mitgliedstaates auch zugunsten der

---

22 BAMF Mitteilung v. 31.3.2022, Az.: 61D 7600/71-2022, Leitsatz 3.
23 BVerwG, EuGH-Vorlage v. 2.8.2017, Az.: 1 C 37.16, Rn. 25 a.E. Allerdings hat das BVerwG die Frage einer möglichen Bindungswirkung der Schutzzuerkennung durch andere EU-Staaten jüngst dem EuGH vorgelegt, BVerwG, Beschl. v. 7.9.2022, Az.: 1 C 26.21, asyl.net: M30943.
24 Eingehend dazu: Bülow/Schiebel, ZAR 2020, 72–75; Becker, Asylmagazin 2020, 299–303.

Schutzsuchenden in der vorliegenden Konstellation anzunehmen. Dieses Vorgehen wird auch von der Erwägung des EuGH gestützt, wonach es vordringlich um die Gewährung der mit der Anerkennung verbundenen Status- und Teilhaberechte in Deutschland geht, die ohne ein neues Asylverfahren nicht zu erlangen sind.[25]

In der Rechtsprechung der Verwaltungsgerichte wird eine Bindungswirkung wohl weit überwiegend verneint und angenommen, dass das Bundesamt den Asylantrag im Anschluss an eine Aufhebung der Unzulässigkeitsentscheidung materiell zu prüfen hat und eine von der ersten Statusgewährung im Drittstaat abweichende Entscheidung denkbar ist.[26] Es bleibt indes abzuwarten, wie der EuGH die aktuell anhängige Vorlage des BVerwG hinsichtlich der Bindungswirkung beantwortet.[27]

3. Zwischenergebnis

Es erscheint nach den vorstehenden Erwägungen jedoch überzeugend, eine Bindungswirkung der asylrechtlichen Entscheidung Griechenlands im Hinblick auf Fluchtgründe, die bereits vor dem zuerkennenden Bescheid vorlagen, anzunehmen, wenngleich diese Ansicht von der wohl überwiegenden Ansicht der Rechtsprechung abweicht.

VI. Zwischenergebnis zur Begründetheit

Die Klage ist somit begründet. Die Entscheidung des Bundesamtes vom 21.5.2018 erweist sich aufgrund der menschenrechtswidrigen Aufnahmebedingungen in Griechenland als rechtswidrig und verletzt die Kläger*innen in ihren Rechten. Der Bescheid wird daher aufgehoben. Die Entscheidung des Bundesamtes im nunmehr durchzuführenden nationalen Asylverfahren ist durch die in Griechenland erfolgte Zuerkennung des Flüchtlingsstatus materiell-rechtlich vorgezeichnet.

C. Ergebnis

Das Verwaltungsgericht wird der Klage voraussichtlich stattgeben, da sie zulässig und begründet ist.

---

25 EuGH, Beschl. v. 13.11.2019, Az.: C-540 u. 541/17 – Hamed und Omar, Tz. 42.
26 VG Aachen, Urt. v. 5.8.2021, Az.: 1 K 2133/20.A; VG Ansbach, Urt. v. 14.5.2020, Az.: AN 17 K 17.51040; VG Karlsruhe, Urt. v. 14.2.2020, Az.: A 9 K 5285/19.
27 BVerwG, Beschl. v. 7.9.2022, Az.: 1 C 26.21, asyl.net: M30943.

D. Eilrechtsschutz geboten?

Fraglich ist, ob der Klage aufschiebende Wirkung zukommt oder zum Schutz vor einer Abschiebung im laufenden Klageverfahren zusätzlich ein **Eilantrag** geboten ist. Aus § 75 I 1 AsylG ergibt sich, dass der Klage gegen Asylantragsablehnungen als unzulässig (§ 29 I AsylG) und die Abschiebungsandrohung gemäß § 35 AsylG keine aufschiebende Wirkung zukommt. Dem Sachverhalt ist zu entnehmen, dass neben der Ablehnung des Asylantrages als unzulässig gemäß § 35 AsylG die Abschiebung angedroht wurde. Somit ist beim Verwaltungsgericht gemäß § 36 III 1 AsylG innerhalb einer Woche zusätzlich zur Klageerhebung ein Eilantrag nach § 80 V 1, 1. Alt. VwGO auf Anordnung der aufschiebenden Wirkung geboten, um eine Abschiebung nach Griechenland zu verhindern.

Dies gilt nicht, wenn das Bundesamt gemäß § 80 IV VwGO seinerseits die Aussetzung der Vollziehung anordnet (siehe oben).

E. Abwandlung

Die Erfolgsaussichten des Asylantrages des Betroffenen Ciwan Sido entscheiden sich hinsichtlich der Zulässigkeitsschwelle des § 29 I Nr. 2 AsylG anhand der Frage, ob auch einem alleinstehenden, gesunden, erwerbsfähigen Menschen, dem in Griechenland internationaler Schutz gewährt wurde, im Fall einer Abschiebung dorthin Verelendung drohte (im Einzelnen: siehe oben, B.III.). Die jüngste Rechtsprechung tendiert dazu, Abschiebungen anerkannt Schutzberechtigter wegen menschenrechtswidriger Lebensbedingungen in Griechenland grundsätzlich und unabhängig von einer etwaigen besonderen Vulnerabilität für unzulässig zu erachten, da für sie in Griechenland die ernsthafte Gefahr bestehe, ihre elementarsten Bedürfnisse („Bett, Brot und Seife") nicht befriedigen zu können.[28] Insbesondere bestehe eine hohe Wahrscheinlichkeit, dass anerkannt Schutzberechtigte in Griechenland ob-

---

[28] OVG Sachsen, Urt. 27.4.2022, Az.: 5 A 492/21.A, asyl.net: M30716; VGH Baden-Württemberg, Urt. v. 27.1.2022, Az.: A 4 S 2443/21, asyl.net: M30387; OVG Bremen, Urt. v. 16.11.2021, Az.: 1 LB 371/21, asyl.net: M30224; OVG Nds, Urt. v. 19.4.2021, Az.: 10 LB 244/20, Parallelentscheidung: 10 LB 245/20, asyl.net: M29568; OVG RP, Beschl. v. 25.3.2021, Az.: 7 B 10450/21.OVG, asyl.net: M29570; OVG NRW, Urt. v. 21.1.2021, Az.: 11 A 1564/20.A, asyl.net: M29253; Parallelverfahren: 11 A 2982/20.A; VG Trier, Urt. v. 7.7.2021, Az.: 6 K 1730/20.TR, asyl.net: M29868; VG Regensburg, Beschl. v. 2.9.2021, Az.: RO 13 E 21.31087; VG Regensburg, Urt. v. 14.7.2021, Az.: RO 13 K 20.31305; VG Berlin, Gerichtsbescheid v. 15.3.2021, Az.: 25 K 136.18 A; andere Ansicht (für nicht als besonders vulnerabel eingestufte Schutzsuchende): VG Ansbach, Urt. v. 27.4.2021, Az.: AN 17 K 19.50253; eine grundsätzliche Bewertung dieser Frage ablehnend: OVG Saarland, Beschl. v. 15.7.2021, Az.: 2 A 10/21; VGH Bayern, Beschl. v. 26.5.2021, Az.: 4 ZB 20.31913; OVG SH, Beschl. v. 16.2.2021, Az.: 4 LA 259/19, asyl.net: M29600.

dachlos werden. Auch die Versorgung mit lebensnotwendigen Gütern durch eigene Erwerbstätigkeit wird überwiegend für unwahrscheinlich, von den Oberverwaltungsgerichten Nordrhein-Westfalen und Niedersachsen gar für nahezu ausgeschlossen, erachtet.

Im vorliegenden Fall sind indes seit Asylantragsstellung und Anhörung bereits über zwei Jahre verstrichen, ohne dass eine Entscheidung seitens des Bundesamtes für Migration und Flüchtlinge ergangen ist. Daher stellt sich die Frage, wie Ciwan Sido auf eine Beschleunigung des Verfahrens hinwirken könnte. Hintergrund der Verzögerung ist, dass das Bundesamt am 23.12.2019 die Entscheidungen in Asylverfahren von Personen mit anerkanntem Schutzstatus in Griechenland ausgesetzt („rückpriorisiert") hat.[29] Auch der hiesige Fall dürfte von diesem Vorgehen betroffen sein, sodass vorerst keine Entscheidung zu erwarten ist.[30] Um das BAMF zu einer Entscheidung des Asylantrages zu verpflichten, kann der Betroffene eine **Untätigkeitsklage** gemäß § 75 VwGO erheben.[31]

Die Dreimonatsfrist des § 75 2 VwGO seit Antragsstellung ist abgelaufen, sodass eine Untätigkeitsklage ohne Weiteres zulässig wäre.

Fraglich ist, ob gemäß § 75 3 VwGO ein zureichender Grund für die Aussetzung des Verfahrens beziehungsweise die Untätigkeit gegeben ist. Das Bundesamt beruft sich vorliegend darauf, dass es von den griechischen Behörden keine Antwort auf ein Auskunftsersuchen hinsichtlich der Unterbringung des Betroffenen erhalten habe. Eine solche individuelle Zusicherung war vom BVerfG wiederholt für erforderlich gehalten worden, da der verfahrensrechtlichen Sachaufklärungspflicht im Hinblick auf die menschenrechtlich sehr zweifelhaften Aufnahmebedingungen in Griechenland und den hohen Wert der in Rede stehenden Rechte aus Art. 2 II GG, Art. 3 EMRK verfassungsrechtliches Gewicht zukommt.[32] Dieser verfassungsrechtlich gebotene Verfahrensschritt ist grundsätzlich ein zureichender Grund, der eine gewisse Verfahrensverzögerung hinnehmbar erscheinen lässt. Angesichts des gel-

29 Tagesschau: Flüchtlinge in Griechenland – Anerkennen oder abschieben?, 16.4.2021; am 31.3.2022 teilte das BAMF nunmehr mit, die Zurückstellung der Asylanträge von Personen mit internationalem Schutz in Griechenland sowie nachgeborener Kinder aufzuheben.
30 Süddeutsche Zeitung, Tausende Migranten kommen auf eigene Faust, 29.9.2021: Ende August 2021 waren beim BAMF etwa 27.500 Asylanträge von Personen anhängig, die möglicherweise bereits in Griechenland anerkannt wurden; nach Angabe des BAMF an WDRforyou wurde zwischen Dezember 2019 und Mitte Mai 2021 bei 13.313 Asylsuchenden festgestellt, dass sie über einen Schutzstatus in Griechenland verfügen. Auch wenn am 31.3.22 die Rückpriorisierung durch das BAMF aufgehoben wurde, wird die Bewältigung der rückgestauten Fälle wohl noch einige Zeit in Anspruch nehmen.
31 Zur Untätigkeitsklage siehe Lemke, in: Eisentraut, Verwaltungsrecht in der Klausur, § 3 Rn. 11.
32 BVerfG, Beschl. v. 31.7.2018, Az.: 2 BvR 714/18, asyl.net: M26565; BVerfG, Beschl. v. 8.5.2017, Az.: 2 BvR 157/17, Rn. 16.

tenden **Beschleunigungsgrundsatzes** kann das Bundesamt jedoch nicht auf unbegrenzte Zeit darauf warten, eine Antwort von den griechischen Behörden zu erhalten. Als Grenzwert der Angemessenheit einer derartigen Verfahrensverzögerung kann die Sechsmonatsfrist des § 24 IV AsylG herangezogen werden.[33] Vorliegend sind seit der letzten Anfrage an die griechischen Behörden 13 Monate verstrichen – seit Asylantragsstellung sogar 26 Monate, sodass eine Untätigkeit nicht mehr zu rechtfertigen ist. Das Bundesamt wäre mithin zu verpflichten, unverzüglich über den Asylantrag des Betroffenen zu entscheiden.

Mithin kann der Betroffene im Wege einer Untätigkeitsklage versuchen, das BAMF zu einer Entscheidung über seinen Asylantrag zu verpflichten.

Weiterführende Literatur
- Meyerhöfer, Die Situation von in Griechenland „Anerkannten", Asylmagazin 2021, 200
- Becker, Folgen der Schutzgewährung in einem anderen europäischen Staat – Auswirkungen der EuGH-Entscheidung Hamed und Omar auf Verfahren in Deutschland, Asylmagazin 2020, 299
- Bülow/Schiebel, Die Rechtsprechung Hamed und Omar des EuGH und ihre Folgen für die Abweisung eines Asylantrages als unzulässig, ZAR 2020, 72
- EuGH, Urt. v. 13.11.2019, Az.: C-540/17 u. C-541/17 – Hamed und Omar; EuGH, Urteil v. 19.3.2019, Az.: C-297/17 u.a. – Ibrahim gg. Deutschland; EuGH, Urteil v. 19.3.2019, Az.: C-163/17 – Jawo gg. Deutschland
- BVerwG, Urt. v. 20.5.2020, Az.: 1 C 34.19
- BVerfG, Beschl. v. 31.7.2018, Az.: 2 BvR 714/18, asyl.net: M26565; sowie BVerfG, Beschl. v. 8.5.2017, Az.: 2 BvR 157/17

Zusammenfassung: Die wichtigsten Punkte
- Die Dublin-III-VO findet keine Anwendung, wenn ein anderer EU-Mitgliedstaat bereits internationalen Schutz (Flüchtlingsstatus oder subsidiärer Schutz) gewährt hat. Diese Fallkonstellation wird als Drittstaaten- beziehungsweise Anerkannten-Fall, teilweise auch als Dublin-Plus-Konstellation bezeichnet.
- Wenn Schutzsuchende in Deutschland einen Asylantrag stellen, obwohl ihnen bereits in einem anderen EU-Mitgliedstaat internationaler Schutz gewährt wurde, erklärt das BAMF diese Asylanträge grundsätzlich nach § 29 I Nr. 2 AsylG für unzulässig. Dabei handelt es sich um eine formelle Ablehnung, eine inhaltliche Auseinandersetzung mit den Fluchtgründen erfolgt nicht.
- Die Ablehnung eines solchen Asylantrages als unzulässig ist hingegen verboten, wenn die Aufnahmebedingungen im Staat der ersten Statusgewährung einer unmenschlichen oder erniedrigenden Behandlung im Sinne des Art. 4 GR-Charta beziehungsweise Art. 3 EMRK gleichkommen. Dies ist insbesondere der Fall, wenn im Einzelfall mit beachtlicher Wahrscheinlichkeit eine Verelendung mangels Zuganges zu Obdach, Nahrung und sanitären Einrichtungen droht.
- Da diese Frage unmittelbar die Menschenwürde und das Recht auf Leib und Leben der Schutzsuchenden betrifft, hat die verfahrensrechtliche Sachaufklärungspflicht des Bundesamtes und der Gerichte hinsichtlich der zu erwartenden Lebensbedingungen im Aufnahmestaat verfas-

---

[33] Vgl. zum Vorstehenden: VG Osnabrück, Urt. v. 7.4.2021, Az.: 5 A 515/20.

sungsrechtliches Gewicht und kann im Einzelfall die Einholung einer individuellen Zusicherung des Aufnahmestaates zu einer angemessenen Unterbringung erforderlich machen.[34]

– Das BAMF ist im Falle der Aufhebung der Unzulässigkeitsentscheidung wegen menschenunwürdiger Aufnahmebedingungen zur Fortführung des Asylverfahrens verpflichtet. Ob, beziehungsweise inwieweit es dabei an die Zuerkennung des Schutzstatus aus dem anderen EU-Mitgliedstaat gebunden ist, ist umstritten und derzeit auf Vorlage des BVerwG beim EuGH anhängig.[35] Es sprechen jedoch gewichtige Gründe für eine Bindungswirkung im Hinblick auf diejenigen Fluchtgründe, die bereits Gegenstand des ersten Asylverfahrens waren (andere Ansicht bislang: Rechtsprechung und BAMF).

– Hinsichtlich Griechenlands ist grundsätzlich von menschenrechtswidrigen Aufnahmebedingungen auszugehen, sodass ein Asylantrag in Deutschland nicht als unzulässig abgelehnt werden dürfte. In Asylverfahren besonders vulnerabler Personen, beispielsweise bei Familien mit kleinen Kindern, ist dies mittlerweile gefestigte Rechtsprechung. Hinsichtlich alleinstehender, gesunder und arbeitsfähiger Personen zeichnet sich nunmehr ebenfalls die Tendenz ab, eine Rückkehr nach Griechenland aufgrund der drohenden Obdachlosigkeit und Verelendung für unzumutbar zu erachten.[36]

– Aufgrund der (inzwischen aufgehobenen, jedoch langwährenden) Rückpriorisierung der oben skizzierten Verfahren beim Bundesamt, kann es zu erheblichen Verfahrensverzögerungen kommen, denen gegebenenfalls im Wege einer Untätigkeitsklage begegnet werden kann.

Dieser Fall darf gerne kommentiert, verändert und beliebig genutzt werden. Die Anleitung hierfür lässt sich über den abgebildete QR-Code mit der Smartphone-Kamera auf unserer Homepage aufrufen.

---

34 BVerfG, Beschl. v. 8.5.2017, Az.: 2 BvR 157/17, Rn. 14 ff.
35 BVerwG, Beschl. v. 7.9.2022, Az.: 1 C 26.21.
36 OVG Sachsen, Urt. 27.4.2022, Az.: 5 A 492/21.A, asyl.net: M30716; VGH Baden-Württemberg, Urt. v. 27.1.2022, Az.: A 4 S 2443/21, asyl.net: M30387; OVG Bremen, Urt. v. 16.11.2021, Az.: 1 LB 371/21, asyl.net: M30224.

Mailin Loock

Fall 13
Flucht über den Luftweg

Behandelte Themen: Prüfung der Voraussetzung der Asylgewährung gemäß Art. 16a GG

Schwierigkeitsgrad: Anfänger*innen

Sachverhalt

A ist eine 20 Jahre alte Studentin türkischer Staatsangehörigkeit mit kurdischer Volkszugehörigkeit. A studiert Wirtschaft an der Akdeniz-Universität in Antalya. Sie ist bereits seit mehreren Jahren gemeinsam mit einigen Freund*innen in der Jugendorganisation der HDP aktiv und seit dem Studium auch in einer HDP-nahen studentischen Organisation tätig. Mit einer Gruppierung der Jugendorganisation unterstützte sie bei der Kommunalwahl im Jahr 2019 die HDP. Sie verteilte Flyer an ihrem Campus und organisierte Informationsveranstaltungen an ihrer Universität. Zu der Unterstützung hatten führende Personen der HDP aufgerufen. Auch veröffentlicht sie auf einem eigenen Twitteraccount gelegentlich Statements zur Situation von Kurd*innen in der Türkei und teilt Tweets anderer HDP-Mitglieder.

Bei einem Besuch in ihrer Heimatstadt Gaziantep wurde A zusammen mit Freund*innen auf dem Nachhauseweg von einem Treffen der HDP-Jugendorganisation von Zivilbeamten kontrolliert. Diese behaupteten, die Gruppe habe Rauschmittel bei sich und führten die Gruppe auf die lokale Dienstelle ab. A musste sich dort vor den männlichen Sicherheitskräften vollständig entkleiden, um zu beweisen, dass sie keine Drogen mit sich führe, wurde jedoch anschließend entlassen. An den darauffolgenden Tagen traute sich A nicht mehr das Haus zu verlassen.

Schließlich musste sie jedoch nach Antalya zurückkehren. Sie erfuhr kurz vor ihrer Abfahrt, dass an ihrer Universität eine Veranstaltung ihrer studentischen Organisation gewaltsam durch die Polizei beendet wurde und mehrere ihrer Kommiliton*innen wegen Terrorverdachts inhaftiert wurden. A, die nur wegen ihres ungeplant längeren Aufenthalts in Gaziantep und nicht an ihrer Universität gewesen war, beschloss nun, dass sie nicht mehr in der Türkei bleiben kann, da sie befürchtete bei der nächsten Gelegenheit ähnlich wie ihre Freund*innen wegen Terrorverdachts inhaftiert zu werden. A reiste mit der finanziellen Unterstützung ihres ebenfalls in der HDP tätigen Onkels per Flugzeug über Ankara nach Frankfurt am Main und stellte nach einem zweiwöchigen Aufenthalt in Deutschland einen Asylantrag.

Fallfrage

Hat A einen Anspruch auf Asyl gemäß Art. 16a GG?

Lösungsvorschlag

A. Vorbemerkung

„Politisch Verfolgte genießen Asylrecht." So wurde das **Asylgrundrecht** 1949 ursprünglich im Grundgesetz verankert. Durch eine Änderung des Grundgesetzes im Jahr 1993, im Rahmen des sogenannten Asylkompromisses, wurde das vormals in Art. 16 II 2 GG niedergeschriebene Asylrecht jedoch aus der Norm herausgelöst und in Art. 16a I GG mit vier weiteren Absätzen versehen. Diese hinzugefügten Absätze beinhalten die Ausübung des Asylrechts erheblich einschränkende Regelungen.

Nennenswert ist dabei die Regelung des Art. 16a II GG, die vorsieht, dass die Berufung auf das Asylrecht ausgeschlossen ist, wenn eine Person über einen Staat der Europäischen Union oder einen anderen Staat außerhalb der Europäischen Union einreist, in dem die Anwendung der GFK und der EMRK sichergestellt ist (sogenannter **sicherer Drittstaat**). Da Deutschland nur an Staaten angrenzt, die Teil der Europäischen Union sind, kann sich eine Person, die über den Landweg nach Deutschland einreist, nicht mehr auf das Asylrecht gemäß Art. 16a I GG berufen.

Hinzukommt, dass das Asylgrundrecht in seiner Bedeutung von unionsrechtlichen Regelungen verdrängt wurde. Mit der Verabschiedung der Qualifikationsrichtlinie im Jahr 2004 und der Übernahme der Regelungen in das deutsche Asylverfahrensgesetz 2005 (heute: Asylgesetz) wurde ein Schutzregime für Personen, die internationalen Schutz (Flüchtlingsschutz und subsidiären Schutz) beantragen, geschaffen, welches in Bezug auf den Flüchtlingsschutz auf der Genfer Flüchtlingskonvention beruht und unionsrechtlich konkretisiert wird.

Zunächst wurde von deutscher höchstgerichtlicher Rechtsprechung zwar auch die völkerrechtliche Definition durch die restriktive Auslegung des Asylgrundrechts eingeschränkt. Inzwischen aber spielt das Asylgrundrecht kaum noch eine Rolle und die Flüchtlingseigenschaft wird anhand völker- und europarechtlicher Vorgaben definiert. Die Voraussetzungen des Flüchtlingsschutzes unterscheiden sich daher stark von der historisch quasi „eingefrorenen" Definition des Rechts auf Asyl nach dem Grundgesetz. Für Schutzsuchende hat die Zuerkennung des Asylgrundrechts oder des Flüchtlingsschutzes keine Auswirkungen, da die daran geknüpfte Rechtsstellung identisch ist. Trotzdem überprüft das Bundesamt für Migration und Flüchtlinge (BAMF) auch heute noch gemäß § 31 II AsylG die Asylberechtigung gemäß Art. 16a I GG.

Eine übersichtliche Darstellung der Geschichte und der Voraussetzungen des Asylgrundrechts findet sich im Leitfaden Flüchtlingsrecht.[1]

---

[1] Eichler, Leitfaden zum Flüchtlingsrecht, Deutsches Rotes Kreuz und Informationsverbund Asyl & Migration, 3. Aufl. 2019.

Saskia Ebert

Weiterführendes Wissen

Im Jahr 2021 hat das BAMF von 150.000 Anträgen bei 0,8 Prozent ein Asylrecht gemäß Art. 16a GG zuerkannt. 2014 erreichte die Zuerkennungsquote des Asylrechts aus Art. 16a GG ihren höchsten Wert, in den letzten zehn Jahren, mit 1,8 Prozent.[2]

B. Lösungsvorschlag

I. Tatbestandsvoraussetzungen
Damit A ein Asylrecht gewährt werden kann, muss sie die Tatbestandsvoraussetzungen des Art. 16a I GG erfüllen.

1. Politische Verfolgung
Die Verfolgung nach Art. 16a I GG setzt voraus, dass der betroffenen Person eine gegenwärtige, gezielte Verletzung absoluter Rechtsgüter wie Leib, Leben oder Freiheit droht.[3]

a) Verfolgungshandlung
A müsste bei Rückkehr gegenwärtige Verfolgung drohen. Als Verfolgung werden solche Eingriffe in die Rechtsgüter der Betroffenen bezeichnet, die über dem üblichen Gewaltmaß innerhalb des betroffenen Staat liegen, also grundlegende **Menschenrechtsverletzung** darstellen.

Im vorliegenden Fall ist zwischen zwei möglichen **Verfolgungshandlungen** zu differenzieren.

aa) Verhaftung durch Sicherheitspersonal
Zum einen könnte durch das Abführen auf die Polizeiwache und dem anschließenden Zwang, sich vollständig zu entkleiden, eine Verfolgungshandlung vorliegen.

Insbesondere körperliche Untersuchungen, die mit der Entkleidung der zu untersuchenden Person einhergehen, können eine solche Intensität annehmen, dass sie eine Menschenrechtsverletzung darstellen. Dies ist der Fall, wenn sie nicht unter

---

2 BAMF, Aktuelle Zahlen Mai 2022.
3 Möller, in: NK-AuslR, 2. Aufl. 2016, GG Art. 16a, Rn. 7.

Wahrung der **Menschenwürde** durchgeführt werden und keinen klaren Zweck zu verfolgen scheinen.[4]

Die Verhaftung von A und ihren Freund*innen geschah ohne einen konkreten Verdacht auf das Beisichführen von Rauschmitteln, sodass die körperliche Untersuchung bereits keinen konkreten Zweck erfüllte. Zudem könnte die Untersuchung eine erniedrigende Behandlung darstellen und damit Art. 3 EMRK verletzen. Eine solche liegt vor allem dann vor, wenn die Entkleidung in Gegenwart von Personen des anderen Geschlechts stattgefunden hat.[5] Allein durch den Zwang, sich in Gegenwart von männlichen Aufsehern zu Entkleiden, kann hier davon ausgegangen werden, dass eine erniedrigende Behandlung stattgefunden hat.

Mithin liegt in der Verhaftung durch das Sicherheitspersonal eine Verfolgungshandlung.

bb) Drohende Inhaftierung
Weiterhin könnte in der drohenden Inhaftierung wegen Terrorverdachts eine Verfolgungshandlung liegen.

Zunächst ist zu klären, ob strafrechtliche Maßnahmen eine politische Verfolgung darstellen können. Grundsätzlich ist strafrechtliche Verfolgung kriminellen Unrechts keine asylerhebliche Verfolgung.[6] Dies kann sich jedoch ändern, wenn die strafrechtlichen Maßnahmen an **asylerhebliche Merkmale** anknüpfen oder auf diese abzielen,[7] sie diskriminierend oder unverhältnismäßig wirken,[8] oder aber auch mit **Folter** und Misshandlungen einhergehen.[9] Art. 16a GG bietet dabei Personen Schutz, die aufgrund eines asylerheblichen Merkmals unverhältnismäßiger strafrechtlicher Verfolgung ausgesetzt sind.[10] Dies gilt auch dann, wenn Taten verfolgt werden, die mit dem Ausdruck der **politischen Überzeugung** einhergehen, auch wenn der Staat durch die Verfolgung das Rechtsgut der politischen Identität verteidigt.[11] Laut BVerfG entspräche es nicht dem Grundrecht auf Asyl, derjenigen Person Schutz zu versagen, die aufgrund ihrer politischen Tätigkeit gegen den Staat strafrechtliche Verfolgung zu erleiden hätte.[12]

---

4 EGMR, Urt. v. 11.12.2003, Az.: 39084/97, Rn. 166 f.
5 EGMR, Urt. v. 24.7.2001, Az.: 44558/98, Rn. 117.
6 BVerfG, Urt. v. 10.7.1989, Az.: 2 BvR 502/86, openjur Rn. 60.
7 Bergmann, in: Bergmann/Dienelt, Ausländerrecht, 13. Aufl. 2020, GG Art. 16a, Rn. 62.
8 Keßler, in: Hofmann, Ausländerrecht, 2. Aufl. 2016, AsylVfG § 3a, Rn. 14.
9 VG Bremen, Urt. v. 8.5.2020, Az.: 2 K 962/18, Rn. 23.
10 BVerfG, Beschl. v. 12.2.2008, Az.: 2 BvR 2141/16, Rn. 29.
11 BVerfG, Urt. v. 10.7.1989, Az.: 2 BvR 502/86, openjur Rn. 59.
12 BVerfG, Urt. v. 10.7.1989, Az.: 2 BvR 502/86, openjur Rn. 47.

Seit dem Putsch-Versuch im Jahr 2016 wurden die Maßnahmen der türkischen staatlichen Behörden gegen politische Gegner*innen, seien es Anhänger*innen der Gülen-Bewegung oder angeblich der PKK nahestehenden Personen, wieder deutlich verstärkt.[13] Auch die HDP (Demokratische Partei der Völker) ist in das Visier der türkischen Regierung gerückt. Die HDP ist eine linksorientierte Partei, die sich für Minderheitenrechte, wie zum Beispiel die Rechte der kurdischen Bevölkerung, einsetzt.[14] Zahlreiche regierungskritische Personen wurden aus öffentlichen Ämtern entfernt und entsprechende Medienanstalten sind geschlossen worden.[15] Personen, denen eine Verbindung zur PKK vorgeworfen wird, sind besonders gefährdet willkürlich inhaftiert zu werden und von Misshandlung bedroht zu sein.[16]

A ist eine türkische Studentin kurdischer Volkszugehörigkeit und politisch in der Jugendorganisation der HDP aktiv. Mehrere Kommiliton*innen von A, die in der gleichen politischen Organisation tätig sind, wurden bei einer Veranstaltung durch die türkische Polizei verhaftet. Als Grund wurde angegeben, die verhafteten Personen stünden unter Terrorverdacht. Die Kommiliton*innen von A wurden aufgrund ihrer Zugehörigkeit zur politischen Opposition Opfer willkürlicher staatlicher Maßnahmen.

Eine potenzielle Verfolgungshandlung liegt demnach vor.

b) Politischer Charakter der Verfolgung

Die Verfolgung müsste zudem eine **politische Verfolgung** sein. Maßgeblich ist, dass die Verfolgung von einem Träger öffentlicher Gewalt ausgeht und Personen in solchen Bereichen trifft, die dem Einfluss des Staates grundsätzlich entzogen sind.[17] Demnach ist die Intensität der Maßnahme entscheidend und wird im Zusammenspiel mit einer gezielt das asylerhebliche Merkmal betreffenden Handlung zur politischen Verfolgung.[18]

A könnte aufgrund ihrer politischen Überzeugung von Verfolgung betroffen sein. Geschützt ist nicht nur das Haben einer politischen Überzeugung, sondern auch das Kundtun eben dieser.[19] Eine politische Verfolgung liegt dann vor, „wenn ein Staat mit den Mitteln des Strafrechts auf Leib, Leben oder die persönliche Frei-

---

13 VG Bremen, Urt. v. 8.5.2020, Az.: 2 K 962/18, Rn. 26.
14 ACCORD, Türkei: COI-Compilation, 2020, S. 29, ecoi.net: ID 2041954.
15 VG Freiburg, Urt. v. 13.6.2017, Az.: A 6K 2772/16, openjur Rn. 28 f.
16 VG Bremen, Urt. v. 8.5.2020, Az.: 2 K 962/18, juris Rn. 28.
17 BVerfG, Beschl. v. 10.7.1989, Az.: 2 BvR 502/86.
18 BVerfG, Beschl. v. 10.7.1989, Az.: 2 BvR 502/86, openjur Rn. 51.
19 BVerwG, Urt. v. 19.5.1987, Az.: 9 C 184/86, juris Rn. 19.

heit des einzelnen schon deshalb zugreift, weil dieser seine (...) politische Meinung nicht „für sich behält", sondern sie nach außen bekundet."[20]

A ist Mitglied der Jugendorganisation der HDP und dort auch in der Planung und Durchführung von politischen Aktionen beteiligt. Immer wieder kommt es zu Verhaftungen führender Politiker*innen der HDP, diese stehen meist unter Terrorismusverdacht.[21] Nach der Kommunalwahl im Jahr 2019 wurden in 32 Gemeinden die gewählten Bürgermeister*innen der HDP abgesetzt und teilweise inhaftiert.[22] Mit der Begründung, die HDP wolle die Integrität des türkischen Staates untergraben, beabsichtigt die Staatsanwaltschaft hunderten von Mitgliedern der HDP ein Politikverbot für fünf Jahre zu erteilen.[23] Von willkürlicher Inhaftierungen und Strafverfahren wegen Terrorismusverdachts sind aber auch Unterstützer*innen der Parteibasis betroffen.[24] Häufig reicht eine einfache Mitgliedschaft aus, um laut den türkischen Strafbehörden in Verbindung mit Terrorismus gebracht zu werden.[25] Besonders weibliche Mitglieder der HDP werden häufig Opfer sexualisierter Gewalt durch Beamte.[26]

A müsste demnach bei Rückkehr in die Türkei befürchten, möglicherweise bereits am Flughafen festgenommen und aufgrund von Terrorverdachts inhaftiert zu werden.[27] Durch ihre politischen Aktivitäten positionierte A sich klar für die Opposition, die in der Türkei der Gefahr ausgesetzt ist, ins Visier der Strafbehörden zu geraten. Ziel der staatlichen Gewalt ist dabei die Schwächung der politischen Opposition durch Einschüchterung ihrer Mitglieder.[28]

A ist demnach von politischer Verfolgung betroffen.

2. Verfolgungsgefahr

Zudem muss eine Verfolgungsgefahr bestehen. Hierbei ist nach der Rechtsprechung des BVerfG und BVerwG zu differenzieren, ob die schutzsuchende Person bereits vor der Ausreise Verfolgung erlebt hat oder nicht. Bei vorverfolgt ausgereisten Per-

---

20 BVerwG, Urt. v. 19.5.1987, Az.: 9 C 184/86, juris Rn. 19.
21 ACCORD, Türkei: COI-Compilation, 2020, S. 30, ecoi.net: ID 2041954.
22 ACCORD, Türkei: COI-Compilation, 2020, S. 32, ecoi.net: ID 2041954.
23 DW, Türkei: Kurdenpartei HDP droht Verbot, 18.3.2021.
24 Schweizerische Flüchtlingshilfe, Übergriffe gegen weibliche HDP-Mitglieder, S. 4, ecoi.net: ID 1451075.
25 Schweizerische Flüchtlingshilfe, Übergriffe gegen weibliche HDP-Mitglieder, S. 5, ecoi.net: ID 1451075.
26 Schweizerische Flüchtlingshilfe, Übergriffe gegen weibliche HDP-Mitglieder, S. 5, ecoi.net: ID 1451075.
27 VG Freiburg, Urt. v. 13.6.2017, Az.: A 6 K 2772/16, openjur Rn. 30 f.
28 DW, Türkei: Kurdenpartei HDP droht Verbot, 18.3.2021.

sonen muss bei Rückkehr in das Herkunftsland die Wiederholung von Verfolgungsmaßnahmen mit **hinreichender Wahrscheinlichkeit** ausgeschlossen sein, um eine Verfolgungsgefahr zu verneinen.[29] Bei Personen, die noch keine Verfolgung erlebt haben, ist der Wahrscheinlichkeitsmaßstab höher anzulegen. Damit eine Verfolgungsgefahr bejaht werden kann, muss der Person bei Rückkehr in ihr Herkunftsstaat mit **überwiegender Wahrscheinlichkeit** Verfolgung drohen.[30]

aa) Verhaftung durch das Sicherheitspersonal

Durch die Verhaftung in Gaziantep hat A bereits Verfolgung erlebt. Die Wiederholung muss folglich mit hinreichender Wahrscheinlichkeit ausgeschlossen sein. Dies ist nicht der Fall, sofern ernsthafte Bedenken hinsichtlich der Sicherheit der antragstellenden Person vor sich wiederholender Verfolgung bestehen.[31] Eine grundlegende Veränderung der politischen Verhältnisse hat seit As Ausreise nicht stattgefunden. Daher besteht kein Anlass für die Annahme, dass die Wiederholung der Verfolgungshandlung mit hinreichender Wahrscheinlichkeit ausgeschlossen ist.

bb) Drohende Inhaftierung

A reiste aus der Türkei aus, bevor es zu ihrer Inhaftierung durch die Polizei kommen konnte. A müsste demnach mit überwiegender Wahrscheinlichkeit Verfolgung drohen. Ob eine Verfolgung mit überwiegender Wahrscheinlichkeit droht, ist durch eine qualifizierte Betrachtungsweise, im Sinne einer Gewichtung und Abwägung aller festgestellten Umstände und ihrer Bedeutung, festzustellen.[32] Maßgeblich ist, ob in Anbetracht dieser Umstände bei einem vernünftig denkenden, besonnenen Menschen in der Lage der asylsuchenden Person Furcht vor Verfolgung hervorgerufen werden kann.[33] Sofern eine Gesamtbetrachtung aller Umstände zum Ergebnis führt, dass die für eine Verfolgung sprechenden Umstände mehr Gewicht besitzen, kann eine überwiegende Wahrscheinlichkeit angenommen werden.[34]

Bei einer öffentlichen Veranstaltung der Jugendorganisation der HDP kam es zu willkürlichen Verhaftungen von As Kommiliton*innen. Willkürliche Verhaftungen und die Strafverfolgung, wegen unter anderem Terrorismus verdacht, sind gängige Vorgehensweisen der türkischen Regierung gegen in der Opposition tätigen

---

29 BVerfG, Beschl. v. 2.7.1980, Az.: 1 BvR 147/80, Rn. 52.
30 BVerwG, Urt. v. 29.11.1977, Az.: I C 33.71, Rn. 10.
31 BVerwG, Urt. v. 27.4.1982, Az.: 9 C 308/81, Rn. 6.
32 BVerwG, Urt. v. 15.3.1988, Az.: 9 C 278/86, Rn. 23.
33 BVerwG, Urt. v. 15.3.1988, Az.: 9 C 278/86, Rn. 23.
34 BVerwG, Urt. v. 15.3.1988, Az.: 9 C 278/86, Rn. 23.

Personen. Insbesondere Mitglieder der HDP sind regelmäßig von diesem Vorgehen betroffen.[35] Demnach sprechen gewichtige Umstände dafür, dass A aufgrund ihrer politischen Tätigkeit in Zukunft einem hohen Risiko ausgesetzt ist, ebenfalls von rechtsgrundloser Strafverfolgung betroffen zu sein.

Es liegt eine Verfolgungsgefahr vor.

3. Kausalität zwischen Verfolgung und Flucht

Die Verfolgung muss im kausalen Zusammenhang mit der Flucht stehen. Die **Kausalität** kann beispielsweise dann nicht mehr angenommen werden, wenn zwischen Verfolgungshandlung und Ausreise aus dem Verfolgerstaat ein längerer Zeitraum vergeht.[36] A erlebte zuerst die Verhaftung durch das Sicherheitspersonal in ihrer Heimatstadt und anschließend erfuhr sie von der Inhaftierung ihrer Komiliton*innen. Diese Ereignisse lösten unmittelbar ihre Flucht aus, die sie mit Hilfe ihres Onkels finanzierte. Die Verfolgung steht demnach in Kausalität mit ihrer Ausreise aus der Türkei.

4. Verfolgungsakteur

Entscheidend ist zudem, von welchem Akteur die Verfolgung ausgeht. Grundsätzlich ist Verfolgung im Sinne des Art. 16a I GG staatliche Verfolgung.[37] Handlungen von Dritten, also nicht staatlichen, sondern privaten Akteur*innen, stellen dann Verfolgung dar, „wenn der Staat Einzelne oder Gruppen zu Verfolgungsmaßnahmen anregt oder derartige Handlungen unterstützt, billigt oder tatenlos hinnimmt und damit dem Betroffenen den erforderlichen Schutz versagt, weil er hierzu nicht willens oder nicht in der Lage ist".[38] Im vorliegenden Fall handeln als Verfolgungsakteure sowohl die türkische Polizei als auch Zivilbeamte als staatliche Akteure.

5. Inländische Fluchtalternative

Zudem darf keine **inländische Fluchtalternative** bestehen. Eine inländische Fluchtalternative bestünde dann, wenn die schutzsuchende Person in einem anderen Teil ihres Landes hinreichend sicher vor politischer Verfolgung ist und ihr dort keine anderen schweren Nachteile drohen.[39] Berücksichtigt werden muss jedoch auch,

---

35 ACCORD, Türkei: COI-Compilation, 2020, S. 133, ecoi.net: ID 2041954.
36 BVerfG, Beschl. v. 12.2.2008, Az.: 2BvR 2141/06, Rn. 20.
37 BVerfG, Beschl. v. 10.7.1989, Az.: 2 BvR 502/86, openjur Rn. 49.
38 BVerfG, Beschl. v. 2.7.1980, Az.: 1 BvR 147/80, Rn. 46.
39 BVerfG, Beschl. v. 10.7.1989, Az.: 2 BvR 502/86, openjur Rn. 70 f.

dass die Möglichkeit bestehen muss, dass die betroffene Person risikofrei in den sicheren Teil des Herkunftslandes reisen kann.[40]

Zunächst ist festzustellen, dass die Verfolgungshandlungen A sowohl in ihrer Heimatstadt Gaziantep als auch an ihrem Wohnort Antalya drohen und beide somit als Aufenthaltsort nicht in Frage kommen. In der Rechtsprechung wird überwiegend angenommen, Kurd*innen seien insbesondere in der Westtürkei nicht von Verfolgung betroffen.[41] Dies kann jedoch nicht angenommen werden, sofern die schutzsuchende Person von Maßnahmen durch Sicherheitskräfte betroffen ist, da diese Zugriff auf alle Landesteile haben.[42]

Hinweise zur Fallprüfung !

Eine Antwort auf die Frage, ob eine inländische Fluchtalternative gegeben ist, kann nur bei entsprechenden Informationen im Sachverhalt beantwortet werden. Ohne solche Hinweise ist vom Nichtvorliegen einer inländischen Fluchtalternative auszugehen.

Eine interne Fluchtalternative ist nicht gegeben.

6. Ausschluss bei Einreise aus „sicherem Drittstaat"
Möglicherweise könnte A jedoch von dem Asylrecht aus Art. 16a I GG ausgeschlossen sein. Asylsuchende, die bereits in einem anderen **sicheren Drittstaat** Schutz erlangen könnten, haben keine Möglichkeit, eine Asylberechtigung gemäß Art. 16a I GG zu erhalten (mit dem Asylkompromiss 1993 eingeführte Schutzbereichsbegrenzung). Solche Staaten sind gemäß Art. 16a II 1 GG insbesondere die der Europäischen Union aber auch andere Staaten, in denen die Anwendung der EMRK und der GFK sichergestellt ist.

A ist aus der Türkei mit dem Flugzeug nach Deutschland eingereist. Sie hielt sich in keinem anderen Staat auf, der ihr Schutz gewähren konnte, und ist demnach nicht von dem Asylrecht gemäß Art. 16a II GG ausgeschlossen.

7. Ergebnis
A ist Asyl gemäß Art. 16a GG zu zuerkennen.

---

40 BVerwG, Urt. v. 13.5.1993, Az.: 9 C 59/92, Rn. 12.
41 VG Kassel, Urt. v. 29.4.2021, Az.: 5 K 74/19.KS.A, Rn. 55.
42 VG Kassel, Urt. v. 29.4.2021, Az.: 5 K 74/19.KS.A, Rn. 55.

Saskia Ebert

II. Rechtsfolge

Zentrale Rechtsfolge der Asylanerkennung ist der Schutz der asylberechtigten Person vor Zugriff durch den Verfolgerstaat.[43] In § 2 AsylG ist geregelt, dass Asylberechtigte anerkannten Flüchtlingen in ihrer Rechtsstellung gleichgestellt sind.[44] Gemäß § 25 I 1 AufenthG haben schutzsuchende Personen durch die Anerkennung als asylberechtigte Person einen Anspruch auf Erteilung einer Aufenthaltserlaubnis in Deutschland.

Weiterführende Literatur
-   Ebert, in: Hahn/Petras/Valentiner/Wienfort, Grundrechte, § 25.4 Recht auf Asyl – Art. 16a GG, S. 587

Zusammenfassung: Die wichtigsten Punkte
-   Das Grundrecht auf Asyl gemäß Art. 16a GG hat in der Praxis kaum noch Relevanz.
-   Personen, die nach Deutschland aus einem anderen EU-Mitgliedstaat oder „sicheren Drittstaat" eingereist sind, werden seit dem Asylkompromiss 1993 vom Asylgrundrecht ausgeschlossen.
-   Asyl gemäß Art. 16a GG erhalten nur Personen, die aus politischen Gründen von staatlichen Stellen verfolgt werden.

Dieser Fall darf gerne kommentiert, verändert und beliebig genutzt werden. Die Anleitung hierfür lässt sich über den abgebildete QR-Code mit der Smartphone-Kamera auf unserer Homepage aufrufen.

---

43 Renner, NJW 1984, 1257.
44 Ausführlich mit einer Übersicht über die Folgerechte siehe Mantel, in: Huber/Mantel, AufenthG/AsylG, 3. Aufl. 2021, AsylG § 2 Rn. 1ff.

Saskia Ebert

Fall 14
Ahmadiyya in Pakistan

Behandelte Themen: Flüchtlingsschutz, Verfolgungsgrund der Religionszugehörigkeit, Pakistan, Ahmaddiya, gerichtliches Verfahren

Schwierigkeitsgrad: Anfänger*innen

Sachverhalt

Bob reiste am 13.1.2019 auf dem Luftweg nach Deutschland ein und stellte am 4.2.2019 beim Bundesamt für Migration und Flüchtlinge (BAMF) einen Asylantrag. Bob besitzt die pakistanische Staatsangehörigkeit, spricht Punjabi und gehört der Glaubensgemeinschaft der Ahmadiyya an. In seiner Anhörung gab er an, zuletzt in Lahore gelebt zu haben und aufgrund seiner Lebensausrichtung an der Ahmadiyya-Lehre Probleme gehabt zu haben. Bob trug folgende Erlebnisse in der Anhörung vor:

1. Es sei zu einem Boykott gegen sein Spielwarengeschäft aufgerufen worden. Die Umsätze seien darauf deutlich gesunken.
2. Bei der Auslieferung von Spielwaren sei Bob außerdem von drei muslimischen Geistlichen bedroht worden: Er solle zum Islam konvertieren, anderenfalls würde er sterben. Umstehende Polizist*innen hätten dieses Vorgehen ignoriert.
3. Zudem hätten sich weitere Geschäftspartner*innen von ihm abgewandt, weil er kein wahrer Muslim sei. Deshalb sei er nicht nur in Lebensgefahr gewesen, sondern hätten auch wirtschaftliche Einbußen fürchten müssen.

Mit Bescheid vom 27.10.2020 lehnte das BAMF den Asylantrag ab und stellte zutreffend fest, dass Abschiebungsverbote nach § 60 V, VII 1 AufenthG nicht vorliegen. Zur Begründung führte das BAMF aus, dass der Betroffene nicht angegeben hätte, dass ihm die Verbreitung seines Glaubens ein besonderes Anliegen sei. Außerdem hätte Bob seine religiösen Aktivitäten in Deutschland eingestellt. Das BAMF ging deswegen in seinem Bescheid davon aus, dass sich Bob nach seiner Rückkehr nach Pakistan nicht religiös betätigen würde. Aus diesem Grund sei er keiner tatsächlichen Verfolgungsgefahr ausgesetzt und auch nicht schutzwürdig. Darüber hinaus stehe ihm insbesondere in anderen Städten eine interne Fluchtalternative zur Verfügung. Hierzu nannte das BAMF die (Klein-)Stadt Rabwah, dort mache die ahmadische Bevölkerung ca. 95 Prozent der Bevölkerung aus; aufgrund dieser zahlenmäßigen Dominanz könne sich Bob dort relativ sicher fühlen.

Bob ist entsetzt. Sagen doch nicht nur der EuGH, sondern auch die Bundes-
gerichte in Deutschland, dass bereits ein Eingriff in die Religionsfreiheit eine asylrelevante Verfolgungshandlung darstellen könne. In Pakistan müsse letztlich jede*r
Anhänger*in der Ahmadiyya-Lehre aufgrund der geltenden Gesetzeslage und des
dort herrschenden gesellschaftlichen Klimas um Leib und Leben fürchten.

Fallfrage

Wie ist die Rechtslage für Bob?

Bearbeitungshinweis:
Von der Zulässigkeit einer möglichen Klage vor dem zuständigen Verwaltungs-
gericht ist auszugehen. Die Erfolgsaussichten der Klage sind nur hinsichtlich des
Flüchtlingsschutzes zu prüfen.

Lösungsvorschlag

Bob könnte Klage vor dem zuständigen Verwaltungsgericht erheben. Dafür müssten zunächst die jeweils erforderlichen Zulässigkeitsvoraussetzungen erfüllt sein und die Klage müsste begründet sein.

A. Zulässigkeit

Laut Bearbeitungshinweis ist von der Zulässigkeit der Klage auszugehen.

B. Begründetheit

Die Klage ist begründet, wenn Bob einen Anspruch auf Erteilung eines Schutzstatus hat. In diesem Fall würde ihn der ablehnende Bescheid des BAMF in eigenen Rechten verletzen, § 113 V 1 VwGO.[1]

❗ Hinweise zur Fallprüfung

Rechtsbehelfe gegen den Bescheid und Aufbau der Prüfung

Hier ist der Asylantrag vom BAMF als (inhaltlich) unbegründet abgelehnt worden. Das klägerische Begehr – wonach sich im Sinne des § 88 VwGO die richtige Klageart bestimmt[2] – ist die Aufhebung des angegriffenen Bescheides und die Gewährung der im Asylverfahren geltend gemachten Ansprüche (Flüchtlingsstatus). Demnach ist eine Verpflichtungsklage gemäß § 42 I Alt. 2 VwGO zu erheben.[3] Dabei wird geprüft, ob die Ablehnung rechtswidrig war und ein Anspruch des Klägers auf Zuerkennung des beantragten Schutzstatus besteht. Das entscheidende Gericht wird dann bei Stattgabe auch den Ausgangsbescheid (= Ablehnung) aufheben. Bescheidungsklagen im Sinne des § 113 V 2 VwGO spielen in der asylgerichtlichen Praxis regelmäßig keine Rolle. Das heißt für die Prüfungsreihenfolge im Sinne des § 113 V 1 VwGO folgendes: Die Ablehnung des Asylantrages wäre dann rechtswidrig, wenn die klagende Person einen Anspruch auf Erteilung des beantragten Schutzstatus hätte. Zu prüfen sind hier also die tatbestandlichen Voraussetzungen der Anspruchsgrundlage.

I. Ermächtigungsgrundlage

Mit Bescheid vom 27.10.2020 lehnte das Bundesamt den Asylantrag des Klägers ab. Als Ermächtigungsgrundlage zur Erteilung eines Schutzstaus kommen die Regelun-

---

1 Lemke, in: Eisentraut, Verwaltungsrecht in der Klausur, 2020, § 3, Rn. 46.
2 Lemke, in: Eisentraut, Verwaltungsrecht in der Klausur, 2020, § 3, Rn. 4.
3 Siehe ausführlich zur Verpflichtungsklage Eisentraut, Verwaltungsrecht in der Klausur, § 3.

gen über den internationalen Schutz gemäß §§ 3 ff. AsylG in Betracht. Hier ist zunächst § 3 IV AsylG zu prüfen.

Hinweise zur Fallprüfung

Im vorliegenden Fall sind Abschiebeverbote vom BAMF zutreffend verneint worden. Das Klagebegehren von Bob richtet sich ausschließlich gegen die Ablehnung des internationalen Schutzes.

II. Voraussetzungen des Anspruches

Bob könnte einen Anspruch auf Zuerkennung der **Flüchtlingseigenschaft** gemäß § 3 IV AsylG haben. Dazu müssten alle tatbestandlichen Voraussetzungen vorliegen.

1. Internationaler Schutz gemäß §§ 3 ff. AsylG – hier Flüchtlingsschutz im Sinne des § 3 IV AsylG

Gemäß § 3 IV AsylG wird einer schutzsuchenden Person die Flüchtlingseigenschaft zuerkannt, sofern sie die Voraussetzungen des § 3 I AsylG erfüllt.

Hinweise zur Fallprüfung

Hinweis zum subsidiären Schutz (§ 4 AsylG), auf den in diesem Fall nicht eingegangen wird: Die Zuerkennung des subsidiären Schutzes käme hier weder unter dem Gesichtspunkt des § 4 I Nr. 1 noch der Nr. 2 AsylG in Betracht. Auch eine Schutzfeststellung nach § 4 I Nr. 3 AsylG würde ausscheiden. Im Herkunftsland von Bob besteht kein bewaffneter Konflikt.

Flüchtling ist gemäß § 3 I AsylG, wer sich aus begründeter Furcht vor Verfolgung aufgrund eines Verfolgungsgrundes im Sinne des § 3b I AsylG, wegen seiner „Rasse", Religion, Nationalität, politischen Überzeugung oder Zugehörigkeit zu einer bestimmten sozialen Gruppe außerhalb des Herkunftslandes befindet, dessen Staatsangehörigkeit er besitzt, wenn er den Schutz seines Herkunftslandes nicht in Anspruch nehmen kann oder wegen der Verfolgungsfurcht nicht in Anspruch nehmen will.

Johanna du Maire

> **❗ Hinweise zur Fallprüfung**
>
> **Prüfungsschema Flüchtlingseigenschaft[4]**
> 1. Person ist außerhalb des Staates der eigenen Staatsangehörigkeit (§ 3 I Nr. 2 AsylG)
> 2. Verfolgungshandlung (§ 3a AsylG)
> 3. Verfolgungsgrund (§ 3b AsylG)
> 4. geeigneter Verfolgungsakteur (§ 3c AsylG)
> 5. beachtliche Wahrscheinlichkeit der Verfolgung (beziehungsweise begründete Furcht vor Verfolgung) (§ 3 AsylG) → Kausalität zwischen Verfolgungsgrund und Verfolgungshandlung
> 6. Fehlen eines geeigneten Schutzakteurs (§ 3d AsylG)
> 7. Fehlen von internem Schutz (§ 3e AsylG)
> 8. Fehlen von weiteren Ausschlussgründen
>
> Je nach Fall kann es Sinn machen, einen anderen Aufbau zu wählen – zum Beispiel können die Ausschlussgründe zu Beginn geprüft werden. Auch differieren die Überschriften zu den verschiedenen Prüfungspunkten.[5]
>
> **Hinweise zur Fallprüfung**
> Aufbauhinweis: Da hier Bob in Deutschland und damit offensichtlich außerhalb des Staates der eigenen (pakistanischen) Staatsangehörigkeit ist, braucht § 3 I Nr. 2a AsylG nicht angesprochen zu werden. Bei anderen Personengruppen (zum Beispiel Menschen ohne Staatsangehörigkeit) müsste hier eine umfangreichere Prüfung stattfinden, vgl. § 3 I Nr. 2 lit. b AsylG.

a) Verfolgungshandlung § 3a AsylG
Es müsste eine Verfolgungshandlung im Sinne des § 3a AsylG vorliegen.

aa) Verfolgungshandlung im Sinne des § 3a I Nr. 1 AsylG
Als Verfolgung im Sinne des § 3a AsylG gelten gemäß § 3a I Nr. 1 AsylG Handlungen, die „auf Grund ihrer Art oder Wiederholung so gravierend sind, dass sie eine **schwerwiegende Verletzung grundlegender Menschenrechte** darstellen".

Der Verfolgungsbegriff der Genfer Flüchtlingskonvention gilt auch für § 3a I AsylG. Als „Verfolgungshandlung" im Sinne der Genfer Flüchtlingskonvention wird jede dauerhafte oder systematische Verletzung grundlegender Menschenrechte wegen der „Rasse", Religion, Nationalität, politischen Überzeugung oder Zugehörigkeit zu einer bestimmten sozialen Gruppe angesehen.

---

4 Vgl. Dörig, Handbuch Migrations- und Integrationsrecht, 2. Aufl. 2020, Rn. 638.
5 Vgl. Greilich/Heuser/Markard, Teaching Manual Refugee Law Clinics, September 2020, S. 92.

Johanna du Maire

Weiterführendes Wissen   **i**

„Grundlegende Menschenrechte"

Nicht wegen jeder Menschenrechtsverletzung wird einer schutzsuchenden Person der Flüchtlingsstatus gewährt, sondern nur dann, wenn in „grundlegende Menschrechte" eingegriffen wird, sodass dieser Begriff genauer ausgelegt werden muss. Zunächst verweist § 3a I Nr. 1 Hs. 2 AsylG auf die Menschenrechte, von denen im Sinne des Art. 15 II EMRK nie abgewichen werden darf: Verbot der Tötung (Art. 2 EMRK), Verbot erniedrigender und unmenschlicher Behandlungen (Art. 3 EMRK), Verbot der Sklaverei und Leibeigenschaft (Art. 4 I EMRK) und Verbot der „Strafe ohne Gesetz" (Art. 7 EMRK). Diese Menschenrechte sind notstandsfest, das heißt sie dürfen im Vergleich zu den anderen Menschenrechten der EMRK nicht eingeschränkt werden, selbst dann nicht, wenn das zur Abwendung einer Bedrohung des Staates durch Krieg erforderlich wäre. Sobald eines dieser Menschenrechte verletzt ist, wird ein grundlegendes Menschrecht im Sinne des § 3a I Nr. 1 AsylG berührt. Damit werden die entsprechenden Rechte aus der EMRK als besonders wichtig eingeordnet. Allerdings verweist § 3a I Nr. 1 Hs. 2 AsylG nur „insbesondere" auf die notstandsfesten Grundrechte, das heißt, dass auch andere Menschenrechte, außer der in Art. 15 II EMRK genannten, verletzt werden und eine Verfolgungshandlung herbeiführen können. So hat der EuGH zum Beispiel eine Verletzung von Art. 9 EMRK (Religionsfreiheit) als mögliche Verletzung eines grundlegenden Menschenrechtes anerkannt.[6] Denn der Religionsfreihet kommt laut EuGH in den internationalen Menschenrechtspakten (IPwskR und IPbpR, EU GRC usw.) besondere Bedeutung zu. Dasselbe lässt sich für die Meinungsfreiheit, das Recht auf Privatleben, das Recht auf gerichtlichen Rechtsschutz sowie elementare soziale Menschenrechte sagen.[7]

Hinweise zur Fallprüfung   **!**

In der Praxis scheint es häufig weniger um die Einordnung als grundlegendes Menschenrecht zu gehen als um die Frage, ob überhaupt ein Menschenrecht betroffen ist und ob dies in schwerwiegender Weise verletzt wird. Dementsprechend wird bei einer schwerwiegenden Menschenrechtsverletzung im Zweifel die Verletzung eines grundlegenden Menschenrechts regelmäßig bejaht werden und in der Prüfung kürzer als hier ausfallen.

Zu prüfen ist nun, ob ein Eingriff in die Religionsfreiheit[8] eine hinreichend schwerwiegende Verletzungshandlung im Sinne des § 3a I Nr. 1 AsylG darstellt.

---

6 Zum Beispiel EuGH, Urt. v. 5.9.2012, Az.: C71/11, C-99/1, Tz. 57.

7 Keßler, NK-AuslR, 2. Aufl. 2016, AsylG § 3a Rn. 5.

8 Siehe zur Religionsfreiheit aus Art. 4 GG Gerbig, in: Hahn/Petras/Valentiner/Wienfort, Grundrechte, § 22.1 S. 456 ff.

Johanna du Maire

aaa) Drohende Individualverfolgung in Anknüpfung an unverzichtbare Glaubenspraxis

Speziell zu **Verfolgungshandlungen**, die an die **Glaubenspraxis** anknüpfen, hat das BVerfG[9] auf Grundlage und im Einklang mit der bisherigen Rechtsprechung des EuGH[10] und des BVerwG[11] entschieden, dass es für diese Prüfung zweier Schritte bedarf: Zunächst ist in **objektiver Hinsicht** festzustellen, welche Maßnahmen und Sanktionen gegenüber der betroffenen Person im Herkunftsland voraussichtlich ergriffen werden, wenn er oder sie dort eine bestimmte Glaubenspraxis ausübt.

Objektiv kann zum Beispiel festgestellt werden, dass die Gefahr droht, an Leib, Leben oder Freiheit verletzt zu werden, wenn man betet oder an einem Gottesdienst teilnimmt. Andere Maßnahmen können sein, dass die religiöse Praxis strafrechtlich sanktioniert wird oder die Gläubigen geschlagen und gequält werden. Dabei kann schon der Verzicht auf eine Glaubensbetätigung aus Angst vor Verfolgung die Qualität einer Verfolgungshandlung erreichen.[12] Es kommt im Übrigen also – anders als bei der Dogmatik des Art. 4 I, II GG – nicht darauf an, ob eine religiöse Handlung im „privaten Bereich" (forum internum) oder im öffentlichen Bereich" (forum externum) stattfindet.[13] Entscheidend ist lediglich, dass es sich um eine religiöse Praxis/ Tätigkeit/ Äußerung handelt, die von der Religionsfreiheit erfasst ist und an deren Ausübung konkrete Konsequenzen geknüpft sind, die eine gravierende Verletzung der Religionsfreiheit darstellen.

Im zweiten Schritt muss dann in **subjektiver Hinsicht** festgestellt werden, ob die Befolgung einer solchen Glaubenspraxis wie zum Beispiel das Beten oder den Gottesdienst zu besuchen, ein zentrales Element für die religiöse Identität des Schutzsuchenden und in diesem Sinne für ihn „unverzichtbar" ist. Maßgeblich ist dabei, wie der Einzelne seinen Glauben lebt und ob die verfolgungsträchtige Glaubensbetätigung für ihn persönlich nach seinem Glaubensverständnis zur Wahrung seiner religiösen Identität besonders wichtig (also „zwingend") ist.[14]

Vorliegend hat Bob zunächst vorgetragen, die Umsätze seines Spielwarenladens seien wegen des Boykottaufrufes gegen die Ahmadis deutlich gesunken. Außerdem sei er von drei Geistlichen bedroht worden und mehrere Geschäftspartner*innen hätten sich von der Familie abgewandt. Diese Handlungen knüpfen allein an die **Glaubenszugehörigkeit** von Bob zu den Ahmadiyya an, also an das Bekenntnis zu dieser religiösen Gruppe. Daran knüpfen sich die geschilderten Kon-

---

9 BVerfG, Beschl. v. 3.4.2020, Az.: 2 BvR 1838/15.
10 EuGH, Urt. v. 5.9.2012, Az.: C71/11, C-99/1.
11 BVerwG, Beschl. v. 25.8.2015, Az.: 1 B 40.15; BVerwG, Urt. v. 20.2.2013, Az.: 10 C 23.12.
12 BVerfG, Beschl. v. 3.4.2020, Az.: 2 BvR 1838/15, Rn. 27.
13 EuGH, Urt. v. 5.9.2012, Az.: C71/11, C-99/1, Tz. 62.
14 BVerfG, Beschl. v. 3.4.2020, Az.: 2 BvR 1838/15, Rn. 27.

sequenzen. Ein Eingriff in die Religionsfreiheit liegt also vor, fraglich ist aber, ob er schwerwiegend genug ist.

Für die Frage, ob eine schwerwiegende Verfolgungshandlung vorliegt, gibt § 3a II AsylG mehrere Anhaltspunkte in Form von nicht abschließenden („unter anderem") Regelbeispielen, die eine Verfolgungshandlung darstellen. Hierzu zählen unter anderem die Anwendung physischer oder psychischer Gewalt (Nr. 1), diskriminierende gesetzliche, administrative, polizeiliche oder justizielle Maßnahmen (Nr. 2) oder unverhältnismäßige Strafverfolgung (Nr. 3).

Diese Regelbeispiele sind zwar nicht automatisch als Verfolgungshandlung zu qualifizieren, können aber dabei helfen in Betracht kommende Eingriffe zu erkennen. Diskriminierungen gemäß § 3a II Nr. 2 AsylG umfassen besonders intensive Formen der Ungleichbehandlung, die im Ergebnis die betreffenden Personen ähnlich schwer treffen müssen, wie die schwerwiegende Verletzung von grundlegenden Menschenrechten im Sinne des § 3a I Nr. 1 AsylG.[15]

Dass Bob wegen des Boykotts Umsatzeinbußen verzeichnen musste und sich die Geschäftspartner*innen abgewandt haben, ist natürlich stigmatisierend, aber es ist nicht gleichzusetzten mit dem Einsatz physischer oder psychischer Gewalt. Auch die Drohung der muslimischen Geistlichen stellt keine Verfolgungshandlung dar, weil die Drohung erst dann eine hinreichend schwere Verfolgungshandlung ist, wenn sie die Schwelle psychischer Gewalt erreicht. Es gibt auch keinen anderen Hinweis auf physische oder sonstige psychische Übergriffe gegenüber Bob. Auch hat Bob – dem BAMF zufolge – keine spezielle Glaubenspraxis geäußert, wegen der er verfolgt wird. Keine der von Bob geschilderten Vorkommnisse kommen an diese beispielhaften Verfolgungshandlungen heran. Es liegt daher keine Verfolgungshandlung im Sinne des § 3a I Nr. 1 AsylG vor.

Hinweise zur Fallprüfung !

Hinweis für die Beratungspraxis: Hier hätte es in einem Verfahren vom Antragsteller mehr Sachvortrag gebraucht. Wäre Bob gut auf die Anhörung vorbereitet worden, hätte er genauer geschildert, wer ihn konkret bedroht hat, mit was gedroht wurde und an welche konkrete eigene Glaubenspraxis die Verfolgung anknüpft.

---

bb) Verfolgungshandlung im Sinne des § 3a I Nr. 2 AsylG
Es könnte jedoch eine Verfolgungshandlung gemäß § 3a I Nr. 2 AsylG vorliegen.

---

15 Vgl. Dörig, Handbuch Migrations- und Integrationsrecht, 2. Aufl. 2020, S. 643.

Neben der Rahmendefinition der schwerwiegenden Einzelhandlung des § 3a I Nr. 1 AsylG kann gemäß § 3a I Nr. 2 AsylG eine Verfolgung auch bei kumulativem Vorliegen mehrerer Verletzungshandlungen bestehen.

Hiernach liegt eine Verfolgungshandlung vor, wenn die „**Kumulierung** unterschiedlicher Maßnahmen, einschließlich einer Verletzung der Menschenrechte, so gravierend ist, dass eine Person davon in ähnlicher wie in der § 3a I Nr. 1 AsylG beschriebenen Weise betroffen ist".

Liegt keine Verfolgungshandlung nach § 3a I Nr. 1 AsylG vor, ist demnach weiter zu prüfen, ob sich eine solche aus der Gesamtbetrachtung nach § 3a I Nr. 2 AsylG ergibt. Aus der Zusammenschau mit § 3a I Nr. 1 folgt, dass die Addition der unterschiedlichen Maßnahmen insgesamt so schwerwiegend sein muss, dass die Schwelle einer Verletzung nach § 3a I Nr. 1 AsylG erreicht wird.

ℹ Weiterführendes Wissen

Kumulative Verfolgungshandlung

Hintergrund ist hier auch die mögliche tatsächliche Schwere einer Menschenrechtsverletzung, die hinter einer Kumulation der Verletzungen liegt. Dafür muss aber ein Vergleich gezogen werden: Sind die vorliegenden Einzelmaßnahmen zusammen genommen so schlimm wie eine gravierende Menschenrechtsverletzung?

Die Prüfung einer „**kumulativen Verfolgungshandlung**" erfolgt deshalb zweigliedrig. Zunächst sind alle in Betracht kommenden Eingriffshandlungen in den Blick zu nehmen und zwar sowohl Menschenrechtsverletzungen als auch sonstige schwerwiegende Repressalien, Diskriminierungen, Nachteile und Beeinträchtigungen. In einem zweiten Schritt ist dann zu prüfen, ob die Summe der verschiedenen Eingriffe in ihrer Gesamtheit einer schwerwiegenden Menschenrechtsverletzung gleichkommt. Hintergrund ist, dass durch § 3a I Nr. 2 AsylG Akteuren die Möglichkeit genommen wird, ihre Verfolgung durch unterschiedliche Maßnahmen zu verschleiern. Gerade die stetige latente Verletzung von menschenrechtlichen Normen können in Verfolgerstaaten strategisch benutzt werden, um Menschen zu unterdrücken. Dabei geht es zum Beispiel um diskriminierende Maßnahmen, mit denen einer Person oder sozialen Gruppe der Zugang zu Bildung, Arbeit, sozialen und medizinischen Leistungen usw. erschwert oder vollständig verweigert wird. Während die Maßnahmen bei der Einzelbeurteilung in der Regel noch keine ausreichende Schwere im Sinne der Nr. 1 aufweisen, kann eine kumulative Betrachtungsweise zu einem anderen Ergebnis führen, da die Behandlung dazu führen kann, dass die Flucht der einzige Ausweg ist.

Die von Bob geschilderten Handlungen – Aufruf zum Boykott des Spielwarengeschäfts, Drohungen, Hilfslosigkeit von Polizeibeamten und sich abwendende Geschäftspartner – sind allesamt Diskriminierungen, weil Bob der **Glaubensgemeinschaft** der Ahmadiyya angehört. Allerdings sind alle Diskriminierungshandlungen zusammengenommen nicht ausreichend und nicht vom gleichen Akteur ausgehend, um kumulativ eine Verletzungshandlung darzustellen. Eine individuelle Verfolgungshandlung liegt somit nicht vor.

Johanna du Maire

bbb) Gruppengerichtete Verfolgung wegen Zugehörigkeit/Bekenntnis zur religiösen Gruppe der Ahmadiyya

Allerdings kann auch eine sogenannte **Gruppenverfolgung** ausreichen, um einen Schutzstatus zu erlangen.

Neben der Individualverfolgung hat die Rechtsprechung die Figur der „Gruppenverfolgung" entwickelt.[16] Denn nicht immer ergibt sich die Verfolgungsgefahr aus einer anlassgeprägten Einzelverfolgung, manchmal kann Verfolgungsgefahr auch durch die gegen Dritte gerichteten Maßnahmen folgen, wenn sie „wegen eines asylerheblichen Merkmals verfolgt werden, das [die antragstellende Person] mit ihnen teilt, und wenn [sie] sich mit ihnen in einer nach Ort, Zeit und Wiederholungsträchtigkeit vergleichbaren Lage befindet"[17].

Eine Gruppenverfolgung liegt nach diesen Maßgaben also vor, wenn die Häufigkeit der den Gruppenmitgliedern drohenden Verfolgungshandlungen mit beachtlicher Wahrscheinlichkeit eine Verfolgungsgefahr annehmen lässt.

Hinweise zur Fallprüfung ❗

Eigentlich ist die Gruppenverfolgung vor allem ein Instrument der Beweiserleichterung, denn wenn jemand nachweist, zu einer verfolgten Gruppe zu gehören, muss die individuelle Betroffenheit nicht mehr nachgewiesen werden. Wenn man also zu einer verfolgten Gruppe in diesem Sinne gehört, dann gilt die Regelvermutung einer Verfolgung – das ist für den späteren Prüfungspunkt der „begründeten Furcht vor Verfolgung" relevant.

Ahmadis müssten auch eine „Gruppe" sein, dies ist unproblematisch der Fall. Vorliegend ist Bob ein Ahmadi und damit Teil einer möglicherweise verfolgten Gruppe in Pakistan.

Maßgeblich ist die konkrete Situation der Ahmadiyya in Pakistan, denen Bob unzweifelhaft angehört.

Ahmadis betrachten sich selbst als Muslime, werden aber von orthodoxen Muslimen als Apostaten angesehen, weil sie Mohammed nicht als letzten Propheten betrachten.[18] In Pakistan sollen zwischen ein bis drei Prozent der Gesamtbevölkerung zur Glaubensgemeinschaft der Ahmadi gehören, wobei es kaum aktuelle verlässliche Zahlen gibt.[19]

Die Situation der Ahmadiyya in Pakistan ist vielfach von Diskriminierungen geprägt, allem voran von administrativen Hürden: „Ahmadis sehen sich im Personenstandswesen mit folgenden Einschränkungen konfrontiert: Um ohne Einschränkun-

---

16 BVerwG, Urt. v. 21.4.2009, Az.: 10 C. 08, asyl.net: M15716.
17 BVerwG, Urt. v. 21.4.2009, Az.: 10 C 11.08, Rn. 13, asyl.net: M15716.
18 Vgl. für weitere Informationen VGH Hessen, Urt. v. 31.8.1999, Az.: 10 UE 864/98.A.
19 Vgl. den Wikipediaeintrag zu Pakistan mit weiteren Nachweisen.

gen einen Pass beantragen zu können, muss eine eidesähnliche Erklärung zur Finalität des Prophetenamtes Mohammeds abgegeben sowie ausdrücklich beteuert werden, dass der Gründer der Ahmadiyya Glaubensgemeinschaft ein falscher Prophet ist."[20]

„Dadurch, dass sich Ahmadis seit der Entscheidung des Islamabad High Court im März 2018 damit konfrontiert sehen, sowohl (wie schon bislang) bei der Beantragung von Reisepässen, als auch nunmehr bei der Beantragung des computergestützten (CNIC) beziehungsweise ‚smarten' Personalausweises (SNIC), bei der Bewerbung für eine Arbeitsstelle bei der Regierung sowie bei halbstaatlichen Organisationen einschließlich der Justiz, den Streitkräften und im öffentlichem Dienst, bei der Beantragung von Geburtsurkunden und einem Eintrag in die Wählerliste sowie schließlich bei der Zulassung zum Studium eine Erklärung über die Finalität des Prophetenamtes Mohammeds abgeben zu müssen, greift der pakistanische Staat in das sogenannte forum internum [...] ein."[21] Darin ist eine gesteigerte Diskriminierung der Ahmadis seit 2018 zu sehen. Denn der Personalausweis wird in Pakistan für viele wichtige Dienstleistungen benötigt: zum Beispiel die Eröffnung eines Bankkontos, Erwerb oder Anmietung von Grund-/Wohneigentum, Abschluss eines Handyvertrages, Eingehung eines Arbeitsverhältnisses außerhalb des informellen Sektors. Durch die Erklärung, die abgegeben werden muss, „werden Ahmadis vor die ‚Wahl' gestellt, entweder ihren Glauben (in seinem Wesenskern) zu verleugnen oder von der Teilhabe am gesellschaftlichen Leben sowie von der Erfüllung grundlegender menschlicher Bedürfnisse (von den dargestellten sonstigen Einschränkungen einmal ganz abgesehen) schon formal abgeschnitten zu sein."[22]

Immer steht zudem die Gefahr im Raum, dass Ahmadis ungerechtfertigt inhaftiert werden oder aufgrund der Blasphemiebestimmungen mit strafrechtlichen Konsequenzen rechnen müssen. Darüber hinaus gibt es spezielle strafrechtliche Vorschriften, die nur für Ahmadiyya gelten und ihnen beispielsweise verbieten, sich direkt oder indirekt als Muslim zu bezeichnen. Außerdem gibt es verfassungsrechtliche sowie gesetzliche Vorschriften, die unmittelbar und in unzulässiger Weise die Ahmadis in ihrer – nicht nur öffentlichen – Glaubensbetätigung einschränken.[23]

Neben den gesetzlichen und behördlichen Diskriminierungen ist auch das soziale Leben geprägt von Vorurteilen gegenüber den Ahmadis und es kommt immer wieder zu Schikane und Gewaltanwendung. Es herrscht ein feindlich geprägtes Kli-

---

20 VG Sigmaringen, Urt. v. 30.11.2020, Az.: A 13 K 752/18, Rn. 69.
21 VG Sigmaringen, Urt. v. 30.11.2020, Az.: A 13 K 752/18, Rn. 69.
22 VG Sigmaringen, Urt. v. 30.11.2020, Az. A 13 K 752/18,Rn. 69.
23 Vgl. VG Sigmaringen, Urt. v. 30.11.2020, Az.: A 13 K 752/18, Rn. 67.

ma zum Beispiel von islamistischen Gruppen wie dem Khatm-e-Nabuwwat, die durch Hasspredigten die Vorurteile den Ahmadiyya gegenüber weiter schüren.[24]

Die Gesamtschau der Situation der Ahmadis in Pakistan ergibt, dass eine Gruppenverfolgung für Ahmadiyya in Pakistan anzunehmen ist.

Hinweise zur Fallprüfung   !

Eine andere Ansicht ist vertretbar.

Bob hat jedoch seine religiösen Aktivitäten in Deutschland eingestellt. Nach Auffassung des BAMF sei auch davon auszugehen, dass er dies bei der Rückkehr nach Pakistan beibehalten werde. Fraglich ist daher, ob eine Gruppenverfolgung und damit ein Rückschluss auf die individuelle Verfolgung Bob nur dann anzunehmen ist, wenn es sich bei ihm um einen „bekennenden Ahmadi" handelt.

Allerdings sind die Ausführungen des BAMF bezüglich der nicht bekennenden Ahmadis problematisch: Es kann gerade nicht nur auf ein Bekenntnis ankommen, vielmehr werden Ahmadis in Pakistan unabhängig hiervon diskriminiert und verfolgt.

Letztlich liegt also eine Gruppenverfolgung vor. Bob wird als Anhänger einer verfolgten Gruppe (Ahmadiyya-Glaubensgemeinschaft) verfolgt.

Hinweise zur Fallprüfung   !

Im Ergebnis kann hier auch eine Gruppenverfolgung verneint werden. Aktuell geht ein Großteil der Rechtsprechung davon aus, dass Angehörige der Glaubensgemeinschaft der Ahmadiyya in Pakistan nicht allein wegen ihrer Zugehörigkeit zur Glaubensgemeinschaft der Ahmadiyya einer Gruppenverfolgung ausgesetzt sind.[25] Hier wird die Meinung des VG Sigmaringen vertreten, auf dem der Fall basiert. Erwähnenswert ist an dieser Stelle auch das VG Trier, das eine Art vermittelnde Ansicht vertritt und jedenfalls für bekennende Ahmadis eine Gruppenverfolgung bejaht.[26]

---

b) Verfolgungsgründe § 3b AsylG

Die Verfolgungshandlung müsste aus einem **Verfolgungsgrund** im Sinne des § 3b AsylG geschehen sein. Verfolgungsgründe liegen laut § 3b AsylG dann vor, wenn der

---

24 Vgl. VG Sigmaringen, Urt. v. 30.11.2020, Az.: A 13 K 752/18, Rn. 69.
25 OVG RP, Urt. v. 29.6.2020, Az.: 13 A 10206/20; OVG SA, Urt. v. 29. 8.2019, Az.: 3 A 770/17.A; VGH BW, Urt. v. 12.6.2013, Az.: A 11 S 757/13; andere Ansicht VG Sigmaringen, Urt. v. 30.11.2020, Az.: A 13 K 752/18.
26 Vgl. VG Trier, Urt. v. 10.3.2021, Az.: 10 K 2355/20.TR; VG Trier, Urt. v. 10.2.2021, 10 K 2840/20.TR.

betroffenen Person aufgrund eines der genannten Merkmale („Rasse", Religion, bestimmte soziale Gruppe etc.) kein Schutz im Staat seiner Staatsangehörigkeit gewährt wird. Es handelt sich beim Flüchtlingsschutz damit strukturell um den Schutz vor diskriminierenden Handlungen, das ist auch der Unterschied zum „subsidiären Schutz".[27]

Die Verfolgungshandlungen erfährt Bob wie bereits dargestellt in Bezug zu seiner **Religionszugehörigkeit**, einem der in § 3b AsylG genannten Merkmale, zu der Glaubensgemeinschaft der Ahmadiyya. Ein Verfolgungsgrund im Sinne des § 3b I Nr. 2 AsylG liegt somit vor.

---

i **Weiterführendes Wissen**

Exkurs: Auslegungsregel des § 3b II AsylG
Wie bereits aus dem Wortlaut von § 3b II AsylG hervorgeht, der auf die begründete Furcht vor Verfolgung abstellt, kommt es nicht auf die objektive Lage an, sondern nur darauf, ob die angeführten Verfolgungsgründe den antragstellenden Personen durch die verfolgenden Akteure zugeschrieben werden.[28]

Weiterführendes Wissen
Taufe als Rechtstatsache – BVerfG[29]
Für die etwas andere – aber in der Praxis häufige – Fallkonstellation, dass ein Schutzsuchender erst in Deutschland zum Christentum übergetreten ist beziehungsweise erst hier getauft wurde („**Konversion**") und deswegen Furcht vor Verfolgung im Herkunftsland geltend macht (nach § 28 Ia AsylG schließen selbstgeschaffene Nachfluchtgründe die Zuerkennung der Flüchtlingseigenschaft nicht grundsätzlich aus), hat das BVerfG[30] folgendes festgelegt: „Die Wirksamkeit einer nach kirchenrechtlichen Vorschriften vollzogenen Taufe und damit die Mitgliedschaft des Schutzsuchenden in der Kirchengemeinschaft, darf von den Verwaltungsgerichten nicht in Frage gestellt werden. Vielmehr haben diese die Kirchenmitgliedschaft als Rechtstatsache zu beachten und der flüchtlingsrechtlichen Prüfung zugrunde zu legen." Das heißt, dass in solchen Fällen ein Verfolgungsgrund im Sinne des § 3b AsylG gegeben ist. Allerdings ist in Fällen, in denen nicht schon die bloße Taufe als verfolgungsbegründend angesehen wird (zum Beispiel Iran), entscheidend „von der Zugehörigkeit zu einer Religionsgemeinschaft zu unterscheiden, ob und bejahendenfalls welche Aspekte einer Glaubensüberzeugung oder Glaubensbetätigung in einer die Furcht vor Verfolgung begründenden Intensität für die religiöse Identität des individuellen Schutzsuchenden prägend sind oder nicht." Denn dann liegt eine individuelle hinreichend schweren Verfolgungshandlung vor.

---

27 Siehe zum subsidiären Schutz Ebert, *16) Häusliche Gewalt* in diesem Fallbuch.
28 Bergmann, in: Bergmann/Dienelt, Ausländerrecht, 13. Aufl. 2020, AsylG § 3b Rn. 3.
29 BVerfG, Beschl. v. 3.4.2020, Az.: 2 BvR 1838/15.
30 BVerfG, Beschl. v. 3.4.2020, Az.: 2 BvR 1838/15 .

c) Kausalität zwischen Verfolgungsgründen und Verfolgungshandlung § 3a III AsylG

Zusätzlich müsste zwischen der in § 3a AsylG normierten Verfolgungshandlung und dem in § 3b AsylG Verfolgungsgrund eine **kausale Verknüpfung** bestehen (vgl. § 3a III AsylG). Diese ist im Sinne einer objektiven Gerichtetheit festzustellen.

Hinweise zur Fallprüfung   !

Diese Frage wird bisweilen auch schon bei den Verfolgungsgründen (vgl. unter b) Verfolgungsgründe § 3b AsylG) geprüft. Die erforderliche Kausalität ist eine wichtige Schnittstelle für die Abgrenzung der einzelnen Schutzstatus. Sollte die erforderliche Kausalität nicht vorliegen, ist die Prüfung der Flüchtlingseigenschaft an dieser Stelle zu Ende. Oftmals kommt dann aber der subsidiäre Schutz im Sinne des § 4 AsylG in Betracht.

Die Verknüpfung ist anhand ihres inhaltlichen Charakters nach der erkennbaren Gerichtetheit der Maßnahme selbst zu beurteilen und nicht nach den subjektiven Gründen oder Motiven, die den Verfolgenden dabei leiten. Unerheblich ist, ob der Geflüchtete tatsächlich die Merkmale aufweist, die zur Verfolgung führen, sofern ihm diese Merkmale von seinem Verfolger zugeschrieben werden, vgl. § 3b II AsylG.

Die Verfolgungshandlung (beziehungsweise Gruppenverfolgung) geschieht gerade wegen der Zugehörigkeit von Bob zu der Religion der Ahmadiyya.

Die erforderliche Verknüpfung im Sinne des § 3a III AsylG liegt somit vor.

d) Begründete Furcht vor Verfolgung § 3 I Nr. 1 AsylG

Die Furcht vor Verfolgung ist begründet, wenn die vorgenannten Gefahren wegen der im Herkunftsland gegebenen Umstände in Anbetracht der individuellen Lage tatsächlich drohen, vgl. § 3 I Nr. 1 AsylG.

Beim Flüchtlingsschutz gilt für die **Verfolgungsprognose** ein **einheitlicher Wahrscheinlichkeitsmaßstab.** Dieser orientiert sich an der Rechtsprechung des EGMR, der bei der Prüfung des Art. 3 EMRK auf die tatsächliche Gefahr abstellt („**real risk**"). Dies entspricht dem Maßstab der **beachtlichen Wahrscheinlichkeit.**[31]

Der Wahrscheinlichkeitsmaßstab erfordert die Prüfung, ob bei einer zusammenfassenden Würdigung des zur Prüfung gestellten Lebenssachverhalts die für eine Verfolgung sprechenden Umstände ein größeres Gewicht besitzen und deshalb gegenüber den dagegensprechenden Tatsachen überwiegen. Dabei ist eine „qualifizierende" Betrachtungsweise im Sinne einer Gewichtung und Abwägung aller fest-

---

31 BVerwG Urt. v. 4.7.2019, Az.: 1 C 31.18.

gestellten Umstände und ihrer Bedeutung anzulegen. Es kommt darauf an, ob in Anbetracht dieser Umstände bei einem vernünftig denkenden, besonnenen Menschen in der Lage des Betroffenen Furcht vor Verfolgung hervorgerufen werden kann.

Im Falle der hier angenommenen und oben erörterten Gruppenverfolgung bestehen auch hinsichtlich des Wahrscheinlichkeitsmaßstabs Besonderheiten. Auch im Fall einer „Gruppenverfolgung"[32] kann eine begründete Furcht vor Verfolgung vorliegen. In diesem Fall muss neben der Zugehörigkeit zur Gruppe für die Gruppe die beachtliche Wahrscheinlichkeit einer Verfolgung bestehen. Da Bob den Ahmadi angehört und wie schon oben gezeigt die Ahmadi in Pakistan von Gruppenverfolgung betroffen sind, ist hier dem Wahrscheinlichkeitsmaßstab genüge getan.

ℹ Weiterführendes Wissen

Exkurs zur „Verfolgungsvermutung" des Art. 4 IV RL 2011/95/E (**Vorverfolgung**)
Nach dieser Vorschrift ist die Tatsache, dass eine antragstellende Person bereits im Herkunftsland verfolgt wurde oder unmittelbar von Verfolgung bedroht war, ein ernsthafter Hinweis darauf, dass seine Furcht vor Verfolgung begründet ist. Etwas anderes soll nur dann gelten, wenn stichhaltige Gründe gegen eine erneute derartige Bedrohung sprechen. Für diejenige Person, die bereits Verfolgung erlitten hat oder von Verfolgung unmittelbar bedroht war, gilt also die beweiserleichternde – allerdings widerlegliche – Vermutung, dass sich frühere Verfolgungshandlungen und Bedrohungen bei einer Rückkehr in das Herkunftsland wiederholen werden.

e) Verfolgungsakteur § 3c AsylG

Die Verfolgung müsste auch von einem **Verfolgungsakteur** im Sinne des § 3c AsylG ausgehen.

Die Verfolgung kann gemäß § 3c Nr. 1–3 AsylG ausgehen von einem Staat, einer Partei oder Organisation, die den Staat oder einen wesentlichen Teil des Staatsgebiets beherrscht, oder von nicht-staatlichen Akteuren, wenn der Staat oder andere Akteure erwiesenermaßen nicht in der Lage oder willens sind, Schutz vor Verfolgung zu bieten.

In Betracht kommen könnten hier sowohl **staatliche als auch nicht-staatliche Akteure** im Sinne des § 3c Nr. 3 AsylG.

Eine staatliche Verfolgung kann mittelbar gegeben sein, wenn der Staat durch seine Organe oder Amtswalter handelt oder Handlungen unterlässt. Allerdings ist der bloße **Amtswalterexzess** keine mittelbare staatliche Verfolgung. Vorliegend haben die Polizisten tatenlos dabei zugesehen, als Bob mit dem Leben bedroht wurde. Die Polizisten haben dadurch bewusst eine diskriminierende staatliche Haltung ge-

---

32 Vgl. BVerwG, Urt. v. 21.4.2009, Az.: 10 C. 08.

Johanna du Maire

genüber Angehörigen der Ahmadiyya zum Ausdruck gebracht. Hier liegt ein staatliches Versagen in Kenntnis der Verfolgung vor, welches ihm durch das Unterlassen der Polizisten zurechenbar ist.

Nicht-staatliche Akteure im Sinne des § 3c Nr. 3 AsylG können jegliche natürliche Personen und jegliche Organisationen (Vereinigungen, Bewegungen, Milizen, Familienclans, Terrorgruppen etc.) sein. Eine Verfolgung liegt jedoch nur dann vor, sofern der Staat und eventuell vorhandene andere Schutzakteure erwiesenermaßen nicht in der Lage oder willens sind, Schutz vor der Verfolgung zu bieten, wenn also die betroffenen Personen den nicht-staatlichen Akteuren schutzlos ausgeliefert sind.

Hinweise zur Fallprüfung ❗

Welche Anforderungen an das „erwiesenermaßen", „nicht in der Lage" und „nicht willens" zu stellen sind, ist in der gerichtlichen Praxis vielfach ein ganz relevanter Punkt, zu dem dann vorgetragen werden sollte.

Durch die dargelegten eingeführten Gesetze und der bestehenden Diskriminierung seitens Pakistans zeigt sich deutlich, dass der Staat zwar in der Lage wäre, die Verfolgung zu unterbinden, jedoch nicht willens ist. Im Gegenteil, die Diskriminierung wird durch den Staat vielmehr „gefördert", indem immer neue Regelungen zur Diskriminierung eingeführt werden.

Verfolgungsakteure gemäß § 3c AsylG liegen somit vor.

Weiterführendes Wissen ℹ

Exkurs zu „**Verfolgungsakteuren**"

Einer der bedeutsamen Unterschiede zwischen dem Asylgrundrecht des Art. 16a GG und dem internationalen Schutz stellt das weiter gefasste Verständnis der Akteure dar, von denen eine Verfolgung ausgehen kann. Während bei Art. 16a GG nicht-staatliche Akteure gar nicht berücksichtigt werden, ist dies beim internationalen Schutz unter den Voraussetzungen von § 3c Nr. 3 AsylG der Fall. Regelmäßig wird die Verfolgung von einem staatlichen Hoheitsträger ausgehen, § 3c Nr. 1 AsylG. Aber auch Akteure nach Nr. 2 und 3 sind erfasst, wodurch der Kreis der potentiellen Verfolger auf nicht staatliche Akteure, gegen die von staatlicher Seite kein wirksamer Schutz besteht, erweitert wurde. Ein besonderer Organisationsgrad ist dabei nicht erforderlich. Daher kommt die Zuerkennung der Flüchtlingseigenschaft nicht nur bei einer Verfolgung durch Milizen oder Clans in Betracht, sondern auch durch Einzelpersonen etwa Familienangehörige oder Nachbarn.

---

f) Inländische Schutzalternativen, §§ 3d, 3e AsylG

Die Flüchtlingseigenschaft wird nicht zuerkannt, wenn für den Flüchtling eine **innerstaatliche Fluchtalternative** besteht. Gemäß § 3e AsylG wird dem Geflüchteten

die Flüchtlingseigenschaft nicht zuerkannt, wenn er in einem Teil seines Herkunftslandes keine begründete Furcht vor Verfolgung oder Zugang zu Schutz vor Verfolgung nach § 3d AsylG hat und sicher und legal in diesem Landesteil reisen kann,
dort aufgenommen wird und vernünftigerweise erwartet werden kann, dass er sich
dort niederlässt.

Das Bundesamt macht in seiner Begründung geltend, dass Bob in die Stadt Rabwah ziehen könnte und damit eine zumutbare Fluchtalternative zur Verfügung
steht.

Zwar ist Rabwah für Ahmadis vergleichsweise sicher, aber eben auch nicht ausreichend sicher. Auch dort gelten die obengenannten Gesetze. Es kann nicht unterstellt werden, dass die Gesetze dort nicht angewandt werden. Zudem ist auch in
Rabwah die religiöse Betätigung von Ahmadis beschränkt. Größere Ansammlungen
von Gläubigen sind verboten. Das tägliche Leben findet insofern in einem Klima
ständiger unterschwelliger Bedrohung statt. Hinzu kommt, dass gerade in letzter
Zeit die Aktivitäten fundamentalistischer Organisationen wie der Khatm-e-Nabuwwat (im Zusammenhang mit der Parlamentswahl 2018) gegen Ahmadis in Rabwah
zugenommen haben und die gesamte öffentliche Verwaltung in Rabwah von sunni-
tisch-orthodoxen Muslimen bestimmt wird.

Eine generelle Diskriminierung der Einwohner*innen Rabwahs zeigt sich auch
dadurch, dass die durch die Ahmadiyya gegründete Stadt gegen ihren Willen 1999
seitens der Regierung in den Namen Chenab Nagar umbenannt wurde.

Im Fall verfolgter Ahmadis in Pakistan fehlt es insoweit bereits an der nach § 3e
I Nr. 1 AsylG erforderlichen Verfolgungssicherheit in einem Teil des Heimatlandes.
Dies gilt umso mehr, weil Rabwah kein „Landesteil" ist, sondern lediglich eine
Kleinstadt.[33]

Schließlich liegt auf der Hand, dass Ahmadis aus Rabwah besonders leicht zur
Zielscheibe fundamentalistischer orthodoxer Muslime werden können, weil sie als
solche aufgrund ihrer Herkunft besonders leicht identifizierbar sind.

Angesichts dieser Sachlage erscheint es mit Sinn und Zweck des Instituts des
„internen Schutzes" nicht vereinbar, Rabwah als interne Fluchtalternative für Ahmadis anzusehen.

Es gibt somit keine inländische Fluchtalternative für Bob.

g) Ausschlusstatbestände, § 3 II, III AsylG, § 3 IV AsylG i. V. m. § 60 VIII AufenthG

Ausschlusstatbestände sind nicht einschlägig.

---

[33] VG Sigmaringen, Urt. v. 30.11.2020, Az.: A 13 K 752/18, Rn. 81.

Johanna du Maire

Weiterführendes Wissen   **i**

Ausschlussgründe gemäß § 3 II, III, § 3 IV AsylG (i.V.m. § 60 VIII AufenthG)

§ 3 II, III AsylG enthalten einen Katalog an Gründen, bei deren Vorliegen eine Zuerkennung der Flüchtlingseigenschaft zu verneinen ist. Dies ist der Fall, wenn sie

–   bereits unter Schutz und Beistand einer UN-Organisation (zum Beispiel UNWRA) stehen,
–   Völkerrechtsverbrechen begangen haben,
–   schwere nichtpolitische Verbrechen außerhalb des Aufnahmelandes begangen haben,
–   oder Handlungen, die den Zielen und Grundsätzen den UN zuwiderlaufen, begangen haben.

Nach § 3 IV AsylG (i.V.m. § 60 VIII AufenthG) liegt ein Ausschlussgrund vor, wenn die Person eine Gefahr für die Sicherheit Deutschlands oder für die Allgemeinheit darstellt, und schließlich nach § 60 I 2, 3 AufenthG, wenn die Person in einem anderen Staat als GFK-Flüchtling anerkannt ist.

---

2. Zwischenergebnis

Alle Voraussetzungen der Zuerkennung der Flüchtlingseigenschaft liegen vor. Bob hat daher einen Anspruch auf Zuerkennung der Flüchtlingseigenschaft gemäß § 3 AsylG.

IV. Ergebnis

Eine Verpflichtungsklage von Bob ist zulässig und begründet. Sie hat Aussicht auf Erfolg.

Weiterführende Studienliteratur
–   VG Sigmaringen, Urt. v. 30.11.2020, Az.: A 13 K 752/18
–   Stefan Keßler: „Nun sag, wie hast Du's mit der Religion?" – Anmerkung zur Entscheidung des BVerfG vom 3.4.2020, Az.: 2 BvR 1838/15, Asylmagazin 2020, 225
–   Leitfaden zum Flüchtlingsrecht

Zusammenfassung: Die wichtigsten Punkte
–   Aufbau Begründetheit der Verpflichtungsklage
–   Flüchtlingsanerkennung aus religiösen Gründen
–   Gruppenverfolgung: Ahmadiyya gelten in Pakistan nach aktuell überwiegender Auffassung in der Rechtsprechung nicht als gruppenverfolgt. Einzelne Verwaltungsgerichte sind aber anderer Auffassung.

Johanna du Maire

Johanna du Maire

Fall 15
Gleichgeschlechtliche Liebe

Behandelte Themen: Materielles Asylrecht, Flüchtlingsschutz, Soziale Gruppe, LGBTIQ-Personen, Gender Identity, Geschlechtsidentität, Irak

Schwierigkeitsgrad: Fortgeschrittene

Sachverhalt

Ammar (A) wurde 1991 geboren und hat die irakische Staatsbürgerschaft. Für A wurde zwar der männliche Personenstand eingetragen, A identifiziert sich aber als weibliche Person, beziehungsweise als Person ohne eindeutige Geschlechtszuordnung. Im Herbst 2019 ist A nach Deutschland eingereist.

In der Anhörung vor dem Bundesamt für Migration und Flüchtlinge (BAMF) trug A folgendes vor:

- A habe zuletzt in Bagdad gelebt. Die Entscheidung zu fliehen hätte A getroffen, nachdem in unmittelbarer Nachbarschaft ein A entfernt bekannter Mann wegen seiner langen Haare und vermeintlichen Homosexualität von Unbekannten mitten am Tag brutal ermordet wurde. Im Nachgang der Tat hätte A gesehen, dass die Polizei keinerlei Anstrengungen unternommen habe, um die Täter zu finden. A hätte Angst gehabt, als nächstes „dran" zu sein.
- A wisse schon seit der Jugend, selbst kein Mann zu sein. A gab an, als Kind innerhalb der Familie geschlagen worden zu sein, wenn A sich nach Auffassung der Eltern „feminin" verhalten habe. A fühle sich nicht als Mann, sondern eher als Frau – am wohlsten fühlt sich A jedoch meistens ohne eindeutige Geschlechtszuordnung. A gibt an, die eigene Geschlechtszuordnung sei nicht-binär. A trägt lange Haare und ist glattrasiert, nutzt Make-up, um möglichst androgyn zu wirken und kleidet sich entsprechend androgyn. Zudem hat A ein Stimmtraining im Internet absolviert, um die Stimmlage zu verändern. In Deutschland habe sich A einen Termin für eine Beratung zur Hormontherapie geben lassen, der bald anstehe. A strebt zum Zeitpunkt der Anhörung keine geschlechtsangleichenden Operationen an. A hatte in der Vergangenheit ausschließlich romantische Beziehungen zu Frauen und war mit einer Frau, Z, verheiratet. A gibt die eigene sexuelle Orientierung als homosexuell an.

Die Herkunftslandinformationen ergeben folgendes Bild zur Lage im Irak.
- Im Irak wird Homosexualität nicht direkt kriminalisiert. Jedoch nutzen Behörden andere Straftatbestände wie Erregung öffentlichen Ärgernis oder Prostitution überproportional häufig, um Personen zu verhaften, die gleichgeschlechtliche sexuelle Beziehungen eingehen. Eine einheitliche Verfolgungspraxis sei jedoch nicht auszumachen.[1]
- Mitglieder der LGBTIQ-Gemeinschaft und Personen, die als solche wahrgenommen werden, sind schwerer Diskriminierung, Drohungen, körperlichen Angriffen, Entführungen und in manchen Fällen auch der Gefahr der Ermordung ausgesetzt.[2] Die irakische Regierung sei auch selbst direkt an Menschenrechtsverletzungen gegenüber LGBTIQ-Personen beteiligt gewesen.[3]
- Transgeschlechtliche Personen seien im gesamten Irak bereits aufgrund ihrer Existenz einer hohen Gefahr ausgesetzt, insbesondere diejenigen, die sich einer Hormontherapie unterziehen und bei denen bereits körperliche Veränderungen erkennbar sind. Entsprechende Hormonbehandlungen und Operationen sind im Irak nicht legal. Personen, die sich außerhalb des Irak einer solchen Operation unterziehen würden, hätten Schwierigkeiten, bei ihrer Rückkehr Dokumente ausgestellt zu bekommen, die ihr Geschlecht nach der Operation wiedergeben würden. Diese lebensbedrohlichen Umstände für Transpersonen würden von der Polizei, Familien, Nachbar*innen und selbst Unbekannten ausgehen.[4]

Mit Bescheid vom 2.2.2021 lehnte das BAMF den Asylantrag von A ab. Es erkannte weder die Flüchtlingseigenschaft noch den subsidiären Schutzstatus zu und stellte fest, dass auch Abschiebungsverbote nach § 60 V und VII AufenthG nicht vorliegen.

Zur Begründung der Ablehnung des Antrags von A führte das BAMF im Wesentlichen aus:
- Zwar habe A ein Auftreten, was von typischen Geschlechterrollen abweiche, doch könne „er" dieses Aussehen leicht verändern.
- Ein bloßes sich Fühlen als Frau ohne äußere Erkennbarkeit löse noch keine begründete Furcht vor flüchtlingsrelevanter Verfolgung aus.

---

1 EUAA, Query response on Iraq: Situation of LGBTI persons, 13.10.2021, ecoi.net: ID 2062153; VG Hannover, Urt. v. 18.11.2019, Az.: 6 A 4557/17, Rn. 34.
2 UNAMI/OHCHR, Report on Human Rights in Iraq; July to December 2017, 8.7.2018, S. 16, ecoi.net: ID 1457698; ACCORD, Anfragebeantwortung zum Irak: Lage von LGBTIQ+-Personen, 1.12.2021, ecoi. net: ID 2064702; EASO, Country of Origin Information Report, Iraq: Targeting of Individuals, März 2019, S. 78; BFA, Länderinformationsblatt Irak, S. 91.
3 IraQueer, Fighting for the Right to Live, The State of LGBT + Human Rights in Iraq, 2018, S. 13.
4 IraQueer, Fighting for the Right to Live, The State of LGBT + Human Rights in Iraq, 2018, S. 10.

- As Personenstandseintrag sei männlich, daher sei As Ehe zu Z heterosexuell. Insgesamt ergebe der Vortrag zu As sexueller Orientierung, dass A heterosexuell sei.
- Zudem gebe es keine Verfolgungshandlung, die sich individuell gegen A richtete, sondern A stütze sich nur auf allgemeine Befürchtungen.

Fallfrage

Zu prüfen ist die materielle Rechtmäßigkeit der Ablehnung des Flüchtlingsschutzes für A.

Bearbeitungshinweis:
Der Bescheid des BAMF ist formell rechtmäßig. Die Rechtmäßigkeit der Ablehnung des subsidiären Schutzes und der Feststellung von Abschiebungsverboten ist nicht zu prüfen.

Lösungsvorschlag

Zu prüfen ist, ob die Ablehnung des Flüchtlingsschutzes für A durch das BAMF materiell rechtmäßig ist.

A. Materielle Rechtmäßigkeit des BAMF-Bescheids

Das ist der Fall, wenn eine Ermächtigungsgrundlage gegeben ist und die Voraussetzungen für das Vorliegen der **Flüchtlingseigenschaft** in der Person von A nicht gegeben sind.

I. Ermächtigungsgrundlage

Als Ermächtigungsgrundlage kommen die Regelungen über den Flüchtlingsschutz gemäß §§ 3ff. AsylG in Betracht.

---

i **Weiterführendes Wissen**

Die nationale Rechtsgrundlage zur Zuerkennung der Flüchtlingseigenschaft nach §§ 3ff. AsylG ist in ein Mehrebenensystem eingebettet. Auf völkerrechtlicher Ebene bestimmt die Genfer Flüchtlingskonvention (GFK) die Definition der Flüchtlingseigenschaft und die Rechte von Flüchtlingen.[5] Auf europarechtlicher Ebene wurden diese Vorgaben in der Qualifikations-RL[6] konkretisiert. Zudem wurde durch die Qualifikations-RL die Schutzform des subsidiären Schutzes geschaffen. Diese wird zusammen mit dem Flüchtlingsschutz als internationaler Schutz bezeichnet. Die Einbettung im Mehrebenensystem wird insbesondere bei der Auslegung wertungsoffener Begriffe, wie etwa bei den Verfolgungsgründen relevant.[7]

II. Vorliegen der Voraussetzungen der Ermächtigungsgrundlage

Gemäß § 3 IV AsylG wird einer ausländischen Person, die Flüchtling gemäß § 3 I AsylG ist, die Flüchtlingseigenschaft zuerkannt, sofern keine Ausschlussgründe vorliegen.

---

5 Zu den Grundlagen siehe asyl.net Themen: Flüchtlingsschutz.
6 Richtlinie 2011/95/EU des Europäischen Parlaments und des Rates über Normen für die Anerkennung von Drittstaatsangehörigen oder Staatenlosen als Personen mit Anspruch auf internationalen Schutz, für einen einheitlichen Status für Flüchtlinge oder für Personen mit Anrecht auf subsidiären Schutz und für den Inhalt des zu gewährenden Schutzes, vom 13.12.2011, ABl. EU Nr. L 337, S. 9.
7 Stichwort völkerrechtsfreundliche Auslegung gemäß Art. 59 II, 25 GG; vgl. auch BVerfG, Beschl. v. 14.10.2004, Az.: 2 BvR 1481/04.

Flüchtling gemäß § 3 I AsylG ist eine Person, die sich aus begründeter Furcht vor **Verfolgung** aufgrund eines **Verfolgungsgrundes** gemäß § 3b I AsylG außerhalb ihres Herkunftslandes – dessen Staatsangehörigkeit sie besitzt – befindet, wenn sie den Schutz ihres Herkunftslandes nicht in Anspruch nehmen kann oder wegen der Verfolgungsfurcht nicht in Anspruch nehmen will.

Weiterführendes Wissen

Das BAMF und die Verwaltungsgerichte nutzen verschiedene Erkenntnisquellen, um die für einen Asylantrag maßgeblichen Anhaltspunkte zu prüfen. Nach Art. 4 III lit. a Qualifikations-RL sind sie verpflichtet Informationen zur Lage im Herkunftsland zu berücksichtigen.

Die Verwaltungsgerichte veröffentlichen eine Liste ihrer Erkenntnismittel. Dabei wird den Lageberichten des Auswärtigen Amts (AA) durch BAMF und Verwaltungsgerichte eine besondere Bedeutung beigemessen. Dies wird von Fachleuten kritisiert, da in den AA-Berichten nicht immer die Qualitätsstandards zur Beschaffung von Herkunftslandinformationen eingehalten werden.[8] Die AA-Berichte sind zwar nur für den Dienstgebrauch, aber Asylantragstellende in einem laufenden Verfahren können die Lageberichte zum Herkunftsland bei der Informationsvermittlungsstelle des BAMF beantragen. Es muss ein Dokument aus einem laufenden Verfahren oder ein Antrag ans BAMF oder die Ausländerbehörde beigelegt werden. Maßgeblich für die Recherche von Herkunftslandinformationen ist die Datenbank des European Country of Origin Information Network (ecoi.net) von ACCORD, einer Abteilung des Österreichischen Roten Kreuzes. Diese enthält Informationen von über 160 Quellen, die regelmäßig aktualisiert werden.

Zum vorliegenden Fall können folgende Quellen beachtlich sein:
- UNHCR-Erwägungen zum Schutzbedarf von Personen, die aus dem Irak fliehen[9]
- ILGA World: State-Sponsored Homophobia Report[10]
- Amnesty International: Menschenrechtsberichte[11]
- US Department of State: Menschenrechtsberichte[12]

---

8 Zu den Standards siehe Leitfaden des Österreichischen Roten Kreuzes und ACCORD, Recherche von Herkunftsländerinformationen, Stand: Dezember 2014.
9 UNHCR-Erwägungen zum Schutzbedarf von Personen, die aus dem Irak fliehen, Mai 2019, HCR/PC/IRQ/2019/05.
10 ILGA World, State-Sponsored Homophobia 2020: Global Legislation Overview Update.
11 Abrufbar unter www.amnesty.de unter „Informieren", „Amnesty Report".
12 Abrufbar unter www.state.gov unter „Bureaus & Offices", „Civilian Security, Democracy, and Human Rights", "Bureau of Democracy, Human Rights and Labor", "Reports", "Country Reports on Human Rights Practices".

Pia Lotta Storf

1. Verfolgungsgrund

❗ Hinweis zur Fallprüfung

Zur Prüfung der Flüchtlingseigenschaft ist es hilfreich ein Prüfungsschema zugrunde zu legen. Dabei weichen in verschiedenen Quellen zu findende Prüfungsreihenfolgen im Aufbau zum Teil voneinander ab.[13]

In der Praxis wird die Prüfung von Verfolgungsgrund, Verfolgungshandlung, Verfolgungsprognose und kausalem Zusammenhang („Nexus") insbesondere bei Gruppenverfolgungen oft zusammen verhandelt. Aus didaktischen Gründen wird in diesem Lösungsvorschlag zunächst der Verfolgungsgrund separat geprüft.

Ein Verfolgungsgrund gemäß § 3b I AsylG müsste vorliegen. Dies ist der Fall, wenn der betroffenen Person aufgrund eines der fünf in der GFK genannten Merkmale („Rasse", Religion, Nationalität, politischen Überzeugung oder Zugehörigkeit zu einer bestimmten sozialen Gruppe) im Staat ihrer Staatsangehörigkeit Verfolgung droht oder kein Schutz gewährt wird.

In Betracht kommt vorliegend insbesondere der Verfolgungsgrund der Zugehörigkeit zu einer bestimmten **sozialen Gruppe**, gemäß § 3b I Nr. 4 AsylG.

❗ Hinweise zur Fallprüfung

Hier ließe sich auch über weitere Verfolgungsgründe nachdenken. In Betracht kommt zusätzlich eine religiöse[14] oder politisch motivierte Verfolgung[15]. Die als abweichend markierte sexuelle Orientierung und geschlechtliche Identität kann als Bruch mit der religiösen oder politischen Norm verstanden werden.[16] Die Falllösung orientiert sich daran wie Verwaltungsgerichte an ähnliche Fallgestaltungen herangehen und ist daher auf die Probleme der Verfolgung aufgrund der Zugehörigkeit zu einer sozialen Gruppe zugeschnitten.

Eine bestimmte soziale Gruppe liegt laut § 3b I Nr. 4 AsylG vor, wenn die Mitglieder dieser Gruppe angeborene Merkmale, einen unveränderbaren gemeinsamen Hintergrund gemein haben oder Merkmale teilen, die so bedeutsam für die Identität oder das Gewissen sind, dass die betreffende Person nicht gezwungen werden darf, auf sie zu verzichten, § 3b I Nr. 4 lit. a AsylG. Nach dem Wortlaut der Norm („und") muss die Gruppe zudem in dem betreffenden Land eine deutlich abgegrenzte Iden-

---

[13] Siehe etwa das Prüfungsschema in Fall Nr. 14 Ahmadiyya in Pakistan.
[14] UNHCR, Richtlinien zum Internationalen Schutz Nr. 9 zur Verfolgung von LGBTI-Personen, 2012, Rn. 42.
[15] Sußner, Flucht-Geschlecht-Sexualität. Eine menschenrechtsbasierte Perspektive auf Grundversorgung und Asylstatus, 2020, S. 303.
[16] VG Hannover, Urt. v. 18.11.2019, Az.: 6 A 4557/17, Rn. 25; ausführlich Sußner, 2020, S. 170 ff.

tität haben und von der sie umgebenden Gesellschaft als andersartig betrachtet werden, § 3b I Nr. 4 lit. b AsylG.

Hinweise zur Fallprüfung ❗

Nach dem Wortlaut von § 3b I Nr. 4 AsylG (und auch Art. 10 lit. d S. 1 Qualifikations-RL) müssen die Voraussetzungen des angeborenen Merkmals „und" der abgrenzbaren Identität kumulativ erfüllt sein. Demgegenüber setzt der UNHCR voraus, dass ein gemeinsames Merkmal vorliegt oder die Gruppe von der Gesellschaft als eine Gruppe wahrgenommen wird.[17]

Eine Verfolgung wegen der Zugehörigkeit zu einer bestimmten sozialen Gruppe kann auch vorliegen, wenn sie an die **sexuelle Orientierung und geschlechtliche Identität** anknüpft, § 3b I Nr. 4 Hs. 2 AsylG.[18]

Aufgrund der Vielschichtigkeit, Fluidität und Interdependenz von As geschlechtlicher Identität (nicht-binär/ transgeschlechtlich)[19] und sexueller Identität (lesbisch bei rechtlicher Geschlechtszuordnung als Mann) kommen verschiedene Gruppenzugehörigkeiten in Betracht. Auch eine erhöhte Vulnerabilität aufgrund des Zusammenspiels verschiedener Gruppenzugehörigkeiten kommt in Betracht.[20]

Weiterführendes Wissen ℹ️

Yogyakarta-Prinzipien zur Anwendung der Menschenrechte in Bezug auf die sexuelle Orientierung und geschlechtliche Identität (im Englischen: sexual orientation gender identity = SOGI)[21]

Die Einleitung der Yogyakarta Prinzipien definiert **Geschlechtsidentität** wie folgt: „Gender identity is understood to refer to each person's deeply felt internal and individual experience of gender, which may or may not correspond with the sex assigned at birth, including the personal sense of the body (which may involve, if freely chosen, modification of bodily appearance or function by medica, surgical or other means) and other expressions of gender, including dress, speech and mannerisms."

Die Einleitung der Yogyakarta Prinzipien definiert **sexuelle Orientierung** wie folgt: „Sexual orientation is understood to refer to each person's capacity for profound emotional, affectional and sexual attraction to, and intimate and sexual relations with, individuals of a different gender or the same gender or more than one gender."

---

17 Siehe hierzu weitergehender Ebert, *16) Häusliche Gewalt*, B.I.3.a in diesem Fallbuch.

18 Grundlegend dazu, EuGH, Urt. v. 7.11.2013, Az.: C-199/12, C-200/12, C-201/12, asyl.net: M21260; ausführlich dazu Markard, Asylmagazin 2013, 402.

19 In der deutschen Rechtsprechung wird Transsexualität teilweise fälschlich als „sexuelle Orientierung" eingeordnet, vgl. VG Regensburg, Urt. v. 12.10.18, Az.: RO 13 K 17.32861, Rn. 27.

20 Sußner, 2020, S. 173ff.

21 Yogyakarta Principles in den sechs Sprachen der Vereinten Nationen: http://yogyakartaprinciples.org/; deutsche Übersetzung: https://www.lsvd.de/de/ct/3359-yogyakarta-prinzipien.

a) Unveräußerliches Merkmal, § 3b I Nr. 4 Hs. 1 lit. a AsylG

Die Geschlechtsidentität von A könnte ein unveräußerliches Merkmal sein.

As Personenstandseintrag ist männlich. Dahingegen ordnet A das eigene Geschlecht als nicht-binär ein, und fühlt sich jedenfalls eher als Frau, denn als Mann. Nach Außen drückt A die geschlechtliche Identität durch lange Haare, glattrasierte Wangen, Make-up, androgyne Kleidung und eine angepasste Stimmlage aus. Jedenfalls entspricht A nicht den gesellschaftlichen Konformitätsvorstellungen an Geschlecht und transzendiert die Binarität der traditionellen Geschlechterordnung. Die Argumentation des BAMF, dass A das eigene Auftreten leicht verändern könnte, lässt sich so verstehen, dass davon ausgegangen wird, dass in der Person von A kein solches unveräußerliches Merkmal vorliegt. As Auftreten ist jedoch unmittelbarer Ausdruck der eigenen Geschlechtsidentität. Die geschlechtliche Identität jenseits der binären Zuordnung als Mann oder Frau ist jedenfalls so fundamental für die Identität, dass eine Person nicht gezwungen werden kann, auf sie zu verzichten, § 3b I Nr. 4 Hs. 2 AsylG.[22]

Ein unveräußerliches Merkmal liegt daher in der Geschlechtsidentität von A vor.

As sexuelle Orientierung könnte ebenfalls ein geschütztes Merkmal sein. A definiert die eigene sexuelle Orientierung als homosexuell. Nach Maßgabe des Personenstandsregisters müssten As Beziehungen zu Frauen als heterosexuell definiert werden. Die sexuelle Orientierung ist als höchstpersönlicher Lebensbereich geschützt.[23] Die Definition des eigenen Begehrens obliegt daher jeder Person selbst.[24] Eine homosexuelle Orientierung ist jedenfalls so fundamental für die Identität, dass eine Person nicht gezwungen werden kann, auf sie zu verzichten.[25]

Sowohl As geschlechtliche Identität als auch As sexuelle Orientierung sind damit geschützte Merkmale gemäß § 3b I Nr. 4 Hs. 1 lit. a AsylG.

Weiterführendes Wissen

In der Praxis stellt die Glaubhaftigkeitsprüfung gerade in SOGI bezogenen Fällen die größte Herausforderung dar.[26] Eine länderbezogene Übersicht aktueller Entscheidungen stellt der LSVD zusammen.[27]

---

22 Vgl. UNHCR, Richtlinien zum Internationalen Schutz Nr. 9 zur Verfolgung von LGBTI-Personen, 2012, Rn. 41.
23 BVerfG, Beschl. v. 22.01.2020, Az.: 2 BvR 1807/19, asyl.net: M28078; vgl. Anmerkung hierzu Braun/Dörr/Träbert, Asylmagazin 2020, S. 81ff.
24 Vgl. Berg/ Millbank, in: Spijkerboer, Fleeing Homophobia, 2013, S. 122f.
25 Dörr/Träbert/Braun, Asylmagazin 2021, S. 262.
26 Vgl. Prinzip 3 der Yogyakarta Prinzipien; Rehaag/ Collin, Canadian Journal of Human Rights 9:1 (2020), S. 3ff.
27 Siehe https://www.lsvd.de/de/recht/rechtsprechung/asylrecht.

Pia Lotta Storf

So hat beispielsweise das VG Magdeburg eine BAMF-Entscheidung korrigiert, in der einem Mann aus Saudi-Arabien die Homosexualität wegen zu klischeehafter Darstellung nicht geglaubt worden war und festgestellt, dass die Flüchtlingseigenschaft vorliegt.[28]

Der EuGH hat in seiner Rechtsprechung Vorgaben zur Prüfung der sexuellen Orientierung als Verfolgungsgrund gemacht. So dürfen Beurteilung nicht anhand von Befragungen erfolgen, die allein auf stereotypen Vorstellungen von homosexuellen Personen beruhen. Befragungen zu sexuellen Praktiken, Beweise oder „Tests" zum Nachweis der sexuellen Orientierung sind unzulässig. Zudem ist es unzulässig, allein deswegen von einer mangelnden Glaubhaftmachung ausgehen, weil eine Person die behauptete sexuelle Ausrichtung nicht bei der ersten Gelegenheit zur Darlegung der Verfolgungsgründe geltend gemacht hat.[29] Psychologische Tests und Gutachten zur Feststellung von Homosexualität wiederum sind laut EuGH unter bestimmten Bedingungen zulässig.[30]

Das Difference, Stigma, Shame, and Harm Modell (DSSH-Modell)schlägt vor, dass sich die Befragung darauf konzentrieren sollte, die Wahrnehmung der Asylsuchenden in Bezug auf die Differenz, die Stigmatisierung, die Scham und den Schaden, den sie erfahren haben, zu eruieren.[31]

b) Abgegrenzte Gruppe, § 3b I Nr. 4 Hs. 1 lit. b AsylG

A müsste aufgrund der unveräußerlichen Merkmale als Teil einer von der umgebenden irakischen Gesellschaft deutlich abgegrenzten Gruppe gesehen werden. Die Verfolgung von A, beziehungsweise As Schutzlosigkeit müsste gerade aus der gesellschaftlichen Betrachtung als andersartig resultieren.[32]

Die Bildung der sozialen Gruppe ist abhängig von der Gesellschaft des Herkunftsstaates. Fragen der sexuellen Orientierung oder der Geschlechtsidentität werden in der irakischen Gesellschaft weitgehend tabuisiert. Abweichungen von tradierten Vorstellungen werden von großen Teilen der Bevölkerung als unvereinbar mit Religion und Kultur abgelehnt.[33]

A weicht von tradierten Geschlechternormen und heteronormativer sexueller Orientierung ab. Es ließe sich einwenden, dass A aus rein personenstandsrechtlicher Sicht heterosexuelle Beziehungen führe. Jedoch dürfte diese Zuschreibung aufgrund der erkennbar von der gesellschaftlichen Norm abweichenden geschlechtlichen Identität As nicht aufrecht zu erhalten sein. Dabei könnte es Kontexte geben, in denen A allein auf der Straße als schwul oder jedenfalls nicht als heterosexueller Mann

---

28 Valentiner, in: Schriften zur Gleichstellung, 2019, S. 15 ff.

29 EuGH, Urteil vom 2.12.2014, Az.: C-148/13, C-149/13, C-150/13, asyl.net: M22497.

30 EuGH, Urteil vom 25.1.2018, Az.: C-473/16, asyl.net: M25902.

31 Vgl. Dawson/Gerber, International Journal of Refugee Law, 29(2), 2017, S. 292–322.

32 Vgl. VG Regensburg, Urt. v. 12.10.2018, Az.: RO 13 K 17.32861, Rn. 27.

33 ACCORD, Anfragebeantwortung zum Irak: Lage von LGBTIQ+-Personen, 1.12.2021; EASO, Country of Origin Information Report, Iraq: Targeting of Individuals, März 2019, S. 78; BFA, Länderinformationsblatt Irak, S. 91.

gelesen würde und Kontexte, in denen A in Begleitung einer Partnerin als lesbisch gelesen würde. Diese Zuschreibung von geschützten Merkmalen ist asylrechtlich relevant, § 3b II AsylG.

Die Verfolgung und besondere Schutzlosigkeit basieren also auf As wahrnehmbarer Abweichung von geschlechtlichen und sexuellen Normen. Daher liegt auch die Zugehörigkeit zu einer gesellschaftlich abgegrenzten Gruppe vor.

A gehört damit einer bestimmten sozialen Gruppe im Sinne des § 3b I Nr. 4 AsylG an.

---

i **Weiterführendes Wissen**

Verfolgungsgründe bei Queerness

Die flüchtlingsrechtliche Prüfung von Queerness als Abweichung von gesellschaftlichen Erwartungen an Geschlecht – sowohl in Bezug auf geschlechtliche Identität als auch sexuelle Orientierung – wird oft anhand von stereotypen Bildern und Erwartungen durchgeführt. Um den Schutz von Personen, die in Bezug auf SOGI verfolgt werden, sicherzustellen, bedarf es einer menschenrechtsbasierten Auslegung des Flüchtlingsrechts.[34] So ist es zum Beispiel wichtig auch nichtgefestigte Identitäten (pretransition etwa) als unveränderliches Merkmal anzuerkennen, da sie unverzichtbar für die Identität sind.[35] Zudem stellen Art. 10 II Qualifikations-RL und § 3b II AsylG klar, dass auch zugeschriebene Homosexualität ein Verfolgungsgrund sein kann. Für eine solche Auslegung enthalten unter anderem die UNHCR, Richtlinien zum Internationalen Schutz Nr. 9, (2012) und die Yogyakarta Prinzipien Interpretationsempfehlungen.[36]

---

2. Verfolgungshandlung

Es müsste eine **Verfolgungshandlung** gemäß § 3a AsylG vorliegen.

---

i **Weiterführendes Wissen**

Als „Verfolgung" im Sinne der Genfer Flüchtlingskonvention wird jede dauerhafte oder systematische Verletzung grundlegender Menschenrechte angesehen. Grundlegende Menschenrechte, von denen selbst im Notstandsfall gemäß Art. 15 EMRK nicht abgewichen werden darf, sind das Recht auf Leben, das Verbot der Sklaverei und das strafrechtliche Gesetzlichkeitsprinzip.

Die Verfolgungshandlung muss eine bestimmte Intensitätsschwelle übersteigen um als Menschenrechtsverletzung zu gelten, § 3a I AsylG:

---

34 Andrade/ Danisi/ Dustin/ Ferreira/ Held, SOGICA Report, Queering Asylum in Europe: A Survey Report, 2020; Markard, Kriegsflüchtlinge, 2012, S. 142ff.
35 BVerwG, Urt. v. 21.04.2009, Az.: 10 C 11/08, Rn. 13 m.w.N.; Dietz, Ausländer- und Asylrecht, § 13 AsylG Rn. 365.
36 BVerwG Urt. v. 13.2.2014, Az.: 10 C 6/13, Rn. 24; BVerwG, Urt. v. 27.4.2010, Az.: 10 C 4/09, Rn. 33; VG Göttingen Urt. v. 8.11.2018, Az.: 2 A 292/17, Rn. 17.

- Schwerwiegende Verletzung aufgrund ihrer Art, Nr. 1 Var. 1
- Schwerwiegende Verletzung aufgrund ihrer Wiederholung, Nr. 1 Var. 2
- Kumulierung verschiedener Maßnahmen, einschließlich einer Verletzung der Menschenrechte, die so gravierend ist, dass eine Person davon in ähnlicher Weise, wie in Nummer 1 beschrieben, betroffen ist, Nr. 2

Eine Verfolgungshandlung setzt nach dem BVerwG einen gezielten aktiven Eingriff in ein geschütztes Rechtsgut voraus.[37] Faktische Bedrohungen oder bürgerkriegsähnliche Zustände genügen nach dem BVerwG dafür nicht. Bei der Bewertung einer Handlung als Verfolgung sind gemäß Art. 4 III lit. c Qualifikations-RL auch die individuelle Lage sowie die persönlichen Umstände der antragstellenden Person miteinzubeziehen.

Als Fluchtgrund trägt A den brutalen Mord eines Bekannten aufgrund dessen angeblicher Homosexualität vor. Wegen dieses Ereignisses hat A Angst, wegen der eigenen nicht-binären Geschlechtsidentität und Homosexualität „als nächstes dran zu sein".

A gibt an, als Kind für „zu feminines Verhalten" von der eigenen Familie geschlagen worden zu sein. Im Erwachsenenalter erfährt A keine derartige körperliche Gewalt durch die eigene Familie mehr.

Fraglich ist, ob diese Ereignisse als flüchtlingsschutzrechtlich relevante Verfolgungshandlungen eingestuft werden können.

Die von A geschilderten Ohrfeigen reichen nicht aus, um als individuelle Verfolgungshandlungen eine Verletzungshandlung im Sinne des § 3a AsylG zu begründen. Zudem fehlt es diesbezüglich an dem erforderlichen unmittelbaren Zusammenhang zwischen den Umständen, die die Furcht vor Verfolgung begründen und der tatsächlichen Flucht. A hat angegeben der Gewalt durch die eigene Familie im Erwachsenenalter nicht mehr ausgesetzt zu sein.

Laut EuGH spricht das Bestehen strafrechtlicher Bestimmungen, die spezifisch homosexuelle Personen betreffen, dafür, dass diese Personen als eine bestimmte soziale Gruppe anzusehen sind; wenn aber diese Rechtsnormen, die Homosexualität oder Abweichungen von cis-Geschlechtlichkeit kriminalisieren oder anderweitig sanktionieren, unangewendet bleiben, stellen sie laut Gerichtshof keine Verfolgungshandlung im Sinne des Art. 9 I Qualifikations-RL dar.[38]

Im Irak wird Homosexualität oder Transgeschlechtlichkeit nicht direkt kriminalisiert.[39] Jedoch nutzen Behörden andere Straftatbestände wie Erregung öffent-

---

37 BVerwG, U. v. 7.11.2009, Az.: 10 C.52.07; Bergmann, in Bergmann/Dienelt, Ausländerrecht, 13. Aufl. 2020, AsylG § 3a Rn. 4.
38 EuGH, Urt. v. 7.11.2013, Az.: C-199/12, C-200/12, C-201/12, asyl.net: M21260.
39 Vgl. VG Hannover, Urt. v. 18.11.2019, Az.: 6 A 4557/17, Rn. 34 unter Bezug auf den Lagebericht des AA von Dezember 2018.

lichen Ärgernis oder Prostitution überproportional häufig, um Personen zu verhaften, die gleichgeschlechtliche sexuelle Beziehungen eingehen; eine einheitliche Verfolgungspraxis ist jedoch nicht auszumachen.[40]

Aufgrund dieser Berichtslage ist davon auszugehen, dass A von staatlichen Behörden mit beachtlicher Wahrscheinlichkeit diskriminierende Maßnahmen drohen. Das Regelbeispiel von Verfolgungshandlungen des § 3a II Nr. 2 AsylG liegt also vor.

A drohen zudem mit **beachtlicher Wahrscheinlichkeit** gewaltsame Übergriffe durch Personen außerhalb der Familie, also durch nicht-staatliche Akteure.

Die Berichte über regelmäßige Gewalt gegen LGBTIQ-Personen zeigen, dass für diese immer die Gefahr im Raum steht, angegriffen zu werden, ohne dass sie auf den Schutz des Staates vertrauen können.[41] Laut Bericht des UN-Sonderberichterstatters wird im Irak in traditionellen und sozialen Medien zur Gewalt gegen Männer und Jungen auf der Basis ihrer tatsächlichen oder der ihnen zugeschriebenen sexuellen Orientierung oder geschlechtlichen Identität aufgerufen. So berichten lokale Quellen von Milizen, die „Tötungslisten" verfasst und als Angehörige sexueller Minderheiten wahrgenommene Personen hingerichtet hätten.[42]

Auf dieser Grundlage ist davon auszugehen, dass die im Irak bestehende soziale Ächtung von homosexuellen, transgeschlechtlichen und allen nicht den traditionellen Geschlechterrollen entsprechenden Personen die asylrechtliche Erheblichkeitsschwelle übersteigt.[43]

Dabei decken sich die Herkunftslandinformationen mit den Angaben von A, wonach eine Person aus dem Bekanntenkreis aufgrund ihrer Homosexualität brutal ermordet wurde.

Aufgrund dessen ist hier davon auszugehen, dass auch das Regelbeispiel des § 3a II Nr. 1 AsylG, die **Anwendung physischer oder psychischer Gewalt**, gegeben ist.

A droht aufgrund dieser Erkenntnisse mit beachtlicher Wahrscheinlichkeit flüchtlingsschutzrechtlich relevante Verfolgung.

---

40 EUAA, Query response on Iraq: Situation of LGBTI persons, 13.10.2021, ecoi.net: ID 2062153; VG Hannover, Urt. v. 18.11.2019, Az.: 6 A 4557/17, Rn. 34.
41 Vgl. VG Regensburg, Urt. v. 12.10.2018, Az.: RO 13 K 17.32861, Rn. 27.
42 ACCORD, Anfragebeantwortung zum Irak: Lage von LGBTIQ+-Personen, 1.12.2021; EASO, Country of Origin Information Report, Iraq: Targeting of Individuals, März 2019, S. 78; BFA, Länderinformationsblatt Irak, S. 91.
43 Vgl. VG Berlin, Urt. v. 2.11.2021, Az.: 29 K 285.17 A, Rn. 22 f.

Hinweise zur Fallprüfung

In der Rechtsprechung wird in solchen Fällen, in denen die Wahrscheinlichkeit einer individuellen Verfolgung abgelehnt wird, auf das Konzept der „**Gruppenverfolgung**" abgestellt.[44] „Gruppenverfolgung" ist ein Begriff, den das BVerwG entwickelt hat. Danach muss eine asylsuchende Person nicht notwendigerweise ein individuelles Verfolgungsschicksal darlegen, sondern kann sich darauf berufen, dass sie einer Gruppe angehört, die im Herkunftsland aus asylerheblichen Gründen verfolgt wird.

Die Gefahr eigener Verfolgung kann sich nicht nur aus gegen eine Person selbst gerichteten Maßnahmen ergeben, „sondern auch aus gegen Dritte gerichteten Maßnahmen, wenn diese Dritten wegen eines asylerheblichen Merkmals verfolgt werden, das [die Person] mit ihnen teilt, und wenn [sie] sich mit ihnen in einer nach Ort, Zeit und Wiederholungsträchtigkeit vergleichbaren Lage befindet (Gefahr der Gruppenverfolgung)".[45]

Bei einer Gruppenverfolgung sehen die Verfolgenden von individuellen Aspekten ab. Vielmehr gilt ihre Verfolgung der gesamten Gruppe. Die einzelnen Mitglieder der Gruppe sind in solchen Fällen unabhängig von ihrem eigenen Verhalten von Verfolgung bedroht, sodass es nur vom Zufall abhängt wer verfolgt wird. Die Feststellung einer solchen gruppengerichteten Verfolgung setzt einen staatlichen Verfolgungsplan oder eine bestimmte Verfolgungsdichte voraus. Diese rechtfertigt die Regelvermutung eigener Verfolgung der einzelnen Gruppenmitglieder.[46]

Abgrenzung: Gruppenbezogener Verfolgungsgrund und Beweiserleichterung

Der Verfolgungsgrund „Zugehörigkeit zu einer bestimmten sozialen Gruppe" ist von dem prozessualen Konstrukt „Gruppenverfolgung", der eine Beweiserleichterung bewirkt, abzugrenzen. Eine soziale Gruppe kann unabhängig davon vorliegen, ob alle Mitglieder der Gruppe verfolgt werden; die Verfolgung ist also gerade kein die Gruppe konstituierendes Merkmal.

Dahingegen ergibt sich die Gruppenverfolgung gerade erst aus der realen Gefahr für eine Vielzahl der Gruppenmitglieder. Bei entsprechender Verfolgungsdichte wird eine widerlegliche Vermutung der Gefahr, verfolgt zu werden, für jede einzelne Person der Gruppe abgeleitet.[47] Für eine solche erhöhte Verfolgungsdichte müssen die Übergriffe so zahlreich, schwer und willkürlich wie eine systematische Verfolgung sein. In einer wertenden Gesamtbetrachtung muss sich für jedes einzelne Gruppenmitglied nicht nur die Möglichkeit, sondern die beachtliche Gefahr eigener Betroffenheit ergeben.[48]

Hinweis: in der Rechtsprechung wir der Begriff „Gruppenverfolgung" nicht konsequent nur für die Bezeichnung dieses Instruments der Beweiserleichterung genutzt. Der Begriff wird uneinheitlich verwendet und häufig auch bei der Prüfung genutzt, ob die Zugehörigkeit zu einer sozialen Gruppe vorliegt.

---

44 Siehe hierzu ausführlich du Maire, *14) Ahmadyyia in Pakistan* in diesem Fallbuch.
45 Markard, Sociologica Del Diritto 2016, 43 (52).
46 VG Göttingen, Urt. v. 8.11.2018, Az.: 2 A 292/17, Rn. 23; VG Hamburg, Urt. v. 24.9.2018, Az.: 8 A 7823/16.
47 VG Göttingen, Urt. v. 8.11.2018, Az.: 2 A 292/17, Rn. 23; VG Hamburg, Urt. v. 24.9.2018, Az.: 8 A 7823/16.
48 BVerwG, Urt. v. 21.4.2009, Az.: 10 C 11/08, asyl.net: M15716; Dietz, Ausländer- und Asylrecht, § 9 Rn. 365.

Pia Lotta Storf

3. Kausalität zwischen Verfolgungsgründen und Verfolgungshandlung oder fehlendem Schutz § 3a III AsylG

Zusätzlich müsste zwischen der in § 3a AsylG normierten Verfolgungshandlung oder dem fehlenden Schutz und dem in § 3b AsylG geregelten Verfolgungsgrund eine **kausale Verknüpfung** bestehen (sogenannter Nexus, vgl. § 3a III AsylG). Die Verknüpfung ist danach zu beurteilen, worauf die Maßnahme oder die Schutzverweigerung objektiv erkennbar gerichtet ist und nicht nach den subjektiven Gründen oder Motiven, die die Verfolgenden oder Schutzakteure dabei leiten. Unerheblich ist, ob die betroffene Person tatsächlich die ausschlaggebenden Merkmale aufweist, sofern ihr diese Merkmale von zugeschrieben werden, vgl. § 3b II AsylG.

Die Verfolgungshandlungen drohen A hier gerade wegen der Wahrnehmung von A als Mitglied der LGBTIQ-Gemeinschaft.

Die erforderliche Verknüpfung im Sinne des § 3a III AsylG liegt somit vor.

4. Begründete Furcht vor Verfolgung

Gemäß § 3 I Nr. 1 AsylG, sowie den zugrundeliegenden Regelungen in Art. 1 A Nr. 2 GFK, Art. 9 Qualifikations-RL kommt es auf die Furcht vor Verfolgung an. Daher sind nicht nur erlittene, sondern auch mit **beachtlicher Wahrscheinlichkeit ("real risk")** drohende Menschenrechtsverletzungen zu berücksichtigen.[49]

Es kommt darauf an, ob bei einer Gesamtschau aller festgestellten Umstände und ihrer Bedeutung bei einer besonnenen, vernünftig denkenden Person in der Lage der Betroffenen Furcht vor Verfolgung hervorgerufen werden könnte.[50]

Aufgrund der oben dargestellten Berichtslage, ist davon auszugehen, dass A bei potenzieller Rückkehr mit beachtlicher Wahrscheinlichkeit Verfolgungshandlungen ausgesetzt sein wird. Die Verfolgungsprognose ist daher zu bejahen.

ℹ️ Weiterführendes Wissen

„Diskretion"

2013 urteilte der EuGH: „Bei der Prüfung eines Antrags auf Zuerkennung der Flüchtlingseigenschaft können die zuständigen Behörden vernünftigerweise nicht erwarten, dass der Asylbewerber seine Homosexualität in seinem Herkunftsland geheim hält oder Zurückhaltung beim Ausleben seiner sexuellen Ausrichtung übt, um die Gefahr einer Verfolgung zu vermeiden."[51]

---

49 OVG NRW, Urt. v. 29.10.2020, Az.: 9 A 1980/17.A, Rn. 32 – juris; Kluth, in: BeckOK AuslR, 33. Ed. 1.4.2022, AsylG § 3a Rn. 12.
50 Vgl. BVerwG, Urt. v. 20.2.2013, Az.: 10 C 23/12, Rn. 32 – juris; Beschl. v. 7.2.2008, Az.: 10 C 33/07, Rn. 37 – juris.
51 EuGH, Urt. v. 7.11.2013 – C-199/12; C-200/12; C-201/12; asyl.net: M21260; vgl. auch zur Klarstellung der Übersetzung, asyl.net Meldung vom 21.10.2021.

Zudem darf die „Diskretion" bezüglich der sexuellen Orientierung weder unterstellt noch prognostisch vermutet werden.[52] Ausgangspunkt für die Prüfung der Verfolgungswahrscheinlichkeit muss also grundsätzlich eine offen gelebte sexuelle Orientierung sein.[53] Das diskrete Ausleben der sexuellen Orientierung schützt zudem nicht sicher vor Verfolgung. Denn bereits das Aufkommen eines entsprechenden Verdachts kann zu Verfolgungshandlungen führen.[54]

5. Verfolgungsakteur

Die Verfolgung kann von staatlichen oder von staatsähnlichen Stellen ausgehen (§ 3c AsylG) oder von nicht-staatlichen Akteur*innen (§ 3d AsylG), sofern weder die vorgenannten Akteur*innen noch internationale Organisationen willens oder in der Lage sind Schutz vor Verfolgung zu bieten.

Der Schutz vor Verfolgung muss nach § 3d II AsylG wirksam und darf nicht nur vorübergehend sein. Generell ist ein solcher Schutz gewährleistet, wenn die in Nr. 1 und Nr. 2 genannten Akteur*innen geeignete Schritte einleiten, um die Verfolgung zu verhindern, beispielsweise durch wirksame Rechtsvorschriften zur Ermittlung, Strafverfolgung und Ahndung von Handlungen, die eine Verfolgung darstellen, und wenn die betroffene Person Zugang zu diesem Schutz hat.

Übereinstimmende Berichte des Auswärtigen Amtes, US-amerikanischen Außenministeriums und lokalen Menschenrechtsorganisationen ergeben, dass staatliche Stellen trotz wiederholter Drohungen und Gewalt gegen LGBTI-Personen keine rechtliche Verfolgung sicherstellen.[55]

Daher ist im vorliegenden Fall die Verfolgung durch geeignete Verfolgungsakteure gegeben.

6. Keine interne Schutzalternative

Die Flüchtlingseigenschaft wird nicht zuerkannt, wenn eine **interne Schutzmöglichkeit** besteht. Das setzt voraus, dass die betroffene Person in einem Teil des Herkunftslandes keine begründete Furcht vor Verfolgung oder Zugang zu Schutz vor

---

52 VG Braunschweig, Urt. v. 9.8.2021, Az.: 2 A 77/18, asyl.net: M30055.
53 So auch die überarbeitete Dienstanweisung des BAMF. UNHCR-Erwägungen zum Schutzbedarf von Personen, die aus dem Irak fliehen, 2019, 120f.; ausführlich hierzu siehe Dörr/Träbert/Braun, Asylmagazin 2021, S. 262.
54 Vgl. VG Braunschweig, Urt. v. 9.8.2021, Az.: 2 A 77/18, asyl.net: M30055.
55 ACCORD, Anfragebeantwortung zum Irak v. 11.2.2019: Lage von Intersex- und Transgender-Personen inklusive in der Autonomen Region Kurdistan; USDOS. Country Report on Human Rights Practices 2017 – Iraq, 20.4.2018, Section 6; IraQueer, 2018, S. 10; VG Saarland, Urt. v. 12.11.2020, Az.: 6 K 45/19, Rn. 36 – juris.

Verfolgung nach § 3d AsylG hat und sicher und legal in diesen Landesteil reisen kann, dort aufgenommen wird und vernünftigerweise eine dortige Niederlassung erwartet werden kann (§ 3e AsylG).[56]

In Bagdad werden im Landesvergleich die meisten homophoben Gewalttaten dokumentiert. Dies liegt jedoch nicht unbedingt daran, dass es in anderen Landesteilen sicherer ist, sondern daran, dass viele Menschenrechtsorganisationen dort ansässig sind und die Menschenrechtsverletzungen leichter dokumentieren können. Auch in anderen Landesteilen gibt es keine sicheren Orte für Personen aus dem LGBTI Spektrum.[57]

Damit gibt es keine interne Schutzalternative.

7. Kein Ausschluss

Für einen Ausschluss von der Flüchtlingseigenschaft liegen keine Anhaltspunkte vor.

III. Ergebnis

A hat Anspruch auf Zuerkennung der Flüchtlingseigenschaft.

B. Ergebnis

Die Ablehnung der Zuerkennung des Flüchtlingsschutzes an A durch das BAMF ist materiell rechtswidrig.

Weiterführende Literatur
– Berlit/Dörig/Storey, Glaubhaftigkeitsprüfung bei Asylklagen aufgrund religiöser Konversion oder Homosexualität: Ein Ansatz von Praktikern (Teil 2), ZAR 2016, 332
– Dudley, Gruppenverfolgung im Asyl- und Flüchtlingsrecht, 2021
– Braun/Dörr/Träbert, Asylmagazin 2020, 81
– Eichler, Leitfaden zum Flüchtlingsrecht, Deutsches Rotes Kreuz und Informationsverbund Asyl & Migration, 3. Aufl. 2019
– UNHCR Handbuch und Richtlinien über Verfahren und Kriterien zur Feststellung der Flüchtlingseigenschaft: https://www.asyl.net/view/handbuch-und-richtlinien-ueber-verfahren-und-kriterien-zur-feststellung-der-fluechtlingseigenschaft

---

56 Vgl. VG Stuttgart Urt. v. 9.6.2021, Az.: 8 K 4016.18, Rn. 16.
57 Vgl. UNHCR-Erwägungen zum Schutzbedarf von Personen, die aus dem Irak fliehen, 2019, 120 f., EAS. Country Guidance Iraq, 2021, 2.12. „LGBTIQ Persons", VG Dresden, Urt. v. 19.3.2021, Az.: 13 K 2639/18.A, Rn. 29 – juris.

- Sußner, Flucht-Geschlecht-Sexualität. Eine menschenrechtsbasierte Perspektive auf Grundversorgung und Asylstatus, 2020
- Markard, EuGH zur sexuellen Orientierung als Fluchtgrund, Asylmagazin 2013, 402
- Themenschwerpunkt: Sexuelle Orientierung und geschlechtliche Identität als Fluchtgrund, Asylmagazin 2021
    - Petra Sußner, Das reicht (noch) nicht – Wo ist das Problem mit Heteronormativität im Asylrecht?, 248
    - Patrick Dörr, Alva Träbert, Philipp Braun: LSBTI*-Asylanträge und das widerspenstige „Diskretionsgebot", 257
    - Patrick Dörr, Alva Träbert, Philipp Braun: Outings queerer Asylsuchender durch Vertrauensanwält*innen, 269

Zusammenfassung: Die wichtigsten Punkte
- Bei der Zugehörigkeit zu einer bestimmten sozialen Gruppe ist umstritten, ob eines unveräußerliches Merkmals und die gesellschaftliche Wahrnehmung als abgegrenzte Gruppe kumulativ oder alternativ vorliegen müssen.
- Gruppenverfolgung ist eine beweisrechtliche Figur; Zugehörigkeit zu einer bestimmten sozialen Gruppe eine materiell-rechtliche Frage.
- In LGBTI-Fällen darf eine Entscheidung nicht aufgrund der Erwartung getroffen werden, dass die antragstellende Person ihre sexuelle Orientierung oder geschlechtliche Identität bei einer Rückkehr geheim halten wird.
- In LGBTI-Fällen stellt in der Praxis die Glaubhaftigkeitsprüfung die größte Herausforderung für die Anerkennung als Flüchtling dar.

Dieser Fall darf gerne kommentiert, verändert und beliebig genutzt werden. Die Anleitung hierfür lässt sich über den abgebildete QR-Code mit der Smartphone-Kamera auf unserer Homepage aufrufen.

Pia Lotta Storf

Fall 16
Häusliche Gewalt

Behandelte Themen: Flüchtlingseigenschaft, geschlechtsspezifische Verfolgung, nicht-staatliche Verfolgungsakteure, soziale Gruppe, fehlender Schutz durch Herkunftsstaat

Schwierigkeitsgrad: Anfänger*innen/Fortgeschrittene

Sachverhalt

Die 1996 geborene S. ist georgische Staatsangehörige, sie reiste am 30.1.2020 nach Deutschland ein und stelle im Februar 2020 einen Asylantrag. Zur Begründung gab S an, sie hätte aufgrund massiver Gewalterfahrung durch ihren Ehemann K und dessen Familie Georgien verlassen müssen. S berichtete in ihrer Anhörung, dass sie seit 2016 mit ihrem Ehemann K verheiratet ist und bis zu ihrer Ausreise in dem Haus ihrer Schwiegereltern unweit von Kutaissi lebte. Ihre Ehe sei zunächst harmonisch verlaufen. Dies änderte sich jedoch, als S auch nach zwei Jahren Ehe nicht schwanger geworden sei. Ihre Schwiegerfamilie setzte die Eheleute zunehmend unter Druck und K sah die Schuld für das Nichteintreten der Schwangerschaft bei S Die Streitigkeiten der Eheleute wurden zunehmend gewalttätiger und mündeten in Vergewaltigungen von S durch K

S beschloss daraufhin ihren Ehemann zu verlassen und suchte Schutz bei einer Freundin, da aus ihrer Familie nur noch ihre Mutter in Georgien lebt. Dort konnte ihr Ehemann sie jedoch ausfindig machen und holte S gewaltsam in ihr Haus zurück. S wurde durch ihren Ehemann im Keller eingesperrt. K drohte ihr sie zu töten, wenn sie nochmal versuche ihn zu verlassen. Auch ihre Schwiegermutter M., die in S Verhalten eine Verletzung ihrer ehelichen Pflichten sah, misshandelte S nun schwer. Als bei S starke Blutungen einsetzen, wurde sie in ein örtliches Krankenhaus gebracht. Dort stellte man eine Fehlgeburt fest.

Als K kurz das Krankenhaus verlies, nutze S die Chance und flüchtete aus dem Krankenhaus. S konnte über eine Telefonzelle ihre Eltern erreichen, die S umgehend abholten, sie mit Geld und Kleidung versorgten und umgehend zur Hafenstadt Poti brachten, damit S das Land verlassen konnte. S reiste über den Seeweg in die ukrainische Stadt Odessa und über Polen weiter nach Deutschland. Nach ihrer Ankunft mussten die Folgen der Fehlgeburt und Misshandlungen stationär behandelt werden. Es wurde bei ihr eine Posttraumatische Belastungsstörung festgestellt. Aufgrund dessen wurde S für einen Monat in einer psychiatrischen Klinik behandelt.

Das Bundesamt für Migration und Flüchtlinge (BAMF) lehnte den Asylantrag von S mit Bescheid vom 12.5.2020 ab. Zur Begründung führt das BAMF aus, das Schicksal der S sei menschlich zwar dramatisch, jedoch flüchtlingsrechtlich irrelevant, da S auch Schutz in Georgien erhalten könne, wenn sie sich an die örtlichen Behörden und Institutionen wenden würde.

S legte gemeinsam mit einer Rechtsanwältin Klage beim zuständigen Verwaltungsgericht ein. Zur Begründung führen sie aus, dass die georgischen Behörden für Frauen, die von häuslicher Gewalt betroffen sind, keinen ausreichenden Schutz bieten können. Konflikte in der Ehe würden in Georgien als Privatsache betrachtet, die die Familien untereinander klären müssten. Zudem sei S seit ihrer Ausreise in psychologischer Behandlung. Durch die Misshandlungen erlitt S eine PTBS, habe Depressionen und Schlafstörungen. Ihre Erkrankung würde sich bei einer Rückkehr zum einen verschlimmern, zudem sei eine Behandlung von psychischen Erkrankungen in Georgien nicht möglich.

Fallfrage

Wie wird das Gericht über die Klage entscheiden?

Bearbeitungshinweis:
Es ist davon auszugehen, dass die Klage zulässig ist. Die Zuständigkeit eines anderen europäischen Staates aufgrund der Dublin-III-VO ist nicht zu prüfen.

Lösungsvorschlag

A. Zulässigkeit

Laut Bearbeitungshinweis ist die Klage zulässig

B. Begründetheit

Die Verpflichtungsklage ist begründet, wenn die Ablehnung des Antrags durch das BAMF rechtswidrig war und S in ihren Rechten verletzt wurde, § 113 V 1 VwGO.[1]

> **! Hinweise zur Fallprüfung**
>
> Gemäß § 78 I Nr. 1 VwGO ist die Klage gegen den Bund, das Land oder die Körperschaft zu richten, deren Behörde den Verwaltungsakt unterlassen hat. Hier ist die Behörde, die den Verwaltungsakt nicht erlassen hat, das BAMF. Die Klage muss sich demnach gegen die Bundesrepublik Deutschland richten. Laut § 78 I Nr. 2 VwGO ist es auch möglich, dass Landesrecht bestimmt, dass sich die Klage gegen die Behörde selbst richtet. Richtiger Klagegegner wäre dann das BAMF.

I. Rechtswidrigkeit des Bescheids
Der Bescheid des BAMF müsste rechtswidrig sein.

I. Flüchtlingseigenschaft § 3 AsylG
Dies wäre der Fall, wenn S die Voraussetzungen der **Flüchtlingseigenschaft** erfüllen würde.

1. Verfolgungshandlung nach § 3a AsylG
Es muss eine **Verfolgungshandlung** gemäß § 3a AsylG vorliegen.

Als Verfolgung im Sinne des § 3a I Nr. 1 AsylG gelten Handlungen, die „auf Grund ihrer Art oder Wiederholung so gravierend sind, dass sie eine schwerwiegende Verletzung grundlegender Menschenrechte darstellen".

---

1 Siehe zur Begründetheit der Verpflichtungsklage Lemke, in: Eisentraut, Verwaltungsrecht in der Klausur, § 3 Rn. 46 ff.

Saskia Ebert

Weiterführendes Wissen

Auch eine Kumulierung unterschiedlicher Maßnahmen im Sinne des § 3a I Nr. 2 AsylG kann eine Verfolgungshandlung darstellen.[2]

---

§ 3a II AsylG nennt mehrere, jedoch nicht abschließende („unter anderem") Regelbeispiele für Verfolgungshandlungen im Sinne des § 3 I AsylG.

Im vorliegenden Fall kommt als Verfolgungshandlung die Anwendung von physischer oder psychischer Gewalt, einschließlich sexueller Gewalt, gemäß § 3a II Nr. 1 AsylG in Frage. S erlitt schwere **körperliche und psychische Gewalt** durch ihren Ehemann und dessen Mutter.

Das Vorliegen einer Verfolgungshandlung kann demnach angenommen werden.

2. Geeigneter Verfolgungsakteur nach § 3c AsylG

Die Verfolgungshandlung muss von einem der in § 3c AsylG genannten Akteuren ausgehen. Hier kommen zunächst staatliche Stellen nach § 3c Nr. 1 AsylG in Betracht oder nach § 3c Nr. 2 AsylG Institutionen, die den Staat oder einen wesentlichen Teil davon beherrschen. Im vorliegenden Fall geht die Verfolgung nicht von diesen staatlichen Akteuren aus.

Auch von **nicht-staatlichen Akteuren** Verfolgung ausgehen, diese ist jedoch nach § 3c Nr. 3 AsylG nur dann flüchtlingschutzrechtlich relevant, sofern der Staat oder internationale Organisationen nicht in der Lage oder nicht willens sind, Schutz vor den genannten Gefahren zu bieten. Daher ist dies im Folgenden zu prüfen.

a) Nicht-staatlicher Akteur

Im vorliegenden Fall geht die Verfolgung von nicht-staatlichen Akteuren gemäß § 3c Nr. 3 AsylG aus. S war Verfolgungshandlungen durch ihren Ehemann und dessen Mutter ausgesetzt.

b) Kein staatlicher Schutz

Die Verfolgung durch Ehemann K und Schwiegermutter M ist nur dann relevant für die Prüfung der Flüchtlingseigenschaft, wenn hiergegen kein staatlicher Schutz gegeben ist.

---

2 Siehe hierzu ausführlich du Maire, *14) Ahmadiyya in Pakistan* in diesem Fallbuch.

Saskia Ebert

Dabei ist der Umfang des Schutzes abhängig von der Diskriminierung, die bestimmte Personen erleben müssen. Je höher die Beeinträchtigung desto intensiver muss der staatliche Schutz sein.[3] Gemäß § 3d II AsylG muss der Schutz vor Verfolgung wirksam und nicht nur vorübergehend sein und die betroffene Person muss auch Zugang zu dem Schutz haben.

ℹ Weiterführendes Wissen

Es wird vertreten, dass die Differenzierung zwischen staatlicher und nicht-staatlicher Verfolgung im Rahmen der Prüfung der Voraussetzungen der Flüchtlingseigenschaft keine unmittelbare Bedeutung hat für die drohende Verfolgungsgefahr.[4] Dennoch wird vorliegend der Prüfungsaufbau angepasst, um deutlich zu machen, dass im Falle nicht-staatlicher Verfolgung umfassend zu prüfen ist, ob effektiver Schutz im Herkunftsland besteht.[5] Auch ist die Differenzierung beachtlich für die Verknüpfung mit einem Verfolgungsgrund, denn diese ist nicht nur gegeben, wenn sie zu einer Verfolgungshandlung besteht, sondern auch, wenn der fehlende Schutz darauf basiert (vgl. § 3a III AsylG, ausführlich siehe unten Abschnitt B. I.3.b).

Die Verfolgungshandlungen gegenüber der S gehen von K und M aus. Entscheidend ist nun festzustellen, ob der Staat in der Lage und willens ist, S vor den Gefahren durch diese nicht-staatlichen Akteure zu schützen.

Häusliche Gewalt gegen Frauen ist in Georgien weiterhin in allen Bevölkerungsgruppen weit verbreitet.[6] Die Regierung hat die Bekämpfung von häuslicher Gewalt zu einem wichtigen Thema ihrer Menschenrechtspolitik gemacht[7] und ist einigen wichtigen internationalen Abkommen zum Schutz von Menschen- und Frauenrechten beigetreten[8]. Jedoch werden die gesetzlichen Regelungen zum Schutz von Frauen nicht ausreichend angewendet.[9] Maßnahmen zur Verhütung von häuslicher Gewalt sind bisher kaum wirksam, da es kein angemessenes System zum Schutz, zur Unterstützung und zur Rehabilitation von Gewaltopfern gibt.[10] Fälle von häuslicher Gewalt werden kaum polizeilich erfasst, sodass eine effektive Strafverfolgung in den wenigsten Fällen zustande kommen kann.[11] Nach Einschätzung der

---

3 VG Gelsenkirchen, Urt. v. 14.10.2016, Az.: 2a K 4529/16.A, openjur Rn. 30.
4 Vgl. Hruschka, in: Huber/Mantel, AufenthG/AsylG, 3. Aufl. 2021, AsylG § 3c Rn. 8.
5 Hruschka, in: Huber/Mantel, AufenthG/AsylG, 3. Aufl. 2021, AsylG § 3c Rn. 6.
6 BAMF, Länderreport 31: Georgien; Allgemeine Lage der ethnischen Minderheiten, Oktober 2020, S. 13.
7 VG Göttingen, Urt. v. 10.12.2018, Az.: 2 A 846/17, Rn. 29.
8 VG Stade, Urt. v. 25.3.2021, Az.: 3 A 2387/17, S. 10, asyl.net: M29729.
9 US State Departement, Georgia 2021 Human Rights Report, S. 61, ecoi.net: 2071138.
10 VG Göttingen, Urt. v. 10.12.2018, Az.: 2 A 846/17, Rn. 29.
11 VG Stade, Urt. v. 25.3.2021, Az.: 3 A 2387/17, S. 9, asyl.net: M29729.

zuständigen Ombudsfrau muss die Strafverfolgung noch intensiviert werden.[12] Der EGMR stellte 2021 fest, dass die georgische Polizei Frauen nur unzureichend vor häuslicher Gewalt schütze und verpflichtete Georgien zur Zahlung einer Entschädigung. Die betroffene Frau wurde durch ihren Ehemann getötet. Diese versuchte bereits mehrfach Schutz durch die Polizei zu erhalten, diese leiteten jedoch keine Ermittlungen ein.[13] In Georgien wird häusliche Gewalt weiterhin als familieninterne Angelegenheit betrachtet.[14]

Georgien ist nicht dazu in der Lage Frauen vor häuslicher Gewalt zu schützen. S, die bereits einmal versucht hat, sich der Misshandlungen durch ihren Ehemann zu entziehen, hat kaum Möglichkeiten wirksamen und sicheren Schutz durch die staatlichen Behörden zu erlangen.

Es liegt folglich ein geeigneter Verfolgungsakteur vor.

3. Verknüpfung nach § 3a III AsylG mit einem Verfolgungsgrund nach § 3b AsylG
a) Verfolgungsgrund nach § 3b AsylG
Es muss ein Verfolgungsgrund vorliegen.

§ 3 I Nr. 1 AsylG nennt als möglichen Verfolgungsgrund die Zugehörigkeit zu einer sozialen Gruppe. Der Begriff der sozialen Gruppe wird gemäß § 3b I Nr. 4 AsylG dahingehend konkretisiert, dass eine Gruppe dann als soziale Gruppe angesehen wird, wenn ihre Mitglieder angeborene Merkmale oder einen gemeinsamen unveränderbaren Hintergrund haben oder eine unverzichtbare Glaubensüberzeugung teilen „und" die Gruppe in dem betreffenden Land eine deutlich abgrenzbare Identität hat, da sie von der umgebenden Gesellschaft als andersartig betrachtet wird.

Weiterführendes Wissen ⓘ

Nach dem Wortlaut von § 3b I Nr. 4 AsylG und Art. 10 lit. d S. 1 Qualifikations-RL müssen die Voraussetzungen des angeborenen Merkmals „und" der abgrenzbaren Identität kumulativ erfüllt sein. Der UNHCR hingegen setzt für die Annahme der sozialen Gruppe voraus, dass ein gemeinsames Merkmal vorliegt oder die Gruppe von der Gesellschaft als eine Gruppe wahrgenommen wird.[15] Die Auffassung des UNHCR bezweckt einen umfassenderen Schutz zu ermöglichen und damit durch unterschiedliche Auslegung entstandenen Schutzlücken zu vermeiden.

---

12 BAMF, Länderreport 31: Georgien; Allgemeine Lage der ethnischen Minderheiten, Oktober 2020, S. 13.

13 EGMR, Urt. v. 8.7.2021, Az.: 33056/17.

14 VG Göttingen, Urt. v. 10.12.2018, Az.: 2 A 846/17, Rn. 29.

15 UNHCR, Richtlinien zum internationalen Schutz, HCR/GIP/02/02, 7.5.2002, Rn. 12

Welche Gruppen als bestimmte soziale Gruppen definiert werden können, ist nicht fest bestimmt und konkretisiert worden. Vielmehr soll sich der Begriff an Entwicklungen anpassen und die vielfältigen und sich wandelnden Erscheinungsformen von Gruppen in verschiedenen Gesellschaften abbilden können.[16] Dabei können auch mehrere Verfolgungsgründe vorliegen, die sich gegenseitig nicht ausschließen.[17]

In § 3b I Nr. 4 AsylG heißt es darüber hinaus weiterhin, dass eine Verfolgung wegen der Zugehörigkeit zu einer bestimmten sozialen Gruppe auch vorliegen kann, wenn sie allein an das Geschlecht oder die geschlechtliche Identität anknüpft. Fraglich ist nun, ob Frauen einer bestimmten sozialen Gruppe angehören.

Eine Ansicht knüpft an den Wortlaut von § 3b I Nr. 4 AsylG an und bejaht die Verfolgung wegen der Zugehörigkeit zu einer bestimmten sozialen Gruppe dann, wenn die Verfolgung allein an das Geschlecht oder die geschlechtliche Identität anknüpft. Frauenspezifisch sind die Verfolgungsmaßnahmen danach nicht nur dann, wenn Frauen allein wegen ihres Geschlechts verfolgt werden, sondern auch, wenn sich solche Maßnahmen allein gegen Frauen richten.[18]

Das Bundesverwaltungsgericht vertritt jedoch in seiner Rechtsprechung die Ansicht, dass für eine Verfolgung aufgrund der Zugehörigkeit zu einer bestimmten sozialen Gruppe neben der Verfolgung wegen des Geschlechts oder der geschlechtlichen Identität hinzukommen muss, dass die Mitglieder der sozialen Gruppe eine gemeinsame Identität besitzen und von der sie umgebenden Gesellschaft als andersartig betrachtet werden. Gemäß der Rechtsprechung des Bundesverwaltungsgerichts wird

„eine soziale Gruppe [...] nicht allein dadurch begründet, dass eine Mehr- oder Vielzahl an Personen in vergleichbarer Weise von etwa als Verfolgungshandlung im Sinne des § 3 a I, II AsylG zu qualifizierenden Maßnahmen betroffen sind."[19]

Diese Ansicht bezieht demnach die Regelvoraussetzung des § 3b I Nr. 4 lit. b AsylG auf den Verfolgungsgrund des Geschlechts oder der geschlechtlichen Identität. Als Argument wird angeführt, dass es ohne die genannten Voraussetzungen zu einer Vermischung von Verfolgungshandlung und Verfolgungsgrund kommen würde.[20]

Der eindeutige Wortlaut von § 3b I Nr. 4 AsylG spricht jedoch dafür, die abgrenzbare Identität und die Wahrnehmung als andersartig im Falle der Verfolgung aufgrund des Geschlechts nicht zur Voraussetzung zu machen, da eine soziale Grup-

---

16 UNHCR, Richtlinien zum internationalen Schutz, HCR/GIP/02/02, 7.5.2002, Rn. 3.
17 UNHCR, Richtlinien zum internationalen Schutz, HCR/GIP/02/02, 7.5.2002, Rn. 4.
18 VG Berlin, Urt. v. 30.8.2018, Az.: 33 K 428.16 A, Rn. 36.
19 BVerwG, Beschl. v. 23.9.2019, Az.: 1 B 54.19, Rn. 8.
20 VG Göttingen, Urt. v. 16.6.2021, Az.: 3 A 88/19, Rn. 24.

Saskia Ebert

pe auch dann vorliegen kann, wenn die Verfolgung allein aufgrund des Geschlechts oder der geschlechtlichen Identität erfolgt. Weitere Voraussetzungen würden den Schutzumfang erheblich beschränken. Bereits durch die Einführung der Vorgängernorm sollte klargestellt werden, dass ein vollumfänglicher Schutz vor geschlechtsspezifischer Verfolgung gewährt werden soll.[21] Die Verfolgungshandlung sexuelle Gewalt intendiert zudem bereits die Zielgruppe als soziale Gruppe im Sinne von § 3b I Nr. 4 AsylG.[22] Dafür spricht weiterhin, dass in Deutschland die Konvention des Europarats zur Verhütung und Bekämpfung von Gewalt gegen Frauen und häuslicher Gewalt (Istanbul-Konvention) am 1.2.2018 in Kraft getreten ist. Art. 60 I der Konvention gibt den unterzeichnenden Staaten einen klaren Auftrag:

> „Die Vertragsparteien treffen die erforderlichen Maßnahmen, um sicherzustellen, dass Gewalt gegen Frauen aufgrund des Geschlechts als eine Form der Verfolgung im Sinne des Artikel 1 Abschnitt A Ziffer 2 [GFK] und als eine Form des schweren Schadens anerkannt wird, (...).".

Georgien ist von einer patriarchalen Gesellschaftsstruktur geprägt. Häusliche Gewalt ist weitverbreitet und effektiver Schutz dagegen ist für Betroffene kaum zugänglich.[23] Diese ausgeprägte Gewaltbereitschaft gegenüber Frauen und die fehlenden Schutzsysteme sind Ausdruck der Diskriminierung, die Frauen in Georgien erleben. Häusliche Gewalt wird als private Angelegenheit betrachtet. Wenn Männer Macht und Unterdrückung in Form von psychischer, physischer und sexualisierter Gewalt gegenüber Frauen ausüben, grenzen sie sich damit bewusst von Frauen als Gruppe ab und ordnen diese unter. Dabei muss häusliche Gewalt nicht nur von Ehemännern ausgehen, sie kann auch durch weitere Teile der (Schwieger-)Familie ausgelöst sein. Die Gewalt die Frauen erleben erfahren sie alleinig aufgrund ihres Geschlechts.

Frauen stellen demnach eine bestimmte soziale Gruppe dar.

Ein Verfolgungsgrund gemäß § 3b AsylG ist gegeben.

b) Verknüpfung der Verfolgungshandlung oder dem fehlenden Schutz mit einem Verfolgungsgrund nach § 3a III AsylG

Zwischen der Verfolgungshandlung oder dem fehlenden Schutz und dem Verfolgungsgrund muss ein kausaler Zusammenhang bestehen, sogenannter Nexus nach § 3a III AsylG.

---

21 Hruschka, in: Huber/Mantel, AufenthG/AsylG, 3. Aufl. 2021, § 3 AsylG Rn. 32.
22 VG Würzburg, Urt. v. 20.2.2018, Az.: W 1 K 16.32644, Rn. 15.
23 Siehe dazu die Ausführungen oben in Abschnitt B.I.2. zum Verfolgungsakteur § 3c AsylG.

Saskia Ebert

S war gerade deshalb der sexuellen Gewalt ausgesetzt, weil sie der sozialen Gruppe der Frauen angehört und auch der fehlende Schutz vor häuslicher Gewalt ist Ausdruck der in der Gesellschaft verankerten Diskriminierung von Frauen.

Eine kausale Verbindung zwischen Verfolgungshandlung und fehlendem Schutz und Verfolgungsgrund ist gegeben.

4. Verfolgungsprognose nach § 3 AsylG

Gemäß § 3 I Nr. 1 AsylG muss die Furcht vor Verfolgung begründet sein.

Die Furcht vor Verfolgung ist dann begründet, wenn der betroffenen Person die flüchtlingsschutzrechtlichen Gefahren aufgrund der in ihrem Herkunftsland gegebenen Umstände in Anbetracht ihrer individuellen Lage tatsächlich, „das heißt mit **beachtlicher Wahrscheinlichkeit („real risk")** drohen".[24]

Der Maßstab, nach dem zu beurteilen ist, ob die Furcht vor Verfolgung begründet ist, ist zudem abhängig davon, ob die Person „vorverfolgt" ausgereist ist, oder es lediglich um die Frage von „Nachfluchtgründen" nach § 28 AsylG geht.[25] Die Tatsache, dass eine schutzsuchende Person bereits Verfolgung erlitten hat, ist nach Art. 4 IV Qualifikations-RL ein ernsthafter Hinweis darauf, dass die Furcht vor Verfolgung begründet ist, es sei denn, stichhaltige Gründe sprechen dagegen, dass sie erneut von solcher Verfolgung bedroht wird.[26]

S hat vor ihrer Ausreise nach Deutschland bereits Verfolgung durch ihren Ehemann und ihre Schwiegermutter erlebt. Da keine Hinweise vorliegen, die die Vermutung zulassen würden, die Umstände, in die S zurückkehren würde, hätten sich grundlegend verändert, ist von einer begründeten Furcht vor Verfolgung auszugehen.

5. Fehlender effektiver Schutz im Herkunftsland nach § 3d und 3e AsylG)
a) Kein geeigneter Schutzakteur nach § 3d AsylG

Die Flüchtlingseigenschaft liegt nicht vor, wenn es im Herkunftsstaat einen geeigneten Schutzakteur gibt. Dieser kann gemäß § 3d AsylG der Staat oder Organisationen sein, die in dem betreffenden Staat einen wesentlichen Teil des Staatsgebiets beherrschen, sofern sie willens und in der Lage sind, Schutz zu bieten. Der Schutz muss gemäß § 3d II AsylG wirksam und nicht nur vorübergehender Art sein.

---

24 BVerwG, Urt. v. 19.4.2018, Az.: 1 C 29/17, Rn. 14, asyl.net: M26300.
25 Hruschka, in: Huber/Mantel, AufenthG/AsylG, 3. Aufl. 2021, § 3 AsylG Rn. 14.
26 BVerwG, Urt. v. 19.1.2009, Az.: 10 C 52/07, Rn. 29, asyl.net: M15490.

Saskia Ebert

Wie bereits ausgeführt, bietet der georgische Staat keinen wirksamen Schutz für Opfer häuslicher Gewalt. Ein geeigneter Schutzakteur liegt nicht vor.

b) Keine interne Schutzalternative nach § 3e AsylG

Hinweise zur Fallprüfung   !

Das Vorliegen einer inländischen Schutzalternative sollte nur geprüft werden, sofern Anhaltspunkte dafür im Sachverhalt gegeben sind. Ansonsten kann diese ohne tiefgreifende Prüfung abgelehnt werden.

Es darf keine **interne Schutzalternative** bestehen. Gemäß § 3e AsylG wird einer schutzsuchenden Person die Flüchtlingseigenschaft nicht zuerkannt, sofern ihr in einem Teil ihres Herkunftslandes keine Verfolgung droht oder sie Schutz vor dieser Verfolgung hat. Dabei muss sie sicher und legal in diesen Landesteil reisen können, dort aufgenommen werden und es muss vernünftigerweise von ihr erwartet werden können, dass sie sich dort niederlässt.

S ist in Georgien wirtschaftlich abhängig von ihrer Familie. Sie hat auch in keinem anderen Teil des Landes die Möglichkeit Unterstützung durch Familienangehörige zu erlangen. Gerade wegen der ausgeprägten patriachalen Strukturen in Georgien ist es für Frauen, ob geschieden oder alleinstehend, sehr schwer eine Möglichkeit der Erwerbstätigkeit zu finden, die es ihnen ermöglicht ihren Lebensunterhalt selbständig zu sichern und häufig sind Frauen von Diskriminierung am Arbeitsplatz betroffen.[27] Es gibt nur unzureichende staatliche Unterstützungsleistungen für Opfer von häuslicher Gewalt, die es Betroffenen ermöglichen ein selbständiges Leben zu führen.[28]

Es liegt keine inländische Schutzalternative vor.

6. Ausschlussgründe

Ferner dürfen keine Ausschlussgründe vorliegen.

Solche sind beispielsweise gemäß § 3 IV AsylG i.V.m. § 60 VIII AufenthG gegeben, wenn die betreffende Person aus schwerwiegenden Gründen als eine Gefahr für die Sicherheit Deutschlands anzusehen ist.

---

[27] US State Departement, Georgia 2021 Human Rights Report, S. 65, ecoi.net: 2071138.

[28] GYLA, The Main Challenges of the Social Protection System of Various Vulnerable Groups in Georgia, 2022, S. 45, ecoi.net: ID 2070323.

Saskia Ebert

Es ist hier nicht ersichtlich, dass S die Voraussetzungen eines Ausschlussgrundes erfüllt.

II. Verletzung in eigenen Rechten

Weiterhin müsste S in ihren Rechten verletzt sein. Durch die Ablehnung des Asylantrags von S wurde diese in ihrem Recht, unter anderem aus Art. 3 EMRK, Schutz zu erhalten verletzt. Eine Verletzung in eigenen Rechten liegt vor.

III. Ergebnis

S erfüllt die Voraussetzungen der Flüchtlingseigenschaft.

Weiterführende Literatur
- Giesler/Hoffmeister, Anerkennung frauenspezifischer Verfolgung, Asylmagazin 2019, 401
- Eichler, Leitfaden zum Flüchtlingsrecht, Deutsches Rotes Kreuz und Informationsverbund Asyl & Migration, 3. Aufl. 2019

Zusammenfassung: Die wichtigsten Punkte
- Prüfung der Voraussetzungen der Flüchtlingseigenschaft
- Der Begriff der sozialen Gruppe gemäß § 3b I Nr. 4 AsylG
- Geschlechtsspezifische Verfolgung
- Fehlender Schutz durch den Herkunftsstaat

Saskia Ebert

Fall 17
Gefahr durch Taliban

Behandelte Themen: Problemkreis der sogenannten Verwestlichung, aktuelle Situation in Afghanistan, inländische Schutzalternativen

Schwierigkeitsgrad: Fortgeschrittene

Sachverhalt

Ellaha ist afghanische Staatsangehörige und der Volksgruppe der Hazara zugehörig. Sie ist im Jahr 2020 über den Landweg nach Deutschland eingereist. Bei ihrer Anhörung vor dem Bundesamt für Migration und Flüchtlinge (BAMF) gab sie an, zuletzt in der Provinz Kabul, dort im Distrikt Cahar Asyab gelebt zu haben. Ihre Geschwister leben schon seit längerer Zeit in Deutschland. Mit diesen skype sie regelmäßig und orientiere sich an ihrem Lebensstil. Die letzten Jahre habe sie als Lehrerin in einer Mädchenschule gearbeitet. Die Mädchenschule, so habe sie gehört, soll geschlossen werden. Seit geraumer Zeit wurde sie auf ihrem Weg in die Schule von Unbekannten bedroht. Sie sei mehrfach aufgefordert worden, Afghanistan zu verlassen. Die Bedrohungen haben zugenommen, nachdem sie eine angebotene Heirat abgelehnt habe. Mit zunehmendem Machtgewinn der Taliban habe sie sich nicht mehr sicher gefühlt. Mittlerweile seien die Taliban überall. Sie weigere sich zudem einen Hidschab zu tragen, ganz zu schweigen von einem Nikab oder ähnliches. Es verging kein Tag, an dem sie als „Westliche" beschimpft oder angespuckt wurde. Besonders als Frau sei es auch in Kabul gefährlich, weil man dort täglich mit der Bedrohung lebe, entführt, überfallen oder vergewaltigt zu werden. Eine Frau habe in Afghanistan keinen Wert für die Menschen, insbesondere für die Taliban.

Fallfrage

Wie wird das BAMF über den Asylantrag entscheiden?

Bearbeitungshinweis:
Gehen Sie von der Zulässigkeit des Asylantrags aus.

Lösungsvorschlag

! Hinweise zur Fallprüfung

Die Fallfrage geht von einer klassischen Beratungssituation aus, die dem abschließenden Entscheid über das Asylverfahren vorausgeht. Es handelt sich daher um eine Prognoseentscheidung, die im klassischen juristischen Gutachten beantwortet werden sollte. Der Unterschied zu sehr typischen Fällen liegt in einer solch gelagerten Fragestellung darin, dass kein Bescheid angefochten wird oder gegen eine Entscheidung vorgegangen wird. Bei der Prüfung empfiehlt sich ein zweigliedriger Aufbau in Zulässigkeit (A.) und Begründetheit (B.) des Asylantrags.

Die Falllösung ist einem Urteil des VG Freiburg nachempfunden, auf das für weitere Details verwiesen wird.[1]

Ellahas Asylantrag könnte Aussicht auf Zuerkennung eines Schutzstatus haben, sofern er zulässig und begründet ist.

A. Zulässigkeit des Asylantrags

Laut Bearbeitungshinweis ist von der Zulässigkeit des Asylantrags auszugehen.

B. Erfolgsaussichten des Asylantrags

Der Asylantrag ist begründet, sofern die Tatbestandsvoraussetzungen eines Schutzstatus erfüllt sind. Um als Flüchtling im Sinne der Genfer Flüchtlingskonvention anerkannt zu werden, müssten die Voraussetzungen der §§ 3ff. AsylG erfüllt sein. Zusätzlich könnte sie auch einen Anspruch auf Asyl nach Art. 16a GG haben. Andernfalls könnte Ellaha subsidiärer Schutz gemäß § 4 AsylG zustehen. In Betracht kommen außerdem nationale Abschiebehindernisse im Sinne des § 60 V, VII AufenthG.

I. Internationaler Schutz gemäß §§ 3ff. AsylG
Gemäß § 3 IV AsylG wird einer schutzsuchenden Person die **Flüchtlingseigenschaft** zuerkannt, sofern sie die Voraussetzungen des § 3 I AsylG erfüllt.

---

1 VG Freiburg, Urt. v. 11.10.2021, Az.: A 15 K 4778/17.

Lars Wasnick

Ellaha könnte demnach einen Anspruch auf Anerkennung der Flüchtlingseigenschaft haben.

In Anlehnung an die Definition der Flüchtlingseigenschaft in Art. 1 A 2 GFK definiert § 3 I AsylG einen Flüchtling als eine Person, die sich aus begründeter Furcht vor Verfolgung aufgrund eines Verfolgungsgrundes im Sinne des § 3b I AsylG, wegen ihrer „Rasse", Religion, Nationalität, politischen Überzeugung oder Zugehörigkeit zu einer bestimmten sozialen Gruppe, außerhalb ihres Herkunftslandes befindet, dessen Staatsangehörigkeit sie besitzt, wenn sie den Schutz ihres Herkunftslandes nicht in Anspruch nehmen kann oder wegen der Verfolgungsfurcht nicht in Anspruch nehmen will.

1. Verfolgungshandlung, § 3a AsylG

Als Verfolgung im Sinne des § 3a I AsylG gelten gemäß § 3a I Nr. 1 AsylG Handlungen, die „auf Grund ihrer Art oder Wiederholung so gravierend sind, dass sie eine schwerwiegende Verletzung grundlegender Menschenrechte darstellen".

§ 3a II AsylG nennt mehrere, jedoch nicht abschließende („unter anderem") Regelbeispiele für **Verfolgungshandlungen** im Sinne des § 3 I AsylG.

Vorliegend kommen Handlungen, die an die **Geschlechtszugehörigkeit** anknüpfen (Nr. 6 Alt. 1) und die Anwendung **physischer oder psychischer Gewalt**, einschließlich **sexueller Gewalt** (Nr. 1) in Betracht.

a) § 3a II Nr. 1 AsylG

Die Anwendung physischer oder psychischer Gewalt orientiert sich an den Kriterien für die Annahme von Folter oder einer erniedrigenden Behandlung im Sinne des Art. 3 EMRK.

Als erniedrigende Behandlung ist dabei eine Behandlung anzusehen, die bei den Opfern Gefühle von Furcht, Todesangst und Minderwertigkeit verursacht, die geeignet sind, zu erniedrigen oder zu entwürdigen und gegebenenfalls ihren physischen oder moralischen Widerstand zu brechen.[2] Sexuelle Gewalt liegt insbesondere bei Vergewaltigung oder sonstigen nonkonsensualen sexuell erniedrigenden Handlungen vor.[3] Hierbei ergeben sich Überschneidungen zum Regelbeispiel der Nr. 6.

---

2 VGH Bayern, Urt. v. 17.3.2016, Az.: 13 a B 15.30241, Rn. 26 ff. – openJur; Wittmann, in: BeckOK MigR, 11. Ed. 15.4.2022, AsylG § 3a Rn. 26.1.

3 EGMR, Urt. v. 25.9.1997, Az.: 23178/94, Rn. 83 ff.

Anhand Ellahas Vortrag bei der Anhörung vor dem BAMF hat sie schlüssig dargelegt, dass sie nahezu täglich auch mit sexueller Gewalt bedroht wurde. Zudem haben die Beleidigungen und Beobachtungen dazu geführt, dass sie sich minderwertig gefühlt hat.

b) § 3a II Nr. 6 AsylG

Eine genaue Definition einer Handlung, die an die Geschlechtszugehörigkeit anknüpft, gibt es nicht. Handlungen, die an die Geschlechtszugehörigkeit anknüpfen sind ausdrücklich im Gesetzt erwähnt, um klarzustellen, dass alleine diese Anknüpfung zur Erfüllung einer Verfolgungshandlung ausreichend ist.[4] Es ergeben sich vor allem Überschneidungen mit dem **Verfolgungsgrund** der Zugehörigkeit zu einer bestimmten **sozialen Gruppe** (§ 3b I Nr. 4 AsylG).[5] Wann genau an die Geschlechtszugehörigkeit angeknüpft wird, kann anhand von Fallgruppen näher bestimmt werden. Unter Handlungen im Sinne des § 3a II Nr. 6 AsylG fällt beispielsweise der Zwang, sich dem „traditionellen" Sitten- und Rollenbild von Frauen im islamischen Kulturkreis anzupassen.[6] Die nötige Eingriffsintensität liegt regelmäßig dann vor, wenn die Betroffenen einen schon weniger konservativen Lebensstil leben und dieser auf einer ernsthaften und nachhaltigen Überzeugung beruht.[7]

Ellaha arbeitete als Lehrerin im öffentlichen Dienst an einer Schule und verweigerte das Tragen eines Hidschabs oder einem Nikab. Auch stimmte sie einer Zwangsheirat nicht zu und bestreitet ihren Lebensalltag als alleinstehende Frau so, wie sie es möchte. Dazu gehört auch die Orientierung nach dem Lebensstil, den sie durch ihre Verwandten aus Deutschland kennenlernt. Dadurch, dass sie sich den archaisch-patriarchalischen Gesellschaftsstrukturen nicht unterwirft, droht ihr als alleinstehende Frau bereits eine drohende Verfolgung.

Die Voraussetzungen sind angesichts der Ausführungen Ellahas erfüllt.

c) Zwischenergebnis

Eine Verfolgungshandlung durch die Erfüllung des § 3a II Nr. 1, Nr. 6 AsylG liegt demnach vor.

---

4 Hruschka, in: Huber/Mantel, AufenthG/AsylG, 3. Aufl. 2021, AsylG § 3a Rn. 16.
5 Hruschka, in: Huber/Mantel, AufenthG/AsylG, 3. Aufl. 2021, AsylG § 3a Rn. 16.
6 OVG Nds, Urt. v. 21.9.2015, Az.: 9 LB 20/14, Rn. 26; VG Gelsenkirchen, Urt. v. 08.06.2017, Az.: 8a K 1971/16.A, Rn. 25 ff.; Bezüglich Afghanistan wird der „Brauch" der „Tanzjungen" („Bacha Bazi") auch als eine solche Handlung angenommen: VG Karlsruhe, Urt. v. 6.4.2017, Az.: A 2 K 6647/16, Rn. 89.
7 OVG Nds, Urt. v. 21.9.2015, Az.: 9 LB 20/14, Rn. 22.

2. Verfolgungsgründe, §§ 3 I Nr. 1, 3b I AsylG

Als Verfolgungsgrund reicht es gemäß § 3b I Nr. 4 AsylG für eine Verfolgung einer bestimmten Gruppe aus, wenn die Verfolgung allein an das Geschlecht oder die **geschlechtliche Identität** anknüpft.

Bereits vor der Machtergreifung im Sommer 2021 sahen sich Frauen in Afghanistan erheblichen gesellschaftlichen und sozialen Diskriminierungen ausgesetzt.[8] Frauen wurden Berichten zufolge, trotz steigender Rechte in vielfältiger Hinsicht diskriminiert.[9] Nach wie vor bestimmt eine orthodoxe Auslegung der Sharia und archaisch-patriarchische Verhaltensmuster die gesellschaftliche Situation von Frauen und Mädchen. Der Verhaltenskodes der afghanischen Gesellschaft verlangt grundsätzlich den Verzicht ihrer Eigenständigkeit. Gesetze zum Schutz von und zur Förderung von Frauen werden nur langsam umgesetzt.[10] Zudem ist sexuelle Gewalt kaum dokumentiert, aber weit verbreitet.[11]

Die Situation für Frauen hat sich seit der Machtübernahme der Taliban extrem verschlechtert. Dies zeigen insbesondere Berichte über Misshandlungen, Inhaftierungen und Hinrichtungen sowie massive Beschränkungen der Bewegungsfreiheit aus verschiedenen Landesteilen.[12] Bereits unmittelbar nach der Machtübernahme werden die Rechte von Frauen massiv beschnitten. In der ersten Woche äußerten sich Sprecher der Taliban dahingehend, dass die Rechte der Frauen „gemäß der Scharia" geschützt würden.[13] Neue Regeln gelten offenbar auch an der Universität von Kabul: Der neue Universitätsrektor Mohammed Aschraf Ghairat schließt bis auf weiteres sowohl Studentinnen als auch weibliche Lehrkräfte aus; auf Twitter kündigte er an, dass Frauen nicht zum Studieren oder zum Arbeiten kommen könnten, „solange nicht ein echtes islamisches Umfeld für alle gegeben" sei.[14]

Nach den vorliegenden Erkenntnisquellen erlauben es mithin weder die frauenverachtenden Vorschriften der Taliban noch die allgemeine gesellschaftliche Situation und insbesondere die unbefriedigende Sicherheitslage alleinstehenden Frauen ein menschenwürdiges Leben. Nach den derzeitigen Verhältnissen in Afghanistan ist für Frauen ein alleinstehendes Leben außerhalb des Familienverban-

---

8 VG Freiburg, Urt. v. 11.10.2021, Az.: A 15 K 4778/17, Rn. 20.
9 Vgl. SFH, Afghanistan: Situation der „flüchtigen" Frauen, Schnellrecherche der SFH-Länderanalyse vom 01.08.2018.
10 Human Rights Watch, „I thought Our Life Might Get Better" Implementing Afghanistan's Elimination of Violence against Women Law, August 2021.
11 VG Freiburg, Urt. v. 11.10.2021, Az.: A 15 K 4778/17, Rn. 25.
12 BFA, Länderinformation der Staatendokumentation – Afghanistan, v. 16.9.2021, S. 82.
13 VG Freiburg, Urt. v. 11.10.2021, Az.: A 15 K 4778/17, Rn. 26 f.
14 Vgl. Tagesschau Stand: 28.09.2021.

des kaum möglich und wird gemeinhin als unvorstellbar oder gänzlich unbekannt beschrieben.[15]

Ellaha ist es als junge, westlich geprägte Frau wegen der Anknüpfung an ihr Geschlecht unmöglich, sich persönlich zu entfalten, ferner ist sie sogar in ihrer Existenz bedroht.

Ein Verfolgungsgrund liegt demnach vor.

3. Kausalität zwischen Verfolgungsgründen und Verfolgungshandlung, § 3a III AsylG

Eine Kausalität zwischen der Verfolgungshandlung und dem Verfolgungsgrund liegt aufgrund des eindeutigen Sachverhalts vor.

4. Verfolgungsakteur, § 3c AsylG:

Mit dem Zusammenbruch der bisherigen Regierung, der Flucht der Regierungsspitze und der Übernahme der Regierungsgewalt durch die Taliban am 15.8.2021, der Ausrufung des Islamischen Emirats Afghanistan sowie der Vorstellung der neuen Regierung am 7.9.2021 sind die Taliban nunmehr als **staatlicher Akteur** im Sinne von § 3c Nr. 1 AsylG anzusehen, sodass eine unmittelbar staatliche Verfolgung vorliegt. Die Frage des internen Schutzes in anderen Landesteilen stellt sich damit nicht (mehr).[16]

5. Inländische Schutzalternative, § 3e AsylG

Seit Machtübernahme Afghanistans, einschließlich Kabuls, durch die Taliban, gilt Kabul nicht mehr als inländische Schutzalternative.

6. Ausschlusstatbestände, § 3 II, III AsylG, § 3 IV AsylG i.V.m. § 60 VIII AufenthG:

Ausschlussgründe sind nicht ersichtlich.

---

15 Vgl. Auswärtiges Amt, Bericht über die asyl- und abschiebungsrelevante Lage in der Islamischen Republik Afghanistan, vom 16.07.2020, S. 13 ff.
16 VG Freiburg, Urt. v. 11.10.2021, Az.: A 15 K 4778/17, Rn. 27.

Lars Wasnick

II. Ergebnis

Alle Voraussetzungen der Zuerkennung der Flüchtlingseigenschaft liegen vor. Ellaha hat daher einen Anspruch auf Zuerkennung der Flüchtlingseigenschaft und genießt daher den Status des internationalen Schutzes.

Weiterführende Literatur
–   VG Freiburg, Urt. v. 11.10.2021, Az.: A 15 K 4778/17

Zusammenfassung: Die wichtigsten Punkte
–   Prüfung einer verfolgten sozialen Gruppe unter den Voraussetzungen der Flüchtlingseigenschaft
–   Begriff der sogenannten Verwestlichung als Verfolgungsgrund
–   Die Lebenssituation speziell für Frauen nach Machtübernahme der Taliban in Afghanistan
–   Kabul gilt nicht mehr als inländische Schutzübernahme

Dieser Fall darf gerne kommentiert, verändert und beliebig genutzt werden. Die Anleitung hierfür lässt sich über den abgebildete QR-Code mit der Smartphone-Kamera auf unserer Homepage aufrufen.

Lars Wasnick

Fall 18
Kriegsdienstverweigerung in Syrien

Behandelte Themen: Politische Verfolgung aufgrund von Wehrdienstverweigerung (Syrien), Kausalität im Sinne des § 3a III AsylG

Schwierigkeitsgrad: Fortgeschrittene (Expert*innen)

Sachverhalt

Sie sind in der Beratung für eine Refugee Law Clinic tätig. In Ihrer Sprechstunde sucht der 20 Jahre alte syrische Staatsangehörige Bob Sie gemeinsam mit seiner Freundin Alice auf. Bob hat einen Asylantrag gestellt.

Bob erhielt vor seiner Flucht in Syrien die Aufforderung, zu einem bestimmten Termin seinen Wehrdienst in der syrischen Armee anzutreten. Mitglied in bewaffneten oder politischen Organisationen oder sonst politisch aktiv war er nicht. Er verließ daraufhin Syrien und reiste sodann über die sogenannte Balkanroute auf dem Landweg nach Deutschland ein, wo er Asyl beantragte. Vor dem Bundesamt für Migration und Flüchtlinge (BAMF) gab er an, Syrien wegen des Militärdienstes verlassen zu haben. Er sei seit jeher überzeugter Pazifist und lehne jegliche Gewalt ab. Daher komme eine Beteiligung am Bürgerkrieg für ihn nicht in Frage, gleich auf welcher Seite. Er fürchte sich, dass er bei seiner Rückkehr inhaftiert wird.

Bob ist der Auffassung, dass Kriegsdienstverweigerung immer eine politische Handlung sei. Er sei daher als politischer Flüchtling anzuerkennen. Dies habe der Europäische Gerichtshof auch erst im November 2020 so entschieden. Darüber hinaus sei aber bekannt, dass es bei der Einreise nach Syrien immer wieder willkürlich zu Folter und Misshandlungen durch die dortigen Behörden komme. Auch unabhängig von der Frage des Wehrdienstes drohe ihm in Syrien daher jedenfalls Folter und schon deswegen sei er als Flüchtling anzuerkennen.

Alice ist skeptisch. Sie meint, dem syrischen Regime sei sicher bewusst, dass die meisten Menschen „nur" aus Angst vor den Gefahren des Krieges geflüchtet seien, was jedoch nicht als politische Handlung gewertet werden könne. Der syrische Staat könne nicht wissen, dass Bob Pazifist sei. Er habe dort nie einen Antrag auf Kriegsdienstverweigerung gestellt, oder seine ablehnende Haltung gegenüber Gewalt auf sonstige Weise zum Ausdruck gebracht. Darüber hinaus stelle das Urteil des Europäischen Gerichtshofes auf die Lage im Jahr 2017 ab. Seither habe das syrische Regime aber Amnestieregelungen in Aussicht gestellt: So habe eine offizielle Stelle im

Jahr 2019 verlauten lassen, dass keine Strafverfolgung befürchten müsse, wer sich bis Juni 2020 freiwillig zum Kriegsdienst melde.

Bei der Recherche für den Fall finden Sie heraus, dass die Truppen der syrischen Regierung wiederholt schwere Kriegsverbrechen gegen die syrische Zivilbevölkerung begangen haben, insbesondere durch den Einsatz von Giftgas. Zu den entsprechenden Einsätzen des Militärs wurden auch Soldaten während des verpflichtenden Militärdienstes herangezogen. Sie finden schließlich heraus, dass es bei Einreisen nach Syrien immer wieder zu willkürlichen Befragungen und Verhaftungen kommt, im Rahmen derer auch Folter möglich ist. Sie finden ferner heraus, dass Alice' Angaben über die Amnestieregelung zutreffend sind und dass es in Syrien keine legale Möglichkeit gibt, den Kriegsdienst zu verweigern.

Fallfrage

Alice und Bob möchten wissen, welche Chancen Bob hat, einen Schutzstatus zuerkannt zu bekommen.

Bearbeitungshinweis:
Gehen Sie davon aus, dass der Asylantrag zulässig ist. Insbesondere ist die Bundesrepublik Deutschland auch der im Sinne der Dublin-III-VO (Überstellungsfrist Art. 29 I, II Dublin-III-VO) für die Prüfung des Asylbegehrens zuständige Mitgliedstaat. Gehen Sie auf die von Alice und Bob vorgebrachten Argumente ein.

Nationale Abschiebehindernisse müssen nicht geprüft werden.

Lösungsvorschlag

Bobs Asylantrag könnte Aussicht auf Zuerkennung eines Schutzstatus haben, sofern er zulässig und begründet ist.

A. Zulässigkeit des Asylantrags

Laut Bearbeitungshinweis ist von der Zulässigkeit des Asylantrags auszugehen.

B. Erfolgsaussichten des Asylantrags

Bobs **Asylantrag** ist begründet, sofern die Tatbestandsvoraussetzungen eines Schutzstatus erfüllt sind. Um als Flüchtling im Sinne der Genfer Flüchtlingskonvention anerkannt zu werden, müssten die Voraussetzungen der §§ 3ff. AsylG erfüllt sein. Andernfalls könnte Bob subsidiärer Schutz gemäß § 4 AsylG zustehen. Ein Anspruch auf Asyl nach Art. 16a GG scheitert bereits an dem Umstand, dass Bob über den Landweg eingereist ist und somit eine Einreise über sichere Drittstaaten vorliegt.[1] Lediglich die Überstellungsfrist nach den Vorschriften der Dublin-III-VO sind abgelaufen, weshalb die Bundesrepublik Deutschland für den Asylantrag zuständig wäre. Die Einreise über sichere Drittstaaten bleibt dennoch bestehen.

I. Internationaler Schutz gemäß §§ 3ff. AsylG

Gemäß § 3 IV AsylG wird einer Person, die Flüchtling im Sinne des § 3 I AsylG ist, die **Flüchtlingseigenschaft** zuerkannt, sofern keine Ausschlussgründe vorliegen.

In Anlehnung an die Definition der Flüchtlingseigenschaft in Art. 1 A 2 GFK definiert § 3 I AsylG einen Flüchtling als eine Person, die sich aus begründeter Furcht

---

1 Siehe zu den Voraussetzungen der Asylgewährung Ebert, *13) Flucht über den Luftweg* in diesem Fallbuch.

vor Verfolgung aufgrund eines Verfolgungsgrundes im Sinne des § 3b I AsylG, wegen ihrer „Rasse", Religion, Nationalität, politischen Überzeugung oder Zugehörigkeit zu einer bestimmten sozialen Gruppe außerhalb ihres Herkunftslandes befindet, dessen Staatsangehörigkeit sie besitzt, wenn sie den Schutz ihres Herkunftslandes nicht in Anspruch nehmen kann oder wegen der Verfolgungsfurcht nicht in Anspruch nehmen will.

1. Beurteilungsmaßstab

Bei der Bewertung, ob die für den Einzelfall entscheidenden festgestellten Umstände eine Zuerkennung des Flüchtlingsschutzes nach § 3 AsylG begründen, gilt der einheitliche Bewertungsmaßstab der **„beachtlichen Wahrscheinlichkeit"**. Dabei orientiert sich dieser (nationale) Bewertungsmaßstab an der Rechtsprechung des EGMR, der bei der Prüfung des Art. 3 EMRK auf die tatsächliche Gefahr (**„real risk"**) abstellt.[2] Für eine solche beachtliche Wahrscheinlichkeit ist es erforderlich, dass in einer Gesamtschau der dargestellte Lebenssachverhalt, also die für eine individuelle Verfolgung sprechenden Umstände, ein größeres Gewicht besitzen und damit gegenüber den dagegensprechenden Tatsachen überwiegen.[3] Entscheidend ist, ob in Anbetracht der Gesamtumstände bei einem vernünftig denkenden, besonnenen Menschen in der Lage der betroffenen Person eine Furcht vor Verfolgung hervorgerufen wird.[4] Ergeben die Gesamtumstände eine reale Möglichkeit („real risk") einer Verfolgung, sodass ein verständiger Mensch das Risiko einer Rückkehr in den Heimatstaat nicht auf sich nehmen würde, kann eine solche wohlbegründete Furcht auch dann vorliegen, wenn bei mathematischer Betrachtungsweise ein Wahrscheinlichkeitsgrad von weniger als 50 Prozent besteht.[5] Entscheidend sind die Intensität und Häufigkeit der entsprechenden Umstände.[6] Maßgeblich für die Gesamtschau ist daher letztlich die Zumutbarkeit der Rückkehr.[7]

2 StRspr. BVerwG, Urt. v. 4.7.2019, Az.: 1 C 33.18, Rn. 15; BVerwG, Beschl. v. 15.8.2017, Az.: 1 B 120.17, Rn. 8; BVerwG, Urt. v. 20.2.103, Az.: 10 C 23/12, Rn. 32.
3 BVerwG, Urt. v. 4.7.2019, Az.: 1 C 33.18, Rn. 15; OVG Bremen, Urt. v. 23.3.2022, Az.: 1 LB 484/21, S. 8 (Rn. 28).
4 BVerwG, Urt. v. 4.7.2019, Az.: 1 C 33.18, Rn. 15; BVerwG, Urt. v. 20.2.2013, Az.: 10 C 23/12, Rn. 32; OVG Bremen, Urt. v. 23.3.2022, Az.: 1 LB 484/21, S. 8f. (Rn. 28).
5 BVerwG, Urt. v. 4.7.2019, Az.: 1 C 33.18, Rn. 15; OVG Bremen, Urt. v. 23.3.2022, Az.: 1 LB 434/21, S. 9 (Rn. 28).
6 Hruschka, in: Huber/Mantel, AufenthG/AsylG, 3. Aufl. 2021, AsylG § 3 Rn. 19.
7 BVerwG, Urt. v. 4.7.2019, Az.: 1 C 33.18, Rn. 15; OVG Bremen, Urt. v. 23.3.2022, Az.: 1 LB 434/21, S. 9 (Rn. 28).

Ist die betroffene Person vorverfolgt ausgereist, kommt ihr die **Beweiserleichterung** des Art. 4 IV Qualifikations-RL[8] zugute. Danach ist die Tatsache, dass bereits eine Verfolgung stattgefunden hat oder unmittelbar bevorstand, ein ernsthafter Hinweis darauf, dass die Furcht der antragstellenden Person begründet ist, es sei denn, es sprechen stichhaltige Gründe gegen eine erneute Verfolgung. Für eine Person, die bereits Verfolgung erlitten hat oder von einer Verfolgung unmittelbar bedroht war, streitet demnach die – widerlegbare – Vermutung, dass sich frühere Verfolgungshandlungen im Herkunftsstaat mit beachtlicher Wahrscheinlichkeit wiederholen werden.[9]

Fraglich ist daher zunächst, ob Bob bereits verfolgt aus Syrien geflohen ist, sodass er sich auf diese Beweiserleichterung berufen könnte.

Nach seinen Schilderungen war Bob politisch nie aktiv, verließ Syrien jedoch erst nachdem er die Aufforderung erhielt, zu einem bestimmten Termin den Wehrdienst anzutreten. Allerdings reicht lediglich die Aufforderung als solche noch nicht aus, um eine bereits stattgefundene oder unmittelbar bevorstehende Verfolgung anzunehmen. Bis zu seiner Ausreise ist ihm in Syrien nichts zugestoßen. Zwar fürchtet er sich auch vor einer Inhaftierung, allerdings trug Bob nichts dazu vor, dass ihm eine solche bereits unmittelbar vor seiner Ausreise bevorstand.

Bob kann sich daher nicht als Vorverfolgter auf die Beweiserleichterung des Art. 4 IV Qualifikations-RL berufen.

Der Maßstab der beachtlichen Wahrscheinlichkeit gilt nicht nur hinsichtlich möglicher Vorverfolgungen, sondern auch für **Nachfluchtgründe**.[10] Gemäß § 28 Ia AsylG kann die begründete Furcht vor Verfolgung auch auf Ereignissen beruhen, die eingetreten sind, nachdem die betroffene Person den Herkunftsstaat verlassen hat, insbesondere auch auf einem Verhalten, das zum Ausdruck und Fortsetzung einer bereits im Herkunftsland bestehenden Überzeugung oder Ausrichtung ist. Bob gab hierzu an, dass er zwar nicht politisch aktiv war, aber schon immer überzeugter Pazifist sei.

Vorliegend kommt eine **begründete Furcht vor Verfolgung** wegen einer Bob zugeschriebenen oppositionellen politischen Haltung durch das syrische Regime in

---

8 Richtlinie 2011/95/EU des Europäischen Parlaments und des Rates über Normen für die Anerkennung von Drittstaatsangehörigen oder Staatenlosen als Personen mit Anspruch auf internationalen Schutz, für einen einheitlichen Status für Flüchtlinge oder für Personen mit Anrecht auf subsidiären Schutz und für den Inhalt des zu gewährenden Schutzes vom 13.12.2011, ABl. EU Nr. L 337/9.

9 BVerwG, Beschl. v. 23.9.2019, Az.: 1 B 47.19, Rn. 7; BVerwG, Urt. v. 4.7.2019, Az.: 1 C 31.18, Rn. 28; bereits schon zur Vorgängerrichtlinie (RL 2004/83/EG): EuGH, Urt. v. 2.3.2010, Az.: C-175/176/178/179/08, Tz. 94; vgl. auch Dörig, in: Hailbronner/Thym, EU Immigration and Asylum Law, 3. Aufl. 2022, Art. 4 RL 2011/95/EU, Rn. 30 ff.

10 OVG Bremen, Urt. v. 23.3.2022, Az.: 1 LB 484/21, S. 9 (Rn. 29).

Betracht. Hierfür müsste zunächst eine **Verfolgungshandlung** im Sinne des § 3a AsylG vorliegen, der **Verfolgungsgrund** sich als begründet herausstellen und zwischen der Verfolgungshandlung und dem Verfolgungsgrund eine **Kausalität** bestehen, vgl. § 3a III AsylG.

2. Verfolgungshandlung, § 3a AsylG
a) Verfolgungshandlung im Sinne des § 3a I Nr. 1 AsylG
Als Verfolgung im Sinne des § 3a I AsylG gelten gemäß § 3a I Nr. 1 AsylG Handlungen, die auf Grund ihrer Art oder Wiederholung so gravierend sind, dass sie eine schwerwiegende Verletzung grundlegender Menschenrechte darstellen.

§ 3a II AsylG nennt mehrere, jedoch nicht abschließende („unter anderem") Regelbeispiele für Verfolgungshandlungen im Sinne des § 3 I AsylG.

Vorliegend kommt sowohl eine **unverhältnismäßige Strafverfolgung oder Bestrafung** (Nr. 3) und eine **Strafverfolgung wegen Verweigerung des Militärdienstes** (Nr. 5) in Betracht.

aa) Unverhältnismäßige Strafverfolgung oder Bestrafung, § 3 II Nr. 3 Alt. 1 AsylG

Weiterführendes Wissen

Exkurs: „Unverhältnismäßige Strafverfolgung":
Strafverfolgung und Bestrafung stellen als solche ein legitimes Recht eines jeden Staates dar, um Rechtsverletzungen zu ahnden und die soziale Ordnung zu erhalten. Das Strafrecht ist bei der Verletzung von privaten Rechten und Rechtsgütern durch andere Private zudem ein Ausdruck und Instrument der grundrechtlichen Schutzpflicht. Vor diesem Hintergrund muss bei der Bewertung von Strafmaßnahmen als Verfolgungshandlung der spezifische Verfolgungscharakter herausgearbeitet werden. Die Formulierung einer Strafnorm allein spielt allerdings keine entscheidende Bedeutung.[11] Knüpft allerdings eine Strafverfolgung an ein diskriminierendes Merkmal der betroffenen Person an und fällt die Strafe aufgrund dessen besonders hart aus, handelt es sich um einen sogenannten Politmalus und die Strafverfolgung schlägt in eine politische Verfolgung um.

Letztlich geht es daher bei der Bestrafung von Wehrdienstentziehungen darum, ob es „nur" um die Sanktionierung strafbewehrten Unrechts oder doch um eine mit einem Politmalus versehene besonders harte Bestrafung handelt, die eine tatsächliche oder vermeintliche oppositionelle Person mit aller Härte treffen soll.[12]

---

11 Bergmann, in: Bergmann/Dienelt, Ausländerrecht, 13. Aufl. 2020, AsylG § 3a Rn. 6.
12 Lehmann, NVwZ 2018, 293 (294).

Eine unverhältnismäßige Strafverfolgung im Sinne des § 3a II Nr. 3 AsylG liegt dann vor, wenn die an sich möglicherweise legitime Strafe sich als Politmalus herausstellt. Von einem Politmalus spricht man, wenn die Strafverfolgung in eine politische Verfolgung umschlägt. Dies ist dann der Fall, wenn objektive Umstände darauf schließen lassen, dass der Betroffene wegen eines flüchtlingsrechtlich erheblichen Merkmals eine härtere als die sonst übliche Behandlung erleidet.[13]

Anhand der Schilderungen von Alice und Bob ist nicht ersichtlich, ob eine außergewöhnliche Härte in der Strafverfolgung vorliegt. Das syrische Strafrecht, insbesondere das Militärrecht, stellt die Wehrdienstverweigerung unter Strafe. Bestraft wird nach dem sogenannten Military Penal Code. Die Strafen reichen von Haft zwischen einem und sechs Monaten in Friedenszeiten und bis zu fünf Jahren in Kriegszeiten. Bei Desertion in Kriegszeiten oder während des Kampfes beträgt die Haftstrafe 15 Jahre; Desertion im Angesicht des Feindes wird mit lebenslanger Haft beziehungsweise bei Überlaufen zum Feind mit Exekution bestraft. Bereits die nicht genehmigte und somit unerlaubte Ausreise wird wie ein Wehrdienstentzug geahndet.[14]

Ob damit bereits eine Verfolgungshandlung im Sinne des § 3a II Nr. 3 AsylG gegeben ist, ist fraglich. Es ist das Recht eines jeden Staates, Streitkräfte zu unterhalten und den Militärdienst einzufordern.[15] Bei der Feststellung der Unverhältnismäßigkeit ist zusätzlich zu beachten, dass eine Strafverfolgung wegen Verweigerung des Militärdienstes erforderlich sein kann, damit der betreffende Staat sein legitimes Recht auf Unterhaltung einer Streitkraft ausüben kann.[16] Hierzu zählen unterschiedliche Gesichtspunkte, insbesondere solche politischer und strategischer Art, auf denen die Legitimität des Rechts auf „Unterhaltung einer Streitkraft" und dessen Ausübung beruhen.[17] Eine unverhältnismäßige Strafverfolgung, die eine schwerwiegende Menschenrechtsverletzung gemäß § 3a I Nr. 1 begründet, ist daher nicht ersichtlich.

Es liegt keine Verfolgungshandlung im Sinne des § 3a II Nr. 3 AsylG vor.

---

13 BVerfG, Beschl. v. 4.12.2012, Az.: 2 BvR 2954/09, Rn. 24; BVerfG, Beschl. v. 12.2.2008, Az.: 2 BvR 2141/06, Rn. 22; grundlegend dazu: BVerfG, Beschl. v. 10.7.1989, Az.: 2 BvR 502/86, 2 BvR 961/86, 2 BvR 1000/86.
14 VGH BW, Urt. v. 14.6.2017, Az.: A 11 S 511/17, Rn. 35 ff.; Lehmann, NVwZ 2018, 293 (296).
15 EuGH, Urt. v. 25.2.2015, Az.: C-472/13, Tz. 50.
16 EuGH, Urt. v. 25.2.2015, Az.: C-472/13, Tz. 50.
17 EuGH, Urt. v. 25.2.2015, Az.: C-472/13, Tz. 51.

Lars Wasnick

bb) Strafverfolgung wegen Verweigerung des Militärdienstes, § 3a II Nr. 5 AsylG

In Betracht kommt jedoch eine Verfolgungshandlung nach § 3a II Nr. 5 AsylG. Hierfür müsste Bob sich durch seine Ausreise dem Wehrdienst entzogen haben und ihm deshalb eine Strafverfolgung oder Bestrafung drohen. Zusätzlich muss der Militärdienst, den er verweigert hat, Verbrechen oder Handlungen umfassen, die unter den Ausschluss des § 3 II AsylG fallen.

(1) Verweigerung des Militärdienstes

Bob erhielt vor seiner Flucht in Syrien die Aufforderung, zu einem bestimmten Termin seinen Wehrdienst in der syrischen Armee anzutreten. Er verließ nach der Aufforderung das Land und flüchtete nach Deutschland. Fraglich ist, welche Voraussetzungen an das Tatbestandsmerkmal der Verweigerung zu stellen sind. Dies ist umstritten.

Teilweise wird vertreten, dass der Begriff der Wehrdienstverweigerung mehr als die bloße Nichterfüllung des Wehrdienstes und somit eine explizite Ablehnung, beispielsweise in Form der Versagung oder Abschlagung des Erfüllungsverlangens, erfordert.[18] Begründet wird dies mit dem deutschen Wehrstrafrecht, wonach zwischen dem bloßen Ungehorsam in Form der Nichtbefolgung eines Befehls (§ 19 WStG) und der Gehorsamsverweigerung durch Auflehnung mit Wort, Tat oder Beharren gegen einen (wiederholten) Befehl (§ 20 WStG) unterschieden wird.[19] Das Element der erklärten Ablehnung sei auch in dem entsprechenden Begriffen des Art. 9 I lit. e Qualifikations-RL in anderen EU-Amtssprachen wiederzufinden, beispielsweise im Englischen mit dem Begriff „refusal to perform military service".[20]

Nach dieser Ansicht reicht die Militärdienstentziehung durch Flucht nicht aus, da Bob seine ablehnende Haltung gerade nicht gegenüber dem syrischen Staat ausdrücklich erklärt hat.

Nach anderer Ansicht verlangt der Tatbestand nicht, dass die wehrpflichtige Person vor der Ausreise ihre ablehnende Haltung gegenüber der Militärverwaltung förmlich zum Ausdruck bringt, sofern das Recht des Herkunftstaates kein Verfahren vorsieht, das eine Verweigerung des Militärdienstes ermöglicht und die Person sich dadurch einer Bestrafung oder Strafverfolgung automatisch aussetzt.[21] Eine

---

18 OVG NRW, Urt. v. 4.5.2017, Az.: 14 A 2023/16.A, Rn. 97 ff.
19 OVG NRW, Urt. v. 4.5.2017, Az.: 14 A 2023/16.A, Rn. 99.
20 OVG NRW, Urt. v. 4.5.2017, Az.: 14 A 2023/16.A, Rn. 99.
21 Vgl. EuGH, Urt. v. 19.11.2020, Az.: C-238/19, Tz. 32; so auch ausdrücklich: OVG BB, Urt. v. 29.1.2021, Az.: OVG 3 B 109.18, Rn. 25.

ausdrückliche Ablehnung des Wehrdienstes ist nach dieser Ansicht nicht erforderlich.[22]

Folglich hätte Bob nach dieser Ansicht den Militärdienst mittels seiner Ausreise und Flucht verweigert, sofern ihm kein Verfahren zustand, mit dem ihm eine Verweigerung möglich gewesen wäre.

Beide Ansichten kommen nur dann zu unterschiedlichen Ergebnissen, wenn der syrische Staat kein Verfahren vorsieht, das eine Verweigerung des Militärdienstes ermöglicht. Fraglich ist, ob es ein solches Verfahren gibt.

Hierfür sind alle Umstände des Einzelfalls zu berücksichtigen.[23] Dabei ist insbesondere die Tatsache zu beachten, dass die Verweigerung als solche bereits nach dem syrischen Recht rechtswidrig ist.[24] Dass eine Militärdienstverweigerung grundsätzlich nicht gestattet ist, zeigt unter anderem schon die **Amnestieregelung** des syrischen Regime auf die Alice hinweist, womit alle, die sich bis Juni 2020 freiwillig zum Kriegsdienst melden, keine Strafverfolgung befürchten müssten. Im Umkehrschluss heißt dies, dass allen, die sich nicht freiwillig zum Dienst gemeldet haben, Strafe droht. Darüber hinaus sichern die Amnestien nach ihrem Regelungsgehalt lediglich eine Straffreiheit zu, aber befreien nicht vor der Ableistung des Wehrdienstes.[25] Teilweise gibt es weitere Amnestieregelungen wie den Freikauf von der Wehrpflicht.[26] Es gibt jedoch keine stichhaltigen Quellen, womit belegt werden könnte, dass die ausgesprochenen Amnestien tatsächlich berücksichtigt und angewandt werden. Vielmehr gibt es Berichte, dass sie insgesamt nur partiell, wenig transparent und zum Teil willkürlich umgesetzt werden; das Vertrauen der Bevölkerung in eine faire Umsetzung wird zudem als gering bezeichnet.[27] Umsetzungen der Regelungen über den Freikauf sind daher nicht zuverlässig.[28] Insgesamt kann festgehalten werden, dass die Amnestie-Dekrete in ihrer Umsetzung generell „nahezu wirkungslos" sind.[29] Eine Verweigerung des Wehrdienstes aus Gewissensgründen ist, ebenso wie ein möglicher Ersatzdienst, grundsätzlich ausgeschlossen.[30] Bob hat-

22 OVG BB, Urt. v. 29.1.2021, Az.: OVG 3 B 109.18, Rn. 25.
23 EuGH, Urt. v. 19.11.2020, Az.: C-238/19, Tz. 31.
24 EuGH, Urt. v. 19.11.2020, Az.: C-238/19, Tz. 30.
25 European Asylum Support Office (EASO), Syria – Military Service, April 2021, S. 39 f.
26 Siehe ausführlich hierzu: OVG BB, Urt. v. 29.1.2021, Az.: OVG 3 B 109.18, Rn. 39 ff.
27 European Asylum Support Office (EASO), Syria – Military Service, April 2021, S. 39 f.; SFH, Syrien: Umsetzung der Amnestien, Auskunft vom 14.4.2015, S. 2.
28 The Danish Immigration Service (DIS), Syria – Military Service, Mai 2020, S. 28 f.; SFH, Auskunft der Länderanalyse vom 11.6.2019, Syrien: Aufschub des Militärdienstes für Studenten, S. 9 f.
29 Auswärtiges Amt, Lagebericht vom 4.12.2020, S. 12.
30 Zu diesem Ergebnis kommt auch: OVG Bremen, Urt. v. 23.3.2022, Az.: 1 LB 484/21, S. 12 (Rn. 41); Auswärtiges Amt, Lagebericht vom 4.12.2020, S. 14.

te dadurch keine (sichere und verlässliche) Möglichkeit für eine Verweigerung des Militärdienstes.

Die aufgeführten Ansichten kommen demnach zu unterschiedlichen Ergebnissen. Ein Streitentscheid ist unabdingbar.

Gegen die strenge, zuerst genannte Ansicht, die eine ausdrückliche Ablehnung fordert, spricht, dass selbst das deutsche Wehrstrafrecht der Verweigerung auch die Handlungsalternativen durch „Wort, Tat oder Beharren" gleichstellt. Es muss demnach keine ausdrückliche verbale Ablehnung gegenüber der Militärverwaltung erfolgen, sondern es reicht, wenn die Ablehnung durch eine Tat oder durch Beharren zum Ausdruck kommt. Das nonverbale Handeln in Form der Flucht ist der verbalen Ablehnung gleichzustellen. Hinzu kommt, dass diese strenge Ansicht mittlerweile als überholt angesehen werden dürfte, da der EuGH die Frage dahingehend geklärt hat, dass eine ausdrückliche Verweigerung nicht verlangt werden kann, wenn eine Verweigerung des Militärdienstes erst gar nicht möglich ist.[31] Hierdurch würde Bob sich sofort der Gefahr aussetzen, strafrechtlich verfolgt oder bestraft zu werden. Es sprechen daher die besseren Gründe dafür, dass die nicht kommunizierte Flucht als **Verweigerungshandlung** genügt. Es reicht folglich grundsätzlich aus, dass die betroffene Person aus ihrem Herkunftsland flieht, ohne sich der Militärverwaltung zur Verfügung zu stellen.[32]

Darüber hinaus erfordert der Tatbestand der Militärverweigerung kein bestimmtes Motiv der wehrpflichtigen Person. Maßgeblich ist, dass die Verweigerung das einzige Mittel ist, der Beteiligung an Kriegsverbrechen im Sinne des § 3 II AsylG zu entgehen.[33]

Bob hat durch seine Flucht den Militärdienst verweigert.

(2) Drohende Strafverfolgung oder Bestrafung

Bob müsste auch eine Strafverfolgung oder Bestrafung drohen.

Strafrechtliche Sanktionen für die Wehrdienstverweigerung sind bis heute in Syrien gesetzlich geregelt. Gegenüber der Person, die sich trotz der Einberufung innerhalb einer bestimmten Zeit nicht zum Militärdienst meldet, droht gemäß Art. 99 des Militärstrafgesetzbuches eine Freiheitsstrafe bis zu fünf Jahren – die Desertation ins Ausland wird mit noch weit höheren Strafen geahndet.[34] Teilweise wird eine strafrechtliche Sanktion abgelehnt, da aufgrund des erhöhten Personal-

---

31 EuGH, Urt. v. 19.11.2020, Az.: C-238/19, Tz. 32.
32 EuGH, Urt. v. 19.11.2020, Az.: C-238/19, Tz. 32.; im Ergebnis so auch: OVG Bremen, Urt. v. 23.3.2022, Az.: 1 LB 484/21, S. 14f. (Rn. 47 f.).
33 EuGH, Urt. v. 19.11.2020, Az.: C-238/19, Tz. 27.
34 OVG BB, Urt. v. 29.1.2021, Az.: OVG 3 B 109.18, Rn. 48 ff.

bedarfs des syrischen Militärs viele Freiheitsstrafen nicht durchgesetzt werden, sondern die Betroffenen direkt in den Militärdienst geschickt werden.[35] Allerdings werden Berichten zu Folge viele Betroffene mit einer beachtlichen Wahrscheinlichkeit direkt eingezogen und an der Front eingesetzt.[36] Ausnahmen von der Einziehung in den Wehrdienst werden vornehmlich aufgrund von Beziehungen oder Bestechungen gemacht.[37] Weiteren Berichten zufolge erfolgt die Zwangsrekrutierung nach einer zeitweiligen Inhaftierung, teilweise sogar erst nach mehrmonatigen Haftstrafen.[38]

Insgesamt zeigt sich, dass das Verhalten des syrischen Regimes gegenüber Personen, die den Militärdienst verweigert haben, keinen einheitlichen Regeln folgt.[39] Sogar wenn man eine strafrechtliche Verfolgung aufgrund der direkten Rekrutierung ablehnt[40], handelt es sich bei dem Umstand, dass Rückkehrer*innen oftmals nur mit minimalster Ausbildung an die Front geschickt werden, um eine Bestrafung im Sinne des § 3a II Nr. 5 Alt. 2 AsylG.[41]

Bob droht eine Bestrafung aufgrund der Militärdienstverweigerung.

(3) Vom Militärdienst umfasste Handlungen im Sinne des § 3 II AsylG

Durch die vorliegend geschilderte Situation in Syrien ist zudem davon auszugehen, dass **Kriegsverbrechen** und Handlungen im Sinne des § 3 II AsylG durch das syrische Militär vorgenommen werden. Dabei spielt es keine Rolle, ob Bob unmittelbar oder mittelbar hierzu einen Beitrag durch seinen Militärdienst leisten würde. Schon die mittelbare Beteiligung wird von § 3a II Nr. 5 AsylG erfasst.[42] Die Gesamtsituation muss die Begehung und Beteiligung an Kriegsverbrechen plausibel erscheinen lassen.[43] Es ist zudem nicht erforderlich, dass die Betroffenen bereits Militärangehö-

---

35 OVG NRW, Urt. v. 22.3.2021, Az.: 14 A 3439/18.A, Rn. 52 ff.; VGH Bayern, Urt. v. 21.9.2020, Az.: 21 B 19.32725, Rn. 42; OVG Nds, Beschl. 16.1.2020, Az.: 2 LB 731/19, Rn. 50.
36 Beispielsweise: Auswärtiges Amt, Lagebericht vom 4.12.2020, S. 31; The Danish Immigration Service (DIS), Syria – Military Service, Mai 2020, S. 11, 13 f.
37 The Danish Immigration Service (DIS), Syria – Military Service, Mai 2020, S. 13 f.
38 OVG Bremen, Urt. v. 23.03.2022 – 1 LB 484/21, S. 23 (Rn. 65); UNHCR, Erwägungen zum Schutzbedarf, März 2021, S. 132f.; Auswärtiges Amt, Lagebericht vom 4.12.2020, S. 30.
39 OVG BB, Urt. v. 29.1.2021, Az.: OVG 3 B 109.18, Rn. 95.
40 VGH Bayern, Urt. v. 21.9.2020, Az.: 21 B 19.32725, Rn. 42; andere Ansicht OVG BB, Urt. v. 29.1.2021, Az.: OVG 3 B 109.18, Rn. 98.
41 OVG BB, Urt. v. 29.1.2021, Az.: OVG 3 B 109.18, Rn. 98f.; wohl auch OVG Nds, Beschl. v. 16.1.2020, Az.: 2 LB 731/19, Rn. 42.
42 Vgl. EuGH, Urt. v. 19.11.2021, Az.: C-238/19, Tz. 38.
43 Vgl. EuGH, Urt. v. 19.11.2021, Az.: C-238/19, Tz. 34 f.

rige sind und ihr Einsatzgebiet kennen.[44] Die Truppen der syrischen Regierung haben wiederholt schwere Kriegsverbrechen gegen die syrische Zivilbevölkerung begangen, insbesondere durch den Einsatz von beispielsweise Giftgasattacken.[45] Im Rückeroberungskampf im südwestsyrischen Gouvernement Daraa kam es im Juli und August 2021 zu massiven Gefechten, bei denen unter anderem Wohngebiete und die zivile Infrastruktur angegriffen wurden.[46] Es ist damit – auch wenn teilweise vertreten wird, dass die kriegsverbrecherischen Handlungen abgenommen haben[47] – beachtlich wahrscheinlich, dass Wehrdienstleistende an solchen Handlungen weiterhin mitwirken.[48]

Der Militärdienst, den Bob verweigerte, umfasst daher auch Handlungen im Sinne des § 3 II AsylG.

b) Zwischenergebnis
Eine Verfolgungshandlung im Sinne des § 3a II Nr. 5 AsylG liegt demnach vor.

3. Verfolgungsgründe §§ 3 I Nr. 1 AsylG, 3b I 1 Nr. 5 AsylG
Es könnte sich um den Verfolgungsgrund der **politischen Überzeugung** handeln, § 3 I 1 Nr. 1 Var. 4 AsylG.

Gemäß § 3b I Nr. 5 AsylG bedeutet der Begriff der politischen Überzeugung nach § 3 I Nr. 1 Var. 4 AsylG insbesondere, dass die Betroffenen eine Meinung, Grundhaltung oder Überzeugung vertreten, dabei ist jedoch unerheblich, ob diese der Grund für ihr Tätigwerden sind. Maßgeblich ist eine Überzeugung, die von der Regierungsmeinung abweicht, wobei lediglich die Abweichung als solche nicht reicht.[49] Hinzukommen muss, dass die betroffene Person aufgrund ihrer Überzeugung Furcht vor einer Verfolgung hat.[50] Gemäß § 3b II AsylG kommt es nicht darauf an, ob die verfolgte Person diese Merkmale (politische Überzeugung) tatsächlich aufweist. Vielmehr reicht es aus, wenn ihr diese von ihrem Verfolger zugeschrieben werden.

44 BVerwG, Urt. v. 22.5.2019, Az.: 1 C 10/18, Rn. 22; vgl. zusätzlich EuGH, Urt. v. 26.2.2015, Az : C-472/13, Tz. 40 ff.
45 Siehe ausführlich zu den Kriegsverbrechen beispielsweise: Auswärtiges Amt, Lagebericht vom 4.12.2020, S. 8, 16f.; UNHCR, Erwägungen zum Schutzbedarf, März 2021, S. 9.
46 Auswärtiges Amt, Lagebericht vom 29.11.2021, S. 6ff.
47 OVG Nds, Beschl. v. 16.7.2020, Az.: 2 LB 39/20, Rn. 56.
48 OVG Bremen, Urt. v. 23.3.2022, Az.: 1 LB 484/21, S. 21 (Rn. 57); OVG BB, Urt. v. 29.1.2021, Az.: OVG 3 B 109.18, Rn. 71.
49 Hruschka, in: Huber/Mantel, AufenthG/AsylG, 3. Aufl. 2021, AsylG § 3b Rn. 35.
50 Hruschka, in: Huber/Mantel, AufenthG/AsylG, 3. Aufl. 2021, AsylG § 3b Rn. 35 m.w.N.

Bob ist überzeugter Pazifist und lehnt generell Gewalt ab, war jedoch nicht politisch aktiv oder äußerte seine ablehnende Haltung gegenüber Gewalt auf irgendeine Weise öffentlich. Fraglich ist daher, ob dies für eine Verfolgung aufgrund einer politischen Überzeugung ausreicht.

Zu untersuchen ist demnach, ob der syrische Staat generell allen Menschen, die den Wehrdienst verweigern, grundsätzlich eine oppositionelle, regimefeindliche, politische Überzeugung zuschreibt. Dabei muss beachtet werden, dass es sich auch um die Frage handelt, ob der syrische Staat gerade deshalb die Verfolgungshandlungen (im Sinne des § 3 I Nr. 1 AsylG i.V.m. § 3a II Nr. 5 AsylG) vornimmt oder ob die Handlungen zwar menschenrechtsverletzend sind, jedoch nicht aufgrund eines Verfolgungsgrundes erfolgen. Im letzteren Fall wäre die erforderliche kausale Verknüpfung im Sinne des § 3a III AsylG nicht erfüllt. Fehlt es an dieser Kausalität, ist der GFK-Schutz im Sinne des § 3 I AsylG zu versagen. Diese Frage wird nicht einheitlich beantwortet und ist sehr umstritten.

> **! Hinweise zur Fallprüfung**
>
> Es handelt sich um einen sehr komplexen Prüfungspunkt, da zum einen der Verfolgungsgrund an sich und die zwingende Kausalität zwischen der Verfolgungshandlung und dem Verfolgungsgrund ineinander verschmelzen. Insbesondere in der gerichtlichen Entscheidungspraxis werden beide Tatbestandsvoraussetzungen oftmals zusammen geprüft. Ohne Verfolgungsgrund kann es keine Kausalität im Sinne des § 3a III AsylG geben, ohne die Kausalität wiederum keine GFK-Schutzzuerkennung. Ferner muss der syrische Staat das Merkmal der politischen Überzeugung den Betroffenen zuschreiben und gerade deshalb verfolgen. Schreibt er ihnen eine solche zu, ist eine Verfolgung aufgrund dessen nahezu evident. Eine isolierte Prüfung der beiden Merkmale ist daher kaum möglich. Daher ähnelt sich die Argumentation in beiden Prüfungspunkten stark. Beide Punkte können, wie es die Rechtsprechung in den meisten Fällen vornimmt, daher zusammen geprüft werden.

Bereits frühe Berichte gehen davon aus, dass der syrische Präsident seine Herrschaft auf die Loyalität der Streitkräfte stützt.[51] Aktuellen Berichten zufolge werden Rückkehrende innerhalb besonders regimenaher Sicherheitsbehörden als „Feiglinge und Fahnenflüchtige, schlimmstenfalls als Verräter beziehungsweise Anhänger von Terroristen" eingestuft.[52] Dies lässt den Schluss zu, dass Menschen, die den Wehrdienst verweigern, insgesamt als illoyal angesehen werden.[53] Weitere Quellen

---

51 Auswärtiges Amt, Ad-hoc-Bericht über die asyl- und abschiebungsrelevante Lage in der Arabischen Republik Syrien, S. 6.
52 Auswärtiges Amt, Lagebericht vom 4.12.2020, S. 26.
53 OVG BB, Urt. v. 29.1.2021, Az.: OVG 3 B 109.18, Rn. 69.

Lars Wasnick

gehen davon aus, dass der Wehrdienstentzug als oppositionelle Handlung beziehungsweise als politischer Dissens gewertet werden.[54]

a) Ablehnung der politischen Verfolgung

Teilweise wird jedoch die politische Verfolgung verneint, weil die betroffenen Personen bei der Rückkehr nach Syrien zwar mit extralegaler Bestrafung rechnen müssten, die mit hoher Wahrscheinlichkeit menschenrechtswidrige Maßnahmen umfassen könnten. Jedoch gebe es keine Anzeichen, die die Wehrpflicht an sich als politische Verfolgung erscheinen lassen, außerdem sei nicht erkennbar, dass der syrische Staat in Reaktion auf die Wehrdienstentziehung generell eine politische Überzeugung gegen alle Rückkehrer annehme. Für eine solche generelle unterstellte politische Überzeugung der Wehrdienstentzieher*innen gebe es keinerlei tatsächliche Anhaltspunkte.[55]

Nach dieser Ansicht würde man dem syrischen Regime eine „Realitätsblindheit" unterstellen, wenn angenommen würde, dass es jeder Person, die den Wehrdienst verweigert, eine gegnerische politische Gesinnung zuschreibe und damit nicht die allgemeine Motivation (Furcht vor einem Kriegseinsatz) – die an sich eine völlig unpolitische Haltung sei – vor einem Wehrdienstentzug erkennen könnte.[56]

b) Annahme der politischen Verfolgung

Nach einer anderen Ansicht ist die erforderliche Verknüpfung zwischen § 3a I Nr. 1, § 3 II Nr. 5 AsylG und § 3 I, § 3b I Nr. 5 AsylG gegeben.

Denjenigen, die sich der Einberufung oder der Mobilisierung entziehen, drohe bei einer Ergreifung (nach Rückkehr) eine längere Haft und Folter.[57]

Ferner gebe es Hinweise darauf, dass alle, die sich dem Regime entziehen – wie es Wehrdienstpflichtige tun –, als Oppositionelle und je nach bisheriger Funktion als „Landesverräter" betrachtet werden.

Das syrische Regime sei dadurch gekennzeichnet, dass es sich nicht nur in besonders abstoßender Weise über das Lebensrecht und die Menschwürde hinwegsetzt, sondern auch bereits seit längerem einen durch Kriegsverbrechen gegen die Menschlichkeit gekennzeichneten Vernichtungskrieg – auch gegen die Zivilbevölke-

---

54 BAMF, Länderinformationsblatt Syrien, zuletzt aktualisiert am 17.10.2019, S. 44; SFH, Auskunft der Länderanalyse vom 11.6.2019, Syrien: Aufschub des Militärdienstes für Studenten, S. 6f.

55 OVG NRW, Urt. 22.3.2021, Az.: 14 A 3439/18.A, Rn. 106f. mit weiteren Nachweisen für die fast gesamte OVG-Rechtsprechung.

56 OVG NRW, Urt. v. 4.5.2017, Az.: 14 A 2023/16.A, Rn. 42.

57 SFH, Syrien: Mobilisierung in die syrische Armee, 28.3.2015, S. 4.

rung – führt.[58] Schon die besondere Intensität der drohenden Verfolgungshandlungen indizieren ein flüchtlingsrelevantes Merkmal.[59] Diese willkürlichen Handlungen könnten allenfalls dann anders eingeordnet werden, „wenn die Eingriffe nur die Funktion hätten, der Befriedigung sadistischer Machtphantasien der Sicherheitsorgane zu dienen oder Gelder von Einreisenden zu erpressen, was aber in dem aktuellen Kontext eines diktatorischen Systems, das mit allen Mitteln um seine Existenz kämpft, fernliegt."[60]

Mithin kommen beide Ansichten zu unterschiedlichen Ergebnissen. Ein Streitentscheid ist somit unentbehrlich.

c) Streitentscheid:

Die zuerst genannte Ansicht kann nicht überzeugen. So wird beispielsweise damit argumentiert, dass es keine Anhaltspunkte für eine tatsächliche politische Überzeugung der Geflüchteten gebe. Jedoch kommt es dogmatisch gar nicht auf die tatsächlichen Überzeugungen an, sondern vielmehr nur auf die ihnen zugeschriebenen Merkmale seitens des Regimes, vgl. § 3b II AsylG. Die Frage, ob Personen, die sich dem Wehrdienst entzogen haben, flüchtlingsrechtlich relevante Verfolgungshandlungen zu befürchten haben, ist durch eine richterliche Prognoseentscheidung zu beantworten.[61] Die Bildung der dafür notwendigen richterlichen Überzeugung im Sinne des § 108 I 1 VwGO setzt eine ausreichende und umfassende Erforschung des Sachverhalts voraus – Lebenserfahrungen" und „vernünftige Betrachtung" können niemals an die Stelle von einzuholenden Informationen gesetzt werden.[62] Insbesondere dann, wenn es sich um Auskunftsmaterial von international anerkannten Stellen handelt, wie zum Beispiel UNHCR, DRK, Schweizerische Flüchtlingshilfe.[63]

Schwierig dabei ist, dass die Argumentation der zuerst genannten Ansicht sich darauf beruft, das syrische Regime handle in erster Linie rational. Das Argument, man würde dem syrischen Regime „Realitätsblindheit" unterstellen, wenn angenommen würde, es würde jeder Person, die den Wehrdienst verweigert, eine oppositionelle politische Gesinnung zuschreiben[64], ist nicht haltbar.[65] Denn dabei

---

58 SFH, Schnellrecherche der SFH-Länderanalyse vom 12.03.2015 zu Syrien: Arbeitsverweigerung, S. 1 f.

59 BVerfG, Beschl. v. 29.4.2009, Az.: 2 BvR 78/08 unter II. 2. b.

60 So noch in seiner alten Entscheidung: VGH BW, Urt. v. 16.6.2017, Az.: A 11 S 511/17, Rn. 62.

61 Vgl. Lehman, NVwZ 2018, 293 (295).

62 Vgl. Lehman, NVwZ 2018, 293 (295).

63 Vgl. Lehman, NVwZ 2018, 293 (298).

64 OVG NRW, Urt. v. 4.5.2017, Az.: 14 A 2023/16.A, Rn. 72 m.w.N.

65 So auch zum Beispiel VG Magdeburg, Urt. v. 10.3.2021, Az.: 9 A 30/21 MD, S. 11.

wird versucht, sich aus westeuropäischer Sicht in die Lage der syrischen Regierung zu versetzen. Die generelle Zuschreibung einer oppositionellen politischen Überzeugung ist nach dieser (westeuropäischen) Ansicht so fernliegend, dass selbst der syrische Staat diese Haltung nicht einnehmen könne. Jedoch handelt es sich dabei um eine Regierung, die in dem nun über einem Jahrzehnt anhaltenden Bürgerkrieg massive Kriegsverbrechen, auch gegen die eigene Zivilbevölkerung, begangen hat. Zu beachten ist, dass sich die gegenwärtige Realität in der Bundesrepublik Deutschland einerseits und in Syrien andererseits offenkundig fundamental voneinander unterscheidet.[66] Einem willkürlich und kriegsverbrecherischen handelndem Regime Rationalität zuzusprechen, ist dabei äußerst fragwürdig.[67]

Zusätzlich berichteten Quellen darüber, dass die Handlungsmuster des syrischen Regimes mittlerweile vollständig von einem „Freund-Feind-Schema" geprägt sind.[68] Jemand, der den Militärdienst verweigert, würde nach diesem Muster als „Feind" gelten. Diesem Argument wird entgegengehalten, dass überwiegend, auch aufgrund von Amnestieregelungen der syrischen Regierung, nicht mehr uneingeschränkt von einem solchen „Freund-Feind-Schema" ausgegangen werden kann.[69] Es gibt jedoch weitere Berichte, die von einer generellen oppositionellen Zuschreibung ausgehen. Die vorliegenden Erkenntnisse lassen zumindest auch den Schluss zu, dass die Verfolgung von Personen, die den Wehrdienst verweigern, nicht allein auf der auf rationalen Überlegungen fußenden Vollstreckung des syrischen Wehrstrafrechts dient, sondern dass es sich hierbei ganz maßgeblich um Verfolgungen aufgrund der regimekritischen politischen Überzeugung der Betreffenden handelt.[70]

Zudem ist beispielsweise die Argumentation des OVG NRW inkonsistent und nicht schlüssig: Einerseits erkennt es die Unberechenbarkeit des syrischen Regimes an und stimmt somit dem Vorwurf zu, dass man dem Regime keine rationalen Überlegungen unterstellen könnte[71], widerspricht dem jedoch sogleich, indem es sich in die rationale Lage der Regierung versetzt (Argument der Realitätsblindheit).

---

66 VG Köln, Urt. v. 25.4.2019, Az.: 20 K 1163/17.A, Rn. 137– openJur.
67 Kritisch auch: Pfersich, ZAR 2020, 255 (258); Feneberg, VerfBlog, 2.12.2020.
68 VG Köln, Urt. v. 7.10.2021, Az.: 20 K 14138/17.A, Rn. 97 – juris.
69 VGH Hessen, Urt. v. 23.8.2021, Az.: 8 A 1992/18.A, Rn. 61; OVG SA, Urt. v. 1.7.2021, Az.: 3 L 154/18, Rn. 110; OVG Nds, Urt. v. 22.4.2021, Rn. 2 LB 147/18, Rn. 65.
70 Vgl. Lehman, NVwZ 2018, 293 (298).
71 OVG NRW, Urt. v. 4.5.2017, Az.: 14 A 2023/16.A, Rn. 76; diese Ansicht hat das OVG NRW mittlerweile aufgegeben, indem es mittlerweile nicht mehr davon ausgeht, dass überhaupt eine Verfolgungshandlung vorliegt: OVG NRW, Urt. v. 22.3.2021, Az.: 14 A 3439/18.A, Rn. 54.

Auch die Vergleiche zum deutschen Wehr- und Strafrecht können nicht überzeugen. Bereits der Ausgangspunkt der Überlegungen zur Frage der Furcht von Wehrdienstleistenden vor Kriegsgefahren und der Verknüpfung mit dem deutschen Wehrstrafrecht ist nicht zielführend. Zu diesem Standpunkt führte bereits der VGH Baden-Württemberg 2017 aus: *„Nicht überzeugend ist der Ausgangspunkt, weil er Verpflichtungen eines Soldaten der Bundeswehr mit angeblichen Verpflichtungen eines Soldaten der syrischen Armee, die einem totalitären Herrscher dient und für eine Vielzahl von Kriegsverbrechen verantwortlich ist, gleichsetzt. Eine solche Gleichsetzung ist aber inakzeptabel und lässt angesichts der Ausblendung der fraglosen Grenzen zulässigen soldatischen Handelns ein erhebliches Maß an Geschichtsvergessenheit erkennen.“*[72]

Letztlich lässt eine realitätsnahe Bewertung des Charakters des syrischen Regimes und die Beurteilung der zahlreich dokumentierten Handlungen des Regimes keinen anderen Schluss zu, als dass es sich nicht um eine „übliche" strafrechtliche Sanktionierung, sondern vielmehr um eine systematische und ausschließliche „Vergeltungsgier" handelt.

Einen solchen Schluss intendiert auch die neue Rechtsprechung des EuGH[73] Dem EuGH zufolge spricht eine starke Vermutung dafür, dass die Verweigerung des Militärdienstes in aller Regel als oppositioneller Akt angesehen werden kann und in Anknüpfung an die (unterstellte) politische Überzeugung verfolgt wird.[74] Es bestehe zudem bei einem bewaffneten Konflikt, insbesondere einem Bürgerkrieg, angesichts fehlender legaler Möglichkeiten der Wehrdienstverweigerung die hohe Wahrscheinlichkeit, dass diese von den Behörden als ein Akt politischer Opposition ausgelegt werde.[75] Die Beurteilung, ob eine solche Verknüpfung, wie sie § 3a III AsylG fordert, tatsächlich vorliegt und plausibel ist, ist (jedoch) weiterhin Aufgabe der nationalen Gerichte und Behörden.[76]

Grundsätzlich trägt die betroffene Person die materielle Beweislast dafür, dass die positiven Voraussetzungen der Flüchtlingszuerkennung vorliegen, sodass eine **„non liquet"-Situation** – also der Fall, dass sie das Vorliegen der Voraussetzungen nicht nachweisen können – zu ihren Lasten geht.[77] Durch seine Entscheidung vom 19.11.2020 legt der EuGH jedoch einen Sonderfall für den Verfolgungsgrund der politischen Überzeugung fest, indem er feststellt, dass ein unmittelbarer Beweis für die Verknüpfung von Verfolgungshandlung und Verfolgungsgrund „besonders schwer"

---

72 So beispielsweise noch die frühere Ansicht des VGH BW, Urt. v. 14.6.2017, Az.: 11 S 511/17, Rn. 74.
73 EuGH, Urt. v. 19.11.2020, Az.: C-238/19.
74 EuGH, Urt. v. 19.11.2020, Az.: C-238/19, Tz. 57, vgl. auch Tz. 38, 61.
75 EuGH, Urt. v. 19.11.2020, Az.: C-238/19, Tz. 59 f.
76 EuGH, Urt. v. 19.11.2020, Az.: C-238/19, Tz. 35, 56.
77 BVerwG, Urt. v. 4.7.2019, Az.: 1 C 33/18, Rn. 17, 26.

zu erbringen sei.[78] Aufgrund dessen nimmt der EuGH eine hohe Wahrscheinlichkeit und starke Vermutung dafür an, dass die Verweigerung des Militärdienstes als Akt oppositioneller Gesinnung verstanden wird.[79]

Eine solche, hier vorliegende, non liquet – Situation muss zugunsten der Betroffenen ausgelegt werden, solange sie nicht eindeutig widerlegt werden kann.[80] Ist der Sachverhalt nicht vollständig aufklärbar, ist der Person im Zweifel der Flüchtlingsschutz anzuerkennen.[81] Der EuGH schließt sich somit mit der starken Vermutungsregel seiner bisherigen Rechtsprechung zu den Voraussetzungen der GFK-Anerkennung an und legt diese schutzorientiert aus.[82]

Mithin sprechen die besseren Argumente für die zweite Ansicht.[83]

Aufgrund der divergierenden Lageberichte können die tatsächlich herrschenden Umstände in Syrien nicht eindeutig aufgeklärt werden. Dies kann jedoch nicht zu Lasten Bobs ausgelegt werden.

Ein Verfolgungsgrund und eine nach § 3a III AsylG erforderliche Verknüpfung besteht folglich. Mithin erscheint es wahrscheinlich, dass Bob mit gravierenden Verfolgungshandlung bei einer Rückkehr nach Syrien rechnen müsste.

Weiterführendes Wissen   `i`

Exkurs: Abweichende Rechtsprechung der Oberverwaltungsgerichte und Praxishinweis:
Das hier oft zitierte EuGH Urteil vom 19.11.2020 löste in der Praxis eine Welle an **Folgeanträgen** neben den noch anhängigen **Aufstockungsklagen** aus.[84] Syrische Männer im wehrpflichtigen Alter, denen in der Regel nur subsidiärer Schutz zuerkannt wurde, stellten Folgeanträge mit der Begründung, dass die Sach- und Rechtslage sich geändert habe. Die im Fall skizzierte divergierende Meinung der Oberverwaltungsgerichte bezieht sich auf die neue EuGH-Rechtsprechung.[85] Die h er vertretene Meinung entspricht nicht der herrschenden Meinung in der Rechtsprechung.

---

78 EuGH, Urt. v. 19.11.2020, Az.: C-238/19, Tz. 55.
79 EuGH, Urt. v. 19.11.2020, Az.: C-238/19, Tz. 57.
80 So auch: Hruschka, Asylmagazin 2021, 148 (150).
81 Hruschka, in: Huber/Mantel, AufenthG/AsylG, 3. Aufl. 2021, AsylG § 3 Rn. 17.
82 So auch: Hruschka, VerfBlog, 20.11.2020; ders. geht in Asylmagazin 2021, 148 (150) von einer europarechtswidrigen Rechtsprechung des BVerwG aus.
83 Dies wird als Reaktion auf das angesprochene EuGH Urteil mittlerweile vertreten von: OVG Bremen, Urt. v. 23.3.2022, Az.: 1 LB 484/21, S. 27ff. (Rn. 70ff.); OVG BB, Urt. v. 29.1.2021, Az.: OVG 3 B 109.18, Rn. 63, 105f.
84 In den ersten drei Monaten im Jahr 2021 waren es laut der BAMF-Asylgeschäftsstatistik 13.585 Asylfolgeanträge. Daneben waren Ende 2020 noch 3.670 Aufstockungsklagen (auch „Upgrade-Klagen") an den Oberverwaltungsgerichten anhängig.
85 Speziell zur Unzulässigkeit der Folgeanträge siehe Weiterführendes Wissen am Ende des Falls.

Dem Urteil des EuGH haben sich, bis auf Ausnahme des OVG Berlin-Brandenburg und OVG Bremen[86], keine weiteren Oberverwaltungsgerichte angeschlossen.[87]

Die Oberverwaltungsgerichte kommen, teilweise mit unterschiedlicher Begründung, alle zu dem Ergebnis, dass die starke Vermutungsregel des EuGH aufgrund aktueller Erkenntnisse über die Lage in Syrien als widerlegt anzusehen ist.[88] Das OVG NRW geht zusätzlich davon aus, dass aufgrund der aktuellen Lage in Syrien schon gar keine Verfolgungshandlung vorliegt.[89] Grundsätzlich wird davon ausgegangen, dass jeder Sachverhalt ein Einzelfall ist, der nicht pauschal von einer Vermutungsregel gedeckt werden kann.

Diese Interpretation des EuGH-Urteils wird zurecht in der Literatur kritisiert.[90]

Zudem wurden mit Beschluss vom 2.11.2021 mehrere Revisionen gegen die Entscheidungen des OVG Brandenburg-Berlin zugelassen.[91] Ob sich damit jedoch eine höchstrichterliche Antwort erwarten lässt, ist sehr zweifelhaft. Derzeit fungiert das Bundesverwaltungsgericht lediglich als Revisionsgericht – erhebt also keine Tatsachen. Dies führt zu einer solchen Uneinheitlichkeit der Asylrechtsprechung, insbesondere auf der oberverwaltungsgerichtlichen Ebene. Im Wege der Neuregelung des Chancen-Aufenthaltsrechts sind seit 1.1.2023 auch neue Regelungen bezüglich des Asylgerichtsverfahrens in Kraft getreten. Mit § 78 VIII AsylG ist nun die Möglichkeit für Oberverwaltungsgerichte eröffnet, die Revision an das Bundesverwaltungsgericht zuzulassen, sofern es „in der Beurteilung der allgemeinen asyl-, abschiebungs- oder überstellungsrelevanten Lage in einem Herkunfts- oder Zielstaat von deren Beurteilung durch ein anderes Oberverwaltungsgericht oder durch das Bundesverwaltungsgericht abweicht". Insofern besteht nun zumindest die Möglichkeit einer höchstrichterlichen Klärung.

---

86 OVG Bremen, Urt. v. 23.3.2022, Az.: 1 LB 484/21; OVG BB, Urt. v. 29.1.2021, Az.: OVG 3 B 109.18; das OVG Thüringen nimmt eine grundsätzliche Zuschreibung der oppositionellen Haltung an und hat dies bisher noch nicht abweichend entschieden: OVG Thüringen, Urt. v. 15.6.2018, Az.: 3 KO 155/18; weitere anerkennende Verwaltungsgerichte seit dem EuGH Urteil: VG Köln, Urt. v. 8.11.2021, Az.: 20 K 4352/19.A; Urt. v. 7.10.2021 – 20 K 14138/17.A; VG Magdeburg, Urt. v. 18.10.2021, Az.: 9 A 208/21 MD.
87 Den GFK-Schutz nach § 3 I AsylG ablehnende Oberverwaltungsgerichte (teilweise mit unterschiedlicher Begründung): VGH Bayern, Urt. v. 8.12.2021, Az.: 21 B 19.33948; OVG Saarland, Urt. v. 29.10.2021, Az.: 2 A 203/21; OVG Sachsen, Urt. v. 22.9.2021, Az.: 5 A 855/19.A; VGH Hessen, Urt. v. 23.8.2021, Az.: 8 A 1992/18.A; OVG SA, Urt. v. 1.7.2021, Az.: 3 L 154/18; VGH BW, Urt. v. 4.5.2021, Az.: A 4 S 468/21; OVG Nds, Urt. v. 22.4.2021, Az.: 2 LB 147/18; OVG NRW, Urt. v. 22.3.2021, Az.: 14 A 3439/18.A.
88 VGH Bayern, Urt. v. 8.12.2021, Az.: 21 B 19.33948, Rn. 58; VGH Hessen, Urt. v. 23.8.2021, Az.: 8 A 1992/18.A, Rn 60; OVG SA, Urt. v. 1.7.2021, Az.: 3 L 154/18, Rn. 117; VGH BW, Urt. v. 4.5.2021, Az.: A 4 S 468/21, Rn. 34; OVG Nds, Urt. v. 22.4.2021, Az.: 2 LB 147/18, Rn. 86; OVG NRW, Urt. v. 22.3.2021, Az.: 14 A 3439/18.A, Rn. 119.
89 OVG NRW, Urt. v. 22.3.2021, Az.: 14 A 3439/18.A, Rn 39.
90 Siehe Lean/Mantel, Asylmagazin 2021, 416 (420) m.w.N.; auch für die hier vertretene Lesart: Keienborg, KJ 2021, 99 (102); Huber, NVwZ 2021, 319 (324); Hupke, Asylmagazin 2020, 427 (428 f.); eine „Beweislastumkehr" ablehnend: Pettersson, ZAR 2021, 84 (88).
91 Zum Beispiel: BVerwG, Beschl. v. 2.11.2021 – 1 B 54.21

4. Kausalität zwischen Verfolgungsgründen und Verfolgungshandlung, § 3a III AsylG

Eine Kausalität zwischen der Verfolgungshandlung und dem Verfolgungsgrund der politischen Überzeugung liegt mithin vor.

5. Verfolgungsakteur, § 3c AsylG:

Ursächlich und verantwortlich für die Verfolgung ist das syrische Regime. Ein **Verfolgungsakteur** gemäß § 3c Nr. 1 AsylG liegt vor.

6. Inländische Schutzalternativen, §§ 3d, 3e AsylG:

Eine relevante Gefährdung besteht dann nicht, wenn eine geflüchtete Person in anderen Teilen des Heimatstaates eine zumutbare Zuflucht finden kann. Die Flüchtlingseigenschaft wird daher nur dann begründet, wenn die Betroffenen keinen Schutz in dem Staat erlangen können, dem sie angehören.

Selbst wenn man entgegen der herrschenden Meinung unterstellt, dass es Gebiete innerhalb Syriens gibt, die als zumutbare Fluchtalternative dienen könnten, lässt sich jedenfalls nicht feststellen, dass Bob ein solches Gebiet in zumutbarer Weise und sicher erreichen könnte. Das Regime hat ein dichtes System von Kontrollpunkten eingerichtet. Dort liegen in der Regel auch die Namenslisten zu denjenigen vor, die sich der Einberufung entzogen haben; diese Listen sind derart verbreitet, dass mehr dafür als dagegen spricht, dass Bob an einem solchen Checkpoint aufgegriffen werden könnte.[92]

Eine **inländische Schutzalternative** liegt demnach nicht vor.

7. Ausschlusstatbestände, § 3 II, III AsylG, § 3 IV AsylG i.V.m. § 60 VIII AufenthG:

Ausschlussgründe sind nicht ersichtlich.

II. Ergebnis

Alle Voraussetzungen der Zuerkennung der Flüchtlingseigenschaft liegen vor. Bob hat daher einen Anspruch auf Zuerkennung der Flüchtlingseigenschaft und genießt daher den Status des internationalen Schutzes.

---

92 OVG Bremen, Urt. v. 23.3.2022, Az.: 1 LB 484/21, S. 32 (Rn. 80 ff.).

Lars Wasnick

! **Hinweise zur Fallprüfung**

Subsidiärer Schutz

Grundsätzlich müssten an der Stelle noch die Schutzgründe des Asylgrundrechts und des **subsidiären Schutzes** geprüft werden. Durch die positive Prüfung des internationalen Schutzes beschränkt sich die Falllösung an dieser Stelle auf diese Ausführungen.

Wichtig: Sollten Sie sich gegen einen Verfolgungsgrund beziehungsweise eine kausale Verknüpfung dessen mit der Verfolgungshandlung entschieden haben, wäre an dieser Stelle der subsidiäre Schutz zu prüfen.

Allgemeines hierzu: Liegen die zuvor genannten Gründe für eine Flüchtlingseigenschaft nicht vor, kann eine geflüchtete Person unter bestimmten Voraussetzungen gemäß § 4 I 1 AsylG sogenannten subsidiären Schutz erlangen.[93] Eine Zuerkennung internationalen subsidiären Schutzes setzt voraus, dass die Person zwar nicht mit individueller Verfolgung rechnen muss, mithin nicht aus der Gesellschaft ausgegrenzt wird, ihr in seinem Heimatstaat aber dennoch ein ernsthafter Schaden an wichtigen Rechtsgütern wie Würde, Leben oder körperlicher Unversehrtheit droht. Subsidiärer Schutz wird daher etwa bei der Gefahr von Todesstrafe oder Folter, insbesondere aber Gefahr für Leib und Leben in bewaffneten Konflikten im Herkunftsstaat („Bürgerkrieg") gewährt. Ein ernsthafter Schaden muss dabei mit einer gewissen Wahrscheinlichkeit eintreten, die anhand der Situation im Herkunftsstaat zu prognostizieren ist. Aufgrund der Verweisungsnorm des § 4 III 1 AsylG gelten ansonsten dieselben Voraussetzungen wie für den Flüchtlingsstatus. Insbesondere kann die Gefahr sowohl von staatlichen als auch nicht-staatlichen Akteuren ausgehen und sind inländische Fluchtalternativen vorrangig aufzusuchen.

i **Weiterführendes Wissen**

Ablehnung von Folgeanträgen aufgrund des EuGH-Urteils

Die bisher erörterten Entscheidungen der Oberverwaltungsgerichte bezogen sich auf noch laufende Verfahren, in denen sich auf die EuGH-Entscheidung berufen wurde. Bei **Asylfolgeanträgen** handelt es sich um bereits abgeschlossene Verfahren. Hier wird die EuGH-Entscheidung als **Wiederaufgreifensgrund** geltend gemacht. In der verwaltungsgerichtlichen Entscheidungspraxis wurden die Klagen gegen die Ablehnung des Folgeantrags meist abgewiesen. Begründet wurde dies insbesondere damit, dass die Entscheidung des EuGH keine neue Feststellung zur Sachlage in Syrien sei und dass der Entscheidung keine Bindungswirkung zukomme.[94] Fraglich ist jedoch, ob diese Ansicht aufgrund des EuGH-Urteils Transitzone Röszke[95] aufrecht erhalten werden kann. In diesem Urteil stellte der EuGH fest, dass die Behörde, deren ursprüngliche Ablehnung des Asylantrags unionsrechtswidrig war, den Folgeantrag umfassend prüfen muss.[96] Ausgangspunkt ist damit die Frage, ob durch eine EuGH-Entscheidung eine Änderung der Rechtslage vorliegt. Entscheidend hierfür ist die Auslegung des § 51 I Nr. 1 VwVfG, auf den § 71 I AsylG verweist. Eine Änderung der Rechtslage wird nach allgemeiner Auffassung als „eine entschei-

---

93 Näheres zum subsidiären Schutz siehe Ebert, *19) Willkürliche Gewalt* in diesem Fallbuch.
94 So beispielsweise: VG Berlin, Urt. v. 22.6.2021, Az.: 12 K 112/21 A; VG Gießen, Urt. v. 2.6.2021, Az.: 2 K 1643/21.GI.A; VG Aachen, Urt. v. 14.5.2021, Az.: 5 K 3542/18.A; VG Stuttgart, Urt. v. 4.3.2021, Az.: A 7 K 244/19; siehe hierzu auch Schloss, *26) Neue Elemente, neue Erkenntnisse* in diesem Fallbuch.
95 EuGH, Urt. v. 14.5.2020, Az.: C-924/19 PPU, C-925/19 PPU.
96 EuGH, Urt. v. 14.5.2020, Az.: C-924/19 PPU, C-925/19 PPU, Tz. 181 ff.

Lars Wasnick

dungserhebliche Veränderung der rechtlichen Voraussetzungen, die beim Erlass des Verwaltungsaktes zugrunde gelegen haben" definiert.[97] Dies lehnt die oben zitierte Rechtsprechung für ein EuGH-Urteil ab.[98] Anerkannt ist, dass im Asylrecht Entscheidungen des Bundesverfassungsgerichts eine Änderung der Rechtslage im Sinne des § 51 I Nr. 1 VwVfG bewirken.[99] In der Literatur wird daher für eine Übertragung dieser Grundsätze auf EuGH-Entscheidungen plädiert.[100]

Insgesamt wird die pauschale Ablehnung von Folgeanträgen aufgrund des Wortlauts des § 51 I Nr. 1 VwVfG unzureichend sein, da zumindest eine umfassende Prüfung erfolgen muss.[101]

Ob die nationale Rechtslage, insbesondere die Regelung des § 51 I Nr. 1 VwVfG richtlinienkonform ist, muss durch die Rechtsprechung geklärt werden. Es sprechen jedoch überzeugende Gründe dafür, die Norm im Lichte der EuGH-Rechtsprechung auszulegen und EuGH-Entscheidungen als geänderte Rechtslage anzunehmen.[102] Ein weiteres Problem im Zusammenhang mit Folgeanträgen wird im Fall Gefahr durch Taliban besprochen.

Zusammenfassung: Die wichtigsten Punkte
- Militärdienstverweigerung als Fluchtgrund im Sinne des AsylG.
- Die Verknüpfung von Verfolgungshandlung und Verfolgungsgrund als Kausalitätsvoraussetzung
- Die unterschiedliche Rechtsprechung der Oberverwaltungsgerichte zur Thematik der Militärdienstverweigerung
- Die politische Verfolgung von Deserteur*innen in Syrien

Dieser Fall darf gerne kommentiert, verändert und beliebig genutzt werden. Die Anleitung hierfür lässt sich über den abgebildete QR-Code mit der Smartphone-Kamera auf unserer Homepage aufrufen.

---

97 Sachs, in: Stelkens/Bonk/Sachs, VwVfG, 9. Aufl. 2018, § 51 Rn. 96.

98 Für weitere Nachweise aus der Literatur siehe Grischek, NVwZ 2021, 1492 (1495).

99 BVerfG, Beschl. v. 8.10.1990, Az.: 2 BvR 643/90; das Bundesverwaltungsgericht stellte fest, dass diese Entscheidung aufgrund der Besonderheiten des Asyl(verfahrens-)rechts nicht verallgemeinerungsfähig ist, insbesondere nicht für Fälle, in denen keine politische Verfolgung vorläge: BVerwG, Beschl. v. 24.5.1995, Az.: 1 B 60/95.

100 Grischek, NVwZ 2021, 1492 (1495).

101 Vgl. EuGH, Urt. v. 14.5.2020, Az.: C-924/19 PPU, C-925/19 PPU, Tz. 181 ff.

102 Grischek, NVwZ 2021, 1492 (1497); Lean/Mantel, Asylmagazin 2021, 416 (418); Stern, Asylmagazin 2021, 437 (439); Hruschka, Asylmagazin 2021, 148 (151); Lehnert/Mantel, NVwZ 2021, 1203 (1207).

Lars Wasnick

Fall 19
Willkürliche Gewalt

Behandelte Themen: Internationaler Schutz, subsidiärer Schutz, Verpflichtungsklage

Schwierigkeitsgrad: Anfänger*innen

Sachverhalt

A und B sind libysche Staatsangehörige, beide stammen aus der Hauptstadt Tripolis und heirateten dort. A und B beschlossen, für mehrere Jahre in einem Krankenhaus in Amman/Jordanien als Krankenpfleger*innen zu arbeiten, ihre Arbeitsverhältnisse endeten jedoch vor wenigen Monaten. Sie reisten von Jordanien aus mit einem Schengen-Visum nach Deutschland ein, um die dort lebende Schwester von A zu besuchen.

Kurz vor Ablauf des Visums beantragten A und B beim Bundesamt für Migration und Flüchtlinge (BAMF) Asyl. Zur Begründung führen sie an, dass seit dem Sturz des ehemaligen Machthabers Muammar al-Gaddafi im Jahre 2011 die Lage in Libyen mehr als angespannt sei. Seit 2011 herrsche in ganz Libyen ein bewaffneter Konflikt, der auch zivile Opfer fordere. Zwar wechsele die Intensität der Kampfhandlungen über die Jahre hinweg, es brodele aber im gesamten Land und die Gefahr von Ausschreitungen bestünde permanent. Das im Jahr 2020 mit den beteiligten Akteuren vereinbarte Waffenstillstandsabkommen würde nicht eingehalten und es käme immer häufiger zu Verstößen.

Das BAMF lehnt die Anträge von A und B ab und begründet die Entscheidungen damit, dass in Libyen eine Einheitsregierung eingesetzt wurde und am Ende des Jahres 2021 Wahlen stattfinden sollen. Dadurch könne man annehmen, dass sich die Situation in Libyen derart stabilisiert habe, dass den Eheleuten A und B keinerlei Gefahr drohe.

Fallfrage

A und B erheben gemeinsam mit einer Anwältin Klage beim zuständigen Verwaltungsgericht. Sie entscheiden sich, gemeinsam den Klageantrag auf die Zuerkennung des subsidiären Schutzes zu beschränken. Sind A und B subsidiär schutzberechtigt?

ℹ Weiterführendes Wissen

Laut § 13 II 1 AsylG umfasst der Asylantrag das Asylgrundrecht und den internationalen Schutz (Flücht-lingsschutz und subsidiären Schutz). Nach § 13 II 2 AsylG kann der Antrag auf den internationalen Schutz beschränkt werden. Die Beschränkung nur auf den subsidiären Schutz ist zwar gesetzlich nicht ausdrück-lich vorgesehen, aber verfassungsrechtlich geboten für Asylsuchende, bei denen keine flüchtlingsschutz-rechtliche Verfolgung vorliegt.[1]

Bearbeitungshinweis:

Die Zulässigkeit der Klage ist nicht zu prüfen. Der Fall ist auf dem Stand Oktober 2021 zu lösen.

---

1 Lehnert/Lehrian, in: Huber/Mantel, AufenthG/AsylG, 3. Aufl. 2021, AsylG § 13 Rn. 5.

Lösungsvorschlag

A. Zulässigkeit

Laut Bearbeitungshinweis ist die Klage zulässig.

❗ Hinweise zur Fallprüfung

Die Eheleute haben die Möglichkeit, gemeinsam Klage beim Verwaltungsgericht zu erheben. Dafür müssen sie jedoch die Voraussetzungen des § 64 VwGO erfüllen. Diese Norm verweist auf die Regelungen der Streitgenossenschaft (subjektive Klagehäufung) in der ZPO (§§ 59–63 ZPO). Damit die Eheleute gemeinsam eine Klage erheben können, müssen folglich die Voraussetzungen der einfachen (§§ 59 und 60 ZPO) oder notwendigen Streitgenossenschaft (§ 62 ZPO) erfüllt sein. Da mit jeder Streitgenossenschaft auch verschiedene Ansprüche miteinander verbunden werden, müssen zudem auch die Voraussetzungen der objektiven Klagehäufung (§ 44 VwGO) erfüllt sein.[2]

Praxistipp: Diese Voraussetzungen sind immer erfüllt, wenn ein Bescheid des BAMF ergeht, der die Betroffenen gemeinsam als Adressat*innen benennt.

Hinweise zur Fallprüfung

Gemäß § 78 I Nr. 1 VwGO ist die Klage gegen den Bund, das Land oder die Körperschaft zu richten, deren Behörde den Verwaltungsakt unterlassen hat. Hier ist die Behörde, die den Verwaltungsakt erlassen hat, das BAMF. Die Klage muss sich demnach gegen die Bundesrepublik Deutschland richten, da das Bundesamt eine Bundesbehörde ist, deren Rechtsträger die Bundesrepublik Deutschland ist.

B. Begründetheit

Die Klage ist begründet, wenn die Ablehnung des Antrags durch das BAMF rechtswidrig war und A und B in ihren Rechten verletzt wurden, § 113 V 1 VwGO.

I. Rechtswidrigkeit des Bescheids

Zunächst müsste der Bescheid des BAMF rechtswidrig gewesen sein.

Dies wäre der Fall, wenn bei A und B die Voraussetzungen gemäß § 4 AsylG vorliegen, um als **subsidiär Schutzberechtigte** anerkannt zu werden.

1. Tatbestandsvoraussetzungen

A und B sind dann subsidiär schutzberechtigt, wenn ihnen in ihrem Herkunftsland ein **ernsthafter Schaden** gemäß § 4 I Nr. 1 bis 3 AsylG droht.

---

2 Porz, in: Fehling/Kastner/Störmer, Verwaltungsrecht, 5. Aufl. 2021, § 64 VwGO, Rn. 2.

Laut Nr. 1 droht ein ernsthafter Schaden bei der **Verhängung und Vollstreckung der Todesstrafe**, Nr. 2 nennt das Drohen von **Folter oder unmenschliche oder erniedrigende Behandlung oder Bestrafung** oder abschließend Nr. 3, wenn eine individuelle Bedrohung für eine Person infolge **willkürlicher Gewalt** durch einen bewaffneten Konflikt droht.

A und B könnte ein ernsthafter Schaden infolge willkürlicher Gewalt durch einen innerstaatlichen bewaffneten Konflikt drohen.

a) Innerstaatlicher bewaffneter Konflikt

Es müsste ein **innerstaatlicher bewaffneter Konflikt** vorliegen. Dieser liegt dann vor, wenn reguläre Streitkräfte auf eine oder mehrere bewaffnete Gruppen treffen oder wenn mehrere bewaffnete Gruppen aufeinandertreffen.[3]

Die Unruhen in Libyen haben ihren Ursprung im Sturz des Al-Gaddafi-Regimes im Jahre 2011. Daraufhin folgten zahlreiche innerstaatliche Auseinandersetzungen zwischen mehreren bewaffneten Konfliktparteien, die um die Macht über Territorium und Ressourcen kämpfen. Destabilisierend wirkte sich auch die Beteiligung mehrerer ausländischer Kampftruppen auf die Lage vor Ort aus.[4] Mehrere Versuche, eine friedliche Streitbeilegung zu erreichen, scheiterten. Ein Libysches Politisches Abkommen aus dem Jahr 2015, dass mit der Unterstützung der Vereinten Nationen beschlossen wurde, schaffte es nicht die verschiedenen Konfliktparteien zu einen, mit der Folge, dass in Libyen zwei Bürgerkriegsparteien um die alleinige Herrschaft kämpften.[5] Im Jahr 2020 wurde unter der Schirmherrschaft der Vereinten Nationen ein Waffenstillstand zwischen den Konfliktparteien vereinbart[6] und im Frühjahr 2021 konnte eine Einheitsregierung geschaffen werden, mit dem Ziel am 24.12.2021 Neuwahlen durchzuführen.[7]

Das Waffenstillstandsabkommen erzielte jedoch nicht den gewünschten Erfolg. Es kam zu zahlreichen Verletzungen des Abkommens und einer weiterhin hohen Dichte an Kampfhandlungen, die die Zivilbevölkerung in verschiedenen Gebieten betrifft.[8] Trotz des Waffenstillstandsabkommens ist die Sicherheitslage in Libyen in „weiten Teilen des Landes sehr unübersichtlich und unsicher" und eine erneute mi-

---

3 EuGH, Urt. v. 30.1.2014, Az.: C-285/12, Tz. 28, asyl.net: M21476.
4 Human Rights Council, Report of the Independent Fact Finding Mission on Libya, A/HRC/48/83, 1.10.2021, S. 2.
5 UNHCR, UNHCR Position on Returns to Libya (Update II), 2018, S. 2, ecoi.net: ID 1442373.
6 Lichtblick für Libyen: Waffenstillstand unterzeichnet, SZ vom 23.10.2020.
7 Taz, Neue Einheitsregierung in Libyen, 10.3.2021 .
8 UN Security Council, UNSMIL Report of the Secretary General, 5. Mai 2020, S. 1, ecoi.net: ID 2029811.

Saskia Ebert

litärische Eskalation ist ein genauso denkbares Szenario wie eine Beendigung der Kampfhandlungen.[9]

Neuste Entwicklungen haben ergeben, dass die für den 24.12.2021 geplanten Wahlen möglicherweise nicht stattfinden können. Die Wahl zur Volksvertretung wurde bereits verschoben, nun sollen nur noch die Wahlen für das Präsidentschaftsamt am 24.12.2021 stattfinden. Als Grund für die Verschiebung sind die unterschiedlichen Interessen der sich jeweilig gegenüberstehenden Lager.[10] Zudem besteht die Gefahr, dass es nach der Wahl zu ähnlichen Ausschreitungen kommen könnte, wie es bereits im Jahr 2014 nach den letzten Wahlen geschehen ist.[11] Aufgrund der derzeitigen noch immer nicht stabilen Lage in Libyen ist von einem nach wie vor bestehenden innerstaatlichen Konflikt auszugehen.[12]

b) Ernsthafte individuelle Bedrohung des Lebens oder der Unversehrtheit einer Zivilperson

Zudem muss eine **individuelle Bedrohung des Lebens oder der Unversehrtheit** einer Zivilperson vorliegen. Diese liegt vor allem dann vor, wenn der Grad der willkürlichen Gewalt in einem solchen Konflikt ein so hohes Niveau erreicht, dass stichhaltige Gründe für die Annahme bestehen, dass eine Zivilperson bei einer Rückkehr allein durch ihre Anwesenheit im Gebiet dieses Landes oder dieser Region tatsächlich Gefahr liefe, einer solchen Bedrohung ausgesetzt zu sein.[13] Bei der Prüfung, ob eine ernsthafte individuelle Bedrohung vorliegt, ist eine umfassende Berücksichtigung aller relevanten Umstände des Einzelfalls erforderlich.[14] Der Grad der willkürlichen Gewalt, der vorliegen muss, ist umso geringer, je mehr sich gefahrerhöhende Umstände in der antragstellenden Person verdichten.[15]

---

i **Weiterführendes Wissen**

Als Maßstab zur Feststellung, ob eine individuelle Bedrohung des Lebens oder der Unversehrtheit einer Zivilperson vorliegt, wurde bisher der sogenannte **„body-count"-Ansatz** herangezogen, der durch das Bundesverwaltungsgericht geprägt wurde. Demnach war die Tatbestandsvoraussetzung dann erfüllt, wenn das Verhältnis von Todesopfern in einem bestimmten Gebiet zur Bevölkerungszahl in dem entsprechenden Gebiet eine bestimmte Schwelle erreichte. Wurde diese Mindestzahl nicht erreicht, war die

---

9 VG Dresden, Urt. v. 25.6.2021, Az.: 12 K 180/18.A, S. 13.
10 Tagesschau, Libyen am Scheideweg, 21.10.2021 .
11 FAZ, Wie geht es in Libyen weiter?, 21.10.2021.
12 So auch: VG Berlin, Urt. v. 27.5.2020, Az.: 19 K 93.19 A, asyl.net: M28545.
13 EuGH, Urt. v. 30.1.2014, Az.: C-285/12, Tz. 30, asyl.net: M21476.
14 EuGH, Urt. v. 10.6.2021, Az.: C-901/19, Tz. 40, asyl.net: M29696.
15 EuGH, Urt. v. 17.2.2009, Az.: C-465/07, Tz. 35, 43, asyl.net: M14960.

Saskia Ebert

Zuerkennung des subsidiären Schutzes ausgeschlossen. Die gängige Rechtsprechung des Bundesverwaltungsgerichts wurde mit dem Urteil des EuGH in der Rechtssache „CF, DN gg. Deutschland" gekippt.[16]

Der EuGH betonte, dass das Verhältnis von Todesopfern zur Bevölkerung zwar ein Indikator für die Feststellung der individuellen Bedrohung sein könne, jedoch nicht als alleinige Voraussetzung ausreichend sei. Zur Entscheidung, ob eine ernsthafte individuelle Bedrohung vorliegt, müssten alle Umstände des Einzelfalls herangezogen werden. Diese Auslegung des Art. 15 lit. c Qualifikations-RL[17] begründet der EuGH damit, dass die Ablehnung eines Asylantrags aufgrund des Nichterreichens der Mindestschwelle möglicherweise Personen ausschließt, die den subsidiären Schutz tatsächlich benötigen. Zudem befand der Gerichtshof, dass eine solche Regelung Antragstellende dazu verleiten könnte, sich als Aufnahmestaat ein Land auszusuchen, das eine solche quantitative Prüfung nicht oder mit geringerem Anspruch durchführt.

Auch gut zehn Jahre nach Beginn des Bürgerkriegs sind Verstöße gegen das humanitäre Völkerrecht in Libyen zu verzeichnen. Es kam im Zeitraum Januar bis Juni 2020 zur Tötung von 170 Zivilpersonen, 319 wurden verletzt.[18] Es erfolgen willkürliche Angriffe auf besonders von Zivilpersonen genutzte Objekte, wie Krankenhäuser, Wohnhäuser und Schulen.[19] Zudem besteht eine erhöhte Gefahr, durch von Kampfhandlungen zurückgebliebene Landminen und Blindgänger verletzt zu werden,[20] die teilweise gezielt neben Wohnhäusern platziert wurden und bereits mehrere zivile Opfer forderten.[21] Trotz des Waffenstillstands gibt es immer noch Berichte über Angriffe auf zivile Personen. Am 3.6.2020 wurden zwölf Personen südlich von Tripolis durch den Einsatz von Drohnen getötet[22] und auch Einsätze durch ausländische Einheiten führten zur Tötung von Zivilpersonen.[23]

---

16 EuGH, Urt. v. 10.6.2021, Az.: C-901/19 asyl.net: M29696; vgl. hierzu ausführlich: Mantel, Asylmagazin 2021, 286 ff.
17 Richtlinie 2011/95/EU des Europäischen Parlaments und des Rates vom 13. Dezember 2011 über Normen für die Anerkennung von Drittstaatsangehörigen oder Staatenlosen als Personen mit Anspruch auf internationalen Schutz, für einen einheitlichen Status für Flüchtlinge oder für Personen mit Anrecht auf subsidiären Schutz und für den Inhalt des zu gewährenden Schutzes, ABL EU Nr. L 337/9.
18 Amnesty International, Amnesty International Report 2020/21 zur weltweiten Lage der Menschenrechte, Libyen 2020, 7.4.2021.
19 Human Rights Council, Report of the Independent Fact Finding Mission on Libya, A/HRC/48/83, 1.10.2021, S. 37.
20 VG Berlin, Urt. v. 18.8.2021, Az.: 19 K 69.19 A, Rn. 34.
21 Human Rights Council, Report of the Independent Fact Finding Mission on Libya, A/HRC/48/83, 1.10.2021, Rn. 48.
22 Human Rights Council, Report of the Independent Fact Finding Mission on Libya, A/HRC/48/83, 1.10.2021, Rn. 43.
23 Amnesty International, Amnesty International Report 2020/21 zur weltweiten Lage der Menschenrechte, Libyen 2020, 7.4.2021.

Saskia Ebert

Die Gefahr für A und B ist durch ihre Tätigkeit im medizinischen Bereich erhöht. Es kam vermehrt zu Angriffen auf Kliniken und andere Einrichtungen des Gesundheitswesens[24] sowie Entführungen von medizinischem Personal.[25] Angriffe auf Einrichtungen des Gesundheitswesens seien gezielte Instrumente im Konflikt in Libyen.[26] So kam es im April und Mai 2020 zu Beschuss mit Granaten auf ein Krankenhaus in Tripolis, das mit der Versorgung von Covid-19 Patient*innen betraut war.[27]

c) Interne Schutzalternative
Es darf keine **interne Schutzalternative** im Herkunftsland der asylsuchenden Person bestehen. Gemäß § 4 III i.V.m. § 3e AsylG wird kein subsidiärer Schutz zuerkannt, wenn die betroffene Person in einem anderen Landesteil ihres Herkunftslands Schutz vor den drohenden Gefahren finden könnte.

! Hinweise zur Fallprüfung

Das Vorliegen einer inländischen Schutzalternative sollte nur geprüft werden, sofern Anhaltspunkte dafür im Sachverhalt gegeben sind. Ansonsten kann diese ohne tiefgreifende Prüfung abgelehnt werden.

Dies ist dann der Fall, wenn folgende Voraussetzungen erfüllt sind:
- Wenn ihr in einem Teil ihres Herkunftslandes nicht die tatsächliche Gefahr eines ernsthaften Schadens droht oder sie Schutz vor einem solchen hat
- und sie sicher und legal in diesen Landesteil reisen kann, dort aufgenommen wird und vernünftigerweise erwartet werden kann, dass sie sich dort niederlässt.

Nach derzeitigen Erkenntnissen kann es in allen Landesteilen Libyens zu dem Aufleben von bewaffneten Konflikten kommen.[28] Die Möglichkeit der risikofreien Fortbewegung innerhalb Libyens ist derweilen stark eingeschränkt. Flughäfen befinden sich unter der Kontrolle von Milizen, die hohe Kriminalitätsrate in Libyen ermög-

24 Human Rights Council, Report of the Independent Fact Finding Mission on Libya, A/HRC/48/83, 1.10.2021, Rn. 37.
25 Amnesty International, Amnesty International Report 2020/21 zur weltweiten Lage der Menschenrechte, Libyen 2020, 7.4.2021.
26 Unterstützungsmission der Vereinten Nationen in Libyen – United Nations Support Mission in Libya (UNSMIL), Pressemitteilung vom 8.10.2019.
27 Amnesty International, Amnesty International Report 2020/21 zur weltweiten Lage der Menschenrechte, Libyen 2020, 7.4.2021.
28 VG Berlin, Urt. v. 25.5.2020, Az.: 19 K 93.19 A, openjur Rn. 50.

Saskia Ebert

licht keine sichere Benutzung der Straßen.[29] Für Rückkehrende ist die Lage noch prekärer: sie haben nur erschwerten Zugang zu Arbeit, Wasser, Nahrung, Gesundheitsversorgung und angemessener Unterkunft.[30]

Demnach liegt keine interne Schutzalternative gemäß § 4 III i.V.m. § 3e AsylG vor.

2. Ausschlussgründe

Es dürfen keine Ausschlussgründe vorliegen. Die Ausschlussgründe sind in § 4 II AsylG genannt. Demnach sind Personen von der Zuerkennung des subsidiären Schutzes unter anderem dann ausgeschlossen, wenn sie gemäß Nr. 1 ein Verbrechen gegen den Frieden, ein Kriegsverbrechen oder ein Verbrechen gegen die Menschlichkeit begangen haben. Weitere Ausschlussgründe sind in den § 4 II Nr. 2–4 AsylG gelistet.

A und B erfüllen keinen der Ausschlusstatbestände.

3. Ergebnis

A und B sind subsidiär schutzberechtigt. Der Bescheid des BAMF ist demnach teilweise rechtswidrig.

II. Verletzung in eigenen Rechten

Der Bescheid ist teilweise rechtswidrig und verletzt insoweit A und B in ihren Rechten.

III. Ergebnis

Die kombinierte Anfechtungs- und Verpflichtungsklage ist begründet.

Weiterführende Literatur
-    Mantel, Zum EuGH-Urteil CF, DN gg. Deutschland, Asylmagazin 7–8/2021, 286

Zusammenfassung: Die wichtigsten Punkte
-    § 4 AsylG definiert einen ernsthaften Schaden als:
     -    Nr. 1: die Verhängung und Vollstreckung der Todesstrafe
     -    Nr. 2: Folter oder unmenschliche oder erniedrigende Behandlung oder Bestrafung oder

---

[29] VG Berlin, Urt. v. 25.5.2020, Az.: 19 K 93.19 A, openjur Rn. 51.
[30] VG Köln, Urt. v. 18.2.2020, Az.: 6 K 7872/17.A, openjur Rn. 50.

- – Nr. 3: die individuelle Bedrohung einer Zivilperson infolge willkürlicher Gewalt im Rahmen eines bewaffneten Konflikts.
- – Bei der Beurteilung, ob eine ernsthafte individuelle Bedrohung des Lebens oder der Unversehrtheit einer Zivilperson vorliegt, sind alle Umstände des Einzelfalls zu berücksichtigen.
- – Eine asylsuchende Person kann von der Gewährung des subsidiären Schutzes ausgeschlossen sein, sofern eine inländische Schutzalternative gegeben ist.

Dieser Fall darf gerne kommentiert, verändert und beliebig genutzt werden. Die Anleitung hierfür lässt sich über den abgebildete QR-Code mit der Smartphone-Kamera auf unserer Homepage aufrufen.

Saskia Ebert

Fall 20
Allgemeine Lebensbedingungen

Behandelte Themen: Abschiebungsverbot nach § 60 V AufenthG, humanitäre Lage im Herkunftsland

Schwierigkeitsgrad: Fortgeschrittene

Sachverhalt

Der 25-jährige A ist Staatsangehöriger des Landes F. Er besuchte keine Schule und arbeitete als Tagelöhner auf dem Bau. Nach seiner Einreise nach Deutschland stellte er beim BAMF einen Asylantrag.

Bei seiner Anhörung vor dem BAMF gab A an, in F nicht überleben zu können.

Das BAMF lehnte in seinem Bescheid die Anträge auf Zuerkennung der Flüchtlingseigenschaft, auf Asylanerkennung sowie auf Zuerkennung des subsidiären Schutzstatus ab und stellte fest, dass Abschiebungsverbote nach § 60 V, VII 1 AufenthG nicht vorliegen.

Mit der hiergegen gerichteten Klage vor dem Verwaltungsgericht begehrt A allein die Feststellung eines Abschiebungsverbots. Zur Begründung führt er aus, er liefe in F als Rückkehrer Gefahr, einer Art. 3 EMRK widersprechenden Behandlung ausgesetzt zu sein. Er würde sich im täglichen Existenzkampf in F nicht behaupten können.

Fallfrage

Was hat das Verwaltungsgericht im Fall des A bei der Prüfung der Voraussetzungen eines Abschiebungsverbots nach § 60 V AufenthG zu berücksichtigen?

Abwandlung

Ändert sich der Fall, wenn
1. A das Land F bereits im Alter von vier Jahren zusammen mit seiner gesamten Familie verließ und im Nachbarland G aufwuchs? Die Familie des A lebt heute weiterhin in G ohne legalen Aufenthaltsstatus und ohne Ersparnisse.
2. A erkrankt ist?

3. A eine Ehefrau B und drei minderjährige Kinder hat, die ebenfalls Staatsangehörige des Landes F sind und mit ihm in Deutschland leben, wobei B vom BAMF
   als Flüchtling anerkannt wurde?
4. sich die Wirtschaftslage in F aufgrund der Covid-19 Pandemie verschlechtert
   hat?

Lösungsvorschlag

A. Allgemeines: Anforderungen des zielstaatsbezogenen Abschiebungsverbots nach § 60 V AufenthG

Nach § 60 V AufenthG darf eine antragstellende Person nicht abgeschoben werden, soweit sich aus der Anwendung der EMRK ergibt, dass die **Abschiebung** unzulässig ist. Die Abschiebung eines Antragstellers ist nach der Rechtsprechung des EuGH insbesondere dann mit Art. 3 EMRK unvereinbar, wenn stichhaltige Gründe für die Annahme bestehen, dass der Betroffene im Falle seiner Abschiebung der tatsächlichen Gefahr („**real risk**") der **Todesstrafe**, der **Folter** oder der **unmenschlichen oder erniedrigenden Behandlung oder Bestrafung** ausgesetzt wäre. Der Prognosemaßstab der tatsächlichen Gefahr entspricht dem der **beachtlichen Wahrscheinlichkeit**.

Auch schlechte humanitäre Verhältnisse können eine Behandlung im Sinne des Art. 3 EMRK darstellen, wobei dies nur in besonderen Ausnahmefällen in Betracht kommt, in denen die humanitären Gründe gegen die Abschiebung „zwingend" sind.[1] Dabei kommt es darauf an, ob sich die betreffende Person unabhängig von ihrem Willen und ihren persönlichen Entscheidungen in einer Situation extremer materieller Not befindet, die es ihr nicht erlaubt, ihre elementarsten Bedürfnisse zu befriedigen, wie insbesondere, sich zu ernähren, sich zu waschen und eine Unterkunft zu finden, und die ihre physische oder psychische Gesundheit beeinträchtigt oder sie in einen Zustand der Verelendung versetzt, der mit der **Menschenwürde** unvereinbar wäre.[2] Es ist grundsätzlich auf den gesamten Abschiebungszielstaat abzustellen, wobei zunächst zu prüfen ist, ob solche Umstände an dem Zielort der Abschiebung vorliegen.[3]

Maßgeblich ist die Sach- und Rechtslage im Entscheidungszeitpunkt (§ 77 I AsylG).

B. Ausgangsfall: Prüfung der Lage im Herkunftsland

Um zu prüfen, ob ein **Abschiebungsverbot** nach den oben benannten Maßstäben festzustellen ist, müssen die relevanten Lebensverhältnisse in F analysiert werden.

---

1 Vgl. EGMR, Urt. v. 29.01.2013, S.H.H./Vereinigtes Königreich, Nr. 60367/10, Rn. 75; BVerwG, Beschl. v. 13.2.2019, Az.: 1 B 2.19, Rn. 6; BVerwG, Urt. v. 31.1.2013, Az.: 10 C 15.12, Rn. 25; VGH BW, Urt. v. 17.12.2020, Az.: A 11 S 2042/20, Rn. 22.
2 Vgl. EuGH, Urt. v. 19.3.2019, Az.: C-163/17, Tz. 92; EuGH, Urt. v. 19.3.2019, Az.: C-297/17, Tz. 89 ff.
3 BVerwG, Urt. v. 31.1.2013, Az.: 10 C 15.12, Rn. 26 m.w.N.

Hierbei sind eine Vielzahl von Faktoren zu berücksichtigen, darunter etwa der Zugang zu Arbeit, Wasser, Nahrung, Gesundheitsversorgung sowie die Chance, eine adäquate Unterkunft zu finden, der Zugang zu sanitären Einrichtungen und nicht zuletzt die finanziellen Mittel zur Befriedigung elementarer Bedürfnisse, auch unter Berücksichtigung von Rückkehrhilfen.[4]

Zur Analyse der Lage werden **Erkenntnismittel** herangezogen, etwa der Lagebericht des Auswärtigen Amtes, UNHCR-Richtlinien, das Länderinformationsblatt der Staatendokumentation des Bundesamtes für Fremdenwesen und Asyl der Republik Österreich, Berichte der Schweizerischen Flüchtlingshilfe, der Weltbank, etc. Diese Erkenntnismittel werden – zur Wahrung des Gebots des rechtlichen Gehörs – in der Regel vom Gericht im Wege der Übersendung einer Erkenntnismittelliste in das Verfahren eingeführt.[5] Analysiert werden – je nach Situation im Herkunftsland – zum Beispiel folgende Faktoren: allgemeine wirtschaftliche Lage, Investitionstätigkeit, Wirtschaftswachstum, Bruttonationaleinkommen, Armutsrate, Struktur des Arbeitsmarktes (Tagelöhnerarbeit, Stellung für gelernte und ungelernte Arbeitskräfte), Zugang zum Arbeitsmarkt (Bedeutung von Netzwerken), Migrationsbewegungen im Herkunftsland, Binnenvertriebene, Sicherheitslage, Umweltbedingungen wie Klima und Naturkatastrophen, insbesondere Dürre und Überschwemmungen,[6] und Rückkehrhilfen internationaler Einrichtungen und der Bundesrepublik Deutschland.

In der Regel wird sich die humanitäre Lage nicht auf jede Person im Herkunftsland gleich auswirken; die individuellen Umstände von A sind mit zu berücksichtigen. Es ist eine „qualifizierende" Betrachtungsweise im Sinne einer Gewichtung und Abwägung aller festgestellten Umstände und ihrer Bedeutung anzulegen.[7] Folgende gefahrerhöhende individuelle Umstände beziehungsweise besondere günstige Merkmale des Klägers können zum Beispiel eine Rolle spielen:[8] familiäres oder soziales Netzwerk im Herkunftsland, finanzielle oder materielle Unterstützung durch Dritte im Herkunftsland oder auch in anderen Staaten, eigenes Vermögen, besondere Belastbarkeit und Durchsetzungsfähigkeit, Volkszugehörigkeit, fachliche Qualifikation und Berufserfahrung sowie, ob der Kläger im Herkunftsland sozialisiert ist.

---

4 Vgl. VGH BW, Urt. v. 17.12.2020, Az.: A 11 S 2042/20, Rn. 26, 36.
5 Vgl. VGH Bayern, Beschl. v. 29.9.2020, Az.: 24 ZB 20.31723.
6 Zur Relevanz von § 60 V AufenthG für Klimamigration: Schloss, Klimamigration, BDVR-Rundschreiben 3, 2021, S. 4 ff. und Schloss, The Role of Environmental Disasters in Asylum Cases, in: Behrman/Kent, Climate Refugees, CUP, 2022, S. 261 ff.
7 BVerwG, Beschl. v. 13.2.2019, Az.: 1 B 2.19, Rn. 6.
8 Vgl. etwa zur unterschiedlichen Bewertung der relevanten Kriterien in Afghanistan: Vgl. VGH BW, Urt. v. 17.12.2020, Az.: A 11 S 2042/20, Rn. 10f ff.; OVG Bremen, Beschl. v. 23.4.2021, Az.: 1 LA 76/20, Rn. 8 – juris.

Camilla Schloss

Im Falle des A ist unter Umständen zu berücksichtigten, dass er keine Schulaus-
bildung hat und seine Berufserfahrung sich im Wesentlichen auf Tagelöhnerarbeit
in der Baubranche beschränkt, sodass seine Arbeitsmöglichkeiten – je nach Arbeits-
marktlage in F – eingeschränkt sein könnten.

C. Abwandlung

I. Familiäres Netzwerk im Herkunftsland

Für A könnte es je nach Situation in F schwerer sein, seinen Lebensunterhalt im Falle einer Rückkehr zu sichern, weil er kein familiäres Netzwerk dort hat. Da er F zudem im Kleinkindalter verlassen hat, könnte hinzukommen, dass er in F nicht sozialisiert ist, wobei dies unterschiedlich zu bewerten sein dürfte, je nachdem wie
unterschiedlich F und G etwa hinsichtlich ihrer Kultur und Sprachen sind.[9]

II. Krankheiten

Negativ auf die Leistungsfähigkeit des A könnten sich etwaige Krankheiten auswirken – je nach Situation im Heimatland und Art und Schwere der Krankheit, da A etwa Arbeiten auf dem Bau als Tagelöhner gar nicht verrichten oder sich nicht
gegenüber anderen Arbeitssuchenden durchsetzen können wird. A müsste seine
Erkrankung hinreichend dargelegt haben. Ob die Maßstäbe des § 60a IIc AufenthG
heranzuziehen sind (vgl. anschließender Fall), ist noch nicht abschließend geklärt.[10]

Krankheiten können im Rahmen der Prüfung von § 60 V AufenthG also der-
gestalt eine Rolle spielen, dass sie negative Auswirkungen auf die **humanitäre Lage**
des A haben. Unabhängig von der humanitären Lage können Krankheiten zu einem
Abschiebungsverbot nach § 60 VII AufenthG führen – allerdings nur unter hohen
Voraussetzungen (unter anderem muss eine **lebensbedrohliche oder schwerwiegende Erkrankung** vorliegen).

III. Gelebte Kernfamilie

Der Umstand, dass A Unterhaltsverpflichtungen gegenüber Familienangehörigen
hat, ist bei der Gesamtwürdigung aller Umstände zu berücksichtigen.

Für die Gefahrenprognose ist von einer möglichst realitätsnahen Beurteilung
der – wenngleich hypothetischen – Rückkehrsituation und damit bei tatsächlicher

---

9 Vgl. OVG Hamburg, Urt. v. 25.3.2021, Az.: 1 Bf 388/19.A, Rn. 180 ff.
10 Vgl. OVG BB, Beschl. v. 16.7.2020, Az.: 12 N 144.19, Rn. 3.

Lebensgemeinschaft der **Kernfamilie** (Eltern mit ihren minderjährigen Kindern) im Regelfall davon auszugehen, dass diese entweder insgesamt nicht oder nur gemeinsam im Familienverband zurückkehrt. Art. 6 GG enthält nämlich als wertentscheidende Grundsatznorm, dass der Staat die Familie zu schützen und zu fördern hat, und gebietet die Berücksichtigung bestehender familiärer Bindungen bei staatlichen Maßnahmen der Aufenthaltsbeendigung. Dies gilt auch dann, wenn einzelnen Mitgliedern der Kernfamilie bereits ein Schutzstatus zuerkannt oder für sie nationaler Abschiebungsschutz festgestellt worden ist.[11]

Dies entbindet mit Blick auf § 60 V AufenthG und Art. 3 EMRK aber nicht vom Erfordernis, die Gefahrenprognose unter Würdigung aller Umstände des konkreten Falles vorzunehmen. Dabei spielen der tatsächliche Unterhaltsbedarf der Familienangehörigen, das Vorhandensein von Vermögen, die bisherige Form der Bedarfsdeckung sowie die Bereitschaft Dritter (insbesondere naher Familienangehöriger), erforderlichenfalls zur Bedarfsdeckung beizutragen, eine wichtige Rolle.[12]

IV. Covid-19 Pandemie
Negative Auswirkungen auf die wirtschaftlichen Verhältnisse, wie etwa die Covid-19 Pandemie, können zu einer anderen Bewertung der humanitären Lage in F führen.

So hat zum Beispiel für Afghanistan der VGH Baden-Württemberg im Dezember 2020 entschieden, dass er zumindest vorerst nicht mehr an seiner bisherigen Rechtsprechung zu Afghanistan festhält. Derzeit seien angesichts der gravierenden Verschlechterung der wirtschaftlichen Rahmenbedingungen in Afghanistan infolge der Covid-19 Pandemie auch im Falle eines leistungsfähigen, erwachsenen Mannes ohne Unterhaltsverpflichtungen bei Rückkehr aus dem westlichen Ausland die hohen Anforderungen eines Abschiebungsverbots nach § 60 V AufenthG i.V.m. Art. 3 EMRK regelmäßig erfüllt, wenn in seiner Person keine besonderen begünstigenden Umstände vorliegen.[13]

Es gilt also immer, die aktuelle humanitäre Lage zum Zeitpunkt der mündlichen Verhandlung beziehungsweise schriftlichen Entscheidung zu prüfen (§ 77 I AsylG).

---

11 BVerwG, Urt. v. 4.7.2019, Az.: 1 C 45/18, Rn. 15 ff.
12 VGH BW, Beschl. v. 7.5.2020, Az. A 11 S 2277/19, Rn. 10 ff.
13 VGH BW, Urt. v. 17.12.2020, Az.: A 11 S 2042/20, Rn. 104ff.; andere Ansicht VGH Bayern, Urt. v. 7.6 2021, Az.: 13a B 21.30342; OVG Bremen, Beschl. v. 23.4.2021, Az.: 1 LA 76/20 – juris.

Camilla Schloss

Fall 21
Traumatisiert

Behandelte Themen: Abschiebungsverbot nach § 60 VII AufenthG, Glaubhaftmachung einer Erkrankung durch qualifizierte ärztliche Bescheinigung, Posttraumatische Belastungsstörung

Schwierigkeitsgrad: Anfänger*innen

Sachverhalt

B ist kolumbianische Staatsangehörige. Sie reiste Anfang 2016 über Spanien nach Deutschland ein und stellte einen Asylantrag beim Bundesamt für Migration und Flüchtlinge (BAMF.

Bei ihrer Anhörung beim BAMF trug sie im Wesentlichen vor, sie habe in einem von paramilitärischen Gruppen weitgehend kontrollierten Gebiet vor allem seit dem Frühjahr 2012 verstärkt gewalttätige Auseinandersetzungen miterlebt, einschließlich Schießereien und Lebensmittelknappheit. Daraufhin habe sie im Frühjahr 2013 in dem von der kolumbianischen Regierung kontrollierten Gebiet Zuflucht gefunden und sich ein neues Leben aufgebaut, sei aber Anfang 2016 nach einer Auseinandersetzung ihres Ehemannes mit einer Polizeipatrouille ausgereist.

Das BAMF lehnte es mit Bescheid aus November 2017 ab, sie als Asylberechtigte anzuerkennen, ihr die Flüchtlingseigenschaft oder subsidiären Schutz zuzuerkennen sowie Abschiebungsverbote festzustellen. Zur Begründung verwies es insbesondere auf eine inländische Fluchtalternative. Gegen diesen Bescheid hat sie vor dem Verwaltungsgericht Klage erhoben.

Im Klageverfahren legte die B ein Attest des Diplompsychologen Dr. T vor, wonach sie sich seit Ende 2017 wegen einer Posttraumatischen Belastungsstörung (PTBS) und einer mittelgradigen Depression bei ihm in Behandlung befinde, die auf ihre Erlebnisse während der gewalttätigen Auseinandersetzungen im Jahr 2012 zurückzuführen seien. Sie sei auf eine medikamentöse Behandlung angewiesen. Ein Suizid bei einer etwaigen Rückkehr nach Kolumbien sei nicht auszuschließen. Weitere Angaben enthält die Bescheinigung nicht, ebenso wenig wie eine ICD 10-Klassifizierung.

Auf Hinweis des Verwaltungsgerichts in der mündlichen Verhandlung, wonach die Zuerkennung der Asylberechtigung, der Flüchtlingseigenschaft sowie subsidiären Schutzes voraussichtlich nicht in Betracht komme, beschränkte sie ihren Antrag entsprechend. Beweisanträge wurden nicht gestellt.

Fallfrage

Wie wird das Verwaltungsgericht im Fall der B voraussichtlich entscheiden?

Bearbeitungshinweis:
Nachdem eine Überstellung nach Spanien im Rahmen des sogenannten Dublin-Regimes gescheitert ist, ist die Zuständigkeit für die Bearbeitung des Asylantrags auf Deutschland übergegangen. Ein Abschiebungsverbot wegen einer möglichen Verletzung der EMRK ist nicht zu prüfen.

Abwandlung

Bei im Übrigen gleichbleibenden Umständen führt das vorgelegte Attest die Erkrankung der B auf die schwierigen Lebensbedingungen während ihres vorübergehenden Aufenthalts in Spanien zurück. Die hygienischen Verhältnisse in der dortigen Unterkunft seien schlecht und die medizinische Versorgung unzureichend gewesen. Dies habe zu einer zunehmenden Verschlechterung der Stimmungslage und zu Angstzuständen bei der B geführt.

Bearbeitungshinweis:
Der Lösungsvorschlag ist im Urteilsstil formuliert.

Lösungsvorschlag

A. Falllösung

Die Klage ist zulässig, aber unbegründet.

Der Bescheid des BAMF – soweit er noch verfahrensgegenständlich ist – ist rechtmäßig und verletzt die Klägerin B nicht in ihren Rechten, § 113 V VwGO. Sie hat keinen Anspruch auf die Feststellung, dass in ihrem Fall ein **Abschiebungsverbot** nach § 60 VII 1 AufenthG vorliegt.

! Hinweise zur Fallprüfung

Aufgrund der Beschränkung des Klageantrags sowie des Bearbeitungshinweises war allein ein Abschiebungsverbot nach § 60 VII AufenthG zu prüfen. Ohne einen solchen Hinweis wäre es auch möglich gewesen, die Frage der drohenden Gesundheitsgefahr am Maßstab des § 60 V AufenthG i.V.m. Art. 3 EMRK zu messen. Insoweit gilt nach der Rechtsprechung des EGMR ein vergleichbar strenger Maßstab für den Nachweis einer schwerwiegenden Erkrankung und die Gefahr einer erheblichen Verschlechterung des Gesundheitszustands im Fall einer Abschiebung.[1]

I. Allgemeine Anforderungen des zielstaatsbezogenen Abschiebungsverbots nach § 60 VII AufenthG

Nach § 60 VII AufenthG soll von der **Abschiebung** der B nach Kolumbien abgesehen werden, wenn dort für sie eine **erhebliche konkrete Gefahr für Leib, Leben oder Freiheit** besteht. Dies setzt nach § 60 VII 3 AufenthG eine **lebensbedrohliche oder schwerwiegende Erkrankung** voraus, die sich durch die Abschiebung wesentlich verschlechtern würde.[2] Für das Vorliegen der Voraussetzungen des § 60 VII 1 AufenthG ist nach dem Gefahrenmaßstab der beachtlichen Wahrscheinlichkeit erforderlich, aber auch ausreichend, dass sich die vorhandene Erkrankung aufgrund **zielstaatsbezogener Umstände** in einer Weise verschlimmert, die zu einer erheblichen und konkreten Gefahr für Leib oder Leben führt, das heißt dass eine wesentliche Verschlimmerung der Erkrankung alsbald nach der Abschiebung droht.[3] Von einer abschiebungsschutzrelevanten Verschlechterung des Gesundheitszustandes kann nicht schon dann gesprochen werden, wenn eine Heilung eines Krankheitszustandes im Abschiebungsfall nicht zu erwarten ist; eine solche Gefahr ist auch nicht schon bei jeder befürchteten ungünstigen Entwicklung des Gesundheits-

---

1 EGMR, Urt. v. 13.12.2016, Az.: 41738/10, Rn. 186 ff.
2 Siehe zu den Anforderungen der Verschlechterung einer Krankheit Schiebel, *22) Medizinische Versorgung* in diesem Fallbuch.
3 BVerwG, Urt. v. 17.11.2006, Az.: 1 C 18.05, Rn. 20.

Britta Schiebel

zustandes anzunehmen, sondern nur, wenn außergewöhnlich schwere körperliche oder psychische Schäden alsbald nach der Einreise des Betroffenen in den Zielstaat drohen. Die Gefahr der wesentlichen Verschlimmerung einer Erkrankung kann insbesondere auf unzureichenden Behandlungsmöglichkeiten im Zielstaat beruhen. Allerdings ist es nicht erforderlich, dass die **medizinische Versorgung** im Zielstaat mit der Versorgung in der Bundesrepublik Deutschland gleichwertig ist. Eine ausreichende medizinische Versorgung liegt in der Regel auch vor, wenn diese nur in einem Teil des Zielstaats gewährleistet ist (§ 60 VII 3 und 4 AufenthG). Neben den Behandlungsmöglichkeiten im Zielstaat sind auch sämtliche andere zielstaatsbezogene Umstände, die zu einer Verschlimmerung der Erkrankung führen können, in die Beurteilung mit einzubeziehen. Eine wesentliche Verschlimmerung der Erkrankung kann demnach insbesondere auch dann eintreten, wenn in dem Abschiebezielstaat Behandlungsmöglichkeiten zwar vorhanden, für die betreffende ausländische Person aber aus finanziellen oder sonstigen persönlichen Gründen nicht erreichbar sind.[4]

II. Glaubhaftmachung durch qualifizierte ärztliche Bescheinigung im Sinne des § 60a IIc AufenthG

Für die Geltendmachung eines Abschiebungsverbots aus gesundheitlichen Gründen ist zudem § 60 VII 2 i.V.m. § 60a IIc AufenthG zu beachten. Danach wird vermutet, dass einer Abschiebung gesundheitliche Gründe nicht entgegenstehen. Eine Erkrankung, die die Abschiebung beeinträchtigen kann, muss durch eine qualifizierte **ärztliche Bescheinigung** glaubhaft gemacht werden. Diese ärztliche Bescheinigung soll gemäß § 60a IIc 3 AufenthG insbesondere die tatsächlichen Umstände, auf deren Grundlage eine fachliche Beurteilung erfolgt ist, die Methode der Tatsachenerhebung, die fachlich-medizinische Beurteilung des Krankheitsbildes (Diagnose), den Schweregrad der Erkrankung, den lateinischen Namen oder die Klassifizierung der Erkrankung nach ICD 10 sowie die Folgen, die sich nach ärztlicher Beurteilung aus der krankheitsbedingten Situation voraussichtlich ergeben, enthalten.

Insbesondere zur Glaubhaftmachung einer Erkrankung an einer **Posttraumatischen Belastungsstörung (PTBS)** ist angesichts der Unschärfen des Krankheitsbildes sowie seiner vielfältigen Symptomatik regelmäßig die Vorlage eines gewissen Mindestanforderungen genügenden fachärztlichen Attests erforderlich.[5] Aus dem Attest muss sich nachvollziehbar ergeben, auf welcher Grundlage die Diagnose ge-

---

4 BVerwG, Urt. v. 17.11.2006, Az.: 1 C 18.05, Rn. 20.
5 BVerwG, Urt. v. 17.6.2020, Az.: 1 C 35.19, Rn. 29.

stellt wurde und wie sich die Krankheit im konkreten Fall darstellt.[6] Dies umfasst etwa Angaben darüber, seit wann und wie häufig sich der Patient oder die Patientin in ärztlicher Behandlung befunden hat und ob die von ihm oder ihr geschilderten Beschwerden durch die erhobenen Befunde bestätigt werden. Darüber hinaus muss das Attest Aufschluss über die Schwere der Krankheit, deren Behandlungsbedürftigkeit sowie den bisherigen Behandlungsverlauf (Medikation und Therapie) geben. Wird das Vorliegen einer PTBS auf traumatisierende Erlebnisse im Herkunftsland gestützt und werden die Symptome erst längere Zeit nach der Ausreise aus dem Herkunftsland vorgetragen, ist in der Regel auch eine Begründung dafür erforderlich, warum die Erkrankung nicht früher geltend gemacht worden ist.

ℹ️ Weiterführendes Wissen

Diese Rechtsprechung wurde insbesondere zur Frage von diesbezüglichen Beweisanträgen entwickelt. Ein solcher kann unter anderem als bloßer Ausforschungsantrag abgelehnt werden, wenn Tatsachen unsubstantiiert, gleichsam „ins Blaue hinein" behauptet werden. Andererseits kann es die Sachaufklärungspflicht der Gerichte gegebenenfalls gebieten, auch auf Grundlage eines nicht dem Maßstab des 60a IIc AufenthG entsprechenden Attestes zumindest einem Beweisantrag auf Einholung einer qualifizierten ärztlichen Stellungnahme stattzugeben, wenn sich daraus eine gewisse Wahrscheinlichkeit für die Erkrankung ergibt.[7] Insoweit ist auch der grundgesetzliche Schutz des Rechtes auf Leben und körperliche Unversehrtheit gemäß Art. 2 II 1 GG zu berücksichtigen.[8]

III. Glaubhaftmachung PTBS im konkreten Fall

Diesen Anforderungen wird das vorgelegte Attest des Diplompsychologen Dr. T voraussichtlich nicht gerecht. Es ist bereits zweifelhaft, ob eine Bescheinigung eines Diplompsychologen die Voraussetzungen einer qualifizierten ärztlichen Bescheinigung im Sinne des § 60a IIc AufenthG erfüllt. So verlangt die höchstrichterliche Rechtsprechung wohl eine fachärztliche (für Psychiatrie und Psychotherapie o. ä.) Bescheinigung.[9] Für diese Auslegung spricht neben dem Wortlaut die Gesetzeshistorie. Denn mit der Beschränkung der berücksichtigungsfähigen Unterlagen auf qualifizierte ärztliche Bescheinigungen wollte der Gesetzgeber den Schwierigkeiten bei der Bewertung von Bescheinigungen nur schwer diagnostizier- und überprüfbarer Erkrankungen psychischer Art, insbesondere der PTBS, Rechnung tragen.[10]

---

6 BVerwG, Urt. v. 11.9.2007, Az.:10 C 8/07, Rn. 15.
7 VGH Bayern, Beschl. v. 25.9.2019, Az.: 11 ZB 19.32697.
8 Lincoln, Asylmagazin 2020, 349.
9 BVerwG, Urt. v. 17.6.2020, Az.: 1 C 35.19, Rn. 29.
10 BT-Drs. 18/7538, S. 19 f.

Ein derartiges Attest könnte allenfalls andere Erkenntnisse im Wege einer Gesamtschau ergänzen.[11]

Weiterführendes Wissen ℹ️

Dies wird z. T. kritisch gesehen. So verweist etwa Marx unter Hinweis auf dahingehende obergerichtliche Rechtsprechung darauf, dass auch etwa ein Psychologe beziehungsweise eine Psychologin oder ein Psychotherapeut beziehungsweise eine Psychotherapeutin die erforderliche Ausbildung und fachliche Qualifikation aufweise, um eine PTBS verlässlich diagnostizieren zu können, zumal er oder sie dies aufgrund eines gegebenenfalls bestehenden Behandlungsverhältnisses möglicherweise besser beurteilen könne. Es könne nicht darauf ankommen, wer die Bescheinigung ausgestellt habe, sondern ob diese die genannten inhaltlichen Anforderungen erfülle.[12]

Ferner wird in der Bescheinigung zwar eine Diagnose (indes ohne Klassifizierung nach ICD 10) genannt, nicht aber ausgeführt, auf welcher tatsächlichen und methodischen Grundlage diese gestellt wurde. Es fehlt an genauen Angaben zur Schwere der Erkrankung, zur Behandlungsbedürftigkeit und zum bisherigen Behandlungsverlauf sowie zu den Folgen, die sich aus der krankheitsbedingten Situation voraussichtlich ergeben. Die erforderliche Medikation wird nicht näher bezeichnet. Auch bleibt unklar, weshalb die nach Angaben der B auf traumatisierende Erlebnisse in Kolumbien im Jahr 2012 zurückzuführende Erkrankung erst Ende 2017 im Klageverfahren und nicht bereits zu einem früheren Zeitpunkt geltend gemacht worden ist. Die bloße Behauptung einer akuten Suizidalität im Falle der Rückkehr nach Kolumbien bleibt unsubstantiiert. Es fehlt an einer nachvollziehbaren Begründung und Darstellung der tatsächlichen Grundlagen für diese Annahme. Überdies wird kein konkretes schwerwiegendes Ereignis genannt, auf die sich die Beschwerden zurückführen ließen. Nach der Rechtsprechung erfordert die Diagnose einer PTBS indes nicht nur eine spezifische Symptomatik, sondern auch ein traumatisches Lebensereignis als Auslöser der Symptomatik.[13]

Weiterführendes Wissen ℹ️

Mangels Substantiierung einer solchen Erkrankung zwecks Widerlegung der Vermutung des § 60a IIc 1 AufenthG müsste sich das Gericht nach der wohl überwiegenden Auffassung in der Rechtsprechung auch nicht aufgrund des Amtsermittlungsgrundsatzes gemäß § 86 I 1 HS 1 VwGO veranlasst sehen, den Sachverhalt durch Einholung eines psychiatrischen Sachverständigengutachtens weiter aufzuklären oder einer möglichen Beweisanregung nachzugehen. Die genannten Anforderungen an die Substantiie-

---

11 OVG SA, Urt. v. 28.5.2020, Az.: 2 L 25/18, Rn. 80.
12 Marx, in: Marx, Aufenthalts-, Asyl- und Flüchtlingsrecht, 7. Aufl. 2020, Rn. 388 m. w. N.
13 VG München, Beschl. v. 13.12.2019, Az.: M 10 K 17.46335, Rn. 31; VG Berlin, Urt. v. 3.4.2014, Az.: 33 A 36.13A.

Britta Schiebel

rung ergeben sich aus der Pflicht des Beteiligten, an der Erforschung des Sachverhalts mitzuwirken (§ 86 I 1 Hs. 2 VwGO), die in besonderem Maße für Umstände gilt, die in die eigene Sphäre des Beteiligten fallen.[14] Dies lässt sich nach dem oben Gesagten jedoch auch anders beurteilen.

Auf die Frage, ob die vorgetragene Erkrankung überdies in Kolumbien behandelbar ist, kommt es mangels ihrer Glaubhaftmachung nicht an.

ℹ Weiterführendes Wissen

Nach europarechtlichen Vorschriften muss die Situation von „Personen mit besonderen Bedürfnissen" im Asylverfahren berücksichtigt werden. Als besonders schutzbedürftig zählen nach Art. 21 Aufnahme-RL[15] unter anderem unbegleitete Minderjährige, aber auch Minderjährige mit Familienangehörigen. Des Weiteren Menschen mit Behinderung, ältere Menschen, Schwangere, Alleinerziehende mit minderjährigen Kindern, Opfer von Menschenhandel, körperlich oder psychisch erkrankte Personen und Personen, die Folter oder Gewalt erlitten haben.

Diese Personen müssen, so wie ihre Bedürfnisse es erfordern, während des Asylverfahrens speziell untergebracht und versorgt werden und es müssen ihnen im Asylverfahren besondere Verfahrensgarantien gewährt werden. Ihre besondere Schutzbedürftigkeit ist nach Art. 24 Asylverfahrens-RL[16] zeitnah nach Asylantragstellung festzustellen.

B. Abwandlung

Im Falle, dass die Erkrankung (PTBS) der B auf Geschehnisse in Spanien zurück zu führen ist, ergibt sich über die Frage der Glaubhaftmachung der Erkrankung und der Behandelbarkeit in Kolumbien hinaus das Problem, dass nicht glaubhaft gemacht wurde, weshalb sich die behauptete PTBS gerade durch eine Abschiebung im Sinne des § 60 VII 3 AufenthG wesentlich verschlechtern würde. Da es sich um ein **zielstaatsbezogenes Abschiebungshindernis** handelt, muss glaubhaft gemacht werden, warum gerade im Zielstaat der Abschiebung eine Gefahr für Leib, Leben und Freiheit droht. Werden nun als Auslöser für die Erkrankung Erlebnisse angeführt, die nach der Ausreise aus dem Heimatstaat, insbesondere auf der Fluchtrou-

---

14 BVerwG, Urt. v. 11.9.2007, Az.: 10 C 8/07, Rn. 15.
15 Richtlinie 2013/33/EU des Europäischen Parlaments und des Rates zur Festlegung von Normen für die Aufnahme von Personen, die internationalen Schutz beantragen vom 26.6.2013, ABl. EU Nr. L 180/96.
16 Richtlinie 2013/32/RL des Europäischen Parlaments und des Rates vom 26. Juni 2013 zu gemeinsamen Verfahren für die Zuerkennung und Aberkennung des internationalen Schutzes, ABl. EU Nr. L 18, S. 60.

Britta Schiebel

te, geschehen sind, und steht eine Abschiebung in den Herkunftsstaat im Raum (und nicht etwa beispielsweise eine Überstellung im Rahmen des Dublin-Regimes), so ist keine Konfrontation mit den belastenden Erlebnissen oder eine Wiederholung des Erlebten zu erwarten. Daher bedarf es einer besonderen Erklärung, aus welchem Grund eine gravierende Verschlimmerung des **Gesundheitszustandes** gerade bei einer etwaigen Rückkehr in den Heimatstaat zu erwarten ist. Allein, dass eine Rückkehr dorthin möglicherweise unerwünscht ist, kann hierfür nicht ausreichen.[17]

Weiterführende Literatur
- Themenseiten auf asyl.net zu Schutzsuchenden mit besonderen Bedürfnissen
- Dachverband der Psychosozialen Zentren, die sich die psychosoziale und therapeutische Versorgung von Geflüchteten in Deutschland zur Aufgabe gemacht haben
- Flüchtlingsrat Thüringen, Broschüre Besondere Rechte im Asylverfahren: Informationen für Schutzsuchende mit besonderen Bedürfnissen, Februar 2020

Zusammenfassung: Die wichtigsten Punkte
- Zur Glaubhaftmachung einer schwerwiegenden oder lebensbedrohlichen, zu einem zielstaatsbezogenen Abschiebungsverbot führenden Erkrankung ist die Vorlage einer qualifizierten ärztlichen Bescheinigung erforderlich, die insbesondere im Falle einer PTBS besonderer Anforderungen genügen muss.
- Diese Bescheinigung sollte von einem*einer Fachärzt*in ausgestellt sein und insbesondere folgende Inhalte aufweisen: tatsächliche Umstände, auf deren Grundlage eine fachliche Beurteilung erfolgt ist, die Methode der Tatsachenerhebung, die fachlich-medizinische Beurteilung des Krankheitsbildes (Diagnose), den Schweregrad der Erkrankung, den lateinischen Namen oder die Klassifizierung der Erkrankung nach ICD 10 sowie die Folgen, die sich nach ärztlicher Beurteilung aus der krankheitsbedingten Situation voraussichtlich ergeben, sowie zur Behandlung erforderliche Medikamente.

Dieser Fall darf gerne kommentiert, verändert und beliebig genutzt werden. Die Anleitung hierfür lässt sich über den abgebildete QR-Code mit der Smartphone-Kamera auf unserer Homepage aufrufen.

---

17 VG München, Beschl. v. 13.12.2019, Az.: M 10 K 17.46335, Rn. 31.

Britta Schiebel

Fall 22
Dialyse in Armenien

Behandelte Themen: Zielstaatsbezogenes Abschiebungsverbot, Gesundheitsgefahr, medizinische Versorgung

Schwierigkeitsgrad: Anfänger*innen

Sachverhalt

Der 35-jährige A ist armenischer Staatsangehöriger. Im Sommer 2015 reiste er nach Deutschland ein und stellte beim BAMF einen Asylantrag. Bei seiner Anhörung gab er im Wesentlichen an, in Armenien keinen Beruf erlernt und von Gelegenheitsjobs gelebt zu haben. Von seinen Verwandten lebe nur noch seine Mutter, die als Krankenschwester ein geringes Einkommen erziele. Das Land habe er verlassen, da er sich in Deutschland bessere Möglichkeiten der medizinischen Versorgung seiner Nierenprobleme erhoffe. In Armenien habe er bereits eine Dialysebehandlung erhalten, die er nur durch die Aufnahme von Schulden habe finanzieren können. Sein Zustand habe sich aber nicht verbessert. In Armenien stünden weder angemessene Behandlungsmöglichkeiten noch ausreichend Medikamente zur Verfügung. A legte beim BAMF verschiedene ärztliche Bescheinigungen vor. Danach leide er an terminaler chronischer Niereninsuffizienz. Eine Dialyse sei als lebenserhaltende Maßnahme mindestens dreimal wöchentlich über jeweils mindestens vier Stunden, bei Verschlechterung seines Zustandes auch darüber hinaus erforderlich. Eine Unterbrechung dieser Behandlung für nur wenige Tage führe unweigerlich zu einer lebensbedrohlichen Situation. Er müsse eine Vielzahl von – in den Attesten im Einzelnen aufgeführten – Medikamenten einnehmen. Wegen auch für Dialysepatienten außergewöhnlich hoher Phosphatwerte bestehe beim Kläger unter anderem ein stark erhöhtes Risiko eines Herzinfarktes und Schlaganfalls. Eine medikamentöse Behandlung und engmaschige Beobachtung sei dauerhaft erforderlich; anderenfalls drohten lebensbedrohliche Folgen.

Mit Bescheid aus dem Juli 2017 lehnte das BAMF seinen Antrag ab. Zur Begründung der Ablehnung eines Abschiebungsverbotes aus gesundheitlichen Gründen führte es unter anderem aus: Die medizinische Grundversorgung sei in Armenien flächendeckend gewährleistet und grundsätzlich seien alle Krankheiten behandelbar, auch wenn die Qualität vielfach unzureichend sei. Mangels einer staatlichen Krankenversicherung sei für einen großen Teil der Bevölkerung die Finanzierung der kostenpflichtigen ärztlichen Behandlung schwierig. Staatliche Kliniken ließen sich auch eigentlich kostenlose Behandlungen bezahlen; Korruption sei weit verbreitet. Sofern ein Patient über einen der begrenzten kostenlosen Dialyseplätze verfüge, auf dessen Zuteilung man einige Tage warten müsse, falle nur eine geringe Zuzahlung an, anderenfalls ca. 35 US-Dollar pro Sitzung. Der A habe einen Anspruch auf eine kostenlose Behandlung; bis zur Aufnahme in ein kostenloses Programm könne er auf die Unterstützung von Familienangehörigen zurückgreifen. Die empfohlenen Medikamente seien erhältlich.

Der A erhob Klage vor dem Verwaltungsgericht und beschränkte seinen Antrag auf die Verpflichtung zur Feststellung eines Abschiebungsverbotes aus gesundheitlichen Gründen.

In der mündlichen Verhandlung wies der A darauf hin, dass aufgrund der derzeitigen Corona-Pandemie das armenische Gesundheitssystem erheblich unter Druck stehe und eine Behandlung anderer Erkrankungen wesentlich erschwert sei. Auch sei wegen der Pandemie die Situation auf dem Arbeitsmarkt sehr angespannt. Überdies seien die Wirtschaft und öffentliche Infrastruktur Armeniens derzeit von den Auswirkungen der kriegerischen Auseinandersetzungen mit Aserbaidschan um die Region Bergkarabach stark beeinträchtigt. Er verfüge über keine einsetzbaren Geldmittel.

Fallfrage

Wie wird das Verwaltungsgericht voraussichtlich entscheiden?

Bearbeitungshinweis:
Ein Abschiebungsverbot wegen einer möglichen Verletzung der EMRK ist nicht zu prüfen.

Es ist zu unterstellen, dass die vorgelegten Atteste die Voraussetzungen des § 60a IIc AufenthG erfüllen.

Sowohl die Ausführungen des BAMF zur Gesundheitsversorgung in Armenien als auch die Angaben des A zu den Auswirkungen der Corona-Pandemie und des Bergkarabach-Konflikts sind als zutreffend zu unterstellen.

Lösungsvorschlag

! **Hinweise zur Fallprüfung**

Der Sachverhalt und die Falllösung sind einem Urteil des VG Ansbach nachempfunden, auf das für weitere Details verwiesen wird.[1]

Die Klage ist voraussichtlich zulässig und begründet.

Die Voraussetzungen eines zielstaatsbezogenen Abschiebungsverbots nach § 60 VII 1 AufenthG sind erfüllt.

! **Hinweise zur Fallprüfung**

Aufgrund der **Beschränkung des Klageantrags** sowie des Bearbeitungshinweises war allein ein Abschiebungsverbot nach § 60 VII AufenthG zu prüfen. Ohne einen solchen Hinweis wäre es auch möglich gewesen, die Frage der drohenden Gesundheitsgefahr am Maßstab des § 60 V AufenthG i.V.m. Art. 3 EMRK zu messen. Insoweit gilt nach der Rechtsprechung des EGMR ein vergleichbar strenger Maßstab für den Nachweis einer schwerwiegenden Erkrankung und die Gefahr einer erheblichen Verschlechterung des Gesundheitszustands im Fall einer Abschiebung.[2]

Nach § 60 VII AufenthG soll von der **Abschiebung** in einen Zielstaat abgesehen werden, wenn dort für die abzuschiebende Person eine erhebliche konkrete Gefahr für Leib, Leben oder Freiheit besteht. Dies setzt nach § 60 VII 3 AufenthG eine **lebensbedrohliche oder schwerwiegende Erkrankung** voraus, die sich durch die Abschiebung wesentlich verschlechtern würde. Für das Vorliegen der Voraussetzungen des § 60 VII 1 AufenthG ist nach dem Gefahrenmaßstab der **beachtlichen Wahrscheinlichkeit** erforderlich, aber auch ausreichend, dass sich die vorhandene Erkrankung aufgrund zielstaatsbezogener Umstände in einer Weise verschlimmert, die zu einer erheblichen und konkreten Gefahr für Leib oder Leben führt, das heißt dass eine wesentliche Verschlimmerung der Erkrankung alsbald nach der Abschiebung droht.[3] Von einer abschiebungsschutzrelevanten Verschlechterung des Gesundheitszustandes kann nicht schon dann gesprochen werden, wenn eine Heilung eines Krankheitszustandes im Abschiebungsfall nicht zu erwarten ist. Eine solche Gefahr ist auch nicht schon bei jeder befürchteten ungünstigen Entwicklung des Gesundheitszustandes anzunehmen, sondern nur, wenn außergewöhnlich schwere

---

1 VG Ansbach, Urt. v. 5.11.2020, Az.: AN 6 K 17.34985.
2 EGMR, Urt. v. 13.12.2016, Az.: 41738/10, Rn. 186 ff.
3 BVerwG, Urt. v. 17.11.2006, Az.: 1 C 18.05, Rn. 20.

Britta Schiebel

körperliche oder psychische Schäden alsbald nach der Einreise des Betroffenen in den Zielstaat drohen. Die **Gefahr der wesentlichen Verschlimmerung** einer Erkrankung kann insbesondere auf unzureichenden Behandlungsmöglichkeiten im Zielstaat beruhen. Allerdings ist es nicht erforderlich, dass die medizinische Versorgung im Zielstaat mit der Versorgung in der Bundesrepublik Deutschland gleichwertig ist. Der oder die Betroffene muss sich grundsätzlich auf den im Heimatland vorhandenen Versorgungsstand im Gesundheitswesen verweisen lassen. Denn § 60 VII 1 AufenthG garantiert keinen Anspruch auf „optimale Behandlung" einer Erkrankung oder auf Teilhabe an dem medizinischen Standard in Deutschland. Der Abschiebungsschutz soll die abzuschiebende Person vielmehr vor einer gravierenden Beeinträchtigung ihrer Rechtsgüter bewahren.[4] Eine ausreichende medizinische Versorgung liegt dabei in der Regel auch vor, wenn diese nur in einem Teil des Zielstaats gewährleistet ist (vgl. § 60 VII 3, 4 AufenthG). Neben den Behandlungsmöglichkeiten im Zielstaat sind auch sämtliche andere zielstaatsbezogene Umstände, die zu einer Verschlimmerung der Erkrankung führen können, in die Beurteilung mit einzubeziehen. Eine wesentliche Verschlimmerung der Erkrankung kann demnach insbesondere auch dann eintreten, wenn in dem Abschiebezielstaat Behandlungsmöglichkeiten zwar vorhanden, für die betreffende Person aber aus finanziellen oder sonstigen persönlichen Gründen nicht erreichbar sind.[5]

Gemessen hieran ist wohl von einem Anspruch des A auf Feststellung eines Abschiebungsverbots nach § 60 VII 1 AufenthG auszugehen. Bei der terminalen Niereninsuffizienz, die bei einer Unterbrechung der Dialysebehandlung für nur wenige Tage zu einer lebensbedrohlichen Situation führt, handelt es sich im Fall des A um eine schwerwiegende und lebensbedrohliche Erkrankung in diesem Sinne. Die Krankheit wurde durch Vorlage mehrerer fachärztlicher Bescheinigungen, welche die Voraussetzungen des § 60a IIc AufenthG erfüllen, glaubhaft gemacht.[6] Es ist auch mit beachtlicher Wahrscheinlichkeit zu erwarten, dass sich die Erkrankung alsbald nach einer möglichen Abschiebung erheblich verschlimmern und so in einer erheblichen Gefahr für die Gesundheit oder sogar das Leben des A münden würde.

Dabei kann nach den vorliegenden, vom BAMF in seinem Bescheid angeführten Erkenntnissen zwar im Ausgangspunkt – jedenfalls unter normalen Umständen – von einer Behandelbarkeit der Erkrankung des A auch in Armenien ausgegangen werden. Denn danach bieten zahlreiche öffentliche und private Kliniken Dialysebehandlungen an. Die erforderlichen Medikamente sind auch in Armenien erhältlich. Unerheblich ist dabei, dass die Qualität der medizinischen Versorgung geringer ist

4 OVG NRW, Beschl. v. 14.6.2005, Az.: 11 A 4518/02.A, Rn. 24 – openJur.
5 BVerwG, Urt. v. 17.11.2006, Az.: 1 C 18.05, Rn. 20.
6 Siehe zu den Voraussetzungen des § 60a IIc AufenthG Schiebel, *22) Traumatisiert* in diesem Fallbuch.

Britta Schiebel

als in Deutschland; insoweit muss sich der A grundsätzlich auf den in seinem Heimatstaat vorhandenen Gesundheitsstandard verweisen lassen.

Allerdings sind in die Betrachtung weitere zielstaatsbezogene sowie individuelle persönliche Umstände miteinzubeziehen. So stehen zum maßgeblichen Zeitpunkt
der mündlichen Verhandlung (§ 77 I 1 Hs. 1 AsylG) das armenische Gesundheitssystem und die dortige öffentliche Infrastruktur stark unter Druck, da die an Corona
erkrankten Personen sowie die Verletzten des Bergkarabach-Konflikts versorgt
werden müssen. Vor diesem Hintergrund erscheint es beachtlich wahrscheinlich,
dass sich der Gesundheitszustand des A durch den fehlenden Zugang oder eine
mögliche Unterbrechung der Dialysebehandlung wesentlich verschlechtern wird
oder er sogar in Lebensgefahr gerät. Denn in der gegenwärtigen Situation ist generell davon auszugehen, dass der Zugang zu den im Normalfall verfügbaren kostenlosen Dialyseplätzen erschwert ist oder sich jedenfalls der Aufnahmeprozess erheblich verzögern könnte. Für den A führt jedoch schon eine Unterbrechung der
Behandlung von wenigen Tagen zu einer lebensgefährlichen Situation. Seinen
glaubhaften Angaben zufolge verfügt er über keinerlei Geldmittel, um – für einen
Übergangszeitraum von unabsehbarer Länge – die Behandlungskosten von je
35 Dollar für jede der mindestens dreimal wöchentlich erforderlichen Sitzungen zu
tragen. Auf familiäre Unterstützung kann er insofern nicht zählen, da seine Mutter
als einzige Verwandte lediglich über ein geringes Einkommen verfügt, von dem sie
überdies ihren eigenen Lebensunterhalt bestreiten muss. Aufgrund seines Gesundheitszustandes dürfte der A zudem nicht in der Lage sein, die erforderlichen Mittel
durch eigene Arbeit zu erwirtschaften. Zumal es ihm als Wiederkehrender ohne Berufsausbildung während einer wegen der Corona-Pandemie und der kriegerischen
Auseinandersetzung im Bergkarabach-Konflikt angespannten Lage auf dem Arbeitsmarkt schwerfallen dürfte, unmittelbar eine Arbeit zu finden. Auch insoweit
wäre bereits eine nur kurze Unterbrechung der Behandlung lebensbedrohlich.

Auch ist nicht ausnahmsweise entgegen der von § 60 VII 1 AufenthG intendierten Rechtsfolge („soll") trotz Vorliegens der Voraussetzungen von der Feststellung
eines Abschiebungsverbots im Ermessenswege abzusehen. Dies wird zwar zum Teil
in der Rechtsprechung angenommen, wenn eine Person einen Asylantrag unter
Missbrauch des Asylverfahrens allein deswegen stellt, um im Bundesgebiet unter
Inanspruchnahme der hiesigen Versorgungssysteme eine gesundheitliche Behandlung zu erhalten, jedenfalls wenn aufgrund der voraussichtlichen Dauer oder Intensität der erforderlichen Gesundheitsbehandlung ganz erheblicher Aufwand oder
erhebliche Kosten für die hiesigen Gesundheits-/Sozialsysteme zu erwarten sind.[7]
Von einer solchen Missbrauchskonstellation ist auch auszugehen, da der A seinen

7 VG Ansbach, Urt. v. 5.11.2020, Az.: AN 6 K 17.34985, Rn. 46 ff. – openJur.

eigenen Angaben zufolge bereits in Armenien wegen seiner Nierenerkrankung in Behandlung war und sich nur deshalb nach Deutschland begeben hat, um eine bessere medizinische Behandlung zu erhalten. Jedoch ist ausnahmsweise im Fall des A das möglicherweise in der skizzierten Missbrauchskonstellation eröffnete Ermessen des BAMF zu seinen Gunsten auf Null reduziert. Kommt es mit hoher Wahrscheinlichkeit zu einer Unterbrechung der Dialysebehandlung, die binnen kurzer Zeit zum Tod führt, und kann andererseits bei Fortführung der Behandlung das Überleben des A gesichert und eine gute Lebensqualität gewährleistet werden, erscheint die Feststellung eines Abschiebungsverbots unter dem Gesichtspunkt des Art. 1 I i.V.m. Art. 2 I 1 GG zwingend. Wodurch sich das Ermessen auf Null reduziert.

Britta Schiebel

Fall 23
In Deutschland geboren

Behandelte Themen: Asylantragsablehnung als offensichtlich unbegründet

Schwierigkeitsgrad: Fortgeschrittene

Sachverhalt

A ist 2020 als Kind staatenloser palästinensischer Eltern aus dem Libanon in der Bundesrepublik Deutschland geboren worden. Seine Eltern haben den Libanon bereits 2016 verlassen und in Deutschland Asylanträge gestellt. Diese hat das Bundesamt für Migration und Flüchtlinge (BAMF) im November 2016 vollumfänglich abgelehnt, die hiergegen erhobene Klage wurde im Januar 2018 abgewiesen, da den Eltern des A weder eine flüchtlingsrechtlich relevante Verfolgung noch ein ernsthafter Schaden drohe. Die humanitäre Lage sei im Libanon – auch für Palästinenser*innen – nicht so schlecht, dass ihnen eine Existenzsicherung unmöglich wäre. Im Oktober 2020 stellten die Eltern des A für diesen einen Asylantrag. Sie machten dabei dieselben Gründe wie für sich selbst geltend. Palästinenser*innen hätten im Libanon keinerlei Zukunftsperspektiven, würden diskriminiert und hätten keinerlei Zugang zu Bildung, auch die Sicherung des Existenzminimums sei kaum möglich.

Das BAMF lehnte im November 2020 den Asylantrag des A vollumfänglich als offensichtlich unbegründet nach § 30 I AsylG ab, stellte fest, dass Abschiebungsverbote nach § 60 V und VII 1 AufenthG nicht vorliegen und forderte ihn zur Ausreise aus der Bundesrepublik Deutschland binnen einer Woche nach Bekanntgabe der Entscheidung auf und drohte für den Fall der nicht fristgerechten Ausreise die Abschiebung in den Libanon an. Zur Begründung verwies das BAMF darauf, dass bereits die Asylanträge seiner Eltern abgelehnt worden seien, und dies daher ebenso für den A gelten müsse, da für diesen keine anderen Asylgründe geltend gemacht worden seien und sich die Lage im Libanon seither nicht verändert habe.

Fallfragen

1. Die Eltern des A möchten gegen den ablehnenden Bescheid des BAMF vorgehen, was ist ihnen zu raten? Worauf sind sie besonders hinzuweisen?
2. Durfte das BAMF den Asylantrag des A als offensichtlich unbegründet ablehnen?

3. Wäre außer einer Ablehnung des Asylantrages als einfach offensichtlich unbegründet nach § 30 I AsylG auch eine qualifizierte Ablehnung als offensichtlich unbegründet nach § 30 III AsylG in Betracht gekommen?

Bearbeitungshinweis:
Gehen Sie davon aus, dass die Asylanträge der Eltern des A zu Recht abgelehnt worden sind und die humanitäre Lage im Libanon eine Existenzsicherung zulässt.

Lösungsvorschlag

A. Fallfrage 1

Da das BAMF vorliegend die **Abschiebung** in den Libanon bereits angedroht hat und eine hiergegen gerichtete Klage keine aufschiebende Wirkung hat (§ 75 I AsylG), ist Eilrechtsschutz geboten, da andernfalls die Rückführung des A in den Libanon während des Klageverfahrens droht. Richtige Antragsart ist gemäß § 36 III AsylG ein Antrag auf **Anordnung der aufschiebenden Wirkung** der in der Hauptsache erhobenen Klage nach § 80 V 1 Alt. 1 VwGO.

Die Eltern des A sind unbedingt darauf hinzuweisen, dass die Klage- und Antragsfrist nur eine Woche beträgt (§ 36 III 1 AsylG und § 74 I Hs. 2 AsylG), da der Asylantrag des A als offensichtlich unbegründet abgelehnt worden ist.

B. Fallfrage 2

I. Voraussetzungen des § 30 I AsylG

Die **Ablehnung eines Asylantrages** als **offensichtlich unbegründet** im Sinne des § 30 I AsylG setzt nach der – insoweit auf Entscheidungen des BAMF übertragbaren – Rechtsprechung des Bundesverfassungsgerichts zur offensichtlich unbegründeten Abweisung von Asylklagen voraus, dass zum maßgeblichen Zeitpunkt der Entscheidung an der Richtigkeit der tatsächlichen Feststellungen vernünftigerweise keine Zweifel bestehen und sich bei einem solchen Sachverhalt nach allgemein anerkannter Rechtsauffassung die Abweisung geradezu aufdrängt.[1] Das Erfordernis der **Evidenz der Ablehnungsreife** erstreckt sich dabei sowohl auf die Ermittlung der Tatsachengrundlage als auch auf die rechtliche Würdigung des Asylbegehrens.[2] Erforderlich ist daher, dass das BAMF den Sachverhalt weitestgehend ermittelt und sodann – im Hinblick auf die weitreichenden Folgen des Offensichtlichkeitsausspruches – aufgrund einer umfassenden Würdigung der ihm vorgetragenen und sonst erkennbaren Umstände unter Ausschöpfung aller ihm vorliegenden oder zugänglichen **Erkenntnismittel** entscheidet und in der Entscheidung klar zu erkennen gibt, weshalb der Antrag nicht als schlicht unbegründet, sondern als offensichtlich unbegründet abgelehnt worden ist.[3]

---

1 BVerfG, Beschl. v. 25.2.2019, Az.: 2 BvR 1193/18, Rn. 20; BVerfG, Beschl. v. 25.4.2018, Az.: 2 BvR 2435/17, Rn. 21.
2 Heusch, in: BeckOK AuslR, 32. Ed. 1.1.2022, AsylG § 30 Rn. 15.
3 BVerfG, Beschl. v. 25.2.2019, Az.: 2 BvR 1193/18, Rn. 21.

II. Anwendung auf den Fall

Eine Ablehnung eines Asylantrages als offensichtlich unbegründet kommt unter anderem dann in Betracht, wenn die antragstellende Person bei der Einreichung ihres Antrags und der Darlegung der Tatsachen nur Umstände vorgebracht hat, die für die Prüfung, ob sie als Asylberechtigte*r im Sinne des Art. 16a GG, als Flüchtling nach § 3 I AsylG oder als subsidiär Schutzberechtigte*r nach § 4 AsylG anzuerkennen ist, nicht von Belang sind.

a) Anspruch auf Zuerkennung der Flüchtlingseigenschaft, § 3 AsylG

Im Hinblick auf die Zuerkennung der **Flüchtlingseigenschaft** hat A bereits keine eigene flüchtlingsrechtlich relevante Verfolgung geltend gemacht. Eine Vorverfolgung scheidet bereits mangels Voraufenthalts des A im Libanon aus. Darüber hinaus hat er sich lediglich auf die Asylgründe seiner ihn vertretenden Eltern berufen, die bereits gerichtlich festgestellt zu keiner flüchtlingsrechtlich relevanten Verfolgung zugunsten der Eltern geführt haben beziehungsweise zukünftig im Sinne des § 28 Ia AsylG führen werden.

b) Anspruch auf Anerkennung als Asylberechtigter nach Art. 16a GG

Aus denselben Gründen ist auch ein Anspruch auf die Anerkennung als Asylberechtigter im Sinne des Art. 16a GG nicht gegeben.[4]

c) Anspruch auf Zuerkennung des subsidiären Schutzstatus, § 4 AsylG

A droht im Libanon weder die Vollstreckung oder Verhängung der Todesstrafe (§ 4 I Nr. 1 AsylG), noch eine unmenschliche oder erniedrigende Behandlung im Sinne des Art. 3 EMRK (§ 4 I Nr. 2 AsylG), noch eine ernsthafte individuelle Bedrohung des Lebens oder seiner körperlichen oder psychischen Unversehrtheit infolge willkürlicher Gewalt im Rahmen eines innerstaatlichen bewaffneten Konflikts (§ 4 I Nr. 3 AsylG). Insbesondere begründet die humanitäre Lage im Libanon – auch für palästinensische Flüchtlinge – keine so gravierende Notlage, dass A bei einer Rückkehr allein deshalb einer unmenschlichen oder erniedrigenden Behandlung ausgesetzt wäre. Auch herrscht im Libanon derzeit kein innerstaatlicher bewaffneter Konflikt.

---

4 Zu den Voraussetzungen: BVerfG, Beschl. v. 2.7.1980, Az.: 1 BvR 147/80, Rn. 46 ff.; vgl. dazu auch: Ebert, *13) Flucht über den Luftweg* in diesem Fallbuch.

Ivanka Goldmaier

III. Ergebnis

Das BAMF durfte den Asylantrag des A als offensichtlich unbegründet ablehnen.

C. Fallfrage 3

Ja, da nach § 30 III Nr. 7 AsylG Asylanträge minderjähriger Asylbewerber*innen als offensichtlich unbegründet abgelehnt werden können, wenn diese gestellt werden, nachdem zuvor Asylanträge der Eltern oder des allein personensorgeberechtigten Elternteils unanfechtbar abgelehnt worden sind.

---

i **Weiterführendes Wissen**

Hintergrund dieses Tatbestands ist die Befürchtung des Gesetzgebers, dass oftmals Asylanträge von Familienangehörigen bewusst gestaffelt gestellt werden, um auf diese Weise die Beendigung des Aufenthalts der Familie hinauszuzögern. Um diesen **Missbrauch des Asylverfahrens** vorzubeugen, wurde der Tatbestand des § 30 III Nr. 7 AsylG geschaffen, der die qualifizierte Ablehnung eines Asylantrages eines handlungsunfähigen Kindes für den Fall vorsieht, dass zuvor ein Asylantrag der Eltern beziehungsweise des allein personensorgeberechtigten Elternteils abgelehnt worden ist. Dem liegt die Vorstellung zugrunde, dass für ein Kind regelmäßig keine eigenen Asylgründe vorgebracht werden können. Demzufolge greift die Norm nicht, wenn ausnahmsweise für das Kind eigene Asylgründe geltend gemacht werden oder sich die Lage im Herkunftsland seit der Entscheidung über den Asylantrag der Eltern so geändert hat, dass mit Blick auf die Situation des Kindes eine Neubewertung der Lage geboten ist.[5] Teilweise wird die Vereinbarkeit der Norm mit EU-Recht indes bestritten, da der enumerativen Aufzählung der Gründe, die zur Ablehnung eines Asylantrages als offensichtlich unbegründet berechtigen sollen in Art. 32 II Asylverfahrens-RL[6] eine Rechtsgrundlage für den Fall des § 30 III Nr. 7 AsylG fehle.[7]

Zusammenfassung: Die wichtigsten Punkte
Die Ablehnung von Asylanträgen als offensichtlich unbegründet im Sinne des § 30 I AsylG ist von strengen Vorgaben abhängig. Dass und warum ein Asylantrag als offensichtlich unbegründet abgelehnt worden ist und auf welcher Rechtsgrundlage dies beruht, muss sich aus dem Bescheid des BAMF eindeutig ergeben. Die Ablehnung eines Asylantrages als offensichtlich unbegründet hat schwerwiegende Folgen für die antragstellende Person, da die Klagefrist auf eine Woche verkürzt wird und die Klage keine aufschiebende Wirkung hat. In der Beratung ist in einem solchen Fall daher Eile geboten!

---

5 VG Karlsruhe, Beschl. v. 30.11.2020, Az.: A 4 K 2929/20, Rn. 13; Heusch, in: BeckOK AuslR, 32. Ed. 1.1.2023, AsylG § 30 Rn. 52.
6 Richtlinie 2013/32/RL des Europäischen Parlaments und des Rates vom 26. Juni 2013 zu gemeinsamen Verfahren für die Zuerkennung und Aberkennung des internationalen Schutzes, ABl. EU Nr. L 180/60.
7 VG Minden, Beschl. v. 30.8.2019, Az.: 10 L 370/19.A, Rn. 9 ff.

Ivanka Goldmaier

Dieser Fall darf gerne kommentiert, verändert und beliebig genutzt werden. Die
Anleitung hierfür lässt sich über den abgebildete QR-Code mit der Smartphone-
Kamera auf unserer Homepage aufrufen.

Ivanka Goldmaier

Fall 24
Syrer oder Jordanier?

Behandelte Themen: Offensichtlich unbegründet nach § 30 III AsylG

Schwierigkeitsgrad: Fortgeschrittene

Sachverhalt

A reiste über Tschechien im Januar 2017 in die Bundesrepublik Deutschland ein und stellte hier einen Asylantrag. Er gab in seiner ersten Anhörung vor dem Bundesamt für Migration und Flüchtlinge (BAMF) im Februar 2017 an, syrischer Staatsangehöriger aus Damaskus zu sein und das Land wegen des drohenden Wehrdienstes und des Bürgerkrieges mit Hilfe eines gefälschten jordanischen Reisepasses verlassen zu haben. Er habe mit dem jordanischen Reisepass bei der Republik Tschechien ein Schengen-Visum beantragt und auch erhalten. Der zum Nachweis seiner Identität vorgelegte syrische Zivilregisterauszug erwies sich nach durchgeführter Physikalisch-Technischer-Untersuchung (PTU) als Totalfälschung. Daraufhin forderte das BAMF A zur Abgabe einer Sprachprobe auf und gab ein sprachanalytisches Gutachten in Auftrag. Dieses kam zu dem Ergebnis, dass das Arabisch des A von für das libanesische oder jordanische Arabisch typische Abweichungen geprägt sei. Obwohl A angegeben habe, in Damaskus gelebt zu haben, spreche er nicht den Damaszener Dialekt. Das BAMF forderte A daraufhin zur Stellungnahme auf. Hierauf teilte A mit, dass er nur die syrische Staatsangehörigkeit besitze, sein Vater jedoch Jordanier gewesen sei. Er habe die meiste Zeit seines Lebens in Syrien gelebt. Erst als dort die Sicherheitslage aufgrund des Krieges unerträglich geworden sei und ihm die Einziehung zum Wehrdienst gedroht habe, habe er Syrien verlassen und sich einige Monate in Jordanien aufgehalten, bevor er nach Europa weitergereist sei. In Jordanien sei ihm niemals etwas zugestoßen. Aus der Visaauskunft ergab sich, dass A bei der Beantragung des Schengen-Visums in Tschechien neben dem jordanischen Reisepass auch eine Gewerbeanmeldung für ein Restaurant in Amman aus dem Jahr 2015 vorgelegt hat. Daraufhin lehnte das BAMF den Asylantrag des A als offensichtlich unbegründet ab, stellte fest, dass Abschiebungsverbote nach § 60 V und VII 1 AufenthG hinsichtlich Jordaniens nicht vorliegen und forderte A zur Ausreise aus der Bundesrepublik Deutschland binnen einer Woche nach Bekanntgabe des Bescheids auf und drohte andernfalls die Abschiebung nach Jordanien an. Zur Begründung führte das BAMF aus, dass es sich bei A um einen jordanischen Staatsangehörigen handele, dem jedenfalls in Jordanien nie etwas zugestoßen sei. Sein

Asylantrag sei wegen der Täuschung über seine Staatsangehörigkeit auch als offensichtlich unbegründet abzulehnen. Es sei auch nicht ersichtlich, dass A bei einer Rückkehr nach Jordanien Gefahr liefe, einer unmenschlichen oder erniedrigenden Behandlung ausgesetzt zu sein.

Fallfragen

1. A möchten gegen den ablehnenden Bescheid des BAMF vorgehen, was ist ihm zu raten? Worauf ist er besonders hinzuweisen?
2. Durfte das BAMF den Asylantrag des A als offensichtlich unbegründet ablehnen?

Bearbeitungshinweis:
Nach dem jordanischen Staatsangehörigkeitsrecht wird die Staatsangehörigkeit allein vom Vater an die Kinder weitergegeben. Das Kind eines jordanischen Vaters hat demnach – selbst, wenn die Mutter eine andere Staatsangehörigkeit hat – nur die jordanische Staatsangehörigkeit.

Lösungsvorschlag

A. Fallfrage 1

Da das BAMF vorliegend die **Abschiebung** nach Jordanien bereits angedroht hat und eine Klage gegen den Bescheid keine aufschiebende Wirkung hat (§ 75 I AsylG), ist Eilrechtsschutz geboten, da andernfalls die Rückführung des A nach Jordanien während des Klageverfahrens droht. Richtige Antragsart ist gemäß § 36 III 1 AsylG ein **Antrag auf Anordnung der aufschiebenden Wirkung** der in der Hauptsache erhobenen Klage nach § 80 V 1 Alt. 1 VwGO.

A ist unbedingt darauf hinzuweisen, dass die Klage- und Antragsfrist nur eine Woche beträgt (§ 36 III 1 AsylG und § 74 I Hs. 2 AsylG), da der Asylantrag des A als **offensichtlich unbegründet abgelehnt** worden ist.

B. Fallfrage 2

I. Einführung

Im Gegensatz zur **Ablehnung von Asylanträgen** als einfach offensichtlich unbegründet nach § 30 I AsylG.[1] normiert § 30 III AsylG konkrete Tatbestände, bei deren Vorliegen die Ablehnung des Asylantrages als **qualifiziert offensichtlich unbegründet** erfolgt. Nach § 30 III AsylG ist ein Asylantrag als offensichtlich unbegründet abzulehnen, wenn

1. in wesentlichen Punkten das Vorbringen des Ausländers nicht substantiiert oder in sich widersprüchlich ist, offenkundig den Tatsachen nicht entspricht oder auf gefälschte oder verfälschte Beweismittel gestützt wird,

---

i Weiterführendes Wissen

Der Tatbestand des § 30 III Nr. 1 AsylG knüpft an die **Mitwirkungsobliegenheiten** der asylsuchenden Person im Asylverfahren an. Hierzu gehört es, die Gründe, auf die diese sich in ihrem Asylverfahren beruft, vollständig und wahrheitsgetreu darzulegen, soweit es sich um ihr persönliches Schicksal handelt.[2] Ist der diesbezügliche Vortrag unsubstantiiert, in sich widersprüchlich oder steht im offenkundigen Widerspruch zu Tatsachen, genügt die asylsuchende Person der in ihrem eigenem Interesse stehenden Obliegenheit nicht. Regelmäßig sind in diesen Fällen auch die Voraussetzungen des § 30 I AsylG erfüllt, sodass insoweit kaum ein eigenständiger Anwendungsbereich für Nr. 1 des § 30 III verbleibt.[3] Der Um-

---

1 Siehe dazu Goldmaier, *23) In Deutschland geboren* in diesem Fallbuch.
2 BT-Drs. 12/4450, S. 22.
3 BT-Drs. 12/4450, S. 22.

Ivanka Goldmaier

stand, dass das Vorbringen der asylsuchenden Person in „wesentlichen Punkten" unsubstantiiert oder widersprüchlich sein muss bedeutet, dass der Kern des Vorbringens betroffen sein muss. Stützt die asylsuchende Person ihr Vorbringen auf mehrere Umstände, muss sich der Vorwurf der Unsubstantiiertheit oder Widersprüchlichkeit auf jeden einzelnen Umstand beziehen, um den Asylantrag insgesamt als offensichtlich unbegründet nach § 30 III Nr. 2 AsylG ablehnen zu können.[4]

2. der Ausländer im Asylverfahren über seine Identität oder Staatsangehörigkeit täuscht oder diese Angaben verweigert,

3. er unter Angabe anderer Personalien einen weiteren Asylantrag oder ein weiteres Asylbegehren anhängig gemacht hat,

Weiterführendes Wissen 🔲

Nr. 3 regelt den Fall, dass während des laufenden Asylverfahrens unter Angabe anderer Personalien die asylsuchende Person einen weiteren Asylantrag oder ein weiteres Asylbegehren anhängig macht. In diesem Falle ist der erste Asylantrag als offensichtlich unbegründet abzulehnen, sofern er unbegründet ist, während der weitere Asylantrag unzulässig ist und nicht zur Durchführung eines weiteren Asylverfahrens führt.[5]

4. er den Asylantrag gestellt hat, um eine drohende Aufenthaltsbeendigung abzuwenden, obwohl er zuvor ausreichend Gelegenheit hatte, einen Asylantrag zu stellen,

Weiterführendes Wissen 🔲

An einer ausreichenden Gelegenheit, einen Asylantrag zu stellen, fehlt es dabei nicht nur dann, wenn objektiv eine solche Gelegenheit nicht gegeben war, sondern vielmehr auch dann, wenn die asylsuchende Person wegen eines anderweitig gesicherten Status keine subjektive Veranlassung gehabt hat, zu einem früheren Zeitpunkt einen Asylantrag zu stellen, um Schutz vor der von ihr befürchteten Verfolgung zu erhalten. Denn neben der objektiven Gelegenheit ist auch ein hinreichender Anlass für eine frühere Asylantragstellung vorauszusetzen, um eine Obliegenheitsverletzung der asylsuchenden Person begründen zu können, die ihrerseits ein Offensichtlichkeitsurteil rechtfertigt.[6] Darüber hinaus muss dem*der Migrant*in die Aufenthaltsbeendigung drohen. Hierfür ist ein enger zeitlicher Zusammenhang mit der Durchführung aufenthaltsbeendender Maßnahmen erforderlich.

---

4 Heusch, in: BeckOK AuslR, 32. Ed. 1.1.2022, AsylG § 30 Rn. 36.
5 BT-Drs. 12/4450, S. 22.
6 VG Freiburg, Beschl. v. 6.2.2019, Az.: A 14 K 221/19.

Ivanka Goldmaier

5. er seine Mitwirkungspflichten nach § 13 III 2, § 15 II Nr. 3 bis 5 oder § 25 I AsylG gröblich verletzt hat, es sei denn, er hat die Verletzung der Mitwirkungspflichten nicht zu vertreten oder ihm war die Einhaltung der Mitwirkungspflichten aus wichtigen Gründen nicht möglich,

---

ⓘ Weiterführendes Wissen

Die enumerativ aufgezählten Mitwirkungspflichten sind vom Gesetzgeber als so essenziell eingestuft worden, dass ihre Verletzung die Ablehnung des Asylantrages als offensichtlich unbegründet rechtfertigt. Eine gröbliche Verletzung setzt dabei voraus, dass die Verletzung der Mitwirkungspflicht von einigem Gewicht ist. Das ist beispielsweise der Fall, wenn die asylsuchende Person sich weigert, die Anhörung vor dem BAMF in einer Sprache durchzuführen, deren Beherrschung sie zuvor angegeben hat.[7] Umstände, die die asylsuchende Person entlasten sind von dieser darzulegen und gegebenenfalls zu beweisen.

---

6. er nach §§ 53, 54 des Aufenthaltsgesetzes vollziehbar ausgewiesen ist oder
7. er für einen nach diesem Gesetz handlungsunfähigen Ausländer gestellt wird oder nach § 14a als gestellt gilt, nachdem zuvor Asylanträge der Eltern oder des allein personensorgeberechtigten Elternteils unanfechtbar abgelehnt worden sind.[8]

Mit der Regelung des § 30 III AsylG soll ein Missbrauchstatbestand sanktioniert werden.[9] Aus dem Gebot der restriktiven Auslegung von Ausnahmevorschriften und mit Blick auf die Systematik und den Sinn und Zweck des § 30 III AsylG sowie die scharfe aufenthaltsrechtliche Folge nach § 10 III 2 AufenthG, wonach einer Person, deren Asylantrag nach § 30 III Nr. 1 bis 6 AsylG als offensichtlich unbegründet abgelehnt wurde, vor ihrer Ausreise kein Aufenthaltstitel erteilt werden darf, ergibt sich, dass nicht eine einfache, sondern nur eine **grobe Verletzung von Mitwirkungspflichten** der asylsuchenden Person die qualifizierte Antragsablehnung rechtfertigt.[10]

II. Voraussetzungen des § 30 III Nr. 2 AsylG

Nach dieser Vorschrift ist ein Asylantrag als offensichtlich unbegründet abzuweisen, wenn eine asylsuchende Person im Asylverfahren über ihre **Identität oder Staatsangehörigkeit** täuscht oder diese Angaben verweigert.

---

7 VG München, Beschl. v. 10.1.2018, Az.: M 21 S 17.33327.
8 Siehe dazu Goldmaier, *23) In Deutschland geboren* in diesem Fallbuch.
9 BVerwG, Urt. v. 21.11.2006, Az.: 1 C 10.06.
10 VG Düsseldorf, Beschl. v. 7.1.2016, Az.: 10 L 3781/15.A; VG Berlin, Urt. v. 28.11.2018, Az.: 6 K 745.16 A.

Weiterführendes Wissen ℹ️

Dieser Vorschrift liegt nach dem Willen des Gesetzgebers die Erwägung zugrunde, dass ein individuelles Verfolgungsschicksal nur festgestellt werden kann, wenn die Identität und die Staatsangehörigkeit der verfolgten Person bekannt sind, und dass eine politisch verfolgte Person in Deutschland um Asyl nachsucht, weil sie auf den Schutz deutscher Behörden vertraut.[11] Es ist der geflüchteten Person daher zuzumuten, spätestens gegenüber dem für die Entscheidung zuständigen BAMF ihre Identität darzulegen oder ihre Angaben dazu zu machen.[12]

Die Täuschung setzt jedenfalls ein vorsätzliches Handeln voraus und kann darin liegen, dass ein Irrtum durch unwahre Behauptungen hervorgerufen oder ein beim BAMF bereits bestehender Irrtum aufrechterhalten wird.[13] Verletzt die asylsuchende Person die Obliegenheit, ihre wahre Identität und Staatsangehörigkeit anzugeben, in dem sie bewusst versucht, beim BAMF einen Irrtum über diese persönlichen Merkmale hervorzurufen oder aufrechtzuerhalten, so trifft sie die qualifizierte Ablehnung ihres unbegründeten Asylantrags. Klärt die asylsuchende Person den von ihr zu verantwortenden Irrtum über ihre Identität oder Staatsangehörigkeit auf oder trägt sie die zunächst verweigerten Angaben nach, dann steht dies einer Anwendung des § 30 III Nr. 2 AsylG entgegen.[14] Die Korrektur muss aber bis zum Ende der (inhaltlichen) Anhörung beim BAMF erfolgen.[15]

III. Anwendung auf den Fall

Ausgehend von diesen Maßstäben hat A über seine Staatsangehörigkeit getäuscht. Die Tatsache, dass die Sprach- und Textanalyse das Arabisch des A als von libanesischen und jordanischen Abweichungen geprägt bewertet hat, A mit einem jordanischen Reisepass ein Schengen-Visum beantragt und erhalten hat, er bei der Beantragung eine Gewerbeanmeldung für ein Restaurant in Amman von 2015 – und damit zu einem Zeitpunkt, in dem er nach seinen Angaben nicht einmal in Jordanien gewesen sein will – vorgelegt hat und A – trotz der Behauptung aus Damaskus zu stammen – den Damaszener Dialekt nicht spricht, spricht erheblich dafür, dass A ausschließlich die jordanische Staatsangehörigkeit besitzt. Darüber hinaus gab er selbst an, dass sein Vater Jordanier war, was – da die Staatsangehörigkeit nach jor-

---

11 BT-Drs. 12/4450, S. 22.
12 BT-Drs. 12/4450, S. 22.
13 VG Göttingen, Beschl. vom 3.5.2018, Az.:3 B 208/18; VG Cottbus, Beschl. v. 22.3.2018, Az.: 6 L 107/17.A.
14 VG Göttingen, Beschl. vom 3.5.2018, Az.: 3 B 208/18.
15 VG Göttingen, Beschl. v. 3.5.2018, Az.: 3 B 208/18.

Ivanka Goldmaier

danischem Recht vom Vater abgeleitet wird – ebenfalls erheblich für die jordanische Staatsangehörigkeit des A spricht. Selbst wenn man jedoch davon ausgeht, dass er sowohl die syrische als auch die jordanische Staatsangehörigkeit besitzt, liegt eine Täuschung über seine Staatsangehörigkeit vor, da er das BAMF nicht aufgeklärt hat.

Er hat gegenüber dem BAMF in seiner Anhörung in der Absicht, vergleichsweise leicht an die Zuerkennung eines Schutzstatus zu gelangen, bewusst über seine jordanische Staatsangehörigkeit getäuscht und wahrheitswidrig angegeben, ausschließlich Syrer zu sein. Diese Angaben hat er auch weiterhin aufrechterhalten, obwohl das BAMF ihn wegen Zweifeln an seiner Staatsangehörigkeit zur Durchführung einer Sprachanalyse lud. Obwohl A hinsichtlich der nunmehr vorliegenden Visaauskunft zu einer Stellungnahme aufgefordert worden ist, hielt er daran fest, die syrische Staatsangehörigkeit zu besitzen und erklärte – wohl erneut wahrheitswidrig – lediglich Inhaber der syrischen Staatsangehörigkeit zu sein.

IV. Ergebnis

Das BAMF hat den Asylantrag des A zu recht als offensichtlich unbegründet abgelehnt.

Zusammenfassung: Die wichtigsten Punkte
Die Ablehnung von Asylanträgen als qualifiziert offensichtlich unbegründet richtet sich nach § 30 III AsylG. Die dort aufgelisteten Tatbestände sind wegen der weitreichenden Folgen – insbesondere dem Umstand, dass die Klage keine aufschiebende Wirkung hat und die Klagefrist auf eine Woche verkürzt wird sowie der scharfen Rechtsfolge des § 10 III 2 AufenthG – restriktiv auszulegen. In der Beratung ist in solchen Fällen Eile geboten!

Dieser Fall darf gerne kommentiert, verändert und beliebig genutzt werden. Die Anleitung hierfür lässt sich über den abgebildete QR-Code mit der Smartphone-Kamera auf unserer Homepage aufrufen.

Ivanka Goldmaier

Fall 25
Familie Nkrumah 2

Behandelte Themen: Sicherer Herkunftsstaat

Schwierigkeitsgrad: Fortgeschrittene

Sachverhalt

Die Familie Nkrumah aus Ghana, bestehend aus Mutter M, Vater V und ihrer gemeinsamen Tochter T, kam 2019 nach Deutschland und stellte am 14.7.2019 einen Asylantrag.

In seiner Anhörung vor dem Bundesamt für Migration und Flüchtlinge (BAMF) am 2.3.2020 gab V zur Begründung seines Asylantrages an, vor seiner Ausreise in Ghana illegal in einer Mine in der Nähe des Ortes Konongo gearbeitet zu haben. Im April beziehungsweise Mai 2018 wurde behauptet, dass ein Dieb in die Stadt gekommen sei. Die Leute hätten diesen gefangen genommen, geschlagen und schließlich getötet. Davon habe V – wie viele andere Anwesende – ein Video gemacht. Zwei Tage später habe sich herausgestellt, dass dieser Mann kein Dieb, sondern ein Soldat gewesen sei. Daraufhin seien bewaffnete Soldaten in die Stadt gekommen und hätten beabsichtigt, alle Leute zu töten. Es seien auch tatsächlich Leute durch die Soldaten zu Tode gebracht worden. V habe das Video, welches er von dem Mord gemacht habe, über sein Handy an einige Leute versendet, die das Video wiederum über die sozialen Medien verbreitet hätten. Es sei behauptet worden, dass er selbst das Video verbreitet habe, um auf die Betreiber der Mine aufmerksam zu machen. Daraufhin hätten auch die Mitglieder einer mit seiner Minenarbeitergruppe konkurrierenden Gruppe von Minenarbeitern nach ihm gesucht. Er habe daraufhin die Stadt verlassen und sich nach Sewfi in die Western Region geflüchtet. Dort habe er sich bei Verwandten aufgehalten und diesen bei der Feldarbeit geholfen. Nach etwa sechs Monaten seien seine Frau und seine Tochter, die zunächst in Konongo geblieben waren, nachgekommen. Gemeinsam seien sie dann im Sommer 2019 ausgereist. Er könne seine aktuelle Bedrohungssituation in Ghana nicht beurteilen. Er habe jedoch in den sozialen Medien gelesen, dass nach wie vor nach den Tätern gesucht werde. Auch die Mitglieder der konkurrierenden Gruppe würden behaupten, dass weiterhin nach ihm gesucht werde. Sein Name selbst werde in den sozialen Medien aber nicht erwähnt. M und T machten keine darüber hinausgehenden Fluchtgründe für sich geltend.

Mit Bescheid vom 5.6.2020 lehnte das BAMF die Asylanträge der Familie Nkrumah als offensichtlich unbegründet ab, stellte fest, dass Abschiebungsverbote hinsichtlich Ghanas nicht vorlägen, forderte die Familie zur Ausreise aus der Bundesrepublik Deutschland binnen einer Woche auf und drohte für den Fall der nicht fristgerechten Ausreise die Abschiebung nach Ghana an. Die Ausreisefrist setzte das BAMF für den Lauf der Klage- beziehungsweise Antragsfrist und für den Fall der Stellung eines Eilantrages bis zur gerichtlichen Entscheidung über den Eilantrag aus.

---

i Weiterführendes Wissen

Diese Formulierung ist der Rechtsprechung des Europäischen Gerichtshofes, Urt. v. 19.6.2018, Az.: C-181/16 geschuldet, wonach die Mitgliedstaaten zu gewährleisten haben, dass bei dem Erlass einer Rückkehrentscheidung gemäß Art. 6 I Rückführungs-RL[1], die sich gegen einen Drittstaatsangehörigen richtet, der internationalen Schutz beantragt hat, und die gleich nach der Ablehnung dieses Antrags durch die zuständige Behörde oder zusammen mit ihr in einer einzigen behördlichen Entscheidung und somit vor der Entscheidung über den Rechtsbehelf gegen die Ablehnung ergeht, alle Rechtswirkungen der Rückkehrentscheidung bis zur Entscheidung über den Rechtsbehelf gegen die Ablehnung ausgesetzt werden, dass der Antragsteller während dieses Zeitraums in den Genuss der Rechte aus der Aufnahme-RL[2] kommen kann und dass er sich auf jede nach Erlass der Rückkehrentscheidung eingetretene Änderung der Umstände berufen kann, die im Hinblick auf die Rückführungs-RL (insbesondere Art. 5) erheblichen Einfluss auf die Beurteilung seiner Situation haben kann. Folglich steht diese Rechtsprechung dem – zuvor üblicherweise festgesetzten – Beginn des Laufs der Ausreisefrist mit Bekanntgabe des Bescheids entgegen. Ausführlich hierzu: VG Minden, Beschl. v. 26.3.2019, Az.: 10 L 1297/18.A.

Fallfragen

1. Die Familie Nkrumah möchte gegen den Bescheid, der ihnen am 10.6.2020 (Mittwoch) in der Aufnahmeeinrichtung Spandau übergeben wurde, vorgehen und kommt daher am 15.6.2020 (Montag) zu Ihnen in die Beratung. Worauf ist die Familie besonders hinzuweisen?
2. Nach welcher Vorschrift hat das BAMF die Asylanträge von V, M und T als offensichtlich unbegründet abgelehnt?
3. Liegen die Voraussetzungen hierfür vor?

---

1 Richtlinie 2008/115/EG des Europäischen Parlaments und des Rates vom 16. Dezember 2008 über gemeinsame Normen und Verfahren in den Mitgliedstaaten zur Rückführung illegal aufhältiger Drittstaatsangehöriger, ABl. EU Nr. L 348/98.
2 Richtlinie 2003/9/EG des Rates vom 27. Januar 2003 zur Festlegung von Mindestnormen für die Aufnahme von Asylbewerbern in den Mitgliedstaaten, ABl. EU Nr. L 031.

Ivanka Goldmaier

Lösungsvorschlag

A. Fallfrage 1

Da die **Asylanträge** der Familie Nkrumah als **offensichtlich unbegründet abgelehnt** wurden und Klagen nach dem Asylgesetz grundsätzlich keine **aufschiebende Wirkung** zukommt (§ 75 I 1 AsylG), ist ein besonderes Augenmerk auf die Frist von einer Woche (§ 36 III 1 AsylG) zur Stellung von **Eilanträgen** nach § 80 V VwGO und der infolgedessen gemäß § 74 I Hs. 2 AsylG ebenfalls auf **eine Woche** verkürzten **Klagefrist** zu legen. Da die Familie ihren Bescheid bereits am 10.6.2020 erhalten hat und sie erst am 15.6.2020 zur Beratung erscheint, ist in jedem Fall Eile geboten, da sowohl die Klage- als auch die Antragsfrist am 17.6.2020 ablaufen (§ 57 II VwGO i.V.m. § 222 I ZPO i.V.m. § 188 II 1 ZPO).

B. Fallfrage 2

Das BAMF hat die Asylanträge der Familie Nkrumah nach § 29a I AsylG als offensichtlich unbegründet abgelehnt, da es sich bei Ghana gemäß § 29a II i.V.m. Anlage II zum AsylG um einen sogenannten **sicheren Herkunftsstaat** handelt.

C. Fallfrage 3

Nach § 29a I AsylG ist der Asylantrag einer ausländischen Person aus einem Staat im Sinne des Art. 16a III 1 GG (sicherer Herkunftsstaat) als offensichtlich unbegründet abzulehnen, es sei denn, die von der ausländischen Person angegebenen Tatsachen oder Beweismittel begründen die Annahme, dass ihr abweichend von der allgemeinen Lage im Herkunftsstaat Verfolgung im Sinne des § 3 I AsylG oder ein ernsthafter Schaden im Sinne des § 4 I AsylG droht. Nach § 16a II GG sind sichere Herkunftsstaaten die Mitgliedstaaten der Europäischen Union und die in Anlage II bezeichneten Staaten, zu denen derzeit Albanien, Bosnien und Herzegowina, Ghana, Kosovo, Nordmazedonien, Montenegro, Senegal und Serbien gehören.

Lassen sich den vorgebrachten Tatsachen oder Beweismitteln der asylsuchenden Person Anhaltspunkte für eine drohende Verfolgung entnehmen, greift die Vermutung der Verfolgungsfreiheit aus Art. 16a III 2 Hs. 1 GG nicht; über den Asylantrag der antragstellenden Person ist dann nach den allgemeinen Vorschriften zu befinden. Anderenfalls verbleibt es bei der verfahrensrechtlichen Folgerung nach Art. 16a IV 1 GG i.V.m. § 29a I AsylG; der Asylantrag ist als offensichtlich unbegründet abzulehnen. Zur Ausräumung der Vermutung bedarf es eines Vorbringens, aus

dem sich die Furcht der asylsuchenden Person vor Verfolgung oder eines ernsthaften Schadens aufgrund eines individuellen Verfolgungsschicksals ergibt. Dabei
handelt es sich bei der Furcht vor Verfolgung beziehungsweise einem ernsthaften
Schaden auch dann um ein persönliches Verfolgungsschicksal, wenn dieses seine
Wurzel in allgemeinen Verhältnissen hat. Die Vermutung ist erst ausgeräumt, wenn
die asylsuchende Person die Umstände ihrer Verfolgung oder des ihr drohenden
ernsthaften Schadens schlüssig und substantiiert vorträgt.[3] Es kommt mithin darauf
an, ob die antragstellende Person für sich selbst berechtigterweise Verfolgung im
Sinne des § 3 I AsylG oder einen ernsthaften Schaden im Sinne des § 4 I AsylG befürchtet und ob sie dies hinreichend substantiiert vorgetragen hat.

Weiterführendes Wissen
                                                 `i`

Hierfür bedarf es in der Regel einer **persönlichen Anhörung** der asylsuchenden Person, § 24 I 3 AsylG.
Unterbleibt die persönliche Anhörung – ohne dass einer der Ausnahmetatbestände etwa nach § 25 IV 5,
V 1 AsylG vorliegt – führt dies zur Rechtswidrigkeit des Bescheids[4], es sei denn, das Gericht holt die fehlende Anhörung selbst unter Wahrung der Garantien des Art. 15 II, III Asylverfahrens-RL[5] nach[6], wobei
dies jedenfalls dann, wenn die Anhörung der asylsuchenden Person eine besondere Vertraulichkeit oder
einen Anhörenden gleichen Geschlechts verlangt, nur schwer umsetzbar ist. Verpflichtet ist das Tatsa-
chengericht hierzu jedoch nicht.[7]

I. Furcht vor Verfolgung im Sinne des Art. 16a GG beziehungsweise § 3 I AsylG

Asylrechtlichen Schutz genießt nach Art. 16a GG grundsätzlich nur derjenige, der im
Falle seiner Rückkehr in den Herkunftsstaat dort aus **politischen Gründen Verfolgungsmaßnahmen** mit Gefahren für Leib und Leben oder Beschränkungen seiner
persönlichen Freiheit ausgesetzt wäre oder in diesem Land politische Repressalien
zu erwarten hätte.[8] Unabhängig davon ist eine Person gemäß § 3 I AsylG Flüchtling
im Sinne der GFK, wenn sie sich aus **begründeter Furcht vor Verfolgung** wegen
ihrer Rasse, Religion, Nationalität, politischen Überzeugung oder Zugehörigkeit zu
einer bestimmten sozialen Gruppe außerhalb des Landes (Herkunftsland) befindet,

---

3 BVerfG, Beschl. v. 14.5.1996, Az.: 2 BvR 1507/93, Rn. 97.
4 VGH BW, Urt. v. 22.2.2021, Az.: A 12 S 2583/18.
5 Richtlinie 2013/32/RL des Europäischen Parlaments und des Rates vom 26. Juni 2013 zu gemeinsamen Verfahren für die Zuerkennung und Aberkennung des internationalen Schutzes, ABl. EU
Nr. 180/60.
6 EuGH, Urt. v. 16.7.2020, Az.: C-517/17.
7 BVerwG, Urt. v. 30.3.2021, Az.: 1 C 41.20.
8 BVerfG, Beschl. v. 2.7.1980, Az.: 1 BvR 182/80, Rn. 46; vgl. ausführlich zu Art. 16a GG Ebert, *13)
Flucht über den Luftweg* in diesem Fallbuch.

dessen Staatsangehörigkeit sie besitzt und dessen Schutz sie nicht in Anspruch nehmen kann oder wegen dieser Furcht nicht in Anspruch nehmen will.[9]

Das Vorbringen des V, wonach er den Mord an einem – wie sich später herausstellte – Soldaten gefilmt hat und das Video, wie viele andere, ins Internet gestellt hat, sowie die Suche durch weitere Soldaten nach dem Mörder und die Drohungen durch konkurrierende Minenarbeiter, ist weder asyl- noch flüchtlingsrechtlich erheblich. Es knüpft schon nicht an eines der in § 3 I Nr. 1 AsylG genannten Merkmale an. Weder die geltend gemachte Bedrohung durch die Soldaten noch diejenige durch eine konkurrierende Gruppe illegaler Minenarbeiter stellen eine Verfolgung im Sinne von §§ 3 I Nr. 1, § 3b I AsylG dar. Denn sie beruht nicht auf einem der in § 3 I Nr. 1 AsylG genannten Kriterien, wie Rasse, Religion, politische Überzeugung oder der Zugehörigkeit zu einer bestimmten sozialen Gruppe. Die Angaben des V zugrunde gelegt, wird er von Soldaten wegen des Todes eines Kameraden sowie wegen des Videos von einer konkurrierenden Gruppe von illegalen Minenarbeitern gesucht. Die behauptete Verfolgung knüpft damit an konkrete, individuelle Handlungen an, die die Verfolger dem V zuschreiben, und nicht an eines der genannten Merkmale.

V hat die Vermutung der Verfolgungsfreiheit auch deshalb nicht widerlegt, weil er in anderen Gegenden Ghanas verfolgungsfrei leben kann. Die Zuerkennung von Flüchtlingsschutz scheidet aus, wenn die betroffene Person in einem Teil des Herkunftslandes keine begründete Furcht vor Verfolgung oder Zugang zu Schutz vor Verfolgung nach § 3d AsylG hat und sicher und legal in diesen Landesteil reisen kann, dort aufgenommen wird und vernünftigerweise erwartet werden kann, dass sie sich dort niederlässt (vgl. § 3e I AsylG). Eine Asylanerkennung kommt nicht in Betracht, wenn eine inländische Fluchtalternative besteht, weil die betroffene Person in einer anderen Gegend ihres Heimatlandes verfolgungsfrei leben kann. Vorliegend besteht für den Antragsteller eine **inländische Fluchtalternative** beziehungsweise interner Schutz. Dies zeigt sich bereits daran, dass sich V nach dem Vorfall noch ein Jahr unbehelligt in Ghana aufgehalten hat. Es ist somit nicht ersichtlich, warum er sich dieser Bedrohung, wenn sie denn stattgefunden hat, nicht auch bei einer Rückkehr nach Ghana durch Umzug in eine Großstadt wie Accra oder auch in eine ländliche Gegend, in der er Verwandte oder Bekannte hat, entziehen könnte.

ℹ️ Weiterführendes Wissen

Darüber hinaus kommt eine Anerkennung als Asylberechtigter beziehungsweise die Zuerkennung von Flüchtlingsschutz auch deshalb nicht in Betracht, weil es an einem kausalen Zusammenhang zwischen der behaupteten Vorverfolgung und der Ausreise des Antragstellers fehlt. Voraussetzung für die Annah-

---

9 Vgl. ausführlich zu § 3 AsylG du Maire, *14) Ahmadiyya in Pakistan* in diesem Fallbuch.

Ivanka Goldmaier

me einer im Heimatland bereits erlittenen Verfolgung oder unmittelbaren Gefahr einer solchen Verfolgung ist, dass die Ausreise aus dem Heimatland unter dem Druck dieser Verfolgung beziehungsweise Verfolgungsgefahr erfolgte. Notwendig ist danach ein **Kausalzusammenhang** zwischen Verfolgung und Flucht,[10] wobei entscheidend ist, dass die Ausreise sich bei objektiver Betrachtung nach ihrem äußeren Erscheinungsbild als eine unter dem Druck erlittener Verfolgung oder Bedrohung stattfindende Flucht darstellt. Eine Person ist demnach regelmäßig nur dann als verfolgt ausgereist anzusehen, wenn sie ihren Heimatstaat in nahem zeitlichem Zusammenhang mit der erlittenen Verfolgung verlässt. Ein solcher enger zeitlicher Zusammenhang lässt sich dem Vortrag des Antragstellers nicht entnehmen, denn er hat Kononogo zwar nach seinen Angaben nach dem Vorfall verlassen, sich dann aber ein weiteres Jahr in Ghana aufgehalten, ohne dass ihm etwas zugestoßen ist. Zudem hat er sich in diesem Zeitraum nicht etwa versteckt gehalten, sondern – an anderem Ort und mit anderer Tätigkeit – einen neuen Alltag aufgebaut, bei Familienangehörigen gewohnt und auf dem Feld gearbeitet. Wäre V tatsächlich aus Furcht vor einer Verfolgung durch die Soldaten und die konkurrierende Gruppe von Minenarbeitern ausgereist, hätte er Ghana sofort nach dem Vorfall verlassen oder sich wenigstens versteckt gehalten.

Gleiches gilt für M und T, die gar keine eigene Verfolgung geltend machten, sondern ausschließlich auf die Verfolgung des V verwiesen haben.

Weiterführendes Wissen

Die begründete Furcht vor Verfolgung kann gemäß § 28 Ia AsylG auch auf Ereignissen beruhen, die eingetreten sind, nachdem die asylsuchende Person das Herkunftsland verlassen hat, insbesondere auch auf einem Verhalten, das Ausdruck und Fortsetzung einer bereits im Herkunftsland bestehenden Überzeugung oder Ausrichtung ist. Ist die asylsuchende Person unverfolgt ausgereist, liegen eine Verfolgungsgefahr und damit eine begründete Furcht vor Verfolgung vor, wenn ihr bei verständiger Würdigung der gesamten Umstände seines Falles im Falle der hypothetischen Rückkehr mit beachtlicher Wahrscheinlichkeit Verfolgung droht. Entscheidend ist, ob aus der Sicht eines besonnenen und vernünftig denkenden Menschen in der Lage der asylsuchenden Person nach Abwägung aller bekannten Umstände eine Rückkehr in den Heimatstaat als unzumutbar erscheint. Dabei ist eine „qualifizierende" Betrachtungsweise im Sinne einer Gewichtung und Abwägung aller festgestellten Umstände und ihrer Bedeutung anzulegen[11]. Dass V nach seiner Ausreise aus Ghana Handlungen vorgenommen oder sonst Verhaltensweisen gezeigt hat, die nunmehr bei einer Rückkehr nach Ghana eine flüchtlingsrechtlich relevante Verfolgung begründen könnten, ist nicht ersichtlich und bedarf daher vorliegend auch keiner eingehenderen Prüfung.

II. Gefahr eines ernsthaften Schadens im Sinne des § 4 I AsylG
Nach § 4 I AsylG ist eine Person subsidiär schutzberechtigt, wenn sie stichhaltige Gründe für die Annahme vorgebracht hat, dass ihr in ihrem Herkunftsland ein

---

10 BVerwG, Urt. v. 25.7.2000, Az.: 9 C 28/99, Rn. 8.
11 BVerwG, Beschl. v. 7.2.2008, Az.: 10 C 33.07.

ernsthafter Schaden droht.[12] Als **ernsthafter Schaden** gilt die Verhängung oder Vollstreckung der Todesstrafe, die Folter oder unmenschliche oder erniedrigende Behandlung oder Bestrafung oder eine ernsthafte individuelle Bedrohung des Lebens oder der Unversehrtheit einer Zivilperson infolge willkürlicher Gewalt im Rahmen eines internationalen oder innerstaatlichen bewaffneten Konflikts.

Dem Vorbringen des V lässt sich nicht entnehmen, dass ihm in seiner Heimat ein ernsthafter Schaden in diesem Sinne durch die Soldaten oder eine Gruppe konkurrierender Minenarbeiter droht. Es ist weder erkennbar noch von V substantiiert dargetan, warum die konkurrierenden Minenarbeiter überhaupt noch ein Interesse an ihm haben sollten, nachdem er die Arbeit in der Mine aufgegeben und den Ort des Geschehens verlassen hat. Gleiches gilt für die Soldaten. Zunächst einmal entlasten die zahlreichen Videos und Fotos, die V zufolge während der Tötung des Soldaten aufgenommen worden sind, V, da dieser nach seinen Angaben nicht an der Tat selbst beteiligt war. Vor diesem Hintergrund erschließt sich schon nicht, warum die Soldaten den Vorfall überhaupt V anlasten sollten. Zudem ist die Identität des V den Soldaten nicht bekannt und diese hatten ohnehin nicht nach einem bestimmten Täter gesucht, sondern die Minenarbeiter generell verdächtigt. Dann aber ist nicht erkennbar, wie V, der den Ort des Vorfalls rasch verlassen hat, überhaupt noch damit in Verbindung gebracht werden sollte.

Darüber hinaus besteht auch insoweit – wie bereits im Rahmen der Furcht vor Verfolgung nach Art. 16a I GG beziehungsweise § 3 I AsylG angeführt – eine **inländische Schutzalternative**, da auch der subsidiäre Schutz nicht zuerkannt werden kann, wenn in einem anderen Landesteil Sicherheit vor der Gefahr eines ernsthaften Schadens besteht, § 4 III i.V.m. § 3e AsylG.

III. Ergebnis

Das BAMF hat die Asylanträge der Familie Nkrumah zu Recht als offensichtlich unbegründet nach § 29a I AsylG abgelehnt.

ℹ Weiterführendes Wissen

Das Herkunftsland der asylsuchenden Person(en) spielt nicht nur für das Asylverfahren selbst eine wichtige Rolle, sondern auch für die aufenthaltsrechtliche Stellung während des Asylverfahrens. Insbesondere, wenn Asylsuchende aus einem sogenannten **sicheren Herkunftsstaat** im Sinne des Art. 16a III GG kommen, sind ihre Rechte während des Verfahrens stark eingeschränkt. Gemäß 29a II AsylG zählen zu den sogenannten sicheren Herkunftsstaaten alle EU-Mitgliedstaaten sowie die in Anlage II zum AsylG aufgeführten Staaten. Zurzeit sind dies Albanien, Bosnien und Herzegowina, Ghana, Kosovo, Nordmaze-

---

12 Siehe ausführlich zu § 4 AsylG Ebert, *16) Häusliche Gewalt* in diesem Fallbuch.

Ivanka Goldmaier

donien, Montenegro, Senegal und Serbien. Kommt eine asylsuchende Person dagegen aus einem Staat, dessen Anerkennungsquote über 50 Prozent liegt, wird davon ausgegangen, dass ein dauerhafter und rechtmäßiger Aufenthalt in Deutschland zu erwarten ist. An diese sogenannte gute Bleibeperspektive werden zusätzliche Rechte wie etwa der Besuch eines Integrationskurses bei entsprechenden Kapazitäten geknüpft (vgl. § 44 IV 2 Nr. 1 lit. a AufenthG).[13]

Zusammenfassung: Die wichtigsten Punkte
Genau wie bei der Ablehnung von Asylanträgen als offensichtlich unbegründet nach § 30 I und III AsylG ist auch bei der Ablehnung von Asylanträgen nach § 29a AsylG in jedem Fall Eile gebcten!

Dieser Fall darf gerne kommentiert, verändert und beliebig genutzt werden. Die Anleitung hierfür lässt sich über den abgebildete QR-Code mit der Smartphone-Kamera auf unserer Homepage aufrufen.

---

13 Zu weiteren aufenthaltsrechtlichen Folgen für Asylsuchende aus einem „sicheren Herkunftsstaat" nach § 29a AsylG Nachtigall, *4) Familie Nkrumah* in diesem Fallbuch.

Ivanka Goldmaier

Fall 26
Neue Elemente, neue Erkenntnisse

Behandelte Themen: Folgeantrag

Schwierigkeitsgrad: Fortgeschrittene

Sachverhalt

A ist 1997 im Land S geboren. Er reiste im September 2015 in die Bundesrepublik ein und stellte einen Asylantrag. In der Anhörung vor dem BAMF gab er unter anderem an, er habe seinen Wehrdienst in S noch nicht geleistet. Mit Bescheid von Februar 2017 erkannte das BAMF dem A subsidiären Schutzstatus zu und lehnte den Asylantrag im Übrigen ab. Zur Begründung führte es aus, dem Kläger drohe bei einer Rückkehr in seine Heimat zwar infolge willkürlicher Gewalt im Rahmen eines internationalen oder innerstaatlichen bewaffneten Konflikts ein ernsthafter Schaden. Eine flüchtlingsrechtlich relevante Verfolgung sei hingegen nicht erkennbar. Gegen den Bescheid legte A keine Rechtsmittel ein.

Der Ehefrau des A erkannte das BAMF im Jahr 2018 die Flüchtlingseigenschaft zu. 2018 wurde A zudem in einer evangelischen Kirche getauft.

Im Dezember 2020 stellte A einen Folgeantrag. Er machte geltend:

Aufgrund eines Urteils des EuGH von Mai 2020 sei ihm, der sich dem Wehrdienst in S durch die Ausreise entzogen habe, nunmehr die Flüchtlingseigenschaft zuzuerkennen. Er sei 2018 zum Christentum konvertiert und ihm drohe daher eine Verfolgung in S. Auch stehe ihm ein von seiner Ehefrau abgeleiteter Anspruch auf Flüchtlingsanerkennung zu. Das BAMF lehnte im Januar 2021 den Antrag als unzulässig ab, da die Voraussetzungen für die Durchführung eines weiteren Asylverfahrens nicht vorlägen.

Bearbeitungshinweis:
Gehen Sie davon aus, dass Christ*innen in S eine Verfolgung durch staatliche Akteure droht.

Fallfragen

1. Wie kann A gegen den Bescheid des BAMF vorgehen? Worauf ist zu achten?

2. Durfte das BAMF den Antrag des A als unzulässig ablehnen im Hinblick auf seinen Vortrag, dass
    a) ihm aufgrund eines Urteils des EuGH nunmehr die Flüchtlingseigenschaft zuzuerkennen sei;
    b) er 2018 zum Christentum konvertiert sei;
    c) ihm ein von seiner Ehefrau abgeleiteter Anspruch auf Flüchtlingsanerkennung zustehe.
3. Prozessuale Abwandlung: Angenommen im Ausgangsbescheid von Februar 2017 hat das BAMF den Asylantrag von A vollständig abgelehnt, festgestellt, dass Abschiebungsverbote nicht vorliegen, und die Abschiebung nach S angedroht. Wie sollte A gegen den Bescheid von Januar 2021 vorgehen, wenn dieser Bescheid
    a) eine erneute Abschiebungsandrohung enthält oder
    b) keine erneute Abschiebungsandrohung enthält?

Lösungsvorschlag

A. Fallfrage 1

A kann sich mit einer Klage vor dem Verwaltungsgericht gegen den Bescheid wehren. Richtige Klageart gegen die Nichteinleitung eines weiteren Verfahrens ist die Anfechtungsklage nach § 42 I Alt. 1 VwGO. Eine Verpflichtungsklage auf Zuerkennung der Flüchtlingseigenschaft wäre unstatthaft. Es gibt kein „Durchentscheiden" des Gerichts in der Sache selbst. Ist zu Unrecht eine **Unzulässigkeitsentscheidung** ergangen, ist auf die Anfechtungsklage hin das Verfahren beim BAMF als neues Asylverfahren fortzusetzen.[1] Die Klagefrist beträgt zwei Wochen, da wegen der Anerkennung subsidiären Schutzes der neue Bescheid keine Abschiebungsandrohung enthielt (§ 74 I Hs. 1AsylG). Eilrechtsschutz ist nicht geboten, da A subsidiärer Schutz gewährt worden ist und ihm damit keine Abschiebung droht.

B. Fallfrage 2

I. Voraussetzungen der §§ 29 I Nr. 5, 71 AsylG

Nach § 71 I 1 Hs. 1 AsylG ist dann, wenn eine antragstellende Person nach unanfechtbarer Ablehnung eines früheren **Asylantrags** erneut einen Asylantrag (**Folgeantrag**) stellt, ein weiteres Asylverfahren nur durchzuführen, wenn die Voraussetzungen des § 51 I bis III VwVfG vorliegen. Ist ein weiteres Asylverfahren nicht durchzuführen, ist der Asylantrag gemäß § 29 I Nr. 5 AsylG unzulässig.

Ein erfolgreicher Antrag auf **Wiederaufgreifen** des Verfahrens setzt gemäß § 71 I 1 AsylG i.V.m. § 51 I VwVfG voraus, dass sich die Sach- oder Rechtslage zugunsten des Betroffenen geändert hat (§ 51 I Nr. 1 VwVfG), neue Beweismittel vorliegen, die eine für den Betroffenen günstigere Entscheidung über sein Asylbegehren herbeigeführt haben würden (§ 51 I Nr. 2 VwVfG) oder **Wiederaufnahmegründe** entsprechend § 580 ZPO gegeben sind (§ 51 I Nr. 3 VwVfG). Zudem ist der Antrag gemäß § 51 II VwVfG nur zulässig, wenn der Betroffene ohne grobes Verschulden außerstande gewesen ist, den Grund für das Wiederaufgreifen im früheren Asylverfahren geltend zu machen.

[1] BVerwG, Urt. v. 14.12.2016, Az.: 1 C 4.16.

Camilla Schloss

II. Anwendung auf den Fall

Der erste Asylantrag von A ist, soweit es um die Gewährung von Flüchtlingsschutz geht, mit Bescheid von Februar 2017 unanfechtbar abgelehnt worden.[2] Damit handelt es sich bei dem Antrag von Dezember 2020 um einen Folgeantrag. Die Voraussetzungen des § 51 I bis III VwVfG sind zu prüfen.

1. Fallfrage 2a: Vortrag, dass aufgrund eines Urteils des EuGH ihm nunmehr die Flüchtlingseigenschaft zuzuerkennen sei

Es fehlt ein **Wiederaufgreifensgrund** im Sinne von § 51 I VwVfG.[3]

Es liegt keine veränderte Sachlage vor.

Eine Änderung der Sachlage ist anzunehmen, wenn sich entweder die allgemeinen politischen Verhältnisse oder Lebensbedingungen im Heimatstaat oder die das persönliche Schicksal des Antragstellers bestimmenden Umstände verändert haben. Dabei sind sowohl Elemente oder Erkenntnisse umfasst, die nach rechtskräftigem Abschluss des Verfahrens über den früheren Antrag auf internationalen Schutz eingetreten sind, als auch Elemente oder Erkenntnisse, die bereits vor Abschluss dieses Verfahrens existierten, aber vom Antragsteller nicht geltend gemacht wurden.[4]

Das ist hier nicht der Fall. Eine geänderte Sachlage hinsichtlich der relevanten tatsächlichen Umstände im Herkunftsland, hier also hinsichtlich des Umgangs der Regierung des Landes S mit Rückkehrern, die sich durch ihre Ausreise dem Militärdienst entzogen haben, wird weder von A behauptet noch ergibt sich dies im Übrigen aus dem Sachverhalt.

Ein Urteil des EuGH stellt ebenfalls keine entscheidungserhebliche Tatsache dar. Dessen Ausführungen zur Auslegung des Unionsrechts sind zwar geeignet, die rechtliche Würdigung des Sachverhaltes zu beeinflussen, sie verändern aber nicht die tatsächlichen Umstände.

A kann sich auch nicht auf eine **veränderte Rechtslage** berufen. Insbesondere dürfte das EuGH-Urteil eine solche nicht darstellen.

Eine Änderung der Rechtslage erfordert, dass sich das einschlägige materielle Recht, dem eine allgemeinverbindliche Außenwirkung zukommt, nachträglich zugunsten des A geändert hat.[5] Es müssten sich also die für den bestandskräftigen Ver-

---

2 Siehe zum Flüchtlingsschutz bei Kriegsdienstverweigerung Wasnick, *18) Kriegsdienstverweigerung in Syrien* in diesem Fallbuch.

3 Siehe allgemein zur Thematik der Wiederaufgreifensgründe Brings-Wiesen, in: Eisentraut, Verwaltungsrecht in der Klausur, § 3 Rn. 98 ff.

4 Vgl. EuGH, Urt. v. 9.9.2021, Az.: C-18/20, Tz. 44

5 BVerwG, Urt. v. 27.1.1994, Az.: 2 C 12/92, Rn. 22.

waltungsakt maßgeblichen Rechtsnormen, mithin dessen entscheidungserhebliche rechtliche Grundlagen, nachträglich geändert haben.

Dies dürfte hier nicht der Fall sein. Im Streit steht allein eine Änderung der Rechtsprechung.[6]

Eine Änderung der Rechtsprechung stellt grundsätzlich keine Änderung der Rechtslage dar. Gegenstand der gerichtlichen Entscheidungsfindung ist ausschließlich die rechtliche Würdigung des Sachverhalts am Maßstab der vorgegebenen Rechtsordnung. Rechtsprechende Tätigkeit ist aufgrund des rechtsstaatlichen Verfassungsgefüges grundsätzlich nicht geeignet oder darauf angelegt, die Rechtsordnung konstitutiv und allgemeingültig zu verändern. Dies gilt auch für Änderungen einer höchstrichterlichen Entscheidungspraxis und für Entscheidungen des Europäischen Gerichtshofes, aufgrund derer die entgegenstehende nationale Rechtsprechung einer Überprüfung bedarf.

Nur in Ausnahmefällen mag eine Änderung der höchstrichterlichen Rechtsprechung dennoch einer Änderung der Rechtslage im Sinne von § 51 I Nr. 1 VwVfG gleich zu erachten sein. Dies wird angenommen, wenn eine mit Bindungswirkung des § 31 BVerfGG ausgestattete Entscheidung des Bundesverfassungsgerichts ergeht. Dieser Fall ist hier jedoch nicht gegeben.

Von diesem Grundsatz dürfte auch nicht in asylrechtlichen Streitigkeiten abzuweichen sein. Etwas anderes dürfte auch nicht aus dem Unionsrecht folgen.[7]

2. Fallfrage 2b: Vortrag, dass A 2018 zum Christentum konvertiert sei

A macht einen Wiederaufgreifensgrund in Gestalt der geänderten Sachlage (§ 51 I Nr. 1 VwVfG) – konkret: seine **Konversion** zum Christentum – geltend.[8] Ausreichend ist, wenn die antragstellende Person eine Änderung der Sachlage im Verhältnis zu der der früheren Asylentscheidung zu Grunde liegenden Sachlage glaubhaft und substantiiert vorträgt. Ein unglaubhafter oder unsubstantiierter Sachvortrag stellt demgegenüber keinen Wiederaufgreifensgrund i.S.d. § 51 I Nr. 1 VwVfG dar. Ferner müssen die neuen Elemente oder Erkenntnisse erheblich zu der Wahrscheinlichkeit beitragen, dass die antragstellende Person als Person mit Anspruch auf internationalen Schutz anzuerkennen ist; die neuen Elemente oder Erkenntnisse müssen geeignet sein, diese Wahrscheinlichkeit zu erhöhen.[9]

---

6 Siehe hierzu auch die Infobox am Fallende Wasnick, *18) Kriegsdienstverweigerung in Syrien* in diesem Fallbuch.

7 Vgl. weitere Ausführungen hierzu: VG Berlin, Urt. v. 10.6.2021, Az.: 23 K 63/21 A; andere Ansicht Grischek, NVwZ 2021, 1492 (1497).

8 BVerfG, Beschl. v. 4.12.2019; Az.: 2 BvR 1600/19, Rn. 20.

9 Vgl. EuGH, Urt. v. 10.6.2021, Az.: C-921/19, Tz. 37, 53 und v. 9.9.2021, Az.: C-18/20, Tz. 34.

Camilla Schloss

Die Beurteilung, wann eine Verletzung der Religionsfreiheit[10] die erforderliche Schwere für eine Verfolgungshandlung aufweist, hängt von objektiven wie auch subjektiven Gesichtspunkten ab.[11] Laut Bearbeitungshinweis droht Christ*innen in S objektiv eine Verfolgung durch staatliche Akteure. Die Annahme einer Verfolgungsgefährdung setzt grundsätzlich ferner voraus, dass die vorgetragene Hinwendung des Asylsuchenden zu der angenommenen Religion auf einer inneren Glaubensüberzeugung beruht, mithin eine ernsthafte, dauerhafte und nicht lediglich auf Opportunitätserwägungen oder asyltaktischen Gründen beruhende Hinwendung zum Christentum vorliegt und der neue Glaube die religiöse Identität des Schutzsuchenden prägt.[12] Zu Prüfung ist die Schlüssigkeit des Vortrags des A hinsichtlich dieser subjektiven Gesichtspunkte.

Ferner darf die Zuerkennung der Flüchtlingseigenschaft nicht ausgeschlossen sein. Nach § 28 II AsylG kann einem Antragsteller, welcher nach Rücknahme oder – wie hier – unanfechtbarer Ablehnung seines Asylantrags erneut einen Asylantrag stellt und diesen auf Umstände stützt, die er nach Rücknahme oder unanfechtbarer Ablehnung eines früheren Antrags selbst geschaffen hat, in einem Folgeverfahren in der Regel die Flüchtlingseigenschaft nicht zuerkannt werden. Eine Ausnahme vom Regelfall des § 28 II AsylG liegt aber insbesondere vor, wenn eine antragstellende Person nach Abschluss des Asylerstverfahrens aufgrund einer ernsthaften inneren und identitätsprägenden Überzeugung ihre Konfession wechselt. In einem Fall des Glaubenswechsels aufgrund einer tiefen, inneren **Glaubensüberzeugung** ist ein bloßes asyltaktisches und somit missbräuchliches Verhalten des Antragstellers ausgeschlossen.

Ihm war es nicht möglich, diesen Wiederaufgreifensgrund schon im Erstverfahren geltend zu machen, da dieses bereits – einschließlich der Möglichkeit eines Rechtsmittels – vor seiner Konversion abgeschlossen worden war.

Die eingereichte Taufurkunde stellt kein neues Beweismittel im Sinne von § 51 I Nr. 2 VwVfG dar. Ein neues Beweismittel muss sich auf Umstände beziehen, die im ursprünglichen Verfahren bereits vorgetragen wurden. Dienen die vorgelegten Beweismittel hingegen dem Beleg von Tatsachen, die im Erstverfahren noch nicht thematisiert wurden, so handelt es sich der Sache nach um die Korrektur des Sachvortrages selbst, sodass § 51 I Nr. 1 VwVfG Anwendung findet. So verhält es sich vorliegend, da die Konversion zum Christentum im Asylerstverfahren noch nicht zum Verfahrensgegenstand gemacht worden ist.[13]

---

10 Siehe zur Religionsfreiheit aus Art. 4 GG Gerbig, in: Hahn/Petras/Valentiner/Wienfort, Grundrechte, § 22.1 S. 456 ff.
11 Siehe hierzu auch Fall 14 in diesem Fallbuch.
12 BVerwG, Beschl. v. 25.8.2015, Az.: 1 B 40.15, Rn. 9 ff.
13 Vgl. mit weiteren Ausführungen: VG Würzburg, Urt. v. 26.11.2020, Az.: W 1 K 20.31152 und VG Freiburg, Urt. v. 22.2.2021, Az.: A 6 K 2551/18.

Cami la Schloss

3. Fallfrage 2c: Vortrag, dass A ein Anspruch auf Flüchtlingsanerkennung abgeleitet von seiner Ehefrau zustünde

Eine Änderung der Sachlage besteht hier insofern, als 2018 das BAMF die Ehefrau des A die Flüchtlingseigenschaft zuerkannte. Diese Anerkennung lässt für A auch eine günstigere Entscheidung möglich erscheinen. Es kommt ein Anspruch auf internationalen Familienschutz nach § 26 I 1 AsylG i.V.m. § 26 V AsylG ernsthaft in Betracht.

Ferner erfüllt der Kläger auch die Voraussetzungen nach § 71 I 1 AsylG i.V.m § 51 II VwVfG. Danach ist der Folgeantrag nur zulässig, wenn der Betroffene ohne grobes Verschulden außerstande gewesen ist, den Grund für das Wiederaufgreifen im früheren Asylverfahren geltend zu machen. A konnte im früheren Verfahren die zeitlich nach Verfahrensabschluss erfolgte Schutzanerkennung seiner Ehefrau nicht geltend machen.

Unerheblich ist, dass der Kläger seinen Folgeantrag nicht innerhalb von drei Monaten nach Kenntnis der Schutzanerkennung seiner Ehefrau gestellt hat (vgl. § 71 I 1 AsylG i.V.m. § 51 III VwVfG). Aufgrund des Anwendungsvorrangs des Unionsrechts dürfte § 71 I 1 AsylG i.V.m. § 51 III VwVfG nicht anzuwenden sein.[14]

Nach ständiger Rechtsprechung des Europäischen Gerichtshofes ist ein nationales Gericht, das im Rahmen seiner Zuständigkeit die Bestimmungen des Gemeinschaftsrechts anzuwenden hat, gehalten, für die volle Wirksamkeit dieser Normen Sorge zu tragen, indem es erforderlichenfalls jede entgegenstehende Bestimmung des nationalen Rechts aus eigener Entscheidungsbefugnis unangewendet lässt, ohne dass es die vorherige Beseitigung dieser Bestimmung auf gesetzgeberischem Wege oder durch irgendein anderes verfassungsrechtliches Verfahren beantragen oder abwarten muss.[15]

Die nationale Fristgebundenheit bei Folgeanträgen steht dem Unionsrecht entgegen.[16] Dies ergibt sich insbesondere daraus, dass der Unionsgesetzgeber in den – den Folgeantrag regelnden – Art. 40 ff. Asylverfahrens-RL[17] die Möglichkeit von Befristungen nicht einräumt.

❗ Hinweise zur Fallprüfung

An dieser Stelle müssten sodann die Voraussetzungen des Familienasyls geprüft werden.[18]

---

14 VG Schleswig, Urt. v. 23.9.2021, Az.: 13 A 196/21.

15 EuGH, Urt. v. 7.2.1991, Az.: C-184/89, Tz. 19 und v. 9.3.1978, Az.: C-106/77, Tz. 17 f.

16 EuGH, Urt. v. 9.9.2021, Az.: C-18/20, Tz. 55 ff.

17 Richtlinie 2013/32/EU des Europäischen Parlaments und des Rates vom 26. Juni 2013 zu gemeinsamen Verfahren für die Zuerkennung und Aberkennung des internationalen Schutzes, ABl. EU Nr. 180/60.

18 Siehe im Detail zu den Voraussetzungen des Familienasyls den *Fall 40)* in diesem Fallbuch.

Camilla Schloss

B. Fallfrage 3

Sowohl in den Fällen, dass aus der vorliegenden Abschiebungsandrohung (weiter) vollstreckt werden soll (§ 71 V AsylG), als auch in der Situation, dass das BAMF eine neue Abschiebungsandrohung erlässt (§ 71 IV AsylG), kommt der Klage keine aufschiebende Wirkung zu (§ 75 I AsylG). Daher muss A um vorläufigen Rechtsschutz beim Verwaltungsgericht nachsuchen, wenn der weitere Vollzug der Ausreisepflicht ausgesetzt werden soll.

Hat das BAMF seine Entscheidung über den Folgeantrag mit einer erneuten **Abschiebungsandrohung** verbunden und ficht der Betroffene diese im Hauptverfahren an, ist im vorläufigen Rechtsschutzverfahren ein Antrag auf **Anordnung der aufschiebenden Wirkung** nach § 80 V 1 Alt. 1 VwGO unter Berücksichtigung der Wochenfrist nach Absatz 4 i.V.m § 36 II 1 zu stellen. Dann beträgt auch die Klagefrist eine Woche (§ 74 I Hs. 1 AsylG).

Hat das BAMF von dem Erlass einer neuen Abschiebungsandrohung hingegen abgesehen, ist Grundlage für den Vollzug der Abschiebung eine frühere, bereits bestandskräftige Abschiebungsandrohung in Verbindung mit der an die Ausländerbehörde gerichteten Mitteilung des BAMF, ein neues (Folge-)Asylverfahren werde nicht durchgeführt (§ 71 V 2 AsylG). Mangels Regelung ist die Mitteilung des BAMF an die Ausländerbehörde kein Verwaltungsakt im Sinne des § 35 VwVfG. Effektiver vorläufiger Rechtsschutz ist daher über § 123 VwGO[19] zu erlangen. Der Antrag ist darauf gerichtet, das BAMF zu verpflichten, der zuständigen Ausländerbehörde mitzuteilen, dass auf die ursprüngliche Mitteilung nach § 71 V AsylG hin zunächst keine Vollzugsmaßnahmen ergehen dürfen. Hat das BAMF von dem Erlass einer neuen Abschiebungsandrohung abgesehen, ist die Klage innerhalb von zwei Wochen nach Zustellung der Entscheidung zu erheben (§ 74 I Hs. 1 AsylG).

Dieser Fall darf gerne kommentiert, verändert und beliebig genutzt werden. Die Anleitung hierfür lässt sich über den abgebildete QR-Code mit der Smartphone-Kamera auf unserer Homepage aufrufen.

---

19 Siehe zum Eilrechtsschutz nach § 123 VwGO Wichmann, in: Eisentraut, Verwaltungsrecht in der Klausur, § 10 Rn. 2ff.

Camilla Schloss

Fall 27
Von einem EU-Mitgliedstaat in den nächsten

Behandelte Themen: Zweitantrag

Schwierigkeitsgrad: Fortgeschrittene

Sachverhalt

A ist Staatsangehörige des Staates X.

Sie stellte im November 2020 einen Asylantrag beim BAMF und begehrte die Zuerkennung internationalen Schutzes. In ihrer Anhörung gab sie an, sie habe ihr Herkunftsland 2019 verlassen und sich zuletzt in S (einem Mitgliedstaat der Europäischen Union) aufgehalten. Vor Abschluss des dortigen Asylverfahrens sei sie aber nach Deutschland weitergereist. Im Übrigen sei das dortige Asylsystem nicht mit dem deutschen vergleichbar. Sie gab als Gründe, die einer Rückkehr in ihren Herkunftsstaat entgegenstünden, unter anderem an, dass sie sich im November 2020 habe taufen lassen und ihr als Christin in X eine Verfolgung durch staatliche Akteure drohe.

Ein Informationsersuchen des BAMF beantworteten die Behörden von S dahingehend, dass der dort von A gestellte Antrag auf internationalen Schutz im Januar 2020 zurückgewiesen worden sei und dies in der Entscheidung über das hiergegen eingelegte Rechtsmittel im Dezember 2020 endgültig bestätigt worden sei.

Mit Bescheid vom Juni 2021 lehnte das BAMF den Asylantrag als unzulässig ab und stellte fest, dass (nationale) Abschiebungsverbote nach § 60 V, VII 1 AufenthG nicht vorlägen. Der Bescheid enthielt ferner eine Abschiebungsandrohung nach X.

Bearbeitungshinweis: Es ist davon auszugehen, dass das BAMF zunächst ein Dublinverfahren eingeleitet hatte und der A die Abschiebung nach S angedroht hatte, die sechsmonatige Überstellungsfrist aber abgelaufen ist und das BAMF deshalb ins nationale Verfahren übergegangen ist.

Fallfragen

1. Wie kann A gegen den Bescheid des BAMF vorgehen? Worauf ist zu achten?
2. a) Durfte das BAMF den Antrag der A im Hinblick auf ihren Vortrag, dass ihr Asylverfahren in S nicht abgeschlossen sei, als unzulässig ablehnen?

b) Hätte das BAMF den Antrag der A als unzulässig ablehnen können, wenn auf sein Informationsersuchen die Behörden von S noch nicht reagiert hätten und das BAMF auch sonst keine Informationen über den Abschluss des Verfahrens in S erhalten hätte?

c) Durfte das BAMF den Antrag der A im Hinblick auf ihren Vortrag, ihr drohe in X eine Verfolgung wegen ihrer Konversion zum Christentum, als unzulässig ablehnen?

Lösungsvorschlag

A. Fallfrage 1

A kann sich mit einer Klage vor dem Verwaltungsgericht wehren. Richtige Klageart gegen die Nichteinleitung eines weiteren Verfahrens ist die Anfechtungsklage nach § 42 I Alt. 1 VwGO. Eine Verpflichtungsklage auf Zuerkennung der Flüchtlingseigenschaft wäre unstatthaft. Es gibt kein „Durchentscheiden" des Gerichts in der Sache selbst. Ist zu Unrecht eine **Unzulässigkeitsentscheidung** ergangen, ist auf die Anfechtungsklage hin das Verfahren beim BAMF als neues Asylverfahren fortzusetzen.[1] Die Klagefrist beträgt eine Woche (§§ 74 I Hs. 2, 36 III 1 AsylG). Eilrechtsschutz (§ 80 V AsylG) ist geboten, da die Klage keine aufschiebende Wirkung hat (§ 80 V 1 Var. 1, II 1 Nr. 3 VwGO, § 75 I 1 AsylG). Die Antragsfrist beträgt ebenfalls eine Woche (§§ 71a IV, 36 III 1 AsylG).

B. Fallfrage 2

I. Voraussetzungen der §§ 29 I Nr. 5, 71a AsylG
Gemäß § 29 I Nr. 5 AsylG ist ein **Asylantrag** unter anderem dann unzulässig, wenn im Falle eines **Zweitantrags** nach § 71a AsylG ein weiteres **Asylverfahren** nicht durchzuführen ist. Ein Zweitantrag liegt nach § 71a I AsylG vor, wenn der Antragsteller nach erfolglosem Abschluss eines Asylverfahrens in einem **sicheren Drittstaat** (§ 26a AsylG), für den Rechtsvorschriften der Europäischen Gemeinschaft über die Zuständigkeit für die Durchführung von Asylverfahren gelten oder mit dem die Bundesrepublik Deutschland darüber einen völkerrechtlichen Vertrag geschlossen hat, im Bundesgebiet einen Asylantrag stellt. Ein weiteres Asylverfahren ist nur durchzuführen, wenn die Bundesrepublik Deutschland für die Durchführung des Asylverfahrens zuständig ist und die Voraussetzungen des § 51 I bis III des Verwaltungsverfahrensgesetzes vorliegen; die Prüfung obliegt dem BAMF.

II. Anwendung auf den Fall
1. Fallfrage 2a: Vortrag, dass das Asylverfahren in S nicht abgeschlossen sei
A dürfte ihren Asylantrag im Bundesgebiet nicht nach erfolglosem Abschluss eines Asylverfahrens in einem sicheren Drittstaat gestellt haben.

---

1 BVerwG, Urt. v. 14.12.2016, Az.: 1 C 4.16, Rn. 16.

Camilla Schloss

Ein erfolgloser Abschluss im Sinne von § 71a I AsylG setzt voraus, dass der Asylantrag entweder unanfechtbar abgelehnt oder das Verfahren nach Rücknahme des Asylantrags (beziehungsweise dieser gleichgestellten Verhaltensweisen) endgültig eingestellt worden ist.[2]

Umstritten ist, zu welchem Zeitpunkt das Asylverfahren in dem Drittstaat abgeschlossen sein muss, um den in Deutschland gestellten Asylantrag als Zweitantrag einzustufen.[3] Insoweit kommen in erster Linie der Zeitpunkt der Asylantragstellung in Deutschland oder der Zeitpunkt des Zuständigkeitsübergangs in Betracht.

Der Wortlaut von § 71a I Hs. 1 AsylG („Stellt der Ausländer nach erfolglosem Abschluss eines Asylverfahrens in einem sicheren Drittstaat (...) im Bundesgebiet einen Asylantrag") spricht dafür, auf den Zeitpunkt der Asylantragstellung in Deutschland abzustellen.

Es wird jedoch unter Heranziehung systematischer Gründe auch vertreten, dass auf den Zeitpunkt des Zuständigkeitsübergangs abzustellen sei.[4] Der erneute Asylantrag falle bis zu diesem Zeitpunkt unter das Handlungsregime der Dublin-III-VO. Solange aber ein anderer Staat insbesondere nach Maßgabe der Dublin-III-VO für die Durchführung des Asylverfahrens zuständig sei, sei der Asylantrag nicht nach § 29 I Nr. 5 AsylG, sondern vorrangig nach § 29 I Nr. 1 AsylG als unzulässig abzulehnen. Ein solches Normverständnis diene ferner der gesetzgeberischen Intention, Mehrfachprüfungen zu verhindern und Asylverfahren zu beschleunigen.

Diese Auffassung dürfte nicht überzeugen. Sie widerspricht der Legaldefinition des Zweitantrags. Für die Frage, ob ein Zweitantrag vorliegt, kommt es auf den Zuständigkeitsübergang nicht an. § 29 I Nr. 1 AsylG verhält sich dazu auch nicht. Die Vorschrift findet auf die Zweitanträge Anwendung, für die die Bundesrepublik Deutschland bisher nicht zuständig geworden ist. Hätte der Gesetzgeber regeln wollen, dass Voraussetzung für einen Zweitantrag ist, dass das in einem sicheren Drittstaat betriebene Asylverfahren bis zum Zuständigkeitsübergang erfolglos abgeschlossen ist, hätte er dies im Gesetzestext oder jedenfalls in der Gesetzesbegründung zum Ausdruck bringen können. Dies hat er nicht getan.[5]

Maßgeblicher Zeitpunkt für den erfolglosen Abschluss eines Asylverfahrens in einem sicheren Drittstaat dürfte die Antragstellung in Deutschland und nicht der eines etwaigen späteren Zuständigkeitsübergangs auf Deutschland sein.[6]

2 BVerwG, Urt. v. 14.12.2016, Az.: 1 C 4.16, Rn. 29.
3 Offen gelassen: BVerwG, Urt. v. 14.12.2016, Az.: 1 C 4.16, Rn. 40.
4 VG Oldenburg, Beschl. v. 1.3.2021, Az.: 15 B 1052/21; VG München, Beschl. v. 1.4.2020, Az.: M 13 S 19.33925.
5 BT-Drs. 12/4450, S. 8, 27.
6 VG Berlin, Beschl. v. 10.9. 2021, Az.: 33 L 204/21 A.

Camilla Schloss

Das Asylverfahren von A in S war zum Zeitpunkt der Stellung des Asylantrags in Deutschland im November 2020 noch nicht unanfechtbar abgeschlossen. Es endete nach Angaben der Behörden von S erst im Dezember 2020.

2. Fallfrage 2b: Keine Antwort der Behörden von S

Ein erfolgloser Abschluss des in einem anderen Mitgliedstaat betriebenen Asylverfahrens setzt voraus, dass der Asylantrag entweder unanfechtbar abgelehnt oder das Verfahren nach Rücknahme des Asylantrags (beziehungsweise dieser gleichgestellten Verhaltensweisen) endgültig eingestellt worden ist. Maßgeblich für die entsprechende Beurteilung ist die Rechtslage in dem betreffenden Mitgliedstaat.[7] Diese Voraussetzungen müssen feststehen – bloße Mutmaßungen genügen nicht. Deren Darlegung obliegt dem BAMF. Ist dem BAMF der aktuelle Stand des Verfahrens in dem anderen Mitgliedstaat nicht bekannt, muss es diesbezüglich zunächst weitere Ermittlungen anstellen, insbesondere im Rahmen des für den Informationsaustausch vorgesehenen sogenannten Info-Requests.[8]

Im Falle der A dürfte zum jetzigen Zeitpunkt der Asylantrag nicht als unzulässig abgelehnt werden, da Informationen zum Stand des Verfahrens in S fehlen.

3. Fallfrage 2c: Vortrag, dass A 2020 zum Christentum konvertiert sei

Handelt es sich bei dem Antrag von A um einen Zweitantrag, so hat dies zur Folge, dass ein weiteres Asylverfahren nur durchzuführen ist, wenn insbesondere die Voraussetzungen des § 51 I-III VwVfG vorliegen; die Prüfung obliegt dem BAMF.

Insoweit dürfte derselbe Prüfungsmaßstab gelten wie im Falle des Folgeantrags. Die Zweitantragstellerin wird hinsichtlich des Wiederaufgreifens im Ergebnis so behandelt wie eine Folgeantragstellerin nach § 71 AsylG. Zur weiteren Prüfung wird auf den Fall *26) Neue Elemente, neue Erkenntnisse* verwiesen.

Weiterführende Rechtsprechung
- VG Berlin, Beschl. v. 10.9. 2021, Az.: 33 L 204/21 A (Fallfrage 2a)
- VG Augsburg, Beschl. v. 4.1.2018, Az.: Au 7 S 17.35239 (Fallfrage 2b)
- Zur Unzulässigkeit der Behandlung eines Asylantrags als Zweitantrag, wenn der Antragsteller zuvor einen erfolglosen Asylantrag in Norwegen gestellt hatte: EuGH, Urt. v. 20.5.2021, Az.: C-8/20

---

7 BVerwG, Urt. v. 14.12.2016, Az.: 1 C 4.16, Rn. 30 ff.
8 Vgl. für weitere (gerichtliche) Aufklärungsmaßnahmen: BVerwG, Urt. v. 21.11.2017, Az.: 1 C 39.16, Rn. 26 ff.

Camilla Schloss

Dieser Fall darf gerne kommentiert, verändert und beliebig genutzt werden. Die Anleitung hierfür lässt sich über den abgebildete QR-Code mit der Smartphone-Kamera auf unserer Homepage aufrufen.

Camilla Schloss

Fall 28
Familie Khatib will in Deutschland bleiben

Behandelte Themen: Drittstaatenbescheid, Unzulässige Anträge, Verfolgungssicherheit in einem „sicheren Drittstaat" nach § 29 I Nr. 4 i.V.m. § 27 AsylG

Schwierigkeitsgrad: Fortgeschrittene

Sachverhalt

Die am 31.1.1975 geborene Frau Khatib und der am 5.2.1970 geborene Herr Khatib sind syrische Staatsangehörige, die ihr Heimatland im Jahr 2018 verlassen haben. Im Februar 2019 reisten sie über die sogenannte Balkanroute in Bulgarien ein, wo sie jeweils einen Asylantrag stellten. Daraufhin wurde ihnen durch die bulgarischen Behörden im Oktober 2019 der Flüchtlingsstatus zuerkannt. Da Frau und Herr Khatib jedoch nur sehr schwer eine Wohnung in Bulgarien fanden, sich Diskriminierung und Ausgrenzung ausgesetzt sahen und zudem keine Arbeit finden konnten, entschlossen sie sich nach Deutschland weiterzureisen, da auch weitere Verwandte sich in Deutschland aufhielten. Sie reisten im November 2020 in die Bundesrepublik Deutschland ein und stellten am 1.12.2020 jeweils einen Asylantrag, der nicht auf die Bewilligung internationalen Schutzes beschränkt wurde. In ihrer Anhörung zur Zulässigkeit des Asylantrages am 5.1.2021 gaben die Eheleute Khatib an, dass man sie in Bulgarien zur Abgabe von Fingerabdrücken und zur Stellung eines Asylantrages gezwungen habe. Sie hätten zunächst in einem Camp gelebt, in dem die Zustände sehr schlimm gewesen seien. Nach ihrer Anerkennung hätten sie das Camp verlassen müssen, es sei jedoch äußerst schwierig gewesen eine Wohnung zu finden. Sie seien Diskriminierung und Ausgrenzung ausgesetzt gewesen. Eine Arbeit zu finden sei ebenfalls schwer gewesen, da weder Frau Khatib noch Herr Khatib die Landessprache beherrschten. Herr Khatib habe in Syrien als Kfz-Mechaniker und Frau Khatib als Grundschullehrerin gearbeitet. Gesundheitliche Beschwerden hätten sie beide nicht.

Auf entsprechende Anfrage des Bundesamtes für Migration und Flüchtlinge an die bulgarischen Behörden, bestätigten diese, dass Frau und Herrn Khatib am 10.10.2019 jeweils unanfechtbar die Flüchtlingseigenschaft zuerkannt worden sei. Mit Bescheid vom 1.2.2021 lehnte das Bundesamt für Migration und Flüchtlinge (BAMF) die Asylanträge der Eheleute Khatib als unzulässig ab, da ihnen bereits in Bulgarien internationaler Schutz in Gestalt des Flüchtlingsschutzes zuerkannt worden sei, stellte fest, dass Abschiebungsverbote nach § 60 V, VII 1 AufenthG nicht vor-

https://doi.org/10.1515/9783110990379-028

lägen, drohte den Antragstellenden für den Fall, dass sie die Bundesrepublik Deutschland nicht innerhalb einer Woche nach Bekanntgabe der Entscheidung verließen, die Abschiebung nach Bulgarien an und befristete das Einreise- und Aufenthaltsverbot nach § 11 I AufenthG auf 30 Monate ab dem Tag der Abschiebung, setzte die Vollziehung der Abschiebungsandrohung allerdings bis zum Ablauf der Klagefrist und für den Fall der Stellung eines Eilantrages bis zu einer Entscheidung des Gerichts im Eilverfahren aus. Dem Bescheid war eine Rechtsmittelbelehrung mit Hinweis auf eine zweiwöchige Klagefrist beigefügt.

Fallfragen

1. Nach welcher Vorschrift des Asylgesetzes hat das BAMF die Asylanträge als unzulässig abgelehnt?
2. Liegen die Voraussetzungen dafür vor?
3. Hat eine gegen den Bescheid des BAMF gerichtete Klage aufschiebende Wirkung? Innerhalb welcher Klagefrist wäre die Klage in der Hauptsache zu erheben?
4. Wie lautet der Klageantrag?

Abwandlung

Frau und Herr Khatib reisten, nachdem sie Syrien 2018 verlassen hatten, mit einem in der kanadischen Botschaft im Libanon ausgestellten Visum nach Kanada ein, wo sie sich bis Oktober 2020 aufhielten. Dann reisten sie im November 2020 zunächst zu ihrer in Frankreich lebenden Tochter und dann in die Bundesrepublik Deutschland ein, wo sie am 1.12.2020 einen Asylantrag stellten. In ihrer Anhörung vor dem BAMF am 6.12.2020 gaben sie an, in Kanada einen dauerhaften Aufenthaltsstatus zu besitzen und dort auch jeweils einer Erwerbstätigkeit nachgegangen zu sein. Sie hätten Kanada verlassen, da sie näher bei ihrer in Frankreich lebenden Tochter sein und sie eigentlich immer in Deutschland hätten leben wollen. Einer Rückkehr nach Kanada stehe nichts entgegen, sie wollten aber nicht so weit weg von ihrer Tochter wohnen.

Das BAMF richtete mit E-Mail vom 28.12.2020 eine Anfrage an das Auswärtige Amt zur Klärung der Wiederaufnahmebereitschaft Kanadas. Die kanadische „Border Services Agency" in der kanadischen Botschaft in Berlin teilte mit E-Mail vom 22.4.2021 mit, dass es Frau und Herrn Khatib erlaubt sei, in Kanada einzureisen und sich dort aufzuhalten. Zur Einreise benötigten sie einen gültigen Reisepass und müssten ihre kanadische Daueraufenthaltskarte / Permanent Resident Card mit sich führen. Alternativ könnten sie ein „Permanent Resident Travel Document" (PRTD)-Visum beantragen. Daraufhin lehnte das BAMF die Asylanträge als unzulässig ab und stellte fest, dass Abschiebungsverbote nach § 60 V, VII 1 AufenthG nicht vorliegen. Frau und Herr Khatib wurden aufgefordert, Deutschland innerhalb von einer Woche nach Bekanntgabe dieser Entscheidung zu verlassen und es wurde ihnen die Abschiebung nach Kanada oder einen anderen aufnahmebereiten Staat angedroht.

Ferner wurde festgestellt, dass sie nicht nach Syrien abgeschoben werden dürfen. Das Einreise- und Aufenthaltsverbot gemäß § 11 I AufenthG wurde angeordnet und auf 25 Monate ab dem Tag der Abschiebung befristet. Die Vollziehung der Abschiebungsandrohung wurde ausgesetzt.

Fallfragen Abwandlung

1. Nach welcher Vorschrift hat das BAMF die Asylanträge als unzulässig abgelehnt?
2. Liegen die gesetzlichen Voraussetzungen hierfür vor?
3. Hat eine gegen den Bescheid gerichtete Klage aufschiebende Wirkung? Innerhalb welcher Frist ist die Klage zu erheben?

Ivanka Goldmaier

Lösungsvorschlag

! Hinweise zur Fallprüfung

Das BAMF kann einen Asylantrag als unzulässig ablehnen, wenn einer der in § 29 I AsylG aufgelisteten Tatbestände erfüllt ist. Hiernach ist ein Asylantrag unzulässig, wenn

1. ein anderer Staat
   a) nach Maßgabe der Dublin-III-VO[1] oder
   b) auf Grund von anderen Rechtsvorschriften der Europäischen Union oder eines völkerrechtlichen Vertrages für die Durchführung des Asylverfahrens zuständig ist,
2. ein anderer Mitgliedstaat der Europäischen Union dem Ausländer bereits internationalen Schutz im Sinne des § 1 Nr. 2 gewährt hat,
3. ein Staat, der bereit ist, den Ausländer wieder aufzunehmen, als für den Ausländer sicherer Drittstaat gemäß § 26a betrachtet wird,
4. ein Staat, der kein Mitgliedstaat der Europäischen Union und bereit ist, den Ausländer wieder aufzunehmen, als sonstiger Drittstaat gemäß § 27 betrachtet wird oder
5. im Falle eines Folgeantrags nach § 71 oder eines Zweitantrags nach § 71a ein weiteres Asylverfahren nicht durchzuführen ist.[2]

i Weiterführendes Wissen

Der Anwendungsbereich des § 29 I Nr. 3 i.V.m. § 26a AsylG ist in der Praxis sehr stark eingeschränkt, da diese Vorschrift unionsrechtskonform so auszulegen ist, dass Mitgliedstaaten der Europäischen Union nicht als **sichere Drittstaaten** im Sinne des § 26a AsylG zu qualifizieren sind. „Sichere Drittstaaten" im Sinne des § 29 I Nr. 3 i.V.m. § 26a AsylG sind demnach nur die in Anlage I bezeichneten Staaten, zu denen derzeit nur Norwegen und die Schweiz zählen.[3]

1 Verordnung (EU) Nr. 604/2013 des Europäischen Parlaments und des Rates vom 26. Juni 2013 zur Festlegung der Kriterien und Verfahren zur Bestimmung des Mitgliedstaats, der für die Prüfung eines von einem Drittstaatsangehörigen oder Staatenlosen in einem Mitgliedstaat gestellten Antrags auf internationalen Schutz zuständig ist, ABl. EU Nr. L 180/31. Siehe ausführlich zur Unzulässigkeit nach der Dublin-III-VO Greilich/Loock, *10) Dublin-Bescheid – was nun?* in diesem Fallbuch.
2 Siehe ausführlich zur Thematik des Folgeantrags Schloss, *Folgeantrag 26) Neue Elemente, neue Erkenntnisse* in diesem Fallbuch; ausführlich zur Thematik des Zweitantrags Schloss, *Zweitantrag 27) Von einem EU-Mitgliedstaat in den nächsten* in diesem Fallbuch.
3 BVerwG, Urt. v. 1.6.2017, Az.: 1 C 9/17.

Ivanka Goldmaier

A. Ausgangsfall

I. Fallfrage 1

Das BAMF hat den **Asylantrag** der Frau Khatib und des Herrn Khatib gemäß § 29 I Nr. 2 AsylG (entspricht Art. 33 II lit. a Asylverfahrens-RL[4]) als **unzulässig abgelehnt**, da diesen bereits in Bulgarien, einem Mitgliedstaat der Europäischen Union, internationaler Schutz in Gestalt des Flüchtlingsschutzes zuerkannt worden ist.

Weiterführendes Wissen

Das BAMF trifft bei der Frage, ob eine Schutzgewährung in einem anderen Mitgliedstaat der Europäischen Union erfolgt ist und daher der Asylantrag bereits nach § 29 I Nr. 2 AsylG unzulässig ist – ebenso wie die Gerichte – eine besondere Aufklärungspflicht. Liegen Anhaltspunkte für eine bereits erfolgte Schutzgewährung vor, hat das BAMF beziehungsweise das Gericht, etwa durch entsprechende Anfragen an den schutzgewährenden Mitgliedstaat oder durch Einschaltung des*der Liaisonbeamten*in der Bundespolizei, zu ermitteln, ob dies tatsächlich der Fall ist. Insbesondere steht dem BAMF kein Wahlrecht zu, ob es den Asylantrag in der Sache entscheidet oder als unzulässig ablehnt, wenn tatsächlich Anhaltspunkte für das Vorliegen des Unzulässigkeitsgrundes nach § 29 I Nr. 2 AsylG bestehen.[5]

II. Fallfrage 2

Dem Wortlaut nach setzt § 29 I Nr. 2 AsylG lediglich voraus, dass der asylantragstellenden Person bereits in einem Mitgliedstaat der Europäischen Union internationaler Schutz zuerkannt worden ist. Diese Voraussetzung liegt hier unzweifelhaft vor, da die bulgarischen Behörden dies gegenüber dem BAMF selbst mitgeteilt haben und sich dies auch mit den eigenen Angaben der Eheleute Khatib deckt.

Allerdings hat der Europäische Gerichtshof entschieden, dass Art. 33 II lit. a Asylverfahrens-RL dahingehend auszulegen ist, dass ein Mitgliedstaat einen Antrag auf internationalen Schutz nicht mit der Begründung als unzulässig ablehnen darf, dass der schutzsuchenden Person bereits von einem anderen Mitgliedstaat internationaler Schutz zuerkannt worden ist, wenn die Lebensverhältnisse, die die asylsuchende Person in dem anderen Mitgliedstaat als anerkannt Schutzberechtigte*r erwarten würden, sie der ernsthaften Gefahr aussetzen würden, eine unmenschliche oder erniedrigende Behandlung im Sinne von Art. 4 GR-Charta zu erfahren

---

4 Richtlinie 2013/32/RL des Europäischen Parlaments und des Rates vom 26. Juni 2013 zu gemeinsamen Verfahren für die Zuerkennung und Aberkennung des internationalen Schutzes, ABl. EU Nr. 180/60.
5 BVerfG, Beschl. v. 13.9.2020, Az.: 2 BvR 2082/18.

Ivanka Goldmaier

(sogenannte **systemische Mängel**).[6] Der Europäische Gerichtshof hat darin allgemein festgestellt, dass das Gericht, das mit einem Rechtsbehelf gegen eine Entscheidung befasst ist, mit der ein neuer Antrag auf internationalen Schutz als unzulässig abgelehnt wurde, grundsätzlich verpflichtet ist, auf der Grundlage objektiver, zuverlässiger, genauer und gebührend aktualisierter Angaben und im Hinblick auf den durch das Unionsrecht gewährleisteten Schutzstandard der Grundrechte zu würdigen, ob entweder systemische oder allgemeine oder aber bestimmte Personengruppen betreffende Schwachstellen vorliegen, wenn aufgrund von Angaben der asylsuchenden Person Anhaltspunkte hierfür bestehen.[7]

Folglich ist zunächst zu prüfen, ob solche „systematischen, allgemeinen oder bestimmte Personengruppen betreffende Schwachstellen" in Bulgarien vorliegen, die einer Ablehnung der Asylanträge der Frau Khatib und des Herrn Khatib als unzulässig nach § 29 I 1 Nr. 2 Asyl entgegenstehen. Dabei ist jedoch auch zu berücksichtigen, dass bei Mitgliedstaaten der Europäischen Union grundsätzlich die Vermutung gilt, dass jeder Mitgliedstaat mit allen anderen Mitgliedstaaten eine Reihe gemeinsamer Werte teilt. Es ist daher grundsätzlich davon auszugehen, dass die Behandlung der Personen, die internationalen Schutz beantragen, in jedem einzelnen Mitgliedstaat in Einklang mit den Erfordernissen der Charta der Grundrechte der Europäischen Union, des Abkommens über die Rechtsstellung der Flüchtlinge und der Konvention zum Schutze der Menschenrechte und Grundfreiheiten steht. Dieses **gegenseitige Vertrauen** kann daher nur unter besonders hohen Voraussetzungen erschüttert werden, etwa dann, wenn die Gleichgültigkeit der Behörden eines Mitgliedstaats zur Folge hätte, dass eine „vollständig von öffentlicher Unterstützung abhängige Person sich unabhängig von ihrem Willen und ihren persönlichen Entscheidungen in einer Situation extremer materieller Not" befände, die es ihr nicht erlaubte, ihre elementarsten Bedürfnisse zu befriedigen.[8]

ℹ Weiterführendes Wissen

Das Unionsrecht beruht auf der grundlegenden Prämisse, dass jeder Mitgliedstaat mit allen anderen Mitgliedstaaten eine Reihe gemeinsamer Werte teilt, auf die sich, wie es in Art. 2 EUV heißt, die Union gründet. Dies impliziert und rechtfertigt die Existenz gegenseitigen Vertrauens zwischen den Mitgliedstaaten bei der Anerkennung dieser Werte und damit bei der Beachtung des Unionsrechts, mit dem sie umgesetzt werden. Es darf daher grundsätzlich darauf vertraut werden, dass die nationalen Rechtsord-

---

6 EuGH, Urt. v. 19.3.2019, Az.: C-297/17, C-318/17, C-319/17, C-438/17; EuGH, Beschl. v. 13.11.2019, Az.: C-540/17.

7 EuGH, Urt. v. 19.3.2019, Az.: C-297/17, C-318/17, C-319/17, C-438/17; EuGH, Beschl. v. 13.11.2019, Az.: C-540/17.

8 EuGH, Urt. v. 19.3.2019, Az.: C-297/17, C-318/17, C-319/17, C-438/17; EuGH, Beschl. v. 13.11.2019, Az.: C-540/17.

Ivanka Goldmaier

nungen der Mitgliedstaaten in der Lage sind, einen gleichwertigen und wirksamen Schutz der in der Charta anerkannten Grundrechte – insbesondere Art. 1, Art. 4 GR-Charta –, in denen einer der Grundwerte der Union und ihrer Mitgliedstaaten verankert ist, zu bieten.[9]

Der **Grundsatz des gegenseitigen Vertrauens** zwischen den Mitgliedstaaten hat im Unionsrecht fundamentale Bedeutung, da er die Schaffung und Aufrechterhaltung eines Raums ohne Binnengrenzen ermöglicht. Konkret verlangt der Grundsatz des gegenseitigen Vertrauens – namentlich in Bezug auf den Raum der Freiheit, der Sicherheit und des Rechts – von jedem Mitgliedstaat, dass er, abgesehen von außergewöhnlichen Umständen, davon ausgeht, dass alle anderen Mitgliedstaaten das Unionsrecht und insbesondere die dort anerkannten Grundrechte beachten.[10]

Folglich muss im Kontext des Gemeinsamen Europäischen Asylsystems die Vermutung gelten, dass die Behandlung der Personen, die internationalen Schutz beantragen, in jedem einzelnen Mitgliedstaat in Einklang mit den Erfordernissen der GR-Charta, der GFK und der EMRK steht. Dies gilt insbesondere bei der Anwendung von Art. 33 II lit. a Asylverfahrens-RL, indem im Rahmen des mit dieser Richtlinie eingerichteten gemeinsamen Asylverfahrens der Grundsatz des gegenseitigen Vertrauens zum Ausdruck kommt.[11]

Allerdings kann nicht ausgeschlossen werden, dass dieses System in der Praxis auf größere Funktionsstörungen in einem bestimmten Mitgliedstaat stößt, so dass ein ernsthaftes Risiko besteht, dass Personen, denen in diesem Mitgliedstaat bereits internationaler Schutz zuerkannt wurde, bei Rückkehr in diesen Mitgliedstaat in einer Weise behandelt werden, die mit ihrer Grundrechten unvereinbar ist.[12] Daher ist das Gericht, das mit einem Rechtsbehelf gegen eine Entscheidung befasst ist, mit der ein neuer Antrag auf internationalen Schutz als unzulässig abgelehnt wurde, in dem Fall, dass es über Angaben verfügt, die der Antragsteller vorgelegt hat, um das Vorliegen eines solchen Risikos in dem bereits internationalen Schutz gewährenden Mitgliedstaat nachzuweisen, verpflichtet, auf der Grundlage objektiver, zuverlässiger, genauer und gebührend aktualisierter Angaben und im Hinblick auf den durch das Unionsrecht gewährleisteten Schutzstandard der Grundrechte zu würdigen, ob entweder systemische oder allgemeine oder aber bestimmte Personengruppen betreffende Schwachstellen vorliegen.[13]

Solche Schwachstellen führen jedoch nur dann zu einer Verletzung des Art. 4 GR-Charta beziehungsweise Art. 3 EMRK, wenn sie eine „besonders hohe Schwelle der Erheblichkeit" erreichen, die von sämtlichen Umständen des Falles abhängt. Diese besonders hohe Schwelle der Erheblichkeit ist erreicht, wenn die Gleichgültigkeit der Behörden eines Mitgliedstaats zur Folge hätte, dass eine „vollständig von öffentlicher Unterstützung abhängige Person sich unabhängig von ihrem Willen und ihren persönlichen Entscheidungen in einer Situation extremer materieller Not" befände, die es ihr nicht erlaubte, ihre elementarsten Bedürfnisse zu befriedigen, wie insbesondere sich zu ernähren, sich zu waschen und eine Unterkunft zu finden, und die ihre physische oder psychische Gesundheit beeinträchtigen oder sie in einen Zustand der Verelendung versetzen würde, der mit der Menschenwürde unvereinbar wäre. Diese Schwelle ist daher selbst in durch große Armut oder eine starke Verschlechterung der Lebensverhältnisse der betreffenden Person gekennzeichneten Situationen nicht erreicht, sofern sie nicht mit extremer materieller Not verbunden sind, aufgrund derer sich diese Person „wegen ihrer besonderen Verletzbarkeit unabhängig von ihrem Willen und ihren persönlichen Entscheidungen" in einer solch schwerwiegen-

---

9 EuGH, Urt. v. 19.3.2019, Az.: C-163/17.
10 EuGH, Urt. v. 19.3.2019, Az.: C-163/17.
11 EuGH, Urt. v. 19.3.2019, Az.: – C-297/17, C-318/17, C-319/17, C-438/17
12 EuGH, Urt. v. 19.3.2019, Az.: C-163/17.
13 EuGH, Urt. v. 19.3.2019, Az.: C-297/17, C-318/17, C-319/17, C-438/17; EuGH, Beschl. v. 13.11.2019, Az.: C-540/17.

Ivanka Goldmaier

den Lage befindet, dass sie einer unmenschlichen oder erniedrigenden Behandlung gleichgestellt werden kann.[14]

Diese Maßstäbe zugrunde gelegt, ist im Einzelfall zunächst zu prüfen, ob in dem betreffenden Mitgliedstaat der Europäischen Union diese Voraussetzungen generell erfüllt sind und daher grundsätzlich davon auszugehen ist, dass anerkannt schutzberechtigte Personen dort Gefahr laufen einer die Schwelle des Art. 4 GR-Charta beziehungsweise Art. 3 EMRK erreichende materielle Notlage ausgesetzt zu sein. Ist dies nicht der Fall, muss im Einzelfall die individuelle Situation der schutzsuchenden Personen genau betrachtet werden. Dies entspricht im Wesentlichen der Prüfung, wie sie auch hinsichtlich des Vorliegens nationaler **Abschiebungsverbote** nach §§ 60 V, VII 1 AufenthG erfolgt.[15] Dabei ist insbesondere relevant, wie alt die Person ist, welche Ausbildung sie hat, ob sie Kinder, insbesondere solche unter drei Jahren hat, ob sie gesundheitlich in der Lage ist zu arbeiten oder ob sie gesundheitlich so eingeschränkt ist, dass eine Arbeitsaufnahme nur eingeschränkt oder gar nicht möglich ist. Dies hängt natürlich auch vor allem von der sozialen und wirtschaftlichen Situation in dem betroffenen Mitgliedstaat ab. Zum Beispiel von der Arbeitslosenquote, der Frage, ob Bedürftigen staatliche Leistungen gewährt werden und ob dies auch für anerkannt schutzberechtigte Personen gilt, ob humanitäre Hilfe zur Verfügung steht – etwa in Form von Unterkünften und Nahrungsmittelversorgung und – sofern die asylsuchende Person gesundheitliche Einschränkungen hat – wie die Gesundheitsversorgung in dem Mitgliedstaat ist. In der Praxis bedarf es hierzu einer umfassenden Auswertung aktueller Länderberichte – etwa der Asylum Information Database (AIDA) – und auch sonstiger Medien, wie anerkannter Tages- und Wochenzeitungen oder Berichten von Hilfsorganisationen, die in der Praxis auf sogenannten Erkenntnismittellisten zusammengefasst werden. Dies würde den Rahmen dieser Falllösung jedoch sprengen und erfolgt daher nur verkürzt.

Im Falle der Eheleute Khatib ist daher die Lage in Bulgarien zu beurteilen.

In Bulgarien haben anerkannt schutzberechtigte Personen unter den gleichen Voraussetzungen wie Staatsangehörige Zugang zum Arbeitsmarkt, die Arbeitslosenquote lag 2021 bei 5,3 Prozent[16]. Anerkannt schutzberechtigte Personen können zudem die Leistungen der Arbeitsagentur zur Arbeitsvermittlung in Anspruch nehmen und werden zudem durch die ortsansässigen Hilfsorganisationen wie bei-

---

14 EuGH, Urt. v. 19.3.2019, Az.: C-297/17, C-318/17, C-319/17, C-438/17; EuGH, Beschl. v. 13.11.2019, C-540/17; vgl. zu alledem: VG Trier, Urt. v. 18.11.2019 Az.: 6 K 988/19.TR, Rn.: 34 ff.
15 Siehe zu den nationalen Abschiebeverboten Schloss, *20) Allgemeine Lebensbedingungen* in diesem Fallbuch.
16 Statistica, Arbeitslosenquote in Bulgarien von 2011 bis 2021.

Ivanka Goldmaier

spielsweise das Bulgarische Rote Kreuz, Caritas und IOM Bulgarien bei der Arbeitsvermittlung unterstützt.[17] Ein Auffangnetz gegen Hunger und Entbehrungen wird durch zahlreiche Hilfsorganisationen, die anerkannt schutzberechtigte Personen in Bulgarien mit Lebensmitteln und Sachleistungen versorgen, sichergestellt. Die Suche nach einer Wohnung gestaltet sich für anerkannt schutzberechtigte Personen aufgrund bürokratischer Hürden zu Beginn oft schwierig, aber auch hier bieten Hilfsorganisationen Unterstützung, mit der diese überwunden werden können. Notfalls können Geflüchtete auch in Obdachlosenunterkünften und teilweise auch in den Aufnahmeeinrichtungen für Asylsuchende unterkommen.[18]

Die Situation anerkannt Schutzberechtigter in Bulgarien erreicht die Schwelle des Art. 4 GR-Charta beziehungsweise Art. 3 EMRK damit jedenfalls nicht generell.[19]

Weiterführendes Wissen 🇮

Diese Ansicht wird zunehmend von verschiedenen Verwaltungsgerichten nicht nur für vulnerable Personengruppen, wie zum Beispiel Familien mit kleinen Kindern oder nicht arbeitsfähigen anerkannt schutzberechtigten Personen, in Frage gestellt. Zum Teil wird unter Verweis auf eine drohende Obdachlosigkeit und Verelendung auch aufgrund der Auswirkungen der Corona-Pandemie eine Art. 3 EMRK beziehungsweise Art. 4 GR-Charta widersprechende Behandlung bei einer Rückkehr anerkannt Schutzberechtigter nach Bulgarien grundsätzlich bejaht.[20]

Ob diese hohen Voraussetzungen im Falle der Eheleute Khatib gleichwohl erfüllt sind, ist daher anhand der Umstände des Einzelfalls zu beurteilen. Dabei spielt – da die Voraussetzungen für den Bezug von Sozialleistungen in Bulgarien kaum erfüllbar sind[21] – insbesondere die Frage eine Rolle, ob die Asylsuchenden in der Lage sind zu arbeiten. Auch relevant ist, ob die Geflüchteten für den Unterhalt weiterer Personen, insbesondere kleiner Kinder, aufkommen müssen.[22]

Da es sich im vorliegenden Fall um Erwachsene ohne Kinder im arbeitsfähigen Alter und in einem guten gesundheitlichen Zustand handelt und die zudem über eine Ausbildung – im Falle der Frau Khatib sogar über einen Hochschulabschluss – ver

---

17 Schutzberechtigte Personen müssen sich auf die Leistungen humanitärer Organisationen verweisen lassen, vgl. BVerwG, Urt. v. 7.9.2021, Az.: 1 C 3/21.

18 Vgl. zur Lage von Asylsuchenden und anerkannt schutzberechtigten Personen in Bulgarien: AIDA Country Report Report Bulgaria, 2021 Update.

19 OVG RP, Urt. v. 20.10.2020, Az.: 7 A 10889/18; OVG Hamburg; OVG Hamburg, Urt. v. 18.12.2021, Az.: 1 Bf 132/17.A; VGH Hessen, Urt. v. 26.10.2021, Az.: 8 A 1852/20.A; OVG NRW, Beschl. v. 15.2.2022, Az.: 11 A 1625/21.A.

20 Vgl. exemplarisch: VG Freiburg, Urt. v. 22.9.2021, Az.: A 14 K 1088/19 m.w.N.

21 OVG Sachsen, Beschl. v. 18.5.2020, Az.: 5 A 389/18.A, Rn. 26.

22 Vgl. hierzu: OVG NRW, Urt. v. 29.12.2020, Az.: 11 A 1602/17.A.

Ivanka Goldmaier

fügen, spricht vieles dafür, dass es ihnen nach dem Vorstehenden zuzumuten ist, ihren Lebensunterhalt in Bulgarien durch Arbeit zu sichern. Die Sprachbarriere hindert sie zwar – zumindest zu Beginn – an der Aufnahme einer höher qualifizierten Tätigkeit, jedoch ist ihnen die Annahme von Arbeiten, die nur eine geringe Qualifikation erfordern und insbesondere keine Sprachkenntnisse voraussetzen, zumutbar

(Andere Ansicht mit entsprechender Argumentation vertretbar; zu beachten ist jedoch, dass bei arbeitsfähigen Personen, ohne Kinder mit guter Ausbildung selbst bei einer schlechten Wirtschaftslage in dem betreffenden Mitgliedstaat die oben beschriebene sehr hohe Schwelle des Art. 4 GR–Charta beziehungsweise Art. 3 EMRK nur selten erreicht ist. Allerdings kann die Frage Berücksichtigung finden, ob die berufliche Qualifikation der anerkannt Schutzberechtigten Person in Bulgarien überhaupt von Nutzen ist, was jedenfalls bei dem Abschluss der Frau Khatib in Grundschullehramt zu hinterfragen ist.)

Das BAMF hat den Asylantrag der Frau und des Herrn Khatib nach der hier favorisierten Ansicht zu Recht nach § 29 I Nr. 2 AsylG abgelehnt.

III. Fallfrage 3

Die Klage gegen die Ablehnung der Asylanträge als unzulässig und insbesondere gegen die **Abschiebungsandrohung** hat grundsätzlich keine aufschiebende Wirkung (vgl. § 75 I 1 AsylG). Es ist daher ein Antrag auf Eilrechtsschutz nach § 80 V VwGO anzuraten. Der Antrag ist binnen einer Woche zu stellen, § 36 III 1 Hs. 1 AsylG.[23]

Die Klagefrist beträgt bei einer Ablehnung des Asylantrages nach § 29 I Nr. 2 AsylG wegen § 36 III 1 AsylG gemäß § 74 I Hs. 2 AsylG grundsätzlich eine Woche.

ℹ Weiterführendes Wissen

Dabei ist in Konstellationen wie der vorliegenden jedoch umstritten, ob – da die Vollziehung der Abschiebungsandrohung bis zum Ablauf der Klagefrist ausgesetzt wurde – die Klagefrist gemäß § 74 I Hs. 1 AsylG dennoch zwei Wochen beträgt.[24]

Vorliegend weist die dem Bescheid beigefügte **Rechtsbehelfsbelehrung** jedoch auf eine zweiwöchige Klagefrist hin. Die Rechtsbehelfsbelehrung ist demnach nach der hier favorisierten Ansicht unrichtig, sodass gemäß § 58 II VwGO die Jahresfrist ab Zustellung des Bescheids gilt.

---

23 Allgemein zum Eilrechtsschutz siehe Kapitel 8 – 10 in Eisentraut, Verwaltungsrecht in der Klausur – Das Lehrbuch.
24 Vgl. hierzu: VG Trier, Urt. v. 18.11.2019, Az.: 6 K 988/19.TR, Rn. 29 – openJur.

Ivanka Goldmaier

Nach anderer Ansicht gilt in diesem Fall die Frist von zwei Wochen wie dies aus der Rechtsbehelfsbelehrung hervorgeht.[25]

IV. Fallfrage 4

Richtigerweise ist die Ablehnung des Asylantrages als unzulässig im Bescheid des BAMF mit der Anfechtungsklage anzugreifen. Das Gericht muss – hält es die Ablehnung des Asylantrages als unzulässig für rechtswidrig – die Sache nicht spruchreif machen.[26] Das bedeutet, das Gericht muss, sofern es zu dem Ergebnis kommt, dass die Ablehnung des Asylantrages als unzulässig rechtswidrig ist, das Asylverfahren nicht selbst durchführen und daher auch nicht inhaltlich prüfen, ob der asylsuchenden Person ein Anspruch auf Zuerkennung internationalen Schutzes zusteht. Ein Verpflichtungsantrag (auf Durchführung eines Asylverfahrens oder auf Zuerkennung der Flüchtlingseigenschaft oder des subsidiären Schutzstatus) ist demnach unstatthaft.[27] Im Hinblick auf die Feststellung von Abschiebungsverboten hinsichtlich des Staates, in dem der asylsuchenden Person bereits internationaler Schutz zuerkannt wurde – hier Bulgarien – ist demgegenüber eine Verpflichtungsklage statthaft. Sofern Frau und Herr Khatib auch gegen die Anordnung und Befristung des Einreise- und Aufenthaltsverbotes vorgehen wollen, wäre insoweit wiederum eine Anfechtungsklage (§ 42 I Alt. 1 VwGO) zu erheben.

Nachdem die Regelung des § 11 AufenthG durch das „Zweite Gesetz zur besseren Durchsetzung der Ausreisepflicht"[28], neugefasst wurde, ist nunmehr die Anfechtungsklage nach § 42 I Alt. 1 VwGO und nicht mehr die Verpflichtungsklage nach § 42 I Alt. 2 VwGO die statthafte Klageart, da die Aufhebung der vom BAMF im Bescheid getroffenen Befristungsentscheidung die Beschwer der Antragstellenden nunmehr zu beenden vermag. Nach § 11 I AufenthG n.F. *ist* gegen einen Ausländer, der ausgewiesen, zurückgeschoben oder abgeschoben worden ist, ein Einreise- und Aufenthaltsverbot zu erlassen. Mit der gerichtlichen Aufhebung des Einreise- und Aufenthaltsverbots fehlt es dann an einem Ausspruch zum Einreise- und Aufenthaltsverbot, sodass dies ausweislich des Wortlauts des § 11 I AufenthG n.F. dann (neu) zu erlassen ist. Anders sah dies die Regelung des § 11 I AufenthG a.F. vor, die nach zutreffender Auffassung schon von Gesetzes wegen ein Einreise- und Aufenthaltsverbot begründete, so dass eine Aufhebung des Einreise- und Aufenthaltsverbotes nach der alten Rechtslage zur Folge hatte, dass aus dem zunächst befristeten Einreise- und Aufenthaltsverbot ein von Gesetzes wegen vorgesehenes unbefriste-

25 Zum Meinungsstand: VG Trier, Urt. v. 18.11.2019, Az.: 6 K 988/19.TR, Rn. 29 – openJur.
26 BVerwG, Urt. v. 14.12.2016, Az.: 1 C 4.16, Rn. 16.
27 Vgl. ausführlich: VG Trier, Urt. v. 18.11.2019, Az.: 6 K 988/19.TR, Rn. 26 – openJur.
28 BGBl. 2019 I, 1294.

tes Einreise- und Aufenthaltsverbot wurde, so dass nach der alten Rechtslage die Beschwer folgerichtig nur mit einem Verpflichtungsausspruch des Gerichts auf Neubescheidung des gesetzlichen Einreise- und Aufenthaltsverbotes beseitigt werden konnte.

Der Klageantrag lautet daher richtigerweise:

Den Bescheid der Beklagten vom 10.10.2019 aufzuheben; hilfsweise, die Beklagte unter entsprechender Aufhebung ihres Bescheids vom 10.10.2019 zu verpflichten, festzustellen, dass hinsichtlich Bulgariens ein Abschiebungsverbot nach §§ 60 V, VII 1 AufenthG vorliegt; weiter hilfsweise, das im Bescheid vom 10.10.2019 festgesetzte Einreise- und Aufenthaltsverbot aufzuheben.

B. Abwandlung

I. Fallfrage 1

Das BAMF hat die Asylanträge der Frau Khatib und des Herrn Khatib nach § 29 I Nr. 4 AsylG als unzulässig abgelehnt, da diese aus einem „sonstigen Drittstaat" im Sinne des § 27 AsylG eingereist sind.

II. Fallfrage 2

Nach § 29 I Nr. 4 AsylG ist der Asylantrag einer asylsuchenden Person als unzulässig abzulehnen, wenn ein Staat, der kein Mitgliedstaat der Europäischen Union ist, bereit ist, die asylsuchende Person wieder aufzunehmen und als „sonstiger Drittstaat" im Sinne des § 27 AsylG betrachtet wird. Ein „sonstiger Drittstaat" im Sinne des § 27 AsylG ist ein Staat, in dem die asylsuchende Person vor Verfolgung sicher war. Hat sie sich dort länger als drei Monate vor der Einreise in das Bundesgebiet aufgehalten, wird vermutet, dass sie dort vor Verfolgung sicher gewesen ist (§ 27 III AsylG). Diese Vermutung kann widerlegt werden, wenn die geflüchtete Person darlegt, dass sie in diesem Drittstaat vor der Abschiebung in einen anderen Staat, in dem ihr **politische Verfolgung** droht, nicht hinreichend sicher ist. Die Regelung trägt dem in Art. 33 II lit. b i.V.m. Art. 35 Asylverfahrens-RL kodifizierten verfahrensrechtlichen Konzept des ersten Asylstaates Rechnung.[29] Drittstaat im Sinne des § 29 I Nr. 4 i.V.m. § 27 AsylG ist demnach ein Staat außerhalb der Europäischen Union, in dem die geflüchtete Person ihren tatsächlichen Lebensmittelpunkt hatte und wo sie sich aufhielt, ohne dass die zuständigen Behörden aufenthaltsbeendende Maßnahmen

---

29 BVerwG, Urt. v. 25.4.2019, Az.: 1 C 28/18, Rn. 12.

gegen sie eingeleitet haben. Eines rechtmäßigen Aufenthaltsstatus bedarf es insoweit nicht.[30] Dieser Drittstaat muss in materieller Hinsicht bereit sein, die geflüchtete Person wiederaufzunehmen und dieser eine den § 27 AsylG i.V.m. Art. 35 Asylverfahrens-RL entsprechende Sicherheit zu gewähren. Dafür genügt nicht allein die in § 27 AsylG erwähnte Sicherheit vor politischer Verfolgung; diese Regelung ist vielmehr in unionsrechtskonformer Auslegung durch die in Art. 35 Asylverfahrens-RL an einen „ersten Asylstaat" gestellten Anforderungen in der Auslegung des Europäischen Gerichtshofes zu ergänzen. Nach dieser Vorschrift ist neben der **Wiederaufnahmebereitschaft** des betreffenden Staates erforderlich, dass die antragstellende Person dort als Flüchtling anerkannt wurde und sie diesen Schutz weiterhin in Anspruch nehmen darf oder dass ihr in dem betreffenden Staat anderweitig ausreichender Schutz, einschließlich der Beachtung des Grundsatzes der Nicht-Zurückweisung, gewährt wird. Danach muss die betroffene Person nicht nur die Garantie haben, dass sie in dem Drittstaat wieder aufgenommen wird. Der asylsuchenden Person dürfen dort auch weder flüchtlingsrechtlich relevante Verfolgung noch Gefahren drohen, die einen Anspruch auf subsidiären Schutz begründen beziehungsweise die Schwelle des Art. 3 EMRK erreichen. Sie muss sich dort in Sicherheit und unter **menschenwürdigen Lebensbedingungen** so lange aufhalten können, wie es die im Land seines gewöhnlichen Aufenthalts bestehenden Gefahren erfordern.[31] Ob darüber hinaus die Rechtsprechung des Europäischen Gerichtshofes zu Art. 33 II lit. a Asylverfahrens-RL[32] auch auf die Konstellation des § 29 I Nr. 4 AsylG übertragbar ist, ist bislang nicht entschieden.[33]

Diese Voraussetzungen dürften vorliegend erfüllt sein. Kanada ist kein Mitgliedstaat der Europäischen Union und ist ausweislich der E-Mail an das BAMF bereit, Frau und Herrn Khatib wiederaufzunehmen. Herr und Frau Khatib haben sich dort zudem länger als drei Monate aufgehalten, sodass die Verfolgungssicherheit vermutet wird. Anhaltspunkte dafür, dass den Eheleuten Khatib in Kanada politische Verfolgung durch den kanadischen Staat selbst oder syrische Geheimdienste oder gar die Abschiebung nach Syrien gedroht hätte oder zukünftig drohen würde, sind nicht ersichtlich. Im Gegenteil gaben Herr und Frau Khatib in ihrer Anhörung selbst an, dort sicher gelebt und auch keine Bedenken gegen eine Rückführung nach Kanada zu haben. Lediglich die große Entfernung zu ihrer in Frankreich lebenden

---

30 BVerwG, Urt. v. 26.02.2009, Az.: 10 C 50/07, Rn. 31.
31 BVerwG, Urt. v. vom 25.4.2019, Az.: 1 C 28/18, Rn. 15 unter Verweis auf EuGH, Urt. v. 25.7.2018, Az.: C-585/16.
32 EuGH, Urt. v. 19.3.2019, Az.: C-297/17, C-318/17, C-319/17, C-438/17; EuGH, Beschl. v. 13.11.2019, Az.: C-540/17.
33 Vgl. hierzu: VG Regensburg, Urt. v. 6.10.2021, Az.: RN 11 K 21.30693, Rn. 20 – openJur.

Ivanka Goldmaier

Tochter stehe dem entgegen. Auch konnten die Antragsteller*innen dort ihren Lebensunterhalt sichern.

ℹ **Weiterführendes Wissen**

Die praktische Relevanz des § 29 I Nr. 4 AsylG ist eher gering, da der Anwendungsbereich des § 27 AsylG auf Nicht-EU-Staaten und solche Staaten, die nicht unter § 26a AsylG fallen, beschränkt ist. Zudem fehlt es in der Praxis sehr oft an der erforderlichen Rückübernahmebereitschaft oder der Verfolgungssicherheit.

III. Fallfrage 3

Eine Klage gegen die **Unzulässigkeitsentscheidung** nach § 29 I Nr. 4 AsylG und insbesondere gegen die **Abschiebungsandrohung** hat grundsätzlich keine aufschiebende Wirkung (§ 75 I 1 AsylG). Es ist daher die Beantragung von **Eilrechtsschutz** nach § 80 V VwGO anzuraten, der Antrag ist binnen einer Woche zu stellen, § 36 III 1 Hs. 1 AsylG.[34] Die Klagefrist beträgt auch hier gemäß § 29 I Nr. 2 AsylG wegen § 36 III 1 AsylG gemäß § 74 I Hs. 2 AsylG eine Woche.

Zusammenfassung: Die wichtigsten Punkte

Nach der Asylverfahrens-RL muss ein Mitgliedstaat einen Asylsuchenden nur aufnehmen, wenn er nicht schon in einem anderen Staat Schutz finden kann, dort sicher ist und unter menschenwürdigen Bedingungen leben kann. Der Asylsuchende hat bei Vorliegen der Voraussetzungen Anspruch auf internationalen Schutz, er hat aber keinen Anspruch in einem bestimmten Land Aufnahme zu finden oder sich den Aufnahmestaat auszusuchen.

Unzulässigkeitsentscheidungen des BAMF nach § 29 I Nr. 2, Nr. 4 AsylG sind mit der Anfechtungsklage anzugreifen. Daneben ist eine Verpflichtungsklage auf die Feststellung von Abschiebungsverboten statthaft. Sowohl der Antrag nach § 80 V VwGO als auch die Klage sind gemäß § 36 III 1 AsylG beziehungsweise § 74 I 1 i.V.m. § 36 III 1 AsylG binnen einer Woche zu erheben, es ist demnach in diesen Konstellationen in jedem Fall Eile geboten!

Dieser Fall darf gerne kommentiert, verändert und beliebig genutzt werden. Die Anleitung hierfür lässt sich über den abgebildete QR-Code mit der Smartphone-Kamera auf unserer Homepage aufrufen.

---

34 Allgemein zum Eilrechtsschutz siehe Eisentraut, Verwaltungsrecht in der Klausur, §§ 8–10.

Ivanka Goldmaier

Fall 29
Schluss mit Schutz?

Behandelte Themen: Widerruf und Rücknahme internationalen Schutzes, Hauptsache und Eilverfahren

Schwierigkeitsgrad: Fortgeschrittene

Sachverhalt

Die F reiste gemeinsam mit ihrem Ehemann M im März 2016 auf dem Landweg in die Bundesrepublik Deutschland ein. Bei ihrer persönlichen Anhörung vor dem Bundesamt für Migration und Flüchtlinge (BAMF) gab die F an, Angehörige des Staates X zu sein und dem Volk der Z anzugehören. Zeitweise, von 2012 bis 2013, habe sie in der Republik N gelebt, da die Situation für das Volk der Z in ihrem Heimatland damals besonders schlimm gewesen sei. Das BAMF erkannte der F (und ihrem Ehemann) den subsidiären Schutzstatus zu, lehnte im Übrigen aber die Asylanträge ab. Auf die hiergegen gerichtete Klage verpflichtete das Verwaltungsgericht die beklagte Bundesrepublik, ihr die Flüchtlingseigenschaft zuzuerkennen. Die örtlich zuständige Ausländerbehörde erteilte F und M daraufhin eine auf drei Jahre befristete Aufenthaltserlaubnis nach § 25 II 1 Alt. 1 AufenthG.

Im Rahmen der Beantragung einer Verlängerung ihrer Aufenthaltserlaubnis für sich und ihre minderjährigen Kinder legte die F einen Reisepass vor, ausgestellt in X am 20.11.2019. Er enthält einen Ausreisestempel vom 22.11.2019. Auf Nachfrage der* zuständigen Sachbearbeiter*in teilte die F mit, sie sei nur für kurze Zeit, nämlich für vier Wochen in ihre alte Heimat zurückgekehrt, um ihre schwerkranke Mutter zu besuchen. Diese habe ihre Hilfe bei und nach einem operativen Eingriff benötigt. Die F habe die Mutter, die bettlägerig gewesen sei, bis zwei Wochen nach der OP gepflegt. Sie sei illegal auf dem Landweg wieder eingereist. In der Zeit, in der sie sich in X aufgehalten habe, sei sie immer bei ihrer Mutter geblieben und habe sich kaum aus dem Haus begeben. Kontakte mit Behörden habe sie dadurch vermieden, dass ihre Mutter den neu ausgestellten Pass für sie abgeholt habe.

Nach Anhörung der F nahm das BAMF die ihr zuerkannte Flüchtlingseigenschaft zurück und erkannte der F den subsidiären Schutzstatus zu. Zur Begründung führte das BAMF im Wesentlichen aus, die Zuerkennung der Flüchtlingseigenschaft sei zu widerrufen, da die Voraussetzungen für deren Feststellung nicht mehr vorlägen. Die erforderliche Prognose drohender politischer Verfolgung lasse sich angesichts der Ausstellung eines neuen Passes in der alten Heimat nicht mehr treffen.

Hiergegen erhebt die F fristgerecht Klage. Im Termin zur mündlichen Verhandlung vor dem Verwaltungsgericht erklärt sie ergänzend, die beantragte Neuausstellung ihres Reisepasses für die Ausreise aus X benötigt zu haben. Sie reicht ergänzend die Übersetzung eines Arztbriefs, ihre Mutter betreffend, des behandelnden Krankenhauses in ihrem früheren Heimatort ein. Danach fand die Operation der Mutter der F am 12.11.2019 statt.

Fallfrage

Ist die Klage der F begründet?

Abwandlung

F und M leben seit 2019 getrennt. Im Rahmen eines von der Staatsanwaltschaft Berlin gegen den M geführten Ermittlungsverfahrens wegen mehrfachen Online-Betrugs wurde anlässlich einer Durchsuchung der Wohnung des M eine Urkunde aufgefunden, die die F als Angehörige des Staates N ausweist. Der Durchsuchungsbericht in den Akten der Staatsanwaltschaft vermerkt die Spontanäußerung des M, dass diese Angabe stimme und die F sich gegenüber dem BAMF als Mitglied des Volks der Z ausgegeben habe, um ihre Chancen im Asylverfahren zu erhöhen. Bei der anschließenden Durchsuchung der Wohnung der F stellte die Staatsanwaltschaft unter anderem den alten, seit 2018 abgelaufenen, von Behörden des Staates X ausgestellten Reisepass der F fest, der jeweils einen Ein- und Ausreisestempel der Republik N aus dem Jahr 2018 enthält. Ein Ergebnis der Überprüfung der Echtheit der Urkunde in dem sodann gegen die F eingeleiteten Ermittlungsverfahren wegen Erschleichens eines Aufenthaltstitels und mittelbarer Falschbeurkundung steht noch aus.

Das BAMF nahm daraufhin die gegenüber der F erfolgte Zuerkennung der Flüchtlingseigenschaft zurück. Zugleich lehnte es die Zuerkennung des subsidiären Schutzstatus ab und stellte fest, dass Abschiebungsverbote nicht vorliegen. Darüber hinaus ordnete es die sofortige Vollziehung des Bescheides an. In seiner Begründung verwies das BAMF auf die aufgefundene Urkunde und die Ein- und Ausreisestempel. Die F habe zudem keine weiteren Dokumente vorgelegt, die den Verdacht einer Herkunft aus N ausräumen könnten.

Die F stellt fristgerecht Antrag auf Gewährung vorläufigen Rechtsschutzes. Im gerichtlichen Verfahren trägt sie ergänzend vor, sich mit dem M in einem Rechtsstreit zu befinden. Ziel des M sei es, das alleinige Sorgerecht für die gemeinsamen minderjährigen Kinder zu erwirken. Hierzu legt sie Schreiben des Amtsgerichts

Kreuzberg vor. In N habe sie enge Freunde und Verwandte besucht, die wie sie dem Volk der Z angehören und bereits vor längerer Zeit dort Zuflucht gefunden hätten.

Ist der Eilantrag der F begründet? Es ist zu unterstellen, dass die Anordnung der sofortigen Vollziehung den formellen Anforderungen des § 80 III 1 VwGO genügt.

Max Putzer

Lösungsvorschlag

A. Ausgangsfall

Fraglich ist, ob die Klage der F gegen den Bescheid des BAMF begründet ist. Dies ist der Fall, wenn sich der angegriffene Bescheid, mit dem das BAMF den Schutzstatus der F widerrufen hat, in dem dafür maßgeblichen Zeitpunkt der mündlichen Verhandlung (vgl. § 77 I Hs. 1 AsylG) als rechtswidrig erweist und die F dadurch in ihren Rechten verletzt (vgl. § 113 I 1 VwGO).

Der **Widerruf** des der F zuerkannten Schutzstatus wegen ihrer Rückkehr nach X und der Beantragung eines neuen **Reisepasses** könnte sich auf § 73 I 1 AsylG stützen. Danach ist die Zuerkennung der Flüchtlingseigenschaft unverzüglich zu widerrufen, wenn die Voraussetzungen für sie nicht mehr vorliegen. Dies ist nach § 73 I 2 Nr. 1 AsylG unter anderem der Fall, wenn sich Personen mit Schutzstatus freiwillig erneut dem Schutz des Staates, dessen Staatsangehörigkeit sie besitzen, unterstellen.

Der Widerruf ist formell rechtmäßig, insbesondere hat das BAMF die F vor seiner Entscheidung ordnungsgemäß angehört (vgl. § 73b VI AsylG).

Gegen das Vorliegen der materiellen Voraussetzungen für einen Widerruf könnte sprechen, dass die F ihrem Vortrag nach allein deshalb in ihr Herkunftsland zurückgekehrt ist, um ihre schwerkranke Mutter zu besuchen und zu pflegen, mithin um eine sittliche Pflicht zu erfüllen. Hierzu hat sie im Termin zur mündlichen Verhandlung einen Arztbrief eingereicht, der den vorgetragenen operativen Eingriff belegt. Darüber hinaus kommt einer Passerneuerung lediglich eine Indizwirkung zu, dass die Person die Absicht hat, sich wieder dem Schutz ihres Heimatlandes zu unterstellen. Der äußere Geschehensablauf kann jedoch einer solchen Indizwirkung entgegenstehen. Maßgeblich sind insoweit die Umstände des Einzelfalls. So könnte etwa der Vortrag der F, den neu ausgestellten Pass zur Wiederausreise benötigt zu haben, die indizielle Wirkung der Erneuerung entfallen lassen. Gleiches könnte gelten, soweit die F vorgetragen hat, nicht sie, sondern ihre Mutter habe den beantragten Pass bei der ihn ausstellenden Behörde in Empfang genommen. Auch ist die F nur einmal für eine relativ kurze Zeit, nicht jedoch wiederholt in ihre frühere Heimat X zurückgekehrt.

Allerdings ist der Vortrag der F, den Pass zum Verlassen des Landes benötigt zu haben, insoweit nicht glaubhaft, als sie – ihren eigenen Angaben nach – illegal nach X wiedereingereist ist. Warum es ihr nicht möglich gewesen sein sollte, das Land auch wieder illegal zu verlassen, um den Behörden nicht aufzufallen, ist nicht ersichtlich. Andere Gründe, die die F dazu bewegt haben könnten, die Ausstellung eines neuen Reisepasses zu beantragen, sind ebenso wenig erkennbar. Dies gilt umso mehr, als sie der zuständigen Ausländerbehörde mitgeteilt hat, während ihres Aufenthalts jeglichen Kontakt zu Repräsentant*innen ihres früheren Heimatstaates vermieden zu haben. Aus diesem Grund habe sie kaum das Haus ihrer Mutter verlassen. Dass ihre Mutter aus demselben Grund den ausgestellten Pass an ihrer Stelle abgeholt habe, steht gleichwohl in Widerspruch zu ihren übrigen Angaben die Erkrankung und Genesung ihrer Mutter betreffend, sodass auch insoweit ihr Vortrag nicht glaubhaft ist. Denn sowohl das Ausstellungsdatum als auch der auf dem Pass angebrachte Ausreisestempel liegen innerhalb der zwei Wochen, während der die F ihre Mutter zu Hause gepflegt haben will.

Nach alldem stehen die Umstände des Einzelfalls der Indizwirkung der Passneuausstellung nicht entgegen. Insbesondere liegen keine Anhaltspunkte dafür vor, dass die F den Pass während ihres Aufenthalts in X nicht freiwillig beantragt haben könnte.

Im Ergebnis liegen damit die Voraussetzungen für den Widerruf der Zuerkennung des Flüchtlingsschutzes vor.

Die Klage ist unbegründet.

B. Abwandlung

Fraglich ist, ob der Antrag der F auf Gewährung **vorläufigen Rechtsschutzes** begründet ist.

Dies ist der Fall, wenn das Interesse der F, vorläufig von der Vollziehung der Rücknahmeentscheidung verschont zu bleiben, das öffentliche Interesse an der sofortigen Vollziehung des Bescheides des BAMF überwiegt (vgl. § 80 V 1 Alt. 2 VwGO).

Das Aussetzungsinteresse überwiegt das Vollziehungsinteresse, wenn sich der angegriffene Bescheid nach der im Verfahren des vorläufigen Rechtsschutzes allein möglichen und gebotenen summarischen Prüfung der Sach- und Rechtslage als rechtswidrig erweist oder der Ausgang des Verfahrens jedenfalls offen ist.

Fraglich ist mithin, ob die Voraussetzungen für eine **Rücknahme** der Zuerkennung der Flüchtlingseigenschaft und des subsidiären Schutzes vorliegen. Die Zuerkennung internationalen Schutzes ist nach § 73 IV AsylG zurückzunehmen, wenn sie auf Grund unrichtiger Angaben oder infolge Verschweigens wesentlicher Tatsachen erteilt worden ist und Antragstellende auch aus anderen Gründen nicht anerkannt werden könnten. Die Feststellung eines Abschiebungsverbots nach § 60 V oder VII AufenthG ist nach § 73 VI 2 AsylG zurückzunehmen, wenn sie fehlerhaft ist.

Vorliegend erweist sich der Ausgang des Verfahrens in der Hauptsache jedenfalls als offen. Ob die Voraussetzungen für eine Rücknahme des zuerkannten internationalen Schutzes vorliegen, weil die F im Asylverfahren falsche Angaben über ihre Staatsangehörigkeit gemacht hat, bedarf weiterer Aufklärung im Klageverfahren. So bestehen bislang lediglich Anhaltspunkte für eine mögliche Täuschungshandlung der F. Das strafrechtliche Ermittlungsverfahren ist zwar eingeleitet; über das Vorliegen eines hinreichenden Tatverdachtes als Voraussetzung für die Erhebung der öffentlichen Klage nach § 170 I StPO hat die Staatsanwaltschaft noch nicht entschieden. Das Ergebnis einer Prüfung der Echtheit der sichergestellten Urkunde, die die F als Staatsangehörige von N ausweist, steht noch aus. Die Stempel in dem alten Reiseausweis belegen zudem allein einen Aufenthalt der F in diesem Land, lassen aber nicht ohne Weiteres Rückschlüsse auf ihre Staatsangehörigkeit zu. Dies gilt umso mehr, als die F im Rahmen ihrer persönlichen Anhörung gegenüber dem BAMF erklärt hat, wegen der Verfolgung ihres Volkes in ihrer Heimat bereits 2012 X zeitweise verlassen zu haben, nach N geflohen zu sein und dort mehr als ein Jahr gelebt zu haben. Dass sie in dieser Zeit enge Freundschaften geknüpft und dort Familienmitglieder nach ihrer endgültigen Ausreise aus X zurückgelassen hat, erscheint nicht von vornherein ausgeschlossen. Überdies ist denkbar, dass der M die F gegenüber der Staatsanwaltschaft in der Hoffnung belastet hat, sich dadurch Vorteile in dem Sorgerechtsstreit um die beiden Kinder zu verschaffen.

Vor diesem Hintergrund überwiegt das Interesse der F, bis zu einer endgültigen gerichtlichen Entscheidung über die Rechtmäßigkeit der Rücknahmeentscheidung des BAMF von deren Vollziehung und den sich hieraus ergebenden Folgen verschont zu bleiben. Andernfalls drohte der F bereits vor Abschluss des gegen sie geführten Ermittlungsverfahrens die Einleitung aufenthaltsbeendender Maßnahmen. Das öffentliche Interesse an einer sofortigen Vollziehung, ohne dass zuvor der Sachverhalt vollständig aufgeklärt und die Identität und Staatsangehörigkeit der F sicher bestimmt wären, muss dahinter zurücktreten. Dabei ist auch die gesetzliche Wertung des § 75 I 1 AsylG zu berücksichtigen, wonach Klagen gegen Entscheidungen in Fällen des § 73b VII 1 AsylG grundsätzlich aufschiebende Wirkung haben.

Weiterführende Literatur
– BVerwG, Urt. v. 27.7.2017, Az.: 1 C 28.16

Max Putzer

Fall 30
Das BAMF hat entschieden – was nun?

Behandelte Themen: Rechtsschutz gegen Entscheidungen des BAMF, richtige Stellung von Anträgen in Eil- und Hauptsacheverfahren

Schwierigkeitsgrad: Fortgeschrittene

Sachverhalt

Das Bundesamt für Migration und Flüchtlinge (BAMF) hat dem A einen Bescheid zugestellt, dessen Tenor wie folgt lautet:

1. Der Antrag auf Zuerkennung der Flüchtlingseigenschaft wird abgelehnt.
2. Der Antrag auf Asylanerkennung wird abgelehnt.
3. Der subsidiäre Schutzstatus wird nicht zuerkannt.
4. Abschiebungsverbote nach § 60 V und VII 1 AufenthG liegen nicht vor.
5. Der Antragsteller wird aufgefordert, die Bundesrepublik Deutschland binnen 30 Tagen nach Bekanntgabe dieser Entscheidung zu verlassen. Im Falle der Klageerhebung endet die Ausreisefrist 30 Tage nach dem unanfechtbaren Abschluss des Asylverfahrens. Sollte der Antragsteller die Ausreisefrist nicht einhalten, wird er in den Libanon abgeschoben. Der Antragsteller kann auch in einen anderen Staat abgeschoben werden, in den er einreisen darf oder der zu seiner Rückübernahme verpflichtet ist. Die mit Bekanntgabe dieser Entscheidung in Lauf gesetzte Ausreisefrist wird bis zum Ablauf der zweiwöchigen Klagefrist ausgesetzt.
6. Das Einreise- und Aufenthaltsverbot wird gemäß § 11 I AufenthG angeordnet und auf 30 Monate ab dem Tag der Abschiebung befristet.

Fallfragen

1. Innerhalb welcher Frist kann gegen diesen Bescheid Klage erhoben werden?
2. Hat die Klage aufschiebende Wirkung?
3. Wenn nein, innerhalb welcher Frist ist ein Antrag auf Eilrechtsschutz bei Gericht zu stellen? Wie lautet der Antrag?
4. Wie lautet der Klageantrag in der Hauptsache, wenn A gegen den Bescheid vollständig vorgehen möchte?
5. Ist vor Klageerhebung ein Widerspruchsverfahren durchzuführen?

https://doi.org/10.1515/9783110990379-030

Abwandlungen

Wie sind die Fallfragen 1 bis 4 zu beantworten, wenn der Tenor des Bescheids wie folgt lautet:

1. Abwandlung

Der Tenor des Bescheids lautet:
1. Der Antrag auf Zuerkennung der Flüchtlingseigenschaft wird als offensichtlich unbegründet abgelehnt.
2. Der Antrag auf Asylanerkennung wird als offensichtlich unbegründet abgelehnt.
3. Der Antrag auf subsidiären Schutz wird als offensichtlich unbegründet abgelehnt.
4. Abschiebungsverbote nach § 60 V und VII 1 AufenthG liegen nicht vor.
5. Der Antragsteller wird aufgefordert, die Bundesrepublik Deutschland binnen einer Woche nach Bekanntgabe dieser Entscheidung zu verlassen. Sollte der Antragsteller die Ausreisefrist nicht einhalten, wird er in den Libanon abgeschoben. Der Antragsteller kann auch in einen anderen Staat abgeschoben werden, in den er einreisen darf oder der zu seiner Rückübernahme verpflichtet ist. Der Lauf der Ausreisefrist und der Abschiebungsandrohung werden bis zum Ablauf der einwöchigen Klagefrist und, im Falle der fristgerechten Stellung eines Antrags auf Wiederherstellung der aufschiebenden Wirkung der Klage, bis zur Bekanntgabe der Ablehnung des Eilantrags durch das Verwaltungsgericht ausgesetzt.
6. Das Einreise- und Aufenthaltsverbot wird gemäß § 11 I 1 AufenthG angeordnet und auf 30 Monate ab dem Tag der Abschiebung befristet.

2. Abwandlung

Der Tenor des Bescheids lautet:
1. Der Antrag wird als unzulässig abgelehnt.
2. Abschiebungsverbote nach § 60 V und VII 1 AufenthG liegen nicht vor.
3. Der Antragsteller wird aufgefordert, die Bundesrepublik Deutschland innerhalb einer Woche nach Bekanntgabe dieser Entscheidung zu verlassen. Sollte der Antragsteller die Ausreisefrist nicht einhalten, wird er in das Land S abgeschoben. Der Antragsteller kann auch in einen anderen Staat abgeschoben werden, in den er einreisen darf oder der zu seiner Rückübernahme verpflichtet

ist. Die Vollziehung der Abschiebungsandrohung und der Lauf der Ausreisefrist werden bis zum Ablauf der einwöchigen Klagefrist und, im Falle einer fristgerechten Stellung eines Antrags auf Anordnung der aufschiebenden Wirkung der Klage, bis zur Bekanntgabe der Ablehnung des Eilantrags durch das Verwaltungsgericht ausgesetzt.

4. Das Einreise- und Aufenthaltsverbot wird gemäß § 11 I AufenthG angeordnet und auf 36 Monate ab dem Tag der Abschiebung befristet.

Aus der Begründung des Bescheids ergibt sich, dass der Asylantrag als unzulässig nach § 29 I Nr. 2 AsylG (beziehungsweise nach Nr. 4 oder Nr. 5) abgelehnt worden ist.

3. Abwandlung

Der Tenor des Bescheids lautet:
1. Der Antrag wird als unzulässig abgelehnt.
2. Der Antrag auf Abänderung des Bescheids vom 1. Februar 2017 bezüglich der Feststellung zu § 60 V und VII AufenthG wird abgelehnt.

4. Abwandlung

Nunmehr lautet der Tenor des Bescheids wie folgt:
1. Die mit Bescheid vom 2. August 2018 zuerkannte Flüchtlingseigenschaft wird zurückgenommen.
2. Der subsidiäre Schutzstatus wird nicht zuerkannt.
3. Abschiebungsverbote nach § 60 V und VII 1 AufenthG liegen nicht vor.
4. Die sofortige Vollziehung des Bescheids wird angeordnet.

Ivanka Goldmaier/Max Putzer/Camilla Schloss

Lösungsvorschlag

A. Ausgangsfall

I. Fallfrage 1
Die **Klagefrist** beträgt gemäß § 74 I Hs. 1 AsylG zwei Wochen ab Bekanntgabe des Bescheids.

II. Fallfrage 2
Die Klage hat aufschiebende Wirkung (§ 75 I 1 i.V.m. § 38 I AsylG).

III. Fallfrage 3
Da die Klage insgesamt aufschiebende Wirkung hat, bedarf es keines Antrags auf gerichtlichen Eilrechtsschutz.

IV. Fallfrage 4
A beantragt,

> die Beklagte unter entsprechender Aufhebung ihres Bescheids vom [...] zu verpflichten, den Kläger als Asylberechtigten an- und ihm die Flüchtlingseigenschaft zuzuerkennen.

hilfsweise,

> die Beklagte unter entsprechender Aufhebung ihres Bescheids vom [...] zu verpflichten, dem Kläger den subsidiären Schutzstatus zuzuerkennen.

weiter hilfsweise,

> die Beklagte unter entsprechender Aufhebung ihres Bescheids vom [...] zu verpflichten, festzustellen, dass hinsichtlich des Libanon ein Abschiebungsverbot nach § 60 V, VII 1 AufenthG vorliegt.

äußerst hilfsweise,

> das in Ziffer 6 des Bescheids vom [...] angeordnete Einreise- und Aufenthaltsverbot aufzuheben.

Ivanka Goldmaier/Max Putzer/Camilla Schloss

Weiterführendes Wissen

Nachdem die Regelung des § 11 AufenthG durch das „Zweite Gesetz zur besseren Durchsetzung der Ausreisepflicht" vom 15.8.2019[1], welches seit dem 21.8.2019 in Kraft ist, neugefasst wurde, ist nunmehr die Anfechtungsklage nach § 42 I Alt. 1 VwGO und nicht mehr die Verpflichtungsklage nach § 42 I Alt. 2 VwGO die statthafte Klageart, da die Aufhebung der vom BAMF in Ziffer 4 des Bescheids getroffenen Befristungsentscheidung die Beschwer der Antragstellenden nunmehr zu beenden vermag. Nach § 11 I AufenthG n. f. *ist* gegen einen Ausländer, der ausgewiesen, zurückgeschoben oder abgeschoben worden ist, ein Einreise- und Aufenthaltsverbot zu erlassen. Mit der gerichtlichen Aufhebung des Einreise- und Aufenthaltsverbots fehlt es dann an einem Ausspruch zum Einreise- und Aufenthaltsverbot, sodass dies ausweislich des Wortlauts des § 11 I AufenthG n.F. dann (neu) zu erlassen ist. Anders sah dies die Regelung des § 11 I AufenthG a.F. vor, die nach teilweise vertretener Auffassung schon von Gesetzes wegen ein Einreise- und Aufenthaltsverbot begründete, so dass eine Aufhebung des Einreise- und Aufenthaltsverbots nach der alten Rechtslage zur Folge hatte, dass aus dem zunächst befristeten Einreise- und Aufenthaltsverbot ein von Gesetzes wegen vorgesehenes unbefristetes Einreise- und Aufenthaltsverbot wurde, so dass nach der alten Rechtslage die Beschwer folgerichtig nur mit einem Verpflichtungsausspruch des Gerichts auf Neubescheidung des gesetzlichen Einreise- und Aufenthaltsverbotes beseitigt werden konnte.

V. Fallfrage 5

Vor Klageerhebung ist kein Widerspruchsverfahren durchzuführen, da dieses nach § 11 AsylG ausgeschlossen ist.

B. Abwandlung 1

I. Fallfrage 1

Die Klagefrist beträgt gemäß § 74 I Hs. 2 i.V.m. § 36 III 1 AsylG eine Woche.

II. Fallfrage 2

Die Klage hat gemäß § 75 I 1 AsylG keine **aufschiebende Wirkung**.

III. Fallfrage 3

Der Antrag auf gerichtlichen Eilrechtsschutz ist binnen einer Woche zu stellen, § 36 III 1 AsylG.

---

1 BGBl. 2019 I, S. 1294.

Der Antragsteller beantragt,

die aufschiebende Wirkung der Klage gegen die in Ziffer 5 des Bescheids der Antragsgegnerin vom [...] erlassene Ausreiseaufforderung und Abschiebungsandrohung anzuordnen.

---

i **Weiterführendes Wissen**

Es genügt, insoweit gegen die Ausreiseaufforderung beziehungsweise Abschiebungsandrohung gerichtlichen Eilrechtsschutz anzustreben, da dem Antragsteller nur insoweit unmittelbare Nachteile drohen und eine inzidente Prüfung des übrigen Bescheids erfolgt.

Wichtig: Der Prüfungsmaßstab des Gerichts ist eingeschränkt. Nach Art. 16a IV 1 GG, § 36 IV 1 AsylG darf eine Aussetzung der Abschiebung nur erfolgen, wenn ernstliche Zweifel an der Rechtmäßigkeit des Bescheids bestehen. Ernstliche Zweifel liegen dann vor, wenn erhebliche Gründe dafürsprechen, dass die Maßnahme einer rechtlichen Prüfung wahrscheinlich nicht standhalten wird.[2]

IV. Fallfrage 4

A beantragt,

die Beklagte unter entsprechender Aufhebung ihres Bescheids vom [...] zu verpflichten, den Kläger als Asylberechtigten an- und ihm die Flüchtlingseigenschaft zuzuerkennen.

hilfsweise,

die Beklagte unter entsprechender Aufhebung ihres Bescheids vom [...] zu verpflichten, dem Kläger den subsidiären Schutzstatus zuzuerkennen.

weiter hilfsweise,

die Beklagte unter entsprechender Aufhebung ihres Bescheids vom [...] zu verpflichten, festzustellen, dass hinsichtlich des Libanon ein Abschiebungsverbot nach § 60 V, VII 1 AufenthG vorliegt.

äußerst hilfsweise,

das in Ziffer 6 des Bescheids vom [...] angeordnete Einreise- und Aufenthaltsverbot aufzuheben und den Bescheid der Beklagten vom [...] insoweit aufzuheben, als darin der Asylantrag des Klägers als offensichtlich unbegründet abgelehnt worden ist.

---

2 BVerfG, Urt. v. 14.5.1996, Az.: 2 BvR 1516/93, Rn. 99.

Ivanka Goldmaier/Max Putzer/Camilla Schloss

Weiterführendes Wissen

Hinsichtlich des Offensichtlichkeitsausspruchs ist die isolierte Anfechtungsklage (§ 42 I Alt. 1 VwGO) statthaft, sofern eine qualifizierte Ablehnung als offensichtlich unbegründet nach § 30 III AsylG erfolgt ist[3]. Insbesondere fehlt es insoweit nicht am allgemeinen Rechtsschutzinteresse. Die isolierte Anfechtungskomponente trägt in derartigen Konstellationen insbesondere dem Umstand Rechnung, dass auch ein Rechtsschutzinteresse daran besteht, die Ziffern 1 bis 3 des streitgegenständlichen Bescheids jeweils zumindest insoweit aufzuheben, als die Anträge auf Asylanerkennung, auf Zuerkennung der Flüchtlingseigenschaft beziehungsweise auf Zuerkennung des subsidiären Schutzes als offensichtlich unbegründet abgelehnt worden sind. Dies ergibt sich aus der Regelung in § 10 III 2 AufenthG. Danach darf die Ausländerbehörde – von den in Satz 3 der Vorschrift geregelten Ausnahmen abgesehen – vor der Ausreise keinen Aufenthaltstitel erteilen, sofern der Asylantrag nach § 30 III Nr. 1 bis 6 AsylG als offensichtlich unbegründet abgelehnt wurde. Aufgrund dieser gesetzlichen Sperre für die Erteilung von Aufenthaltstiteln stellt die Ablehnung des Asylantrags nach § 30 III Nr. 1 bis 6 AsylG eine eigenständige nachteilige Rechtsfolge dar, die nur mit der gerichtlichen Aufhebung des Offensichtlichkeitsurteils – soweit es auf § 30 III AsylG gestützt wird – abgewendet werden kann.[4]

C. Abwandlung 2

I. Fallfrage 1

Die Klagefrist beträgt gemäß § 74 I 2, Hs. 2 i.V.m. § 36 I AsylG (bei einer Ablehnung nach § 29 I Nr. 5 AsylG i.V.m. § 71 IV oder § 71a IV AsylG) eine Woche.

II. Fallfrage 2

Die Klage hat keine aufschiebende Wirkung, § 75 I AsylG.

III. Fallfrage 3

Der Antrag auf gerichtlichen **Eilrechtsschutz** ist binnen einer Woche bei Gericht einzureichen, § 36 III 1, Hs. 1 AsylG (gegebenenfalls i.V.m. § 71 IV oder § 71a IV AsylG).

Der Antragsteller beantragt,

die aufschiebende Wirkung der Klage gegen die in Ziffer 5 des Bescheids der Antragsgegnerin vom [...] erlassene Ausreiseaufforderung und Abschiebungsandrohung anzuordnen.

---

3 Siehe zur Ablehnung als offensichtlich unbegründet nach § 30 III AsylG Goldmaier, *24) Syrer oder Jordanier?* in diesem Fallbuch.

4 BVerwG, Urt. v. 21.11.2006, Az.: 1 C 10.06.

Ivanka Goldmaier/Max Putzer/Camilla Schloss

---

i **Weiterführendes Wissen**

Es genügt, insoweit gegen die Ausreiseaufforderung beziehungsweise Abschiebungsandrohung gerichtlichen Eilrechtsschutz anzustreben, da dem Antragsteller nur insoweit unmittelbare Nachteile drohen. Der Bescheid wird dabei inzident überprüft.

Wichtig: Der Prüfungsmaßstab des Gerichts ist eingeschränkt. Nach Art. 16a IV 1 GG, § 36 IV 1 AsylG darf eine Aussetzung der Abschiebung nur erfolgen, wenn ernstliche Zweifel an der Rechtmäßigkeit des Bescheids bestehen. Ernstliche Zweifel liegen dann vor, wenn erhebliche Gründe dafürsprechen, dass die Maßnahme einer rechtlichen Prüfung wahrscheinlich nicht standhalten wird.[5]

IV. Fallfrage 4
Der Kläger beantragt,

> Ziffer 1 des Bescheids der Beklagten vom [...] aufzuheben.

---

i **Weiterführendes Wissen**

Richtigerweise ist Ziffer 1 des Bescheids des BAMF mit der Anfechtungsklage anzugreifen, das Gericht muss – hält es die Ablehnung des Asylantrags als unzulässig für rechtswidrig – die Sache nicht spruchreif machen.[6] Ein Verpflichtungsantrag (auf Durchführung eines Asylverfahrens oder auf Zuerkennung der Flüchtlingseigenschaft oder des subsidiären Schutzstatus) ist demnach unstatthaft.[7]

---

hilfsweise,

> die Beklagte unter Aufhebung der Ziffern 2 und 3 ihres Bescheids vom [...] zu verpflichten, festzustellen, dass hinsichtlich des Landes S ein Abschiebungsverbot nach § 60 V und VII 1 AufenthG vorliegt;

weiter hilfsweise,

> das in Ziffer 4 des Bescheids vom [...] festgesetzte Einreise- und Aufenthaltsverbot aufzuheben.

---

5 BVerfG, Urt. v. 14.5.1996, Az.: 2 BvR 1516/93, Rn. 118.
6 BVerwG, Urt. v. 14.12.2016, Az.: 1 C 4.16, Rn. 16.
7 Vgl. ausführlich: VG Trier, Urt. v. 18.11.2019, Az.: 6 K 988/19.TR, Rn. 26 – openJur.

Ivanka Goldmaier/Max Putzer/Camilla Schloss

D. Abwandlung 3

Dieser Bescheidtenor kann bei der Ablehnung eines Asylantrags als Folgeantrag nach § 29 I Nr. 5 i.V.m. § 71 AsylG auftreten. Das BAMF hat in diesem Fall von der nach § 71 V 1 AsylG eröffneten Möglichkeit Gebrauch gemacht, keine erneute Fristsetzung und Abschiebungsandrohung zu erlassen, und sich auf die Abschiebungsandrohung in dem bestandskräftigen Bescheid vom 1. Februar 2017 bezogen.

I. Fallfrage 1

Die Klagefrist beträgt zwei Wochen nach Zustellung des Bescheids (§ 74 I Hs. 1 AsylG). Da das BAMF von dem Erlass einer neuen **Abschiebungsandrohung** abgesehen hat, gilt nicht die Wochenfrist nach § 74 I Hs. 2, 36 III, 71 IV AsylG.

II. Fallfrage 2

Die Klage hat keine aufschiebende Wirkung, § 75 I AsylG.

III. Fallfrage 3

Statthafter Eilantrag ist ein Antrag nach § 123 I 2 VwGO. In der Konstellation, in der das BAMF von der nach § 71 V 1 AsylG eröffneten Möglichkeit Gebrauch gemacht hat, keine erneute Fristsetzung und Abschiebungsandrohung zu erlassen, bietet nur ein Antrag gemäß § 123 I VwGO effektiven Eilrechtsschutz, um vorläufig eine Abschiebung zu verhindern.[8]

Der Antragsteller beantragt,

> der Antragsgegnerin im Wege der einstweiligen Anordnung aufzugeben, der zuständigen Ausländerbehörde mitzuteilen, dass der Antragsteller bis zum rechtskräftigen Abschluss des Klageverfahrens nicht in das Land S abgeschoben werden darf.

Weiterführendes Wissen   [i]

Zum Teil wurde jedenfalls früher vertreten, dass stattdessen ein Antrag nach § 80 V VwGO statthafter Eilantrag sei.[9]

---

8 VGH Hessen, Beschl. v. 13.9.2018, Az.: 3 B 1712/18 A; VG Köln, Beschl. v. 7.12.2021, Az.: 6 L 1862/21 A.
9 VG Berlin, Beschl. v. 28.6.2018, Az.: VG 23 L 256.18 A, Rn. 5 ff. m.w.N.

Ivanka Goldmaier/Max Putzer/Camilla Schloss

IV. Fallfrage 4

Der Kläger beantragt,

> den Bescheid der Beklagten vom [...] aufzuheben.

hilfsweise,

> die Beklagte unter Aufhebung der Ziffer 2 zu verpflichten, festzustellen, dass hinsichtlich des Landes S ein Abschiebungsverbot nach § 60 V, VII 1 AufenthG vorliegt.

E. Abwandlung 4

I. Fallfrage 1

Die Klagefrist bemisst sich nach § 74 I Hs. 1 AsylG und beträgt mithin zwei Wochen. A beantragt,

> „den Bescheid des Bundesamtes für Migration und Flüchtlinge vom [...] aufzuheben."

Denn statthafte Klage ist die Anfechtungsklage nach § 42 I VwGO. Daneben beantragt A,

> „hilfsweise, die Beklagte unter Aufhebung des Bescheids des Bundesamtes für Migration und Flüchtlinge vom [...] zu verpflichten, ihm den subsidiären Schutzstatus zuzuerkennen, weiter hilfsweise, ein Abschiebungsverbot nach § 60 V und VII 1 AufenthG festzustellen."

Statthafte Klageart ist insoweit die Verpflichtungsklage nach § 42 I Alt. 2 VwGO, da das BAMF mit Rücknahme des mit ursprünglichem Bescheid zuerkannten Flüchtlingsschutzes zugleich den subsidiären Status nach § 4 I AsylG nicht zuerkannt und im Übrigen festgestellt hat, dass Abschiebungsverbote nach § 60 V und VII 1 AufenthG nicht vorliegen. Über den Hilfsantrag hat das Verwaltungsgericht somit nur dann zu entscheiden, wenn sich die Rücknahme der Zuerkennung der Flüchtlingseigenschaft nach seiner Prüfung als rechtmäßig erweist.

II. Fallfrage 2

Grundsätzlich hat die Klage gegen einen Bescheid des BAMF, mit dem die Asylberechtigung, die Zuerkennung von Flüchtlingseigenschaft oder subsidiärem Schutz sowie die Feststellung von Abschiebungsverboten nach § 60 V, VII 1 AufenthG widerrufen oder zurückgenommen wird, aufschiebende Wirkung. Dies ergibt sich (ausdrücklich) aus § 75 I 1 AsylG. Danach hat die Klage gegen Entscheidungen nach dem AsylG allein in den Fällen des § 38 I sowie des § 73b VII 1 AsylG aufschiebende Wirkung.

Vorliegend entfällt die aufschiebende Wirkung jedoch, weil die sofortige Vollziehung des angegriffenen Bescheids angeordnet ist. Dies war dem BAMF entgegen § 75 I 1 AsylG auch möglich, da die Regelung des § 80 II 1 Nr. 4 VwGO hiervon ausdrücklich unberührt bleiben sollte (vgl. § 75 II 3 AsylG). Hierüber hinaus haben Klagen gegen **Rücknahme-/Widerrufsbescheide** betreffend die Asylberechtigung und die Zuerkennung der Flüchtlingseigenschaft nach § 75 II 1 AsylG ausnahmsweise dann keine aufschiebende Wirkung, wenn die Voraussetzungen des § 60 VIII 1 AufenthG oder des § 3 II AsylG vorliegen (Nr. 1) sowie wenn das BAMF nach § 60 VIII 3 AufenthG von der Anwendung des § 60 I AufenthG abgesehen hat (Nr. 2). Entsprechend gilt dies bei Klagen gegen den Widerruf oder die Rücknahme der Gewährung subsidiären Schutzes wegen Vorliegens der Voraussetzungen von § 4 II AsylG (vgl. § 75 II AsylG).

III. Fallfrage 3

Der Antrag auf Gewährung vorläufigen Rechtsschutzes ist innerhalb der Frist des § 74 I AsylG, mithin binnen zwei Wochen zu stellen. Er ist auf Wiederherstellung der aufschiebenden Wirkung der Klage gegen den Rücknahmebescheid gerichtet, da das BAMF als erlassende Behörde dessen sofortige Vollziehung angeordnet hat.

A beantragt,

„die aufschiebende Wirkung der Klage gegen den Bescheid des Bundesamtes für Migration und Flüchtlinge vom [...] wiederherzustellen."

Ivanka Goldmaier/Max Putzer/Camilla Schloss

Fall 31
Taraneh will reisen

Behandelte Themen: Erteilung einer Aufenthaltserlaubnis, allgemeine Regelerteilungsvoraussetzungen gemäß § 5 AufenthG, Reisedokumente, Mitwirkungspflichten, Erwerbstätigkeit

Schwierigkeitsgrad: Fortgeschrittene

Ausgangsfall

Taraneh ist iranische Staatsangehörige und erhielt vor Kurzem am 15. November 2021 ihren positiven Bescheid des BAMF über ihren Asylantrag. Taraneh ist seitdem als geflüchtete Person im Sinne des § 3 I, IV AsylG anerkannt. Seit ihrer Schutzzuerkennung ergeben sich jedoch neue Probleme mit der Ausländerbehörde (*nachfolgend „ABH"*). Deshalb kommt sie zu Ihnen in die Sprechstunde und sucht nach Rat. Bei ihrer Einreise verlor sie ihren Pass.

Taraneh möchte selbst reisen und hätte deshalb gerne einen Reiseausweis. Einen iranischen Pass möchte sie aber nicht haben, da sie das Regime, das sie verfolgt, dadurch indirekt anerkennen würde. Außerdem möchte sie aus dem gleichen Grund nicht für die Passbeantragung beim iranischen Konsulat vorsprechen. Sie hat deshalb schon bei der ABH nachgefragt, ob ihr nicht die deutschen Behörden einen Pass oder ein ähnliches Reisedokument ausstellen könnten. Im persönlichen Gespräch wurde ihr ohne weitere Begründung mitgeteilt, dass die ABH ihr kein solches Reisedokument ausgestellt werde.

Die ABH hat ihr auch mitgeteilt, dass ihr keine Aufenthaltserlaubnis ausgestellt wird, solange ihre Identität nicht geklärt ist.

Zusätzlich möchte Taraneh gerne arbeiten. Doch auch dies wird seitens der ABH verweigert. Die Behörde meint, aufgrund eines fehlenden Aufenthaltstitels dürfe sie nicht arbeiten.

Fallfragen

1. Hat Taraneh einen Anspruch auf ein Reisedokument und wenn ja, muss beziehungsweise wie kann sie es beantragen?

2. Hat Taraneh einen Anspruch auf einen Aufenthaltstitel? Könnte die Erteilung aufgrund der ungeklärten Identität versagt werden?
3. Darf Taraneh arbeiten?

Abwandlung

Gleicher Sachverhalt wie im Ausgangsfall. Allerdings wird über Taranehs Asylantrag anders entschieden. Sie bekommt keinen Flüchtlingsschutz nach § 3 I AsylG, sondern wird als subsidiär Schutzberechtigte gemäß § 4 I AsylG anerkannt. Ergeben sich aufgrund der unterschiedlichen Schutzstatus Abweichungen bezüglich Taranehs Fragen?

Bearbeitungshinweis:
Gehen Sie, ohne darauf weiter eingehen zu müssen, davon aus, dass Taraneh durch einen substantiierten Vortrag darlegen konnte, dass ihr eine Passbeschaffung im Heimatstaat nicht zumutbar ist.

Fallfragen Abwandlung

1. Hat Taraneh einen Anspruch auf ein Reisedokument und wenn ja, muss beziehungsweise wie kann sie es beantragen?
2. Hat Taraneh einen Anspruch auf einen Aufenthaltstitel? Könnte die Erteilung aufgrund der ungeklärten Identität versagt werden?
3. Darf Taraneh arbeiten?

Lösungsvorschlag

A. Ausgangsfall

! **Hinweise zur Fallprüfung**

Die Passpflicht taucht an vielen Stellen des AufenthG und auch im AsylG auf. Hinsichtlich der damit verbundenen Pflichten muss strikt nach dem Zeitpunkt im Asylverfahren unterschieden werden. Bis zum Abschluss des Asylverfahrens gelten die asylrechtlichen Mitwirkungspflichten des § 15 AsylG.[1]

I. Fallfrage 1

Taraneh könnte als anerkannte GFK-Geflüchtete einen Anspruch auf Ausstellung eines deutschen **Passersatzpapiers** haben. In Betracht kommt insbesondere der **„Reiseausweis für Flüchtlinge"** gemäß §§ 4 I 1 Nr. 3, 1 III Nr. 2 AufenthV. Taraneh genießt seit dem 15. November 2021 GFK-Flüchtlingsschutz im Sinne des § 3 I, IV AsylG. Die GFK gewährt denjenigen, die von ihrem Anwendungsbereich erfasst sind, unmittelbare Rechte.[2] Ihr könnte demnach ein direkter Anspruch auf einen Reiseausweis gemäß Art. 28 I 1 GFK (beziehungsweise Art. 25 I Qualifikations-RL[3]) zustehen, sofern sie der GFK unterfällt und die Voraussetzungen des Art. 28 I 1 GFK erfüllt sind.

---

i **Weiterführendes Wissen**

Verhältnis GFK und Qualifikations-RL:
Art. 28 I 1 GFK wird mit Art. 25 I Qualifikations-RL in das Unionsrecht inkorporiert.[4] Außerdem stimmte die Bundesrepublik Deutschland der Ratifizierung der GFK gemäß § 59 II 1 GG zu. Hierdurch können sich die Betroffenen für ihren geltend gemachten Anspruch unmittelbar auf Bestimmungen der GFK berufen.[5]

---

1 Siehe zu den asylrechtlichen Mitwirkungspflichten Mantel/Tsomaia, *1) Karta Pobytu* in diesem Fallbuch.
2 BVerwG, Urt. v. 4.6.1991, Az.: 1 C 42/88, S. 4.
3 Richtlinie 2011/95/EU des Europäischen Parlaments und des Rates vom 13. Dezember 2011 über Normen für die Anerkennung von Drittstaatsangehörigen oder Staatenlosen als Personen mit Anspruch auf internationalen Schutz, für einen einheitlichen Status für Flüchtlinge oder für Personen mit Anrecht auf subsidiären Schutz und für den Inhalt des zu gewährenden Schutzes, ABl. EU Nr. L 337/9.
4 VGH BW, Beschl. v. 15.6.2020, Az.: 12 S 1163/20, Rn. 14 ff.; OVG MV, Urt. v. 26.6.2019, Az.: 2 LB 129/17, Rn. 20 f. – openJur; VG Aachen, Urt. v. 9.12.2021, Az.: 8 K 204/19, Rn. 49.
5 BVerwG, Urt. v. 17.3.2004, Az.: 1 C 1/03.

Lars Wasnick

1. Anerkennung der Flüchtlingseigenschaft

Taraneh wurde die **Flüchtlingseigenschaft** anerkannt. Zwar führt Art. 28 I 1 GFK selbst nicht näher aus, was unter „Flüchtlingen" im Sinne der Norm zu verstehen ist, jedoch definiert Art. 1 A GFK den Anwendungsbereich für den Ausdruck Flüchtling für alle Personen, die die Flüchtlingseigenschaft zuerkannt bekommen haben.

2. Rechtmäßiger Aufenthalt

Zunächst setzt Art. 28 I GFK einen **rechtmäßigen Aufenthalt** der geflüchteten Person voraus.[6] Zur genauen Bestimmung, wann der Aufenthalt rechtmäßig ist, verweist die GFK zwangsläufig auf das Recht des jeweiligen Vertragsstaats.[7] Der Aufenthalt in der Bundesrepublik Deutschland ist grundsätzlich dann rechtmäßig, wenn er von der zuständigen ABH erlaubt worden ist, mithin also ein Aufenthaltstitel erteilt worden ist, vgl. § 4 AufenthG.[8] Nicht ausreichend sind eine Duldung oder eine **Aufenthaltsgestattung** zum Zweck der Durchführung eines Asylverfahrens (§ 55 AsylG).[9] Problematisch ist, dass sich Taraneh in der Situation befindet, dass ihr Asylverfahren mit positiver Zuerkennung der Flüchtlingseigenschaft zwar abgeschlossen ist, sie aber noch keinen Aufenthaltstitel von der ABH erteilt bekommen hat. Fraglich ist daher, ob die Anerkennung als solche für einen rechtmäßigen Aufenthalt ausreicht.[10] Grundsätzlich kommt für Taraneh eine **Aufenthaltserlaubnis** gemäß § 25 II 1 Alt. 1 AufenthG in Betracht. Nach § 25 II 2 AufenthG gelten die Sätze zwei und drei aus Absatz eins entsprechend. Gemäß § 25 I 3 AufenthG gilt der Aufenthalt bis zur Erteilung der Aufenthaltserlaubnis als erlaubt. Bis zur Entscheidung über die Aufenthaltserlaubnis tritt demnach eine **Erlaubnisfiktion** des Aufenthalts ein. Anders als die allgemeine Fiktionsregelung des § 81 III 1 greift die Erlaubnisfiktion nach § 25 I 3 AufenthG nicht erst ab der Beantragung einer Aufenthaltserlaubnis ein, sondern bereits ab dem Zeitpunkt der Anerkennung des Schutzstatus (hier: Flüchtlingseigenschaft) bis zur Entscheidung über die Erteilung der Aufenthaltserlaubnis.[11] § 25 I 3 AufenthG, auf den sich Taraneh gemäß § 25 II 2 AufenthG entsprechend berufen kann, fingiert die Rechtmäßigkeit des Aufenthalts.[12] Noch liegt keine endgültige, schriftliche Entscheidung seitens der ABH über ihre Aufenthalts-

6 Diehl, in: BeckOK MigR, 11. Ed. 15.4.2022, GFK Art. 28 Rn. 18.
7 Vgl. BVerwG, Urt. v. 17.3.2004, Az.: 1 C 1/03.
8 Vgl. BVerwG, Urt. v. 17.3.2004, Az.: 1 C 1/03.
9 Diehl, in: BeckOK MigR, 11. Ed. 15.4.2022, GFK Art. 28 Rn. 24.
10 Unter alter Rechtslage noch offengelassen von: Vgl. BVerwG, Urt. v. 17.3.2004, Az.: 1 C 1/03.
11 Zimmerer, in: BeckOK MigR, 11. Ed. 15.4.2022, AufenthG § 25 Rn. 7; Röcker, in Bergmann/Dienelt, AufenthG, 13. Aufl. 2020, § 25 Rn. 17.
12 Vgl. OVG BB, Beschl. 24.06.2021, Az.: 3 N 77.19, Rn. 5.

erlaubnis vor. Ihr Aufenthalt gilt somit bereits vor der Erteilung der Aufenthaltserlaubnis als rechtmäßig im Sinne des Art. 28 I 1 GFK.[13]

3. Keine zwingenden entgegenstehenden Gründe der öffentlichen Sicherheit oder Ordnung

Der Anspruch auf Ausstellung eines Reisedokuments ist nur dann ausgeschlossen, wenn zwingende Gründe der öffentlichen Sicherheit oder Ordnung gegen eine Erteilung sprechen.

Solche sind vorliegend nicht ersichtlich.

4. Ergebnis

Mithin liegen alle Voraussetzungen des Art. 28 I 1 GFK. Hierbei handelt es sich um eine gebundene Entscheidung.[14] Taraneh hat demnach einen Anspruch auf Ausstellung eines „Reiseausweises für Flüchtlinge" gemäß Art. 28 I 1 GFK in Verbindung mit §§ 4 I 1 Nr. 3, 1 III Nr. 2 AufenthV. Bei der Ausstellung des Reiseausweises fallen Kosten gemäß § 48 I 1 Nr. 1c, 1d AufenthV an. Für Personen ab 24 Jahren sind es 60,00 Euro, bis zur Vollendung des 24. Lebensjahres 38,00 Euro.

II. Fallfrage 2

Taraneh könnte einen Anspruch auf Erteilung einer Aufenthaltserlaubnis haben. Da ihr die Flüchtlingseigenschaft zuerkannt worden ist, kommt eine Aufenthaltserlaubnis gemäß § 25 II 1 Alt. 1 AufenthG in Betracht. Hierbei handelt es sich um einen Rechtsanspruch auf Erteilung der Aufenthaltserlaubnis.[15] Allerdings müssten, wie bei jeder Erteilung eines Aufenthaltstitels, auch die **allgemeinen Erteilungsvoraussetzungen des § 5 AufenthG** erfüllt sein. Problematisch ist, dass die ABH sich auf die ungeklärte Identität Taranehs beruft und ihr aufgrund dessen die Erteilung versagt.

Gemäß § 5 Ia AufenthG ist **die geklärte Identität** jedoch eine Voraussetzung zur Erteilung einer Aufenthaltserlaubnis. Jedoch greifen bei einem Aufenthaltstitel gemäß § 25 II 1 Alt. 1 AufenthG die Ausnahmen des § 5 III AufenthG. Nach § 5 III 1

---

13 So auch: Diehl, in: BeckOK MigR, 11. Ed. 15.4.2022, GFK Art. 28 Rn. 24.1.

14 VGH BW, Beschl. v. 15.6.2020, Az.: 12 S 1163/20, Rn. 27; OVG MV, Urt. v. 26.6.2019, Az.: 2 LB 129/17, Rn. 21 – openJur; OVG Sachsen, Urt. v. 19.1.2017, Az.: 3 A 77/16, Rn. 20; Diehl, in: BeckOK MigR, 11. Ed. 15.4.2022, GFK Art. 28 Rn. 28.

15 Zimmerer, in: BeckOK MigR, 11. Ed. 15.4.2022, AufenthG § 25 Rn. 14.

AufenthG ist bei der Erteilung der Aufenthaltserlaubnis von der Anwendung der Absätze eins und zwei abzusehen. Es handelt sich hierbei um eine zwingende Ausnahme, wodurch die Absätze eins und zwei keine Anwendung finden.[16] International Schutzberechtigten darf daher die Erteilung des humanitären Aufenthaltstitels nach § 25 II 1 Alt. 1 AufenthG nicht aufgrund einer ungeklärten Identität versagt werden.[17]

Mithin hat Taraneh einen Anspruch auf Erteilung einer Aufenthaltserlaubnis. Es besteht auch kein Ausweisungsinteresse im Sinne des § 54 I AufenthG, noch besteht eine Abschiebungsanordnung nach § 58a AufenthG, vgl. § 5 IV AufenthG.

Weiterführendes Wissen

Was tun bei Untätigkeit der Behörde:[18]
Sofern eine Behörde über einen Antrag auf Vornahme eines Verwaltungsaktes – wie beispielsweise die Ausstellung einer Aufenthaltserlaubnis – ohne unzureichenden Grund innerhalb einer angemessenen Frist nicht tätig wird, muss kein Vorverfahren gemäß § 68 VwGO durchgeführt werden. Stattdessen ist die Klage abweichend von § 68 VwGO zulässig und kann unmittelbar erhoben werden.

a) Behördliche Entscheidung innerhalb einer angemessenen Frist
Grundsätzlich hat eine Behörde über den Antrag so schnell wie möglich zu entscheiden.[19] Was im Einzelfall als angemessene Frist zu bestimmen ist, richtet sich nach der jeweiligen Komplexität, Dringlichkeit und der erforderlichen Sachverhaltsaufklärung.[20]

b) Regelfrist von drei Monaten
Nach der gesetzgeberischen Vermutungsregel des § 75 S. 2 VwGO ist eine Entscheidungsfrist von drei Monaten noch nicht als unangemessen zu bewerten. Aufgrund dessen ist eine **Untätigkeitsklage** grundsätzlich nur nach Ablauf von drei Monaten zulässig („Sperrfrist").

c) Ohne zureichenden Grund:
Die Untätigkeitsklage kann nur dann erhoben werden, wenn die zu entscheidende Behörde keinen zureichenden Grund für ihre Untätigkeit hat.[21] Der von Ausländerbehörden oftmals vorgetragene Grund der Überlastung oder die vorübergehende besondere Geschäftsbelastung kann ein zureichender Grund

---

16 Beiderbeck, in: BeckOK MigR, 11. Ed. 15.4.2022, AufenthG § 5 Rn. 19; Huber, in: Huber/Mantel, AufenthG/AsylG, 3. Aufl. 2021, AufenthG § 5 Rn. 26; Samel, in: Bergmann/Dienelt, AufenthG, 13. Aufl. 2020, § 5 Rn. 157.
17 Vgl. für die Erfüllung der Passpflicht – eine weitere Regelerteilungsvoraussetzung des § 5 I AufenthG: OVG BB, Beschl. v. 28.3.2014, Az.: OVG 6 N 27.14, Rn. 7; ebenso: Samel, in: Bergmann/Dienelt, AufenthG, 13. Aufl. 2020, § 5 Rn. 157.
18 Ausführlich zum Instrument der Untätigkeitsklage siehe Stockebrandt, in: Eisentraut, Verwaltungsrecht in der Klausur – Das Lehrbuch, § 2, Rn. 384 ff.
19 Schenke, in: Kopp/Schenke, VwGO, 27. Aufl. 2021, § 75 Rn. 8.
20 Peters, in: BeckOK VwGO, 60. Ed. 1.1.2022, VwGO § 75 Rn. 8.
21 Eine Übersicht über die Vielzahl von Fallgruppen bei Schenke, in: Kopp/Schenke, VwGO, 27. Aufl. 2021, § 75 Rn. 13 ff.

Lars Wasnick

sein, der dementsprechend substantiiert vorgetragen werden muss.[22] Bei andauernder Überlastung muss die Verwaltung jedoch Abhilfe schaffen.[23]

III. Fallfrage 3
Taraneh könnte einen Anspruch auf **Gestattung der Erwerbstätigkeit** haben.

1. Zugang zur Erwerbstätigkeit, § 4a AufenthG
Ein solcher Anspruch besteht grundsätzlich gemäß § 4a I 1 AufenthG für alle Personen, die einen Aufenthaltstitel besitzen, außer ein Gesetzt bestimmt ein Verbot. Ein solches Verbot ist nicht ersichtlich.

a) Fehlender Aufenthaltstitel
Allerdings wurde ihr die Erteilung der Aufenthaltserlaubnis aufgrund ihrer ungeklärten Identität verweigert, weshalb sie aktuell nicht im Besitz einer solchen ist.

b) Erlaubnisfiktion
Problematisch ist jedoch, wie sich der Umstand auswirkt, dass sie (siehe Fallfrage 2) einen Anspruch auf Erteilung einer solchen gemäß § 25 II 1 Alt. 1 AufenthG hat. Zusätzlich gilt ihr Aufenthalt gemäß §§ 25 II 2, 25 I 3 AufenthG bis zur Erteilung als erlaubt. Fraglich ist daher, ob ihre Erlaubnisfiktion über den rechtmäßigen Aufenthalt schon zu einer Erwerbstätigkeit berechtigt. Jedoch vermittelt die Erlaubnisfunktion nur den rechtmäßigen Aufenthalt und nicht den tatsächlichen Besitz eines Aufenthaltstitels.[24] Auch eine **Fiktionsbescheinigung** nach § 81 V AufenthG, die Taraneh entsprechend ausgestellt bekommen könnte[25], hat lediglich deklaratorischen Charakter und konstituiert keinen bestimmten Rechtsstatus, wie beispielsweise den Besitz eines Aufenthaltstitels.[26] Wenn eine Erwerbstätigkeit während des recht-

---

22 Schenke, in: Kopp/Schenke, VwGO, 27. Aufl. 2021, § 75 Rn. 13.
23 Schenke, in: Kopp/Schenke, VwGO, 27. Aufl. 2021, § 75 Rn. 16.
24 Samel, in: Bergmann/Dienelt, AufenthG, 13. Aufl. 2020, § 81 Rn. 39.
25 Unmittelbar ist § 81 V AufenthG nicht auf anerkannte Schutzberechtigte anwendbar, allerdings besteht eine Möglichkeit, den nach § 25 I 3 AufenthG rechtmäßigen Aufenthalt dokumentieren zu lassen, siehe zum Beispiel für das Land NRW: Chancen NRW.
26 BVerwG, Urt. v. 19.11.2019, Az.: 1 C 22.18, Rn. 12; OVG NRW, Beschl. v. 18.8.2021, Az.: 18 B 1254/21, Rn. 8; VGH BW, Beschl. v. 16.2.2021, Az.: 12 S 3852/20, Rn. 8.

mäßigen Aufenthalts ohne entsprechenden Aufenthaltstitels nicht gestattet war, kann eine Erlaubnisfiktion nicht zur Berechtigung der Erwerbstätigkeit führen.[27]

c) § 81 Va AufenthG analog

Gemäß § 81 Va 1 AufenthG gilt eine Erlaubnisfiktion nach § 81 III AufenthG auch für die Erwerbstätigkeit für die Fälle eines künftigen Aufenthaltstitels nach dem Kapitel 2 Abschnitt drei und vier (Aufenthalt zwecks Ausbildung und Erwerbstätigkeit). Ausdrücklich findet diese Regelung keine Anwendung auf humanitäre Aufenthaltstitel wie beispielsweise § 25 II 1 Alt. 1 AufenthG. Fraglich ist daher, ob diese Regelung im Wege einer Analogie entsprechend herangezogen werden kann. Hierfür bedarf es einer vergleichbaren Interessenslage und einer planwidrigen Regelungslücke.

aa) Interessenslage

Sinn und Zweck des § 81 Va 1 AufenthG ist es, eine Möglichkeit zu schaffen, u, bereits in der Zeit zwischen Veranlassung der Ausstellung und der Ausgabe des elektronischen Aufenthaltstitels die angestrebte Erwerbstätigkeit aufnehmen zu können.[28] In einer solchen Situation befindet sich Taraneh. Sie hat ihren Aufenthaltstitel gemäß § 25 II 1 Alt. 1 AufenthG beantragt, der darüber hinaus (siehe Fallfrage 2) zwingend erteilt werden muss, und wartet auf die Ausstellung der Aufenthaltserlaubnis. Eine vergleichbare Interessenslage ist somit gegeben. Dies würde nämlich dazu führen, dass Tarahehs erlaubte Arbeitsaufnahme sich deutlich durch interne Verwaltungsprozesse oder der Kapazitäten der Bundesdruckerei verzögern würde, obwohl sie einen Anspruch auf die Erteilung des Aufenthaltstitels hat. Um diese Nachteile zu vermeiden, wurde § 81 Va AufenthG eingeführt.[29]

bb) Planwidrige Regelungslücke

Eine planwidrige Regelungslücke liegt dann vor, wenn der zu beurteilende Sachverhalt (Interessenslage) so weit mit dem bestehenden Tatbestand vergleichbar ist, dass angenommen werden kann, der Gesetzgeber wäre bei einer Interessenabwägung zu einem gleichen Abwägungsergebnis gekommen.[30] Mit § 81 Va AufenthG gibt der Gesetzgeber zu verstehen, dass ihm das Problem der „Wartezeit" zwischen

---

27 Vgl. Samel, in: Bergmann/Dienelt, AufenthG, 13. Aufl. 2020, § 81 Rn. 39.
28 BT-Drs. 19/24007, S. 22.
29 Ewald/Werner, in: BeckOK MigR, 11. Ed. 15.4.2022, AufenthG § 4a Rn. 10a.
30 Larenz/Canaris, Methodenlehre der Rechtswissenschaft, 3. Aufl. 1995, S. 194 ff.

Antragsstellung und Ausstellung eines Aufenthaltstitels durchaus bewusst ist. Durch die ausdrückliche Beschränkung auf künftige Aufenthaltstitel zum Zwecke der Ausbildung und der Erwerbstätigkeit (Kapitel zwei, Abschnitt drei und vier) zeigt sich jedoch ein starkes Indiz dafür, dass gerade keine planwidrige Regelungslücke besteht. Dafür spricht auch die Entstehungsgeschichte der Norm. § 81 Va AufenthG wurde mit Wirkung ab dem 12.12.2020 erst kürzlich eingeführt[31], was dafür sprechen könnte, dass es sich um eine bewusste Beschränkung des Anwendungsbereichs handelt.

Für eine planwidrige Regelungslücke könnten jedoch die neusten Entwicklungen im Zusammenhang des Ukraine-Kriegs sprechen. Wurde die (analoge) Anwendung bezüglich der humanitären Aufenthaltstitel bisher ausdrücklich abgelehnt[32], soll nach dem Informationsschreiben des BMI vom 14.3.2022 eine analoge Anwendung des § 81 Va AufenthG[33] erfolgen, sodass die Betroffenen bereits eine Erwerbstätigkeit aufnehmen können, auch wenn der Aufenthaltstitel nach § 24 AufenthG noch nicht ausgestellt ist.[34] Diesem Rundschreiben sind (soweit ersichtlich) die Länder bereits gefolgt.[35] Dies zeigt, dass es durchaus Raum für eine analoge Erweiterung des Anwendungsbereichs des § 81 Va AufenthG gibt. Zudem finden sich keine Anhaltspunkte in der Gesetzesbegründung, warum § 81 Va AufenthG nur auf die Abschnitte drei und vier beschränkt ist.

Jedoch spricht der klare Wortlaut der Norm gegen die Annahme der Planwidrigkeit der bestehenden Regelungslücke. Im Rahmen der analogen Anwendung für Fälle einer Aufenthaltserlaubnis nach § 24 AufenthG lässt sich eine planwidrige Regelungslücke durchaus eher begründen, da es bis zur Anwendung der Vorübergehender-Schutz-RL keine praktischen Anwendungsfälle dieser Norm gab, wodurch sich vertreten lässt, dass es hier aufgrund der fehlenden Anwendungsfälle zu einer nicht bedachten Regelungslücke gekommen ist, die nun durch eine analoge Anwendung geschlossen wird. Anders verhält es sich jedoch mit den humanitären Aufenthaltstiteln gemäß § 25 AufenthG. Warum eine solche Unterscheidung vorgenommen wird und § 81 Va AufenthG nicht für andere Abschnitte beziehungsweise

---

31 BGBl. I 2020, S. 2744.
32 So zum Beispiel das Landesamt für Einwanderung (LEA), Verfahrenshinweise zum Aufenthalt in Berlin, Stand 5.5.2022, S. 543.
33 Siehe zur analogen Anwendung im Rahmen des § 24 AufenthG Nachtigall, *6) Flucht aus der Ukraine* in diesem Fallbuch.
34 BMI, Umsetzung des Durchführungsbeschlusses des Rates zur Feststellung des Bestehens eines Massenzustroms im Sinne des Artikels 5 der Richtlinie 2001/55/EG und zur Einführung eines vorübergehenden Schutzes, Az. M3-21000/33#6, 14.3.2022, S. 9.
35 Siehe zum Beispiel für Berlin: Landesamt für Einwanderung (LEA), Verfahrenshinweise zum Aufenthalt in Berlin, Stand 5.5.2022, S. 271; für Niedersachsen: Rundschreiben vom 25.4.2022 zum Erlass 64.12 – 12230/1-8 (§ 24), S. 14.

Lars Wasnick

Aufenthaltstitel gelten soll, bleibt unklar und ist wenig nachvollziehbar.[36] Dieses Problem kann jedoch nicht im Wege einer Analogie geschlossen werden, sondern nur durch die gesetzgebende Kraft.

d) Zwischenergebnis

Eine analoge Anwendung des § 81 Va 1 AufenthG kommt demnach nicht in Betracht.

2. Ergebnis

Taraneh kann die Erwerbstätigkeit als solche zwar nicht untersagt werden, arbeiten darf sie jedoch erst, sobald ihr die Aufenthaltserlaubnis ausgestellt wurde.

Weiterführendes Wissen

Weitere Rahmenbedingungen:
Durch § 12a AufenthG gilt für international Schutzberechtigte die Wohnsitzregelung[37]. Hierdurch kann es zu einer Wohnsitzauflage kommen, die gegebenenfalls bei der Erwerbssuche zu berücksichtigen ist.[38]

B. Abwandlung

I. Fallfrage 1

Anders als im Ausgangsfall haben **subsidiär Schutzberechtigte** keinen Anspruch auf einen „Reiseausweis für Flüchtlinge" gemäß § 4 I 1 Nr. 3 AufenthV. Es kommt nur ein Anspruch auf einen „Reiseausweis für Ausländer" (sogenannter **Grauer Pass**) nach § 5 AufenthV in Betracht. Hierbei sind die Erteilungsvoraussetzungen höher als bei einem „Reiseausweis für Flüchtlinge", insbesondere knüpft die Erteilung des Grauen Passes an eine Unzumutbarkeitsprüfung der Passbeschaffung an. Zusätzlich handelt es sich bei der Erteilung des „Reiseausweises für Ausländer" nicht um eine gebundene Entscheidung, sondern sie steht grundsätzlich im Ermessen der Behörde.[39]

---

36 Kritisch auch: Ewald/Werner, in: BeckOK MigR, 11. Ed. 15.4.2022, AufenthG § 4a Rn. 10a.
37 Siehe ausführlich zur Wohnsitzregelung Wasnick, *32) Gefangen in Kreuztal* in diesem Fallbuch.
38 Siehe ausführlich zur Wohnsitzauflage Wasnick, *32) Gefangen in Kreuztal*, A. in diesem Fallbuch.
39 Engels, in: BeckOK MigR, 11. Ed. 15.4.2022, AufenthV § 5 Rn. 19.

Lars Wasnick

1. Passlosigkeit

Als erste Voraussetzung normiert § 5 I AufenthV, dass die anspruchstellende Person nachweislich keinen Pass oder Passersatz besitzt. Taraneh reiste ohne einen Pass oder sonstigen Reisedokumenten ein. Auch eine Aufenthaltserlaubnis als möglichen Passersatz (vgl. §§ 3 I 2, 48 II AufenthG, hat sie noch nicht ausgestellt bekommen. Sie ist aktuell passlos.

2. Unzumutbarkeit

Maßgeblich für die Erteilung des Reisausweises im Sinne des § 5 AufenthV ist daher die Frage, ob die Passbeschaffung für Taraneh unzumutbar ist. Der Begriff der Unzumutbarkeit als solcher ist ein unbestimmter Rechtsbegriff, der durch das Gesetz nicht legal definiert wird. Vielmehr bestimmt § 5 II AufenthV, was als zumutbar anzusehen ist. Dabei ist jedoch zu beachten, dass der Begriff der Zumutbarkeit nicht abschließend bestimmt wird, sondern stets im konkreten Einzelfall zu prüfen ist, ob die Anforderungen an eine zumutbare **Passbeschaffung** erfüllt sind.[40] Subsidiär Schutzberechtigte sind gemäß § 5 I AufenthV vorrangig – im Rahmen der Zumutbarkeit – auf die Ausstellung eines Passdokuments durch den Heimatstaat verwiesen.[41] Grundsätzlich steht die Anerkennung des subsidiären Schutzes nicht der Zumutbarkeit der Passbeschaffung entgegen, weshalb davon ausgegangen wird, dass allgemein die Passbeschaffung im Heimatstaat für subsidiär Schutzberechtigten zumutbar ist.[42]

Vorliegend hat Taraneh jedoch substantiiert vortragen können, dass ihr im Einzelfall eine Passbeschaffung unzumutbar ist.[43]

Die Voraussetzungen des § 5 AufenthV sind mithin erfüllt.

---

40 BT-Drs. 18/9133, S. 11; siehe allgemein zur Passbeschaffung und dem Handlungsspielraum der Ausländerbehörde bezüglich der Durchsetzung von Mitwirkungspflichten Tsomaia, *42) Explosion im Hafen von Beirut* in diesem Fallbuch
41 Siehe zur Zumutbarkeit von Mitwirkungshandlungen ausführlich Wasnick, *33) Gekommen um zu bleiben*, B. I. 1. b) bb) in diesem Fallbuch.
42 VGH Bayern, Urt. v. 25.11.2021, Az.: 19 B 21.1789, Rn. 68 f.; OVG Nds, Urt. v. 18.3.2021, Az.: 8 LB 97/20, Rn. 32; OVG NRW, Beschl. v. 17.5.2016, Az.: 18 A 951/15, Rn. 4, 10; VG Augsburg, Beschl. v. 25.11.2021, Az.: Au 1 K 21.21043, Rn. 23; VG Saarland, Urt. v. 29.9.2021, Az.: 6 K 283/19, Rn. 30– openJur.
43 Siehe im Detail zur Unterscheidung der Mitwirkungspflichten und Zumutbarkeit zwischen GFK-Schutz und subsidiären Schutz Wasnick, *33) Gekommen um zu bleiben* in diesem Fallbuch.

3. Weitere Erteilungsvoraussetzungen, § 6 AufenthV

§ 6 AufenthV enthält die weiteren Voraussetzungen, unter denen ein „Reiseausweis für Ausländer" im Inland ausgestellt werden darf.[44] Fraglich ist, ob die Voraussetzungen des § 6 1 Nr. 1 und Nr. 2 AufenthV erfüllt sind.

a) Passlosigkeit

Taraneh ist noch nicht im Besitz eines Passes. Mit dem „Reiseausweis für Ausländer" würde sie jedoch gemäß § 4 I 1 Nr. 1 AufenthV in Verbindung mit § 3 I AufenthG die Passpflicht in Form eines deutschen Passersatzpapiers erfüllen. Diesen Umstand berücksichtigt § 6 1 Nr. 2 AufenthV, indem es für die Ausstellung ausreichend ist, wenn die betroffene Person gleichzeitig mit der Ausstellung des Reiseausweises eine Aufenthaltserlaubnis erhält.[45] Insbesondere hat § 6 1 Nr. 2 AufenthV einen klarstellenden Charakter, da die Passlosigkeit gerade eine Erteilungsvoraussetzung des § 5 AufenthV ist und andere Ersatzpapiermöglichkeiten nicht gegeben sind.

Taranehs Passlosigkeit führt daher nicht dazu, dass sie den „Reiseausweis für Ausländer" nicht ausgestellt bekommt kann.

b) Fehlende Aufenthaltserlaubnis aus sonstigen Gründen

Gemäß § 6 1 Nr. AufenthV müsste Taraneh jedoch bereits die Aufenthaltserlaubnis besitzen. § 6 1 Nr. 2 AufenthV regelt nur den Fall der noch nicht erteilten Aufenthaltserlaubnis, wenn diese aufgrund der Passlosigkeit noch nicht erteilt wurde. Der Grund der bisher nicht erfolgten Ausstellung liegt jedoch in ihrer ungeklärten Identität. Letztlich ist es jedoch für § 6 1 Nr. 1 AufenthV lediglich maßgeblich, dass die antragstellende Person noch nicht im Besitz einer Aufenthaltserlaubnis ist. Grundsätzlich könnte ihr daher noch ein Reiseausweis ausgestellt werden.

c) Ermessensreduzierung auf Null

Das Ermessen der Behörde könnte jedoch durch Art. 25 II Qualifikations-RL auf Null reduziert sein. Danach sind subsidiär Schutzberechtigten Reiseausweise auszustellen, wenn sie keinen nationalen Pass erhalten können, es sei denn, dass zwingende Gründe der nationalen Sicherheit oder öffentlichen Ordnung dem entgegenstehen. Ist die Unzumutbarkeit der Passbeschaffung dargelegt, muss das behördliche Er-

---

44 BT-Drs. 731/04, S. 153.
45 BT-Drs. 731/04, S. 154.

messen im Sinne des § 5 AufenthV im Lichte des Art. 25 II Qualifikations-RL ausgelegt werden.[46] Dabei reduziert sich das Ermessen auf zwingende Gründe der
nationalen Sicherheit und öffentlichen Ordnung, die gegen eine Ausstellung des Reiseausweises sprechen.[47] Solche liegen im Sachverhalt nicht vor. Weitere Voraussetzungen, insbesondere die des § 6 I AufenthV sind aufgrund der Ermessensreduzierung nicht zu prüfen.

---

i **Weiterführendes Wissen**

Näheres zu Art. 25 II Qualifikations-RL:
Für diese Auslegung spricht die Neufassung der Qualifikations-RL. In ihrer alten Fassung enthielt sie eine
ergänzende Passage, dass Reisedokumente zumindest dann ausgestellt werden sollen, wenn schwerwiegende humanitäre Gründe die Anwesenheit erfordern. Daraus wurde die Schlussfolgerung abgeleitet, dass sich das Ermessen nur bei solchen schwerwiegenden humanitären Gründen reduziert, in den
übrigen Fällen jedoch nicht.[48] Mit der Streichung wurden die Rechte der Personen mit subsidiärem
Schutz denen der geflüchteten Personen mit GFK-Schutzstatus gleichgestellt. Dies setzt auch Erwägungsgrund Nr. 39 der Richtlinie voraus, dass zwischen subsidiär Schutzberechtigten dieselben Rechte
und Leistungen zu denselben Bedingungen gewährt werden sollen.

---

3. Kosten der Antragstellung
Um den Reiseausweis zu bekommen, muss sie daher einen Antrag bei der zuständigen Behörde stellen. Dabei fallen die Kosten gemäß § 48 I 1 Nr. 1a, 1b AufenthV an.
Für Personen ab 24 Jahren sind es 100 Euro, bis zur Vollendung des 24. Lebensjahres
97 Euro. Mit diesem „Reiseausweis für Ausländer", der ein Passersatz ist, erfüllt Taraneh ihre Passpflicht gemäß § 3 I 1 AufenthG.

II. Fallfrage 2
Taraneh könnte einen Anspruch auf Erteilung einer Aufenthaltserlaubnis gemäß
§ 25 II 1 Alt. 2 AufenthG haben. Insofern müssten grundsätzlich auch die allgemeinen Erteilungsvoraussetzungen des § 5 AufenthG erfüllt sein. § 5 III 1 AufenthG
unterscheidet nicht, ob die Aufenthaltserlaubnis aufgrund einer anerkannten
Flüchtlingseigenschaft oder aufgrund der subsidiären Schutzberechtigung erteilt
werden. Insofern ist § 5 III 1 AufenthG auf den gesamten § 25 II AufenthG anwend-

---

46 Vgl. VGH BW, Beschl. v. 16.1.2020, Az.: 11 S 3282/19, Rn. 12.
47 Vgl. VGH BW, Beschl. v. 16.1.2020, Az.: 11 S 3282/19, Rn. 12; VG Saarland, Urt. v. 29.9.2021, Az.: 6 K
285/19, Rn. 67 – openJur; VG Köln, Urt. v. 4.12.2019, Az.: 5 K 7317/18, Rn. 82 ff.
48 So beispielsweise: VG Augsburg, Urt. v. 9.10.2012, Az.: Au 1 K 12.872, Rn. 33 – openJur.

bar, mit der Konsequenz, dass die Regelerteilungsvoraussetzungen des § 5 I, II AufenthG zwingend nicht anwendbar sind.

Es ergeben sich daher keine Unterschiede zur Fallkonstellation des Ausgangsfalls. Taraneh hat einen Anspruch auf Erteilung einer Aufenthaltserlaubnis gemäß § 25 II 1 Alt. 2 AufenthG.

III. Fallfrage 3

Auch als subsidiär Schutzberechtigte hätte Taraneh aufgrund der besonderen Umstände des Einzelfalls (Unzumutbarkeit) einen Anspruch auf Gestattung der Erwerbstätigkeit. Es ergeben sich keine Unterschiede zum Ausgangsfall.

Weiterführende Literatur
- Allgemein zu Passbeschaffungspflichten und Ersatzdokumenten siehe Heinhold, Asylmagazin 2018, 7
- Zur Unzumutbarkeit der Passbeschaffung siehe Becker/Saborowski, Asylmagazin 2018, 16
- Siehe auch den Themenschwerpunkt „Nach dem Asylverfahren", Asylmagazin 2018, 397

Zusammenfassung: Die wichtigsten Punkte
- Allgemeine Regelerteilungsvoraussetzungen gemäß § 5 AufenthG
- Zusammenspiel von Mitwirkungspflichten und Ansprüchen auf eine Aufenthaltserlaubnis und die Erwerbstätigkeit
- Mitwirkungspflichten bei der Passbeschaffung
- Die Unzumutbarkeit der Passbeschaffung und europarechtliche Vorgaben (Ermessensreduzierung auf Null bei vorliegender Unzumutbarkeit)
- Die unterschiedlichen Auswirkungen der einzelnen Schutzstatus

Lars Wasnick

Fall 32
Gefangen in Kreuztal

Behandelte Themen: Allgemeines zur Wohnsitzregelung, Abgrenzung zur Residenzpflicht, Wohnsitzregelung und Verfassungsrecht

Schwierigkeitsgrad: Fortgeschrittene

Sachverhalt

A ist syrischer Staatsangehöriger und reiste im Jahr 2019 in die Bundesrepublik Deutschland ein. Daraufhin stellte er bei der zuständigen Außenstelle des BAMF einen Asylantrag. Am 20.8.2020 wurde ihm mit bestandskräftigem Bescheid des BAMF der subsidiäre Schutzstatus zuerkannt. Nach dem Königsteiner Schlüssel war das Bundesland Nordrhein-Westfalen (NRW) für A zuständig. Seit seiner Ankunft in der Bundesrepublik lebte A in Kreuztal, Kreis Siegen-Wittgenstein, zunächst für fünf Monate in einer Sammelunterkunft. Aufgrund der fortschreitenden „Landflucht" kam es in Kreuztal vermehrt zu leerstehenden Wohnungen. Aufgrund dessen und wegen des Platzmangels in der Aufnahmeeinrichtung durfte A eine kleine Wohnung beziehen, in der er seitdem lebte.

A äußerte bei der Anhörung vor der Bezirksregierung Arnsberg den Wunsch, dass er gerne nach Leverkusen zugewiesen werden würde, da dort seine Tante und Teile seines Bekanntenkreises im Umkreis leben würden. Eine nähere Begründung gab er nicht an.

Mit einem weiteren Bescheid vom 28.8.2020 wies das Land Nordrhein-Westfalen (NRW) den A der Stadt Kreuztal, Kreis Siegen-Wittgenstein, zu. Den Bescheid begründete die Bezirksregierung Arnsberg gemäß § 12a I 1, III, IX AufenthG i.V.m. § 5 IV Ausländer-Wohnsitzregelungsverordnung NRW (AWoV).[1] A sei demnach für drei Jahre ab der Anerkennung als subsidiär Schutzberechtigter dazu verpflichtet, seinen gewöhnlichen Aufenthalt in Kreuztal zu nehmen. Ausschlussgründe nach § 12 I 2 AufenthG lägen nicht vor. Außerdem habe A in seiner Anhörung keine Gründe vorgetragen, die gegen eine Zuweisung nach Kreuztal sprechen würden.

---

[1] Verordnung zur Regelung des Wohnsitzes für anerkannte Flüchtlinge und Inhaberinnen und Inhaber bestimmter humanitärer Aufenthaltstitel nach dem Aufenthaltsgesetz vom 15.11.2016, GV. NRW. S. 971, aufgehoben durch Art. 1 der Verordnung vom 3.3.2021 (GV. NRW. S. 289).

Zudem begründete die Bezirksregierung ihre Entscheidung damit, dass sie ihr Ermessen gemäß § 12a III AufenthG dahingehend ausgeübt habe, dass der Bescheid zur Förderung einer nachhaltigen Integration diene. Die Wohnsitzverpflichtung diene der Förderung der Integration in die Lebensverhältnisse der Bundesrepublik Deutschland, insbesondere würden die Versorgung mit angemessenem Wohnraum und die Aufnahme einer Erwerbstätigkeit erleichtert. Die Zuweisung erfolge entsprechend dem Integrationsschlüssel des § 4 AWoV.

A kommt am 2.9.2020 in Ihre Sprechstunde und bittet um Hilfe. Er möchte unter keinen Umständen für drei weitere Jahre in Kreuztal leben. Er habe außerdem mal gehört, dass § 12a AufenthG gegen „höheres Recht" verstoße.

Bearbeitungshinweis:
Die einschlägige Fassung des AWoV NRW kann abgerufen werden unter recht.nrw. de, „Sammlungen", „historische SGV", „2. Verwaltungsrecht", „26 Ausländerrecht", „15.11.2016".

Zusätzlich ist auf die Verordnung über Zuständigkeiten im Ausländerwesen NRW hingewiesen, die abgerufen werden kann unter: recht.nrw.de, „Sammlungen", „Gesetze und Verordnungen (SGV)", „2. Verwaltung", „26 Ausländerrecht", „10.09.2019".

Fallfragen

1. Prüfen Sie zunächst, ob der Bescheid über die Wohnsitzauflage rechtmäßig ist. Dabei ist nicht auf die Verfassungsmäßigkeit des § 12a AufenthG einzugehen.
2. Ist § 12a AufenthG verfassungsmäßig oder verstößt die Norm gegen höherrangiges Recht?

Bearbeitungshinweis:
Für die zweite Fallfrage ist es ausreichend, wenn Sie sich in einem Kurzessay mit der Problematik beschäftigen.

Abwandlung

A wohnt mittlerweile seit vier Monaten in Kreuztal. Seine unermüdlichen Versuche, in Leverkusen eine Arbeitsstelle zu finden, wurden endlich belohnt. Zum 1.2.2022 kann er bei der X-GbR seine neue Arbeit anfangen.

Aus diesem Grund kommt er noch einmal in eine Ihrer Sprechstunden und fragt sich nun, ob er endlich nach Leverkusen ziehen darf und wenn ja, ab wann.

Seine Arbeit umfasst 20 Wochenstunden, wie viel er verdient, weiß er noch gar nicht so genau, aber mindestens über 1000 Euro.

Was würden Sie A raten?

Lars Wasnick

Lösungsvorschlag

A. Fallfrage 1: Ist der Bescheid über die Wohnsitzregelung rechtmäßig?

In einem ersten Schritt sollte der um Rat suchenden Person allgemein erklärt werden, was unter einer Wohnsitzauflage verstanden wird. Insbesondere kommt es in der Praxis häufiger zu Verwechslungen mit der sogenannten **Residenzpflicht**.

! Hinweise zur Fallprüfung

Da es sich bei der **Wohnsitzauflage** um einen Verwaltungsakt handelt, empfiehlt es sich für die Prüfung, auf die „klassische" Rechtmäßigkeitsprüfung eines Verwaltungsaktes zurückzugreifen. Die Fallfrage klammert bewusst die prozessualen Zusammenhänge.[2] Prüfungsgegenstand ist daher die reine Rechtmäßigkeit der Wohnsitzregelung. Es kann sich daher an der klassischen Begründetheitsprüfung einer Anfechtungsklage orientiert werden. Schwerpunkt des vorliegenden Falls ist die materielle Rechtmäßigkeit. Die ersten Prüfungspunkte zur Ermächtigungsgrundlage und formellen Rechtmäßigkeit werden zu Vollständigkeitszwecken kurz aufgeführt.[3]

Bei näherer Betrachtung des § 12a AufenthG fällt auf, dass es sich hierbei bei um eine gesetzliche Verpflichtung handelt „ist gemäß § 12a I 1 verpflichtet". Es handelt sich daher nicht um eine behördliche Verpflichtung, sondern um eine Verpflichtung per Gesetz, die an sich nicht anfechtbar ist. Jedoch kann das Gesetz als solches im Wege einer Normenkontrolle angegriffen werden (Fallfrage 2). Fehler können der Behörde auch bei der Verteilung und Auswahl des bestimmten Ortes unterlaufen, dies betrifft § 12a II und III AufenthG (Fallfrage 1).

---

i Weiterführendes Wissen

Abgrenzung Wohnsitzregelung, Wohnsitzauflage und Residenzpflicht:
Die Begriffe der Residenzpflicht, Wohnsitzauflage und **Wohnsitzregelung** werden oftmals vertauscht oder verwechselt. Jedoch meinen alle drei Begriffe etwas ganz Unterschiedliches. Während die Residenzpflicht und Wohnsitzauflage in der Regel zeitlich in den Bereich bis zum Abschluss des Asylverfahrens fallen, knüpft die Wohnsitzregelung an die positive Schutzanerkennung nach Abschluss des Asylverfahrens an.

1. Residenzpflicht:
Die offizielle/amtliche Bezeichnung der Residenzpflicht[4] ist die „**räumliche Beschränkung**" und findet sich in § 56 AsylG und § 61 AufenthG. Gemeint wird damit die räumliche Beschränkung auf einen bestimmten Bereich, der während der festgesetzten Dauer grundsätzlich nicht verlassen werden darf, auch

---

2 Siehe für einen Überblick über die Klage- und Antragsarten der VwGO Eisentraut, in: Eisentraut, Verwaltungsrecht in der Klausur – Das Lehrbuch, § 1, Rn. 222 – 253.
3 Siehe ausführlich zur Prüfung der Rechtmäßigkeit eines Verwaltungsaktes Kowalczyk, in: Eisentraut, Verwaltungsrecht in der Klausur – Das Lehrbuch, § 2, Rn. 507 ff.
4 Siehe zur Residenzpflicht auch Nachtigall, 5) Chen Lu will arbeiten in diesem Fallbuch.

nicht für wenige Stunden wie beispielsweise für Alltagsunternehmungen. Für den Zeitraum während des Asylverfahrens bestimmt § 56 AsylG den räumlichen Bezirk auf den der Ausländerbehörde, in dem die für die Aufnahme der asylsuchenden Person zuständige Aufnahmeeinrichtung liegt. Gemäß § 59a AsylG erlischt die räumliche Beschränkung nach drei Monaten, sofern die betroffene Person sich in dieser Zeit ununterbrochen erlaubt, geduldet oder gestattet in der Bundesrepublik aufgehalten hat. Gestattet ist der Aufenthalt gemäß § 55 I 1, 3 AsylG ab Stellung des Asylantrags.[5] Eine entsprechende Regelung für Personen, die sich nach Abschluss des Asylverfahrens in einer Duldung befinden, findet sich in § 61 AufenthG.

2. Wohnsitzauflage:
Eine Wohnsitzauflage bedeutet, dass die betroffene Person verpflichtet ist, an einem bestimmten, ihr zugewiesenen, Ort, Wohnung oder Gemeinschaftsunterkunft zu wohnen (gewöhnlicher Aufenthalt). Anders als bei der Residenzpflicht kann sich die betroffene Person aber frei bewegen. Die Wohnsitzauflage ist für Asylsuchende in § 60 I 1 AsylG geregelt, für Geduldete in § 61 Id AufenthG. Die Wohnsitzauflage gilt nur so lange, wie der Lebensunterhalt nicht selbstständig gesichert werden kann. Es sei denn, die Person besitzt eine sogenannte Duldung light, vgl. § 60b V 3 AufenthG.

3. Wohnsitzregelung:
Mit der Wohnsitzregelung gemäß § 12a AufenthG ist die Verpflichtung von Menschen gemeint, denen bereits ein Schutzstatus (Asyl, Flüchtlingsanerkennung oder subsidiärer Schutz) zuerkannt wurde, in einem bestimmten Bundesland oder einer Gemeinde über einen Zeitraum von bis zu drei Jahren zu wohnen.

Der Bescheid ist rechtmäßig, sofern er auf einer tauglichen Ermächtigungsgrundlage beruht sowie der formellen und materiellen Rechtmäßigkeit entspricht, insbesondere müssten die Tatbestandsvoraussetzungen der Ermächtigungsgrundlage vorliegen und von der zuständigen Behörde ausgestellt wurde.

I. Ermächtigungsgrundlage
Die Bezirksregierung Arnsberg gründet ihren Bescheid insbesondere auf § 12a AufenthG, womit eine taugliche Ermächtigungsgrundlage vorliegt.

II. Formelle Rechtmäßigkeit
In formeller Hinsicht müsste aufgrund des belastenden Verwaltungsakts eine Anhörung gemäß § 28 I VwVfG (NRW) erfolgt sein. Ferner muss ein schriftlicher Verwaltungsakt gemäß § 39 I VwVfG (NRW) begründet sein und die zuständige Behörde müsste gehandelt haben.

Die zuständige Behörde ist für ganz NRW die Bezirksregierung Arnsberg, § 5 X ZustAVO NRW.

---

5 Siehe hierzu ausführlich: Amir-Haeri, in: Huber/Mantel, AufenthG/AsylG, 3. Aufl. 2021, AsylG § 55 Rn. 4 ff.

Ihr sind keine formellen Fehler unterlaufen, insbesondere wurde der Bescheid schriftlich begründet und A zuvor angehört.
Die Wohnsitzregelung ist daher formell rechtmäßig.

III. Materielle Rechtmäßigkeit
Die Wohnsitzregelung ist materiell rechtmäßig, sofern alle Tatbestandsvoraussetzungen des § 12a AufenthG erfüllt sind und die Behörde bei ihrer Entscheidung ermessensfehlerfrei handelte.

1. Grundsätzliche Verpflichtung nach § 12a I 1 AufenthG
Mit bestandskräftigem Bescheid des BAMF vom 20. August 2021 wurde A der subsidiäre Schutz gemäß § 4 AsylG zuerkannt. Somit fällt A unter den Anwendungsbereich des § 12a I 1 AufenthG. Konsequenz dessen ist, dass A grundsätzlich verpflichtet ist, seinen **gewöhnlichen Aufenthalt** (Wohnsitz) für den Zeitraum von drei Jahren ab Anerkennung des subsidiären Schutzes in dem Land (gemeint ist das Bundesland) zu nehmen, dem er zur Durchführung seines Asylverfahrens zugewiesen worden ist. Die zuständige Außenstelle für das Asylverfahren war die Außenstelle Bochum. Gemäß § 12a I 1 AufenthG muss A seinen Wohnsitz im Bundesland Nordrhein-Westfalen (NRW) nehmen.
Ausnahmegründe des § 12a I 2 AufenthG sind vorliegend nicht ersichtlich.
Mithin besteht eine Wohnsitzverpflichtung für das Land NRW.

---

i Weiterführendes Wissen

Ausnahmegründe:
Die Ausnahmegründe des § 12 I 2 AufenthG umfassen drei Konstellationen. Die betroffene Person nimmt eine sozialversicherungspflichtige Beschäftigung aus (siehe hierzu die Abwandlung), oder beginnt beziehungsweise hat bereits eine Berufsausbildung im Sinne des § 10 BBiG aufgenommen oder steht in einem Studien- oder Ausbildungsverhältnis.
Auf diese Ausnahmevoraussetzungen, sofern sie vorliegen, kann sich nicht nur die betroffene Person berufen, sondern ein erweiterter Personenkreis: ihr Lebenspartner oder ihre Lebenspartnerin oder ein minderjähriges Kind, mit dem die Person verwandt ist und in familiärer Lebensgemeinschaft lebt.

---

2. Konkrete behördliche Wohnsitzzuweisung, § 12a III AufenthG

Weiterführendes Wissen　　　　　　　　　　　　　　　　　　　　　　　ℹ️

Während § 12a I 1 AufenthG die grundsätzliche Verpflichtung statuiert, den Wohnsitz in einem bestimmten Bundesland aufzunehmen, konkretisieren die § 12a II und III die Verpflichtung auf einen bestimmten Ort in dem jeweiligen Bundesland. Hierzu müssen weitere Voraussetzungen vorliegen. § 12a II AufenthG betrifft dabei Personen, die noch vorübergehend in einer „integrationshemmenden" Gemeinschaftsunterkunft untergebracht sind. Durch § 12a III AufenthG kann bestimmt werden, dass sogar Personen, die nicht mehr in einer Gemeinschaftsunterkunft leben, ihren Wohnsitz an einen bestimmten Ort im Bundesland nehmen müssen, unabhängig von der aktuellen Unterbringung.[6]

A lebte zur Zeit des Bescheids über seine Wohnsitzregelung bereits in Kreuztal in einer kleinen Wohnung. Nach positivem Bescheid seines Asylverfahrens erhoffte er sich, dass er Kreuztal verlassen könnte und seinem Wunsch, nach Leverkusen zu ziehen, nachkommen könnte.

Formell verlangt § 12a III AufenthG, dass der Bescheid innerhalb von sechs Monaten nach Anerkennung des subsidiären Schutzes erfolgt und A nicht in einer Gemeinschaftsunterkunft lebt. Beides ist vorliegend der Fall. Zudem unterlag A der generellen Verpflichtung des § 12a I AufenthG.

Als weitere Voraussetzung muss die Anordnung gemäß § 12a III AufenthG nach einer gerichtlich voll überprüfbaren **Prognoseentscheidung** im Einzelfall ergeben haben, dass die Versorgung mit angemessenem Wohnraum (Nr. 1), der Erwerb von Deutschkenntnissen des Niveaus A2 (Nr. 2) und die Aufnahme einer Erwerbstätigkeit durch die Anordnung insgesamt erleichtert werden (sogenannte Wohnsitzregelung zur Förderung der Integration).[7] Insgesamt muss die Prognoseentscheidung ergeben, dass hinsichtlich aller drei Kriterien kumulativ von einer Erleichterung ausgegangen werden kann.[8] Seit der neuen Fassung vom 4. Juli 2019 enthält § 12a III AufenthG einen zusätzlichen Satz 2, wodurch die Berücksichtigung weiterer Kriterien, die der Integration förderlich sind, ausdrücklich mitberücksichtigt werden können. An der kumulativen Erleichterung der drei wesentlichen integrationspoli-

---

6 Siehe zu Absatz 2 und Absatz 3 auch: Huber/Mantel, in: Huber/Mantel, AufenthG/AsylG, 3. Aufl. 2021, AufenthG § 12a Rn. 18 ff.

7 Vgl. BT-Drs. 18/8615, S. 45.

8 BT-Drs. 19/9764, S. 3, indem die Bundesregierung ausdrücklich an der Kumulation festhält; OVG NRW, Urt. 4.9.2018, Az.: 18 A 256/18, Rn. 47; VG Stuttgart, Beschl. v. 27.6.2019, Az.: 8 K 2485/19, Rn. 11; VG Stuttgart, Urt. v. 27.2.2019, Az.: 8 K 4413/17, Rn. 24; andere Ansicht wohl VG Aachen, Urt. v. 17.3.2021, Az.: 4 K 3426/18, Rn. 41 ff.

tischen Belange (Wohnraum, Sprache und Erwerbstätigkeit) ändert die Aufnahme weiterer Kriterien jedoch nichts.[9]

Im Rahmen der **Gesamtprognose** muss seitens der Behörde eine vergleichende Betrachtung der integrationsrelevanten Infrastruktur am beabsichtigten Zuweisungsort und an anderen möglichen Aufenthaltsorten im Bundesland vorgenommen werden, da nur so eine plausible Abschätzung erfolgen kann, ob die Zuweisung die Erreichung der **Integrationsziele** erleichtern kann.[10] Bei diesem Vergleich hat die zuständige Behörde beispielsweise die örtliche Lage am Ausbildungs- und Arbeitsmarkt zu berücksichtigen.[11] Selbiges muss auch für die anderen Kriterien gelten. Fraglich ist, ob die zuständige Behörde eine solche Prognose bezüglich des A getroffen hat.

Dies ist im vorliegenden Fall zweifelhaft.

Die Bezirksregierung Arnsberg begründete ihren Bescheid in Bezugnahme auf § 12a I 1, III, IX AufenthG i. V. m. § 5 IV AWoV NRW.

Gemäß § 12a IX Nr. 2, Nr. 3 AufenthG steht den Bundesländern die Möglichkeit offen, mithilfe von Rechtsverordnungen die Kriterien und das Verfahren des § 12a III AufenthG näher zu bestimmen, insbesondere die Anforderungen an den angemessenen Wohnraum. Hiervon machte das Land NRW in Form der Ausländerwohnsitzregelungsverordnung NRW (AWoV) Gebrauch. Gemäß § 5 IV AWoV NRW sollen Personen, die der Verpflichtung nach § 12a I 1 AufenthG unterliegen und bereits ihren tatsächlichen Wohnsitz in einer Gemeinde unterhalten, ohne dabei in einer Landeseinrichtung untergebracht zu sein, und nicht verpflichtet sind, in einem anderen Bundesland zu wohnen, der Gemeinde zugewiesen werden, in der sie bereits ihren aktuellen tatsächlichen Wohnsitz haben.

Indem durch die pauschale Verweisung an den aktuellen Wohnsitz eine vergleichende Prognose nicht vorgenommen wird, wird die gesetzlich vorgegebene Berücksichtigung der drei wesentlichen integrationspolitischen Faktoren (Wohnraum, Sprache und Erwerbstätigkeit) durch § 5 IV AWoV NRW geradezu ausgeblendet.[12] Die Faktoren werden auch nicht mittelbar über den Integrationsschlüssel des § 4 AWoV NRW berücksichtigt. Gemäß § 4 AWoV NRW werden beispielsweise gemäß § 4 II Nr. 3 AWoV NRW grundsätzlich auch der Anteil der als arbeitslos gemeldeten Personen innerhalb der Gemeinde einbezogen und berücksichtigt. Die Zuweisung über den **Integrationsschlüssel** des § 4 AWoV NRW erfolgt dabei gemäß § 5 I AWoV. Al-

---

9 Vgl. BT-Drs. 19/9764, S. 3.
10 OVG NRW, Urt. v. 4.9.2018, Az.: 18 A 256/18, Rn. 51 ff.; VG Arnsberg, Urt. v. 10.9.2020, Az.: 10 K 687/18, Rn. 19; VG Münster, Urt. v. 1.3.2019, Az.: 8 K 6861/17, S. 9; andere Ansicht VG Aachen, Urt. v. .17.3.2021, Az.: 4 K 3426/18, Rn. 38.
11 OVG NRW, Urt. v. 4.9.2018, Az.: 18 A 256/18, Rn. 53.
12 Vgl. OVG NRW, Urt. v. 4.9.2018, Az.: 18 A 256/18, Rn. 55.

lerdings findet dieser Grundsatz „vorbehaltlich" der Absätze zwei bis sechs Anwendung, wodurch die Verteilung gemäß § 5 IV AWoV NRW ausdrücklich gerade nicht unter Einbeziehung des Integrationsschlüssels nach § 4 AWoV NRW erfolgt.[13]

Mithin ist das durch § 12 III AufenthG eingeräumte auszuübende Ermessen in Form einer umfassenden Prognoseentscheidung nicht erfolgt. Durch die pauschale Orientierung und Begründung gemäß § 5 IV AWoV NRW fehlt es einer fehlerfreien Ermessensausübung der Behörde. Es liegt ein Ermessensnichtgebrauch vor.[14]

IV. Ergebnis

Der Bescheid der Ausländerbehörde vom 28. August 2020 ist rechtswidrig.

Weiterführendes Wissen

Das OVG NRW stellte in seiner obiter dictum Entscheidung nicht nur fest, dass § 5 IV AWoV NRW eine viel zu pauschale Regelung für die von § 12a III AufenthG geforderte Prognoseentscheidung trifft. Darüber hinaus entschied der 18. Senat des OVG auch, dass § 5 IV AWoV rechtswidrig ist, *„weil diese materiell-rechtliche Verordnungsregelung sich nicht im Rahmen der bundesrechtlichen Verordungsermächtigung des § 12a IX AufenthG hält, die sich im Wesentlichen auf Regelungen hinsichtlich Organisation, Verfahren und angemessenen Wohnraums beschränkt"*.[15] § 5 IV 4 AWoV NRW modifiziert unmittelbar materiell-rechtliche Bestimmungen des § 12a AufenthG, indem sie die in § 12a III AufenthG vorgesehene Kann-Entscheidung in eine Soll-Entscheidung verändert.[16]

Aufgrund dieser Entscheidung erklärte das OVG NRW Teile der AWoV NRW für nichtig. Seit dem 1.4.2021 ist die AWoV NRW aufgehoben.

B. Fallfrage 2: Verstößt § 12a AufenthG gegen höherrangiges Recht?

Hinweise zur Fallprüfung

Bei der zweiten Fallfrage handelt es sich um eine eher atypische Fragestellung, indem ein möglicher Verstoß gegen höherrangiges Recht in einem Essay beantwortet werden soll. Der folgende dargestellte Meinungsstreit soll eine Orientierung für diese komplexe Fragestellung geben.

---

13 Vgl. OVG NRW, Urt. v. 4.9.2018, Az.: 18 A 256/18, Rn. 55.
14 Allgemein zu den Ermessensfehlern siehe: Benrath, in: Eisentraut, Verwaltungsrecht in der Klausur, § 2, Rn. 739 ff.
15 OVG NRW, Urt. v. 4.9.2018, Az.: 18 A 256/18, Rn. 25.
16 OVG NRW, OVG NRW, Urt. v. 4.9.2018, Az.: 18 A 256/18, Rn. 33.

Lars Wasnick

Seit der Einführung des § 12a AufenthG ist die Regelung umstritten. Dabei wird sowohl der Regelungszweck als solcher kritisiert als auch die Entstehungs- beziehungsweise Verlängerungsgeschichte der Norm.

Zunächst wurde die Vorschrift im Wege des Integrationsgesetzes vom 31.7.2016 mit einer Befristung auf drei Jahre eingeführt. Sinn und Zweck der Einführung des § 12a AufenthG sollte angesichts des sogenannten starken Zustroms von Schutzsuchenden eine Steuerung der Integration mit Hilfe der Norm sein, um „integrationshemmenden Segregationstendenzen" entgegenzuwirken.[17] Als temporäres Instrument sollte so eine verbesserte Verteilung der Wohnsitznahme von Schutzberechtigten geschaffen werden.[18] Mit dem Gesetz zur Entfristung des Integrationsgesetzes vom 4.7.2019 gilt § 12a AufenthG nunmehr unbefristet fort.[19] Insbesondere im Rahmen der Verlängerungsdiskussionen erfuhr die Regelung teilweise erhebliche Kritik, da es zweifelhaft erschien, dass mithilfe des § 12a AufenthG tatsächlich eine bessere Integration gewährleistet werden konnte.[20] Doch nicht nur der Telos der Norm wurde in Frage gestellt. Ein ganz praktisches Problem bei der Fassung des § 12a AufenthG betrifft die im Rahmen der Absätze 2 und 3 vorzunehmende Prognoseentscheidung im Einzelfall, da sie mit einem unverhältnismäßig hohen behördlichen Aufwand verbunden ist und daher in ihrer Gestaltung nahezu unpraktikabel ist.[21] Neben der berechtigten Kritik an der Entstehungsgeschichte ist es durchaus weiterhin zweifelhaft, ob eine „gute Integration" durch § 12a AufenthG verwirklicht werden kann.

Doch der Problemkreis des § 12a AufenthG ist nicht nur auf die Entstehung und Entwicklung begrenzt. In der Literatur werden teilweise erhebliche Bedenken geäußert, ob der Regelungszweck der Norm mit verfassungs- und völkerrechtlichen Verpflichtungen vereinbar ist.[22] Ausgangspunkt der Frage, ob eine Vereinbarkeit mit höherrangigem Recht vorliegt, sind die Leitentscheidungen Alo und Osso[23] des Europäischen Gerichtshofs (EuGH). Demnach verstoßen Wohnsitzauflagen und

---

17 BT-Drs. 18/8615, S. 3.
18 Vgl. BT-Drs. 18/8615, S. 42.
19 Mit erheblicher Kritik hieran, da eine zunächst im Koalitionsvertrag festgelegte Evaluierung der Norm ausgeblieben ist: Huber/Mantel, in: Huber/Mantel, AufenthG/AsylG, 3. Aufl. 2021, AufenthG § 12a Rn. 2.
20 Ausführlich hierzu: Huber/Mantel, in: Huber/Mantel, AufenthG/AsylG, 3. Aufl. 2021, AufenthG § 12a Rn. 3 m.w.N.; Pelzer/Pichl, ZAR 2016, 96 (101).
21 So auch: Lehrian, Asylmagazin 2018, 416 (423); Schlotheuber/Schröder, Asylmagazin 2016, 364; zweifelnd auch Keienborg, Urteilsanmerkung vom 06.03.2019.
22 Huber/Mantel, in: Huber/Mantel, AufenthG/AsylG, 3. Aufl. 2021, AufenthG § 12a Rn. 5 m.w.N.; bereits vor Einführung des § 12a AufenthG: Pelzer/Pichl, ZAR 2016, 96 ff.
23 EuGH, Urt. v. 1.3.2016, Az.: C-443/14, C-444/14.

Lars Wasnick

-regelungen gegen Art. 29 und Art. 33 der Qualifikations-RL[24], wenn sie mit dem Ziel einer gleichmäßigen Verteilung der Sozialhilfelasten begründet werden, mithin also aufgrund von fiskalischen Gründen erteilt werden. In einem solchen Fall stellt sich die Wohnsitzauflage als Eingriff in das „Recht auf Sozialhilfe", welches sich daraus ergibt, dass die Mitgliedstaaten keine Unterscheidung zwischen Staatsangehörigen und geflüchteten Personen bei der Zahlung von Sozialhilfe vornehmen dürfen (vgl. Art. 29 Qualifikations-RL), dar. Ein solcher Eingriff ist jedoch nur dann gerechtfertigt, wenn auch inländische Staatsangehörige und andere Drittstaatsangehörige mit einer solchen Wohnsitzauflage belastet werden würden, was in Deutschland gerade nicht der Fall ist.[25] Darüber hinaus entschied der EuGH, dass Wohnsitzregelungen nur dann rechtmäßig seien, wenn damit der Zweck verfolgt wird, die Integration zu erleichtern.[26] Allerdings sind solche Regelungen gegenüber Personen die internationalen Schutz genießen und Sozialhilfe beziehen nur dann rechtmäßig, wenn sie im Vergleich zu anderen Drittstaatsangehörigen in einem stärkeren Maß mit Integrationsschwierigkeiten konfrontiert werden.[27]

Nach herrschender Meinung in der Literatur und einhelliger Rechtsprechung habe sich die Gesetzesbegründung eng an den Vorgaben des EuGH orientiert und mithilfe des gesetzgeberischen Beurteilungsspielraums ein erhöhtes Integrationsbedürfnis für international Schutzberechtigte festgestellt.[28] Aufgrund ihrer Fluchterlebnisse und Verfolgungsschicksale stünden sie vor besonderen Herausforderungen, was ihre Integration im Vergleich zu anderen Drittstaatsangehörigen erschwere, da sie beispielsweise ihre Flucht und Einreise nicht planen könnten und nicht über berufliche oder persönliche Kontakte verfügten.[29] Überwiegend wird daher im Hinblick auf die Wohnsitzregelung eine unterschiedliche Behandlung von anerkannten Flüchtlingen beziehungsweise subsidiär Schutzberechtigten und anderen Drittstaatsangehörigen als gerechtfertigt angesehen.[30]

24 Richtlinie 2011/95/EU des Europäischen Parlaments und des Rates vom 13. Dezember 2011 über Normen für die Anerkennung von Drittstaatsangehörigen oder Staatenlosen als Personen mit Anspruch auf internationalen Schutz, für einen einheitlichen Status für Flüchtlinge oder für Personen mit Anrecht auf subsidiären Schutz und für den Inhalt des zu gewährenden Schutzes, ABl. EU Nr. L 337/9.
25 EuGH, Urt. v. 1.3.2016, Az.: C-443/14, C-444/14, Tz. 50 ff.
26 EuGH, Urt. v. 1.3.2016, Az.: C-443/14, C-444/14, Tz. 58 ff.
27 EuGH, Urt. v. 1.3.2016, Az.: C-443/14, C-444/14, Tz. 62.
28 Ausführlich: Röcker, in: Bergmann/Dienelt, AufenthG, 13. Aufl. 2020, § 12a Rn. 70ff.; Thym, ZAR 2016, 241 (248); siehe zur Begründung ausführlich auch OVG NRW, Urt. v. 4.9.2018, Az.: 18 A 256/18, Rn. 85–99.
29 BT-Drs. 18/8615, S. 43.
30 OVG Sachsen, Beschl. v. 3.8.2020, Az.: 3 A 458/20, Rn. 11; OVG NRW, Urt. v. 4.9.2018, Az.: 18 A 256/18, Rn. 97ff.; VGH Bayern, Beschl. v. 19.3.2018, Az.: 10 C 17.2591, Rn. 6; OVG Nds, Beschl. v. 2.8.2017, Az.:

Teile der Literatur kritisieren aber, dass die integrationspolitischen Gründe nur vordergründig gewählt worden und die eigentliche Motivation der Gesetzesentstehung weiterhin fiskalische Interessen gewesen seien.[31] Außerdem sei eine soziale Segregation erst dann problematisch, wenn sie Ausdruck eines diskriminierenden Verdrängungseffekts ist.[32]

Die Bedenken gegen die Zweckerreichung des § 12a AufenthG bestehen auch nach der unbefristeten Verlängerung der Norm fort. Auch zeigt sich, dass eine pauschale Prognoseentscheidung, wie es das Land NRW mithilfe der Regelungen des AWoV teilweise versucht hat, zu allgemein ist, um eine Integration tatsächlich zu erleichtern. Der EuGH verwies in den Leitentscheidungen Alo und Osso an die nationalen Gerichte zurück, indem er es den ihnen überlassen hat, im Einzelfall zu prüfen, wann besondere Integrationsschwierigkeiten vorliegen.[33] Eine erleichterte Integration durch eine Wohnsitzregelung kann freilich nur dann erfolgen, wenn die wesentlichen Kriterien des § 12a AufenthG (Wohnraum, Sprache und Erwerbstätigkeit) im Rahmen der Prognoseentscheidung der zuständigen Behörde umfassend geprüft werden. Pauschale Handhabungen verbieten sich, auch im Hinblick auf die ergangene Entscheidung des OVG NRW. Ob dies von den zuständigen Ausländerbehörden im Einzelfall durchgeführt werden kann, ist zweifelhaft und wird von den jeweiligen Verwaltungsgerichten regelmäßig überprüft werden müssen.

C. Abwandlung: Darf A umziehen, wenn ja, wann?

Eine Verpflichtung nach § 12a I, III AufenthG ist auf Antrag der betroffenen Person aufzuheben, sofern die Voraussetzungen in Absatz 5 erfüllt sind. Absatz 5 des § 12a AufenthG selbst ist in verschiedene Fallgruppen unterteilt, die jedoch nicht kumulativ erfüllt sein müssen. Liegen die Voraussetzungen einer Fallgruppe vor, regelt die Vorschrift eine gebundene Entscheidung der Behörde, ein Ermessen steht ihr nicht zu („ist auf Antrag aufzuheben").[34] A könnte hier einen solchen Anspruch haben, da er zum 1.2.2022 eine Arbeitsstelle in Leverkusen gefunden hat.

---

8 ME 90/17, Rn. 32ff.; VG Aachen, Urt. v. 17.3.2021, Az.: 4 K 3426/18, Rn. 19ff.; Beiderbeck, in: BeckOK MigR, 11. Ed. 15.4.2021, AufenthG § 12a Rn. 5,6; Röcker, in: Bergmann/Dienelt, AufenthG, 13. Aufl. 2020, § 12a Rn. 74.
31 Huber/Mantel, in: Huber/Mantel, AufenthG/AsylG, 3. Aufl. 2021, AufenthG § 12a Rn. 10 m.w.N.
32 Pelzer/Pichl, ZAR 2016, 96 (101).
33 EuGH, Urt. v. 1.3.2016, Az.: C-443/14, C-444/14, Tz. 62.
34 OVG BB, Beschl. v. 7.5.2018, Az.: OVG 3 N 118.18, Rn. 4.

I. Sicherung des Lebensunterhaltes (Nr. 1 lit. a)

Gemäß § 12a V 1 Nr. 1 lit. a AufenthG entfällt die Verpflichtung nach § 12a III Auf-enthG, sofern A nachweisen kann, dass ihm an einem anderen Ort als seinem Ver-pflichtungsort (Kreuztal) eine **sozialversicherungspflichtige Beschäftigung** im Sinne des § 12a I 2 AufenthG oder ein den Lebensunterhalt sicherndes Einkommen zur Verfügung steht. Eine sozialversicherungspflichtige Beschäftigung im Sinne des § 12a I 2 AufenthG muss einen Umfang von mindestens 15 Wochenstunden haben und ein Einkommen in Höhe des monatlich durchschnittlichen Bedarfs nach §§ 20, 22 SGB II für Einzelpersonen umfassen.[35]

Beide Voraussetzungen erfüllt A mit seiner zukünftigen Arbeitsstelle in Lever-kusen.

II. Zustimmungserfordernis

Die Aufhebung der Wohnsitzverpflichtung unterliegt einem **Zustimmungserfor-dernis** der Ausländerbehörde des Zuzugsortes gemäß § 72 IIIa 1 AufenthG. Die zu-ständige Behörde in Kreuztal muss daher die Zustimmung der Bezirksregierung Arnsberg ersuchen. Gemäß § 72 IIIa 1 AufenthG muss die Zustimmung innerhalb von vier Wochen ab Zugang des Ersuchens erfolgen, ansonsten gilt sie, sofern in der Zeit nicht widersprochen wird, als erteil.[36]

III. Dauerhafte Aufhebungsgründe

Die Aufhebung der Wohnsitzverpflichtung entfaltet nur dann eine dauerhafte Wir-kung, wenn A die Voraussetzungen der Nr. 1 lit. a mindestens drei Monate ab Be-kanntgabe der Aufhebung erfüllt, diese also mithin mindestens drei Monate fort-bestehen.

IV. Ergebnis

A hat einen Anspruch auf Aufhebung seiner Wohnsitzverpflichtung gemäß § 12a V 1 Nr. 1 lit. a AufenthG. Wann er nach Leverkusen ziehen kann, hängt davon ab, wie schnell er den Antrag bei der Bezirksregierung in Arnsberg stellt und diese dem Umzug zustimmt, spätestens jedoch vier Wochen nach Zugang des Ersuchens.

---

35 Derzeit 809 Euro (Regelbedarf 449 Euro + 360 Euro für Unterkunft und Heizung).
36 Siehe zur Rechtnatur der Genehmigungsfiktion: Milker, in: Eisentraut, Verwaltungsrecht in der Klausur, § 1, Rn. 61.

Lars Wasnick

i **Weiterführendes Wissen**

Für die Entscheidung der zuzustimmenden Behörde gilt ebenfalls das Regelwerk des § 12a V AufenthG. Ihr steht daher weder ein Beurteilungsspielraum noch ein Entscheidungsermessen zu.[37] Das Zustimmungserfordernis dient daher lediglich einer formalen Beteiligung der zuzustimmenden Behörde.[38] Sollte es zu einer Ablehnung kommen, muss diese begründet werden, § 72 IIIa Hs. 2 AufenthG. Da es sich hierbei um eine behördliche Verfahrenshandlung im Sinne des § 44a VwGO handelt, steht den Betroffenen kein direkter Rechtsweg offen. **Rechtsschutz** gegen die Ablehnung des Antrags ist jedoch im Wege der Verpflichtungsklage gegenüber der örtlich zuständigen Behörde möglich.[39]

! **Hinweise zur Fallprüfung**

In einer typischen Beratungssituation sollten zunächst die jeweiligen Voraussetzungen des § 12a V AufenthG geprüft werden. Liegen danach die Voraussetzungen vor, ist schnelles Handeln ratsam, da es sich bei der Entscheidung über den Aufhebungsantrag um eine gebundene handelt. Wichtig ist es, die Betroffenen über das Zustimmungserfordernis aufzuklären und darüber, dass ein sofortiger Umzug nicht möglich ist, sondern mindestens die vier Wochen abgewartet werden sollten. Auch sollte auf die Voraussetzung der drei Monate für eine Dauerhaftigkeit der Aufhebung hingewiesen werden.

Weiterführende Literatur
- Eine ausführliche Besprechung des OVG NRW Urteils mit weitreichenden Praxistipps siehe Voigt, Asylmagazin 2018, 454

Zusammenfassung: Die wichtigsten Punkte
- Systematischer Überblick über das Regelungswerk und den Ausnahmen des § 12a AufenthG
- Verfassungsmäßigkeit des § 12a AufenthG

Dieser Fall darf gerne kommentiert, verändert und beliebig genutzt werden. Die Anleitung hierfür lässt sich über den abgebildete QR-Code mit der Smartphone-Kamera auf unserer Homepage aufrufen.

---

[37] Wittmann, in: BeckOK MigR, 11. Ed. 15.4.2022, AufenthG § 71 Rn. 47c; Samel, in: Bergmann/Dienelt, AufenthG, 13. Aufl. 2020, § 72 Rn. 15.

[38] Wittmann, in: BeckOK MigR, 11. Ed. 15.4.2022, AufenthG § 71 Rn. 47c.

[39] Wittmann, in: BeckOK MigR, 11. Ed. 15.4.2022, AufenthG § 71 Rn. 47e.

Lars Wasnick

Fall 33
Gekommen um zu bleiben

Behandelte Themen: Niederlassungserlaubnis, Identitätsklärung, Mitwirkungspflichten

Schwierigkeitsgrad: Anfänger*innen und Fortgeschrittene

Sachverhalt

Nach einer ganzen Weile kommt Bob Ende März 2022 wieder zu Ihnen in die Sprechstunde. Mit Ihrer Hilfe erlangte Bob die Flüchtlingseigenschaft im Sinne des § 3 I AsylG, weiterhin besitzt er noch die pakistanische Staatsangehörigkeit. Den Asylantrag stellte er kurz nach seiner Einreise am 4.2.2019. Nach der erfolgreichen Verpflichtungsklage erteilte die zuständige Ausländerbehörde Bob am 23.11.2021 eine auf drei Jahre befristete Aufenthaltserlaubnis gemäß §§ 25 II 1 Alt. 1, 26 I 2 AufenthG.

In der Zwischenzeit hat Bob eine Erwerbstätigkeit aufgenommen und finanziert sich seinen Lebensunterhalt mit seiner Arbeit vollständig selbst. Er nahm außerdem erfolgreich an einem Integrationstest teil und schloss diesen nachweislich bei einer hierfür zugelassenen Stelle insgesamt mit der Stufe B2 ab und erhielt vom BAMF daraufhin das „Zertifikat Integrationskurs".

Bob möchte seinen Aufenthalt in Deutschland langfristig sichern und dauerhaft planen. Er möchte gerne eine Niederlassungserlaubnis bei der zuständigen Ausländerbehörde (ABH) beantragen, ist sich aber nicht ganz sicher, welche Voraussetzungen er alle erfüllen muss. Er habe aber mal gehört, dass es bereits möglich ist, nach drei Jahren eine solche Niederlassungserlaubnis zu erhalten.

Bearbeitungshinweis:

Gehen Sie davon aus, dass der ABH keine Mitteilungen des BAMF für einen Widerruf oder eine Rücknahme der Flüchtlingsanerkennung vorliegen. Seine Niederlassungserlaubnis würde er gerne im April 2022 beantragen. Gehen Sie außerdem davon aus, dass Bob ohne ein erforderliches Visum eingereist ist.

Fallfrage

Hat Bob einen Anspruch auf Erteilung einer Niederlassungserlaubnis?

Abwandlung

Ein paar Monate später erreicht Bob den Abschluss eines C1 Sprachniveautests und kommt nochmal zu Ihnen in die Sprechstunde. An der Sachlage zum Ausgangsfall hat sich sonst nichts geändert.

Allerdings lehnte die zuständige ABH seinen Antrag auf Erteilung einer Niederlassungserlaubnis ab. Grund hierfür sei, dass die Identität Bobs noch nicht geklärt sei, auch wenn er – was zutrifft – bisher nie über seine Identität getäuscht hat. Wie Bob Ihnen mitteilt, stimmt es, dass er ohne gültiges Reisedokument eingereist sei und noch immer keinen Pass besitze. Er zeigt Ihnen jedoch seinen „Reiseausweis für Flüchtlinge". Hierbei stellen sie fest, dass der Reiseausweis den Hinweis „Die angegebenen Personalien beruhen auf eigenen Angaben" enthält.

Bob führt weiter aus, dass es ihm als anerkannte geflüchtete Person nicht zumutbar sei, in der Botschaft seines Verfolgerstaates vorzusprechen.

Die ABH hingegen argumentiert, dass es ihm sehr wohl zumutbar sei, Kontakt zur Vertretung seines Heimatlandes aufzunehmen, es handle sich dabei lediglich um eine bürokratische Bagatelle, weshalb ihm kein Entzug der Flüchtlingseigenschaft drohe. Darüber hinaus sei es aus Gründen der öffentlichen Sicherheit und Ordnung notwendig und angemessen, dass seine Identität eindeutig und zweifelsfrei geklärt sei.

Im Wege Ihrer Recherche stoßen Sie auf ein Länderschreiben des Bundesministeriums des Innern und für Heimat (BMI) vom 12.08.2021. Das Länderanschreiben beinhaltet Anwendungshinweise für Ausländerbehörden zur Frage der Identitätsklärung für die Erteilung von Niederlassungserlaubnissen. Dabei erfolgt der Hinweis, dass das behördliche Ermessen im Fall einer Identitätsklärung in der Regel dahin auszuüben ist, dass von einer Identitätsklärung nicht abgesehen werden soll.

Fallfragen

1. Hat Bob einen Anspruch auf Erteilung einer Niederlassungserlaubnis?
2. Wäre der Fall anders zu entscheiden, wenn Bob subsidiär Schutzberechtigter gemäß § 4 AsylG wäre und er daher nur eine Aufenthaltserlaubnis nach § 25 II 1 Alt. 2 AufenthG besitzen würde? Gehen Sie hier davon aus, dass Bob über fünf Jahre im Besitz seiner Aufenthaltserlaubnis ist.

Lösungsvorschlag

A. Ausgangsfall

Bob möchte seinen Aufenthalt in Deutschland verfestigen und dementsprechend eine **Niederlassungserlaubnis** beantragen. Bei der Niederlassungserlaubnis handelt es sich um einen unbefristeten Aufenthaltstitel, vgl. § 9 I 1 AufenthG. Ihm wurde der Flüchtlingsschutz gemäß § 3 I AsylG zuerkannt. Er ist daher im Besitz einer Aufenthaltserlaubnis nach § 26 II 1 Alt. 1 AufenthG. Für Personen, die im Besitz eines **humanitären Aufenthaltstitels** sind, enthält § 26 AufenthG Sonderregelungen für die **Aufenthaltsverfestigung** und verdrängen insoweit die allgemeinen Regelungen des § 9 AufenthG, sofern nicht auf diese verwiesen wird. Innerhalb der Gruppe der humanitären Aufenthaltstitel wird die Gruppe der Asylberechtigten und GFK-Schutzanerkannten durch § 26 III AufenthG gegenüber den allgemeine Regelerteilungsvoraussetzungen und auch gegenüber der Gruppe der sonstigen humanitären Aufenthaltstitel privilegiert.[1] Zudem sind die **allgemeinen Erteilungsvoraussetzungen**[2] des § 5 AufenthG, wie bei jedem Aufenthaltstitel, bei der Erteilung einer Niederlassungserlaubnis zu prüfen.

Vorliegend kommt für Bob sowohl eine Niederlassungserlaubnis nach § 26 III 1–2 AufenthG als auch nach § 26 III 3–4 AufenthG in Betracht. Die Erteilung der Niederlassungserlaubnis nach Absatz 3 stehen nicht im Ermessen der Behörde, sodass sie zu erteilen ist, sofern alle Voraussetzungen erfüllt sind („*ist zu erteilen, wenn...*").

I. Niederlassungserlaubnis nach drei Jahren, § 26 III 3–4 AufenthG
Bob müsste die qualifizierten Erteilungsvoraussetzungen des § 26 III 3–4 AufenthG erfüllen.

1. Besitz der Aufenthaltserlaubnis seit drei Jahren, § 26 III 3 Nr. 1 AufenthG
Bob müsste seit drei Jahren im Besitz seiner Aufenthaltserlaubnis sein. Hierbei ist zu beachten, dass entgegen des § 55 III AsylG gemäß § 26 III 3 Nr. 1 AufenthG bereits

---

[1] Im Wege des Integrationsgesetzes wurden die Erteilungsvoraussetzungen einer Niederlassungserlaubnis nach § 26 III, IV AufenthG allgemein verschärft. Jedoch sind die Voraussetzungen gegenüber den allgemeinen Voraussetzungen in § 9 AufenthG weiterhin erkennbar gesenkt. Siehe zu den Neuerungen durch das Integrationsgesetzes Lehrian/Mantel, Asylmagazin 2016, 290.
[2] Siehe zu den allgemeinen Erteilungsvoraussetzungen gemäß § 5 AufenthG Hinder/Nachtigall, *45) Auszubildend – und gut integriert?* in diesem Fallbuch.

die Aufenthaltszeit des vorangegangenen Asylverfahrens auf die für die Erteilung der Niederlassungserlaubnis erforderliche Zeit angerechnet wird.

Seinen Asylantrag stellte Bob bereits am 4.2.2019. Er kam zu Ihnen in die Sprechstunde im März 2022 und möchte die Niederlassungserlaubnis gerne im April 2022 beantragen. Im Besitz seiner Aufenthaltserlaubnis ist er zwar erst nach seiner erfolgreichen verpflichtungsklage am 23.11.2021, allerdings ist er mit Anrechnung der Zeit seit seiner Asylantragsstellung ab dem 04.02.2019 drei Jahre im Besitz seiner Aufenthaltserlaubnis. Es sind keine entgegenstehenden Gründe bekannt, dass er nicht dauerhaft im Besitz der Aufenthaltserlaubnis war, womit die erste Voraussetzung erfüllt ist.

2. Keine Mitteilung des BAMF über Widerruf oder Rücknahme, § 26 III 3 Nr. 2 AufenthG

Darüber hinaus darf der zuständigen ABH keine positive Mitteilung des BAMF im Sinne des § 73 II 2a AsylG vorliegen, dass die Voraussetzungen für eine Rücknahme oder einen Widerruf der Flüchtlingseigenschaft im konkreten Fall gegeben sind. Ein Schweigen des BAMF reicht nicht aus.[3] Nach dem Bearbeitungshinweis ist davon auszugehen, dass eine solche positive Mitteilung seitens des BAMF bisher ausgeblieben ist.

3. Besondere Integrationsleistungen, § 26 III 3 Nr. 3, Nr. 4 AufenthG

Eine Niederlassungserlaubnis nach § 26 III 3–4 AufenthG soll einen besonderen Integrationsanreiz schaffen und für Fälle der „herausragenden Integration" erteilt werden.[4]

a) Weit Überwiegende Sicherung des Lebensunterhalts, § 26 III 3 Nr. 4 AufenthG

Bob müsste seinen Lebensunterhalt weit **überwiegend gesichert** haben. Wann genau eine weit überwiegende **Lebensunterhaltssicherung** vorliegt, lässt sich nicht direkt aus dem Gesetz entnehmen. Angenommen wird eine solche, wenn mehr als drei Viertel des Einkommens durch eine eigene Erwerbstätigkeit bestritten werden.[5]

---

3 Göbel-Zimmermann/Hupke, in: Huber/Mantel, AufenthG/AsylG, 3. Aufl. 2021, AufenthG § 26 Rn. 8.
4 BT-Drs. 18/8615, S. 47.
5 Göbel-Zimmermann/Hupke, in: Huber/Mantel, AufenthG/AsylG, 3. Aufl. 2021, AufenthG § 26 Rn. 10.

Bobs Schilderungen zur Folge finanziert er sich seinen gesamten Lebensunterhalt mit seiner Erwerbstätigkeit.

b) Beherrschung der deutschen Sprache, § 26 III 3 Nr. 3 AufenthG

Bob müsste außerdem gemäß § 26 III 3 Nr. 3 AufenthG die deutsche Sprache beherrschen. Die betroffene Person beherrscht die deutsche Sprache nach § 2 XII AufenthG, wenn ihre **Sprachkenntnisse** dem Niveau C 1 entsprechen.

Bob belegte zwar erfolgreich einen Integrationskurs und schloss diesen jedoch „nur" mit einem Sprachniveau B2 ab. Er erfüllt daher nicht die besonderen Integrationsleistungen im Sinne des § 26 III 3 AufenthG.

4. Ergebnis

Da Bob die Erteilungsvoraussetzungen für eine Niederlassungserlaubnis nach drei Jahren noch nicht erfüllt, hat er keinen Anspruch auf Erteilung.

II. Niederlassungserlaubnis nach fünf Jahren, 26 III 1–2 AufenthG

Jedoch könnte er, bis auf den erforderlichen Besitzzeitraum einer Aufenthaltserlaubnis von fünf Jahren die Erteilungsvoraussetzungen nach § 26 III 1–2 AufenthG erfüllen.

! **Hinweise zur Fallprüfung**

Im Folgenden werden die Voraussetzungen einer Niederlassungserlaubnis nach fünf Jahren im Besitz einer Aufenthaltserlaubnis zur Anschauung der Gemeinsamkeiten und Unterschiede zwischen der Erteilung nach § 26 III 1–2 AufenthG und § 26 III 3–4 AufenthG geprüft. Dies entspricht einem klassischem Hilfsgutachten. Da der zugrunde liegende Sachverhalt einer Beratungssituation nachgebildet ist, sollte die ratsuchende Person in einer solchen tatsächlichen Situation auch über Alternativen aufgeklärt werden.

---

2. Keine Mitteilung des BAMF über Widerruf oder Rücknahme, § 26 III 3 Nr. 2 AufenthG

Eine positive Mitteilung des BAMF über das Vorliegen der Voraussetzungen eines Widerrufs oder Rückrufs liegt nicht vor.

3. Integrationsleistungen, § 26 III 1 Nr. 3, Nr. 4 AufenthG
Auch die Niederlassungserteilung nach fünf Jahren knüpft an Integrationsleistungen an.

a) Überwiegende Sicherung des Lebensunterhalts, § 26 III 1 Nr. 3 AufenthG
Eine überwiegende Sicherung des Lebensunterhalts ist erfüllt, wenn das Einkommen aus der Erwerbstätigkeit das aus dem Sozialleistungsbezug überwiegt.[6]

Da Bob seinen gesamten Lebensunterhalt mit seiner Erwerbstätigkeit finanziert, ist eine überwiegende Sicherung seines Lebensunterhalts unproblematisch zu bejahen.

b) Hinreichende Sprachkenntnis, § 26 III 1 Nr. 4 AufenthG
Eine Niederlassungserlaubnis nach § 26 III 1 Nr. 4 AufenthG verlangt lediglich hinreichende Sprachkenntnis. Diese entspricht gemäß § 2 X AufenthG dem Niveau A2, welches Bob ebenfalls unproblematisch erfüllt.

4. Weitere Erteilungsvoraussetzungen, § 26 III 1 Nr. 5, § 9 II 1 Nr. 4–6, Nr. 8, Nr. 9 AufenthG
Zudem müssten die in § 26 III 1 Nr. 5 AufenthG ausdrücklich verwiesenen Erteilungsvoraussetzungen des § 9 II 1 AufenthG erfüllt sein. Fraglich ist vorliegend lediglich § 9 II 1 Nr. 8 AufenthG, wonach Bob über die Grundkenntnisse der Rechts- und Gesellschaftsordnung und der Lebensverhältnisse im Bundesgebiet verfügen müssten. Einen ausdrücklichen Test darüber hat er nicht abgeschlossen. Allerdings finden im Unterschied zur Niederlassungserlaubnis nach drei Jahren gemäß § 26 III 2 AufenthG auch die Sätze zwei bis 6 des § 9 II AufenthG anwenden. Gemäß § 9 II 2 gilt die Voraussetzung der Nr. 8 als nachgewiesen, wenn ein Integrationskurs erfolgreich abgeschlossen wurde.

B ist im Besitz des „Zertifikat **Integrationskurs**", womit § 9 II 1 Nr. 8 AufenthG als nachgewiesen gilt.

5. Allgemeine Erteilungsvoraussetzungen, § 5 AufenthG
Bei der Erteilung einer Niederlassungserlaubnis Bobs Lebensunterhalt ist gesichert, es bestehen keine Anhaltspunkte für ein Ausweisungsinteresse und keine Zweifel

---

6 Göbel-Zimmermann/Hupke, in: Huber/Mantel, AufenthG/AsylG, 3. Aufl. 2021, AufenthG § 26 Rn. 9.

an seiner Identität. Fraglich ist allerdings, wie der Umstand zu bewerten ist, dass er damals ohne erforderliches Visum in die Bundesrepublik eingereist ist. Gemäß § 5 II AufenthG setzt die Erteilung einer Niederlassungserlaubnis auch voraus, dass die betroffene Person mit einem Visum einreist. Allerdings gilt gemäß § 5 III 4 AufenthG, dass in den Fällen der Erteilung eines Aufenthaltstitels nach § 26 III AufenthG von der Anwendung des § 5 II AufenthG abzusehen ist. Die Erteilung einer Niederlassungserlaubnis nach § 26 III 1 AufenthG setzt einen humanitären Aufenthaltstitel nach § § 25 II 1 Alt. 1 AufenthG voraus. Diesen besitz Bob, sodass von der Anwendung des § 5 II AufenthG abzusehen ist. Dabei handelt es sich um eine gebundene Entscheidung der Behörde, die nicht im Ermessen steht.[7]

Mithin erfüllt Bob alle Voraussetzungen, außer den Besitz seiner Aufenthaltserlaubnis über fünf Jahre.

ℹ Weiterführendes Wissen

Problem Einreise ohne Visum:
Bei dem **Erfordernis der Visumseinreise** nach § 5 II 1 AufenthG handelt es sich um ein klassisches Praxisproblem. Menschen, die sich auf die Flucht begeben, reisen in der Regel ohne Visum ein. Ein Grund hierfür liegt in der Natur der Flucht. Diese erfolgt meist nicht mit langzeitiger Planung. Auch kann die Beantragung eines Visums im Heimatstaat den Verdacht einer Flucht begründen, wodurch eine Visumsverfahren an sich schon bereits eine Gefahr für die betroffenen Personen darstellen kann. Auf diesen Umstand reagiert auch § 5 AufenthG mit seinen jeweiligen Ausnahmeregelungen. Für die Erteilung der humanitären Aufenthaltstitel nach § 25 I–III AufenthG[8] ist gemäß § 5 III 1 AufenthG generell von der Anwendung der allgemeinen Regelerteilungsvoraussetzungen des § 5 I–II AufenthG abzusehen. Aufgrund des besonderen Umstands der Flucht und der damit einhergehenden Konsequenz, dass geflüchtete Personen in aller Regel ohne Visum einreisen, ist daher, zumindest im Falle der Flüchtlingseigenschaft nach § 3 AsylG, bei der Erteilung der Niederlassungserlaubnis auch von der Anwendung des § 5 II AufenthG weiterhin abzusehen.

III. Ergebnis

Noch hat Bob daher keinen Anspruch auf eine Niederlassungserlaubnis. Da er jedoch alle weiteren Kriterien bereits erfüllt, ist eine Niederlassungserlaubnis mit Erreichen der fünf Jahre im Besitz seiner Aufenthaltserlaubnis sehr realistisch. Eine Wartezeit von zwei Jahren kann jedoch deutlich reduziert werden. Ratsam wäre es

---

7 Vgl. Samel, in: Bergmann/Dienelt, AufenthG, 13. Aufl. 2020, § 5 Rn. 156.
8 Siehe zur Erteilung der humanitären Aufenthaltserlaubnisse Wasnick, *31) Taraneh will reisen* in diesem Fallbuch.

daher, sich auch auf einen C1-Sprachabschluss zu konzentrieren, da alle anderen Voraussetzungen für eine Niederlassungserlaubnis nach drei Jahren vorliegen.

B. Abwandlung

I. Frage 1
Durch den erfolgreichen Abschluss und das Erreichen des C1 Sprachniveaus erfüllt Bob alle Tatbestandsvoraussetzungen des § 26 III AufenthG. Auch die Regelerteilungsvoraussetzungen des § 5 I AufenthG sind mit Ausnahme des § 5 Ia AufenthG erfüllt.

1. Fehlende Identitätsklärung, § 5 Ia AufenthG
Bob reiste ohne gültige **Reisedokumente** in die Bundesrepublik ein und besitzt weiterhin keinen gültigen Pass seines Heimatstaates. Bei den sogenannten allgemeinen Regelerteilungsvoraussetzungen des § 5 I AufenthG handelt es sich um Tatbestandsvoraussetzungen, die nach gesetzgeberischer Intention in der Regel bei allen Erteilungen eines Aufenthaltstitels vorliegen müssen und deshalb vor die Klammer der jeweiligen besonderen Erteilungsnormen gezogen wurden.[9] Dabei ist zu beachten, dass grundsätzlich ein besonderes öffentliches Interesse an der Einbehaltung der Regelerteilungsvoraussetzungen bei jeder Aufenthaltslegalisierung (Erteilung und Verlängerung) besteht.[10] Insbesondere besteht im Falle einer Niederlassungserlaubnis als unbefristeter Aufenthaltstitel ein gewichtiges öffentliches Interesse an der **Identifizierung** der Personen, denen ein Aufenthaltstitel erteilt werden soll.[11]

Die Identität einer Person wird mithilfe rechtlicher und tatsächlicher Daten wie dem Geburtsort, Geburtsdatum, Vorname, Familienname bestimmt und gilt als geklärt, sobald eine Gewissheit gegeben ist, dass keine Verwechslungsgefahr zwischen den angegebenen Daten und der ausgebenden Person bestehen, mithin wenn die personenbezogenen Angaben mit der natürlichen Person übereinstimmen.[12] Ein solcher Nachweis erfolgt normalerweise durch die Vorlage eines gültigen Passes, den Bob allerdings nicht besitzt.

9 Samel, in: Bergmann/Dienelt, AufenthG, 13. Aufl. 2020, § 5 Rn. 8.
10 BVerwG, Urt. v. 14.5.2013, Az.: 1 C 17.12, Rn. 20.
11 BVerwG, Urt. v. 14.5.2013, Az.: 1 C 17.12, Rn. 24.
12 OVG BB, Urt. v. 19.3.2012, Az.: OVG 3 B 15.11, Rn. 20; Beiderbeck, in: BeckOK MigR, 10. Ed. 15.1.2022, AufenthG § 5 Rn. 4; Samel, in: Bergmann/Dienelt, AufenthG, 13. Aufl. 2020, § 5 Rn. 43.

a) Identitätsklärung mittels Passersatz

Allerdings ist er im Besitz eines „**Reiseausweises für Flüchtlinge**", dem sogenannten **Blauen Pass**, gemäß § 1 III AufenthV.

Ist die betroffene Person nicht im Besitz eines Passes, kann die Identität durch andere geeignete Mittel nachgewiesen werden.[13] Ein durch deutsche Behörden ausgestellter „Reiseausweis für Flüchtlinge" gilt gemäß § 4 I 1 Nr. 3 AufenthV als Passersatzpapier womit die Passpflicht des § 3 I AufenthG erfüllt wird. Allerdings spricht die Einführung des § 5 Ia AufenthG und dessen eindeutiger Wortlaut für eine selbstständige Bedeutung der Identitätsklärung als Regelerteilungsvoraussetzung neben der Passpflicht.[14] Jedoch hat auch ein Reiseausweis nach Art. 28 GFK (= „Reiseausweis für Flüchtlinge") grundsätzlich eine Beweiskraft hinsichtlich der enthaltenen personenbezogenen Daten und ermöglicht daher den (widerlegbaren) Nachweis, dass die angegebenen Daten und die darauf abgebildete Person übereinstimmen.[15] Problematisch könnte jedoch sein, dass Bobs Reiseausweis den Zusatz enthält, dass die angegebenen Personalien auf eigenen Angaben beruhen. Die **Identifikationsfunktion** des Reiseausweises wird durch einen solchen Vermerk aufgehoben, da keine Gewähr für die Richtigkeit der Identitätsangaben besteht.[16] Bob ist es daher nicht möglich, seine Identität mittels seines Reiseausweises zu belegen.

b) Absehen von der Anwendung, § 5 III 2 AufenthG

In Fällen der Erteilung eines Aufenthaltstitels nach Kapitel 2 Abschnitt fünf, worunter auch die Erteilung einer Niederlassungserlaubnis nach § 26 III, IV AufenthG fällt, die nicht humanitäre Aufenthaltstitel nach § 24 und § 25 I-III AufenthG sind, kann die zuständige Ausländerbehörde gemäß § 5 III 2 AufenthG von der Anwendung der Absätze eins und zwei abgesehen werden. Die Behörde könnte sich demnach bei der Prüfung der Erteilungsvoraussetzungen für die Niederlassungserlaubnis gegen eine Anwendung des § 5 Ia AufenthG entscheiden. Das Ermessen gemäß § 5 III 2 AufenthG muss sich an dem Grundsatz ausrichten, dass die besonderen Verhältnisse geflüchtete Personen die Erfüllung der Regelerteilungsvoraussetzungen grund-

13 Samel, in: Bergmann/Dienelt, AufenthG, 13. Aufl. 2020, § 5 Rn. 45.
14 Vgl. Samel, in: Bergmann/Dienelt, AufenthG, 13. Aufl. 2020, § 5 Rn. 41.
15 Grundlegend: BVerwG, Urt. v. 17.3.2004, Az.: 1 C 1/03 m.w.N.; zuletzt: VG Sigmaringen, Urt. v. 16.2.2022, Az.: 5 K 4651/20, Rn. 24; Diehl, in: BeckOK MigR, 10. Ed. 15.1.2022, GFK Art. 28 Rn. 14.
16 Für das Einbürgerungsverfahren: BVerwG, Urt. v. 1.9.2011, Az.: 5 C 27/10, Rn. 21; OVG SH, Urt. v. 20.4.2021, Az.: 4 LB 7/20, Rn. 41; OVG NRW, Beschl. v. 11.3.2021, Az.: 19 E 561/20 Rn. 14; für eine Niederlassungserlaubnis: VG Sigmaringen, Urt. v. 16.2.2022, Az.: 5 K 4651/20, Rn. 24.

sätzlich erschweren.[17] Die Möglichkeit von einzelnen allgemeinen Erteilungsvoraussetzungen abzusehen, dient dazu, im Einzelfall den besonderen Umständen der betroffenen Personen gerecht zu werden, deren Aufenthalt auf humanitären Gründen beruht.[18] Das Vorliegen eines Ausnahmefalls ist dafür nicht erforderlich.[19] Insgesamt sind bei der Anwendung des § 5 III 2 AufenthG alle für und gegen eine Aufenthaltsverfestigung sprechende Umstände umfassen zu würden und gegeneinander abzuwägen.[20] Dabei kann sich der Anspruch auf pflichtgemäße Ermessensausübung im Fall einer „Ermessensreduzierung auf Null"[21] auf einen zwingenden Anspruch verdichten.[22]

Bei der Entscheidung hat die zuständige Behörde eine Abwägung zwischen dem öffentlichen Interesse an der Erfüllung der Identitätsaufklärung und dem Interesse Bobs an dem Verzicht der Regelerteilungsvoraussetzungen vorzunehmen. Je geringer die Zweifel an der Identität sind, desto schneller ist die Zumutbarkeitsgrenze in Bezug auf die **Mitwirkungspflichten** der betroffenen Person erreicht.[23] Zu untersuchen ist daher, ob im Wege einer Gesamtabwägung von einer Ermessensreduzierung ausgegangen werden kann, sodass sich die grundsätzlich im Ermessen liegende Entscheidung auf eine Niederlassungserlaubniserteilung in eine gebundene Entscheidung verdichtet.

Bei der Abwägung ist insbesondere zu berücksichtigen, dass der Vermerk, die angegebenen Personalien beruhen (nur) auf eigenen Angaben, auf einem „Reiseausweis für Flüchtlinge" gemäß § 6 VI 2 AufenthV nur dann erfolgt, wenn ernsthafte Zweifel an den Identitätsangaben bestehen.

aa) Regelungswirkung des Länderschreibens

Fragwürdig ist, ob bereits das Länderschreiben des Bundesministerium des Innern und für Heimat (BMI) vom 12.08.2021 eine gewisse Regelungswirkung auslöst, sodass die Behörde im Einzelfall schon gar nicht anders entscheiden konnte. Aufgrund der Selbstbindung der Verwaltung[24] kann sich aus der ständigen Verwal-

---

17 VG Sigmaringen, Urt. v. 16.2.2022, Az.: 5 K 4651/20, Rn. 28; Samel, in: Bergmann/Dienelt, AufenthG, 13. Aufl. 2020, § 5 Rn. 162.

18 Für das Absehen der Erfüllung der Passpflicht: BVerwG, Urt. v. 30.3.2010, Az.: 1 C 6/09, Rn. 30.

19 BVerwG, Urt. v. 30.3.2010, Az.: 1 C 6/09, Rn. 30.

20 BVerwG, Urt. v. 14.5.2013, Az.: 1 C 17.12, Rn. 31.

21 Allgemein zur Ermessensreduzierung auf Null siehe Benrath, in: Eisentraut, Verwaltungsrecht in der Klausur, § 2, Rn. 733.

22 BVerwG, Urt. v. 20.10.2004, Az.: 1 I 15/03; VGH BW, Beschl. v. 21.7.2020, Az.: 12 S 1545/20, Rn. 27.

23 VG Sigmaringen, Urt. v. 16.2.2022, Az.: 5 K 4651/20, Rn. 28.

24 Siehe zur Selbstbindung der Verwaltung Benrath, in: Eisentraut, Verwaltungsrecht in der Klausur, § 2, Rn. 775.

tungspraxis ergeben, dass Abweichungen im Einzelfall einen Verstoß gegen den Gleichheitssatz aus Art. 3 I GG begründen können. Das Ermessen kann darauf reduziert sein, den Einzelfall so zu entscheiden, wie alle gleich gelagerten Fälle.[25] Allerdings entfalten die Anwendungshinweise des BMI keine Regelungswirkung. Grundsätzlich liegt der Gesetzesvollzug nach Art. 83 GG[26] bei den Ländern und eine abweichende Regelung für das Aufenthaltsrecht ist nicht im Grundgesetz normiert. Dabei bilden die für das Ausländer- und Flüchtlingsangelegenheiten zuständigen Landesministerien die oberste Ausländerbehörde. Die unteren Ausländerbehörden nehmen die ihnen übertragenen Aufgaben als Pflichtaufgaben zur Erfüllung nach Weisung wahr.[27] Ein solches Länderschreiben des BMI entfaltet insofern auch keine Regelungswirkung im Sinne eine Verwaltungsaktes gemäß § 35 VwVfG. Es liegt lediglich eine faktische Wirkung vor.[28] Es kann zu länderspezifischen Umsetzungen eines Länderschreibens geben, die als Verwaltungsvorschriften Verwaltungsvorschriften[29] verwaltungsinterne Regelungen für die nachgelagerten Behörden bestimmen.[30]

Im hier vorliegenden Fall wurde im Wege der Recherche lediglich das Länderschreiben des BMI gefunden, welches dahingehend keine Rechtskraft entfaltet, als dadurch eine mögliche Reduzierung der Ermessensentscheidung vorliegt.[31]

Auch liegen keine Ermessensfehler vor, da die ABH in ihren Aussagen die Ablehnungsbegründung der Niederlassungserlaubnis nicht explizit auf das Länderschreiben stützte und so keine Zweifel an einer generellen Ermessensanwendung ersichtlich sind.

❗ Hinweise zur Fallprüfung

Hierbei handelt es sich um ein aktuelles Praxisproblem. Nach der Flüchtlingswelle in den Jahren 2015/ 2016 stellt sich heute bei vielen geflüchteten Schutzberechtigten die Frage nach einer Aufenthaltsverfestigung oder Einbürgerung. Kernproblem ist meist die ungeklärte Identität der Antragsteller*innen. Dieses Problem stellt sich bei allen Erteilungen eines Aufenthaltstitels. Solche Fälle müssen von Einzelfall zu

---

25 Lemke, in: Eisentraut, Verwaltungsrecht in der Klausur – Das Lehrbuch, § 3, Rn. 68.
26 Siehe allgemein zum Gesetzesvollzug Herold, in: Chiofalo/Kohal/Linke, Staatsorganisationsrecht, § 19.
27 Vgl. zum Beispiel für NRW: § 1 Verordnung über Zuständigkeiten im Ausländerwesen
28 Siehe hierzu: Digitale Verwaltung, Rundschreiben des Bundes mit rein faktischer Wirkung.
29 Allgemein zu Verwaltungsvorschriften siehe Kienle, in: Eisentraut, Verwaltungsrecht in der Klausur, § 7, Rn. 25.
30 So beispielsweise schon vor dem Länderrundschreiben (als Antwort auf ein älteres) das Niedersächsische Ministerium für Inneres und Sport mit Erlass vom 08.04.2021.
31 Im Übrigen erscheint es sehr fragwürdig, ob eine solche negative Regelversagung des BMI nicht gegen das gesetzgeberische intendierte freie Ermessen der Behörde widerspricht. Dazu auch kritisch: Flüchtlingsrat Baden-Württemberg, Mitteilung vom 09.09.2021.

Lars Wasnick

Einzelfall entschieden werden, weshalb eine genaue Prüfung wichtig ist. Der hier nachgebildete Fall zeigt dabei nur einen Bruchteil der „typischen" Sachverhaltskonstellationen auf.

bb) Grenzen der Mitwirkungspflicht

Auch wenn das Länderschreiben des BMI an sich keine Regelungswirkung entfaltet, enthält es eine nachvollziehbare Prüfungsreihenfolge der Identitätsklärung, die sich im Wesentlichen (bis auf die Folgerung der Regelversagung) mit der Stufenprüfung des Bundesverwaltungsgerichts[32] deckt. Bob hat keine originalen Passdokumente aus seinem Heimatstaat. Auch hat er keine sonstigen amtlichen Dokumente aus dem Herkunftsstaat wie zum Beispiel einen Führerschein mit biometrischen Merkmalen, noch andere geeignete amtliche Dokumente wie eine Geburtsurkunde, um seine Identität nachzuweisen. Fraglich ist daher, ob ihm als anerkannte geflüchtete Person eine solche Passbeschaffung bei der Auslandsvertretung seines Heimatstaates zumutbar ist. Dies erscheint problematisch.

Hinsichtlich der **Identitätsfeststellung** korrespondiert eine entsprechende Mitwirkungspflicht der antragstellenden Person (§ 48 III AufenthG) mit einer entsprechenden Aufklärungspflicht der zuständigen Ausländerbehörde (§ 49 III AufenthG). Die Mitwirkungspflicht zur Klärung der Identität findet ihre Grenzen in der objektiven Möglichkeit und der subjektiven Zumutbarkeit der betroffenen Person.[33]

Bob wurde der GFK-Flüchtlingsschutz gemäß § 3 I AsylG zugesprochen. Er befindet sich aufgrund begründeter Furcht[34] vor staatlicher Verfolgung außerhalb seines Herkunftslandes, dessen Schutz er nicht in Anspruch nehmen kann und/oder aufgrund seiner Furcht nicht in Anspruch nehmen will. Bob könnte sich durch die Entgegennahme des Nationalpasses erneut dem Staat, dessen Staatsangehörigkeit er besitzt, unter Schutz stellen, was gemäß § 72 I Nr. 1 AsylG zur Folge hätte, dass er die Zuerkennung der Flüchtlingseigenschaft verliert.[35] Grundsätzlich gibt die betroffene Person durch die Annahme und Erneuerung des Nationalpasses zu erkennen, dass sie keine Verfolgung durch ihren Heimatstaat mehr befürchtet.[36] Daher kommt der Entgegennahme eine Indizwirkung für die Unterschutzstellung zu, auch wenn sie für sich genommen noch nicht ausreicht, um den Verlust der Flüchtlings-

---

32 Zuletzt: BVerwG, Urt. v. 23.9.2020, Az.: 1 C 36.19, Rn. 20 ff.

33 BVerwG, Urt. v. 23.9.2020, Az.: 1 C 36.19 Rn. 11, 15; VG Sigmaringen, Urt. v. 16.2.2022, Az.: 5 K 4651/20, Rn. 31.

34 Siehe ausführlich zur begründeten Furcht du Maire, *14) Ahmadiyya in Pakistan* in diesem Fallbuch.

35 Siehe zur Thematik des § 72 AsylG Putzer, *29) Schluss mit Schutz?* in diesem Fallbuch.

36 Camerer, in: BeckOK MigR, 11. Ed. 15.4.2022, AsylG § 72 Rn. 2.

eigenschaft endgültig zu begründen.[37] Die Indizwirkung kann entfallen, wenn der äußere Geschehensablauf, mit dem die Entgegennahme bezweckt wird, ihr im Einzelfall entgegensteht.[38] So kann nach dem Bundesverwaltungsgericht (BVerwG) die bloße Inanspruchnahme einer Dienstleistung der Auslandsvertretung des Heimatstaates zur Überwindung bürokratischer Hindernisse für Amtshandlungen deutscher Behörden nicht ausreichend sein, um den Rechtsverlust herbeizuführen.[39] Hierauf beruft sich auch die zuständige Ausländerbehörde.

Allerdings ist zu beachten, dass der vom BVerwG entschiedene Fall als Ausgangslage eine Ausweisung umfasste und es für die Abschiebung maßgeblich auf die Klärung der Identität ankommt. Personen mit zugesprochenem GFK-Schutz steht ohne Weiteres ein „Reiseausweis für Flüchtlinge" gemäß Art. 25 I Qualifikations-RL[40], § 1 III Nr. 2 AufenthV zu. Deshalb kann geschlussfolgert werden, dass die zusätzliche Entgegennahme des Nationalpasses die **Schutzunterstellung** weiterhin indiziert.[41] Vor diesem Hintergrund muss die betroffene Person befürchten, dass ihr Schutzstatus widerrufen wird, wenn sie den Pass ihres Heimatstaates annimmt.[42]

Unabhängig von der Frage, ob die Entgegennahme des Nationalpasses tatsächlich zum Widerruf der Flüchtlingseigenschaft führt, besteht für Bob aus dem Umkehrschluss keine Sicherheit, dass er sie nicht verlieren könnte. Er würde mithin das Risiko des Verlustes seiner Flüchtlingseigenschaft zum Zwecke des Nachweises seiner Identität tragen und dem BAMF gegenüber die Darlegungslast tragen, dass der Tatbestand des § 72 I Nr. 1 AsylG nicht erfüllt ist.[43] Dies erscheint unzumutbar.

Für eine **Unzumutbarkeit** spricht auch die Schutzfunktion der zuerkannten Flüchtlingseigenschaft, die gerade Schutz vor dem Verfolgerstaat bietet. Insgesamt ist bei anerkannten GFK-Schutzberechtigten daher im Regelfall von einer generellen Unzumutbarkeit der Passbeantragung auszugehen.[44]

---

37 BVerwG, Urt. 27.7.2017, Az.: 1 C 28.16, Rn. 35; Bergmann, in: Bergmann/Dienelt, Ausländerrecht, 13. Aufl. 2020, AsylG § 72 Rn. 17; Camerer, in: BeckOK MigR, 11. Ed. 15.4.2022, AsylG § 72 Rn. 2.

38 BVerwG, Urt. 27.7.2017, Az.: 1 C 28.16, Rn. 35; BVerwG, Urt. 2.12.1991, Az.: 9 C 126/90.

39 BVerwG, Urt. 27.7.2017, Az.: 1 C 28.16, Rn. 35.

40 Richtlinie 2011/95/EU des Europäischen Parlaments und des Rates vom 13. Dezember 2011 über Normen für die Anerkennung von Drittstaatsangehörigen oder Staatenlosen als Personen mit Anspruch auf internationalen Schutz, für einen einheitlichen Status für Flüchtlinge oder für Personen mit Anrecht auf subsidiären Schutz und für den Inhalt des zu gewährenden Schutzes, ABl. EU Nr. L 337/9.

41 OVG Nds, Beschl. v. 18.3.2021, Az.: 8 LB 97/20, Rn. 33; VG Sigmaringen, Urt. v. 16.2.2022, Az.: 5 K 4651/20, Rn. 32.

42 Vgl. VG Sigmaringen, Urt. v. 16.2.2022, Az.: 5 K 4651/20, Rn. 32.

43 Vgl. VG Sigmaringen, Urt. v. 16.2.2022, Az.: 5 K 4651/20, Rn. 32.

44 Vgl. VG Sigmaringen, Urt. v. 16.2.2022, Az.: 5 K 4651/20, Rn. 32; aus dem Umkehrschluss zum subsidiären Schutz vgl. VG Schleswig-Holstein, Urt. v. 25.6.2021, Az.: 11 A 270/20, Rn. 21ff.; VG Wiesbaden,

c) Zwischenergebnis

Im Ergebnis ist es Bob nicht zumutbar, dass er bei der Auslandsvertretung seines Heimatstaates vorspricht und einen Nationalpass beantragt. In diesem Fall verdichtet sich das Ermessen der Behörde, ob Sie von der Regelerteilungsvoraussetzung des § 5 Ia AufenthG absieht, gegen Null. Zusätzlich hat Bob nie über seine Identität getäuscht oder ist sonst in diesem Zusammenhang auffällig geworden. Es bestehen daher, trotz des Vermerks nur geringe Zweifel an seiner Identität.

2. Ergebnis

Bob hat demnach einen Anspruch auf Erteilung der Niederlassungserlaubnis gemäß § 26 III AufenthG.

Hinweise zur Fallprüfung !

Das hier vertretene Ergebnis entspricht der wohl herrschenden Ansicht. In der Beratungspraxis kommt es jedoch regelmäßig vor, dass auch von anerkannten GFK-Schutzberechtigten seitens der Ausländerbehörden Passbeschaffungen verlangt werden.

II. Frage 2

Hinweise zur Fallprüfung !

Bei der zweiten Fallfrage handelt es sich ebenfalls um ein äußerst praxisrelevantes Problem. Im nachfolgenden sollen lediglich die Unterschiede für die Fallprüfung aufgezeigt werden. Das Hauptproblem besteht darin, dass die Ausführungen zur Unzumutbarkeit für Personen mit zuerkannter Flüchtlingseigenschaft nicht unmittelbar auf den subsidiären Schutz übertragbar sind. Diese Problematik stellt sich nicht nur bei Fragen rund um die Niederlassungserlaubnis, sondern grundsätzlich bei allen Passbeschaffungspflichten.

Als **subsidiär Schutzberechtigter** ist Bob im Besitz einer Aufenthaltserlaubnis gemäß § 25 II 1 Alt. 2 AufenthG. Sein Anspruch auf eine Niederlassungserlaubnis richtet sich daher nach § 26 IV AufenthG. Im Wesentlichen unterscheiden sich die Tatbestandsvoraussetzungen im Vergleich zu denen aus § 26 III AufenthG in zwei Punkten. Zum einen verweist § 26 IV AufenthG ohne Privilegierung auf die Ertei-

---

Urt. v. 8.6.2020, Az.: 4 K 2002/19.WI, Rn. 19; vgl. auch: Bergmann, in: Bergmann/Dienelt, Ausländerrecht, 13. Aufl. 2020, AsylG § 15 Rn. 11; Heinhold, Asylmagazin 2018, 7 (9); andere Ansicht für ein noch laufendes Asylstreitverfahren: OVG Nds, Beschl. v. 1.9.2020, Az.: 13 ME 312/20, Rn. 5.

lungsvoraussetzungen der allgemeinen Niederlassungserlaubnis gemäß § 9 II 1 AufenthG. Zusätzlich steht die Erteilung der Niederlassungserlaubnis auch bei Erfüllung aller Tatbestandsvoraussetzungen im Ermessen der Behörde.[45] Außerdem gibt es keine zeitliche Privilegierung, sodass eine Niederlassungserlaubnis gemäß § 26 IV AufenthG zwingend erst nach fünf Jahren Besitz einer Aufenthaltserlaubnis möglich ist.

Insofern liegen alle Voraussetzungen für die Niedererlassung vor, bis auf die allgemeine Erteilungsvoraussetzung des § 5 1a AufenthG aufgrund seiner ungeklärten Identität. Fraglich ist daher, ob die Ausführungen zu Frage 1 bezüglich der Zumutbarkeit auch auf subsidiär Schutzberechtigte übertragbar sind.

Als Flüchtling anerkannte Personen steht gemäß Art. 25 I Qualifikations-RL ein „Reiseausweis für Flüchtlinge" zu. Ein entsprechender unmittelbarer Anspruch steht subsidiär Schutzberechtigten nicht zu. Gemäß § 25 II Qualifikations-RL stellen die Mitgliedstaaten einen Reisedokumente nur dann aus, wenn diese keinen nationalen Pass erhalten können. Die Voraussetzungen für einen solchen „Reiseausweis für Ausländer" finden sich in den §§ 5ff. AufenthV; die Erteilung steht grundsätzlich im Ermessen der zuständigen Behörde. Allerdings legt der 39. Erwägungsgrund der Qualifikations-RL fest, dass subsidiär Schutzberechtigte dieselben Rechte und Leistungen zu denselben Bedingungen gewährt bekommen sollen wie anerkannten GFK-Schutzberechtigten, es sei denn, dass es gibt sachlich gerechtfertigte Ausnahmeregelungen. Fraglich ist daher, ob es sich bei den unterschiedlichen Erteilungsvoraussetzungen in Bezug auf Reisedokumente um eine solche legitime Ausnahmeregelung handelt.

Maßgeblich für die Beurteilung sind die jeweiligen Schutzrichtungen der Schutzstatus. Gemäß Art. 15 der Qualifikations-RL soll der subsidiäre Schutz einen ernsthaften Schaden abwenden und bietet so einen Schutz vor schweren Menschenrechtsverletzungen. Anders als der Schutzstatus der Flüchtlingseigenschaft beruht der subsidiäre Schutz jedoch nicht aufgrund der Genfer Flüchtlingskonvention, sondern ist eine Ergänzung dessen, um geflüchtete Personen von einzelnen gefahren zu schützen, die nicht an Verfolgungsgründe im Sinne des § 3b AsylG anknüpfen, aber eine vergleichbare Intensität mit den Verfolgungshandlungen des § 3a AsylG aufweisen.[46] Dementsprechend sind die Schutzrichtungen zwischen der Flüchtlingseigenschaft und dem subsidiären Schutz grundsätzlich unterschied-

---

45 Relevant wird das Ermessen meist für Konstellationen, in denen lediglich ein nationales Abschiebeverbot zuerkannt wurde. Ist es nach Abschluss des Asylverfahrens zu Unterbrechungen der Rechtmäßigkeit des Aufenthaltes gekommen, können diese Zeiträume im Wege des Ermessens berücksichtigt werden. Näher dazu: Röcker, in: Bergmann/Dienelt, AufentG, 13. Aufl. 2020, § 26 Rn. 59.

46 Vgl. Wittmann, in: BeckOK MigR, 11. Ed. 15.4.2022, AsylG § 4 Rn. 3ff.

lich.[47] Dementsprechend handelt es sich bei der Ausgestaltung der jeweiligen Reisedokumente um eine im 39. Erwägungsgrund bezeichnete Ausnahmeregelung. Eine generelle Unzumutbarkeit aufgrund des anerkannten subsidiären Schutzes allein lässt sich daher nicht begründen.

Fraglich ist, ob die Wertungen des § 72 I Nr. 1 AsylG auch auf subsidiär Schutzberechtigte übertragbar sind. Gegen eine direkte Anwendung spricht jedoch bereits der Wortlaut der Norm, die lediglich auf die Zuerkennung der Flüchtlingseigenschaft spricht. Gegen eine analoge Anwendung spricht die Existenz des § 73b AsylG, der die Erlöschensgründe des subsidiären Schutzes regelt. Es fehlt mithin an einer planwidrigen Regelungslücke.[48] Für eine analoge Ausweitung des Anwendungsbereichs des § 72 AsylG besteht daher aufgrund der eindeutigen Regelungen kein Raum.[49]

Aufgrund der Unterschiede zwischen Art. 25 I Qualifikations-RL und § 72 I Nr. 1 AsylG einerseits und Art .25 II Qualifikations-RL und § 73b AsylG andererseits kann ohne das Hinzutreten besonderer Umstände nicht von einer generellen Unzumutbarkeit von subsidiär Schutzberechtigen ausgegangen werden, sich um die Ausstellung eines Nationalpasses zu bemühen.[50]

Besondere Gründe für eine Unzumutbarkeit hat Bob nicht vorgetragen. Der Fall wäre daher dahingehend anders zu entscheiden, dass ein Anspruch auf Erteilung der Niederlassungserlaubnis aufgrund der ungeklärten Identität des Bob nicht erteilt werden könnte, da es ihm zumutbar erscheint, sich zunächst um einen Nationalpass seines Heimatstaates zu bemühen.

Zusammenfassung: Die wichtigsten Punkte
- Die Erteilungsvoraussetzungen einer Niederlassungserlaubnis variieren stark je nach zuerkanntem Schutzstatus. Zusätzlich sind die Mitwirkungspflichten bei der Erteilung zu berücksichtigen, deren Zumutbarkeit sich je nach Schutzstatus stark unterscheiden kann.

---

47 OVG Nds, Urt. v. 18.3.2021, Az.: 8 LB 97/20, Rn. 32; VGH Bayern, Urt. v. 25.11.2021, Az.: 19 B 21.1789, Rn. 70; Diehl, in: BeckOK MirgR, 11. Ed. 15.4.2022, GFK Art. 28 Rn. 46.1.
48 OVG Nds, Urt. v. 18.3.2021, Az.: 8 LB 97/20, Rn. 33.
49 OVG Nds, Urt. v. 18.3.2021, Az.: 8 LB 97/20, Rn. 33; VGH Bayern, Beschl. v. 17.10.2018, Az.: 19 ZB 15.428, Rn. 10; OVG NRW, Beschl. v. 17.5.2016, Az.: 18 A 951/15, Rn. 10.
50 OVG Nds, Urt. v. 18.3.2021, Az.: 8 LB 97/20, Rn. 34 f.; im Ergebnis so auch: VGH Bayern, Beschl. v. 17.10.2018, Az.: 19 ZB 15.428, Rn. 10; OVG NRW, Beschl. v. 17.5.2016, Az.: 18 A 951/15, Rn. 10; VG Aachen, Urt. v. 10.6.2020, Az.: 4 K 2580/18, Rn. 32 ff.

Lars Wasnick

Lars Wasnick

Fall 34
Recht auf Eltern – auch nach dem 18. Geburtstag?

Behandelte Themen: Familiennachzug, Elternnachzug, unbegleitete minderjährige Flüchtlinge, Zuständigkeit der Auslandsvertretung, Beurteilungszeitpunkt Minderjährigkeit, Eintritt der Volljährigkeit

Schwierigkeitsgrad: Anfänger*innen bis Fortgeschrittene

Sachverhalt

Der ledige O reiste Mitte des Jahres 2019 in das Bundesgebiet ein, nachdem die aus Syrien stammende Familie gemeinsam geflüchtet, in der Türkei aber getrennt worden war. Zum Zeitpunkt seiner Einreise befand er sich in Begleitung eines Onkels. Er wurde hier auf seine Angabe, er sei unbegleitet und 13 Jahre alt, vom Jugendamt in Obhut genommen und lebt seitdem in einer Jugendwohngruppe eines Kinderheims in M. Der für ihn bestallte Vormund stellte im März 2020 einen Asylantrag, wobei er als Geburtsdatum den 1.1.2006 angab. Mit Bescheid vom 23.11.2020 erkannte das Bundesamt für Migration und Flüchtlinge (BAMF) dem O die Flüchtlingseigenschaft zu. Er ist nunmehr Inhaber einer bis zum 19.1.2024 gültigen Aufenthaltserlaubnis nach § 25 II 1 Alt. 1 AufenthG.

O möchte nunmehr seine in der Türkei zurückgebliebenen Eltern zu sich holen. Diese haben sich dort als Schutzsuchende bei der türkischen Migrationsbehörde registriert und haben den „vorübergehenden Schutzstatus" zugesprochen bekommen. Sie sind im Besitz von entsprechenden Aufenthaltsdokumenten, syrischen Reisepässen (gültig bis zum 1.10.2023), Geburtsurkunden und einem Familienregisterauszug (ausgestellt am 1.08.2019). O sucht am 1.4.2021 eine Beratungsstelle auf.

Fallfragen

1. Haben die Eltern des O einen Anspruch auf Erteilung von Visa zum Zwecke des Familiennachzuges?
2. Welche rechtlichen und faktischen Voraussetzungen müssen erfüllt sein, damit der Nachzug gelingt?
3. Erklären Sie den Verfahrensablauf, den die Familie durchlaufen muss.

Abwandlungen

Abwandlung 1: O ist nicht am 1.1.2006, sondern am 1.1.2004 geboren. Was ändert sich für das Nachzugsverfahren der Eltern?

Abwandlung 2: O wird während des laufenden Asylverfahrens volljährig. Haben seine Eltern in diesem Fall noch einen Anspruch auf Elternnachzug?

Lösungsvorschlag

A. Ausgangsfall

Fraglich ist, ob die Eltern des O einen Anspruch auf **Erteilung eines Visums** zum Zwecke des Familiennachzugs zu ihrem Sohn haben.

I. Anspruchsgrundlage

Die Voraussetzungen für einen **Familiennachzug** der Eltern des O könnten sich aus § 6 III i. V. m. § 36 I AufenthG ergeben. Nach § 6 III 1 und 2 AufenthG ist für längerfristige Aufenthalte ein Visum für das Bundesgebiet erforderlich, das vor der Einreise erteilt wird. Die Erteilung richtet sich nach den für die Aufenthaltserlaubnis geltenden Vorschriften.[1] Nach § 36 I AufenthG ist den Eltern einer minderjährigen und unverheirateten Person, die eine Aufenthaltserlaubnis nach § 25 II 1 Alt. 1 AufenthG besitzt, abweichend von den allgemeinen Erteilungsvoraussetzungen nach § 5 I Nr. 1 (Lebensunterhaltssicherung) und § 29 I Nr. 2 AufenthG (Wohnraumerfordernis) ein Visum zu erteilen, wenn sich kein personensorgeberechtigter Elternteil im Bundesgebiet aufhält.[2]

---

i **Weiterführendes Wissen**

Dieser Anspruch ist – wie sich aus der Formulierung „abweichend von § 5 I Nr. 1 und § 29 I Nr. 2 AufenthG" ergibt – unabhängig vom Erfordernis der Lebensunterhaltssicherung und des Vorhandenseins von ausreichendem Wohnraum (siehe weiter unter 4.) und wird daher als **„privilegierter Nachzug"** bezeichnet. Anders als beim privilegierten Nachzug von Eheleuten und minderjährigen Kindern verlangt § 29 II 2 AufenthG im Falle des **Elternnachzugs** keine Anzeige des Nachzugs innerhalb einer Frist von drei Monaten nach Schutzzuerkennung des Kindes (sogenannte **fristwahrende Anzeige**).[3]

Der vereinfachte Nachzug zu unbegleiteten Minderjährigen resultiert aus der Umsetzung der Familienzusammenführungs-RL[4] durch das Richtlinienumsetzungsgesetz vom 19.8.2007.

---

1 Zu den Erteilungsvoraussetzungen beim Familiennachzug siehe Mantel, *37) Die kleine Delina will zu ihrer Mutter* in diesem Fallbuch.

2 Vgl. BVerwG, Urteil v. 18.4.2013, Az.: 10 C 9.12, Rn. 16, asyl.net: M20813.

3 Siehe zum privilegierten Nachzug von Eheleuten und Kindern Mungan, Fall *35) Familienleben nur in Deutschland möglich* in diesem Fallbuch.

4 Richtlinie 2003/86/EG des Rates vom 22. September 2003 betreffend das Recht auf Familienzusammenführung, ABl. EU Nr. L 251/12.

II. Rechtliche Voraussetzungen
Die Eltern des O müssten die Voraussetzungen des § 36 I AufenthG erfüllen.

1. Aufenthaltstitel der minderjährigen Referenzperson
§ 36 I AufenthG verlangt, dass das Kind (in diesem Zusammenhang als „**Referenzperson**" oder „**stammberechtigte Person**" bezeichnet), einen **Aufenthaltstitel** nach § 23 IV, § 25 I oder II 1 Alt. 1, eine Niederlassungserlaubnis nach § 26 III oder eine Aufenthaltserlaubnis nach § 26 IV AufenthG besitzt.

O hat einen Aufenthaltstitel nach § 25 II 1 Alt. 1 AufenthG als anerkannter Flüchtling. Der Anspruch der Eltern des O auf Elternnachzug kann sich somit aus § 36 I AufenthG ergeben.

Weiterführendes Wissen

Die stammberechtigte Person muss grundsätzlich im Besitz eines Aufenthaltstitels mit mindestens einjähriger Gültigkeit sein. Dies folgt bereits aus Art. 3 I Familienzusammenführungs-RL, nach der Stammberechtigte eine begründete Aussicht darauf haben müssen, ein dauerhaftes Aufenthaltsrecht zu erlangen. Da nach § 26 I 2 AufenthG die Aufenthaltstitel gemäß § 25 I für Asylberechtigte und II 1 Alt. 1 AufenthG für anerkannte Flüchtlinge mit einer Gültigkeit von drei Jahren erteilt werden, stellt diese Voraussetzung in der Praxis kaum ein Problem dar.

2. Kein nachzugsberechtigter Elternteil im Bundesgebiet
Des Weiteren dürfte sich kein **nachzugsberechtigter Elternteil** des O bereits im Bundesgebiet aufhalten.

§ 36 I AufenthG sieht grundsätzlich einen beiden Elternteilen zustehenden **Nachzugsanspruch** zu ihrem minderjährigen Kind vor. Eine Einschränkung dieses Grundsatzes findet statt durch die negative Voraussetzung, dass sich kein nachzugsberechtigter Elternteil bereits im Bundesgebiet befinden darf. Eine Entsprechung findet diese Voraussetzung in Art. 2 lit. f Familienzusammenführungs-RL, wonach eine Person nur solange als „**unbegleitete Minderjährige**" anzusehen ist, als sie sich „nicht tatsächlich in der Obhut" einer für sie verantwortlichen erwachsenen Person befindet.

Der Nachzugsanspruch nach § 36 I AufenthG greift unter anderem dann nicht, wenn von vornherein ein Elternteil mit dem minderjährigen Kind nach Deutschland eingereist ist oder es dort in Empfang genommen hat, denn dann war das Kind nicht unbegleitet. Demgegenüber ist die Voraussetzung, dass sich kein sorgerechtsberechtigter Elternteil im Bundesgebiet aufhält, jedenfalls auch dann erfüllt, wenn ein Elternteil zeitgleich oder in unmittelbarem zeitlichem Zusammenhang mit dem anderen Elternteil den Lebensmittelpunkt ins Bundesgebiet verlagert.[5] Als noch in unmittelbarem zeitlichem Zusammenhang wird es angesehen, wenn der zweite Elternteil noch innerhalb von drei Monaten nach Einreise des ersten Elternteils nachzieht. Sofern die Einreise des ersten Elternteils vor länger als drei Monaten stattgefunden hat, besteht die Gefahr dass der Nachzug des zweiten Elternteils nicht gewährt wird.[6]

ℹ Weiterführendes Wissen

Sind die Eltern der minderjährigen Referenzperson geschieden, wird für die Erteilung eines Visums nach § 6 III AufenthG i. V. m. § 36 I AufenthG grundsätzlich ein bestehendes Sorgerecht des den Nachzug begehrenden Elternteils vorausgesetzt, welches auch tatsächlich ausgeübt werden muss. Beruht das Recht zur Personensorge auf der Entscheidung einer ausländischen Behörde, ist vorauszusetzen, dass sie im Bundesgebiet anzuerkennen ist (zum Beispiel nach dem Haager Minderjährigenschutzübereinkommen beziehungsweise dem Haager Übereinkommen über den Schutz von Kindern). Hat das Kind mittlerweile seinen **gewöhnlichen Aufenthalt** in Deutschland, ist hinsichtlich der Sorgerechtsentscheidung deutsches Recht anzuwenden. Danach bleibt es nach der Scheidung grundsätzlich beim gemeinsamen Sorgerecht.

Im Einzelfall kann der Nachzug eines nicht personensorgeberechtigten Elternteils gemäß § 36 I AufenthG erfolgen. Hierfür ist jedoch ein Nachweis der Übernahme tatsächlicher Verantwortung für das Kind und einer engen familiäreren Beziehung erforderlich und es bedarf einer einzelfallbezogenen Prüfung. Insofern stellt § 36 I eine speziellere Regelung im Verhältnis zu Härtefallregelungen wie § 36 II AufenthG dar.

O ist unbegleitet in das Bundesgebiet eingereist. Der Nachzug beider personensorgeberechtigter Elternteile soll nunmehr zeitgleich erfolgen. Die Eltern beabsichtigen nach Einreise auch die Wiederaufnahme der familiären Lebensgemeinschaft mit dem Kind.

Unschädlich für den Nachzugsanspruch des O ist zudem, dass er sich im Zeitpunkt der Einreise in das Bundesgebiet in Begleitung seines Onkels befand. Ein Nachzug minderjähriger sonstiger Familienangehöriger zu Verwandten in gerader aufsteigender Linie kommt ausnahmsweise nur in Betracht, wenn sie Vollwaisen sind (zum Beispiel Enkelkinder zu Großeltern) oder wenn die Eltern nachweislich auf Dauer nicht mehr in der Lage sind, die Personensorge auszuüben (zum Beispiel wegen einer Pflegebedürftigkeit).[7]

---

5 Vgl. BT-Drs. 16/5065 S. 176

6 In entsprechender Heranziehung von Nr. 32.1.3.1 Allgemeine Verwaltungsvorschrift zum Aufenthaltsgesetz des Bundesministeriums des Innern vom 26.10.2009 (AVV-AufenthG): asyl.net unter „Recht" / „Gesetzestexte" / „Erlasse/Behördliche Mitteilungen".

7 Nach Oberhäuser, in NK-AuslR, 2. Aufl. 2016, § 36, Rn. 9, sollen auch Großeltern nachzugsberechtigt sein; andere Auffassung: Heinhold, ZAR 2012, 142. Nach Art. 10 III lit. b Familienzusammenfüh-

3. Minderjährigkeit der stammberechtigten Person

Der Nachzugsanspruch aus § 36 I AufenthG setzt die Minderjährigkeit des Kindes voraus. Die Minderjährigkeit berechnet sich nach deutschem Recht und endet mit Vollendung des 18. Lebensjahres. Ob die Referenzperson als minderjährig gilt, wenn sie zum Zeitpunkt der Visumsbeantragung der Eltern noch minderjährig war oder ob sie noch bis zur Einreise der Eltern in das Bundesgebiet weiterhin minderjährig sein muss, war bisher noch höchst strittig (siehe unten Abwandlungen).

Im vorliegenden Fall kann der Meinungsstreit über den maßgeblichen Beurteilungszeitpunkt außen vor gelassen werden. O hat erst das 15. Lebensalter vollendet und ist damit minderjährig.

4. Allgemeine Erteilungsvoraussetzungen

Der Nachzugsanspruch gemäß § 36 I AufenthG besteht, wie oben dargestellt, unabhängig von den allgemeinen Erteilungsvoraussetzungen der Sicherung des Lebensunterhalts gemäß § 5 I Nr. 1 AufenthG und des ausreichenden Wohnraums gemäß § 29 I Nr. 2 AufenthG.

Allerdings müssen unter anderem die **Identitäten und Staatsangehörigkeiten** der nachzugswilligen Eltern geklärt sein (§ 5 I Nr. 1a AufenthG) und zum anderen grundsätzlich auch die **Passpflicht** gemäß § 3 AufenthG durch ebendiese erfüllt sein (§ 5 I Nr. 4 AufenthG).[8]

O's Eltern sind im Besitz von syrischen Reisepässen und Personenstandsurkunden (siehe hierzu genauer sogleich unter Abschnitt III.2.).

III. Faktische Voraussetzungen
1. Beantragung der Visa

In der Praxis wird bisher vielfach die persönliche Vorsprache zur Antragstellung bei einer deutschen **Auslandsvertretung** verlangt. Allerdings ist inzwischen in der Rechtprechung geklärt, dass **Visumsanträge** grundsätzlich auch formlos – etwa per E-Mail – bei der jeweiligen Auslandsvertretung gestellt werden können.[9] Daher

---

rungs-RL kann der Vormundsperson von unbegleiteten minderjährigen Flüchtlingen oder einem anderen Familienmitglied eine Aufenthaltserlaubnis zum Zwecke der Familienzusammenführung erteilt werden. Diese Öffnungsklausel wurde von Deutschland allerdings noch nicht in nationales Recht umgesetzt.

8 Siehe zu diesen Voraussetzungen ausführlich Mantel, *37) Die kleine Delina will zu ihrer Mutter* in diesem Fallbuch.

9 Vgl. OVG BB, Beschl. v. 19.1.2022, Az.: OVG 3 M 185/20, Rn. 3f., asyl.net: M30369; OVG BB Beschl. v. 25.8.2020, Az.: OVG 12 B 18.19, Rn. 22, asyl.net: M30105.

Cana Mungan

können etwaige Fristen mit einem formlosen Antrag gewahrt werden. In der Folge der Antragstellung ist in der Praxis die Vorsprache stets Voraussetzung für die Erteilung eines Visums.

Die Eltern des O haben bei der zuständigen Auslandsvertretung Anträge zur Erteilung von Visa zu stellen. Dabei haben sie auch zu beachten, dass bei der Antragstellung eine Antragsgebühr in bar, aktuell i. H. v. 75,00 Euro pro Person, zu zahlen ist.

2. Terminregistrierung/-buchung

Abhängig von der für die Nachzugswilligen zuständigen Auslandsvertretung, kommt entweder eine Buchung eines konkreten Termins zur Vorsprache bei der Auslandsvertretung oder eine Registrierung für eine Terminvergabe in Betracht. Einige Auslandsvertretungen beauftragen für die Terminvergabe externe Dienstleistungsunternehmen (wie zum Beispiel iDATA[10] oder VFS-Global[11]).

3. Zuständige Auslandsvertretung

In der Regel ist die Auslandsvertretung des Landes für den Nachzugswilligen zuständig, in der dieser seinen **regelmäßigen Wohnsitz** hat.

---

i **Weiterführendes Wissen**

§ 71 II AufenthG regelt die örtliche Zuständigkeit deutscher Auslandsvertretungen nicht im Einzelnen und über die Aussage hinaus, dass diese grundsätzlich im Ausland für Pass- und Visaangelegenheiten zuständig sind.

Über die Erteilung eines Visums entscheiden die deutschen Auslandsvertretungen, in deren Amtsbezirk die antragstellende Person ihren gewöhnlichen Aufenthalt hat.[12] Hierzu haben Antragstellende im Zweifel geeignete Nachweise zu erbringen, ansonsten kann die Annahme des Antrags verweigert werden.

Zur Definition des „**gewöhnlichen Aufenthalts**" gilt in Anlehnung an § 3 I Nr. 3 lit. a VwVfG Folgendes: Es kommt darauf an, ob die betreffende Person sich an einem Ort oder in einem Gebiet unter Umständen aufhält, die erkennen lassen, dass sie an diesem Ort nicht nur vorübergehend verweilt, vgl. Ziff. 71.1.2.2 VwV-AufenthG. Von einer solchen Verfestigung ist dann auszugehen, wenn sich die betreffende Person bereits seit sechs Monaten an dem Ort aufhält oder voraussichtlich aufhalten wird. Dies gilt auch für Personen, die sich irregulär dort aufhalten. Wird eine Registrierung des UNHCR vorgelegt, ist in der Regel davon auszugehen, dass der gewöhnliche Aufenthalt gegeben ist.[13]

---

10 So für die Türkei: https://idata.com.tr/de/de/p/terminvereinbarung-de.
11 So für den Irak: https://visa.vfsglobal.com/irq/en/deu.
12 Ziff. 71.2.1 Allgemeinen Verwaltungsvorschrift zum Aufenthaltsgesetz des Bundesinnenministeriums (VwV-AufenthG).
13 Vgl. Auswärtiges Amt, Visumshandbuch, Stand: August 2022, 75. Ergänzungslieferung, S. 677 ff.

Es bestehen Sonderzuständigkeiten, wenn es im Land des Wohnsitzes keine deutsche Auslandsvertretung gibt.

Weiterführendes Wissen

Im Aufenthaltsgesetz ist die Ermächtigung einer örtlich unzuständigen Auslandsvertretung nicht geregelt. Nach Ziffer 71.2.2 VwV-AufenthG kann ein Visum mit Ermächtigung der zuständigen Auslandsvertretung oder des Auswärtigen Amts ausnahmsweise auch von einer anderen als der für den gewöhnlichen Aufenthaltsort der betreffenden Person zuständigen Auslandsvertretung erteilt werden. Diese Ermächtigung erfolgt formlos und sollte aus rechtsstaatlichen Gründen flexibel gehandhabt werden. Unterhält Deutschland in einem Drittstaat keine Auslandsvertretung oder verfügt diese über keine Visastelle, wird die Vertretung für die Erteilung nationaler Visa im Regelfall durch eine Auslandsvertretung (sogenannte Service-Vertretung) in einem Nachbarland wahrgenommen.[14]

---

4. Dokumente aus dem Herkunftsland

Welche Dokumente als **Nachweis der Identität** beziehungsweise der familiären Beziehung zur stammberechtigten Person vorzulegen sind, ist abhängig vom Herkunftsland und den Anforderungen, die die zuständige deutsche Auslandsvertretung hierfür stellt.[15] Informationen zu den erforderlichen Dokumenten können bei den meisten Auslandsvertretungen auf ihren jeweiligen Webseiten aufgerufen werden. Im Übrigen können für Informationen zum Visaverfahren auch die von den Auslandsvertretungen beauftragten externen Dienstleistungsstellen kontaktiert werden.[16]

Im vorliegenden Fall sind die Eltern des O im Besitz von Geburtsurkunden und dem Familienregisterauszug – jeweils im Original. Die Originaldokumente bedürfen eines **Überbeglaubigungsvermerks** durch das syrische Außenministerium. Sie müssen jeweils mit einer von einem beeidigten Übersetzer angefertigten deutschen Übersetzung verbunden werden. Die Familie muss darauf hingewiesen werden, dass der Auszug aus dem Familienregister nicht älter als sechs Monate sein darf. Die Dokumente müssen von der deutschen Botschaft in Beirut vor Antragstellung legalisiert werden. Pro Urkunde fällt hierfür eine Gebühr an. Die Botschaft in Beirut

---

14 Vgl. Auswärtiges Amt, Visumshandbuch, Stand: August 2022, 75. Ergänzungslieferung, S. 678 ff.
15 Siehe zu diesen Voraussetzungen ausführlich Mantel, *Fall 37) Die kleine Delina will zu ihrer Mutter* in diesem Fallbuch; vgl. dort zitiert EuGH, Urt. v. 13.3.2019, Az.: C-635/17, asyl.net: M27392; Ujkasevic, NVwZ 2021, 620 ff.; Ujkasevic, Asylmagazin 2020, 205.
16 So wurde die IOM vom Auswärtigen Amt damit beauftragt, Antragstellende und die Auslandsvertretungen im Rahmen des „Family Assistance Programme" (kurz: FAP) in Beirut, Amman, Erbil, Istanbul, Kairo, Kabul, Addis Abeba, Khartoum und Nairobi bei der Durchführung der Familiennachzugsverfahren zu unterstützen, vgl. IOM.

ist aktuell die für die Legalisation syrischer Urkunden allein zuständige deutsche Auslandsvertretung.[17]

5. Reisekosten

Die Eltern des O sind darauf hinzuweisen, dass sie die Reisekosten für den Nachzug nach Deutschland zu tragen haben. Finanzielle Unterstützung kann bei Wohlfahrtsverbänden, Flüchtlingsräten oder anderen Organisationen am Aufenthaltsort der stammberechtigten Person erfragt werden.

IV. Verfahrensablauf

Das **Visumsverfahren** ist in der Praxis oft langwierig.[18] Im vorliegenden Fall müssen sich die Eltern des O in der Türkei über die Visaserviceagentur iDATA gebührenpflichtig für Termine registrieren und auf eine Terminzuweisung warten. Während dieser Wartezeit sollte die Familie die für das Visaverfahren erforderlichen Unterlagen vorbereiten.

Anschließend prüft die Auslandsvertretung alle auslandsbezogenen Voraussetzungen, wie etwa die Identität der Antragstellenden und das Vorliegen der Dokumente aus dem Herkunftsland. Die Auslandsvertretung ist auch zuständig für die Überprüfung der Echtheit der Dokumente beziehungsweise der gemachten Angaben gegebenenfalls durch Beauftragung sogenannter Vertrauensanwält*innen.[19]

Im nächsten Schritt prüft die zuständige Ausländerbehörde, ob die inlandsbezogenen Voraussetzungen, wie etwa das Vorliegen der erforderlichen Aufenthaltserlaubnis der stammberechtigten Person ebenfalls vorliegen. Sofern diese Voraussetzungen vorliegen, übermittelt die Ausländerbehörde ihre Zustimmung an die Auslandsvertretung. Diese hat die Letztentscheidungskompetenz zur Erteilung des Visums.

V. Ergebnis

Die Eltern des O haben einen Anspruch auf Erteilung jeweils eines Visums zum Zwecke des Familiennachzugs zu ihrem Sohn. Das Visum wird erteilt, sofern die

---

17 Zur Zumutbarkeit dieser Anforderungen siehe Mantel, *Fall 37) Die kleine Delina will zu ihrer Mutter* in diesem Fallbuch.
18 Ausführlich zum Ablauf des Visumsverfahrens siehe familie.asyl.net unter „Außerhalb Europas"/„Verfahren".
19 Siehe hierzu ausführlich Mantel, *Fall 37) Die kleine Delina will zu ihrer Mutter* in diesem Fallbuch.

oben bezeichneten Unterlagen vorliegen und das Verfahren wie oben ausgeführt durchgeführt wird.

B. Abwandlungen

I. Abwandlung 1: Drohende Volljährigkeit im Laufe des Visumverfahrens

In Bezug auf die meisten Voraussetzungen kann auf den obenstehenden Lösungsvorschlag verwiesen werden. In der Abwandlung stellen sich die folgenden Punkte anders dar: In der vorliegenden Abwandlung ist O zum Beratungszeitpunkt 17 Jahre und 90 Tage alt. Aufgrund der langen Verfahrenszeiten in Familiennachzugsfällen zu Stammberechtigten mit einem humanitären Aufenthalt droht der **Eintritt der Volljährigkeit** noch bevor das Verfahren einen positiven Abschluss findet und die beantragten Visa für die Eltern erteilt werden.

1. Beurteilungszeitpunkt Minderjährigkeit

Bei Zugrundelegung der bisherigen Verwaltungspraxis und Rechtsprechung des Bundesverwaltungsgerichts hätte die Familie zu befürchten, dass den Eltern nach Eintritt der Volljährigkeit keine Visa mehr erteilt werden, da die Voraussetzung der Minderjährigkeit nicht mehr bestehen wird.

Nach der bisherigen Rechtsprechung des Bundesverwaltungsgerichts erlischt der Anspruch auf Nachzug der Eltern zur unbegleiteten minderjährigen Referenzperson nach § 36 I AufenthG in dem Zeitpunkt, in dem das Kind volljährig wird.[20] Mit anderen Worten muss das stammberechtigte Kind noch zum Zeitpunkt der Einreise der Eltern minderjährig sein.

Demgegenüber hat der EuGH mit grundlegenden Urteilen in den Rechtssachen „A und S" zum Elternnachzug[21] und „B.M.M. u.a." zum Kindernachzug[22] in Vorlageverfahren aus den Niederlanden und aus Belgien entschieden, dass Art. 2 lit. f i.V.m. Art. 10 III lit. a Familienzusammenführungs-RL dahin auszulegen ist, dass eine Person, die zum Zeitpunkt ihrer Einreise und Asylantragstellung unter 18 Jahre alt war, aber während des Asylverfahrens volljährig wird und der später die Flüchtlingseigenschaft zuerkannt wird, als „minderjährig" im Sinne dieser Bestimmung anzusehen ist.[23]

---

20 Vgl. BVerwG, Urteil vom 18.4.2013, Az.: 10 C 9/12, Rn. 17, asyl.net: M20813.
21 EuGH, Urt. v. 12.4.2018, Az.: C-550/16, asyl.net: M26143.
22 EuGH, Urt. v. 16.7.2020, Az.: C-133/19, C-136/19, C-137/19, asyl.net: M28868.
23 Siehe hierzu ausführlich Habbe, Asylmagazin 2018, 149–153.

Die für Visumsverfahren zuständigen[24] Gerichte VG Berlin und OVG Berlin-Brandenburg hatten übereinstimmend entschieden, dass diese Auslegung des EuGH für alle Mitgliedstaaten – und somit auch für Deutschland – bindend ist.[25] Dies folge zum einen aus dem Fehlen jeden Verweises in der Familienzusammenführungs-RL auf das nationale Recht und aus der Zielsetzung des Art. 10 III lit. a Familienzusammenführungs-RL, nach der die Frage, auf welchen Zeitpunkt zur Beurteilung des Alters einer Person unionsrechtlich einheitlich für alle Mitgliedstaaten zu bestimmen sei. Mitgliedstaaten verfügten dabei nicht über einen eigenen Ermessensspielraum.[26]

Das Auswärtige Amt vertrat allerdings weiterhin die Auffassung, dass die Auslegung des EuGH den Besonderheiten des niederländischen Rechts geschuldet und demnach nicht auf die deutsche Rechtslage anwendbar sei. Die Niederlande hätten im Gegensatz zu Deutschland von der Möglichkeit des Art. 15 II Familienzusammenführungs-RL Gebrauch gemacht, den nachgezogenen Eltern nach Eintritt der Volljährigkeit des Kindes ein eigenständiges Aufenthaltsrecht einzuräumen.

Das Bundesverwaltungsgericht hatte daher beschlossen weitere Verfahren zum Elternnachzug, die bei ihm anhängig waren, auszusetzen und gemäß Art. 267 AEUV eine Vorabentscheidung des EuGH einzuholen.[27]

! Hinweise zur Fallbearbeitung: aktuelle EuGH-Entscheidungen

Am 1.8.2022 hat der EuGH nunmehr entschieden, dass das Recht auf die Familienzusammenführung von Eltern und Kindern auch dann bestehen bleibt, wenn das Kind im Laufe des Familiennachzugsverfahrens volljährig wird.[28] Der EuGH hat die Auffassung des Auswärtigen Amtes und des BVerwG damit ausdrücklich zurückgewiesen und die Auffassung des VG Berlin und des OVG-Berlin-Brandenburg bestätigt.[29] Es ist daher zu erwarten, dass das Auswärtige Amt seine unionsrechtswidrige Praxis nicht länger aufrechterhalten wird.

---

24 Diese sind aufgrund des Sitzes des Auswärtigen Amtes die örtlich allein zuständigen Gerichte in sämtlichen Visaverfahren, siehe hierzu Mantel, *37) Die kleine Delina will zu ihrer Mutter* in diesem Fallbuch.
25 Ausführlich hierzu Mantel, Asylmagazin 2019, 123f.
26 Vgl. etwa VG Berlin, Urt. v. 1.02.2019, Az.: VG 15 K 936.17, asyl.net: M27094.
27 BVerwG, Beschl. v. 23.4.2020, Az.: 1 C 9.19, 1 C 10.19, asyl.net: M28542.
28 EuGH, Urt. v. 1.8.2022, Az.: C-273/20 und C-355/20, asyl.net: M30811 zum Elternnachzug; EuGH, Urt. v. 1.8.2022, Az.: C-279/20, asyl.net: M30815 zum Kindernachzug, vgl. Kalkmann, Asylmagazin 2022, 302ff.
29 Siehe hierzu https://www.asyl.net/view/eugh-urteile-minderjaehrigkeit-bei-antragstellung-ist-im-familiennachzugsverfahren-massgeblich; ausführlich siehe DRK-Suchdienst, Fachinformation zum Familiennachzug, 5.9.2022: https://www.asyl.net/view/fachinformation-zu-eugh-entscheidungen-vom-august-2022-zum-familiennachzug.

Hinweis: Da diese EuGH-Entscheidungen erst nach Redaktionsschluss des Fallbuchs ergangen sind, erfolgt die weitere Falllösung noch nach der alten Rechtslage. Der Fall ist in seiner Online-Version aber bereits entsprechend aktualisiert.

2. Frist zur Nachzugsbeantragung nach Eintritt der Volljährigkeit

Grundsätzlich ist nach deutschem Recht eine sogenannte fristwahrende Anzeige im Falle des Familiennachzugs zu unbegleiteten minderjährigen Flüchtlingen keine rechtliche Voraussetzung für den (privilegierten) Familiennachzug (siehe oben Abschnitt A.I.). Der EuGH hat jedoch in seinen oben zitierten Entscheidungen ausgeführt, dass es mit dem Ziel von Art. 10 III lit. a Familienzusammenführungs-RL unvereinbar wäre, wenn eine Person, die zum Zeitpunkt ihrer Asylantragstellung noch „unbegleitet minderjährig" war, aber während des Verfahrens volljährig geworden ist, sich ohne jede zeitliche Begrenzung auf diese Vorschrift berufen könnte, um eine Familienzusammenführung zu erwirken. Vielmehr müsse die Familienzusammenführung innerhalb einer „angemessenen Frist" beantragt werden.

Laut EuGH könne zur Bestimmung einer solchen angemessenen Frist die im ähnlichen Kontext von Art. 12 I UAbs. III Familienzusammenführungs-RL gewählte Lösung als Hinweis dienen. Der auf der Grundlage von Art. 10 III lit. a Familienzusammenführungs-RL eingereichte Nachzugsantrag sei daher in einer solchen Situation grundsätzlich innerhalb von drei Monaten ab dem Tag zu stellen, an dem die Referenzperson als Flüchtling anerkannt worden ist.[30]

Daher ist den Ratsuchenden in jedem Fall zu raten, einen diese Frist wahrenden Antrag binnen drei Monaten nach unanfechtbarer Schutzgewährung bei der zuständigen Auslandsvertretung – möglichst per Fax – zu stellen und die Sendebestätigung als Nachweis gut aufzubewahren.

Weiterführendes Wissen

In besonderen Fallkonstellationen, wie bei humanitären oder medizinischen Notfällen, können die deutschen Auslandsvertretungen, unter Einhaltung bestimmter Bedingungen, Sonder-/Vorzugstermine vergeben. Bei drohender Volljährigkeit kann per Mail bei der jeweiligen deutschen Auslandsvertretung unter konkreter Schilderung der Situation und gegebenenfalls Einreichung von Nachweisen ein Vorzugstermin beantragt werden.

Die deutschen Visastellen in der Türkei vergeben Vorzugstermine, wenn das Kind in Deutschland innerhalb der nächsten Monate 18 Jahre alt wird, um eine Bearbeitung des Visumsantrags noch bis zur Volljährigkeit zu ermöglichen. Ähnlich handhaben es auch andere Auslandsvertretungen. Voraussetzung für den Erhalt eines Vorzugstermins in der Türkei ist eine gültige Terminbuchung über iDATA für alle Per-

---

30 EuGH, Urt. v. 12.4.2018, Az.: C-550/16, asyl.net: M26143; OVG BB, Beschl. v. 4.9.2018, OVG 3 S 47.18, OVG 3 M 52.18, Rn. 6, asyl.net: M26617.

sonen, die den Familiennachzug beantragen wollen. Ein gewährter Vorzugstermin entbindet jedoch nicht von der Verpflichtung, vollständige und korrekte Unterlagen und Nachweise im Visumverfahren vorzulegen.

Der O ist 17 Jahre und 90 Tage alt. Ihm droht die Vollendung der Volljährigkeit. Damit das Visaverfahren und die Einreise der Eltern noch vor dem 18. Lebensjahr erfolgt, ist die Beantragung eines Vorzugstermins bei der deutschen Auslandsvertretung in der Türkei erforderlich.

3. Rechtsmittel

Im Falle des drohenden Eintritts der Volljährigkeit im Visumverfahren kann auch die Geltendmachung des Nachzugsanspruchs vor Gericht angebracht sein. Die frühzeitige Einlegung eines Antrags auf **einstweilige Anordnung** gemäß § 123 VwGO vor dem Eintritt der Volljährigkeit der unbegleiteten minderjährigen Referenzperson ist in Anbetracht der aktuellen Rechtsprechung des OVG Berlin-Brandenburg und des VG Berlin ratsam. Bei Vorliegen auch aller weiteren Voraussetzungen würde der Erfolg solch eines Eilantrags zu der Verpflichtung der Auslandsvertretung führen, das Visum rechtzeitig vor Eintritt der Volljährigkeit zu erteilen.

Nach der Rechtsprechung des OVG Berlin-Brandenburg gilt dies in Konstellationen, in denen der Antrag auf Familiennachzug nach Abschluss des Asylverfahrens der unbegleiteten minderjährigen Referenzperson und vor Eintritt der Volljährigkeit gestellt worden ist, die Volljährigkeit aber im Laufe des Visumsverfahrens eintritt.[31]

Das OVG Berlin-Brandenburg zieht daraus den Schluss, dass deshalb die Notwendigkeit einer einstweiligen Regelung nicht entfallen sei, weil der Anspruch auf Familienzusammenführung unter Berücksichtigung der Rechtsprechung des EuGH bis zur gerichtlichen Entscheidung in der Hauptsache fortbestehe und nicht mit der Vollendung des 18. Lebensjahres des Kindes erlösche.[32] Denn das Bundesverwaltungsgericht habe seine oben dargelegte Rechtsprechung auch in Ansehung der EuGH-Rechtsprechung bisher nicht geändert. Daran ändere auch der Umstand nichts, dass es dem EuGH diese Fragen zur Vorabentscheidung vorgelegt habe. Eine Änderung der Rechtsprechung des BVerwG lasse sich nicht sicher prognostizieren, dass die Betroffenen in Eilverfahren auf das Hauptsacheverfahren verwiesen wer-

---

31 Vgl. OVG BB, Urt. v. 22.5.2019, Az.: 3 B 1.19, Rn. 27ff., 37 – juris.
32 So noch OVG BB, Beschl. v. 4.9.2018, Az.: OVG 3 S 47.18, Rn. 6, asyl.net: M26617; VG Berlin, Beschl. v. 18.1.2021, Az.: 8 L 18/21, Rn. 4f. – juris.

den könnten.[33] So würden die Betroffenen das Risiko, dass sich die Prognose einer Rechtsprechungsänderung als unzutreffend erweist. Dies ließe sich mit ihrem Recht auf Gewährung effektiven Rechtsschutzes (Art. 19 IV 1 GG) nicht vereinbaren.

Es ist jedoch zu beachten, dass auch eine andere Auffassung vertreten und die Notwendigkeit einer einstweiligen Regelung nicht mehr für erforderlich gehalten wird, da der Anspruch auf Familiennachzug unter Berücksichtigung der Rechtsprechung des EuGH bis zur gerichtlichen Entscheidung in der Hauptsache fortbestehe und nicht mit der Vollendung des 18. Lebensjahres des Kindes erlösche.[34]

II. Abwandlung 2: Eintritt der Volljährigkeit im Laufe des Asylverfahrens

Diese Fallkonstellation unterscheidet sich im Wesentlichen nicht von der Konstellation, in der der Eintritt der Volljährigkeit erst im anhängigen Visumverfahren droht. Jedoch ist zu beachten, dass vor dem Hintergrund der oben zitierten Rechtsprechung des EuGH innerhalb von drei Monaten nach unanfechtbarer Anerkennung der ehemals unbegleiteten minderjährigen Person der Visumsantrag bei der zuständigen Botschaft gestellt werden sollte.

Weiterführende Literatur
- DRK-Suchdienst, Fachinformation zum Familiennachzug: Die EuGH-Entscheidungen vom 1. August 2022
- Informationsportal mit detaillierten, laufend aktualisierten und zum Teil länderspezifischen Informationen zum Familiennachzug:
- Themen auf asyl.net: Familiennachzug zu Schutzberechtigten
- Heike Winzenried: Familiennachzug zu unbegleiteten minderjährigen Flüchtlingen, Asylmagazin 2017, 369ff.
- Zum Elternnachzug nach § 36 I AufenthG: Heinhold, ZAR 2012, 142
- Themen des BumF: Familienzusammenführung
- DIJuF-Rechtsgutachten: Übernahme der Flugkosten für den Elternnachzug

---

Dieser Fall darf gerne kommentiert, verändert und beliebig genutzt werden. Die Anleitung hierfür lässt sich über den abgebildete QR-Code mit der Smartphone-Kamera auf unserer Homepage aufrufen.

---

33 So auch: OVG BB, Beschl. v. 4.12.2020, Az.: 6 N 102/20.
34 Vgl. VG Berlin, Beschl. v. 18.1.2021, Az.: 8 L 18/21, Rn. 9 – juris.

Cana Mungan

Fall 35
Familienleben nur in Deutschland möglich

Behandelte Themen: Familienzusammenführung, Nachzug von Eheleuten, Minder-
jährigenehe, Herstellung der familiären Lebensgemeinschaft in einem anderen
Land

Schwierigkeitsgrad: Anfänger*innen

Sachverhalt

Die 35 Jahre alte F. ist syrische Staatsangehörige. Sie heiratete 2012 den heute 45 Jahre
alten K. 2013 entschloss sich das Paar aus Syrien zu flüchten. Sie reisten nach Ägypten,
wo sie bei einem Onkel des K. in Kairo zeitweilig Unterschlupf fanden. Anschließend
äußerten sie bei den zuständigen Behörden in Kairo ein Asylgesuch und erhielten daraufhin eine sogenannte „Gelbe Karte" – eine Art Aufenthaltsgestattung. Den Eheleuten wurde erklärt, dass die Karte ihnen den weiteren legalen Aufenthalt in Ägypten
ermögliche, bis eine „Refugee Status Determination" (RSD) durchgeführt werde. Die
Karte sei zunächst für eineinhalb Jahre gültig und müsse alle sechs Monate abgestem-
pelt werden. Die Eheleute warteten eineinhalb Jahre ohne Ergebnis auf ein „RSD-Ge-
spräch". Nachdem ihre „Gelbe Karten" nach Ablauf der eineinhalb Jahre nicht weiter
verlängert wurden, entschied sich F. nach Europa zu flüchten. K. entschloss sich zunächst in Ägypten zu bleiben und sich um seinen nachgezogenen pflegebedürftigen
Vater zu kümmern. F. reiste Anfang 2016 in die Bundesrepublik ein und stellte einen
Asylantrag in Dortmund. In der Zwischenzeit gelang es dem K. erneut eine „Gelbe
Karten" zu bekommen. Mit Bescheid des Bundesamtes für Migration und Flüchtlinge
(BAMF) vom 4.10.2016 wurde F. die Flüchtlingseigenschaft zuerkannt. Der Bescheid
wurde ihr am 1.11.2016 förmlich zugestellt.

Am 23.1.2017 verfasste F. einen Brief an die örtliche Ausländerbehörde, in dem
sie mitteilte, dass sie als Flüchtling anerkannt wurde und nun den Nachzug ihres
Ehegatten begehre. Sie gab den Namen und das Geburtsdatum des K. an und erklärte, dass dieser in Ägypten lebe. Das Schreiben ging am 25.1.2017 bei der Ausländerbehörde ein und wurde in die Ausländerakte der F. abgelegt. Die zuständige Sachbearbeiterin teilte der F. mit, dass der Antrag auf Familiennachzug nicht bei ihrer
Behörde, sondern bei der zuständigen deutschen Auslandsvertretung gestellt werden müsse. Der K. habe ein Visumverfahren zu durchlaufen.

Daraufhin registrierte sich der K. für einen Vorsprachetermin bei der deutschen Botschaft in Kairo. Nach einer Wartezeit von einem Jahr wurde er von der

deutschen Botschaft in Kairo zur persönlichen Vorsprache und Antragstellung eingeladen. Bei diesem Termin stellte er den förmlichen Antrag auf ein Visum zum Zwecke des Ehegattennachzugs zu einer als Flüchtling anerkannten Person und reichte die geforderten Dokumente samt Legalisierungen und Übersetzungen ein. Auch gab er eine Kopie des Schreibens der F. an die Ausländerbehörde ab und erklärte, dass dieses Schreiben bereits am 25.1.2017 dort eingegangen war. Gefragt zur Erwerbstätigkeit und zur Wohnsituation der F. gab K. wahrheitsgemäß an, dass sie nicht erwerbstätig sei und in einer Gemeinschaftsunterkunft wohne. Zu seiner Aufenthaltsberechtigung und Erwerbstätigkeit in Ägypten gefragt, zeigte K. seine noch gültige „Gelbe Karte" und teilte mit, dass er in einem Lager arbeite. Mit Bescheid vom 14.10.2018 lehnte die deutsche Botschaft in Kairo den Visumsantrag des K. mit der Begründung ab, die Ausländerbehörde der Stadt Dortmund stimme der Visumserteilung nicht zu. Zum einen sei der Lebensunterhalt des Antragstellers nicht gesichert, zum anderen stehe kein ausreichender Wohnraum zur Verfügung. Von diesen beiden Voraussetzungen sei auch nicht abzusehen. Die familiäre Lebensgemeinschaft könne auch in Ägypten geführt werden.

Auf die Remonstration des K. lehnte die Botschaft die Erteilung des begehrten Visums mit Remonstrationsbescheid vom 11.2.2019 erneut ab. Zur Begründung führte sie aus, der Lebensunterhalt des Antragstellers sei nicht gesichert, da seine Ehefrau Leistungen nach dem SGB II beziehe. Ausreichender Wohnraum liege auch nicht vor, da die Ehefrau in einer Sammelunterkunft lebe. Von den beiden Voraussetzungen sei nicht abzusehen, da die Herstellung der familiären Lebensgemeinschaft auch in Ägypten möglich sei. Der Antragsteller und seine Ehefrau hätten bereits von 2013 bis zur Ausreise der F. gemeinsam in Ägypten gelebt. Er besitze in Ägypten eine Aufenthaltserlaubnis und sei dort erwerbstätig. Es lebten auch weitere Verwandte des Ehepaares in Ägypten. F. könne nach Ägypten einreisen und dort ebenfalls einen Aufenthaltstitel erhalten. Die Lebensbedingungen in Ägypten, insbesondere die Sicherung des Existenzminimums, seien K. und F. auch zumutbar. Im Ermessen könne nicht von der Sicherung des Lebensunterhalts und des ausreichenden Wohnraums abgesehen werden, da F. in Deutschland keine nennenswerten Integrationsbemühungen erbracht habe. Diese seien von ihr auch unter Berücksichtigung ihres Alters zu erwarten. Das öffentliche Interesse an der Schonung öffentlicher Mittel überwiege daher das persönliche Interesse an der Familienzusammenführung.

Der Bescheid wurde von K. am 14.2.2019 in den Räumen der Botschaft entgegengenommen. Er enthält die folgende Rechtsbehelfsbelehrung:

„Gegen diesen Bescheid kann innerhalb eines Monats nach Bekanntgabe Klage bei dem Verwaltungsgericht Berlin erhoben werden."

In der Folgezeit beantragte F. mehrfach ein Besuchsvisum bei der ägyptischen Botschaft in Deutschland. Ihre Anträge wurden stets abgelehnt.

Fallfragen

Wie können die Eheleute gegen den ablehnenden Remonstrationsbescheid vorgehen?

Hat ein Vorgehen gegen den Bescheid der Botschaft vom 11.2.2019 Aussicht auf Erfolg?

Abwandlung

Zum Zeitpunkt der Eheschließung ist F. noch 16 Jahre und K. 26 Jahre alt.

Hat dies eine Auswirkung auf den Nachzug des K.?

Lösungsvorschlag

A. Ausgangsfall

Es wird gefragt, wie die Eheleute gegen den **Remonstrationsbescheid** der Auslandsvertretung vorgehen können und ob der Rechtsbehelf Aussicht auf Erfolg hat.

I. Zulässigkeit
1. Statthafter Rechtsbehelf

Statthafter Rechtsbehelf ist nach erfolglosem Durchlaufen eines **Remonstrationsverfahrens**, die Versagungsgegenklage (Verpflichtungsklage) gegen den streitgegenständlichen Remonstrationsbescheid.[1] Hier also der Remonstrationsbescheid vom 11.2.2019, dem K. zugestellt am 14.2.2019.

❗ Hinweise zur Fallprüfung

Ein vor Klageerhebung notwendiges Vorverfahren ist in Visaverfahren nicht vorgesehen. Gemäß § 68 I 2 Nr. 1 VwGO in Verbindung mit § 2 GAD findet im **Visumverfahren** kein Widerspruchsverfahren statt. Falls wörtlich „Widerspruch" erhoben wird, wird dieser als Remonstration gewertet.[2]

Bei der Remonstration handelt es sich um einen außerordentlichen Rechtsbehelf und keine Zulässigkeitsvoraussetzung für eine Klage.[3] Es steht der das Visum beantragenden Person frei ein solches Remonstrationsverfahren anzustrengen. Es besteht damit auch die Möglichkeit keine Remonstration einzulegen und sogleich Klage zu erheben.

Praxishinweis: Remonstrationsverfahren erweisen sich in der Regel nur im Falle von evidenten oder formellen Fehlern oder bei nachträglicher Änderung der Sachlage oder der rechtlichen Voraussetzungen als sinnvoller Rechtsbehelf. Im Übrigen führt ein Remonstrationsverfahren nur zu einer weiteren Verzögerung des Verfahrens.

---

2. Sachliche und örtliche Zuständigkeit

Sachlich ist in erster Instanz als Eingangsgericht das Verwaltungsgericht zuständig (vgl. § 48 VwGO). Örtlich zuständig ist in sämtlichen Klageverfahren gerichtet auf die Erteilung eines Visums das Verwaltungsgericht Berlin. Die örtliche Zuständigkeit ergibt sich aufgrund des Sitzes der Klagegegnerin. Beklagte ist die Bundesrepu-

---

1 Ausführlich zu den einschlägigen Rechtsbehelfen siehe Mantel, *Fall 37) Die kleine Delina will zu ihrer Mutter* in diesem Fallbuch.
2 Vgl. Auswärtiges Amt, Visumshandbuch, Stand: März 2022, 74. Ergänzungslieferung, S. 495.
3 Ausführlich zur Remonstration siehe Mantel, *Fall 37) Die kleine Delina will zu ihrer Mutter* in diesem Fallbuch.

blik Deutschland, vertreten durch das Auswärtige Amt mit Sitz in Berlin (vgl. § 52 VwGO).

3. Rechtsschutzbedürfnis

Das in jedem Verfahrensstadium von Amts wegen zu prüfende **allgemeine Rechtsschutzbedürfnis** des K. ist im Laufe des vorliegenden Verfahrens nicht weggefallen. Bei einer auf eine Visumserteilung gerichteten Klage fehlt das erforderliche allgemeine Rechtsschutzbedürfnis, wenn die das Visum beantragende Person bereits zum Zwecke des Familiennachzuges in das Bundesgebiet eingereist ist und hier ihren gewöhnlichen Aufenthalt begründet hat.

Dies ist hier nicht der Fall. Die Eheleute F. und K. begehren weiterhin die Zusammenführung in Deutschland.

4. Klagebefugnis

Dem Kläger steht auch eine Klagebefugnis zur Seite. Er kann geltend machen, durch die Ablehnung seines Visumantrages in seinen subjektiven Rechten aus Art. 2 I und 6 I GG verletzt zu sein.

5. Klagefrist

Die **Klagefrist** beträgt einen Monat ab Bekanntgabe des Bescheids, wenn dieser eine Belehrung über die Möglichkeit der Klage enthält (vgl. § 74 I 2 i.V.m. § 58 I VwGO). Nach der inhaltlich korrekten Rechtsbehelfsbelehrung im vorliegenden Fall beträgt die Klagefrist einen Monat ab Bekanntgabe der Ablehnungsentscheidung, hier erfolgt am 14.2.2019. Die Klage muss somit bis zum 14.3.2019 beim Verwaltungsgericht Berlin eingegangen sein.

Hinweise zur Fallprüfung ❗

Entgegen der früher üblichen Praxis wird nun auch bei Ablehnungen eines nationalen Visums eine **Rechtsbehelfsbelehrung** verwendet. Zu beachten ist dabei, dass mit Bekanntgabe der Entscheidung damit die Klagefrist von einem Monat zu laufen beginnt.

Im Falle einer fehlenden Rechtsbehelfsbelehrung besteht die Möglichkeit die Klage noch innerhalb eines Jahres einzulegen (vgl. § 58 II VwGO). Daher ist nunmehr bei jeder Entscheidung gründlich darauf zu prüfen, ob eine Rechtsbehelfsbelehrung am Ende der Entscheidung abgedruckt ist und eine entsprechende Fristenberechnung durchzuführen.

Der Wortlaut einer üblichen Rechtsbehelfsbelehrung bei nationalen Visa lautet: „Gegen diesen Bescheid kann innerhalb eines Monats nach Bekanntgabe Klage beim Verwaltungsgericht Berlin erhoben werden. Sie haben darüber hinaus die Möglichkeit, diesen Bescheid innerhalb eines Monats nach Bekanntgabe von der Auslandsvertretung (...) prüfen zu lassen (Remonstration). Während der Remonstration können Sie weiterhin innerhalb der oben genannten Frist gegen diesen Bescheid Klage erheben, allerdings wird das Remonstrationsverfahren dadurch beendet und der Bescheid nur noch im Klageverfahren überprüft. Wird der Visumantrag nach Überprüfung durch die Auslandsvertretung erneut abgelehnt, so ergeht ein weiterer Bescheid (Remonstrationsbescheid), gegen den sodann Klage bei dem Verwaltungsgericht Berlin erhoben werden kann. Bitte begründen Sie Ihre Remonstration und fügen Sie geeignete Nachweise bei, soweit dies nicht mit dem Visumantrag geschehen ist."[4]

6. Beteiligte

In der Klage ist mitzuteilen, welche Ausländerbehörde gemäß § 31 AufenthV beteiligt ist. Sie wird dann vom Verwaltungsgericht gemäß § 65 II VwGO beigeladen, weil es sich um einen zustimmungsbedürftigen Verwaltungsakt handelt, an dem die Ausländerbehörde notwendig beteiligt ist, § 31 I AufenthV.

II. Begründetheit

Die Klage ist begründet, wenn die Versagung des begehrten Visums zum Zweck des Nachzugs von Eheleuten rechtswidrig ist und den K. in seinen Rechten verletzt (vgl. § 113 V 1 VwGO).

1. Rechtsgrundlage

Die Versagung ist rechtswidrig, wenn K. einen Anspruch auf Erteilung des Visums zum Familiennachzug hat. Rechtsgrundlage für die von K. begehrte Erteilung des Visums zum Nachzug zu seiner Ehefrau ist § 6 III 1 und 2 i.V.m. §§ 27, 29, 30 AufenthG. Gemäß § 6 III 1 und 2 AufenthG ist für längerfristige Aufenthalte ein Visum für das Bundesgebiet (nationales Visum) erforderlich, dessen Erteilung sich unter anderem nach den für die Aufenthaltserlaubnis geltenden Vorschriften richtet.

Besondere Voraussetzungen für den **Nachzug zu Eheleuten** enthalten §§ 27, 29 und 30 AufenthG. Im Übrigen gelten die allgemeinen Erteilungsvoraussetzungen nach § 5 AufenthG, die zum Teil durch § 29 II AufenthG modifiziert werden.

2. Besondere Erteilungsvoraussetzungen
a) Aufenthaltstitel der Referenzperson

Gemäß § 29 I Nr. 1 AufenthG ist Voraussetzung für den **Familiennachzug** zu ausländischen Staatsangehörigen in Deutschland, dass diese als **Referenzperson** oder

---

4 Vgl. Auswärtiges Amt, Visumshandbuch, Stand: August 2022, 74. Ergänzungslieferung, S. 249 f.

stammberechtigte **Person** bezeichnete Familienmitglied über eine Aufenthaltserlaubnis oder einen anderen der in der Vorschrift genannten Aufenthaltstitel verfügen. F. ist als Flüchtling anerkannt worden, daher ist davon auszugehen, dass ihr die **Aufenthaltserlaubnis** nach § 25 II 1 Alt. 1 AufenthG ausgestellt wurde. Daher ist diese Voraussetzung gegeben.

b) Wirksame Eheschließung

K. ist der Ehemann von F. Wirksam ist die Eheschließung, wenn die jeweiligen am Ort der Eheschließung geltenden Formvorschriften beachtet wurden, es sei denn, die Eheschließung ist mit wesentlichen Grundsätzen des deutschen Rechts offensichtlich unvereinbar (sogenannter **Ordre-Public-Vorbehalt**, vgl. Art. 6 EGBGB).

Hinweise zur Fallprüfung   ❗

Die deutsche Rechtsordnung sieht in § 1306 BGB die Einehe vor. Die **Mehrehe** ist hingegen in Deutschland nach § 172 StGB verboten. Damit umfasst der Schutz des Art. 6 I GG nicht die Mehrehe. Lebt eine Referenzperson mit einer Person, mit der sie verheiratet ist, bereits im Bundesgebiet, wird nach § 30 IV AufenthG keiner weiteren Person, mit der sie verheiratet ist, der Nachzug beziehungsweise die Erteilung einer Aufenthaltserlaubnis nach § 30 I AufenthG erlaubt.

Daraus folgt allerdings im Umkehrschluss, dass bei einer Mehrehe zumindest das Recht des Nachzugs einer der Eheleute unberührt bleibt, falls noch keine*r von ihnen mit der stammberechtigten Person im Bundesgebiet zusammenlebt.[5]

Es sind keine Hinweise aus dem Sachverhalt ersichtlich, dass die Eheschließung von F. und K. unter den „Ordre-Public-Vorbehalt" fällt.

Hinweise zur Fallprüfung   ❗

Die Generalklausel des § 27 AufenthG enthält in ihrem Absatz 1 a Nr. 1 einen gesetzlichen Ausschlussgrund für die Erteilung einer Aufenthaltserlaubnis zum Zwecke des Nachzugs zu Eheleuten. Danach wird der Familiennachzug nicht zugelassen, wenn feststeht, dass die Ehe oder das Verwandtschaftsverhältnis ausschließlich zu dem Zweck geschlossen oder begründet wurde, der nachziehenden Person die Einreise in das und den Aufenthalt im Bundesgebiet zu ermöglichen (sogenannte **Scheinehe**).

Mit dieser Vorschrift wurde gesetzlich von der in Art. 16 IIb Familienzusammenführungs-RL[6] eröffneten Möglichkeit Gebrauch gemacht, einen Antrag auf Einreise und Aufenthalt zum Zwecke der Famili-

---

5 Vgl. Nomos Praxis Kommentar, Oberhäuser (Hrsg.), Migrationsrecht in der Beratungspraxis, 2019, § 6 Rn. 63
6 Richtlinie 2003/86/EG des Rates vom 22. September 2003 betreffend das Recht auf Familienzusammenführung, ABl. EU Nr. L 251/12.

enzusammenführung abzulehnen, wenn feststeht, dass die Ehe nur zu dem Zweck geschlossen wurde oder die Adoption nur vorgenommen wurde, um der betreffenden Person die Einreise zu ermöglichen[7]. Sofern die **Auslandsvertretung** oder die Ausländerbehörde Anhaltspunkte dafür sehen, die nach ihrer Ansicht für das Vorliegen einer Schein-/Zweckehe sprechen, ist den Antragstellenden zu raten, die Umstände, wie sich die Eheleute kennengelernt haben, wie oft sie miteinander kommunizieren, wie die Eheschließung stattgefunden hat und wie die Partnerschaft faktisch gelebt wird so detailliert wie möglich glaubhaft zu machen. Es empfiehlt sich hierfür die Einholung anwaltlichen Rats.

Zweifel an der Wirksamkeit der Ehe bestehen im vorliegen Fall nicht.

c) Absehen von Deutschkenntnissen der nachziehenden Person

Grundsätzlich verlangt § 30 I 1 Nr. 2 AufenthG den Nachweis **einfacher Deutschkenntnisse** von nachziehenden Eheleuten. Diese Voraussetzung ist gemäß § 30 I 3 Nr. 1 AufenthG im vorliegenden Fall unbeachtlich, da F. als Person mit Flüchtlingsschutz im Besitz einer Aufenthaltserlaubnis nach § 25 II 1 Alt. 1 AufenthG ist und die Ehe mit K. bereits vor ihrer Einreise in das Bundesgebiet bestand.

Die besonderen Erteilungsvoraussetzungen für das von K. begehrte Visum liegen demnach vor.

2. Allgemeine Erteilungsvoraussetzungen

Fraglich ist, ob auch die übrigen **allgemeinen Erteilungsvoraussetzungen** vorliegen. Diese sind solche, die für die Erteilung und Verlängerung aller Aufenthaltstitel regelmäßig vorliegen müssen. Abgesehen werden kann von diesen Voraussetzungen in Fällen, wo Vorschriften ausdrückliche Ausnahmen hiervon enthalten oder ein Ausnahmefall und besondere atypische Umstände vorliegen.

a) Sicherung des Lebensunterhalts

Zu den Regelerteilungsvoraussetzungen gehört in erster Linie das Erfordernis der **Sicherung des Lebensunterhalts** gemäß § 5 I Nr. 1 AufenthG. Der Lebensunterhalt einer Person gilt nach § 2 III 1 AufenthG als gesichert, wenn sie ihn einschließlich ausreichenden Krankenversicherungsschutzes ohne Inanspruchnahme öffentlicher Mittel bestreiten kann. Nicht als öffentliche Mittel gelten der Bezug der in § 2 III 2 AufenthG genannten Leistungen (Kindergeld, Kinderzuschlag, Erziehungsgeld, Elterngeld, BAföG oder ALG I).

---

7 Vgl. BT-Drs. 16/5065, S. 170.

Cana Mungan

Hinweise zur Fallprüfung !

Unbeachtlich für die Frage der Lebensunterhaltssicherung ist, ob öffentliche Mittel, auf die ein Anspruch besteht, tatsächlich in Anspruch genommen werden oder auf eine Inanspruchnahme verzichtet wird[8]. Daraus folgt, dass die bloße Vorlage einer Negativbescheinigung des zuständigen Sozialamts oder Jobcenters für den Nachweis des Lebensunterhalts nicht genügt.

Die Fähigkeit zur Bestreitung des Lebensunterhaltes darf nicht nur vorübergehend sein. Vielmehr muss die Prognose gerechtfertigt sein, dass die betreffende Person während der voraussichtlichen Dauer ihres Aufenthalts in Deutschland keinen Anspruch auf die Zahlung öffentlicher Mittel zur Sicherung des Lebensunterhaltes (Leistungen nach SGB II oder SGB XII) haben wird. Die bisherige Erwerbsbiographie und sonstige Erfahrungswerte müssen daher die Annahme stabiler Einkommensverhältnisse erlauben.[9] Ob stabile Einkommensverhältnisse vorliegen, ist im Rahmen einer wertenden Gesamtschau festzustellen. In der Praxis wird regelmäßig das in den letzten sechs Monaten erzielte Einkommen als Grundlage für die Prognose herangezogen. Hierfür kommen bei Nichtselbständigen die monatlichen Lohnabrechnungen und bei Selbstständigen der aktuelle Steuerbescheid oder die Umsatzsteuervoranmeldungen in Betracht.

Hinweise zur Fallprüfung !

Für die Beurteilung der Frage, wie hoch ein Einkommen sein muss, um von einem gesicherten Lebensunterhalt ausgehen zu können, sind zunächst der Regelsatz von öffentlichen Leistungen zur Sicherung des Lebensunterhaltes (ALG II, Sozialgeld, Sozialhilfe) und die Höhe der Miete zugrunde zu legen (Regelsatz + Miete).

Der **Bedarf für den Lebensunterhalt** errechnet sich damit aus der Summe des Regelbedarfs der Bedarfsgemeinschaft nach Zuzug des nachzugswilligen Familienmitglieds, zuzüglich der Wohnkosten und Kosten für ausreichenden Krankenversicherungsschutz (sofern die nachziehende Person nicht gemäß § 10 SGB V kostenfrei familienversichert werden kann).

Eine Besonderheit besteht für die heranzuziehende Miete in Berlin. Die Berliner Ausländerbehörde legt bei besonders günstigen Mietkosten die Mietzinswerte der Berliner AV-Wohnen zu Grunde[10].

---

8 Vgl. OVG BB, Urt. v. 24.9.2002, Az.: 8 B 3.02; OVG NRW, Beschl. v. 14.8.2006, Az.: 18 B 1392/06; VGH Hessen, Beschl. v. 14.3.2006, Az.: 9 TG 512/06; VG Berlin, Urt. v. 1.6.2006, Az.: 2 V 5.06; VG Berlin, Urt. v. 28.3.2006, Az.: VG 4 V 56.05.

9 Vgl. OVG BB, Beschl. v. 15.4.2005, Az.: 2 N 314.04.

10 Vgl.Landesamt für Einwanderung, Verfahrenshinweise zum Aufenthalt in Berlin (VAB) Nr. 2.3.1.8.

Cana Mungan

Vorliegend kann F. ihren Lebensunterhalt und den von K. derzeit nicht ohne Inanspruchnahme öffentlicher Mittel sichern, da sie Leistungen nach dem SGB II bezieht.

b) Ausreichender Wohnraum

Nach § 29 I Nr. 2 AufenthG muss **ausreichender Wohnraum** zur Verfügung stehen.

❗ Hinweise zur Fallprüfung

Ausreichender Wohnraum: Die Voraussetzung „ausreichend" bezieht sich auf zwei Faktoren: die Beschaffenheit und Belegung, das heißt die Größe der Wohnung im Hinblick auf die Zahl der Bewohnenden. Die Obergrenze bildet das Sozialwohnungsniveau, das heißt es darf keine bessere Ausstattung verlangt werden, als sie auch typischerweise Sozialwohnungen in der jeweiligen Region aufweisen. Die Untergrenze bilden die auch für deutsche Staatsangehörige geltenden Rechtsvorschriften der Länder, also zum Beispiel die Wohnungsaufsichtsgesetze oder in Ermangelung solcher Gesetze das allgemeine Polizei- beziehungsweise Ordnungsrecht.

Ausreichender Wohnraum ist – unbeschadet landesrechtlicher Regelungen – stets vorhanden, wenn für jedes Familienmitglied über sechs Jahren 12 Quadratmeter und für jedes Familienmitglied unter sechs Jahren 10 Quadratmeter Wohnfläche zur Verfügung stehen und Nebenräume (Küche, Bad, WC) in angemessenem Umfang mitbenutzt werden können. Eine Unterschreitung dieser Wohnungsgröße um etwa zehn Prozent ist unschädlich. Wohnräume, die von Dritten mitbenutzt werden, bleiben grundsätzlich außer Betracht; mitbenutzte Nebenräume können berücksichtigt werden.[11]

Nach den Berliner Verfahrenshinweisen zum Aufenthalt (VAB) müssen für jede Person eine Wohnfläche von mindestens 9 qm, für jedes Kind bis zu 6 Jahren eine Wohnfläche von mindestens 6 qm vorhanden sein. In der angegebenen Wohnfläche sind auch Nebenräume (Küche, Bad, WC, Flur u.a.) enthalten. Bei einzeln vermieteten Wohnräumen betragen die Mindestwohnflächen 6 beziehungsweise 4 qm, zusätzlich müssen Nebenräume zur Mitbenutzung zur Verfügung stehen; ist dies nicht der Fall, so sind die Mindestflächen für Wohnungen maßgebend.[12]

---

c) Absehen vom Erfordernis der Lebensunterhaltssicherung und des ausreichenden Wohnraums

Von dem Erfordernis der Sicherung des Lebensunterhalts sowie ausreichenden Wohnraums ist vorliegend jedoch gemäß § 29 II 2 AufenthG abzusehen. Nach dieser Vorschrift ist bei Eheleuten und minderjährigen Kindern von Stammberechtigten, die über einen der in der Vorschrift genannten Aufenthaltstitel verfügen, von den

---

11 Vgl. BMI, Allgemeine Verwaltungsvorschrift zum Aufenthaltsgesetz vom 26.10.2009, Nr. 2.4.1.
12 Vgl. Landesamt für Einwanderung, Verfahrenshinweise zum Aufenthalt in Berlin, Nr. 2.4.0.

Voraussetzungen des § 5 I Nr. 1 AufenthG (Sicherung des Lebensunterhalts) und des § 29 I Nr. 2 AufenthG (Ausreichender Wohnraum) abzusehen, wenn

- der im Zuge des Familiennachzugs erforderliche Antrag auf Erteilung eines Aufenthaltstitels innerhalb von drei Monaten nach unanfechtbarer Zuerkennung der Flüchtlingseigenschaft gestellt wird (§ 29 II 2 Nr. 1 AufenthG). In der Praxis wird dieser Antrag als **„fristwahrende Anzeige"** bezeichnet.

- und die Herstellung der **familiären Lebensgemeinschaft** in einem Staat, der nicht Mitgliedstaat der Europäischen Union ist und zu dem die stammberechtigte oder die nachzugswillige Person eine besondere Bindung haben, nicht möglich ist (§ 29 II 2 Nr. 2 AufenthG). In der Praxis wird dies als **„Drittstaatsbezug"** bezeichnet.

Hinweise zur Fallprüfung ❗

Fristwahrende Anzeige: Als erforderlicher Antrag auf Erteilung eines Aufenthaltstitels zum Zweck des Familiennachzugs kommt ein Antrag auf Erteilung eines Visums oder – bei Personen, denen nach § 39 AufenthV die Einholung eines Aufenthaltstitels für einen längerfristigen Aufenthalt im Bundesgebiet gestattet ist – auf Erteilung einer Aufenthaltserlaubnis in Betracht. § 29 II 3 AufenthG sieht vor, dass zur Einhaltung der Drei-Monats-Frist sowohl der Antrag der nachzugswilligen Familienangehörigen bei der zuständigen deutschen Auslandsvertretung als auch der Stammberechtigten bei der zuständigen Ausländerbehörde fristwahrend sind.[13]

Diese Voraussetzungen liegen hier vor. Die stammberechtigte Ehefrau des K. hat eine fristwahrende Anzeige innerhalb der in § 29 II 2 Nr. 1 AufenthG genannten Drei-Monats-Frist gestellt. Nachdem sie am 1.11.2016 den Bescheid über die Anerkennung der Flüchtlingseigenschaft erhalten hatte, beantragte sie mit Schreiben vom 23.1.2017 den Familiennachzug von K. bei der für sie zuständigen Ausländerbehörde. Der Antrag ging der Ausländerbehörde am 25.1.2017 zu, mithin noch innerhalb der Drei-Monats-Frist.

Hinweise zur Fallprüfung ❗

Die Frage, ob den Familienangehörigen die Herstellung ihrer familiären Lebensgemeinschaft in einem Drittstaat, zu dem eine besondere Bindung besteht, möglich ist (sogenannter **Drittstaatsbezug**), lässt sich nicht allein damit beantworten, wie viele Jahre ein Familienmitglied bereits in dem Drittstaat faktisch gelebt hat. Die besonderen Bindungen im Sinne des § 29 II 2 Nr. 2 AufenthG müssen vielmehr dazu führen, dass der stammberechtigten Person in dem Drittstaat ein dauerhafter Aufenthalt gewährt und damit eine Herstellung und Wahrung der familiären Lebensgemeinschaft legal ermöglicht wird. Dies dürfte in aller Regel nur dann in Betracht kommen, wenn die Stammberechtigten oder die Nachzugswilligen

---

13 Vgl. BT-Drs. 16/5065, 182

die Staatsangehörigkeit des Drittstaates besitzen und nach dessen innerstaatlichem Recht der Familie deshalb dort ein dauerhaftes Zusammenleben ermöglicht wird.[14].

Ferner ist K. und F. die Herstellung der familiären Lebensgemeinschaft in einem Drittstaat nicht möglich. Vorliegend käme Ägypten als solcher Drittstaat in Betracht. Für F. besteht jedoch keine legale Möglichkeit zur Einreise nach Ägypten zum Zweck der **Familienzusammenführung**, da K. nach ägyptischem Aufenthaltsrecht keine Aufenthaltserlaubnis besitzt und keinen Anspruch auf Erteilung einer Aufenthaltserlaubnis hat, die seine Ehefrau zum Familiennachzug berechtigt.

Die dem Kläger erteilte „**Gelbe Karte**" stellt eine temporäre, verlängerbare Aufenthaltserlaubnis für sechs Monate zu nichttouristischen Zwecken dar, die nicht zum Familiennachzug berechtigt. Ein Familiennachzug kommt grundsätzlich nur für Eheleute von Personen in Betracht, die im Besitz von drei- oder fünfjährigen Aufenthaltserlaubnissen sind.[15] Eine solche Aufenthaltserlaubnis besitzt K. nicht und hat auch auf die Erteilung einer solchen keinen Anspruch.

ℹ Weiterführendes Wissen

Zwar ist auf Grundlage von Art. 2 des Beschlusses Nr. 8180/1996 des ägyptischen Innenministers den von UNHCR registrierten Flüchtlingen eine dreijährige temporäre Aufenthaltserlaubnis zu erteilen. Eheleuten der genannten Personen erhalten nach diesem Beschluss ebenfalls eine Aufenthaltserlaubnis. Mangels Registrierung durch UNHCR kommt eine derartige Aufenthaltserlaubnis für K. und F. hier nicht in Betracht. Im Übrigen stünde die Erteilung eines Visums im Ermessen der ägyptischen Behörden.

Da sich die Lage der syrischen Flüchtlinge in Ägypten nach dem Sturz des Staatspräsidenten im Sommer 2013 verschlechtert hat und strengere Einreisebedingungen eingeführt wurden, ist mit der künftigen Erteilung eines Visums zu touristischen Zwecken nicht zu rechnen. Selbst bei einer unterstellt erfolgreichen Reise zum Flughafen in Kairo und **Visumsbeantragung** am Flughafen bestünde das hohe Risiko der Zurückweisung an der Grenze.[16]

Damit liegen die kumulativ erforderlichen Voraussetzungen „fristwahrende Anzeige" und „fehlender Drittstaatsbezug" des § 29 II 2 AufenthG vor. Dem K. ist die Herstellung der familiären Lebensgemeinschaft mit seiner Ehefrau F. in Ägypten

---

14 Vgl. etwa VG Berlin, Urt. v. 2.9.2016, Az.: 8 K 220.16 V, asyl.net: M24879; VG Berlin, Beschl. v. 16.6.2016, Az.: 33 L 171.16 V.
15 Vgl. VG Berlin, Urt. v. 29.6.2021, Az.: VG 11 K 168.18 V.
16 Siehe zum Flughafenverfahren insbesondere Tsomaia, *Fall 3) Beschleunigtes Asylverfahren am Flughafen BER* in diesem Fallbuch.

nicht möglich. Der Umstand, dass K. in Ägypten einer Erwerbstätigkeit nachgeht und weitere Verwandte, die nicht einmal der Kernfamilie angehören, sich in Ägypten aufhalten, führen zu keinem anderen Ergebnis, insbesondere führen sie nicht zur Erteilung einer Aufenthaltserlaubnis an F. in Ägypten.

Somit ist von den Voraussetzungen der Lebensunterhaltssicherung nach § 5 I Nr. 1 AufenthG und des ausreichenden Wohnraums nach § 29 I Nr. 2 AufenthG abzusehen.

III. Ergebnis
Es liegen daher alle erforderlichen Voraussetzungen für die Erteilung eines Visums vor. K. hat somit einen Anspruch auf Erteilung eines nationalen Visums zum Zwecke des Nachzugs zu seiner Ehefrau. Die Versagung des begehrten Visums ist rechtswidrig und verletzt K. in seinen subjektiven Rechten. Die Klage hat Aussicht auf Erfolg.

B. Abwandlung

Es wird gefragt, ob die Minderjährigkeit der F. bei Eheschließung Auswirkungen auf den Nachzug ihres Ehemanns K. hat.

I. Wirksame Eheschließung
Eine Aufenthaltserlaubnis und ein Visum zum Nachzug von Eheleuten kommen nur dann in Betracht, wenn eine wirksame Ehe geschlossen wurde.

1. Minderjährigenehe grundsätzlich nicht wirksam
Dies ist dann nicht der Fall, wenn es sich um eine nichtige Ehe (sogenannte **Nichtehe**) ohne Rechtsfolgen handelt, etwa, weil ein*e Ehepartner*in bei Eheschließung unter 16 Jahre alt war. Hierbei wird zwischen zwei Fallgruppen unterschieden:
1. Nichtig ist eine Ehe, bei der ein*e Ehepartner*in bei Eheschließung noch keine 16 Jahre alt war, ausnahmslos dann, wenn die Ehe nach deutschem Recht geschlossen wurde (vgl. § 1303 S. 2 BGB), wobei ein solcher Fall in der Praxis kaum denkbar ist.
2. Nichtig ist eine Ehe auch dann, wenn sie nach ausländischem Recht geschlossen wurde. Hier gilt jedoch eine Ausnahme: Die Ehe ist gültig, wenn sie bis zur Volljährigkeit geführt wurde und bis dahin kein*e Ehepartner*in im Inland sei-

nen*ihren gewöhnlichen Aufenthalt hatte (Art. 13 III Nr. 1 EGBGB beziehungsweise Art. 229 § 44 IV EGBGB i.V.m. Art. 13 III Nr. 1 EGBGB).
War ein*e Ehepartner*in bei Eheschließung älter als 16 Jahre und jünger als 18 Jahre, ist die Ehe lediglich aufhebbar (vgl. §§ 1303, 1314 BGB). Die Aufhebung erfolgt
ausschließlich auf Antrag des*der minderjährigen Ehepartner*in sowie auf Antrag
der zuständigen Verwaltungsbehörde. Falls keine Aufhebung erfolgt, ist die Ehe aufenthaltsrechtlich als wirksam zu behandeln[17].

2. Ausnahme zur Vermeidung einer besonderen Härte
Ist der*die **bei Eheschließung minderjährige Ehepartner*in** bei Antragstellung
mittlerweile volljährig geworden, ist die Aufenthaltserlaubnis zu erteilen, es sei
denn, diese Person erklärt von sich aus, einen Antrag auf Aufhebung der Ehe stellen
zu wollen. Ist der*die bei Eheschließung minderjährige Ehepartner*in bei Antragstellung immer noch minderjährig, gelten §§ 30 I 1 Nr. 1 i.V.m. II 1 AufenthG. Danach kann von dem Mindestalter von 18 Jahren zur Vermeidung einer besonderen
Härte abgesehen werden. Hierfür muss die **eheliche Lebensgemeinschaft** das geeignete und notwendige Mittel sein, um die besondere Härte zu vermeiden.
   Ausgehend von dem in § 1303 II BGB formulierten Grundsatz, dass eine Ehe
nichtig ist, wenn sie mit einer Person eingegangen wird, die das 16. Lebensjahr
nicht vollendet hat, kommt eine positive Ermessensentscheidung nur dann in Betracht, wenn beide Eheleute bei Eheschließung mindestens 16 Jahre alt waren. In
diesen Fällen ist die Ehe aufhebbar. Ist die Ehe tatsächlich nicht aufgehoben worden, kommt eine positive Ermessensausübung dann zudem nur in Betracht, wenn
beide Eheleute bekunden, die Ehe weiterhin führen zu wollen und wenn das Ehepaar aufgrund besonderer Umstände, etwa gemeinsamer Kinder oder bei Pflegebedürftigkeit einer der verheirateten Personen, in besonderer Weise aufeinander angewiesen ist.[18]

II. Ergebnis
Im vorliegenden Fall ist die Ehe wirksam, da die F. zum Zeitpunkt der Eheschließung bereits 16 Jahre alt gewesen ist und die Ehe nicht nach deutschem Recht geschlossen wurde. Damit ist die Ehe lediglich aufhebbar, jedoch wirksam, solange F.
nicht die Aufhebung der Ehe ausdrücklich beantragt. Der Ausschlussgrund des § 30

---

[17] Vgl. BMI, Allgemeine Verwaltungsvorschrift zum Aufenthaltsgesetz vom 26.10.2009, Nr. 30.2.1. ff.
[18] Vgl. Landesamt für Einwanderung Berlin, Verfahrenshinweise zum Aufenthalt in Berlin,
Nr. 30.2.1.

I 1 Nr. 1 AufenthG greift nicht, da sie zum Zeitpunkt der Antragstellung des Visums bereits volljährig ist. Damit besteht ein Nachzugsanspruch des K. bei Vorliegen der sonstigen – im Ausgangsfall näher ausgeführten – Voraussetzungen.

Dieser Fall darf gerne kommentiert, verändert und beliebig genutzt werden. Die Anleitung hierfür lässt sich über den abgebildete QR-Code mit der Smartphone-Kamera auf unserer Homepage aufrufen.

Cana Mungan

Fall 36
Soll das Familienleben an der Prüfungsangst scheitern?

Behandelte Themen: Familiennachzug, Nachzug von Eheleuten zu anerkannten Flüchtlingen, Eheschließung nach der Flucht, Stellvertretungsehe, Lebensunterhaltssicherung, ausreichender Wohnraum, Nachweis von Sprachkenntnissen, Scheinehe

Schwierigkeitsgrad: Anfänger*innen

Sachverhalt

Der heute 38 Jahre alte W ist syrischer Staatsangehöriger. Anfang 2018 flüchtete er aus Syrien, reiste im März 2018 nach Deutschland ein und stellte einen Asylantrag. Mit Bescheid des Bundesamtes für Migration und Flüchtlinge (BAMF) vom 8.7.2018 wurde ihm die Flüchtlingseigenschaft zugesprochen. Daraufhin erhielt er eine Aufenthaltserlaubnis nach § 25 II 1 Alt. 1 AufenthG. Der elektronische Aufenthaltstitel hat eine Gültigkeit vom 1.9.2018 bis zum 31.8.2021.

Ende 2018 kam W über soziale Netzwerke mit der heute 28 Jahre alten in Homs lebenden M in Kontakt. W und M wurden sehr bald ein Paar und beschlossen zu heiraten. Die Eheschließung fand Ende 2019 ohne persönliche Anwesenheit des W in Homs statt. W bevollmächtigte seinen Onkel F per schriftlicher Vollmacht ihn für das „Ja-Wort" zu vertreten. Die Eheschließung wurde ordnungsgemäß in das syrische Familienregister eingetragen. Den Eheleuten wurde ferner ein Heiratsbuch ausgestellt.

Vor etwa 7 Monaten fing M an einen Deutschkurs für das Sprachniveau A1 zu besuchen. Da sie erhebliche Prüfungsangst hat, ist es ihr bislang nicht gelungen den Abschlusstest erfolgreich abzulegen. Sie hat an zwei Prüfungen teilgenommen und die erforderliche Punktzahl zum Bestehen der A1-Prüfung knapp verpasst.

Am 1.8.2021 schickte W eine E-Mail an die zuständige Ausländerbehörde mit der Bitte auf Verlängerung seiner Aufenthaltserlaubnis. Aufgrund personeller Engpässe konnte ihm die Ausländerbehörde jedoch erst zum 5.10.2021 einen Vorsprachetermin zwecks Verlängerung seiner Aufenthaltserlaubnis anbieten. Das Nettoeinkommen des W beträgt etwa 1.800 Euro. Er bewohnt eine ca. 65m2 große 2-Zimmer-Wohnung. Der Mietzins beträgt 750 Euro.

Fallfrage

Das Paar möchte nun wissen, ob M zu W nach Deutschland ziehen kann. Beurteilungszeitpunkt ist der 10.9.2021.

Bearbeitungshinweis:
Es darf unterstellt werden, dass die Voraussetzungen der Verlängerung der Aufenthaltserlaubnis für W vorliegen.

Lösungsvorschlag

A. Fallfrage

Das Ehepaar möchte wissen, ob M einen Anspruch auf **Nachzug** zu ihrem als Flüchtling anerkannten **Ehemann** W hat.

I. Anspruchsgrundlage

Anspruchsgrundlage für ein nationales **Visum zum Zwecke des Nachzugs** zu Eheleuten ist § 30 AufenthG (§ 6 III AufenthG). Darüber hinaus sind auch die Vorschriften nach §§ 5, 27 und § 29 I bis III und V AufenthG heranzuziehen, falls ihr Anwendungsbereich nicht ausgeschlossen ist.

❗ Hinweise zur Fallprüfung

M bezweckt einen längerfristigen Aufenthalt zum Zwecke der Familienzusammenführung. Nach ihrer Einreise wird ihr die zuständige Ausländerbehörde eine Aufenthaltserlaubnis nach § 30 AufenthG erteilen. Für die Erteilung einer Aufenthaltserlaubnis ist nach § 5 II AufenthG grundsätzlich Voraussetzung, dass die antragstellende Person 1. mit dem erforderlichen Visum eingereist ist und 2. die für die Erteilung maßgeblichen Angaben bereits im **Visumantrag** gemacht hat. Nach § 6 III AufenthG ist für längerfristige Aufenthalte eine Einreise mit einem sogenannten nationalen Visum erforderlich. Nach § 4 I 2 Nr. 1 AufenthG handelt es sich dabei um einen Aufenthaltstitel. Von dem Visumerfordernis kann die Ausländerbehörde absehen, wenn die Voraussetzungen eines Anspruchs auf Erteilung erfüllt sind oder es auf Grund besonderer Umstände des Einzelfalls nicht zumutbar ist, das Visumverfahren nachzuholen.

II. Besondere Erteilungsvoraussetzungen
1. Wirksame Eheschließung

Es liegt vorliegend eine sogenannte **Stellvertretungsehe** oder „Handschuh-Ehe" vor. Eine sogenannte „Handschuh-Ehe" ist eine Ehe, bei der die Eheschließung in Abwesenheit eines Ehepartners in Vertretung durch eine andere Person durchgeführt wurde. Diese kann grundsätzlich als schützenswerte Ehe in Deutschland anerkannt werden. Bei einer „Handschuh-Ehe" hat die Mittelsperson nur die vom Vertretenen vorgegebene Konserserklärung vor dem Trauungsorgan abzugeben, ohne eigene Entscheidungsfreiheit zur Partnerwahl zu besitzen.

Die **Wirksamkeit der Eheschließung** richtet sich gemäß Art. 11, 13 EGBGB nach dem jeweils anwendbaren Familienrecht. Bezüglich der formellen Eheschließungsvoraussetzungen (zum Beispiel persönliche Anwesenheit, Vertretung etc.) müssen nach Art. 11 I EGBGB die Formerfordernisse des Rechts des Staates, in dem das Rechtsgeschäft vorgenommen wird, erfüllt sein. Wird der Vertrag durch einen

Vertreter geschlossen, so ist der Staat maßgeblich, in dem die Handschuhehe geschlossen wurde, Art. 11 III EGBGB. Die materielle Rechtmäßigkeit der Eheschließung (zum Beispiel Ehefähigkeit, Ehehindernisse, Fehlen von Willensmängeln etc.) richtet sich gemäß Art. 13 I EGBGB für jeden Verlobten nach dem Recht des Staates, dem er angehört.

Vorliegend sind beide Eheleute syrische Staatsangehörige. Die Ehe wurde in Syrien geschlossen. Damit bestimmt sich die Wirksamkeit der Eheschließung nach syrischem Recht. Nach syrischem Recht ist die Stellvertretung bei der Eheschließung erlaubt, solange der Stellvertreter lediglich den Willen einer der Parteien zum Ausdruck bringt (vgl. Art. 8 I syrisches Personalstatutsgesetz).

Nicht mit syrischem Recht vereinbar wäre es, wenn der Stellvertreter über das „Ob" der Heirat oder über die Wahl des Ehepartners entscheiden würde. Dies würde über die zulässige Stellvertretung „bei der Eheschließung" hinausgehen. Die Auswahl des Ehepartners kann nicht dem Stellvertreter überlassen werden. Solch eine Stellvertretung im Willen ist auch nach deutschem Recht nicht wirksam, da sie gegen die öffentliche Ordnung (ordre public) verstieße (Art. 6 EGBGB). Insbesondere verstößt eine Eheschließung mit Stellvertretung im Willen gegen grundlegende Menschenrechtsprinzipien der deutschen Verfassung (Art. 1, Art. 2 I, Art. 3 II GG), den Grundsatz der Selbstbestimmung in höchstpersönlichen Angelegenheiten und degradiert den Akt der Eheschließung zu einem bloßen Handelsgeschäft. Anhaltspunkte für eine solche Willensvertretung fehlen hier. Eine Willensvertretung lag insbesondere auch nicht deshalb vor, weil sich die Ehegatten zum Zeitpunkt der Eheschließung noch nie begegnet waren. Ausreichend zum Ausschluss einer Willensvertretung ist vielmehr, dass der Vertretene die Identität der Verlobten kennt und seine Vollmacht sich auf diese bestimmte, unverwechselbare Person beschränkt, so dass auszuschließen ist, dass der für einen Verlobten handelnde Vertreter jedweder anderen, zum Termin der Eheschließung erscheinenden Person das „Ja – Wort" des Vertretenen übermitteln würde.[1]

2. Volljährigkeit bei Eheschließung

Nach § 30 I 1 Nr. 1 AufenthG ist für den Nachzug zu Eheleuten, sowohl bei ausländischen als auch deutschen Staatsangehörigen, grundsätzlich Voraussetzung, dass beide Eheleute das 18. Lebensjahr vollendet haben.[2] Vorliegend waren die Eheleute im Zeitpunkt ihrer Eheschließung beide volljährig.

---

1 Vgl. OLG Zweibrücken, Beschl. v. 8.12.2010, Az.: 3 W 175/10; AG Gießen, Beschl. v. 31.1.2000, Az.: 22 III 81/99; AG Lüdenscheidt, Beschl. v. 13.1.2016, Az.: 5 F 1442/14.
2 Siehe zur Eheschließung mit einem*r minderjährigen Partner*in Mungan, *Fall 35) Familienleben nur in Deutschland möglich* in diesem Fallbuch.

3. Aufenthaltstitel der stammberechtigten Person

Nach § 29 I Nr. 1 i.V.m. § 30 I 1 Nr. 3 AufenthG muss die in Deutschland lebende **stammberechtigte Person**[3] einen der in der Vorschrift genannten **Aufenthaltstitel** besitzen.

Vorliegend ist der stammberechtigte W als anerkannter Flüchtling im Besitz einer **Aufenthaltserlaubnis** gemäß § 25 II 1 Alt. 1 AufenthG und erfüllt damit die Voraussetzung des § 30 I 1 Nr. 3 lit. c AufenthG. Er besitzt diese Aufenthaltserlaubnis auch seit mindestens zwei Jahren. Unschädlich ist hierbei, dass der Aufenthaltstitel vorliegend „abgelaufen" ist. Der W hat vor Ablauf seines Aufenthaltstitels und damit rechtzeitig einen Antrag auf Verlängerung seiner Aufenthaltserlaubnis bei der zuständigen Ausländerbehörde gestellt. Damit greift die **Fiktionswirkung** des § 81 IV 1 AufenthG. Danach gilt der bisherige Aufenthaltstitel bei rechtzeitiger Antragstellung vom Zeitpunkt seines Ablaufs bis zur Entscheidung der Ausländerbehörde als fortbestehend.[4]

4. Sprachkenntnisse der nachzugswilligen Person
a) Nachweis von Deutschkenntnissen

Nach § 30 I 1 Nr. 2 AufenthG muss sich der*die nachzugswillige Ehepartner*in vor Einreise auf einfacher Art in deutscher Sprache verständigen können.[5] Dies setzt den Nachweis von **Sprachkenntnissen** auf dem Niveau A1 voraus (vgl. Legaldefinition in § 2 IX AufenthG).

M verfügt zum jetzigen Zeitpunkt noch nicht über die nach § 30 I 1 Nr. 2 AufenthG erforderlichen Deutschkenntnisse. Zwar besucht sie bereits seit mehreren Monaten einen Deutschkurs. Einen aussagefähigen Nachweis hierüber wie das Sprachzeugnis des Goethe-Instituts kann sie indes zum jetzigen Zeitpunkt nicht beibringen. Zum aktuellen Zeitpunkt legte sie nicht in anderer Weise substantiiert und nachvollziehbar dar, dass sie über die von ihr angeführten Sprachfertigkeiten verfügt.

Falls M mündliche Sprachfertigkeiten auf dem Niveau A1 oder höher besitzt, ist zu erwägen, ob eine Feststellung der Sprachkenntnisse in einem Alltagsgespräch bei der Vorsprache bei der Auslandsvertretung beantragt werden sollte. In der Regel wird die Sprachfähigkeit nicht offenkundig vorliegen, sodass es auf die Vorlage eines anerkannten Sprachzertifikats ankommt.[6]

---

3 Ausführlich zum Begriff der stammberechtigten Person siehe Mungan, *Fall 35) Familienleben nur in Deutschland möglich* in diesem Fallbuch.

4 So auch: Bergmann/Dienelt, Ausländerrecht, 13. Aufl. 2020, AufenthG § 29 Rn. 6; Oberhäuser, in: Nomos-Praxis, Migrationsrecht in der Praxis, § 6 Rn. 102.

5 Vgl. EuGH, Urt. v. 9.7.2015, Az.: C-153/14, asyl.net: M23038.

6 So z.B. das Zertifikat „Start Deutsch 1" des Goethe-Institutes, „Start Deutsch 1" der Telc GmbH, des TestDaF-Instituts e.V. oder von Partner-Organisationen beziehungsweise Lizenznehmern.

b) Ausnahmen vom Spracherfordernis

Für das Spracherfordernis finden sich in § 30 I 3 AufenhG eine Reihe von Ausnahmetatbeständen.

Nach § 30 I 3 Nr. 1 AufenthG ist der Sprachnachweis dann nicht erforderlich, wenn die stammberechtigte Person einen Aufenthaltstitel aus humanitären Gründen besitzt (wie hier der W als anerkannter Flüchtling) und die Ehe bereits bestand, als die Person ihren Lebensmittelpunkt nach Deutschland verlegt hat. Dieser Ausnahmetatbestand kommt vorliegend nicht zum Zuge, da die Ehe nicht bereits zu dem Zeitpunkt bestanden hat, als W seinen Lebensmittelpunkt nach Deutschland verlegt hat.

Fraglich ist, ob hier der Ausnahmetatbestand des § 30 I 3 Nr. 2 AufenthG gegeben ist. Danach ist vom Spracherfordernis abzusehen, wenn die nachzugswillige Person wegen einer körperlichen, geistigen oder seelischen Krankheit oder Behinderung nicht in der Lage ist, einfache Kenntnisse der deutschen Sprache nachzuweisen. Im vorliegenden Fall liegt aktuell kein **ärztliches Attest** vor, welches einen Zusammenhang zwischen einer geistigen oder seelischen Krankheit von M und den unzureichenden Prüfungsergebnissen darzustellen vermag.

Damit bleibt fraglich, ob aufgrund der großen Prüfungsangst und der damit einhergehenden erfolglosen Prüfungsversuche die Härtefallklausel des § 30 I 3 Nr. 6 AufenthG zum Zuge kommen kann.

Danach ist von dem Spracherfordernis abzusehen, wenn es der nachzugswilligen Person auf Grund besonderer Umstände des Einzelfalles nicht möglich oder nicht zumutbar ist, vor der Einreise Bemühungen zum Erwerb einfacher Sprachkenntnisse zu unternehmen. Diese Unzumutbarkeit kann sich daraus ergeben, dass es der Person in ihrem Heimatland nicht möglich oder nicht zumutbar ist, die deutsche Sprache innerhalb angemessener Zeit zu erlernen. Aus dem grundrechtlich geforderten Schutz von Ehe und Familie nach Art. 6 GG leitet das Bundesverwaltungsgericht die Verpflichtung ab, die integrationspolitisch begründete – und grundsätzlich beanstandungsfreie – Regelung des Sprachnachweiserfordernisses so auszulegen, dass ein schonender Ausgleich der in ihr zum Ausdruck kommenden öffentlichen Interessen mit dem privaten Interesse der Betroffenen an einem ehelichen und familiären Zusammenleben im Bundesgebiet stattfindet.[7] Dies bedeute, dass der betroffenen Person grundsätzlich nur zumutbare Bemühungen zum Spracherwerb abverlangt werden dürfen, die den zeitlichen Rahmen von einem Jahr nicht überschreiten. Ein Härtefall ist daher anzunehmen, wenn es ihr trotz ernsthafter Bemühungen von einem Jahr Dauer nicht gelungen ist, das erforderliche Sprachniveau zu erreichen. Dieses Jahr stellt einen Richtwert der zumutbaren

---

[7] BVerwG, Urt. v. 4.9.2012, Az.: 10 C 12.12, asyl.net: M20089.

Bemühungen dar. Die Grenze kann im Einzelfall nach kürzerer Dauer erreicht sein.[8]

Für die zu fordernden Lernbemühungen der antragstellenden Person können sich unter dem Gesichtspunkt der Zumutbarkeit Einschränkungen sowohl aus deren persönlicher Situation als auch aus den besonderen Umständen im Herkunftsland ergeben. Bei der Zumutbarkeitsprüfung sind insbesondere die Verfügbarkeit von Lernangeboten, deren Kosten, ihre Erreichbarkeit sowie persönliche Umstände zu berücksichtigen, die der Wahrnehmung von Lernangeboten entgegenstehen können. Anhaltspunkte können nach Auffassung des BVerwG in der Person des*der nachzugswilligen Ehepartner*in oder in den äußeren Umständen liegen, so zum Beispiel ihrem Gesundheitszustand, ihren kognitiven Fähigkeiten, die Erreichbarkeit von Sprachkursen oder die zumutbare tatsächliche Verfügbarkeit von Sprachlernangeboten.[9]

Ob zumutbare Bemühungen allein durch die erfolglose Teilnahme an einer Sprachprüfung eines anerkannten Prüfungsanbieters nachgewiesen werden können, hängt von den konkreten Umständen des Einzelfalls (zum Beispiel regelmäßige / unregelmäßige Teilnahme an einem vorgeschalteten **Sprachkurs**) ab. Ein Hinweis auf erfolgte Lernbemühungen könnte laut BVerwG-Urteil aber zum Beispiel sein, dass die betreffende Person zwar die schriftlichen Anforderungen nicht erfüllt, wohl aber die mündlichen. Die Vorlage weiterer Nachweise (Anwesenheitslisten, Einschreibungen, Beschreibung der Lernbemühungen etc.) kann im Einzelfall sachdienlich sein. Entscheidend ist, dass ernsthafte und nachhaltige Lernanstrengungen plausibel und nachvollziehbar dargelegt werden.

Es bestehen laut Sachverhalt zunächst entsprechende Zugangsmöglichkeiten zu Sprachkursen für M in Syrien. Entsprechende Sprachkursangebote nimmt sie aktuell wahr und kann die Kosten für den Kurs aufbringen. Sie hat allerdings ihre bisherigen erfolglosen Bemühungen unter Vorlage entsprechender Nachweise darzulegen. Falls die Prüfungsangst anhand ärztlicher Atteste feststellbar ist, wäre die Einholung eines entsprechenden ärztlichen Gutachtens ratsam.

III. Allgemeine Erteilungsvoraussetzungen
1. Sicherung des Lebensunterhalts
Zu den **Regelerteilungsvoraussetzungen** gehört in erster Linie das Erfordernis der Sicherung des Lebensunterhalts gemäß § 5 I Nr. 1 AufenthG i.V.m. § 27 III 1 Auf-

---

8 Vgl. Auswärtiges Amt, Visumshandbuch, Stand: März 2022, 74. Ergänzungslieferung, Kapitel „Nachweis einfacher Deutschkenntnisse beim Ehegattennachzug".
9 Vgl. BT-Ds. 18/5420, S. 26; Auswärtiges Amt, Visumshandbuch, Stand: März 2022, 74. Ergänzungslieferung, Kapitel „Nachweis einfacher Deutschkenntnisse beim Ehegattennachzug".

enthG. Der **Lebensunterhalt** einer Person gilt nach § 2 III 1 AufenthG als gesichert, wenn sie ihn einschließlich ausreichenden Krankenversicherungsschutzes ohne Inanspruchnahme öffentlicher Mittel bestreiten kann. Nicht als öffentliche Mittel gelten der Bezug der in § 2 III 2 AufenthG genannten Leistungen (Kindergeld, Kinderzuschlag, Erziehungsgeld, Elterngeld, BAföG oder ALG I).[10]

Unter Zugrundelegung dieser Grundsätze ist vorliegend der Lebensunterhalt gesichert. W kann mit seinem Nettogehalt von 1.800 Euro den Lebensunterhalt seiner Familie nach erfolgtem Nachzug sichern. Die nachziehende Ehefrau M kann in die (gesetzliche) Familienkrankenversicherung aufgenommen werden.

2. Ausreichender Wohnraum
Ferner muss nach § 29 I AufenthG **ausreichender Wohnraum** für die Familie nach erfolgtem Nachzug zur Verfügung stehen.

Hinweise zur Fallprüfung   !

Trotz Anerkennung der Flüchtlingseigenschaft kommen vorliegend nicht die erleichterten Voraussetzungen eines „**privilegierten Familiennachzuges**" nach § 29 II 2 AufenthG zur Anwendung.[11] Grund hierfür ist, dass der erforderliche Antrag (die sogenannte **fristwahrende Anzeige**) nicht innerhalb von drei Monaten nach unanfechtbarer Zuerkennung der Flüchtlingseigenschaft gestellt wurde (§ 29 II 2 Nr. 1 AufenthG).

Die Voraussetzung „ausreichend" bezieht sich auf die Größe der Wohnung im Hinblick auf die Zahl der Bewohner*innen. Die Obergrenze bildet das Sozialwohnungsniveau, d.h. es darf keine bessere Ausstattung verlangt werden, als sie auch typischerweise Sozialwohnungen in der jeweiligen Region aufweisen. Die Untergrenze bilden die auch für Deutsche geltenden Rechtsvorschriften der Länder, also z.B. die Wohnungsaufsichtsgesetze oder in Ermangelung solcher Gesetze das allgemeine Polizei- beziehungsweise Ordnungsrecht (vgl. hierzu auch Legaldefinition in § 2 IV AufenthG). Ausreichender Wohnraum ist – unbeschadet landesrechtlicher Regelungen – stets vorhanden, wenn für jedes Familienmitglied über sechs Jahren zwölf Quadratmeter und für jedes Familienmitglied unter sechs Jahren zehn Quadratmeter Wohnfläche zur Verfügung stehen und Nebenräume (Küche, Bad, WC) in angemessenem Umfang mitbenutzt werden können. Eine Unterschreitung dieser Wohnungsgröße um etwa zehn Prozent ist unschädlich. Wohnräume, die von Drit-

---

10 Für die genaue Berechnung siehe Mungan, *Fall 35) Familienleben nur in Deutschland möglich* in diesem Fallbuch.
11 Siehe zur Anwendung Mungan, *Fall 34) Recht auf Eltern – auch nach dem 18. Geburtstag* in diesem Fallbuch.

ten mitbenutzt werden, bleiben grundsätzlich außer Betracht; mitbenutzte Nebenräume können berücksichtigt werden.[12]

Im vorliegenden Fall ist – unabhängig von evtl. günstigeren landesrechtlichen
Regelungen – der Wohnraum der 65 m² großen Wohnung des Stammberechtigten
W als ausreichend anzusehen.

IV. Ausschluss des Anspruchs auf Familiennachzug
1. Scheinehe

Bestehen Anhaltspunkte für eine Scheinehe nach § 27 Ia Nr. 1 AufenthG, kann die
zuständige Auslandsvertretung eine gesonderte Prüfung einleiten, in der beide Eheleute zeitgleich von der Auslandsvertretung und der zuständigen Ausländerbehörde zu ihrer „Partnerschaftsbiographie" angehört werden.

Vorliegend besteht ein Risiko, dass die Auslandsvertretung von sich aus eine
Scheineheprüfung einleitet, da das Paar per Stellvertretungsehe geheiratet hat. Allerdings kann angebracht werden, dass es dem W als anerkanntem Flüchtling unmöglich war für die Eheschließung in sein Herkunftsland Syrien zu reisen, wo ihm
Verfolgung droht. Darüber hinaus könnte jedoch auch die hohe Altersdifferenz zwischen den Eheleuten die Auslandsvertretung dazu veranlassen, eine Prüfung anzustrengen.

2. Nötigung zur Ehe

Anhaltspunkte dafür, dass M oder W nach § 27 Ia Nr. 2 AufenthG zur Ehe genötigt
wurden, liegen nicht vor.

B. Ergebnis

Zum jetzigen Zeitpunkt kann nicht mit Sicherheit gesagt werden, ob ein Antrag auf
ein nationales Visum positiv beschieden werden würde. Mit entsprechenden Nachweisen, wie oben aufgezeigt und entsprechenden Ausführungen zur Unzumutbarkeit der weiteren Trennung wäre es denkbar ein Visumsverfahren anzustrengen.

---

[12] Vgl. BMI, Allgemeine Verwaltungsvorschrift zum Aufenthaltsgesetz vom 26.10.2009, Nr. 2.4; siehe
hierzu auch Mungan, *35) Familienleben nur in Deutschland möglich* in diesem Fallbuch.

Cana Mungan

Weiterführende Literatur
- UNHCR Deutschland, Familienzusammenführung zu Personen mit internationalem Schutz, Asylmagazin 2017, 132
- Siehe auch den Themenschwerpunkt Familienzusammenführung, Asylmagazin 2017, 125
- Auswärtiges Amt, Visumshandbuch, Stand: März 2022

Dieser Fall darf gerne kommentiert, verändert und beliebig genutzt werden. Die Anleitung hierfür lässt sich über den abgebildete QR-Code mit der Smartphone-Kamera auf unserer Homepage aufrufen.

Cana Mungan

Fall 37
Die kleine Delina will zu ihrer Mutter

Behandelte Themen: Kindernachzug, Visumverfahren, Allgemeine Erteilungs-voraussetzungen, Identitätsklärung, Passbeschaffung, Mitwirkungspflichten, Zumutbarkeit, Einverständnis, geteiltes Sorgerecht, Rechtsbehelfe, Remonstration

Schwierigkeitsgrad: Anfänger*innen bis Fortgeschrittene

Sachverhalt

Trhas ist eritreische Staatsangehörige. Ihr wurde vor ein paar Tagen, nach langwierigem behördlichen und gerichtlichen Asylverfahren, die Flüchtlingseigenschaft zuerkannt. Das Gericht ging davon aus, dass ihr vom eritreischen Regime eine oppositionelle Haltung zugeschrieben wurde. Sie war 2019 nach Deutschland geflohen. Ihre Tochter Delina (8) musste Trhas in Eritrea bei Genet, ihrer eigenen Mutter, zurücklassen.

Nachdem die Großmutter des Kindes 2020 verstorben ist, organisierte Trhas für Delina die Flucht in den Sudan, wo sie in einem Flüchtlingslager des UNHCR untergebracht wurde. Dort wurde ihr Flüchtlingsschutz zugesprochen und von sudanesischen Behörden ein Flüchtlingsausweis erteilt. Ansonsten besitzt Delina nur eine Taufurkunde aus Eritrea.

Trhas hat für Delina bei der deutschen Botschaft in Khartum den Familiennachzug nach Deutschland beantragt. Hierfür verlangt die Botschaft Identitätsnachweise für Delina. Die Taufurkunde sei kein amtliches Dokument und daher kein Identitätsnachweis. Mit ihrem sudanesischen Flüchtlingsausweis kann Delina laut Botschaft ihre Identität auch nicht nachweisen, da das Dokument auf eigenen Angaben beruht.

Laut deutscher Botschaft müsste Delina bei der eritreischen Botschaft in Khartum einen Pass beantragen oder in Eritrea eine amtliche Geburtsurkunde beschaffen, die vom eritreischen Außenministerium überbeglaubigt wurde. Die eritreische Botschaft in Khartum wiederum teilt mit, dass minderjährigen Personen keine Dokumente ausgestellt werden könnten, wenn sie nicht von Eltern oder einer Vormundsperson vertreten sind. Um die Vertretung von Delina vor der eritreischen Botschaft im Sudan zu autorisieren, müsste Trhas diese bei der eritreischen Botschaft in Deutschland beantragen. Hierfür müsste sie die „Diaspora-Steuer" in Höhe von 2 Prozent ihres seit ihrer Flucht bezogenen Einkommens zahlen und eine sogenannte Reueerklärung abgeben, in der sie eingesteht, durch ihre Flucht eine

Straftat begangen zu haben und die dafür noch zu verhängende Strafe zu akzeptieren. Auch für die Beschaffung einer Geburtsurkunde müsste Trhas eine Person in Eritrea finden, die sich im selben Wege autorisieren lassen würde, eine Geburtsurkunde vor Ort zu beantragen und überbeglaubigen zu lassen.

Fallfragen Ausgangsfall

1. Hat die Familie ein Recht auf Erteilung eines Visums an Delina zur Zusammenführung?
2. Muss die Identität von Delina geklärt werden und reicht hierfür die vorgelegte Taufurkunde aus?
3. Muss ein Pass für Delina beantragt werden und Trhas die von der eritreischen Regierung vorausgesetzten Bedingungen erfüllen, obwohl sie als Flüchtling anerkannt wurde?

Abwandlung

Trhas ist nach traditioneller eritreischer Eheschließung mit Amanuel verheiratet. Dieser ist seit 2017 verschwunden, nachdem er vom eritreischen Wehrdienst desertiert ist. Die deutsche Botschaft im Sudan lehnt den Antrag auf Kindernachzug ab, da kein Nachweis des Einverständnisses von Amanuel zum Kindernachzug vorgelegt wurde.

Fallfragen Abwandlung

1. Braucht Trhas die Zustimmung von Amanuel, obwohl dieser nicht auffindbar ist?
2. Wie kann Trhas gegen die Ablehnung des Visumsantrags vorgehen?

Lösungsvorschlag

A. Fall

I. Fallfrage 1
Gefragt wird, ob Delina ein Recht auf Erteilung eines Visums zur Familienzusammenführung zusteht.

1. Voraussetzungen für die Erteilung des Visums zum Kindernachzug
Nach § 6 III 1 AufenthG ist für längerfristige Aufenthalte ein Visum für das Bundesgebiet (**nationales Visum**) erforderlich, das vor der Einreise erteilt wird. Nach § 6 III 2 AufenthG richtet sich die Erteilung des Visums nach den für die dort aufgelisteten Aufenthaltstitel geltenden Vorschriften.

2. Voraussetzungen für die Erteilung des Aufenthaltstitels zum Kindernachzug
Vorliegend ist für die Zusammenführung von Kindern zu ihren Eltern § 32 I AufenthG maßgeblich.[1] Danach haben minderjährige ledige Kinder von Drittstaatsangehörigen einen Anspruch auf Erteilung einer Aufenthaltserlaubnis, wenn beide **Eltern** oder ein allein sorgeberechtigtes Elternteil einen bestimmten in der Vorschrift aufgezählten **Aufenthaltstitel** besitzen. Die Aufenthaltserlaubnis nach § 25 II 1 Alt. 1 AufenthG, die anerkannten Flüchtlingen auszustellen ist, wird in § 32 I AufenthG aufgeführt. Als Person, der Flüchtlingsschutz zugesprochen wurde, ist Trhas im Besitz dieser Aufenthaltserlaubnis. Die den Nachzug beantragende Delina ist minderjährig und unverheiratet.

ℹ️ Weiterführendes Wissen

In diesem Fall wird das Kind, das den Nachzug beantragt, auch bei Visumserteilung und Einreise nach Deutschland noch minderjährig sein. In Fällen, in denen Kinder bei Asylantragstellung der Referenzpersonen noch minderjährig waren, aber noch vor Anerkennung der Referenzperson und Beantragung des **Kindernachzugs** volljährig geworden sind, war es bisher strittig, auf welchen Zeitpunkt bei der **Beurteilung der Minderjährigkeit** abzustellen ist.[2]

Der EuGH hatte dies mit grundlegenden Urteilen in den Rechtssachen „A und S" zum Elternnachzug und „B.M.M. u.a." zum Kindernachzug in Vorlageverfahren aus den Niederlanden und aus Belgien

---

1 Ausführlich zu nachzugsberechtigten Familienangehörigen: familie.asyl.net unter „Außerhalb Europas" / „Begriffsbestimmungen".
2 Siehe ausführlich zum Streitgegenstand Mungan, *34) Recht auf Eltern – auch nach dem 18. Geburtstag* in diesem Fallbuch.

Johanna Mantel

bereits entschieden,[3] und auf den frühen Zeitpunkt der Asylantragstellung der Referenzperson abgestellt. Da das Auswärtige Amt aber weiterhin auf den späten Zeitpunkt der Einreise der nachziehenden Angehörigen abstellte, legte das BVerwG diese Fragen dem EuGH erneut vor.[4] Am 1.8.2022 hat der EuGH in diesen Verfahren entschieden und seine bisherige Rechtsprechung bestätigt.[5] Das Auswertige Amt hat nunmehr endlich Weisungen erlassen, mit denen die EuGH-Rechtsprechung umgesetzt werden soll.[6]

3. Allgemeine Erteilungsvoraussetzungen für Aufenthaltstitel

Für die Erteilung einer Aufenthaltserlaubnis zum Kindernachzug gelten grundsätzlich die Erteilungsvoraussetzungen nach § 5 AufenthG, die allgemein für die Erteilung von Aufenthaltstiteln gelten, also insbesondere, dass

- der Lebensunterhalt gesichert ist (§ 5 I Nr. 1 AufenthG),
- die Identität und gegebenenfalls Staatsangehörigkeit der betroffenen Person geklärt ist (§ 5 I Nr. 1a AufenthG),
- die Person einen gültigen Pass besitzt (§ 5 I Nr. 4 AufenthG).

Außerdem sieht § 29 I Nr. 2 AufenthG vor, dass für den Familiennachzug zu Drittstaatsangehörigen ausreichender Wohnraum zur Verfügung stehen muss.[7]

Von den allgemeinen Erteilungsvoraussetzungen der Lebensunterhaltssicherung und des Wohnraumerfordernisses ist im Gesetz unter anderem für den Nachzug zu **anerkannten Flüchtlingen** eine ausdrückliche Ausnahme vorgesehen (sogenannter **privilegierter Familiennachzug**). In solchen Fällen „ist" zwingend (es besteht also kein Ermessen) von diesen Voraussetzungen abzusehen, wenn bestimmte in § 29 II 2 Nr. 1 und Nr. 2 AufenthG aufgeführte Voraussetzungen erfüllt sind.

Im vorliegenden Fall ist davon auszugehen, dass diese Voraussetzungen erfüllt sind, da im Sachverhalt keine anderweitigen Angaben gemacht wurden.

---

3 EuGH, Urt. v. 16.7.2020, Az.: C-133/19, C-136/19, C-137/19, asyl.net: M28868; EuGH, Urt. v. 12.4.2018, Az.: C-550/16, asyl.net: M26143.
4 BVerwG, Beschl. v. 23.4.2020, Az.: 1 C 16.19, asyl.net: M28541 zum Kindernachzug; BVerwG, Beschl. v. 23.4.2020, Az.: 1 C 9.19, 1 C 10.19, asyl.net: M28542 zum Elternnachzug.
5 EuGH, Urt. v. 1.8.2022, Az.: C-273/20 und C-355/20, asyl.net: M30811 zum Elternnachzug; EuGH, Urt. v. 1.8.2022, Az.: C-279/20, asyl.net: M30815 zum Kindernachzug, vgl. Kalkmann, Asylmagazin 2022, 302 ff.
6 Siehe asyl.net Meldung vom 22.12.2022. Ausführlich zu den EuGH Vorgaben siehe DRK-Suchdienst, Fachinformation zum Familiennachzug, 5.9.2022: https://www.asyl.net/view/fachinformation-zu-eugh-entscheidungen-vom-august-2022-zum-familiennachzug.
7 Zu den Regelerteilungsvoraussetzungen ausführlich siehe: familie.asyl.net unter „Außerhalb Europas" / „Allgemeine Erteilungsvoraussetzungen" / „Regelerteilungsvoraussetzungen".

Johanna Mantel

– Die in Deutschland lebende Person, zu welcher der Nachzug beantragt wird (als Stammberechtigte oder Referenzperson bezeichnet, hier: Trhas), besitzt eine Aufenthaltserlaubnis nach § 25 II 1 Alt. 1 AufenthG (bei Flüchtlingsanerkennung).

– Bei der den Nachzug beantragenden Person (hier: Delina) handelt es sich um ein minderjähriges, unverheiratetes Kind der in Deutschland schutzberechtigten Person.

– Die Beantragung des Familiennachzugs erfolgte innerhalb von 3 Monaten nach unanfechtbarer Anerkennung des Flüchtlingsschutzes.

– Die Herstellung der familiären Lebensgemeinschaft in einem anderen Staat, der nicht Mitgliedstaat der Europäischen Union ist und zu dem die Familienmitglieder eine besondere Bindung haben, ist nicht möglich. Denn eine Rückkehr nach Eritrea ist weder Mutter noch Tochter zumutbar, da sie beide als Flüchtlinge anerkannt wurden. Auch eine Herstellung der Lebensgemeinschaft im Sudan stellt keine Option dar, da sich Delina nur vorübergehend im Sudan befindet und dort trotz der Anerkennung als Flüchtling keine Bleibeperspektive hat. Eine besondere Bindung zum Sudan besteht mithin nicht.

II. Fallfrage 2

Trhas möchte wissen, ob die Identität von Delina geklärt werden muss und ob hierfür die vorgelegte Taufurkunde ausreicht.

1. Identitätsklärung

Für die Erteilung eines Aufenthaltstitels allgemein und daher auch für die Erteilung eines Visums zum Kindernachzug ist Voraussetzung, dass die Identität der den Nachzug beantragenden Person geklärt ist (siehe oben Abschnitt A.). Wenn Betroffene einen gültigen Pass vorlegen können, ist in der Regel von der **Identitätsklärung** auszugehen; sofern ein solches Dokument nicht vorliegt, sind eine Geburtsurkunde oder andere amtliche Dokumente vorzulegen, wie etwa ein abgelaufener Pass, ein Personalausweis, Führerschein oder ähnliche Urkunden.[8] Delina besitzt allerdings weder einen Pass noch andere amtliche eritreische Dokumente.[9]

---

8 So die Ausführungen in Nr. 5.1.1a Allgemeine Verwaltungsvorschrift zum Aufenthaltsgesetz ist eine Anordnung des Bundesministeriums des Innern vom 26.10.2009 (AVV-AufenthG): asyl.net unter „Recht" / „Gesetzestexte" / „Erlasse/Behördliche Mitteilungen".

9 Siehe zur Problematik des Identitätsnachweises auch ausführlich Wasnick, *31) Taraneh will reisen* und *33) Gekommen um zu bleiben* in diesem Fallbuch.

2. Alternative Nachweise

Die Taufurkunde ist kein amtliches Dokument, da sie nicht von einer staatlichen Stelle ausgestellt wurde. Diesen lediglich alternativen, nicht-amtlichen Nachweis könnte Delina mithin vorlegen.

Weiterführendes Wissen

In der Praxis prüfen die Auslandsvertretungen an diesem Punkt regelmäßig, ob die Beschaffung amtlicher Dokumente **möglich** und **zumutbar** ist. Die Maßstäbe sind dabei häufig sehr restriktiv. Die Zahlung der „Diaspora-Steuer" und die Unterzeichnung der „Reueerklärung" wurden bisher in aller Regel für zumutbar gehalten. Im Ergebnis führt dies dazu, dass Anträge wegen des Mangels an amtlichen Nachweisen abgelehnt werden, da die Berücksichtigung alternativer Nachweise aus Sicht des Auswärtigen Amts nur dann erfolgen müsse, wenn die Betroffenen nachgewiesen haben, dass ihnen die Beschaffung amtlicher Dokumente unmöglich oder unzumutbar ist.[10] Diese Prüfungsreihenfolge verstößt jedoch bezüglich des Familiennachzugs nach der hier vertretenen Ansicht gegen Unionsrecht.[11] Es wird daher wird Folgenden die Prüfung dargestellt, die nach richtiger Auffassung in unionsrechtskonformer Weise erfolgen müsste.

Inzwischen hat das BVerwG entscheiden, dass die Passbeschaffung für eritreische Staatsangehörige bei Erfordernis einer "Reueerklärung" unzumutbar ist.[12] Zur Zumutbarkeit der „Diaspora-Steuer" hat es sich noch nicht geäußert. Seit 2021 scheint sich der Ansatz der **Auslandsvertretungen** teilweise zu ändern. Zunehmend finden alternative Nachweise auch unabhängig der Möglichkeits- und Zumutbarkeitsfrage Berücksichtigung. Die Praxis ist aber bislang uneinheitlich und hat sich weitestgehend bundesweit noch nicht dieser Auffassung angeschlossen – dies sollte bei der Beratung berücksichtig werden.

Aufgrund des Mangels an amtlichen eritreischen Nachweisen sollte Delina **alternative Nachweise** vorlegen. Diese muss die Auslandsvertretung zwingend berücksichtigen. Das ergibt sich aus Art. 11 II Familienzusammenführungs-RL,[13] wonach in Fällen des Familiennachzugs zu Flüchtlingen auch alternative Nachweise zu berücksichtigen sind, wenn amtliche Unterlagen nicht vorgelegt werden können. Familiennachzugsanträge dürfen nach dieser Vorschrift ausdrücklich nicht mit dem Fehlen amtlicher Nachweise abgelehnt werden. Vielmehr müssen schriftliche und/oder mündliche Erklärungen der Antragstellenden, Befragungen von Familienangehörigen und andere alternative Nachweise ebenfalls zum Nachweis familiärer Bindungen berücksichtigt werden, dies auch vor dem Hintergrund von Art. 5 V Familienzusammenführungs-RL, der die Berücksichtigung des Kindeswohls gebietet,

---

10 Vgl. Auswärtiges Amt, Antwort vom 7.2.2022 auf die schriftliche Anfrage Nr. 1–470 von Luise Amtsberg MdB, Die Grünen.
11 Siehe hierzu ausführlich auch Ujkašević, NVwZ 2021, 620.
12 BVerwG, Urt. v. 11.10.2022, Az.: 1 C 9.21, asyl.net: M30993; siehe asyl.net Meldung vom 12.10.2022.
13 Richtlinie 2003/86/EG des Rates vom 22. September 2003 betreffend das Recht auf Familienzusammenführung, ABl. EU Nr. L 251/12.

Johanna Mantel

sofern Minderjährige in dem Verfahren involviert sind.[14] Die Vorschrift bezieht sich unmittelbar auf den Nachweis der familiären Bindung, muss jedoch im Rahmen einer richtlinienkonformen Auslegung auch auf den Nachweis der Identität angewendet werden.[15]

ℹ Weiterführendes Wissen

Eine weitere Voraussetzung für den **Familiennachzug** ist der Nachweis **familiärer Bindungen**. In der Praxis ist dieser Nachweis oft nicht zu erbringen, etwa wenn die Betroffenen keine Geburtsurkunden oder Abstammungsnachweise besitzen.

Auch hier müssen alternative Nachweise berücksichtigt werden, unabhängig von einer **Zumutbarkeitsprüfung** (siehe dazu ausführlich Abschnitt A.II). Bei Müttern ist die familiäre Bindung in der Regel durch DNA-Test nachweisbar. Bei Vätern ist es problematischer. Hier wird teilweise ein Nachweis der Eheschließung beziehungsweise des Sorgerechts gefordert oder Vorlage der Geburtsurkunde.

Bei dem Nachweis familiärer Bindungen sind die Vorgaben des EuGH zu beachten:

EuGH: Urteil vom 13.3.2019, Az.: C-635/17, asyl.net: M27392

Leitsätze: Beizubringende Unterlagen beim Antrag auf Familiennachzug:

1. Ein Antrag auf **Familienzusammenführung** – hier von der Tante eines Jungen, dessen Eltern verstorben sind und dessen Vormund sie ist – kann nicht allein aus formalen Gründen, wegen des Fehlens amtlicher Urkunden (Sterbeurkunden der leiblichen Eltern des Jungen), abgelehnt werden.
2. Es muss im Einzelfall geprüft werden, ob die antragstellende Person ihre Mitwirkungspflicht erfüllt hat und ob das behördliche Ermessen es erlaubt, die familiäre Verbindung auch auf andere Weise zu prüfen. (Leitsätze der Redaktion)

Die Pflicht zur Berücksichtigung alternativer Nachweise besteht immer und entfällt dem EuGH zufolge lediglich in zwei Ausnahmefällen:[16]

1. Die Antragstellenden verstoßen eklatant gegen ihre **Mitwirkungspflicht** oder
2. der Antrag auf Familienzusammenführung hat offensichtlich betrügerischen Charakter.

Nicht jede Nicht-Vornahme einer gegebenenfalls für zumutbar gehaltenen Handlung stellt einen eklatanten Verstoß gegen die Mitwirkungspflicht der Beteiligten dar. Tragen die Beteiligten vor, aus welchen Gründen sie die geforderten Handlungen, etwa das Aufsuchen von Auslandsvertretungen der Heimatländer, nicht erfüllen möchten und erschöpfen sich diese nicht in einem reinen Unwillen, sondern legen eine persönliche Motivation dar, ist nicht von einem eklatanten Verstoß gegen

---

14 Siehe hierzu EuGH Urt. v. 13.3.2019, Az.: C-635/17, asyl.net: M27392.
15 Siehe hierzu ausführlich Ujkašević, Asylmagazin 2020, 189 (213 f.) m. w. N.
16 Vgl. EuGH: Urt. v. 13.3.2019, Az.: C-635/17, asyl.net: M27392.

eine Mitwirkungspflicht auszugehen. Alternative Nachweise müssen vielmehr weiterhin berücksichtigt und eingeholt werden.[17]

Nach diesen unionsrechtlichen Maßstäben ist die Identität von Delina als geklärt anzusehen. Im vorliegenden Fall kann Delina in jedem Fall ihre Taufurkunde vorlegen. Als weitere alternative Nachweise kämen noch eidesstattliche Versicherungen, die Benennung von Delinas Personendaten im Asyl- und Aufenthaltsverfahren von Trhas, Befragungen von Mutter und Kind u.ä. in Betracht.

Weiterführendes Wissen

In Bezug auf amtliche Dokumente besteht in der Praxis das Problem, dass die Echtheit von Urkunden aus anderen Staaten (zum Beispiel aus einigen afrikanischen Ländern) häufig von deutschen Auslandsvertretungen bezweifelt wird. Dies wird mit einem unzuverlässigen Urkundensystem in diesen Ländern begründet. Zum Teil stellen deutsche Auslandsvertretungen in solchen Fällen ergänzende Ermittlungen an. So etwa durch Einsatz von sogenannten Vertrauensanwält*innen, die dann Einsicht in bestimmte amtliche Register nahmen oder andere Nachforschungen betrieben. Dies kann zu erheblichen Verzögerungen und Mehrkosten für die Betroffenen führen.[18]

III. Fallfrage 3

Trhas fragt, ob sie für Delina einen Pass beantragen und hierfür die von der eritreischen Regierung vorausgesetzten Bedingungen erfüllen muss, obwohl sie als Flüchtling anerkannt wurde.

1. Passbeschaffungspflicht

Nach § 5 I Nr. 4 AufenthG i.V.m. § 3 AufenthG gilt grundsätzlich für jede ausländische Person, die sich in Deutschland aufhält, dass sie verpflichtet ist, einen gültigen und anerkannten **Pass** oder Passersatz zu besitzen. Dies ist daher auch erforderlich für die Visumserteilung zum Kindernachzug (siehe oben Abschnitt A.).

Im vorliegenden Fall wird die Familie darauf verwiesen, für Delina bei der eritreischen Botschaft in Khartum einen Pass zu beantragen. Hierfür ist eine Vertretung der Minderjährigen erforderlich, die ihre Mutter autorisieren müsste. Hierfür wiederum wird von der Mutter verlangt, dass sie in Kontakt tritt mit der eritreischen Botschaft in Deutschland und dass sie die „Diaspora-Steuer" in Höhe von

---

17 Siehe hierzu ausführlich Ujkašević, NVwZ 2021, 620. Siehe außerdem den Fall einer eritreischen Familie, die vorgetragen hatte, die eritreische Botschaft aufsuchen zu wollen. Dieser Fall lag der genannten Entscheidung zugrunde EuGH Urt. v. 13.3.2019, Az.: C-635/17, asyl.net: M27392.
18 Siehe genauer Ujkašević, NVwZ 2021, 620.

2 Prozent ihres seit ihrer Flucht bezogenen Einkommens zahlt und eine sogenannte Reueerklärung abgibt, in der sie eingesteht, durch ihre Flucht eine Straftat begangen zu haben und die hierfür noch zu verhängende Strafe zu akzeptieren.

2. Zumutbarkeit

Es ist fraglich, ob die Passbeschaffung in diesem Fall **zumutbar** ist. Bei Trhas handelt es sich um eine Person, der Flüchtlingsschutz zuerkannt wurde. Eine wesentliche Voraussetzung für die Flüchtlingseigenschaft ist, dass die betroffene Person den Schutz des Herkunftsstaates wegen der erlittenen oder befürchteten Verfolgung nicht in Anspruch nehmen kann. Für Trhas wurde laut Sachverhalt festgestellt, dass ihr aufgrund der ihr zugeschriebenen Regimegegnerschaft flüchtlingsschutzrelevante Verfolgung droht.

In Fällen, in denen Schutzsuchenden der Flüchtlingsschutz aufgrund von **staatlicher Verfolgung** zuerkannt wurde, ist regelmäßig anzunehmen, dass es ihnen unzumutbar ist mit staatlichen Behörden des Herkunftslandes in Kontakt zu treten.[19] Würden sie dennoch auf die Kontaktaufnahme mit Behörden des Verfolgungsstaates verwiesen, könnten sich dadurch Gefahren für sie ergeben. Außerdem besteht das Risiko, dass die staatlichen Stellen durch willkürliche Entscheidungen über die Ausstellung oder Verweigerung von Dokumenten weiterhin das persönliche Schicksal der anerkannten Flüchtlinge beeinflussen könnten. Das würde die ihnen drohende oder erlittene Verfolgung fortsetzen.[20]

Im Falle Eritreas ist darüber hinaus die Inanspruchnahme von behördlichen Diensten mit weiteren Repressalien verbunden. So gewähren staatliche Behörden Dienstleistungen an geflüchtete eritreische Staatsangehörige nämlich nur, wenn diese eine „Diasporasteuer" in Höhe von 2 Prozent ihres im Ausland erwirtschafteten Vermögens zahlen und eine „Reueerklärung" unterschreiben mit der sie anerkennen, durch ihre Flucht beziehungsweise den **Militärdienstentzug** eine Straftat begangen zu haben und die dafür festzusetzende Strafe zu akzeptieren.[21]

---

19 Zur Unzumutbarkeit während des laufenden Asylverfahrens Mantel/Tsomaia, *1) Liana Gelashvili sucht Schutz* in diesem Fallbuch.

20 Siehe im Detail zu der Problematik der Zumutbarkeit und der unterschiedlichen Zumutbarkeitsschwelle entsprechend dem jeweiligen Schutzstatus (außerhalb des Familiennachzugs) Wasnick, *33) Gekommen um zu bleiben* in diesem Fallbuch und zur Kontaktaufnahme mit dem Heimatstaat bezüglich § 72 AsylG Putzer, *29) Schluss mir Schutz?* in diesem Fallbuch.

21 Zur Unzumutbarkeit im Fall der anerkannten Flüchtlingseigenschaft VG Sigmaringen, Urt. v. 16.02.2022, Az.: 5 K 4651/20; VG Frankfurt a.M., Urt. v. 9.12.2009, Az.: 1 K 1032/09.F, asyl.net: M16532; Ujkašević, Asylmagazin 2020, 189 (213f.); für subsidiär Schutzberechtigte wurde bisher von der Zumutbarkeit ausgegangen. Inzwischen hat das BVerwG entscheiden, dass die Passbeschaffung für eritreische Staatsangehörige bei Erfordernis einer „Reueerklärung" unzumutbar ist (BVerwG, Urt. v.

Daher ist davon auszugehen, dass die von Trhas verlangte Autorisierung der Vertretung von Delina unzumutbar ist.[22] Da aus dem Sachverhalt keine weiteren Möglichkeiten der Passbeschaffung für Delina ersichtlich sind, ist davon auszugehen, dass diese unzumutbar, beziehungsweise unmöglich ist.

Daraus folgend müsste Delina von der deutschen Botschaft in Khartum nach § 7 I AufenthG ein „**Reiseausweis für Ausländer**" erteilt werden. Dies ist für den Fall vorgesehen, dass die Erteilungsvoraussetzungen für einen Aufenthaltstitel vorliegen, damit der betroffenen Person die Einreise nach Deutschland ermöglicht wird.

Weiterführendes Wissen

Es ist zu beachten, dass die gesetzlich vorgesehene Ausstellung von „Reiseausweisen für Ausländer" in der Praxis äußerst restriktiv gehandhabt wird. Im Zweifel muss die Ausstellung gerichtlich durchgesetzt werden.[23]

B. Abwandlung

I. Fallfrage 1
Trhas fragt, ob sie die Zustimmung von Amanuel nachweisen muss, obwohl dieser nicht auffindbar ist.

1. Einverständnis bei geteiltem Sorgerecht
Die Regelung des § 32 III AufenthG sieht vor, dass bei geteiltem **Sorgerecht** für den Kindernachzug das **Einverständnis** des anderen Elternteils notwendig ist. Bei Paaren, die verheiratet waren, gehen die deutschen Auslandsvertretungen davon aus, dass geteiltes Sorgerecht besteht. Im vorliegenden Fall kann Trhas aber den Nachweis des Einverständnisses nicht nachweisen, da ihr Ehemann Amanuel verschwunden ist. Die deutsche Botschaft im Sudan lehnt daher den Antrag auf **Kindernachzug** ab.

11.10.2022, Az.: 1 C 9.21, asyl.net: M30993; siehe asyl.net Meldung vom 12.10.2022.) Zur Zumutbarkeit der „Diaspora-Steuer" hat es sich noch nicht geäußert.

22 Ausführlich zur Unzumutbarkeit der Beschaffung von Identitätspapieren, insbesondere für anerkannte Flüchtlinge, siehe auch Ujkašević, Asylmagazin 2020, 189 (212 ff.).

23 Siehe ausführlich zum „Reiseausweis für Ausländer" Wasnick, *31) Taraneh will reisen* in diesem Fallbuch.

Johanna Mantel

Weiterführendes Wissen

Die Praxis der deutschen Botschaften hat sich diesbezüglich in den letzten Jahren geändert. Inzwischen akzeptieren die meisten deutschen Botschaften **eidesstattliche Versicherungen** eines Elternteils, wenn aus dieser nachvollziehbar hervorgeht, wieso das Einverständnis des anderen Elternteils nicht nachgewiesen werden kann. Auf fehlendes Einverständnis wird sich eher gestützt, wenn Antrag auch aus anderen Gründen abgelehnt werden soll. In solchen Fällen kann es sinnvoll sein ein Sorgerechtsverfahren durchzuführen.

Trhas kann eine **Sorgerechtsentscheidung** durch ein Familiengericht in Deutschland beantragen. So hat etwa das AG Köpenick in einem ähnlich gelagerten Fall das Ruhen der elterlichen Sorge des eritreischen Vaters und Übertragung des alleinigen Sorgerechts auf die eritreische Mutter festgestellt, da der Vater seit seiner Desertion vom eritreischen Wehrdienst nicht auffindbar war, die Mutter in Deutschland als Flüchtling anerkannt war und die Kinder sich schutzlos im Sudan befanden.[24]

II. Fallfrage 2

Es wird gefragt, wie Trhas und Delina gegen die Ablehnung des Visumsantrags vorgehen können.

Es gibt verschiedene **Rechtsbehelfe** mit denen gegen die Ablehnung eines Visumsantrags vorgegangen werden kann.[25]

Die Ablehnung des Visumsantrags muss schriftlich ergehen und ist von der Auslandsvertretung zu begründen.[26]

1. Remonstration

Zunächst besteht die Möglichkeit der sogenannten **Remonstration**, die ähnlich wie ein Widerspruchsverfahren funktioniert und direkt bei der Auslandsvertretung erhoben werden kann.

---

24 AG Köpenick, Beschl. v. 23.9.2016, Az.: 23 F 68/16, asyl.net: M24384; ähnlich auch AG Hamburg-Harburg, Beschl. v. 2.12.2020, Az.: 277 F 266/20, asyl.net: M29352.
25 Ausführlich hierzu: familie.asyl.net unter „Außerhalb Europas" / „Interventionsmöglichkeiten/Rechtsmittel".
26 Auswärtiges Amt, Visumshandbuch, Stand März 2022, familie.asyl.net unter „Materialien" / „Sonstige relevante Dokumente", S. 224 ff.

Johanna Mantel

Weiterführendes Wissen

„Gemäß § 2 GAD bilden das Auswärtige Amt und seine Auslandsvertretungen eine einheitliche oberste Bundesbehörde. Gegen die Entscheidungen oberster Bundesbehörden findet gemäß § 68 I 2 Nr. 1 VwGO kein Widerspruchsverfahren im Sinne der §§ 68 ff. VwGO statt. Die §§ 68 ff. VwGO sind deshalb auch nicht analog anwendbar."[27]

Wenn der Ablehnungsbescheid eine Rechtsbehelfsbelehrung enthält, beträgt die **Frist** für die Remonstration einen Monat nach Bekanntgabe des Bescheides. Falls der Ablehnungsbescheid keine oder eine fehlerhafte Rechtsbehelfsbelehrung enthält, beträgt die Frist für die Remonstration ein Jahr nach Bekanntgabe des Bescheides. Wenn die ablehnende Entscheidung ohne Begründung durch die Auslandsvertretung ergeht, kann es angebracht sein, fristwahrend vorsorglich die Remonstration zu erheben. Dabei kann die Begründung auf das Vorbringen im bisherigen Verfahren gestützt werden.

Im Remonstrationsschreiben muss begründet werden, weshalb die ausschlaggebenden Ablehnungsgründe nicht greifen. Anhand der **Remonstrationsbegründung** prüft die Auslandsvertretung erneut den ursprünglichen Visumsantrag.

Wenn die Auslandsvertretung nach der erneuten Prüfung zu dem Ergebnis kommt, dass die Visumserteilung weiterhin nicht in Betracht kommt, ergeht ein sogenannter Remonstrationsbescheid.

2. Klage gegen Remonstrationsbescheid

Gegen diesen **Remonstrationsbescheid** kann innerhalb eines Monats nach dessen Zustellung Klage erhoben werden. Allein zuständig für alle Gerichtsverfahren in Bezug auf Visa-Angelegenheiten ist in erster Instanz das VG Berlin (zweite Instanz OVG Berlin-Brandenburg). Da das Auswärtige Amt seinen Sitz im Gerichtsbezirk des VG Berlin hat, ist es zuständig für alle Angelegenheiten, die die deutschen Auslandsvertretungen betreffen.

Der richtige Klageantrag ist die Verpflichtung zur Erteilung eines Visums unter Aufhebung des Ablehnungsbescheids nach § 42 I Alt. 2 VwGO.

Die Klagefrist beträgt einen Monat ab Bekanntgabe des Bescheides. Dies ist allgemein für die Anfechtungsklage in § 74 I 2 VwGO geregelt, für die Verpflichtungsklage in § 74 II VwGO.

---

27 Auswärtiges Amt, Visumshandbuch, Stand März 2022, familie.asyl.net unter „Materialien" / „Sonstige relevante Dokumente", Kapitel zur Remonstration, S. 495.

Johanna Mantel

3. Ausschluss der Remonstration
Die Remonstration ist ausgeschlossen, wenn der Ablehnungsbescheid eine **Rechtsbehelfsbelehrung** enthält, die allein die Möglichkeit der Klage vorsieht. In solchen Fällen ist Klage gegen den Ablehnungsbescheid zu erheben.

4. Unmittelbare Klage
Es besteht auch die Möglichkeit direkt mit einer **Klage** vor dem Verwaltungsgericht gegen die Ablehnung des Visumsantrags vorzugehen. Ein vorheriges Remonstrationsverfahren ist nicht erforderlich.

5. Ergebnis
Im vorliegenden Fall sollte Trhas geraten werden, Remonstration zu erheben mit Verweis auf die angestrebte Sorgerechtsentscheidung. Eine solche ergeht in der Regel innerhalb von zwei Monaten, da bei den Familiengerichten das Beschleunigungsgebot gilt. Die Remonstration wäre in diesem Fall kostensparender und würde voraussichtlich aufgrund der Sorgerechtsentscheidung schneller und einfacher zur Erteilung des Visums zum Kindernachzug führen.

Weiterführende Literatur
- Informationsportal mit detaillierten, laufend aktualisierten und zum Teil länderspezifischen Informationen zum Familiennachzug: https://familie.asyl.net/ausserhalb-europas/
- Ujkašević: Der Identitätsnachweis beim Familiennachzug, Asylmagazin 2020, 205
- UNHCR Deutschland, Familienzusammenführung zu Personen mit internationalem Schutz, Asylmagazin 2017, 132
- DRK-Suchdienst, Fachinformation zum Familiennachzug: Die EuGH-Entscheidungen vom 1. August 2022

Johanna Mantel

Fall 38
Hochzeit im Libanon, Wiedersehen in Deutschland?

Behandelte Themen: Nachzug von Eheleuten zu subsidiär Schutzberechtigten, Regelausschluss von Ehen, die nicht vor der Flucht geschlossen wurden, Ausnahmen vom Regelausschluss

Schwierigkeitsgrad: Fortgeschrittene

Sachverhalt

Die A lebte ursprünglich gemeinsam mit ihren Eltern in Palmyra, Syrien. Dort lernte sie auch ihren in der Nachbarschaft wohnenden späteren Ehemann E kennen. Im März 2013 flohen A und ihre Familie vor dem Krieg in den Libanon. Dort schlossen A und E, der Syrien ebenfalls verlassen hatte, um nicht Wehrdienst leisten zu müssen, im Juli 2015 die Ehe. Einer Hochzeit vor Verlassen Syriens haben die Eltern der A wegen deren damaligen Minderjährigkeit nicht zugestimmt, allerdings haben A und E dort noch ihr Verlöbnis gefeiert. Der E verließ nach der Eheschließung den Libanon, gelangte im Dezember 2015 nach Deutschland und stellte einen Asylantrag. Die gemeinsame Tochter T wurde im April 2016 geboren.

Das Bundesamt für Migration und Flüchtlinge (BAMF) gewährte dem E im Februar 2017 subsidiären Schutz. Seine hiergegen erhobene Klage auf Zuerkennung der Flüchtlingseigenschaft hat das örtlich zuständige Verwaltungsgericht mittlerweile rechtskräftig unter Verweis auf obergerichtliche Rechtsprechung abgewiesen. Der E ist seit Oktober 2017 im Besitz einer Aufenthaltserlaubnis nach § 25 II 1 Alt. 2 AufenthG. Er arbeitet seit Anfang 2018 fest angestellt in einer Schweißerei und verdient dabei genug, um auch den Lebensunterhalt von A und T bestreiten zu können. Er spricht einfaches, aber meist flüssiges Deutsch.

A und T beantragten bei der Deutschen Botschaft in Beirut im März 2017 Visa zum Familiennachzug zu ihrem in der Bundesrepublik lebenden Ehemann und Vater. Im Juni 2019 erteilte die Auslandsvertretung der T ein Visum zum Nachzug zum Vater, nicht jedoch der A. Zur Begründung führte sie aus, die Erteilung eines Visums sei von Gesetzes wegen ausgeschlossen, da die Ehe von A und E nicht bereits vor der Flucht geschlossen worden sei. Der Familiennachzug zu subsidiär Schutzberechtigten sei bewusst per Gesetz zahlenmäßig beschränkt worden, anders als die Familienzusammenführung zu anerkannten Flüchtlingen. Die Unterscheidung liege darin begründet, dass der Flüchtlingsschutz auf Dauer, der subsidiäre Schutz nur für einen begrenzten Zeitraum angelegt sei. Nur falls die Eheschließung vor der Flucht aufgrund der allgemeinen Lage in Syrien nicht möglich gewesen wäre, hätte man eine atypische Situation annehmen können, die eine Abweichung vom Regelausschluss erforderte. Dies habe das Ehepaar bereits nicht vorgetragen. Unabhängig hiervon könne die Minderjährigkeit der A, die einer Eheschließung noch in Syrien entgegengestanden habe, insoweit nicht angeführt werden. Auch stehe ein Verlöbnis der Eheschließung nicht gleich.

Im Zeitpunkt der Ablehnung ihres Visumantrags lebt die A seit vier Jahren von ihrem Ehemann örtlich getrennt. Die T, bereits drei Jahre alt, kennt ihren Vater nicht persönlich. A und T leben in einem Flüchtlingscamp im Libanon, gemeinsam mit der 65-jährigen Mutter der A, deren Ehemann und Vater der A ist mittlerweile verstorben. Unterstützung von weiteren Familienangehörigen gibt es nicht. Die Versorgung der Bewohner*innen des Camps mit Lebensmitteln durch das UNHCR beschränkt sich auf ein Existenzminimum und ist meist, aber nicht immer ausreichend. Geflüchtete aus Syrien dürfen im Libanon nicht legal arbeiten. Wegen der großen Zahl syrischer Staatsangehöriger in dem Land gibt es zudem kaum Arbeit und sind die für illegal geleistete Arbeit gezahlten Löhne sehr niedrig.

Eine mit E befreundete pensionierte Richterin hat Zweifel, ob die gesetzliche Regelung des Familiennachzugs zu subsidiär Schutzberechtigten mit höherrangigem Recht vereinbar ist. Insbesondere meint sie, die Regelung schränke das Grundrecht auf Ehe und Familie von Ehepartner*innen, die sich während ihrer Flucht vermählt haben, unverhältnismäßig ein. Auch könne sie keinen sachlichen Grund dafür erkennen, dass der Familiennachzug zu subsidiär Schutzberechtigten nur unter der einschränkenden Voraussetzung einer vor der Flucht geschlossenen Ehe möglich sein soll, anders als dies bei Personen mit Flüchtlingsschutz der Fall sei.

Fallfrage

Liegen nicht nur im Fall der T, sondern auch der A die gesetzlichen Voraussetzungen für einen Familiennachzug zu E vor?

Bearbeitungshinweis:
Es ist dabei zu unterstellen, dass das monatliche Kontingent von 1.000 nationalen Visa nach § 36a II 2 AufenthG im Juli 2019 – dem Zeitpunkt der Prüfung des Antrags – noch nicht ausgeschöpft ist. Die allgemeinen Voraussetzungen zur Erteilung eines Visums nach § 5 AufenthG sind ebenso wenig zu prüfen wie mögliche unionsrechtliche Bezüge.

Auszug aus der Begründung des Entwurfs der Bundesregierung für ein Gesetz zur Neuregelung des Familiennachzugs zu subsidiär Schutzberechtigten (BT-Drs. 19/2438):
„Mit dem Gesetz zur Einführung beschleunigter Asylverfahren vom 11. März 2016 (…) wurde der Familiennachzug zu subsidiär Schutzberechtigten für die Dauer von zwei Jahren bis zum 16. März 2018 ausgesetzt. (…) Die Belastung der staatlichen und gesellschaftlichen Aufnahme- und Integrationssysteme besteht trotz des Rückgangs der Asylbewerberzahlen im Vergleich zu 2015/2016 weiterhin. (…) Um einen ausgewogenen Ausgleich zwischen der Aufnahmefähigkeit der Bundesrepublik Deutschland und den Interessen der subsidiär Schutzberechtigten an der Herstellung der familiären Lebensgemeinschaft im Bundesgebiet unter Berücksichtigung von völker-, europa- und verfassungsrechtlichen Anforderungen zu schaffen, wurde der Familiennachzug zu subsidiär Schutzberechtigten zunächst mit dem Gesetz zur Verlängerung der Aussetzung des Familiennachzugs vom 8. März 2018 (…) weiter bis zum 31. Juli 2018 ausgesetzt und zugleich bestimmt, dass ab dem 1. August 2018 der Familiennachzug zu subsidiär Schutzberechtigten aus humanitären Gründen für 1.000 Personen pro Monat gewährt wird. (…) Ein individueller Anspruch subsidiär Schutzberechtigter, die zunächst ein nur befristetes Aufenthaltsrecht im Bundesgebiet haben, auf Familienzusammenführung in einem bestimmten Staat besteht nicht. (…) Ist das Recht auf Familienleben berührt, sind die besonderen Umstände der betroffenen Personen zu berücksichtigen und mit dem legitimen Interesse des Staates an der Steuerung von Zuwanderung in einen fairen Ausgleich zu bringen. In Bezug auf beide Kriterien haben die Staaten einen gewissen Beurteilungsspielraum (…).

Mit den Regelungen zum Familiennachzug wird den Kapazitäten von Aufnahme- und Integrationssystemen bei einer gleichzeitigen angemessenen Berücksichtigung der ehelichen und familiären Bindungen Rechnung getragen. (…) Dabei hat der Gesetzgeber die verfassungsrechtlich geschützten Rechtsgüter von Ehe und Familie auf der einen Seite und die Integrations- und Aufnahmefähigkeit des Staates und der Gesellschaft und das daraus folgende legitime Interesse an einem gesteuerten und geordneten Zuzug von Ausländern auf der anderen Seite zu berücksichtigen (…). Vor diesem Hintergrund soll monatlich 1.000 Familienangehörigen von subsidiär Schutzberechtigten aus humanitären Gründen die legale Einreise zum Zwecke des Familiennachzugs in das Bundesgebiet ermöglicht werden (…).

Ehen, die nicht bereits vor der Flucht geschlossen wurden, berechtigen nicht zum Ehegattennachzug zum subsidiär Schutzberechtigten. Anderes gilt für nach dem Verlassen des Herkunftslandes geborene Kinder (…).“

Max Putzer

Lösungsvorschlag

Fraglich ist, ob die Voraussetzungen für die **Erteilung eines Visums zum Nachzug** der A zu ihrem in der Bundesrepublik lebenden Ehemann, dem E vorliegen. Nach § 6 III 1 und 2 AufenthG ist für längerfristige Aufenthalte ein Visum für das Bundesgebiet erforderlich, das vor der Einreise erteilt wird. Die Erteilung richtet sich unter anderem nach den für die Aufenthaltserlaubnis geltenden Vorschriften.

A. Voraussetzungen für die Erteilung eines Visums zum Familiennachzug nach § 6 III i.V.m. § 36a I 1 Alt. 1 AufenthG

Es könnten die tatbestandlichen Voraussetzungen für den **Familiennachzug zu subsidiär Schutzberechtigten** vorliegen, die sich nach § 36a AufenthG richten. Gemäß § 36a I 1 Alt. 1 AufenthG kann Eheleuten von ausländischen Staatsangehörigen, die eine Aufenthaltserlaubnis nach § 25 II 1 Alt. 2 AufenthG besitzen, aus humanitären Gründen eine Aufenthaltserlaubnis erteilt werden.

I. Ausschluss des Familiennachzugs nach § 36a III Nr. 1 AufenthG?

Zwar ist A die Ehefrau des E, der auch – auf Grundlage des ihm zuerkannten subsidiären Schutzes – im Besitz einer Aufenthaltserlaubnis nach § 25 II 1 Alt. 2 AufenthG ist. Der Erteilung eines Visums zum Familiennachzug könnte jedoch die Regelung des § 36a III Nr. 1 AufenthG entgegen stehen. Danach ist die Erteilung einer Aufenthaltserlaubnis in der Regel ausgeschlossen, wenn die Ehe nicht bereits vor der Flucht geschlossen worden ist. Die **Eheschließung** zwischen A und E muss damit bereits vor der Flucht von E erfolgt sein. Andernfalls müsste eine Ausnahme vom Regelausschlussgrund vorliegen.

1. Eheschließung bereits vor der Flucht?

Es ist fraglich, ob die Ehe von A und E bereits vor der Flucht geschlossen wurde.

a) Auslegung von § 36a III Nr. 1 AufenthG

Für die Eheschließung vor der Flucht könnte der eher offene Wortlaut des Begriffs „**Flucht**" sprechen, der nicht einen bestimmten Zeitpunkt, sondern vielmehr einen Zeitabschnitt beschreibt. Die Flucht beginnt, sobald eine Person den Ort, an dem eine Gefahr droht, verlässt und endet dort, wo diese oder ähnliche Gefahren nicht mehr bestehen. Dagegen spricht jedoch das Erfordernis einer Eheschließung „vor", nicht etwa „während" der Flucht. Voraussetzung ist danach eine Eheschließung vor Aufbruch von dem Ort, an dem die **fluchtauslösende Gefahr** herrschte. Maßgeblicher Zeitpunkt wäre danach in der Regel – sofern die Gefahr nicht auf einen bestimmten Ort oder eine bestimmte Region beschränkt ist – das Verlassen des Herkunftslandes des Ehepaars.

Einer solchen Auslegung entsprechen sowohl die Entstehungsgeschichte als auch der gesetzgeberische Wille der Neuregelung des Familiennachzugs zu subsidiär Schutzberechtigten. Ehen, die erst nach der Flucht aus dem Herkunftsland geschlossen wurden, sollten danach in der Regel nicht zum Familiennachzug berechtigen. Anderes sollte hingegen für nach dem Verlassen des Heimatlandes geborene Kinder gelten. Bei Entwurf der Regelung wurde die beschränkte Kapazität der Aufnahme- und Integrationssysteme betont, die nach dieser Auffassung nur eine begrenzte Zahl von potenziell Anspruchsberechtigten zuließe.

Im Ergebnis ist die von A und E eingegangene Ehe nicht bereits vor der Flucht der späteren Eheleute aus ihrem Herkunftsland Syrien geschlossen. Zwar haben sich A und E in Syrien verlobt. Da einer Eheschließung bereits dort jedoch der Wille der Eltern der A entgegenstand, schloss das Paar seine Ehe erst im Libanon.

b) Vereinbarkeit mit höherrangigem Recht

Dass eine nicht bereits vor der Flucht geschlossene Ehe als weniger schutzwürdig erachtet wird, müsste mit höherrangigem Recht im Einklang stehen.

aa) Art. 6 I GG

Fraglich ist zunächst, ob die gefundene Auslegung von § 36a III Nr. 1 AufenthG unverhältnismäßig in das Grundrecht von A und E gemäß Art. 6 I GG[1] eingreift. Danach stehen Ehe und Familie unter dem besonderen Schutze der staatlichen Ordnung. Zwar ist der Schutzbereich eröffnet, der auch das eheliche Zusammenleben von A und E umfasst. Allerdings begründet die Vorschrift keinen unmittelbaren und unbedingten Anspruch nicht-deutscher Eheleute auf Nachzug zu dem*der in der Bundesrepublik lebenden Ehepartner*in. Den Gesetzgebungsorganen kommt im Aufenthaltsrecht ein grundsätzlich weiter Gestaltungsspielraum zu. Dieser umfasst auch die Entscheidung darüber, in welcher Zahl und unter welchen Voraussetzungen nicht-deutsche Staatsangehörige Zugang zum Bundesgebiet erhalten sollen. Gleichwohl lässt sich Art. 6 I GG in seiner Funktion als wertentscheidende Grund-

---

1 Siehe zum Grundrecht auf Schutz von Ehe und Familie Laing, in: Hahn/Petras/Valentiner/Wienfort, Grundrechte, § 22.2 S. 474 ff.

satznorm die Pflicht von Behörden und Gerichten entnehmen, bei ihrer Entscheidung die jeweiligen ehelichen und familiären Bindungen hinreichend zu berücksichtigen. Insbesondere müssen sie bei Anwendung des einfachen Rechts den Grundsatz der Verhältnismäßigkeit wahren.

Der Regelausschluss des Nachzugs von Eheleuten, deren Ehe nicht bereits vor der Flucht geschlossen wurde, dient dem legitimen gesetzgeberischen Ziel der Beschränkung des Familiennachzugs mit Blick auf die begrenzte Aufnahmefähigkeit der Integrationssysteme von Staat und Gesellschaft und ist auch geeignet, dieses Ziel zu erreichen. Gleich geeignete, weniger die Grundrechte von Eheleuten beschränkende Mittel sind nicht erkennbar. Die Regelung ist auch unter Berücksichtigung des hohen Rangs der betroffenen Rechtsgüter nicht unangemessen, mithin verhältnismäßig im engeren Sinne. Zwar belastet der Regelausschluss gerade junge Ehen schwer. Allerdings ist der Aufenthalt von **subsidiär Schutzberechtigten** eher vorübergehender Natur als dies etwa bei Gewährung von Asyl oder Flüchtlingsschutz der Fall ist. Zudem schließt die Regelung den Nachzug bei erst nach Beginn der Flucht geschlossenen Ehen gerade nicht vollständig aus, sondern ermöglicht im Ausnahmefall eine Familienzusammenführung.

Nach alldem wahrt der Regelausschluss des § 36a III Nr. 1 AufenthG den Grundsatz der Verhältnismäßigkeit.

bb) Art. 3 I GG

Überdies ist fraglich, ob der Regelausschluss eine nach dem allgemeinen **Gleichbehandlungsgrundsatz** gemäß Art. 3 I GG[2] nicht zu rechtfertigende Ungleichbehandlung darstellt. Der Grundsatz gebietet bei Normgebung, wesentlich Gleiches gleich und wesentlich Ungleiches ungleich zu behandeln. Eine unterschiedliche Behandlung von zwei Gruppen von Normadressat*innen muss sachlich gerechtfertigt sein. Vorliegend wurde gesetzlich eine Differenzierung nach dem Zeitpunkt der Eheschließung vorgenommen. Überdies weicht die Regelung für den Nachzug von Eheleuten zu subsidiär Schutzberechtigten von den entsprechenden, auf Ehepartner*innen anerkannter Flüchtlinge anwendbaren Vorschriften ab.

Eine Andersbehandlung von nach der Flucht geschlossenen Ehen ist geeignet, das gesetzgeberisch verfolgte Ziel zu erreichen, eine Überforderung der Aufnahme- und Integrationssysteme zu vermeiden. Es wurde dabei von einer geringeren Schutzwürdigkeit im Verhältnis zu bereits vor der Flucht bestehenden Ehen ausgegangen, da sie oftmals von der Bundesrepublik oder einem zwischenzeitlichen

---

2 Siehe zum Gleichbehandlungsgrundsatz Macoun, in: Hahn/Petras/Valentiner/Wienfort, Grundrechte, § 19.1 S. 296 ff.

Zufluchtsland aus und in Kenntnis der zu diesem Zeitpunkt bereits bestehenden Trennung geschlossen wurden. Ein milderes, gleich geeignetes Mittel zur Begrenzung des Familiennachzugs zu subsidiär Schutzberechtigten ist nicht erkennbar. Die Differenzierung erweist sich bereits insofern als noch angemessen, als der Regelausschluss eine hinreichende Berücksichtigung der Interessen betroffener Ehepartner*innen und Familien im konkreten Einzelfall ermöglicht.

Im Hinblick auf die festgestellte **Ungleichbehandlung** im Vergleich zum Nachzug zu Flüchtlingen waren die Gesetzgebungsorgane damit verfassungsrechtlich nicht zu einer einheitlichen Regelung angehalten.

cc) Art. 8 EMRK

Zweifelhaft ist weiterhin, ob § 36a III Nr. 1 AufenthG mit dem Recht auf Achtung des Privat- und Familienlebens nach Art. 8 I EMRK in Einklang zu bringen ist. Allerdings gebietet die Vorschrift ebenso wenig wie Art. 6 I GG, dass die Gesetzgebung eines Mitgliedstaates der EMRK beim Nachzug von Eheleuten nicht zwischen Stammberechtigten mit Flüchtlingsschutz einerseits und subsidiärer Schutzberechtigung andererseits differenziert. Einen unmittelbaren Anspruch auf Familienzusammenführung vermittelt auch Art. 8 I EMRK nicht.

dd) Zwischenergebnis

Die Regelung des § 36a III Nr. 1 AufenthG in der hier gefundenen Auslegung ist damit im Ergebnis mit höherrangigem Recht vereinbar.

2. Ausnahme vom Regelausschlussgrund?

Allerdings könnten die Voraussetzungen für eine Ausnahme von dem **Regelausschlussgrund** des § 36a III Nr. 1 AufenthG vorliegen.

a) Verlöbnis und fehlende Zustimmung der Eltern der A zur Eheschließung

Eine solche Ausnahme ist nicht bereits deshalb gegeben, weil sich A und E noch in Syrien verlobt haben. Denn ein Verlöbnis steht der Ehe nicht gleich. Erst die Eheschließung selbst führt zu weitreichenden rechtlichen Bindungen zwischen Eheleuten.

Sofern die Eltern der A einer Eheschließung der damals minderjährigen A nicht zugestimmt haben, ist auch darin keine atypische Situation zu erkennen, die eine Abweichung vom Regelausschluss der nach Beginn der Flucht geschlossenen Ehe erforderte. Regelungen, die ein Mindestalter für die Eheschließung vorsehen, sind in vielen Rechtskreisen üblich. Sie dienen dem Schutze Minderjähriger und damit einem besonders wichtigen Rechtsgut.

b) Interessenabwägung

Eine Ausnahme vom Regelausschlussgrund des § 36a III Nr. 1 AufenthG könnte jedoch deshalb gegeben sein, weil vorliegend das Interesse von A und E an der Wiederherstellung beziehungsweise – im Hinblick auf das Verhältnis von E und seiner Tochter T – an der erstmaligen Herstellung der **ehelichen und familiären Lebensgemeinschaft** das öffentliche Interesse an einer Begrenzung des Familiennachzugs überwiegt.

aa) Hiergegen spricht, dass mit § 22 S. 1 AufenthG bereits eine gesetzliche Grundlage für die Erteilung einer **Aufenthaltserlaubnis aus dringenden humanitären Gründen** im Ausnahmefall besteht, auf die § 36a I 4 AufenthG ausdrücklich verweist. Ebenso streitet gegen eine Abwägung familienspezifischer Belange mit öffentlichen Interessen im Rahmen von § 36a III Nr. 1 AufenthG, dass es gesetzgeberische Intention war, den Familiennachzug zu subsidiär Schutzberechtigten zahlenmäßig zu begrenzen. Dies könnte im Ergebnis dafür sprechen, dass eine Ausnahme vom Regelausschluss von nicht bereits vor der Flucht geschlossenen Ehen allein auf Umstände gestützt werden kann, die ihren Grund in der allgemeinen Lage im Herkunftsland haben. Insoweit kommen etwa die Vernichtung von für die Eheschließung erforderlichen amtlichen Dokumenten oder die Zerstörung von Ämtern und Behörden durch kriegerische Handlungen in Betracht.

bb) Eine Berücksichtigung ehe- und familienspezifischer Belange im Rahmen von § 36a III Nr. 1 AufenthG ist jedoch geboten, weil allein auf diese Weise den verfassungs- und völkerrechtlichen Anforderungen aus Art. 6 I GG und Art. 8 I EMRK im Einzelfall entsprochen werden kann. Einer solchen Auslegung steht auch der Wortlaut der Vorschrift nicht entgegen. Eine Berücksichtigung humanitärer Gründe allein im Rahmen der Ermessensausübung lässt sich § 36a I 1 i.V.m. II 1 AufenthG nicht entnehmen. Andernfalls unterfielen Fälle von Familiennachzug, die das negative Tatbestandsmerkmal eines Regelausschlussgrunds erfüllen, von vornherein nicht der Kontingentierung, selbst wenn besondere humanitäre Gründe vorlägen.

cc) Vorliegend überwiegen die Interessen von A und E auf (Wieder-)Herstellung der **Familieneinheit** – insbesondere auch unter Beachtung der Belange der gemeinsamen Tochter T – die öffentlichen Interessen an einer Begrenzung von Zuwanderung sowie an der Vermeidung einer Überlastung der Integrationssysteme. Dabei ist das Interesse der T als ein von der räumlichen Trennung der Familie besonders betroffenes minderjähriges Kind, das seinem Vater noch nie begegnet ist, vorrangig zu berücksichtigen. Darüber hinaus warten A und E bereits seit vier Jah-

ren auf eine Wiederherstellung der ehelichen Lebensgemeinschaft. Eine weitere Fortdauer der bereits erheblichen räumlichen Trennung ist ihnen nicht zumutbar.
Ebenso wenig ist es der Familie zumutbar, die Familieneinheit in dem Aufenthaltsstaat von A und T zu leben. So ist die A im Libanon nicht in der Lage, aus eigener Kraft ein Existenzminimum für sich und ihre Tochter zu sichern. Sie ist auf die regelmäßige, aber nicht immer ausreichende Versorgung durch das UNHCR angewiesen. E dürfte, die Möglichkeit einer Einreise in den Libanon unterstellt, dort nicht legal arbeiten. Unabhängig hiervon ist weder gesichert, dass er Arbeit fände, noch, dass damit ein für sich und seine Familie existenzsicherndes Einkommen gewährleistet wäre. Auch ist der E gut in der Bundesrepublik integriert. Er kann Sprachkenntnisse vorweisen und finanziert sich durch eigene Erwerbsarbeit.

Weiterführendes Wissen　　　　　　　　　　　　　　　　　　　　　　　　　ℹ️

Nach der Leitentscheidung des BVerwG[3] zu § 36a III Nr. 1 AufenthG ist für die Beantwortung der Frage, ob die aus Art. 6 I und II 1 GG folgende Berücksichtigungspflicht es im Einzelfall gebietet, eine Ausnahme von dem Regelausschlussgrund des § 36a III Nr. 1 AufenthG anzunehmen, von maßgeblicher Bedeutung, ob der Familie erstens eine Fortdauer der räumlichen Trennung zumutbar und ob ihr zweitens eine Wiederaufnahme der familiären Lebensgemeinschaft in dem Aufenthaltsstaat des den Nachzug begehrenden Ehegatten möglich und zumutbar ist. Bei der Bemessung der zumutbaren Trennungsdauer der Ehegatten kommt dem Wohl eines gemeinsamen Kleinkindes besonderes Gewicht zu.

1. Bei zumutbarer Wiederherstellung der ehelichen Lebensgemeinschaft im Aufenthaltsstaat der den Nachzug begehrenden Person sind Wartezeiten von fünf Jahren bis zu einem Nachzug in das Bundesgebiet hinnehmbar. Sind Eltern eines Kleinkindes betroffen, so kann das Kindeswohl bereits nach einer Trennungszeit von drei Jahren die Annahme eines Ausnahmefalls gebieten.

2. Ist die Wiederherstellung der familiären Lebensgemeinschaft im Aufenthaltsstaat der den Nachzug begehrenden Person nicht möglich, gewinnen die humanitären Belange an der Wiederherstellung der Familieneinheit gerade im Bundesgebiet erhebliches Gewicht. Jedenfalls bei Eheschließung vor der Einreise in das Unionsgebiet wird regelmäßig eine Ausnahme von dem Regelausschlussgrund bereits bei einer mehr als vierjährigen Trennung der Eheleute und einer mehr als zweijährigen Trennung von einem Kleinkind vorliegen.

---

3. Zwischenergebnis

Im Ergebnis liegt nach alldem eine Ausnahme von dem Regelausschluss des § 36a III Nr. 1 AufenthG vor.

---

3 BVerwG, Urt. v. 17.12.2020, Az.: 1 C 30.19, Rn. 36, asyl.net: M29408.

II. Vorliegen humanitärer Gründe im Sinne von § 36a II 1 AufenthG

Sodann müssten humanitäre Gründe für eine Familienzusammenführung nach § 36a II 1 AufenthG gegeben sein. Vorliegend ist die Herstellung der familiären Lebensgemeinschaft seit langer Zeit, nämlich vier Jahren nicht möglich (§ 36a II 1 Nr. 1 AufenthG). Zudem ist mit der T ein minderjähriges lediges Kind betroffen (Nr. 2), die zwar im Besitz eines gültigen Visums zum Familiennachzug ist, deren Situation wegen ihres jungen Alters und ihrer Betreuungsbedürftigkeit jedoch nicht unabhängig vom Schicksal der A betrachtet werden kann. Denn die T würde, sollte ihre einzige Möglichkeit zur Überwindung der räumlichen Trennung von ihrem Vater darin bestehen, alleine in die Bundesrepublik einzureisen, dauerhaft, jedenfalls aber für einen nicht nur vorübergehenden Zeitraum von ihrer Mutter getrennt.

III. Keine Erschöpfung des monatlichen Kontingents

Zuletzt scheitert die Erteilung eines Visums zum Familiennachzug der A zum E auch nicht an einer Erschöpfung des monatlich zur Verfügung stehenden Kontingents gemäß § 36a II 2 AufenthG. Damit kann offenbleiben, ob die **monatliche Kontingentierung** von 1.000 Visa zum Familiennachzug zu subsidiär Schutzberechtigten mit höherrangigem Recht vereinbar, insbesondere verfassungsmäßig ist.

---

i **Weiterführendes Wissen**

Die **monatliche Kontingentierung** wurde bislang gerichtlich nicht überprüft; ihre Verfassungsmäßigkeit ist in der Literatur umstritten.[4] Bei der Frage, wie genau die Kontingentierung zu berechnen ist, kommt dem Bundesverwaltungsamt (trifft die intern verbindliche Auswahlentscheidung zu den monatlich nachzugsberechtigten 1.000 Personen) und dem Auswärtigen Amt (erteilt das Visum) ein gewisser Spielraum zu. Ein Übertrag ist zwar in § 36a AufenthG nicht vorgesehen. Sollten aber Anträge in einem Monat nicht mehr berücksichtigt werden können, ist nach bestehender Verwaltungspraxis deren Einbeziehung in die Prüfung im darauffolgenden Monat vorgesehen.

IV. Ergebnis

Nach alldem erfüllt A in ihrer Person im Ergebnis die tatbestandlichen Voraussetzungen für einen Familiennachzug zu ihrem subsidiär schutzberechtigten Ehemann.

---

4 Dafür etwa Kluth, ZAR 2018, 375 (380); Thym, NVwZ 2018, 1340, (1345); anders hingegen Mungan/Muy/Weber, Asylmagazin 2018, 412; vgl. zudem Krause, Asylmagazin 2020, 198.

Hinweise zur Fallprüfung !

Auch bei Vorliegen der tatbestandlichen Voraussetzungen für den Familiennachzug schließt § 36a I 3 AufenthG einen Anspruch auf Erteilung eines Visums aus. Anders als § 30 I AufenthG, der für den Nachzug von Eheleuten unter anderem zu Personen mit Flüchtlingsstatus einen gebundenen Anspruch vorsieht, vermittelt die Vorschrift allein einen Anspruch auf ermessensfehlerfreie Auswahlentscheidung nach § 36a II AufenthG unter Beachtung der Begrenzung auf ein monatliches Kontingent von 1.000 Visa. Im Rahmen der Ermessensausübung sind die festgestellten humanitären Gründe zu gewichten, wobei das Kindeswohl besonders zu berücksichtigen ist (S. 2). Wenn humanitäre Gründe gegeben sind, finden Integrationsaspekte besondere Berücksichtigung.

In vorliegendem Fall gälte es zu beachten, dass die (Wieder-) Herstellung der familiären Lebensgemeinschaft schon seit vier Jahren und damit seit langer Zeit im Sinne von § 36a II Nr. 1 AufenthG nicht möglich ist. Zudem ist ein minderjähriges, darüber hinaus auch betreuungsbedürftiges Kind betroffen (Nr. 2), dessen Belange besondere Berücksichtigung finden. Als positive Integrationsaspekte wären die Sicherung des Lebensunterhalts sowie die Sprachkenntnisse des E zu beachten. Unter Berücksichtigung des Umstandes, dass das monatliche Kontingent bislang nicht ausgeschöpft wurde, wäre eine Ablehnung des Visumantrags der A ermessensfehlerhaft.

Nach – wenn auch nicht tragender – Auffassung des BVerwG schließt § 36a I AufenthG selbst ein „intendiertes Ermessen" sowie eine Ermessensreduzierung auf Null aus. Dies stützt es auf den Wortlaut des § 36a I 3 AufenthG, der über den eingeräumten Spielraum einer klassischen Ermessensvorschrift („kann") hinausreiche.[5]

B. Voraussetzungen für die Erteilung eines Visums zum Familiennachzug nach § 22 S. 1 AufenthG

Darüber hinaus könnten die Voraussetzungen für einen Nachzug der A zu ihrem in der Bundesrepublik lebenden Ehepartner E nach § 22 S. 1 Alt. 2 AufenthG vorliegen. Hiernach kann aus dringenden humanitären Gründen eine Aufenthaltserlaubnis erteilt werden.

Fraglich ist bereits, ob die Vorschrift neben der Regelung zur Familienzusammenführung mit subsidiär Schutzberechtigten zur Anwendung kommt. Hiergegen spricht vorliegend, dass bereits die speziellen Voraussetzungen zum Familiennachzug gegeben sind, sodass es eines Rückgriffs auf die insoweit subsidiären Vorschriften über den Aufenthalt aus völkerrechtlichen, humanitären und politischen Gründen nicht mehr bedürfte. Allerdings erstreckt § 36a I 4 AufenthG, wonach unter anderem § 22 AufenthG unberührt bleibt, die Aufnahme aus dem Ausland im Einzelfall auch auf Angehörige der Kernfamilie subsidiär Schutzberechtigter.

5 BVerwG, Urt. v. 17.12.2020, Az.: 1 C 30.19, Rn. 48.

---

i **Weiterführendes Wissen**

Das BVerwG geht von einer grundsätzlichen Anwendbarkeit des § 22 S. 1 AufenthG neben § 36a I AufenthG auch dann aus, wenn ausdrücklich nur ein Visum zum Zwecke der Familienzusammenführung beantragt worden ist.[6] Denn bereits § 36a I 4 AufenthG mache deutlich, dass eine einheitliche Betrachtung
von Anspruchsgrundlagen aus unterschiedlichen Abschnitten des AufenthG zulässig sei. Die Vorschrift
kann danach insbesondere dann praktische Bedeutung gewinnen, wenn das monatliche Kontingent
nach § 36a II 2 AufenthG – anders als im hier behandelten Fall – ausgeschöpft ist, eine Ablehnung des
Antrags auf Erteilung eines Visums zum Familiennachzug aber mit Art. 6 I GG unvereinbar wäre.

Ähnlich blieben auch während der befristeten Aussetzung des Familiennachzugs zu subsidiär
Schutzberechtigten vor Inkrafttreten des § 36a AufenthG die §§ 22, 23 AufenthG unberührt, vgl. § 104 XIII
AufenthG a. F.

Zweifelhaft ist zudem, ob dringende humanitäre Gründe gegeben sind. Dies ist nur
in besonders gelagerten Ausnahmefällen der Fall, wenn sich Antragstellende auf
Grund besonderer Umstände in einer auf ihre jeweilige Person bezogenen Sondersituation befinden, sich diese Sondersituation deutlich von der Lage vergleichbarer
Antragstellender unterscheidet, die jeweiligen Antragstellenden spezifisch auf die
Hilfe Deutschlands angewiesen sind oder sie eine besondere Beziehung zu Deutschland haben und die Umstände so gestaltet sind, dass eine baldige Ausreise und Aufnahme unerlässlich sind. Die Aufnahme muss im konkreten Einzelfall ein un-
abweisbares Gebot der Menschlichkeit sein. Auch wenn humanitäre Gründe nach
soeben Festgestelltem (siehe zuvor unter A. II.) vorliegen, weicht die Situation von
A und T, die von ihrem Vater beziehungsweise Ehemann bereits seit mehreren Jahren getrennt in einem im benachbarten Aufnahmeland gelegenen Lager für Geflüchtete unter schwierigen Bedingungen leben, nicht derart von den Verhältnissen
anderer syrischer Staatsangehöriger ab und genügt nicht für die Annahme einer besonderen Ausnahmesituation, die ein Eingreifen der Bundesrepublik aus moralischen Gründen zwingend erforderlich machte.

! **Hinweise zur Fallprüfung**

Eine andere Auffassung ist hier – mit guter Begründung, die den von § 22 S. 1 AufenthG gesetzten hohen
rechtlichen Hürden Rechnung trägt – durchaus vertretbar. Unter Berücksichtigung der Ausführungen
des Bundesverwaltungsgerichts zu dem Verhältnis von § 36a AufenthG und den Vorschriften zum Aufenthalt aus völkerrechtlichen und humanitären Gründen (siehe vorheriger Hinweis) dürfte sich eine Anwendung von § 22 S. 1 AufenthG allerdings auf die Fälle beschränken, in denen das monatliche Kontingent nach § 36a II 2 AufenthG erschöpft, eine Ablehnung des Antrags auf Erteilung von Visa zum
Familiennachzug aber Art. 6 I GG verletzte.

---

6 BVerwG, Urt. v. 17.12.2020, Az.: 1 C 30.19, Rn. 47.

Max Putzer

C. Anspruch auf Erteilung eines Visums zum Familiennachzug nach § 36 II 1 AufenthG

Fraglich ist, ob sich ein Anspruch auf Erteilung eines Visums auf § 36 II 1 AufenthG stützen kann. Danach kann sonstigen Familienangehörigen eine Aufenthaltserlaubnis zum Familiennachzug erteilt werden, wenn es zur Vermeidung einer außergewöhnlichen Härte erforderlich ist. Allerdings sind die Voraussetzungen des Nachzugs von subsidiär Schutzberechtigten in den §§ 28, 30 und 36a AufenthG ausdrücklich und in Bezug auf § 36 II 1 AufenthG abschließend geregelt. Die ergänzende Anwendung auch der §§ 22, 23 AufenthG (vgl. § 36a I 4 AufenthG) erfasst mögliche Härtefälle und lässt daneben keinen Raum für eine – direkte oder entsprechende – Anwendung dieser Regelung in besonderen Härtefällen oder zur Vermeidung eines Verstoßes gegen Konventions-, Unions- oder Verfassungsrecht. Die A ist im Ergebnis nicht „sonstige Familienangehörige" im Sinne der Vorschrift, ein Anspruch der A nach § 36 II 1 AufenthG nicht gegeben.

D. Ergebnis

Im Ergebnis liegen damit die Voraussetzungen für einen Nachzug der A zu ihrem in der Bundesrepublik lebenden und subsidiär Schutzberechtigten Ehemann E vor.

Weiterführende Rechtsprechung
- BVerwG, Urt. v. 17.12.2020, Az.: 1 C 30.19, asyl.net: M29408; vgl. Kraft/Krause, Anmerkung, Asylmagazin 2021, 139 ff.
- BVerwG, Urt. v. 27.4.2021, Az.: 1 C 45.20, asyl.net: M29731
- EGMR, Urt. v. 9.7.2021, Az.: 6697/18 M. A. gg. Dänemark
- Zu § 22 AufenthG: OVG BB, Beschl. v. 8.1.2018, Az.: OVG 3 S 109 17

Weiterführende Literatur
- Bartolucci/Pelzer, Fortgesetzte Begrenzung des Familiennachzugs zu subsidiär Schutzberechtigten im Lichte höherrangigen Rechts, ZAR 2018, 133
- Krause, Rechtsprechungsübersicht zum Familiennachzug zu subsidiär Schutzberechtigten, Asylmagazin 6–7/2020, 198
- Kritisch zur Ungleichbehandlung von international Schutzberechtigten: Mantel, Zur Rechtsstellung von Personen nach Schutzzuerkennung, Asylmagazin 2018, 403

Dieser Fall darf gerne kommentiert, verändert und beliebig genutzt werden. Die Anleitung hierfür lässt sich über den abgebildete QR-Code mit der Smartphone-Kamera auf unserer Homepage aufrufen.

Fall 39
Allein in Deutschland – Familie in Aleppo?

Behandelte Themen: Familiennachzug, subsidiäre Schutzberechtigung, unbegleitete minderjährige Geflüchtete, Zeitpunkt der Volljährigkeit, außergewöhnliche Härte

Schwierigkeitsgrad: Fortgeschrittene

Sachverhalt

Der am 18.9.2000 geborene A ist syrischer Staatsangehöriger und in Aleppo aufgewachsen. Er floh im Jahre 2015 vor dem Bürgerkrieg aus seinem Heimatland und reiste gemeinsam mit seinem Onkel O über die sogenannte Balkan-Route in die Bundesrepublik ein. Nach Einreise stellte er im Mai 2016 einen Asylantrag. Das Bundesamt für Migration und Flüchtlinge (BAMF) erkannte ihm mit Bescheid vom 15.2.2017 den subsidiären Schutzstatus zu. Er ist seit Juni 2017 im Besitz einer Aufenthaltserlaubnis nach § 25 II 1 Alt. 2 AufenthG. Über seine Klage bei dem örtlich zuständigen Verwaltungsgericht auf Zuerkennung der Flüchtlingseigenschaft ist noch nicht entschieden.

Die Eltern X und Y des A leben weiterhin in Aleppo, gemeinsam mit ihrer 14-jährigen Tochter B, der Schwester des A. Am 2.8.2018 stellten sie bei dem Generalkonsulat der Bundesrepublik in Erbil, Irak, einen Antrag auf Erteilung von Visa zum Familiennachzug zu ihrem in Deutschland lebenden Sohn beziehungsweise Bruder. Bei der Befragung durch die International Organization for Migration (IOM) im September 2018 gaben sie an, Y verdiene gerade so viel, dass die Familie genug zum Essen habe. Zwar sei kein Mitglied der in Syrien verbliebenen Familie ernsthaft krank oder leide unter gravierenden körperlichen Beeinträchtigungen; allerdings vermissten sie ihren Sohn beziehungsweise Bruder sehr, von dem sie bereits mehrere Jahre getrennt lebten. Der A könne nach dem in Syrien Erlebten und der traumatischen Flucht ohne Medikamente kaum schlafen und werde von einer Sozialarbeiterin betreut. Ohne eine Zusammenführung der Familie werde sich sein Gesundheitszustand weiter verschlechtern.

Das Generalkonsulat leitete im November 2018 den Sachverhalt an die örtlich zuständige Ausländerbehörde weiter, um sie – wie in § 31 I 1 Nr. 1 Aufenthaltsverordnung (AufenthV) vorgesehen – im Verwaltungsverfahren zu beteiligen. Diese erklärte dem Generalkonsulat, ihre Zustimmung für die beantragten Visa nicht erteilen zu können. Zur Begründung führte sie aus, der A habe sein 18. Lebensjahr bereits vollendet. Deshalb komme ein Familennachzug zum minderjährigen unbegleiteten subsidiär Schutzberechtigten nicht mehr in Betracht. Maßgeblich für die Frage der Minderjährigkeit sei der Zeitpunkt der behördlichen Entscheidung, nicht jedoch der Asylantragstellung oder der Beantragung der Visa zum Familiennachzug. Zweck des Elternnachzugs zum Minderjährigen sei es, die Ausübung beziehungsweise Inanspruchnahme der elterlichen Sorge zu ermöglichen, nicht aber darüber hinaus das familiäre Zusammenleben im Allgemeinen. Ein eigenständiges Aufenthaltsrecht der Eltern nach Erreichen der Volljährigkeit des Kindes kenne das Aufenthaltsgesetz nicht. Diese Auslegung widerspreche auch nicht höherrangigem Recht. Weder aus der UN-Kinderrechtskonvention noch aus dem Grundgesetz (GG) oder der Europäischen Menschenrechtskonvention (EMRK) ergebe sich ein unmittelbarer Anspruch auf Familiennachzug. Auch die Regelungen der Familienzusammenführungs-RL seien nur auf den Familiennachzug zu „Flüchtlingen" nach der Genfer Flüchtlingskonvention, nicht jedoch zu subsidiär Schutzberechtigten anwendbar. Eine außergewöhnliche Härte nach § 36 II 1 AufenthG, die eine Anwesenheit der Familie bei A in Deutschland erforderlich machte, hätten die Antragstellenden nicht vorgetragen.

In seiner neuen Heimat wird A langsam nervös. Obwohl bereits vor einiger Zeit gestellt, hat das Generalkonsulat über die Visaanträge seiner Familie noch nicht entschieden. Sein Freund vermittelt ihm den Kontakt zu Rechtsanwältin R, der er seine Situation schildert. Du bist mit dabei und machst Dir Notizen. Da R auf dem Sprung zu einer mündlichen Verhandlung am Verwaltungsgericht ist, bittet sie Dich um die Prüfung, ob B, X und Y die Voraussetzungen für einen Familiennachzug zu A erfüllen. Wäre dem A Flüchtlingsschutz zugesprochen worden, würde es für den Familiennachzug nicht darauf ankommen, dass er noch im Zeitpunkt der Behörden- oder der Gerichtsentscheidung minderjährig sei, meint sie. Das sei eine nicht zu rechtfertigende Ungleichbehandlung. Auch verfolge die Europäische Union mit Einführung eines gemeinsamen europäischen Asylsystems das Ziel eines einheitlichen Schutzstatus, der sowohl Flüchtlinge als auch subsidiär Schutzberechtigte umfasse. Außerdem habe der A subsidiären Schutz immerhin bereits vor seinem 18. Geburtstag gewährt bekommen; auch habe die Familie ihre Anträge vor Erreichen der Volljährigkeit gestellt. Es verstoße gegen das Gebot effektiven Rechtsschutzes, wenn der Anspruch der antragstellenden Familienangehörigen davon abhängt, ob die jeweils zuständigen Behörden ihren Antrag beziehungsweise den Asylantrag des Kindes zügig behandeln oder die Bearbeitung verzögern. Dies dürfte nicht zu Lasten der hiervon Betroffenen gehen.

Kurz bevor sich R auf den Weg zum Gerichtstermin macht, weist sie Dich auf folgende Vorschriften des internationalen Rechts und des Unionsrechts hin, von denen sie meint, dass sie einschlägig sein könnten: Art. 3 und 10 der UN-Kinderrechtskonvention, Art. 2, 3, 9, 10 und 13 der Familienzusammenführungs-RL[1], sowie Art. 2, 20 und 23 der Qualifikations-RL.[2]

Fallfrage

Erfüllen B, X und Y die Voraussetzungen für die Erteilung eines Visums zum Zwecke des Nachzugs zu ihrem in Deutschland lebenden Bruder beziehungsweise Sohn?

---

1 Richtlinie 2003/86/EG des Rates vom 22. September 2003 betreffend das Recht auf Familienzusammenführung, ABl. EU Nr. L 251/12.
2 Richtlinie 2011/95/EU des Europäischen Parlaments und des Rates vom 13. Dezember 2011 über Normen für die Anerkennung von Drittstaatsangehörigen oder Staatenlosen als Personen mit Anspruch auf internationalen Schutz, für einen einheitlichen Status für Flüchtlinge oder für Personen mit Anrecht auf subsidiären Schutz und für den Inhalt des zu gewährenden Schutzes, ABl. EU Nr. L 337/9.

Lösungsvorschlag

A. Voraussetzungen für die Erteilung von Visa zum Familiennachzug betreffend X und Y

Fraglich ist zunächst, ob hinsichtlich X und Y die Voraussetzungen für die Erteilung von **Visa zu Zwecken der Familienzusammenführung** mit ihrem in Deutschland lebenden Sohn A vorliegen.

I. Familiennachzug gemäß § 6 III i.V.m. § 36a I 2 AufenthG

Die Voraussetzungen für einen **Familiennachzug** von X und Y könnten sich aus § 6 III i.V.m. § 36a I 2 AufenthG ergeben. Nach § 6 III 1 und 2 AufenthG ist für längerfristige Aufenthalte ein Visum für das Bundesgebiet erforderlich, das vor der Einreise erteilt wird. Die Erteilung richtet sich unter anderem nach den für die Aufenthaltserlaubnis geltenden Vorschriften. Gemäß § 36a I 2 AufenthG kann den Eltern einer **minderjährigen subsidiär schutzberechtigten Person aus humanitären Gründen eine Aufenthaltserlaubnis** erteilt werden, wenn sich kein personensorgeberechtigter Elternteil im Bundesgebiet aufhält.

1. Minderjährigkeit der Referenzperson

Der inzwischen volljährige A müsste hiernach (noch) als minderjährig anzusehen sein. Fraglich ist, auf welchen **Zeitpunkt für die Bestimmung der Minderjährigkeit** abzustellen ist. In Betracht kommen hierfür
– die Stellung des Asylantrags,
– die Schutzgewährung durch Bescheid des BAMF,
– die (Visums-) Antragstellung bei einer Auslandsvertretung durch die nachzuziehenden Familienmitglieder oder
– die behördliche beziehungsweise gerichtliche Entscheidung.

a) Grundsatz: Maßgeblichkeit der Sach- und Rechtslage zum Zeitpunkt der gerichtlichen Entscheidung

Nach allgemeinen Grundsätzen des Prozessrechts ist für die Beurteilung der Sach- und Rechtslage bei Verpflichtungsklagen grundsätzlich der Zeitpunkt der letzten mündlichen Verhandlung oder Entscheidung in der Tatsacheninstanz maßgebend. Fraglich ist, ob sich für die Erteilung eines Aufenthaltstitels zu Zwecken des Familiennachzugs zu minderjährigen unbegleiteten subsidiär Schutzberechtigten aus dem materiellen Recht etwas hiervon Abweichendes ergibt.

b) Ausnahme? – Auslegung des einschlägigen materiellen Rechts

Der Wortlaut der Vorschrift („minderjährig") enthält hierfür keine Anhaltspunkte. Aus ihm ergibt sich nicht, auf welchen Zeitpunkt zur Bestimmung der Minderjährigkeit abzustellen ist. Auch Sinn und Zweck des § 36a I 2 AufenthG sowie seine systematische Einbettung in das Aufenthaltsrecht begründen keine Ausnahme von dem oben genannten Grundsatz. Zweck des Elternnachzugs zu **minderjährigen unbegleiteten** subsidiär Schutzberechtigten ist es, die Ausübung beziehungsweise Inanspruchnahme der elterlichen Sorge, nicht das darüberhinausgehende familiäre Zusammenleben zu ermöglichen. Geschützt ist das Interesse von Minderjährigen an der Wiederherstellung der Familieneinheit mit den Eltern, nicht jedoch ein eigenständiges Interesse von Eltern am Zusammenleben mit ihrem Kind. Dies zeigt sich unter anderem daran, dass der Gesetzgeber den nachgezogenen Eltern mit Erreichen der Volljährigkeit ihres Kindes grundsätzlich kein eigenständiges Aufenthaltsrecht einräumt. Zwar besagt § 27 IV 4 AufenthG, dass eine Aufenthaltserlaubnis erstmals für mindestens ein Jahr zu erteilen ist. Dies setzt jedoch voraus, dass überhaupt ein Anspruch auf Erteilung eines Aufenthaltstitels besteht. Zudem fehlt in § 36a AufenthG eine mit § 34 II 1 AufenthG vergleichbare Regelung, die ein eigenständiges, vom Familiennachzug ausdrücklich unabhängiges Aufenthaltsrecht des nachziehenden Kindes nach Erreichen der Volljährigkeit enthält. Die den Eltern eines minderjährigen Kindes zwecks Elternnachzugs erteilte Aufenthaltserlaubnis ist somit akzessorisch mit dem Aufenthaltsrecht des in Deutschland lebenden „stammberechtigten" Familienangehörigen verknüpft. Entsprechend sieht § 36a AufenthG auch nicht die Möglichkeit der Verlängerung eines den Eltern einmal erteilten Aufenthaltstitels vor.

Dem Ergebnis einer solchen Auslegung des Gesetzes könnte jedoch die Gewährleistung effektiven Rechtsschutzes nach Art. 19 IV GG[3] entgegenstehen. Dafür spricht, dass A keinen Einfluss auf die Dauer seines Asylverfahrens hatte, genauso wenig, wie X und Y die Terminvergabe des Generalkonsulats in Erbil und dessen Bearbeitung ihres Antrags beeinflussen können. Allerdings hätten A, X und Y versuchen können, das Nachzugsbegehren von X und Y mithilfe einer **einstweiligen Anordnung** nach § 123 VwGO rechtzeitig vor Erreichen der Volljährigkeit durchzusetzen. Zwar könnte der Umstand, dass im Rahmen des § 123 VwGO in der Regel keine Vorwegnahme der Hauptsache erfolgen soll und es sich bei § 36a AufenthG um eine Ermessensnorm handelt, bei der wenn überhaupt nur ausnahmsweise bei Vorliegen einer Ermessensreduktion auf Null eine Verpflichtung zur Visumserteilung ausgesprochen werden kann, gegen die Annahme sprechen, ein Verfahren

---

3 Sie zum Grundrecht auf effektiven Rechtsschutz aus Art. 19 IV GG Hahn, in: Hahn/Petras/Valentiner/Wienfort, Grundrechte, § 26.1 S. 599 ff.

nach § 123 VwGO genüge den Anforderungen des Art. 19 IV GG. Allerdings kann bei drohendem Totalverlust eines Rechtes – der mit Erreichen der Volljährigkeit eintreten könnte – im Einzelfall auch im Rahmen des § 123 VwGO nicht nur eine Verpflichtung zur Neubescheidung, sondern auch zur – vorläufigen – Verpflichtung, das begehrte Visum zu erteilen, erreicht werden, wenn sich allein auf diese Weise der Anspruch auf ermessensfehlerfreie Entscheidung sichern lässt.

ℹ Weiterführendes Wissen

Oftmals führt bereits die Stellung eines solchen Antrages auf Gewährung einstweiligen Rechtsschutzes und die Erörterung der Sach- und Rechtslage unter gerichtlicher Beteiligung in diesen Verfahren dazu, dass eine gütliche Einigung herbeigeführt und das beantragte Visum letztendlich doch noch – selbst wenige Tage – vor Erreichen der Volljährigkeit erteilt wird. Allerdings ist Beratenden zu empfehlen, einen solchen Antrag so früh wie möglich zu stellen, damit das Verwaltungsgericht Berlin die Möglichkeit hat, das Vorliegen der Voraussetzungen für die Visaerteilung hinreichend zu prüfen. Hierfür benötigt es den beim Auswärtigen Amt geführten Verwaltungsvorgang. Zudem muss es auch Kontakt mit der örtlich zuständigen Ausländerbehörde aufnehmen, die den Antrag ebenfalls zu prüfen hat. Daher sollte darauf geachtet werden, dass auch die zuständige Ausländerbehörde bereits in der Antragsschrift ausdrücklich genannt wird. Zuletzt muss auch bei Visumerteilung sichergestellt sein, dass den nachziehenden Familienmitgliedern ausreichend Zeit verbleibt, noch vor dem 18. Geburtstag in die Bundesrepublik einzureisen. Diese Voraussetzung kann erhebliche Probleme bereiten, insbesondere wenn die Familie in Krisengebieten ansässig ist oder einzelne Mitglieder krank oder aus anderen Gründen nicht oder nur eingeschränkt transportfähig sind.

Aus § 36a AufenthG ergibt sich im Ergebnis keine Ausnahme von dem Grundsatz, dass maßgeblicher Zeitpunkt für die Beurteilung eines Verpflichtungsbegehrens die behördliche beziehungsweise gerichtliche Entscheidung ist. Danach bestünde kein Anspruch von X und Y auf Erteilung von Visa zum Zwecke des Familiennachzugs, da A bereits volljährig (geworden) ist.

c) Vereinbarkeit mit höherrangigem Recht
Allerdings könnte sich aus höherrangigem Recht ergeben, dass hiervon abweichend auf einen anderen Zeitpunkt abzustellen ist.

aa) Unionsrecht
Fraglich ist insbesondere, ob nicht Unionsrecht zwingend vorgibt, dass für den Zeitpunkt der Volljährigkeit etwa auf die Stellung des Antrags auf Gewährung internationalen Schutzes oder den Antrag auf Erteilung eines Aufenthaltstitels zur Familienzusammenführung abzustellen ist.

Hierfür spricht, dass nach Art. 10 III lit. a Familienzusammenführungs-RL[4] die Mitgliedstaaten verpflichtet sind, den Nachzug der Eltern zu unbegleiteten minderjährigen Flüchtlingen zu gestatten. Auch wurde mit der Qualifikations-RL[5] auf Unionsebene ein einheitlicher Status für Flüchtlinge und für subsidiär Schutzberechtigte eingeführt und der Inhalt des jeweils zu gewährenden Schutzes harmonisiert. Allerdings spricht bereits der Wortlaut von Art. 10 III lit. a Familienzusammenführungs-RL nur von „Flüchtlingen", nicht jedoch von subsidiär Schutzberechtigten. Entsprechend definiert Art. 2 lit. b Familienzusammenführungs-RL Flüchtlinge nur als Drittstaatsangehörige oder Staatenlose, denen die Flüchtlingseigenschaft nach der Genfer Konvention zuerkannt wurde. Art. 9 I Familienzusammenführungs-RL stellt klar, dass deren Art. 9–12 auf die Familienzusammenführung von Flüchtlingen Anwendung findet. Entsprechend regelt deren Art. 3 II lit. c, dass die Richtlinie unter anderem dann nicht zur Anwendung kommt, wenn dem Zusammenführenden der Aufenthalt in einem Mitgliedstaat aufgrund subsidiärer Schutzformen gemäß internationalen Verpflichtungen, einzelstaatlichen Rechtsvorschriften oder Praktiken der Mitgliedstaaten genehmigt wurde. Dem steht auch Art. 13 II Familienzusammenführungs-RL nicht entgegen, wonach der betreffende Mitgliedstaat den Familienangehörigen einen ersten Aufenthaltstitel mit mindestens einjähriger Gültigkeitsdauer erteilt. Zwar regelt Kapitel VI der Richtlinie allgemein Einreise und Aufenthalt von Familienangehörigen. Allerdings setzt die Vorschrift – wie bereits § 27 IV AufenthG – voraus, dass einem Antrag auf Familienzusammenführung bereits stattgegeben wurde. Die Voraussetzung für die Erteilung eines Aufenthaltstitels stehen hier aber gerade in Rede.

Etwas anderes könnte sich jedoch aus Art. 20 II i.V.m. Art. 20 III und V Qualifikations-RL ergeben. Hiernach haben die Mitgliedstaaten sowohl für Flüchtlinge als auch für subsidiär Schutzberechtigte die spezielle Situation von schutzbedürftigen Minderjährigen und das Wohl des Kindes vorrangig zu beachten. Auch wenn die Vorschriften dieses Kapitels auf beide Formen des internationalen Schutzes anwendbar sind, lässt sich ein Anspruch auf **Familienzusammenführung** bereits dem Wortlaut der Bestimmung nach nicht ableiten. Ein solches Recht ergibt sich auch nicht aus Art. 23 I Qualifikations-RL, wonach die Mitgliedstaaten für die Aufrechterhaltung des Familienverbandes Sorge zu tragen haben. Auch diese Vor-

4 Richtlinie 2003/86/EG des Rates vom 22. September 2003 betreffend das Recht auf Familienzusammenführung, ABl. EU Nr. L 251/12.
5 Richtlinie 2011/95/EU des Europäischen Parlaments und des Rates vom 13. Dezember 2011 über Normen für die Anerkennung von Drittstaatsangehörigen oder Staatenlosen als Personen mit Anspruch auf internationalen Schutz, für einen einheitlichen Status für Flüchtlinge oder für Personen mit Anrecht auf subsidiären Schutz und für den Inhalt des zu gewährenden Schutzes, ABl. EU Nr. L 337/9.

schrift setzt voraus, dass die Voraussetzungen für den Familiennachzug vorliegen und sich die nachziehenden Personen bereits beziehungsweise mittlerweile in der Bundesrepublik aufhalten. Entsprechend definiert Art. 2 lit. j Qualifikations-RL Familienangehörige als Mitglieder der Familie der Person, der internationaler Schutz zuerkannt worden ist, die sich im Zusammenhang mit dem Antrag auf internationalen Schutz in demselben Mitgliedstaat aufhalten. Auch wenn Organe der Europäischen Union eine Fortentwicklung des gemeinsamen europäischen Asylsystems und eine weitgehende Angleichung der beiden Status des internationalen Schutzes anstreben, hat dies bislang keinen Niederschlag im Sekundärrecht, etwa in Form von durch die Mitgliedstaaten umzusetzenden Richtlinien gefunden.

Hiernach gibt das Unionsrecht nicht zwingend vor, dass für die Frage der Volljährigkeit auf einen anderen Zeitpunkt als den der behördlichen beziehungsweise gerichtlichen Entscheidung abzustellen wäre.

bb) Völkerrecht

Allerdings könnte sich eine entsprechende Ausnahme aus in Deutschland anwendbaren völkerrechtlichen Bestimmungen, namentlich der UN-Kinderrechtskonvention ergeben. So gibt etwa deren Art. 10 I 1 vor, dass von einem Kind oder seinen Eltern zwecks Familienzusammenführung gestellte Anträge auf Einreise in einen Vertragsstaat oder Ausreise aus einem Vertragsstaat von den Vertragsstaaten „wohlwollend, human und beschleunigt" bearbeitet werden sollen. Die Vorschrift schweigt jedoch zu dem maßgeblichen Zeitpunkt für die Annahme eines Nachzugs zu einem Kind. Unabhängig hiervon lässt sich ihrem Wortlaut ebenfalls kein Anspruch auf Familienzusammenführung entnehmen.

cc) Verfassungsrecht

Nichts anderes gilt für das Grundrecht auf Familie von A, X und Y nach Art. 6 I GG[6]. Auch diese Vorschrift gewährt ihrem Wortlaut nach ein solches Recht nicht. Zwar schützt Art. 6 I GG auch die Beziehung zwischen Eltern und ihren bereits volljährig gewordenen Kindern. Dem Gesetzgeber ist es aber von Verfassung wegen nicht verwehrt, familiäre Bindungen außerhalb der **(Kern-) Familie** – wie hier – typisierend als weniger schützenswert zu erachten. Zu keinem anderen Ergebnis kommt eine Auslegung von Art. 8 EMRK (Schutz des Privat- und Familienlebens), der ebenso wenig einen Anspruch auf Einreise und Aufenthalt vermittelt. Im Einzelfall und bei

---

6 Siehe zum Grundrecht auf Schutz von Ehe und Familie Laing, in: Hahn/Petras/Valentiner/Wienfort, Grundrechte, § 22.2 S. 474 ff.

Vorliegen einer **(außergewöhnlichen) Härte** kann im Übrigen trotz des Eintritts der Volljährigkeit über § 36 II AufenthG sowie (§ 36a I 4 AufenthG i.V.m.) §§ 22, 23 AufenthG der Nachzug ermöglicht werden; damit wird den verfassungs- und menschenrechtlichen Vorgaben genügt.

Dies berücksichtigt, ist ein von den allgemeinen Grundsätzen abweichendes Verständnis des Zeitpunktes, zu dem die Minderjährigkeit vorliegen muss, auch im Hinblick auf die Verbürgungen von Art. 6 I GG und Art. 8 EMRK nicht geboten.

Zuletzt könnte in dem Ausschluss des Elternnachzugs zum volljährig gewordenen unbegleiteten subsidiär Schutzberechtigten eine nach Art. 3 I GG[7] nicht zu rechtfertigende **Ungleichbehandlung** zu erblicken sein. Die Vorschrift gebietet es, alle Menschen vor dem Gesetz gleich zu behandeln. Daraus folgt das grundsätzliche Verbot, wesentlich Gleiches ungleich zu behandeln, ohne dass hierfür ein sachlicher Grund vorliegt. Eine Privilegierung des Familiennachzugs zu Minderjährigen, denen internationaler Schutz nach der Genfer Flüchtlingskonvention zuerkannt wurde, rechtfertigt sich aus den unterschiedlichen, an die Mitgliedstaaten gerichteten Vorgaben des europäischen Asylsystems. Dem Status eines subsidiär Schutzberechtigten kommt – anders als dem Status eines Konventionsflüchtlings – von seiner Konzeption her eine gewisse Vorläufigkeit zu, da dessen Aufenthalt im Bundesgebiet prinzipiell vom (Fort-)Bestand der Notsituation im Herkunftsstaat abhängig ist. Der nationale Gesetzgeber ist verfassungsrechtlich nicht dazu verpflichtet, hierüber hinausgehend subsidiär Schutzberechtigten (Minderjährigen) die gleichen Rechte einzuräumen wie Personen, denen nach der Genfer Konvention die Rechtsstellung von Flüchtlingen zusteht.

2. Zwischenergebnis

Nach alldem liegen in Bezug auf X und Y im Ergebnis nicht die Voraussetzungen für einen Familiennachzug nach § 36a I 2 AufenthG vor.

II. Familiennachzug gemäß § 6 III i.V.m. § 36 II AufenthG

Fraglich ist, ob die Voraussetzungen für eine Erteilung von Visa auf der Grundlage von § 36 II 1 AufenthG gegeben sind. Danach kann sonstigen Familienangehörigen einer ausländischen Person eine Aufenthaltserlaubnis zum Familiennachzug erteilt werden, wenn dies zur Vermeidung einer **außergewöhnlichen Härte** erforderlich

---

7 Siehe zum Gleichbehandlungsgrundsatz Macoun, in: Hahn/Petras/Valentiner/Wienfort, Grundrechte, § 19.1 S. 296 ff.

ist. Dagegen, dass X und Y „sonstige Familienangehörige" im Sinne der Vorschrift sind, könnte sprechen, dass diese als Eltern des A bereits grundsätzlich in den Anwendungsbereich des § 36a I 2 AufenthG fallen. Allerdings fehlt angesichts des Umstandes, dass mit dem Eintritt der Volljährigkeit des A dieser aus dem Anwendungsbereich des § 36a AufenthG herausfällt, zum entscheidungserheblichen Zeitpunkt eine Norm im 6. Abschnitt des AufenthG, die den Nachzug der Eltern zu volljährigen subsidiär schutzberechtigten Kindern (abschließend) regelt, sodass im vorliegenden Fall X und Y als „sonstige Familienangehörige" anzusehen sind und auf § 36 II AufenthG zurückgegriffen werden kann.

Die Voraussetzungen für eine außergewöhnliche Härte sind gegeben, wenn im Ausland lebende Familienangehörige dort kein eigenständiges Leben mehr führen können und die von ihnen benötigte, tatsächlich und regelmäßig zu erbringende wesentliche familiäre Lebenshilfe in zumutbarer Weise nur in der Bundesrepublik Deutschland durch die Familie erbracht werden kann. Eine solche Härte kann auch dann vorliegen, wenn Unbegleitete, zu denen der Familiennachzug erfolgen soll, ohne die Unterstützung ihrer Familie ein eigenständiges Leben nicht führen können und die **familiäre Lebensgemeinschaft** nur im Bundesgebiet gelebt werden kann. Zwar vermissen sich A und seine in Syrien verbliebene Familie wegen der jahrelangen Trennung stark. Auch geht es dem A gesundheitlich nicht gut, sodass er für einzelne Aspekte seiner Lebensführung Unterstützung von Dritten, hier von einer Sozialarbeiterin benötigt. Für die Annahme, dass dem A ein Leben ohne seine Eltern schlichtweg nicht möglich ist, genügt dies aber nicht. Auch X und Y sind nach ihrer eigenen Schilderung nicht zwingend auf die Hilfe durch A angewiesen. Sie können, wenn auch nur knapp, ein Existenzminimum erwirtschaften; schwer erkrankt ist niemand von ihnen. Eine außergewöhnliche Härte ist deshalb im Ergebnis nicht gegeben. Die Voraussetzungen für einen Familiennachzug nach § 36 II 1 AufenthG liegen hinsichtlich X und Y nicht vor.

III. Familiennachzug gemäß § 6 III i.V.m. § 22 S. 1 AufenthG

Fraglich ist schließlich, ob ein Anspruch auf Erteilung eines Visums beziehungsweise jedenfalls Neubescheidung des Visumsantrages aus § 6 III i.V.m. § 22 S. 1 AufenthG folgt. Danach kann für die Aufnahme aus dem Ausland aus völkerrechtlichen oder dringenden humanitären Gründen eine Aufenthaltserlaubnis erteilt werden. § 36a I 4 AufenthG, demzufolge unter anderem § 22 AufenthG unberührt bleibt, erstreckt die Aufnahme aus dem Ausland im Einzelfall auch auf Angehörige der Kernfamilie subsidiär Schutzberechtigter. Dies ist etwa der Fall, wenn sich die Aufnahme des Familienangehörigen aufgrund eines Gebotes der Menschlichkeit aufdrängt und eine Situation vorliegt, die ein Eingreifen zwingend erforderlich macht, etwa bei Bestehen einer erheblichen und unausweichlichen Gefahr für Leib und Leben des Familienangehörigen im Ausland. Dringende humanitäre Gründe im Sinne des § 22 S. 1 Alt. 2 AufenthG liegen vor, wenn sich jemand aufgrund besonderer Umstände in einer auf seine Person bezogenen Sondersituation befindet, sich diese Sondersituation deutlich von der Lage vergleichbarer Personen unterscheidet, wenn Betroffene spezifisch auf die Hilfe der Bundesrepublik Deutschland angewiesen sind oder in ihrer Person eine besondere Beziehung zur Bundesrepublik besteht und die Umstände so gestaltet sind, dass eine baldige Ausreise und Aufnahme unerlässlich sind. Derartige Gründe sind nicht geltend gemacht. Besondere Umstände des Einzelfalls, die eine Fortdauer der räumlichen Trennung als nicht mehr mit Art. 6 I, II 1 GG vereinbar erscheinen lassen, liegen nicht vor. Insoweit kann auf das soeben unter II. Ausgeführte verwiesen werden.

B. Voraussetzungen für die Erteilung von Visa zum Familiennachzug hinsichtlich B

Fraglich ist des Weiteren, ob B – die Schwester des A – in ihrer Person die Voraussetzungen für die Erteilung eines Visums zum Zwecke des Nachzugs zu ihrem in Deutschland lebenden Bruder erfüllt.

Ein möglicher Familiennachzug kann sich nicht auf § 36a I AufenthG stützen. Danach kann allein Ehegatten oder dem minderjährigen Kind von subsidiär Schutzberechtigten oder den Eltern von unbegleiteten minderjährigen subsidiär Schutzberechtigten ein Visum zum Familiennachzug erteilt werden.

Allerdings könnte § 32 I AufenthG einen Anspruch vermitteln. Danach ist dem minderjährigen ledigen Kind eines Ausländers eine Aufenthaltserlaubnis zu erteilen, wenn beide Eltern oder der allein personensorgeberechtigte Elternteil einen der nachfolgend genannten Aufenthaltstitel besitzt. Jedoch sind die Eltern der B, X und Y, nicht im Besitz eines der aufgezählten Titel. Dies gilt selbst dann, wenn man ein nationales Visum als „Aufenthaltserlaubnis" für den **Kindernachzug** grundsätzlich ausreichen lässt, da X und Y, wie oben festgestellt, keinen Anspruch auf Erteilung von Visa haben.

Daneben besteht auch kein Anspruch auf Erteilung eines Visums nach § 36 II 1 AufenthG. So lebt die B in Syrien gemeinsam mit ihren Eltern. Dass sie daneben auf Hilfe durch ihren Bruder angewiesen oder dies anders herum der Fall ist, ist nicht zu erkennen. Eine außergewöhnliche Härte liegt daher weder in der Person der B noch in A vor.

Max Putzer

C. Ergebnis

Im Ergebnis erfüllen weder X und Y noch B die Voraussetzungen für die Erteilung von Visa zum Familiennachzug zu ihrem in der Bundesrepublik lebenden Bruder beziehungsweise Sohn.

Weiterführende Literatur
- BVerwG, Urt. v. 8.12.2022, Az. 1 C 56.20 u.a.
- OVG BB, Urt. v. 22.9.2020, Az.: OVG 3 B 38.19
- VG Berlin, Urt. v. 21.1.2020, Az.: VG 38 K 429.19 V
- zu § 22 S. 1 AufenthG: BVerwG, Urt. v. 17.12.2020, Az.: BVerwG 1 C 30.19
- Krause, Asylmagazin 2020, 198
- Kupffer, JAmt 2019, 547
- Thym, NVwZ 2018, 1340
- Kluth, ZAR 2018, 375

Dieser Fall darf gerne kommentiert, verändert und beliebig genutzt werden. Die Anleitung hierfür lässt sich über den abgebildete QR-Code mit der Smartphone-Kamera auf unserer Homepage aufrufen.

Fall 40
Schutz für die gesamte Familie?

Behandelte Themen: Familienschutz, Elternnachzug, unverzügliche Asylantragstellung, Beurteilungszeitpunkt Minderjährigkeit, drohende Volljährigkeit, Wiederaufnahme der familiären Lebensgemeinschaft

Schwierigkeitsgrad: Anfänger*innen bis Fortgeschrittene

Sachverhalt[1]

Der ledige O reiste Mitte des Jahres 2019 in das Bundesgebiet ein, nachdem die aus Syrien stammende Familie gemeinsam geflüchtet, in der Türkei aber getrennt worden war. Er wurde hier auf seine Angabe, er sei unbegleitet und 15 Jahre alt, vom Jugendamt in Obhut genommen und lebt seitdem in einer Jugendwohngruppe eines Kinderheims in M. Der für ihn bestallte Vormund stellte im März 2020 einen Asylantrag, wobei er als Geburtsdatum den 1. Januar 2004 angab.

Mit Bescheid vom 23. November 2020 erkannte das Bundesamt für Migration und Flüchtlinge (BAMF) dem O die Flüchtlingseigenschaft zu. Er ist nunmehr Inhaber einer bis zum 19. Januar 2024 gültigen Aufenthaltserlaubnis nach § 25 II 1 Alt. 1 AufenthG.

Die zunächst in der Türkei zurückgebliebenen Eltern des O haben im April 2021 einen Antrag auf Erteilung eines Visums zur Familienzusammenführung gestellt. Aufgrund der drohenden Volljährigkeit des O wurde ihr Visumsverfahren beschleunigt und sie konnten im Dezember 2021 nach Deutschland einreisen. Sie kommen nun in die Beratung. Sie haben einen Antrag auf Erteilung eines Aufenthaltstitels aus familiären Gründen beantragt. Dieser wurde abgelehnt. Sie sind in einer Gemeinschaftsunterkunft untergebracht. O lebt weiter in der Jugendwohngruppe.

Fallfragen

1. Ist es sinnvoll für die Eltern des O einen Asylantrag zu stellen?

---

1 Fortsetzung der Abwandlung von Mungan, *34) Recht auf Eltern – auch nach dem 18. Geburtstag?* in diesem Fallbuch.

https://doi.org/10.1515/9783110990379-040

2. Haben sie einen Anspruch auf Zuerkennung von Familienschutz nach § 26 AsylG obwohl O fast volljährig ist und sie nicht mit ihm zusammenwohnen?

Lösungsvorschlag

A. Fallfrage 1

Die Eltern des O fragen, ob sie einen Asylantrag stellen sollen. Sie sind im Rahmen des **Familiennachzugs** zu ihrem als Flüchtling anerkannten Sohn eingereist. Entsprechend des erteilten Visums haben sie eine Aufenthaltserlaubnis nach § 36 I AufenthG aus familiären Gründen beantragt. Da der O aber bei ihrer Einreise bereits volljährig war, wurden ihre Anträge von der örtlich zuständigen Ausländerbehörde abgelehnt.

---

i **Hinweis**

Der EuGH hat bereits mehrfach entschieden, dass den nachziehenden Eltern ein Aufenthaltstitel mit mindestend einjähriger Gültigkeitsdauer ausgestellt werden muss.[2] Da deutsche Behörden dies aber bisher nicht umsetzen, wurde diese Fallösung entsprechend der deutschen Praxis aufgebaut.

---

i **Weiterführendes Wissen**

Im Rahmen des **Visumsverfahrens** hat die zuständige Ausländerbehörde bereits die Voraussetzungen für die Erteilung einer Aufenthaltserlaubnis aus familiären Gründen geprüft. Wenn diese Voraussetzungen nach Einreise der Familienangehörigen weiterhin vorliegen, haben sie Anspruch auf Erteilung des entsprechenden Aufenthaltstitels (hier: nach § 36 I AufenthG). Die nachgezogenen Angehörigen haben in einem solchen Fall die Wahl, ob sie Asylanträge stellen oder ihren Aufenthalt durch die Titel aus familiären Gründen sichern. Für einen Antrag auf Familienschutz nach § 26 AsylG spricht, dass Angehörige dadurch auch die Schutzzuerkennung erhalten und eine bessere Rechtsstellung (zum Beispiel in Bezug auf Niederlassungserlaubnis, Familiennachzug von weiteren Kindern) haben. Dagegen könnte sprechen, dass das BAMF die Beantragung von Familienschutz grundsätzlich zum Anlass nimmt, zu prüfen, ob die Voraussetzungen für die Schutzzuerkennung der stammberechtigten Person weiterhin vorliegen und gegebenenfalls ein Widerrufsverfahren einleitet.[3]

Da den Eltern des O die Ausstellung eines **Aufenthaltstitels aus familiären Gründen** verweigert wurde und der Sachverhalt keine Angaben zu weiteren aufenthaltsrechtlichen Perspektiven enthält, ist davon auszugehen, dass die Asylantragstellung in ihrem Fall die einzige Option ist, um ihren Aufenthalt zu sichern.

---

2 EuGH, Urt. v. 1.8.2022, Az.: C-273/20, C-355/20 Deutschland gg. SW, BL und BC (Asylmagazin 9/2022, S. 326 f.), asyl.net: M30811.
3 Ausführlich zu der Frage, ob ein Familienschutzantrag sinnvoll ist, siehe Eichler, Arbeitshilfe zum Familienasyl, Paritätischer Gesamtverband, 1. Aufl. April 2018.

Johanna Mantel

Weiterführendes Wissen

Hinweis für die Beratungspraxis: Die Eltern sind in dieser Konstellation durch die Asylantragstellung von der **Wohnverpflichtung**[4] des § 47 AsylG erfasst und werden daher zunächst in einer Landeseinrichtung untergebracht. Angesichts der baldigen Volljährigkeit des Kindes ist nicht zwingend gewährleistet, dass die Eltern dem Aufenthaltsort des Kindes zugewiesen werden.

Im vorliegenden Fall gibt es aufgrund der bisherigen Behördenpraxis keine wirkliche Alternative zum Asylantrag. Diese Umstände sind aber zu berücksichtigen in Konstellationen, in denen erst noch die Erteilung der Aufenthaltserlaubnis abgewartet werden kann und sollte

B. Fallfrage 2

Es wird gefragt, ob den Eltern des O Flüchtlingsschutz im Wege des Familienschutzes zugesprochen werden muss.

Da ihr Sohn als Flüchtling anerkannt wurde, wird ihr Asylantrag durch das BAMF als Familienschutzantrag im Sinne des § 26 AsylG geprüft.

Weiterführendes Wissen

Die Regelung des § 26 AsylG wird vielfach als „Familienasyl" bezeichnet. Das liegt daran, dass bis 2005 die abgeleitete Schutzgewährung nur für Angehörige von Stammberechtigten mit Asylanerkennung nach Art. 16a GG gesetzlich normiert war. Mit dem Zuwanderungsgesetz 2005 wurde die Regelung auf Angehörige von anerkannten Flüchtlingen ausgeweitet und 2013 nach Verabschiedung der EU-Qualifikations-RL auch auf Angehörige von subsidiär Schutzberechtigten. Hier wird die Bezeichnung „Familienschutz" genutzt, weil sie zutreffender die drei verschiedenen Schutzstatus umfasst.

Auf Familienangehörige von Personen, denen nationale Abschiebungsverbote nach § 60 V, VII AufenthG gewährt wurden, ist die Regelung nicht anwendbar.

§ 26 AsylG regelt, dass Eheleuten, eingetragenen Lebenspartner*innen, Eltern, minderjährigen Kindern und Geschwistern von Schutzberechtigten (sogenannten **Referenzpersonen** beziehungsweise **Stammberechtigten**) ein abgeleiteter Schutzstatus gewährt wird. Das heißt, dass dem Familienmitglied der gleiche Schutzstatus zugesprochen wird wie der stammberechtigten Person, ohne dass eine eigene Prüfung der Asylgründe des Familienmitglieds erfolgt.

Weiterführendes Wissen

In den letzten Jahren wurde die Regelung zum Familienschutz immer häufiger angewandt. Bis zum Jahr 2016 erfolgte die Gewährung von Schutz aufgrund von § 26 AsylG nur in wenigen Fällen. So lag der Anteil

---

4 Siehe allgemein zu Wohnverpflichtungen Wasnick, *32) Gefangen in Kreuztal* in diesem Fallbuch.

Johanna Mantel

von Familienschutzentscheidungen in Bezug auf die Zuerkennung der Flüchtlingseigenschaft bis 2016 bei unter 5 Prozent. Seit diesem Zeitpunkt haben sich die Zahlen zur Familienschutzgewährung vervielfacht und ihr Anteil an Flüchtlingsschutzzuerkennung liegt seit 2019 bei über 80 Prozent.[5]

Für die Gewährung des abgeleiteten Schutzstatus aufgrund von **Familienschutz** müssen, je nach Fallkonstellation, bestimmte Voraussetzungen erfüllt sein. Im vorliegenden Fall geht es um die Ableitung des Schutzstatus des Sohnes, hier die Flüchtlingseigenschaft, an seine Eltern. Für die Eltern von Asylberechtigten regelt § 26 III AsylG die Voraussetzungen der Familienasylgewährung. In § 26 V AsylG ist geregelt, dass diese Bestimmungen auch auf die Familienangehörigen von international Schutzberechtigten anwendbar sind.

Nach § 26 III 1 AsylG werden die Eltern eines Kindes mit Flüchtlingsanerkennung als Flüchtlinge anerkannt, wenn
– ihr Kind minderjährig und ledig ist,
– sie die Personensorge für ihr Kind innehaben,
– die Zuerkennung der Flüchtlingseigenschaft an ihr Kind unanfechtbar ist,
– die Familie bereits in dem Staat bestanden hat, in dem ihrem Kind Verfolgung droht,
– die Eltern vor der Schutzzuerkennung an ihr Kind eingereist sind oder unverzüglich nach ihrer Einreise ihren Asylantrag gestellt haben,
– die Schutzzuerkennung an ihr Kind nicht zu widerrufen oder zurückzunehmen ist.

I. Eltern einer minderjährigen ledigen Person mit Flüchtlingsanerkennung
Vater und Mutter des O sind die Eltern des O im Sinne des Art. 2 lit. j Gedankenstrich 3 Alt. 1 Qualifikations-RL[6]. Dem O wurde die Flüchtlingseigenschaft nach § 3 AsylG zuerkannt. Der O war zum Zeitpunkt der Einreise der Eltern zwar noch minderjährig, wird aber zeitnah volljährig. Die Asylantragstellung der Eltern kann noch

5 Vgl. Feneberg/Pukrop zum verzerrten Bild aufgrund der Asyl- und Gerichtsstatistik des BAMF, Asylmagazin 2020, S. 355ff.; Übersicht zu aktuellen Zahlen, vgl. Hupke/Mantel, Asylmagazin 2022, S. 74.
6 Richtlinie 2011/95/EU des Europäischen Parlaments und des Rates vom 13. Dezember 2011 über Normen für die Anerkennung von Drittstaatsangehörigen oder Staatenlosen als Personen mit Anspruch auf internationalen Schutz, für einen einheitlichen Status für Flüchtlinge oder für Personen mit Anrecht auf subsidiären Schutz und für den Inhalt des zu gewährenden Schutzes, ABl. EU Nr. L 337/9.

vor **Eintritt der Volljährigkeit** erfolgen. Das BAMF wird aber voraussichtlich erst über den Antrag entscheiden, wenn O volljährig geworden ist. Fraglich ist daher, welcher Zeitpunkt zugrunde zu legen ist bei der Beurteilung der Minderjährigkeit der Referenzperson. Kommt es auf den Zeitpunkt der Asylantragstellung der Eltern an, wäre hier die Minderjährigkeit des O gegeben. Kommt es auf den Zeitpunkt der Entscheidung des BAMF über den Asylantrag der Eltern an, wäre diese Voraussetzung nicht erfüllt.

Weiterführendes Wissen

Im Falle der Ableitung des Schutzstatus von Eltern an ihre Kinder nach § 26 II AsylG und von Minderjährigen an ihre Geschwister nach § 26 III 2 AsylG ist gesetzlich ausdrücklich geregelt, dass es auf den Zeitpunkt der Asylantragstellung der Familienangehörigen ankommt. Für die Ableitung von Kindern an ihre Eltern nach § 26 III AsylG ist nicht ausdrücklich im Gesetz geregelt, welcher Zeitpunkt zugrunde zu legen ist für die Bestimmung der Minderjährigkeit des stammberechtigten Kindes.

Bisher hat das BAMF die Auffassung vertreten, dass die stammberechtigte Person zum Zeitpunkt der Entscheidung über den Familienschutzantrag ihrer Eltern noch minderjährig sein muss. Dadurch wurden Eltern, wie im vorliegenden Fall, vom Familienschutz ausgeschlossen, deren Kind zwischen ihrer Asylantragstellung und der behördlichen Entscheidung (beziehungsweise der gerichtlichen, wenn gegen die Ablehnung des BAMF geklagt wurde) über diesen Antrag volljährig wurde. Eine lange Bearbeitungsdauer bei der Entscheidung über den Asylantrag der Eltern ging somit zulasten der Betroffenen. Diese Praxis wurde damit begründet, dass die nach § 26 III 1 Nr. 5 AsylG vorausgesetzte Personensorge nur bei Minderjährigkeit des Kindes gegeben sei.

Die BAMF-Praxis stand im Widerspruch zur eindeutigen Rechtsprechung der deutschen Verwaltungsgerichte. Diese hatten auf den Zeitpunkt des Familienschutzantrages der Angehörigen abgestellt.[7]

Inzwischen hat auch der EuGH in seiner Entscheidung in der Rechtssache SE entschieden, dass die BAMF-Praxis rechtswidrig ist.[8] Laut Gerichtshof können Eltern auch dann noch den Schutzstatus von ihrem Kind nach § 26 AsylG ableiten, wenn dieses bereits volljährig geworden ist.[9] Auch das BVerwG stellt entsprechend

---

7 Siehe asyl.net, Meldung vom 1.3.2018: Praxis des BAMF widerspricht Rechtsprechung zum Familienasyl; vgl. etwa VG Hamburg, Urt. v. 5.2.2014, Az.: 8 A 1236/12, asyl.net: M21829.
8 EuGH, Urt. v. 9.9.2021, Az.: C-768/19, asyl.net: M29994.
9 Ausführlich zum SE Urteil des EuGH und weiterer höchstgerichtlicher Rechtsprechung zum Familienschutz, siehe Hupke/Mantel, Asylmagazin 2022, S. 74ff.

Johanna Mantel

der EuGH-Vorgaben nunmehr auf den Zeitpunkt der Asylantragstellung der Eltern ab.[10] Daraufhin hat nun auch das BAMF seine Praxis geändert.[11]

O wird am 1. Januar 2022 volljährig, daher müssen seine Eltern ihren Asylantrag noch vor diesem Zeitpunkt stellen, damit die Voraussetzung der Minderjährigkeit ihres Kindes nach § 26 III 1 AsylG erfüllt ist.

Dabei ist es ausreichend, dass sie formlos um Asyl nachsuchen. Es ist nicht erforderlich, dass sie den Asylantrag nach Terminvergabe für die persönliche Vorsprache beim BAMF förmlich gestellt haben.[12]

Die Ledigkeit von O, die nach § 26 III 1 AsylG ebenfalls Voraussetzung für den Familienschutz ist, ist entsprechend der oben genannten höchstgerichtlichen Vorgaben auch zum Zeitpunkt der Asylantragstellung der Eltern zu prüfen.

Auch bezüglich der Personensorge, die nach § 26 III 1 Nr. 5 AsylG Voraussetzung für den Familienschutz ist, ist zum Zeitpunkt der Asylantragstellung der Eltern zu beurteilen. Auch dies ergibt sich aus den Entscheidungen des BVerwG und des EuGH.

II. Weitere Voraussetzungen für die Familienschutzgewährung

Entsprechend des Sachverhalts ist hier davon auszugehen, dass die Zuerkennung der **Flüchtlingseigenschaft** an O im Sinne des § 26 V 1 und 2 Atl. 1 i.V.m. III 1 Nr. 3 AsylG unanfechtbar ist. Vater und Mutter des O sind die Eltern des O im Sinne des Art. 2 lit. j Gedankenstrich 3 Alt. 1 Qualifikations-RL. Sie haben in Syrien, wo O flüchtlingsschutzrechtlich relevante Verfolgung droht, zusammengelebt.

Sie sind erst nach der Schutzzuerkennung an ihren Sohn eingereist und müssen daher ihren Asylantrag **unverzüglich** stellen, um die Voraussetzung des § 26 III 1 Nr. 3 Alt. 2 AsylG zu erfüllen. Das BAMF sieht beim Familienschutz einen Zeitraum von drei Monaten als unverzüglich an, zumindest wenn die Einreise im Rahmen des Familiennachzugs erfolgte (siehe Weiterführendes Wissen). Hier sollten die Eltern des O ihr Asylgesuch noch vor Eintritt seiner Volljährigkeit stellen (siehe oben I.). Der Sachverhalt enthält keine Anhaltspunkte dafür, dass die Schutzzuerkennung an O zu widerrufen oder zurückzunehmen ist, daher ist die Voraussetzung des § 26 III 1 Nr. 4 AsylG gegeben.

---

10 BVerwG, Urt. v. 25.11.2021, Az.: 1 C 4.21, asyl.net: M30314, ausführlich hierzu siehe Hupke/Mantel, Asylmagazin 2022, 74 (79).
11 Ausführlich hierzu siehe Hupke/Mantel, Asylmagazin 2022, 74 (77).
12 BVerwG, Urt. v. 25.11.2021, Az.: 1 C 4.21, Rn. 28, asyl.net: M30314; unter Bezug auf EuGH, Urt. v. 9.9.2021, Az.: C-768/19 Tz. 45 ff., asyl.net: M29994.

Johanna Mantel

Weiterführendes Wissen

Die Regelung zur unverzüglichen Antragstellung im AsylG bezieht sich auf das Asylgesuch nach § 13 AsylG. Unverzüglich ist eine Asylantragstellung, wenn sie entsprechend § 121 BGB ohne schuldhaftes Zögern erfolgt. Dafür ist grundsätzlich eine Frist von zwei Wochen (ab Einreise) zu Grunde zu legen. Ein späterer Asylantrag kann noch rechtzeitig angesehen werden, wenn besondere Umstände vorlagen, die eine rechtzeitige Antragstellung verhinderten. [...]

Besonderheiten gelten für Asylanträge von Familienmitgliedern, die durch **Familienzusammenführung** (das heißt mit Zustimmung der ABH und Visum) nach Deutschland gekommen sind. Grundsätzlich ist beim Familiennachzug eine Antragstellung nicht vorgesehen, da die ABH einen Aufenthaltstitel ausstellt. Wenn dennoch ein Antrag gestellt wird, kann Familienschutz ebenfalls nur bei unverzüglicher Antragstellung gewährt werden. In dieser Fallkonstellation ist jedoch erst von einem schuldhaften Zögern (das heißt keiner Unverzüglichkeit) und damit einer verspäteten Antragstellung auszugehen, wenn der Asylantrag nicht innerhalb von drei Monaten nach der Einreise gestellt wird.[13]

III. Wiederaufnahme der familiären Lebensgemeinschaft?

Fraglich ist, ob es für die Gewährung von **Familienschutz** erforderlich ist, dass die Eltern zusammen mit O in Deutschland wieder zusammenziehen. Im Sachverhalt ist angegeben, dass sie getrennt von ihrem Kind untergebracht sind.

Nach der Rechtsprechung des EuGH ist die **Wiederaufnahme des Familienlebens** im Aufnahmestaat keine Voraussetzung dafür, dass die betroffenen Personen unter den Begriff „Familienangehörige" nach Art. 2 lit. j Qualifikations-RL fallen.[14] Das BVerwG hatte dem EuGH diese Frage zur Entscheidung vorgelegt. Der EuGH befand, dass die Qualifikationsrichtlinie keine Anforderungen an die „Modalitäten der Ausübung" des Familienlebens stelle.

IV. Ergebnis

Die Eltern des O haben daher einen Anspruch auf Zuerkennung der Flüchtlingseigenschaft als Eltern eines minderjährigen ledigen Flüchtlings nach § 26 V 1 und 2 Alt. 1 i.V.m. III 1 AsylG.

---

13 Aus der Dienstanweisung Asyl des BAMF (DA-Asyl) vom 4.2.2022, unter Familienschutz, 1 (7).
14 EuGH, Urt. v. 9.9.2021, Az.: C-768/19 Tz. 53 ff., asyl.net: M29994.

Johanna Mantel

Weiterführende Literatur
- Hupke/Mantel, Rechtsprechungsübersicht: höchstgerichtliche Rechtsprechung zum Familienschutz für Angehörige von Schutzberechtigten, Asylmagazin 2022, 74
- Eichler, Arbeitshilfe zum Familienasyl, Paritätischer Gesamtverband, April 2018.
- Winzenried, Bedeutung des Familienschutzes beim Nachzug zu unbegleiteten Minderjährigen, Asylmagazin 2020, 111.

Johanna Mantel

Fall 41
Spurwechsel? Nicht so einfach!

Behandelte Themen: Aufenthaltserlaubnis während des Asylverfahrens, Aufenthaltserlaubnis nach erfolglosem Asylverfahren, Titelerteilungssperre, allgemeine Erteilungsvoraussetzungen, Spurwechsel

Schwierigkeitsgrad: Anfänger*innen

Sachverhalt

Die Asylsuchende A ist im Frühjahr 2018 nach Deutschland eingereist und hat einen Asylantrag gestellt, über den noch nicht abschließend entschieden worden ist. Seitdem verfügt A über eine Aufenthaltsgestattung. Im Oktober 2019 nimmt A eine Vollzeitbeschäftigung als Köchin auf. Eine einschlägige Berufsausbildung hatte sie bereits in ihrem Heimatland absolviert. Außerdem heiratet A im Juni 2020 den deutschen Staatsangehörigen D.

A fragt sich nun, ob ihr in Ansehung ihres Arbeitsplatzes oder ihrer Ehe mit D eine Aufenthaltserlaubnis unabhängig vom Ausgang des Asylverfahrens erteilt werden kann.

Fallfrage

Kann A während des noch andauernden Asylverfahrens eine Aufenthaltserlaubnis zum Zweck der Beschäftigung oder zum Zweck des Familiennachzugs erteilt werden?

Hinweis: Die allgemeinen Erteilungsvoraussetzungen des § 5 AufenthG und die besonderen Erteilungsvoraussetzungen der in Betracht kommenden Aufenthaltserlaubnisse sind nicht zu prüfen.

Abwandlung

Inzwischen wurde der Asylantrag der A unanfechtbar als unbegründet abgelehnt.

Kann A nach dem erfolglosen Asylverfahren eine Aufenthaltserlaubnis zum Zweck der Beschäftigung oder zum Zweck des Familiennachzugs erteilt werden?

Hinweis: Die allgemeinen Erteilungsvoraussetzungen des § 5 AufenthG und die besonderen Erteilungsvoraussetzungen der in Betracht kommenden Aufenthaltserlaubnisse sind nicht zu prüfen.

Lösungsvorschlag

Fraglich ist, ob A bereits während des noch andauernden Asylverfahrens eine **Aufenthaltserlaubnis** zum **Zweck der Beschäftigung** (§ 18a AufenthG) oder zum Zweck des Familiennachzugs (§ 28 I 1 Nr. 1 AufenthG) erteilt werden kann.

A. Erteilung eines Aufenthaltstitels während des Asylverfahrens (§ 10 I AufenthG)

Der Erteilung einer Aufenthaltserlaubnis an A **während eines laufenden Asylverfahrens** könnte die **Titelerteilungssperre** des § 10 I AufenthG entgegenstehen.

! **Hinweise zur Fallprüfung**

In der Beratung der Refugee Law Clinics sind häufig Fälle anzutreffen, in denen sich Ratsuchende nach aufenthaltsrechtlichen Alternativen zu einem laufenden oder (erfolglos) abgeschlossenen Asylverfahren erkundigen. In diesen Fällen ist immer an § 10 AufenthG zu denken!

§ 10 AufenthG regelt das Verhältnis von Asylantragstellung und Erteilung eines Aufenthaltstitels in verschiedenen Fällen. Der Zweck von § 10 AufenthG besteht darin, zu verhindern, dass Asylanträge missbräuchlich gestellt werden, um ohne Visumsverfahren nach Deutschland einzureisen und eine Aufenthaltserlaubnis zu erhalten.

Die Vorschrift des § 10 AufenthG regelt drei verschiedene Konstellationen:
- **Konstellation 1:** Erteilung eines Aufenthaltstitels während des Asylverfahrens
- **Konstellation 2:** Verlängerung eines Aufenthaltstitels ungeachtet der Asylantragstellung
- **Konstellation 3:** Erteilung eines Aufenthaltstitels nach abgelehntem oder zurückgenommenem Asylantrag

---

Nach § 10 I 1 AufenthG kann Asylsuchenden vor dem bestandskräftigen Abschluss des Asylverfahrens ein Aufenthaltstitel außer in den Fällen eines gesetzlichen Anspruchs nur mit Zustimmung der obersten Landesbehörde und nur dann erteilt werden, wenn wichtige Interessen der Bundesrepublik Deutschland es erfordern. Dies bedeutet, dass eine Aufenthaltserlaubnis jedenfalls dann während des Asylverfahrens erteilt werden kann, wenn ein gesetzlicher Anspruch auf die begehrte Aufenthaltserlaubnis besteht. Räumt die einschlägige Vorschrift den Betroffenen keinen solchen Rechtsanspruch ein, so ist die Erteilung einer Aufenthaltserlaubnis an Asylsuchende nur sehr eingeschränkt möglich.

Mithin kommt es entscheidend darauf an, ob A einen **gesetzlichen Anspruch** auf die Erteilung der begehrten Aufenthaltserlaubnis hat. Hierbei ist zwischen der in Betracht kommenden Aufenthaltserlaubnis als Fachkraft mit **Berufsausbildung** (§ 18a AufenthG) sowie der Aufenthaltserlaubnis zum **Ehegattennachzug zu Deutschen** (§ 28 I 1 Nr. 1 AufenthG) zu unterscheiden.

Julian Seidl

I. Erteilung einer Aufenthaltserlaubnis zum Zweck der Beschäftigung (Fachkraft mit Berufsausbildung, § 18a AufenthG)

Nach § 18a AufenthG *kann* einer Fachkraft mit Berufsausbildung eine Aufenthaltserlaubnis zur Ausübung einer qualifizierten Beschäftigung erteilt werden. § 18a AufenthG stellt damit die Erteilung der Aufenthaltserlaubnis in das Ermessen der Behörde.[1] Mithin besteht kein gesetzlicher Anspruch auf die Erteilung einer Aufenthaltserlaubnis nach § 18a AufenthG.

Weiterführendes Wissen

Ermessensreduzierung auf Null
Gesetzlicher Anspruch im Sinne des § 10 I AufenthG ist nur ein strikter Rechtsanspruch. Nach der Rechtsprechung des BVerwG wäre auch im Falle einer sogenannten Ermessensreduzierung auf Null zugunsten von A kein gesetzlicher Anspruch im Sinne der Vorschrift anzunehmen.[2]
   Die Titelerteilungssperre des § 10 I AufenthG steht der Erteilung einer Aufenthaltserlaubnis nach § 18a AufenthG an A entgegen. Die begehrte Aufenthaltserlaubnis als Fachkraft mit Berufsausbildung kann nach § 10 I AufenthG nur dann an A erteilt werden, wenn die oberste Landesbehörde zustimmt und wenn wichtige Interessen der Bundesrepublik Deutschland es erfordern. Dies ist in der Praxis überaus selten.

Weiterführendes Wissen

Allgemeine Erteilungsvoraussetzungen
Oftmals führt das Nichtvorliegen einer oder mehrerer der **allgemeinen Erteilungsvoraussetzungen** nach § 5 AufenthG dazu, dass kein gesetzlicher Anspruch auf die Erteilung einer Aufenthaltserlaubnis besteht. Besonders praxisrelevant sind hier die Sicherung des Lebensunterhalts (§ 5 I Nr. 1 AufenthG), das Nichtvorliegen eines Ausweisungsinteresses (§ 5 I Nr. 2 AufenthG) sowie die Einreise mit dem erforderlichen Visum (§ 5 II AufenthG). Häufig wird unterschätzt, wie „schnell" mitunter ein Ausweisungsinteresse in der Behördenpraxis angenommen wird. Bestanden etwa vor der Asylantragsstellung längere Zeiten des unrechtmäßigen Aufenthalts, könnte unter Umständen ein Ausweisungsinteresse nach § 54 II Nr. 9 AufenthG einschlägig sein, sodass die allgemeine Erteilungsvoraussetzung des § 5 I Nr. 2 AufenthG nicht gegeben wäre.

II. Erteilung einer Aufenthaltserlaubnis zum Familiennachzug (Ehegattennachzug zu Deutschen, § 28 I 1 Nr. 1 AufenthG)

Nach § 28 I 1 Nr. 1 AufenthG *ist* dem ausländischen Ehegatten eines Deutschen die Aufenthaltserlaubnis *zu erteilen*, wenn der Deutsche seinen gewöhnlichen Aufent-

---

1 Siehe ausführlich zum behördlichen Ermessen Benrath, in: Eisentraut, Verwaltungsrecht in der Klausur, § 2 Rn. 729 ff.
2 Vgl. BVerwG, Urt. v. 16.12.2008, Az.: 1 C 37/07, LS 3, Rn. 21 = BVerwGE 132, 382.

halt im Bundesgebiet hat. Die Vorschrift des § 28 I 1 Nr. 1 AufenthG formuliert einen Anspruch auf die Aufenthaltserlaubnis für Ehegatten.

Sofern A alle besonderen Erteilungsvoraussetzungen der Aufenthaltserlaubnis nach § 28 I 1 Nr. 1 AufenthG sowie die allgemeinen Erteilungsvoraussetzungen des § 5 AufenthG erfüllt, hat sie einen gesetzlichen Anspruch auf die Aufenthaltserlaubnis zum Ehegattennachzug. Im Falle eines solchen gesetzlichen Anspruchs steht die Titelerteilungssperre des § 10 I AufenthG der Erteilung einer Aufenthaltserlaubnis an A nicht entgegen.

ℹ Weiterführendes Wissen

Gesetzlicher Anspruch und Visumserfordernis
Der von § 10 I AufenthG erfasste Personenkreis von Betroffenen, die zuvor einen Asylantrag gestellt haben, ist in aller Regel nicht mit dem nach § 5 II AufenthG erforderlichen Visum in das Bundesgebiet eingereist. Die in § 10 I AufenthG vorgesehene Ausnahme von der Titelerteilungssperre in den Fällen eines gesetzlichen Anspruchs würde aber faktisch leerlaufen, wenn das fehlende Visum den gesetzlichen Anspruch entfallen ließe. Einen solchen Widerspruch verhindert § 39 S. 1 Nr. 4 AufenthV. Nach § 39 S. 1 Nr. 4 AufenthV können Inhaber*innen einer Aufenthaltsgestattung unter den Voraussetzungen des § 10 I oder II AufenthG einen Aufenthaltstitel im Bundesgebiet einholen.

B. Erteilung eines Aufenthaltstitels nach unanfechtbarer Ablehnung des Asylantrags (§ 10 III AufenthG)

Der Erteilung einer Aufenthaltserlaubnis an A nach unanfechtbarer Ablehnung ihres Asylantrags könnte die Titelerteilungssperre des § 10 III AufenthG entgegenstehen.

Nach § 10 III 1 AufenthG darf Betroffenen, deren Asylantrag unanfechtbar abgelehnt worden ist oder die ihren Asylantrag zurückgenommen haben, vor der Ausreise nur ein Aufenthaltstitel aus völkerrechtlichen, humanitären oder politischen Gründen (§§ 22–26 AufenthG) erteilt werden. Im Falle eines Anspruchs auf Erteilung eines Aufenthaltstitels findet diese Einschränkung hingegen keine Anwendung (§ 10 III 3 Hs. 1 AufenthG).

ℹ Weiterführendes Wissen

Die Regelung des § 10 III AufenthG verfolgt das Ziel, einen **„Spurwechsel"** nach Rücknahme oder Ablehnung des Asylantrags zu einem Aufenthaltsrecht aus anderen Gründen zu erschweren beziehungsweise vollständig auszuschließen.[3] Ein solcher „Spurwechsel" ist **abgelehnten Asylsuchenden** nur noch dann

---

3 Dienelt, in: Bergmann/Dienelt, AufenthG, 13. Aufl. 2020, § 10 Rn. 23.

Julian Seidl

möglich, wenn sie einen Aufenthaltstitel aus völkerrechtlichen, humanitären oder politischen Gründen (§§ 22–26 AufenthG) begehren oder einen Anspruch auf Erteilung eines Aufenthaltstitels haben.

Im Rahmen der erstgenannten Konstellation (Erteilung eines Aufenthaltstitels aus völkerrechtlichen, humanitären oder politischen Gründen) ist insbesondere an die Vorschriften des § 25 V AufenthG[4], des § 25a AufenthG (Aufenthaltsgewährung bei gut integrierten Jugendlichen und Heranwachsenden)[5] und des § 25b AufenthG (Aufenthaltsgewährung bei nachhaltiger Integration)[6] zu denken. Für die zweite Konstellation (Anspruch auf den Aufenthaltstitel) gilt ebenso wie bei § 10 I AufenthG, dass ein strikter Rechtsanspruch (keine Ermessensreduzierung auf Null) gegeben sein muss.[7]

In den Fällen einer Ablehnung des Asylantrags als **offensichtlich unbegründet** nach § 30 III Nr. 1–6 AsylG sind die Möglichkeiten eines „Spurwechsels" nach § 10 III 2 noch weiter eingeschränkt. Hier kann ein Aufenthaltstitel nur in den Fällen eines Anspruchs oder nach § 25 III AufenthG erteilt werden, also wenn ein Abschiebungsverbot nach § 60 V, VII AufenthG festgestellt wurde. Daneben können einzelne Aufenthaltserlaubnisse abweichend von § 10 III 2 AufenthG erteilt werden (vgl. §§ 19d III, 25a IV, 25b V 2 AufenthG).

Im Falle von A kommt kein Aufenthaltstitel aus völkerrechtlichen, humanitären oder politischen Gründen in Betracht, sondern eine Aufenthaltserlaubnis zum Zweck der Beschäftigung (§ 18a AufenthG) oder zum Zweck des Familiennachzugs (§ 28 I 1 Nr. 1 AufenthG). Ein solcher „**Spurwechsel**" ist A nur dann möglich, wenn sie einen Anspruch auf die begehrte Aufenthaltserlaubnis hat (§ 10 III 3 Hs. 1 AufenthG).

Hinsichtlich der von A begehrten Aufenthaltserlaubnis nach § 18a AufenthG besteht kein solcher Anspruch. § 18a AufenthG stellt die Erteilung der Aufenthaltserlaubnis in das Ermessen der Behörde.[8] Insoweit ergeben sich keine Abweichungen zum Ausgangsfall.

Die Vorschrift des § 28 I 1 Nr. 1 AufenthG ist hingegen als gesetzlicher Anspruch formuliert. Sofern A alle besonderen Erteilungsvoraussetzungen der Aufenthaltserlaubnis nach § 28 I 1 Nr. 1 AufenthG sowie die allgemeinen Erteilungsvoraussetzungen des § 5 AufenthG erfüllt, hat sie einen Anspruch auf die Aufenthaltserlaubnis zum Ehegattennachzug. Die Titelerteilungssperre des § 10 III 1 AufenthG steht der Erteilung einer Aufenthaltserlaubnis nach § 28 I 1 Nr. 1 AufenthG nicht entgegen (§ 10 III 3 Hs. 1 AufenthG).

---

4 Siehe zur Erteilung eines Aufenthaltstitels nach § 25 V AufenthG Schwander, *47) Drohende Abschiebung trotz Betreuung?* in diesem Fallbuch.
5 Siehe zur Erteilung eines Aufenthaltstitels nach § 25a AufenthG Hinder/Nachtigall, *45) Auszubildend – und gut integriert?* in diesem Fallbuch.
6 Siehe zur Erteilung eines Aufenthaltstitels nach § 25b AufenthG Hinder/Holzhauer, *46) Geduldet – und gut integriert?* in diesem Fallbuch.
7 BVerwG, Urt. v. 16.12.2008, Az.: 1 C 37/07, LS 3, Rn. 21 = BVerwGE 132, 382.
8 Siehe ausführlich zum behördlichen Ermessen Benrath, in: Eisentraut, Verwaltungsrecht in der Klausur, § 2 Rn. 729 ff.

Julian Seidl

> **ℹ Weiterführendes Wissen**
>
> **Gesetzlicher Anspruch und Visumserfordernis**
> Ähnlich wie bei § 10 I AufenthG stellt sich auch bei § 10 III AufenthG das Problem, dass die Betroffenen in aller Regel nicht mit dem nach § 5 II AufenthG erforderlichen Visum in das Bundesgebiet eingereist sind. Die in § 10 III 3 Hs. 1 AufenthG vorgesehene Ausnahme von der Titelerteilungssperre in den Fällen eines Anspruchs würde aber faktisch leerlaufen, wenn das fehlende Visum den Anspruch entfallen ließe. Ein solcher Widerspruch lässt sich nach § 39 1 Nr. 5 AufenthV jedenfalls dann vermeiden, wenn ein Anspruch auf eine Aufenthaltserlaubnis infolge der Eheschließung oder der Geburt eines Kindes während des geduldeten Aufenthalts in Deutschland erworben wurde. Hierbei ist die Formulierung des „gesetzlichen Anspruchs" in § 39 1 Nr. 5 AufenthV richtigerweise so zu verstehen, dass die Vorschrift ihrerseits das Vorliegen aller Erteilungsvoraussetzungen mit Ausnahme des Visumserfordernisses und der Titelerteilungssperre nach § 10 III 1 AufenthG voraussetzt.[9]

Weiterführende Literatur
- Maier-Borst, Zu strikt beim „strikten Anspruch"? Anmerkungen zur Erteilung eines Aufenthaltstitels nach Abschnitt 6 des Aufenthaltsgesetzes, ZAR 2013, 67

Zusammenfassung: Die wichtigsten Punkte
- Haben Betroffene einen Asylantrag gestellt und begehren nun die Erteilung eines Aufenthaltstitels, ist an die Titelerteilungssperre des § 10 AufenthG zu denken.
- Die Vorschrift des § 10 AufenthG regelt das Verhältnis von Aufenthaltsrechtsgewährung und Asylantragstellung in drei verschiedenen Konstellationen:
  1. Erteilung eines Aufenthaltstitels während des Asylverfahrens
  2. Verlängerung eines Aufenthaltstitels ungeachtet der Asylantragstellung
  3. Erteilung eines Aufenthaltstitels nach abgelehntem oder zurückgenommenem Asylantrag
- Ein „Spurwechsel" nach Ablehnung des Asylantrags ist aufgrund der Titelerteilungssperre des § 10 III 1 AufenthG nur sehr eingeschränkt möglich.
- Gesetzlicher Anspruch im Sinne des § 10 I, III 3 Hs. 1 ist nur ein strikter Rechtsanspruch. Eine Ermessensreduzierung auf Null genügt nicht.

Dieser Fall darf gerne kommentiert, verändert und beliebig genutzt werden. Die Anleitung hierfür lässt sich über den abgebildete QR-Code mit der Smartphone-Kamera auf unserer Homepage aufrufen.

---

9 Vgl. hierzu mit Kritik an einer zu restriktiven Verwaltungspraxis: Maier-Borst, ZAR 2013, 67 ff.

Julian Seidl

Fall 42
Explosion im Hafen von Beirut

Behandelte Themen: Einreise über den Luftweg, Einreiseverweigerung, Flughafen-verfahren, Dublin-III-VO, Eurodac-Datenbank, Mitwirkungspflichten

Schwierigkeitsgrad: Fortgeschrittene

Sachverhalt

S ist libanesische Staatsangehörige arabischer Volks- und sunnitischer Glaubens-zugehörigkeit. Sie reiste auf dem Landweg in die Bundesrepublik Deutschland ein und stellte 2019 einen Asylantrag.

Diesen lehnte das Bundesamt für Migration und Flüchtlinge (BAMF), das zu die-sem Zeitpunkt von der libyschen Staatsangehörigkeit der S ausging, mit Bescheid vom 14.1.2020 ab. Mit Bescheid vom 26.5.2020 stellte das BAMF, nachdem S ihre liba-nesische Staatsangehörigkeit durch Vorlage eines libanesischen Zivilregisterauszugs nachgewiesen hatte, fest, dass hinsichtlich des Libanons Abschiebungsverbote nicht vorliegen und drohte unter Fristsetzung von 30 Tagen die Abschiebung in den Libanon an. Von S hiergegen eingelegte Rechtsmittel waren erfolglos.

Nach Ablauf der Frist zur freiwilligen Ausreise forderte die Ausländerbehörde S anschließend mittels Verfügung vom 2.9.2020 dazu auf:
1. bis zum 2.10.2020 einen gültigen Pass oder Passersatz vorzulegen.
2. Für den Fall, dass S ein solches Dokument nicht besitze, forderte die Ausländer-behörde sie zur Beantragung eines Passes oder Passersatzpapieres bei der liba-nesischen Botschaft in Berlin oder der Vertretung des Staates, der zu ihrer Rücknahme verpflichtet sei, auf, und hierüber bis zum 1.11.2020 einen Nach-weis vorzulegen.
3. Für den Fall, dass S dieser Ordnungsverfügung keine Folge leistet, drohte die Aus-länderbehörde die zwangsweise Vorführung vor die libanesische Botschaft an.

Zur Begründung führte die Ausländerbehörde aus, dass S vollziehbar ausreise-pflichtig sei und gemäß § 3 I 1 AufenthG der Passpflicht unterliege. Nach § 48 I 1 Auf-enthG sei sie zudem verpflichtet, auf Verlangen ihren Pass oder Passersatz vorzule-gen und nach § 48 III AufenthG im Falle des Nichtbesitzes eines solchen Dokuments an dessen Beschaffung mitzuwirken. Die Androhung unmittelbaren Zwanges sei angemessen, da eine Ersatzvornahme nicht in Betracht komme und die Verhängung eines Zwangsgeldes nicht erfolgversprechend sei.

S beschließt am 5.1.2021 gegen diese Verfügung Klage vor dem Verwaltungsgericht zu erheben. Zur Begründung führt die Anwältin von S aus, dass eine Abschiebung in den Libanon jedenfalls auf absehbare Zeit aus humanitären Gründen nicht zulässig sei. Die ohnehin schlechte humanitäre Lage habe sich mit der Explosion im Hafen von Beirut am 4.8.2020 nochmals dramatisch verschlechtert, sodass S bei einer Rückkehr in den Libanon weder über Arbeit oder Unterkunft noch finanzielle Mittel zur Deckung ihres Lebensunterhalts verfüge. Die Anwältin der S beantragt,

1. die Ordnungsverfügung der Beklagten aufzuheben;
2. festzustellen, dass Abschiebungshindernisse betreffend S für eine Abschiebung in den Libanon vorliegen.

Die Ausländerbehörde beantragt, die Klage abzuweisen. Zur Begründung führt der Beklagte aus, dass er für die Prüfung zielstaatsbezogener Abschiebungshindernisse bereits nicht zuständig sei, zudem sei das Asylverfahren rechtskräftig abgeschlossen. An der Rechtmäßigkeit der Ordnungsverfügung bestünden keine Zweifel. Bereits mit Klageeingangsbestätigung hat das Gericht S darauf hingewiesen, dass der Klageantrag zu 2. unzulässig sein dürfte, da die Feststellung von Abschiebungsverboten nicht Gegenstand der angefochtenen Ordnungsverfügung sei.

Fallfrage

Hat die Klage der S gegen die Verfügung der Ausländerbehörde Aussicht auf Erfolg?

Bearbeitungshinweis:
Hinsichtlich der vollstreckungsrechtlichen Regelungen ist das Verwaltungsvollstreckungsgesetz des Bundes (VwVG) zugrunde zu legen.

Lösungsvorschlag

Damit die Klage der S Aussicht auf Erfolg hat, müsste sie zulässig und begründet sein.

A. Zulässigkeit

Die Klage der S müsste zunächst zulässig sein.[1]

Der zweite Antrag der S auf Feststellung eines Abschiebungsverbotes in den Libanon ist mangels richtigem Beklagten unzulässig.[2] Für die Feststellung von zielstaatsbezogenen Abschiebungshindernissen nach § 60 V und VII 1 AufenthG, die nicht Gegenstand der angefochtenen Ordnungsverfügung waren, ist nicht die Ausländerbehörde, sondern das BAMF zuständig.[3]

---

i **Weiterführendes Wissen**

Sofern S von der Unzulässigkeit der Abschiebung wegen der humanitären Bedingungen im Libanon ausgeht, wobei sie sich auf Umstände beruft, die nach der rechtskräftigen Ablehnung ihres Asylantrags eingetreten sind, insbesondere die Explosion im Hafen von Beirut, wären diese zielstaatsbezogenen Abschiebungshindernisse vom BAMF im Rahmen eines **Wiederaufgreifensantrags** nach § 51 VwVfG zu prüfen.[4] Die Ausländerbehörde ist für die Prüfung von Abschiebungsverboten insoweit nicht zuständig und an die rechtskräftige Entscheidung des Bundesamtes gebunden.[5]

Die Klage ist hinsichtlich des ersten Antrags der S als Anfechtungsklage nach § 42 I Alt. 1 VwGO statthaft und auch im Übrigen zulässig.[6]

Insbesondere besteht auch nach Ablauf der festgesetzten Frist zur Passbeschaffung noch ein Rechtsschutzbedürfnis, da die Pflicht zur Vorlage des Passes oder Passersatzes beziehungsweise eines entsprechenden Antrags bei der zuständigen

---

1 Siehe ausführlich zur Zulässigkeit einer Anfechtungsklage Eisentraut, in: Eisentraut, Verwaltungsrecht in der Klausur, § 1 Rn. 1ff. sowie Burbach, in: Eisentraut, Verwaltungsrecht in der Klausur, § 2 Rn. 281ff.
2 Zum richtigen Klagegegner als Zulässigkeitsvoraussetzung der verwaltungsrechtlichen Klage Creemers, in: Eisentraut, Verwaltungsrecht in der Klausur, § 2 Rn. 412f.
3 Zu zielstaatsbezogenen Abschiebehindernissen siehe Schwander, *47) Drohende Abschiebung trotz Betreuung?*, A. in diesem Fallbuch.
4 Dicken, in: Kluth/Heusch, BeckOK AuslR, 32. Ed. 1.1.2022, AsylG § 71 Rn. 40ff.
5 Dollinger, in: Bergmann/Dienelt, Ausländerrecht, 13. Aufl. 2020, § 60 Rn. 110.
6 Siehe zum Prüfungsschema der Anfechtungsklage Eisentraut, in: Eisentraut, Verwaltungsrecht in der Klausur, § 2 Rn. 1.

Auslandsvertretung weiterhin besteht,[7] zumal jedenfalls das angedrohte Zwangsmittel weiterhin aufgrund der angefochtenen Verfügung angewendet werden könnte.

B. Begründetheit

I. Ziffer 1. (Vorlage Pass oder Passersatz) und Ziffer 2. (Vorlage eines entsprechenden Antrags bei der Botschaft)

Die Anfechtungsklage der S ist begründet, wenn der angefochtene Verwaltungsakt, also vorliegend die Verfügung der Ausländerbehörde, rechtswidrig ist und die S in ihren Rechten verletzt.[8]

Die Ermächtigungsgrundlagen, auf die sich die Ausländerbehörde in ihrer Verfügung stützt, sind § 48 I 1 und III AufenthG.

Weiterführendes Wissen

Während die Ausländerbehörde im vorliegenden Fall ihre Verfügung auf die **Mitwirkungspflichten** aus § 48 I 1 und III AufenthG stützt, ist in der Praxis umstritten, ob derartige Passverfügungen nach Abschluss des Asylverfahrens auf Mitwirkungspflichten aus dem AsylG (vorliegend wäre das Pendant § 16 II Nr. 4 und 6 AsylG) gestützt werden können.[9] Einer Meinung nach enden mit rechtskräftigem Abschluss des Asylverfahrens diese asylrechtlichen Mitwirkungspflichten, sodass lediglich die – weitgehend inhaltlich übereinstimmenden – migrationsrechtlichen Mitwirkungspflichten des AufenthG herangezogen werden können. Der Gegenmeinung zufolge gelten die asylrechtlichen Mitwirkungspflichten auch nach dem Abschluss des Asylverfahrens fort, wobei sich dann die Streitfrage anschließt, ob die migrationsrechtlichen oder die asylrechtlichen Mitwirkungspflichten spezieller (a so leges speciales) sind, oder ob die Pflichten nebeneinander bestehen. Das BVerwG hat die Frage, ob gegebenenfalls Art. 13 I Asylverfahrens-RL asylrechtliche Mitwirkungspflichten zeitlich bis zum Abschluss des Asylverfahrens begrenzt, in einem Urteil von 2021 ausdrücklich offengelassen.[10] Da die Ausländerbehörde die Verfügung vorliegend auf die Mitwirkungspflichten aus dem AufenthG stützt, muss der Streit hier nicht entschieden werden.

Gemäß § 48 I 1 Nr. 1 AufenthG ist eine ausländische Person verpflichtet, ihren Pass, **Passersatz** oder Ausweisersatz auf Verlangen den mit dem Vollzug des Ausländerrechts betrauten Behörden vorzulegen, auszuhändigen und vorübergehend zu überlassen, soweit dies zur Durchführung oder Sicherung von Maßnahmen nach

---

7 Vgl. VG Greifswald, Urt. v. 17.10.2018, Az.: 6 A 2244/17 As HGW, Rn. 18.

8 Siehe hierzu und zur Begründetheitsprüfung im Allgemeinen Kowalczyk, in: Eisentraut, Verwaltungsrecht in der Klausur, § 2 Rn. 508ff.

9 Zum Streitstand ausführlich Houben, in: Kluth/Heusch, BeckOK AuslR, 32. Ed. 1.1.2022, AsylG § 15 Rn. 18ff.

10 BVerwG, Urt. v. 16.2.2021, Az.: 1 C 29.20, Rn 20f.

Natalie Tsomaia

diesem Gesetz erforderlich ist. Gemäß § 48 III 1 AufenthG ist eine ausländische Person, die keinen gültigen Pass oder Passersatz besitzt, verpflichtet, an der Beschaffung des Identitätspapiers mitzuwirken sowie alle Urkunden oder sonstige Unterlagen, die für die **Feststellung der Staatsangehörigkeit oder Identität** von Bedeutung sein können, vorzulegen. Die Vorlage des Passes oder Passersatzes der S müsste also zur Durchführung oder Sicherung von Maßnahmen nach diesem Gesetz erforderlich sein.

Begrenzt wird die den Betroffenen im Einzelfall abverlangte Mitwirkungspflicht durch die **Zumutbarkeit** und Notwendigkeit der Mitwirkungspflicht unter Berücksichtigung aller Umstände des Einzelfalles.[11]

ℹ️ Weiterführendes Wissen

Während in § 3 I AufenthG eine **allgemeine Passpflicht** normiert ist, enthält § 48 III AufenthG Mitwirkungspflichten zur Identitätsklärung beziehungsweise Passbeschaffung. § 56 I AufenthV konkretisiert die ausweisrechtlichen Pflichten und § 5 II AufenthV konkretisiert, welche Handlungen zumutbar sind. Kann ein Pass nicht zumutbar erlangt werden, so kann die Ausländerbehörde gemäß § 48 II AufenthG ein Ausweisersatz ausstellen, wodurch der Passpflicht genügt wird. Ist die Beschaffung eines anerkannten Passes oder Passersatzes nicht zumutbar, kann die Behörde zur Klärung der Identität die Beschaffung von Identitätspapieren verlangen (§ 48 III 1 AufenthG). Hierbei handelt es sich um Urkunden und Dokumente, die dazu geeignet sind, die Ausländerbehörde zur Geltendmachung und Durchsetzung der Rückführungsmöglichkeit zu unterstützen – unabhängig von der ausstellenden Stelle.[12] Neben amtlichen Dokumenten aus dem Herkunftsstaat, denen biometrische Angaben und Merkmale zur Person entnommen werden können, können auch amtliche Dokumente ohne biometrische Daten zur Identifizierung der betroffenen Person herangezogen werden.[13]

Vorliegend ist S gemäß § 58 II 2 AufenthG vollziehbar ausreisepflichtig, da ihr **Asylantrag rechtskräftig abgelehnt** wurde. Da S ihrer **Ausreisepflicht** gemäß § 50 AufenthG bislang nicht nachgekommen ist, und die Frist zur freiwilligen Ausreise abgelaufen ist, ist sie nach § 58 I 1 AufenthG abzuschieben, wofür jedoch ein Pass oder Passersatzdokument ihres Heimatstaates notwendig ist. S hat während des Asylverfahrens bislang keinen Pass oder Passersatz, und zur Identifikation lediglich einen Zivilregisterauszug in Kopie vorgelegt. Es ist daher zum Zwecke der Abschiebung erforderlich, dass S ihren Pass vorlegt.

---

11 OVG BB, Urt. v. 14.9.2010, Az.: OVG 3 B 2.08, Rn. 34, asyl.net: M17806; BVerwG, Beschluss v. 10.3.2009, Az.: 1 B 4/09, Rn. 6 – juris; siehe zur Zumutbarkeit ausführlich Wasnick, *31) Taraneh will reisen* in diesem Fallbuch und Wasnick, *33) Gekommen um zu bleiben* in diesem Fallbuch.
12 Hruschka, in: Kluth/Heusch, BeckOK AuslR, 32. Ed. 1.1.2022, AufenthG § 48 Rn. 33.
13 Diesen kommt allerdings ein geringerer Beweiswert zu als Dokumenten ohne biometrischen Merkmale, BVerwG, 23.9.2020, Az.: 1 C 36.19, Rn. 19.

Natalie Tsomaia

Weiterführendes Wissen

Mit der **Abschiebung** wird eine gesetzliche Handlungspflicht und nicht Vollstreckung eines Verwaltungsakts durchgesetzt.[14] § 58 II AufenthG legt fest, wann die Ausreisepflicht vollziehbar ist. Vollziehbar ist die Ausreisepflicht dann, wenn sie mit Mitteln des Verwaltungszwangs vollstreckt werden kann. Die Vollziehbarkeit einer Ausreisepflicht nach § 58 II 1 AufenthG ist bereits bei ihrer Entstehung gegeben.[15] Im Falle des § 58 II 2 AufenthG ist die Ausreise erst nach der Unanfechtbarkeit oder sofortigen Vollziehbarkeit des Verwaltungsakts vollziehbar.[16]

Die Tatbestandsvoraussetzungen von § 48 I 1 Nr. 1, III 1 AufenthG sind somit erfüllt. Sonstige Rechtswidrigkeitsgründe bestehen nicht, insbesondere ist weder vorgetragen noch sonst ersichtlich, dass die in Ziffer 1 und 2 der Ordnungsverfügung vom 2.9.2020 angeordneten Mitwirkungshandlungen unzumutbar oder von vornherein aussichtslos wären. Dem Umstand, dass die Vorlage entsprechender Passersatzdokumente neben der Mitwirkung der Klägerin auch von den libanesischen Behörden abhängt, hat die Ausländerbehörde mit Ziffer 2 der Ordnungsverfügung vom 2.9.2020 hinreichend Rechnung getragen, indem sie die S lediglich zur Beantragung eines entsprechenden Dokuments verpflichtete und als Nachweis die Vorlage des bearbeitungsfähigen Antrages verlangte.

Weiterführendes Wissen

Die Ausländerbehörde ist befugt, die Mitwirkung an der Passbeschaffung gemäß § 48 III AufenthG zu verlangen. Ihre Kompetenzen einschließlich der erforderlichen Zwangsanwendung leiten sich aus § 82 IV und § 48 III AufenthG ab. Aufgrund der Zuständigkeit der Ausländerbehörde, die Passbeschaffungsanordnung zur Durchsetzung der Ausreisepflicht zu erlassen, stützt sie diese Maßnahme auf § 82 IV 1 AufenthG.[17] Die Mitwirkungspflicht darf aber nicht als sofortige Mitwirkung, sondern als ein Tätigwerden ohne schuldhaftes Zögern nach § 121 BGB verstanden werden. Demzufolge stellt die bestimmte Frist einen Anhaltspunkt dar und darf nicht absolut wirken.[18] Diese Pflicht muss dem Verhältnismäßigkeitsgrundsatz entsprechen und dem Betroffenen die Gelegenheit geben, der Anordnung freiwillig Folge zu leisten. Nur wenn ersichtlich ist, dass die asylsuchende Person die Vertretung des vermutlichen Heimatstaates nach § 82 IV 1 AufenthG nicht aufsucht und der Aufforderung keine Folge leistet, ist eine zwangsweise Durchsetzung nach § 82 II 2 AufenthG möglich. Im Falle einer ausreisepflichtigen Person ergibt sich die Pflicht zur Mitwirkung an der Beschaffung eines Rückreisedokuments aus 48 III und 49 II AufenthG. Insofern legt der Gesetzgeber hier ein Bündel an Rechtsnormen zur Erlangung von Rückreisedokumenten fest und erlegt den Betroffenen die Pflicht auf, das bestehende Ausreisehindernis nach ihren Möglichkeiten zu beseitigen, wobei hier auch Eigeninitiative gefragt ist, um die erforderliche Schritte in

14 VGH BW, Beschl. v. 20.6.2016, Az.: 11 S 914/16, Rn. 5.
15 Hoppe, in: Dörig, Handbuch Migrations- und Integrationsrecht, 2. Aufl., 2020, § 8, Rn. 29.
16 Hoppe, in: Dörig, Handbuch Migrations- und Integrationsrecht, 2. Aufl., 2020, § 8, Rn. 30.
17 Marx, Ausländer- und Asylrecht, 4. Aufl., 2021, § 11 Rn. 26.
18 Samel, in: Bergmann/Dienelt, Ausländerrecht, 13. Aufl., 2020, § 82, Rn. 12.

die Wege zu leiten.[19] Neben dem Aufsuchen der Auslandsvertretung des Heimatlandes erfasst die Mitwirkungspflicht eine Kontaktaufnahme mit Dritten, etwa einem*einer Rechtsanwält*in, zwecks Beschaffung von Identitätsnachweisen.

II. Ziffer 3 (Androhung unmittelbaren Zwangs)

Fraglich ist, ob auch die Androhung der zwangsweisen Vorführung bei der libanesischen Botschaft gemäß Ziffer 3 der Verfügung rechtmäßig ist. Bei dieser Verfügung handelt es sich um die Androhung unmittelbaren Zwangs, einer Maßnahme des **Verwaltungszwangs** im Rahmen des Verwaltungsvollstreckungsrechts.[20]

Ermächtigungsgrundlage für die Androhung der zwangsweisen Vorführung sind §§ 6 I, 9 I lit. c, 12, 13 Verwaltungsvollstreckungsgesetz (VwVG) – da laut Bearbeitungshinweis das VwVG des Bundes zugrunde zu legen ist. Gemäß § 6 I VwVG kann ein Verwaltungsakt, der auf die Vornahme einer Handlung gerichtet ist, mit dem Zwangsmittel des unmittelbaren Zwangs durchgesetzt werden, wenn er unanfechtbar ist oder wenn sein sofortiger Vollzug angeordnet oder wenn dem Rechtsmittel keine aufschiebende Wirkung beigelegt ist. Gemäß § 12 VwVG kann die Vollzugsbehörde den Pflichtigen zur Handlung, Duldung oder Unterlassung zwingen oder die Handlung selbst vornehmen, wenn die Ersatzvornahme oder das Zwangsgeld nicht zum Ziel führen oder sie untunlich sind. Das Zwangsmittel muss gemäß § 13 I VwVG zunächst schriftlich angedroht werden, wobei für die Erfüllung der Verpflichtung eine Frist zu bestimmen ist, innerhalb derer der Vollzug dem Pflichtigen billigerweise zugemutet werden kann.

Da der **unmittelbare Zwang** gemäß § 12 VwVG nachrangig ist, müssten also die Ersatzvornahme (§ 10 VwVG) und das Zwangsgeld (§ 11 VwVG) ausscheiden. Die Ersatzvornahme gemäß § 10 VwVG ist vorliegend untunlich, da es sich bei der Beantragung eines Passes bei der libanesischen Botschaft um eine Handlung handelt, deren Vornahme nicht durch eine andere Person möglich ist. Es liegt demnach keine vertretbare Handlung im Sinne des § 10 VwVG vor.

Im vorliegenden Fall ist jedoch nicht ersichtlich, weshalb die Verhängung eines **Zwangsgeldes** gemäß § 12 VwVG ungeeignet sein sollte, die Klägerin zur Befolgung der ihr gegenüber ausgesprochenen Aufforderungen zu veranlassen. Zwar ist die Klägerin ihrer Ausreisepflicht bisher nicht nachgekommen. Daraus folgt jedoch nicht, dass die Klägerin ihrer Ausreisepflicht auch unter Androhung eines Zwangsgeldes nicht nachkommen würde und dies zu einer nicht hinnehmbaren Verzö-

---

19 Winkelmann/Wunderle, in: Bergmann/Dienelt, Ausländerrecht, 13. Aufl., 2020, § 48, Rn. 6.
20 Eine Einführung in das Verwaltungsvollstreckungsrecht findet sich bei Ilal, in: Eisentraut, Verwaltungsrecht in der Klausur, § 2 Rn. 1293 ff.

gerung der Vollstreckung führen würde. Es kann daher nicht darauf geschlossen werden, dass die Androhung des Zwangsgeldes vorliegend nicht zum Ziel führen würde. Insoweit hätte es im Rahmen der Ausübung des der Beklagten zustehenden Ermessens jedenfalls einer nachvollziehbaren Begründung (vgl. § 39 I VwVfG) bedurft, warum eine Verhängung von Zwangsgeld mangelnde Erfolgsaussichten haben sollte und warum unter diesem Gesichtspunkt die Dauer des Vollstreckungsverfahrens nicht hinnehmbar sei, die die Ausländerbehörde im angefochtenen Bescheid jedoch in Gänze schuldig bleibt.[21]

Da die Androhung eines Zwangsmittels nach dem Gesagten also zum Ziel hätte führen können, ist die Androhung des unmittelbaren Zwangs gemäß § 12 VwVG rechtswidrig. Vor diesem Hintergrund unterliegt Ziffer 3. des angefochtenen Bescheids der Aufhebung.

Hinweise zur Fallprüfung　　!

Die Androhung unmittelbaren Zwangs könnte man hier auch als rechtmäßig ansehen.

C. Ergebnis

Die Klage wird im Klageantrag zu 1. hinsichtlich der begehrten Aufhebung der Verfügung ohne Erfolg bleiben, soweit sie sich gegen die Verfügungspunkte zu 1. und 2. richtet. Hinsichtlich der Zwangsmittelandrohung (Verfügungspunkt 3.) hat die Klage hingegen Aussicht auf Erfolg.

Auch der Klageantrag zu 2. wird erfolglos bleiben, da er mangels richtigem Klagegegner schon unzulässig ist. Festzuhalten ist, dass der Anspruch auf Prüfung von Abschiebungsverboten nach § 60 V, VII AufenthG nicht an die Ausländerbehörde gerichtet werden kann. Diese Prüfung ist vom BAMF durchzuführen.

Weiterführende Literatur
- Zu den unterschiedlichen migrationsrechtlichen Mitwirkungspflichten: Schleswig-holsteinischen Beauftragter für Flüchtlings-, Asyl- und Zuwanderungsfragen, Mitwirkungspflicht – Handreichung für die Beratungspraxis, April 2022.
- Zu den Mitwirkungspflichten bei der Passbeschaffung siehe das Schwerpunktheft des Asylmagazin 2018

---

21 Vgl. VG Würzburg, Beschl. v. 16.11.2018, Az.: W 3 S 18.32283, Rn. 37 ff.

Zusammenfassung: Die wichtigsten Punkte

– Für die Feststellung von zielstaatsbezogenen Abschiebungshindernissen nach § 60 V und VII 1 AufenthG ist das BAMF und nicht die Ausländerbehörde zuständig.

– Neben den speziellen asylrechtlichen Mitwirkungspflichten, die im AsylG geregelt sind, existieren die allgemeinen aufenthaltsrechtlichen Mitwirkungspflichten, die im AufenthG geregelt sind. Umstritten ist, ob nach Abschluss des Asylverfahrens nur letztere anwendbar sind, oder die asylrechtlichen Mitwirkungspflichten fortgelten; umstritten ist auch ihr Verhältnis zueinander.

– Eine zwangsweise Botschaftsvorführung ist als Androhung unmittelbaren Zwangs nur dann zulässig, wenn andere, vorrangige Maßnahmen der Verwaltungsvollstreckung wie die Verhängung eines Zwangsgeldes ungeeignet sind.

Dieser Fall darf gerne kommentiert, verändert und beliebig genutzt werden. Die Anleitung hierfür lässt sich über den abgebildete QR-Code mit der Smartphone-Kamera auf unserer Homepage aufrufen.

Natalie Tsomaia

Fall 43
Aus der Duldung in die Ausbildung?

Behandelte Themen: Ausbildungsduldung, Voraussetzungen der Identitätsklärung, Mitwirkungspflichten

Schwierigkeitsgrad: Anfänger*innen

Sachverhalt

A lebte bis zu ihrem 25. Lebensjahr in Äthiopien und reiste im Juli 2015 in das Bundesgebiet ein. Ihr Asylantrag wurde im Oktober 2016 vollumfänglich durch das Bundesamt für Migration und Flüchtlinge (BAMF) abgelehnt, eine hiergegen gerichtete Klage wurde im Juni 2018 abgewiesen.

A ist seitdem aufgrund von Passlosigkeit fortwährend nach § 60a II 1 AufenthG geduldet. Die Identität der A gilt bisher nicht als geklärt. Auf wiederholte Aufforderung der Ausländerbehörde hat die A mehrfach erfolglos versucht, bei der äthiopischen Botschaft einen Pass zu erhalten. Darüber hinaus hat die A aber trotz Aufforderung der Behörde, identitätsklärende Dokumente aus ihrem Heimatland zu beschaffen, keine weiteren Schritte eingeleitet, auf anderen Wegen sonstige identitätklärende Dokumente zu erhalten, insbesondere hat sie noch in ihrem Heimatland lebende Verwandte nicht kontaktiert.

Obwohl nach Aussage der Ausländerbehörde aufenthaltsbeendende Maßnahmen aufgrund der fehlenden Identitätsklärung nicht veranlasst werden können, ließ die Ausländerbehörde im Juni 2019 eine amtsärztliche Untersuchung zur Reisefähigkeit der A durchführen, die grundsätzlich bejaht wurde. Seitdem wurden keine weiteren Maßnahmen zur Aufenthaltsbeendigung getroffen.

Nun hat sich der Ratsuchenden eine neue Möglichkeit eröffnet: Ihr wurde eine Ausbildungsstelle als Feinoptikerin angeboten, die Ausbildungsdauer beträgt 3,5 Jahre, der Ausbildungsvertrag liegt bereits vor und wurde in das Verzeichnis der Berufsausbildungsverhältnisse der zuständigen Handwerkskammer eingetragen.

A besucht im Frühjahr 2020 die Beratung der RLC und möchte nun wissen, ob die Erteilung einer Ausbildungsduldung für sie infrage kommt.

Fallfrage

Hat die A einen Anspruch auf Erteilung der begehrten Ausbildungsduldung?

Lösungsvorschlag

Zu prüfen ist, ob A einen Anspruch auf die Erteilung einer **Ausbildungsduldung** hat. Anspruchsgrundlage für die von A begehrte Ausbildungsduldung ist §§ 60a II 3, 60c I 1 Nr. 2 AufenthG. Demnach ist die Ausbildungsduldung zu erteilen, wenn eine qualifizierte Berufsausbildung in einem staatlich anerkannten oder vergleichbar geregelten Ausbildungsberuf aufgenommen wird. Entgegenstehende Versagungsgründe sind in § 60c I 2, II AufenthG geregelt.

I. Anspruchsvoraussetzungen

1. Persönlicher Anwendungsbereich
Die Ausbildungsduldung ist vollziehbar ausreisepflichtigen Antragsstellenden zu erteilen. Die A besitzt eine Duldung und ist somit ausreisepflichtig.

2. Sachlicher Anwendungsbereich
A befindet sich nicht mehr im Asylverfahren. Nach § 60c I 1 Nr. 2 AufenthG kommt für die A daher nur die „normale" Ausbildungsduldung in Betracht, nicht die „Asylbewerber-Ausbildungsduldung"[1] des § 60c I 1 Nr. 1 AufenthG. Voraussetzung ist, dass die A eine **qualifizierte Berufsausbildung** in einem staatlich anerkannten oder vergleichbar geregelten Ausbildungsberuf oder in einem staatlich anerkannten oder vergleichbar geregelten Assistenz- und Helferberuf in Deutschland als Geduldete aufnimmt.

Infrage kommt hier eine qualifizierte Berufsausbildung nach § 60c I 1 Nr. 2 i. V. m. Nr. 1 lit. a AufenthG.

Eine qualifizierte Berufsausbildung ist definiert in § 2 XIIa AufenthG. Es muss eine (Regel-)Ausbildungsdauer von mindestens zwei Jahren vorgesehen sein.[2] Staatlich anerkannte oder vergleichbar geregelte Ausbildungsberufe sind alle anerkannten Aus- und Fortbildungsabschlüsse nach dem Berufsbildungsgesetz und der Handwerksordnung sowie vergleichbare bundes- oder landesrechtlich geregelte Berufsabschlüsse oder diesen Berufsabschlüssen entsprechende Qualifikationen.[3]

---

1 Der Begriff geht zurück auf: Wittmann/Röder: ZAR 2019, 412 (413).
2 Entscheidend ist nur die regelmäßige Ausbildungsdauer, Ausbildungsverkürzungen aufgrund vorhandener Kenntnisse sind irrelevant: Röder, in: BeckOK MigR, 11. Ed. 15.4.2022, AufenthG § 60c Rn. 21.
3 BMI, Anwendungshinweise zum Fachkräfteeinwanderungsgesetz, Nr. 2.12a.1.

Welche dies sind, kann man im Verzeichnis der anerkannten Ausbildungsberufe (sogenanntes BBiG-Verzeichnis[4]) nachlesen.

Dort ist der Beruf als Feinoptiker*in zu finden, der eine reguläre Ausbildungsdauer von mehr als zwei Jahren vorsieht. Somit sind die Anforderungen an die qualifizierte Berufsausbildung erfüllt.

Weiter ist der abgeschlossene **Berufsausbildungsvertrag** der Ausländerbehörde vorzulegen. Da die Ausländerbehörde die formelle und rechtliche Richtigkeit des Vertrages regelmäßig nicht prüfen kann, wird ein Nachweis über den Eintrag oder zumindest den Antrag auf Eintragung in das Verzeichnis der Berufsausbildungsverhältnisse gefordert, welches die zuständigen Stellen (zum Beispiel Handwerkskammern) führen.[5] Nach Absprache mit der Ausländerbehörde können hier aber Ausnahmen gemacht werden, um Betrieben die Ungewissheit zu ersparen, ob tatsächlich eine Duldung erteilt wird.[6] Ein Beispiel hierfür wäre die Vorlage eines Vertragsentwurfes durch den Betrieb mit schriftlicher Zusage, einen Ausbildungsplatz zur Verfügung zu stellen.

Eine solche Ausnahme ist hier aber nicht nötig, da der Vertrag der A vorliegt und auch bereits in das entsprechende Verzeichnis bei der zuständigen Handwerkskammer eingetragen wurde.

II. Ausschlussgründe

Weiter dürften die Ausschlussgründe des § 60 c I 2 AufenthG und § 60c II AufenthG nicht vorliegen.

1. Kein offensichtlicher Missbrauch, § 60c I 2 AufenthG

Nach § 60c I 2 AufenthG sollen ausweislich der Gesetzesbegründung[7] Fälle ausgeschlossen werden, die von vornherein offenkundig nicht zu einem erfolgreichen Abschluss der Ausbildung führen können, sogenannte **Scheinausbildungsverhältnisse**. Ein solcher Fall liegt hier nicht vor.

---

4 Das Verzeichnis der anerkannten Ausbildungsberufe 2020 lässt sich abrufen unter https://www.bibb.de/dienst/veroeffentlichungen/de/publication/show/16754.
5 BMI, Anwendungshinweise zum Gesetz über Duldung bei Ausbildung und Beschäftigung, Nr. 60c.1.0.3.
6 Ebd.
7 BT-Drs. 19/8286, S. 14, dort noch als § 60b bezeichnet, da die Nummerierung erst zu einem späteren Zeitpunkt im Gesetzgebungsverfahren geändert wurde.

2. Erforderliche Vorduldungszeit, § 60c II Nr. 2 AufenthG

Nach § 60c II Nr. 2 AufenthG ist für die Erteilung einer Ausbildungsduldung nach § 60c I 1 Nr. 2 AufenthG eine Vorduldungszeit von drei Monaten erforderlich. Dabei bleiben nach § 60b V 1 AufenthG Zeiten einer Duldung für Personen mit ungeklärter Identität nach § 60b AufenthG, auch „Duldung light"[8] genannt, außen vor.[9]

A ist seit Juni 2018 geduldet. Hinweise darauf, dass ihr eine „Duldung light" erteilt wurde, enthält der Sachverhalt nicht. Die nötige Vorduldungszeit liegt somit vor.

3. Keine konkreten Maßnahmen zur Aufenthaltsbeendigung, § 60c II Nr. 5 AufenthG

Die Erteilung könnte nach § 60c II Nr. 5 AufenthG ausgeschlossen sein, da im Fall von § 60c I 1 Nr. 2 AufenthG zum Zeitpunkt der Antragstellung konkrete Maßnahmen zur **Aufenthaltsbeendigung** bevorgestanden haben könnten. Eine solche Maßnahme könnte in der von der Ausländerbehörde 2019 durchgeführten amtsärztlichen Untersuchung zur Reisefähigkeit der A zu sehen sein, auf die § 60c II Nr. 5 lit. a AufenthG explizit Bezug nimmt.

Erforderlich ist aber, dass die Maßnahme in einem hinreichenden sachlichen und zeitlichen Zusammenhang zur Aufenthaltsbeendigung steht. Dies ist anhand der Umstände des Einzelfalls zu beurteilen. Der Versagungsgrund soll verhindern, dass ein bereits eingeleiteter und rechtmäßiger Vollzug einer Ausreisepflicht kurzfristig durch die Beantragung einer Ausbildungsduldung verhindert wird. Ob eine solche Verhinderung droht, ist im Zeitpunkt der Beantragung der Ausbildungsduldung festzustellen.[10]

Die amtsärztliche Untersuchung der A im Juni 2019 war zum Zeitpunkt der Beantragung der Ausbildungsduldung keine konkrete Maßnahme im Sinne des § 60c II Nr. 5 AufenthG, da nun seit knapp anderthalb Jahren keine weiteren aufenthaltsbeendenden Maßnahmen eingeleitet wurden.[11] Der Versagungsgrund des § 60c II Nr. 5 AufenthG greift nicht ein.

---

8 Siehe Eichler, Beilage zum Asylmagazin 2019, 64.
9 Hierzu kritisch Nachtigall, ZAR 2020, 271 (274 f.).
10 Breidenbach, in: BeckOK AuslR, 33. Ed. 1.7.2021, AufenthG § 60c Rn. 29.
11 So das VG Schleswig in einem ähnlich gelagerten Fall, Urt. v. 14.8.2020, Az.: 11 A 198/19, Rn. 40, asyl.net: M28800.

4. Kein Ausschlussgrund nach § 60a VI AufenthG, § 60c II Nr. 1 AufenthG

Allerdings könnte der Erteilung der Ausbildungsduldung der Versagungsgrund nach § 60c II Nr. 1 i.V.m. § 60a VI 1 Nr. 2 AufenthG entgegenstehen, da die **Identität der A nicht geklärt** ist und daher aufenthaltsbeendende Maßnahmen nicht vollzogen werden können.

Nach § 60a VI 1 Nr. 2 AufenthG darf die Ausübung einer Erwerbstätigkeit nicht erlaubt werden, wenn aufenthaltsbeendende Maßnahmen aus von der antragsstellenden Person selbst zu vertreten Gründen nicht vollzogen werden können. Zu vertreten sind die Gründe nach § 60a VI 2 AufenthG insbesondere dann, wenn das Abschiebungshindernis durch eigene Täuschung über die Identität oder durch eigene falsche Angaben selbst herbeigeführt worden ist. § 60a VI 2 AufenthG ist dabei aber nicht abschließend („insbesondere") und umfasst grundsätzlich auch die unzureichende Mitwirkung bei der **Identitätsklärung** und **Passbeschaffung**.[12] Die Verpflichtung hierzu kann sich aus § 48 III 1 AufenthG, § 15 II Nr. 6 AsylG und § 60b II, III AufenthG ergeben. Die unterlassene Mitwirkung muss für die Anwendung des § 60a VI 1 Nr. 2 AufenthG sowohl hinsichtlich ihres Gewichts als auch ihrer individuellen Vorwerfbarkeit mit der ausdrücklich genannten Täuschung beziehungsweise Falschangabe wertungsmäßig auf einer Stufe stehen.[13]

Die Ausländerbehörde ist gehalten, in Erfüllung ihr obliegender behördlicher **Mitwirkungspflichten** zu benennen, welche Mitwirkungshandlungen in welchem Umfang erwartet werden, wenn sich ein bestimmtes Verhalten nicht aufdrängt. Denn die Behörde ist in der Regel angesichts ihrer organisatorischen Überlegenheit und Sachnähe besser in der Lage, die bestehenden Notwendigkeiten zu erblicken und die erforderlichen Schritte auszumachen.[14] Nach der Rechtsprechung des Bundesverwaltungsgerichts muss die Ausländerbehörde gesetzliche Mitwirkungspflichten beispielsweise zur Beschaffung von Identitätspapieren konkret gegenüber dem Betroffenen ausgesprochen haben, um aus der mangelnden Mitwirkung negative aufenthaltsrechtliche Folgen ziehen zu können.[15]

Vorliegend ist A zwar den Anweisungen der Ausländerbehörde nachgekommen. Doch die A treffen darüberhinausgehende Pflichten, da die Ausländerbehörde die Pflicht zur Identitätsklärung hinreichend angestoßen und konkretisiert hat. Sie

---

12 Kluth/Breidenbach, in: BeckOK AuslR, 33. Ed. 1.4.2022, AufenthG § 60a Rn. 53; Röder, in: BeckOK MigR, 11. Ed. 15.4.2022, AufenthG § 60a Rn. 120; VGH Bayern, Beschl. v. 2.5.2019, Az.: 10 CE 19.273, Rn. 5, asyl.net: M28855.
13 Röder, in: BeckOK MigR, 11. Ed. 15.4.2022, AufenthG § 60a Rn. 127 m.w.N.
14 Vgl. zum Beispiel VGH Bayern, Beschl. v. 9.5.2018, Az.: 10 CE 18.738, Rn. 6.
15 AufenthG § 60a Rn. 120; VGH Bayern, Beschl. v. 2.5.2019, Az.: 10 CE 19.273, Rn. 6, asyl.net: M28855, unter Berufung auf BVerwG, U.v. 26.10.2010, Az.: 1 C 18.09, Rn. 17; siehe hierzu auch Wasnick, *33) Gekommen um zu bleiben* in diesem Fallbuch.

kann sich nicht allein auf die Erfüllung derjenigen Handlungen stützen, die ihr konkret vorgegeben wurden. Vielmehr ist sie verpflichtet, eigeninitiativ ihr mögliche und bekannte Schritte in die Wege zu leiten, die geeignet sind, ihre Identität und Staatsangehörigkeit zu klären und die Passlosigkeit zu beseitigen. Aus dem Sachverhalt ergeben sich keine Hinweise, warum die Passbeschaffung bei der Botschaft fehlgeschlagen ist. Die Beschaffung und Vorlage von identitätsklärenden Dokumenten könnte noch zu einer Passerteilung durch die Botschaft führen. A muss nach Möglichkeiten suchen, der Ausreise entgegenstehende Hindernisse auszuräumen. Dazu gehört insbesondere die Beschaffung von Identitätsnachweisen im Herkunftsland, gegebenenfalls auch durch die Inanspruchnahme eines Rechtsanwalts oder einer Rechtsanwältin.[16] Angesichts der Tatsache, dass die A 25 Jahre in Äthiopien lebte, erscheint es zumindest nicht von vornherein ausgeschlossen, dass sie mithilfe etwaiger noch in Äthiopien lebender Verwandter oder Bekannter, Nachbar*innen, ihrer ehemaligen Schule oder Behörden, wie beispielsweise der Stadtverwaltung, an identitätsklärende Dokumente wie Schulzeugnisse, Führerschein, Geburtsurkunde oder Ausweisdokumente gelangen könnte.[17] Auch ergeben sich aus dem Sachverhalt keine Hinweise, dass die Beauftragung eines Rechtsanwalts oder einer Rechtsanwältin, um die Dokumente zu beschaffen, nicht erfolgsversprechend ist.

Demnach hindert der Ausschlussgrund des § 60c II Nr. 1 i.V.m. § 60a VI 1 Nr. 2 AufenthG die Erteilung der Ausbildungsduldung.

ℹ Weiterführendes Wissen

a.A. vertretbar, da das Verhältnis zwischen Mitwirkungspflichten und Anstoßpflicht der Behörde noch nicht abschließend geklärt ist. Fraglich ist weiter, ob A nachträglich ihre Mitwirkungspflichten erfüllen und den Versagungsgrund des § 60c II Nr. 1 i.V.m. § 60a VI 1 Nr. 2 AufenthG beseitigen könnte. Es wird in Zusammenhang mit § 60a VI 1 Nr. 2 AufenthG überwiegend vertreten, dass der Verstoß gegen die Mitwirkungspflichten kausal für das Abschiebungshindernis sein muss und beseitigt werden kann.[18] Dies wurde bezüglich § 60a VI 1 Nr. 2 AufenthG[19] und § 60c II Nr. 1 AufenthG[20] auch obergerichtlich bestätigt.

---

16 Röder, in: BeckOK MigR, 11. Ed. 15.4.2022, AufenthG § 60a Rn. 122; VGH Bayern, Beschl. v. 22.1.2018, Az.: 19 CE 18.51, Rn. 25.
17 So sieht dies zumindest das VG München in einem ähnlich gelagertem Fall, Beschl. v. 13.10.2020, Az.: M 24 E 20.4770, Rn. 34.
18 Kluth/Breidenbach, in: BeckOK AuslR, 33. Ed. 1.4.2022, AufenthG § 60a Rn. 54.
19 OVG BB, Beschl. v. 9.7.2020, Az.: 3 M 129.20, Rn. 16.
20 OVG RP, Beschl. v. 2.10.2020, Az.: 7 B 11047/20, Rn. 7.

Vincent Holzhauer

5. Fristgerechte Identitätsklärung, § 60c II Nr. 3 AufenthG
a) Grundsatz
Zudem könnte der Erteilung der Ausbildungsduldung der Versagungsgrund nach § 60c II Nr. 3 Hs. 1 lit. a AufenthG entgegenstehen.

Demnach darf eine Ausbildungsduldung nicht erteilt werden, wenn die Identität der antragstellenden Person, die bis zum 31.12.2016 eingereist ist, bis zur Beantragung der Ausbildungsduldung nicht geklärt ist. Die Klärung der Identität setzt die Gewissheit voraus, dass die antragstellende Person die Person ist, für die sie sich ausgibt, mithin keine Verwechslungsgefahr besteht.[21]

Hier gilt die Identität der A nicht als geklärt, da sie keinerlei Dokumente zur Identitätsklärung vorlegen konnte. Somit scheint der Ausschlussgrund zu greifen.

b) Ausnahme, § 60c II Nr. 3 Hs. 2 AufenthG
Das Fristversäumnis könnte aber nach § 60c I Nr. 3 Hs. 2 AufenthG unbeachtlich sein.

Die Frist des § 60c II Hs. 1 Nr. 3 lit. a AufenthG gilt nach Hs. 2 als gewahrt, wenn die antragstellende Person alle erforderlichen und ihr zumutbaren Maßnahmen zur Identitätsklärung ergriffen hat, und die Identität erst nach dieser Frist geklärt werden kann, ohne dass die antragstellende Person dies zu vertreten hat. Die Identität der A ist aber bisher nicht geklärt, sodass die Voraussetzungen der Ausnahmeregelung nicht erfüllt sind.

c) Unbeachtlichkeit der mangelnden Identitätsklärung nach § 60c VII AufenthG
Da die Identität der A nicht fristgerecht geklärt wurde, ist fraglich, ob die Ausländerbehörde die Ausbildungsduldung unbeachtlich der Voraussetzung des § 60c II Nr. 3 AufenthG im Ermessenswege erteilen kann.

Voraussetzung hierfür wäre, dass A alle erforderlichen und ihr zumutbaren Mitwirkungshandlungen für die Identitätsklärung vorgenommen hat.

Primär ist die Identität durch einen Pass oder ein anderes Identitätsdokument mit Lichtbild des Herkunftsstaates nachzuweisen.[22]

Im hiesigen Fall ist die A der Aufforderung der Ausländerbehörde nachgekommen und hat mehrfach versucht, bei der äthiopischen Botschaft einen Pass beziehungsweise **Passersatzpapiere** zu erhalten. Somit könnte man davon ausgehen, dass dies ausreicht, um den Anforderungen des § 60c VII AufenthG zu genügen.

---

21 Vgl. beispielsweise VG Potsdam, Beschl. v. 18.9.2020, Az.: VG 8 L 764/20, Rn. 10, asyl.net: M28957.
22 Dollinger, in: Bergmann/Dienelt, 13. Aufl. 2020, AufenthG § 60c Rn. 32.

Nach der Gesetzesbegründung zum Gesetz über Duldung bei Ausbildung und Beschäftigung kann die Identität in Fällen, in denen kein Pass oder anderes Identitätsdokument mit Lichtbild vorliegt, aber auch durch andere geeignete Mittel nachgewiesen werden. Zu nennen sind andere amtliche Dokumente aus dem Herkunftsstaat, solange diese biometrische Merkmale und Angaben zur Person enthalten, beispielsweise ein Führerschein, Dienstausweis oder eine Personenstandsurkunde mit Lichtbild.[23] Kontaktaufnahmen mit Behörden des Herkunftslands sollen antragsstellenden Personen nach dem Abschluss des Asylverfahrens grundsätzlich zumutbar sein.[24]

Die A hatte hier keine Anstrengungen unternommen, andere identitätsklärende Dokumente als den Pass zu erhalten.

Nach der Rechtsprechung genügt es nicht, sich auf die fehlgeschlagene Passbeschaffung über die Botschaft zu beschränken (siehe hierzu auch die Ausführungen unter II.4).[25] Die A müsste glaubhaft machen, dass sie seit dem Abschluss ihres Asylverfahrens 2018 keine Möglichkeit hatte, identitätsklärende Dokumente zu beschaffen.

Da Sie hierzu bislang nichts vorgetragen und belegt hat, kommt der A § 60c VII AufenthG derzeit nicht zugute.

ℹ Weiterführendes Wissen

Fraglich ist, ob eine Erteilung der Ausbildungsduldung im Ermessenswege nach § 60c VII AufenthG möglich wäre, wenn die A ihre versäumten Mitwirkungshandlungen nachholen würde. Dies lässt der Wortlaut der Norm offen. Es erscheint jedenfalls nicht ausgeschlossen, dass erst nach der Frist gestartete Mitwirkungshandlungen das Ermessen wieder eröffnen könnten.[26]

III. Ergebnis

Der A steht (derzeit) kein Anspruch auf die Erteilung einer Ausbildungsduldung nach § 60c AufenthG zu. Wenn sie keine weiteren Schritte zur Identitätsklärung und Passbeschaffung unternimmt, steht sogar zu befürchten, dass ihr die Ausländerbehörde, nach einer entsprechenden Belehrung, eine Duldung nach § 60b AufenthG („Duldung light") erteilt.

---

23 BT-Drs. 19/8286, S. 15.

24 BMI, Anwendungshinweise zum Gesetz über Duldung bei Ausbildung und Beschäftigung, Nr. 60c.2.3.4.

25 VG München, Beschl. v. 13.10.2020, Az.: M 24 E 20.4770, Rn. 34.

26 Siehe zum Beispiel Erlass des Ministeriums für Kinder, Familie, Flüchtlinge und Integration des Landes Nordrhein-Westfalen vom 28.5.2021, Nr. 60c.7 Buchst. f); OVG BB, Beschl. v. 9.7.2020, Az.: 3 M 129/20.

Vincent Holzhauer

Weiterführende Literatur
- Wittmann/Röder, Aktuelle Rechtsfragen der Ausbildungsduldung gemäß § 60c AufenthG, ZAR 2019, 412
- Rosenstein/Koehler, Die neue Ausbildungsduldung – eine notwendige Überarbeitung?, Inf-AuslR 2019, 266

Zusammenfassung: Die wichtigsten Punkte
- Die Voraussetzungen der Ausbildungsduldung nach § 60c AufenthG.
- Die Anforderungen an die Mitwirkung bei der Identitätsklärung.
- Das Zusammenspiel der Ausschlussgründe des § 60c II AufenthG mit § 60a VI AufenthG und § 60b AufenthG.

Dieser Fall darf gerne kommentiert, verändert und beliebig genutzt werden. Die Anleitung hierfür lässt sich über den abgebildete QR-Code mit der Smartphone-Kamera auf unserer Homepage aufrufen.

Vincent Holzhauer

Fall 44
Gesicherte Festanstellung

Behandelte Themen: Beschäftigungsduldung

Schwierigkeitsgrad: Anfänger*innen

Sachverhalt

Der gambische Mandant A berichtet in der Beratungsstunde im November 2020 in fließendem Deutsch, dass er im Juni 2016 mit seiner Ehepartnerin B und den beiden gemeinsamen Kindern Deutschland erreichte. Das Asylverfahren des A wurde im Januar des Jahres 2019 rechtskräftig abgeschlossen, ihm wurde kein Schutzstatus zuerkannt. Anschließend wurde A umgehend eine Duldung nach § 60a II 3 AufenthG ausgestellt, da er nebenbei seine reiseunfähige Ehepartnerin pflegt. Drei Monate nach Abschluss des Asylverfahrens wurde ihm die Erlaubnis erteilt, eine sozialversicherungspflichtige Beschäftigung als Logistikmanager in einem großen Warenlager auszuüben. Die wöchentliche Arbeitszeit beträgt seitdem 40 Stunden. Sozialleistungen erhält A persönlich nicht, seine Familienangehörigen hingegen schon.

A möchte nun seinen Aufenthalt aufwerten. Ihn stört schon länger, dass die Duldungsverlängerung im Ermessen der Behörde steht. Er hofft über die Arbeitsstelle einen Titel erhalten zu können, der ihm relativ bald die Möglichkeit eröffnet, der prekären Duldungssituation zu entkommen.

Auf Nachfrage erklärt er, dass sowohl seine Identität als auch die seiner Ehepartnerin seit Ende des Jahres 2016 als geklärt gelten. Mangels anerkannter Geburtsurkunde oder anderer Ausweisdokumente gelten die Identitäten der beiden Kinder nicht als geklärt. Beide Kinder sind noch minderjährig und besuchen die Schule.

Fallfragen

Kann A und seiner Familie eine Beschäftigungsduldung erteilt werden? Besteht hierauf ein Anspruch?

Lösungsvorschlag

A fragt, ob ihm eine **Beschäftigungsduldung** nach § 60d I i.V.m. § 60a II 3 AufenthG erteilt werden kann. Für eine Erteilung müssten A und die Familienangehörigen die Anforderungen des § 60d I Nr. 1–10 AufenthG erfüllen.

ℹ Weiterführendes Wissen

Zu beachten ist, dass § 60d AufenthG nach Art. 3 DuldG 2019 zum 31.12.2023 außer Kraft treten wird.[1] Laut Koalitionsvertrag 2021–2025 soll die Beschäftigungsduldung aber entfristet werden.[2]

I. Anspruchsvoraussetzungen

1. Persönlicher Anwendungsbereich

A und seine Familienangehörigen müssten dem Anwendungsbereich des § 60d I AufenthG unterfallen. Eine Erteilung der Beschäftigungsduldung erstreckt sich neben der antragstellenden Person auf deren Ehepartner*in oder Lebenspartner*in sowie minderjährige Kinder. Gemäß § 60d I Hs. 1 AufenthG muss die antragstellende Person ausreisepflichtig sein, was bei dem lediglich geduldetem A der Fall ist. Somit kommen A, seine Ehepartnerin und die beiden minderjährigen Kinder für die **Duldungserteilung** infrage.

ℹ Weiterführendes Wissen

Trotz des offenen Wortlautes ist eine eheähnliche Beziehung von zwei Personen nicht von der Regelung umfasst, sondern nur die **Lebenspartnerschaft** nach dem Lebenspartnerschaftsgesetz.[3]

---

2. Sachlicher Anwendungsbereich, § 60d I AufenthG

Für die Erteilung der Beschäftigungsduldung müssten die Anforderungen des § 60d I Nr. 1–10 AufenthG erfüllt sein.

---

1 Gesetz über Duldung bei Ausbildung und Beschäftigung vom 08.07.2019, BGBl. 2019 I S. 1021.
2 Koalitionsvertrag 2021 – 2025, S. 138.
3 Mantel/Eichler in: Huber/Mantel, AufenthG, 3. Aufl. 2021, AufenthG § 60d Rn. 6.

Vincent Holzhauer

a) Identitätsklärung, Nr. 1
Zuerst muss geklärt werden, ob A und seine Familie die Anforderungen an die **Identitätsklärung** nach § 60d I Nr. 1 AufenthG erfüllen. Dabei wird eine zeitliche Staffelung je nach Einreisedatum in das Bundesgebiet vorgenommen. A unterfällt aufgrund seiner Einreise vor dem 31.12.2016 und am 1.1.2020 vorliegenden Beschäftigungsverhältnis dem § 60d I Nr. 1 lit. a AufenthG, seine Identität ist hier unproblematisch geklärt. Gleiches gilt für seine Ehepartnerin.

Fraglich ist aber, ob eine Identitätsklärung ebenso für seine Kinder zu verlangen ist, auf die sich die Erteilung der Duldung ausweislich § 60d II AufenthG ebenso erstrecken würde. Der Wortlaut des § 60d I Nr. 1 AufenthG umfasst nicht die Kinder, Voraussetzungen bezüglich dieser sind ausschließlich in § 60d I Nr. 10 AufenthG zu finden. Da § 60d I AufenthG eine Klärung der Identität der Kinder also nicht voraussetzt, ist diese nicht erforderlich. Somit sind die Voraussetzungen des § 60d I Nr. 1 AufenthG erfüllt.

b) Vorduldungszeit, Nr. 2–4
Im Unterschied zur Ausbildungsduldung, die nach § 60c II Nr. 2 AufenthG nur drei Monate Vorduldungszeit fordert, müssen antragstellende Personen für eine Beschäftigungsduldung zwölf Monate im Besitz einer beliebigen Duldung[4] gewesen sein. Indem A seit 2019 ununterbrochen im Besitz einer Duldung nach § 60a II 3 AufenthG war, erfüllt er diese Anforderung.

c) Beschäftigungsbezogene Erteilungsvoraussetzungen, Nr. 3
A müsste nach § 60d I Nr. 3 AufenthG seit 18 Monaten eine **sozialversicherungspflichtige Beschäftigung** mit einer regelmäßigen Arbeitszeit von mindestens 35 Stunden pro Woche ausgeübt haben. Drei Monate nach Beendigung des Asylverfahrens konnte er seine Arbeit aufnehmen, also im April 2019. Im Oktober 2020 war die nötige Beschäftigungsdauer von 18 Monaten erreicht. Zudem übersteigt diese mit 40 Wochenstunden die benötigte Arbeitszeit. Auf die Art der Beschäftigung kommt es anders als bei § 60c AufenthG nicht an, zwingend ist aber ein sozialversicherungspflichtiges Verhältnis (vgl. § 60d I Nr. 3 Hs. 1 AufenthG). Ein solches liegt hier vor.

---

4 Ausgenommen ist nach § 60b V AufenthG jedoch die Duldung für Personen mit ungeklärter Identität.

Vincent Holzhauer

d) Sicherung des Lebensunterhalts, Nr. 4, 5

A hat in den letzten zwölf Monaten seinen **Lebensunterhalt vollständig** selbst gesichert,[5] also keine öffentlichen Mittel in Anspruch genommen. Die anderweitigen Unterstützungen für Familienangehörige sind ausweislich des Wortlautes nicht relevant, es ist nur auf den „Stammberechtigten" abzustellen.[6] Es ist davon auszugehen, dass die Einkünfte As Lebensunterhalt auch weiterhin sichern.

e) Sonstige Voraussetzungen, Nr. 6 – 11

A müsste über hinreichende mündliche **Deutschkenntnisse** verfügen. Hierbei ist das Niveau A2 des europäischen Referenzrahmens zu fordern (vgl. § 2 X AufenthG). Auch ohne Zertifikat gilt das Niveau als erreicht, wenn der*die Antragsstellende das Gespräch zur Duldungserteilung selbst durchführen kann.[7] Dies ist bei A der Fall.

Es ist nicht ersichtlich, dass die § 60d I Nr. 7 bis 11 AufenthG nicht erfüllt werden. Insbesondere sind keine Verurteilungen von A oder seiner Ehepartnerin wegen der Begehung einer vorsätzlichen Straftat offenkundig. Zuletzt besuchen die Kinder die Schule, wie von § 60d I Nr. 10 AufenthG vorausgesetzt. Ein Hinweis auf erhebliche unentschuldigte Fehlzeiten, die einer Erteilung entgegenstehen können,[8] ist nicht ersichtlich.

3. Zwischenergebnis

Die Voraussetzungen des § 60d I AufenthG sind erfüllt.

II. Rechtsfolge

Nach § 60d I AufenthG „ist in der Regel eine Duldung nach § 60a II 3" zu erteilen. Anders als bei der Erteilung einer Duldung nach § 60a II 3 AufenthG steht der Ausländerbehörde hier also kein freies Ermessen zu, stattdessen besteht ein Regelerteilungsanspruch.[9] Das bedeutet, dass die Behörde nur in atypischen Konstellationen

---

5 Zur Definition der Lebensunterhaltssicherung vgl. § 2 III AufenthG.
6 BT-Drs. 19/8286, S. 17.
7 BMI, Anwendungshinweise zum Gesetz über Duldung bei Ausbildung und Beschäftigung, 20.12.2019, 60d.1.6.
8 Röcker, in: Bergmann/Dienelt, 13. Aufl. 2020, AufenthG § 25b Rn. 29.
9 VGH BW, Beschl. v. 14.1.2020, Az.: 11 S 2956/19, Rn. 20, asyl.net: M28051.

Vincent Holzhauer

eine Erteilung versagen darf; eine solche atypische Konstellation ist hier nicht ersichtlich.

Dem A und seiner Ehepartnerin steht also ein Anspruch auf Erteilung der Duldung für 30 Monate zu. Nach § 60d II AufenthG erhalten die Kinder des A eine von der Beschäftigungsduldung des A abgeleitete und somit von dieser abhängige eigene Beschäftigungsduldung, die Erteilung steht nicht im Ermessen der Behörde.

Weiterführendes Wissen

Ist die antragstellende Person 30 Monate im Besitz der Beschäftigungsduldung, soll ihr nach § 25b VI AufenthG eine Aufenthaltserlaubnis erteilt werden. Damit verkürzt sich die reguläre Erteilungsfrist des § 25b I 2 Nr. 1 AufenthG. Die Beschäftigungsduldung eröffnet der geduldeten Person und ihrer Familie damit eine langfristige Bleibeperspektive.

Weiterführende Literatur
- Rosenstein/Koehler, Beschäftigungsduldung – eine Bewertung der Neuregelung aus der Sicht der Praxis, ZAR 2019, 222
- Funke-Kaiser, § 60d AufenthG als abschließende Regelung für die Ermöglichung einer Beschäftigung von geduldeten Ausländern und Ausländerinnen?, ZAR 2020, 90
- Röder/Wittmann, Spurwechsel leicht gemacht? Überlegungen zur neuen Ausbildungs- und Beschäftigungsduldung, Beilage zum Asylmagazin 2019, 23

Zusammenfassung: Die wichtigsten Punkte
- § 60d AufenthG eröffnet letztlich über § 25b VI AufenthG eine starke Bleibeperspektive.
- Die hohen Voraussetzungen der Beschäftigungsduldung finden sich überwiegend mustergültig im Normtext des § 60d enumeriert und müssen lediglich sauber geprüft werden.
- § 60d AufenthG umfasst auch die Erteilung einer vom Bestand der Duldung der antragstellenden Person abgeleiteten Duldung für Ehepartner*innen und Kinder.

Dieser Fall darf gerne kommentiert, verändert und beliebig genutzt werden. Die Anleitung hierfür lässt sich über den abgebildete QR-Code mit der Smartphone-Kamera auf unserer Homepage aufrufen.

Vincent Holzhauer

Fall 45
Auszubildend – und gut integriert?

Behandelte Themen: Aufenthaltsgewährung bei gut integrierten Jugendlichen und jungen Volljährigen, Titelerteilungssperre nach erfolglosem Asylantrag

Schwierigkeitsgrad: Anfänger*innen

Sachverhalt

Die 19-jährige E aus Afghanistan ist Ende 2016 gemeinsam mit ihren Eltern nach Deutschland eingereist. Obwohl die Familie direkt nach ihrer Ankunft in Deutschland ein Asylgesuch geäußert hat, fand der Termin zur förmlichen Asylantragstellung beim Bundesamt für Migration und Flüchtlinge (BAMF) erst Anfang 2018 statt. Der Asylantrag wurde 2019 vom BAMF abgelehnt. Hiergegen haben E und ihre Eltern eine Klage eingereicht, die Anfang 2021 von dem zuständigen Verwaltungsgericht abgewiesen wurde. E hat während des Asylverfahrens einen Hauptschulabschluss gemacht und eine Ausbildung als Kfz-Mechatronikerin begonnen. Sie hat einen afghanischen Nationalpass bei der Ausländerbehörde vorgelegt und ist in Besitz einer Ausbildungsduldung nach § 60c AufenthG. Von einem Freund hat E gehört, dass sie nach vier Jahren in Deutschland eine „Aufenthaltserlaubnis wegen guter Integration" erhalten könne. Doch als sie die Aufenthaltserlaubnis bei der Ausländerbehörde beantragt, wird ihr mitgeteilt, dass bei einer Ausbildungsduldung die Erteilung einer Aufenthaltserlaubnis nur bei erfolgreichem Abschluss der Ausbildung und anschließender Beschäftigung nach § 19d Ia AufenthG möglich sei. Dahingegen sei die Erteilung einer Aufenthaltserlaubnis nach § 25a AufenthG für Inhaber*innen einer Ausbildungsduldung gesperrt. Zudem erfülle sie die erforderliche Voraufenthaltszeit von vier Jahren nicht, da ihr Aufenthalt erst mit Stellung des förmlichen Asylantrags Anfang 2018 gestattet gewesen sei. E vereinbart daher im Frühjahr 2021 einen Beratungstermin bei der Refugee Law Clinic.

Fallfrage

Hat E einen Anspruch auf die Erteilung der Aufenthaltserlaubnis nach § 25a AufenthG?

https://doi.org/10.1515/9783110990379-045

Abwandlung

E ist 17 und hat die Aufenthaltserlaubnis nach § 25a AufenthG erteilt bekommen. Ihre Eltern, die ebenfalls geduldet sind, arbeiten beide in einem kleinen Modegeschäft und können ihren Lebensunterhalt damit bestreiten. E fragt sich, ob es auch für ihre Eltern eine Möglichkeit gibt, eine Aufenthaltserlaubnis zu bekommen.

Lösungsvorschlag

Fraglich ist, ob E einen Anspruch auf die Erteilung einer **Aufenthaltserlaubnis** nach § 25a AufenthG hat. Dazu müsste sie die speziellen Erteilungsvoraussetzungen des § 25a I 1 AufenthG erfüllen, es dürfte kein Versagung- oder Ausschlussgrund vorliegen (§ 25a I 3, III AufenthG), die allgemeinen Voraussetzungen zur Erteilung eines Aufenthaltstitels (§ 5 AufenthG) müssten grundsätzlich erfüllt sein und aufgrund des zuvor abgelehnten Asylantrags dürfte keine **Titelerteilungssperre** nach § 10 III AufenthG greifen.

A. Erteilungsvoraussetzungen

I. Spezielle Erteilungsvoraussetzungen, § 25a I 1 AufenthG
E müsste die speziellen Erteilungsvoraussetzungen des § 25 a I 1 AufenthG erfüllen.

1. Persönlicher Anwendungsbereich: „jugendlich oder heranwachsend" und „geduldet"
E müsste dem persönlichen Anwendungsbereich des § 25a I 1 AufenthG unterfallen.

ℹ Hinweise zur Fallprüfung

Achtung: Da dieser Sachverhalt im Jahr 2021 spielt, ist er nach der alten Rechtslage zu lösen. Seit dem 31.12.2022 ist der Anwendungsbereich des § 25a AufenthG erweitert. Er gilt nunmehr für Jugendliche oder junge Volljährige bis 27 Jahre. Die notwendigen Voraufenthaltszeiten wurden von vier auf drei Jahre reduziert. Zugleich wurde aber auch eine 12-monatige Vorduldungszeit als Voraussetzung eingefügt, wenn nicht zuvor eine Aufenthaltserlaubnis nach § 104c AufenthG erteilt wurde. Eine Fallkonstellation nach aktueller Rechtslage findet sich in der Online-Version des Fallbuchs auf Wikibooks. Hierauf gelangt man etwa durch das Scannen des QR-Codes am Ende dieser Falllösung.

---

a) Jugendlich oder heranwachsend
Gemäß § 25 a I 1 AufenthG erstreckt sich der Anwendungsbereich auf **Jugendliche und Heranwachsende**. Nach der Gesetzesbegründung sind die Definitionen des Jugendgerichtsgesetzes (JGG) anwendbar.[1] Nach § 1 II GG ist Jugendlicher, wer 14, aber noch nicht 18; Heranwachsender, wer 18, aber noch nicht 21 Jahre alt ist.

---

1 BT-Drs. 18/4097, S. 42.

Laura Hinder/Rhea Nachtigall

Laut Sachverhalt ist E 19 Jahre alt. Damit ist sie „heranwachsend" im Sinne der Norm.

b) Geduldet

E müsste zudem „geduldet" sein. Laut Sachverhalt ist E in Besitz einer **Ausbildungs-duldung**.[2] Die Ausländerbehörde hat der E mitgeteilt, dass Inhaber*innen einer Ausbildungsduldung nicht in den persönlichen Anwendungsbereich der Norm fielen, da § 19d Ia AufenthG[3] eine abschließende Regelung für die Erteilung einer Aufenthaltserlaubnis an Inhaber*innen einer Ausbildungsduldung darstelle und der Besitz einer Ausbildungsduldung die Erteilung einer Aufenthaltserlaubnis nach § 25a AufenthG demnach sperre.

Gegen diese Ansicht spricht bereits der Wortlaut der Norm, der nicht nach Art der Duldung differenziert. Auch bei der Ausbildungsduldung handelt es sich gemäß § 60 I 1 AufenthG um eine Duldung nach § 60a II 3 AufenthG. Sinn und Zweck der Einführung der Ausbildungsduldung war, mehr Rechtssicherheit für Geduldete und Ausbildungsbetriebe zu schaffen.[4] Es widerspräche diesem Ziel, eine Aufenthaltserlaubnis nach § 25a AufenthG und damit einen noch rechtssicheren Aufenthaltsstatus zu verweigern. Auch systematische Argumente sprechen gegen einen Ausschluss: Gemäß § 60c VIII AufenthG bleibt § 60a AufenthG im Übrigen unberührt. Demnach sperrt der Anspruch auf eine Duldung nach § 60c AufenthG den möglicherweise aus anderen Gründen bestehenden Anspruch auf eine Duldung nach § 60a AufenthG nicht.[5] Dass eine Duldung nach § 60c AufenthG, wenn sie schon die normale Duldung nicht ausschließt, einen Anspruch auf eine Aufenthaltserlaubnis nach § 25a AufenthG sperren können sollte, erscheint widersprüchlich. Zudem ergibt sich aus § 25a I 2 AufenthG, dass § 25a AufenthG gerade auch in beruflicher Ausbildung befindliche Personen erfassen will.[6]

Demnach ist E als Inhaberin einer Ausbildungsduldung „geduldet" im Sinne der Norm.

---

2 Zur Ausbildungsduldung ausführlich Holzhauer, *43) Aus der Duldung in die Ausbildung?* in diesem Fallbuch.
3 Zu den Voraussetzungen für die Erteilung einer Aufenthaltserlaubnis nach § 19d AufenthG siehe Hinder/Holzhauer, *48) Elektroanlagenmonteurin* in diesem Fallbuch.
4 BT-Drs. 18/8616, S. 26.
5 Siehe auch Breidenbach, in: Kluth/Heusch, BeckOK AuslR, 35. Ed. 1.7.2021, AufenthG § 60c Rn. 40.
6 Röder: in BeckOKMigR, 13. Ed. 15.10.2022, AufenthG § 25a Rn. 9.

Einige Ausländerbehörden und Gerichte hatten in der Vergangenheit die Erteilung einer Aufenthaltserlaubnis abgelehnt, wenn die Antragsteller*innen lediglich über eine sogenannte **Verfahrensduldung** verfügten; eine Duldung, die nur aufgrund eines anhängigen Rechtsschutzverfahrens, etwa gegen eine Abschiebung, erteilt wird. Das BVerwG hat für § 25b AufenthG klargestellt, dass es für die Erteilung unerheblich ist, welche Art von Duldung vorliegt.[7] Dies dürfte auf § 25a AufenthG übertragbar sein.[8]

Zudem hat das Bundesverwaltungsgericht in dieser Entscheidung klargestellt, dass es nicht auf die tatsächliche Erteilung der Duldung ankommt, sondern dass es ausreichend ist, wenn ein Duldungsgrund tatsächlich vorliegt.[9]

Der maßgebliche Zeitpunkt für das Vorliegen der Duldung (oder des Anspruchs darauf) ist, ebenso wie für alle anderen Erteilungsvoraussetzungen, der Zeitpunkt der Erteilung, beziehungsweise im gerichtlichen Verfahren der Zeitpunkt der letzten mündlichen Verhandlung oder Entscheidung in der Tatsacheninstanz.[10] Insofern ist ein „Hineinwachsen" in den persönlichen Anwendungsbereich des § 25a AufenthG im Laufe eines gerichtlichen Verfahrens möglich. Zusätzlich muss die Duldung aber auch bei Vollendung des 21. Lebensjahres vorgelegen haben.[11]

E unterfällt dem persönlichen Anwendungsbereich der Norm.

2. Voraufenthaltszeit, § 25a I 1 Nr. 1 AufenthG

E müsste weiterhin die erforderliche **Voraufenthaltszeit** von vier Jahren (erlaubt, geduldet oder gestattet) gemäß § 25a I 1 Nr. 1 AufenthG erfüllen. E ist Ende 2016 nach Deutschland eingereist und hat direkt nach der Ankunft ein Asylgesuch geäußert. Die Ausländerbehörde beruft sich jedoch für den Beginn des gestatteten Aufenthalts auf den Zeitpunkt der förmlichen Asylantragstellung Anfang 2018 und geht daher davon aus, dass E nur eine Voraufenthaltszeit von ca. drei Jahren vorzuweisen hat.

Dagegen ist einzuwenden, dass auch die Phase zwischen Asylgesuch und der kraft Gesetzes eintretenden **Aufenthaltsgestattung** (§ 55 I 1 und 3 AufenthG) zu be-

---

7 BVerwG, Urt. v. 18.12.2019, Az.: 1 C 34/18, Rn. 28; siehe zur Verfahrensduldung im Rahmen der Erteilung des § 25b AufenthG auch Hinder/Holzhauer, *46) Geduldet – und gut integriert?*, A.I. in diesem Fallbuch.

8 Röder, in: BeckOK MigR, 13. Ed. 15.10.2022, AufenthG § 25a Rn. 7.

9 BVerwG, Urt. v. 18.12.2019, Az.: 1 C 34/18, Rn. 24.

10 BVerwG, Urt. v. 18.12.2019, Az.: 1 C 34/18, Rn. 23.

11 Röder, in: BeckOK MigR, 13. Ed. 15.10.2022, AufenthG § 25a Rn. 7, sowie weiterführend Rn. 28 zum maßgeblichen Zeitpunkt für das Vorliegen der Tatbestandsvoraussetzungen bei Erreichen der Altersgrenze vor der Ent scheidung über den Antrag.

rücksichtigen ist, wenn sich die Stellung des förmlichen Asylantrages aus von der antragstellenden Person nicht zu vertretenden Gründen verzögert hat.[12]
E erfüllt demnach die erforderliche Voraufenthaltszeit.

3. Erfolgreicher Schulbesuch oder Schul-/Berufsabschluss, § 25a I 1 Nr. 2 AufenthG

E müsste gemäß § 25a I 1 Nr. 2 AufenthG seit vier Jahren erfolgreich eine Schule besucht (Alt. 1) oder einen anerkannten Schul- oder Berufsabschluss erworben haben (Alt. 2). Laut Sachverhalt hat E einen Hauptschulabschluss in Deutschland erworben. Demnach ist die Voraussetzung des § 25a I 1 Nr. 2 Alt. 2 AufenthG erfüllt.

Weiterführendes Wissen

Nach der Gesetzesbegründung können die Regelmäßigkeit des Schulbesuchs sowie die Versetzung in die nächste Klasse als Kriterien für die Beurteilung des „Erfolgs" des Schulbesuchs herangezogen werden.[13] Dies darf jedoch nicht schematisch geschehen; es ist stets eine Einzelfallbetrachtung unter Berücksichtigung der individuellen Situation und Entwicklung der antragstellenden Person erforderlich.[14]

4. Antragstellung vor Vollendung des 21. Lebensjahres, § 25a I 1 Nr. 3 AufenthG

Der Antrag auf die Erteilung der Aufenthaltserlaubnis müsste gemäß § 25a I 1 Nr. 3 AufenthG vor dem 21. Geburtstag von E gestellt worden sein. Laut Sachverhalt ist E 19 Jahre alt und hat den Antrag bei der Ausländerbehörde bereits gestellt. Der Antrag wurde daher rechtzeitig gestellt.

5. „Positive Integrationsprognose", § 25a I 1 Nr. 4 AufenthG

Es müsste gemäß § 25a I 1 Nr. 4 AufenthG gewährleistet erscheinen, dass E sich in die Lebensverhältnisse in Deutschland einfügen kann. Eine solche „positive **Integrationsprognose**" kann gestellt werden, wenn die begründete Erwartung besteht, dass sich E in sozialer, wirtschaftlicher und rechtlicher Hinsicht in die Lebensverhältnisse der Bundesrepublik Deutschland einfügen kann.[15] Um dies zu beurteilen, ist eine die konkreten individuellen Lebensumstände berücksichtigende Gesamt-

---

12 Röder, in: BeckOK MigR, 13. Ed. 15.10.2022, AufenthG § 25a Rn. 20; näher dazu auch Röder, Asylmagazin 2016, 108 (110f).
13 BT-Drs. 18/4097, S. 42.
14 Röder, in: BeckOK MigR, 13. Ed. 15.10.2022, AufenthG § 25a Rn. 26.
15 Röder, in: BeckOK MigR, 13. Ed. 15.10.2022, AufenthG § 25a Rn. 29.

betrachtung geboten. Dabei können Kenntnisse der deutschen Sprache, das Vorhandensein eines festen Wohnsitzes und enger persönlicher Beziehungen zu dritten Personen außerhalb der eigenen Familie, der Schulbesuch und das Bemühen um eine Berufsausbildung und Erwerbstätigkeiten, das soziale und bürgerschaftliche Engagement sowie die Akzeptanz der hiesigen Rechts- und Gesellschaftsordnung berücksichtigt werden.[16]

Aus dem Sachverhalt ergeben sich keine Anhaltspunkte, die gegen eine positive Integrationsprognose für E sprechen. Für eine positive Prognose spricht insbesondere ihre bisherige Bildungsbiographie mit dem erfolgreichen Hauptschulabschluss und der Aufnahme der Ausbildung als Kfz-Mechatronikerin.

6. „Verfassungstreue", § 25a I 1 Nr. 5 AufenthG

Es bestehen keine Anhaltspunkte dafür, dass E sich nicht zur freiheitlichen demokratischen Grundordnung der Bundesrepublik Deutschland bekennt, sodass § 25a I 1 Nr. 5 AufenthG ebenfalls erfüllt ist.

---

i **Weiterführendes Wissen**

Ein aktives Bekenntnis, wie zum Beispiel die sogenannte **Loyalitätserklärung**, die im Rahmen von § 10 I StAG üblich ist, ist nicht erforderlich. Dies ergibt sich systematisch aus einem Vergleich mit § 25b I Nr. 2 AufenthG, der ein aktives Bekenntnis zur freiheitlich demokratischen Grundordnung verlangt, während § 25a I 1 Nr. 5 AufenthG nur die Abwesenheit von konkreten Anhaltspunkten gegen ein Bekenntnis voraussetzt. Wenn die Ausländerbehörde im Einzelfall Anhaltspunkte für eine fehlende Verfassungstreue hat, muss sie die antragstellende Person damit zunächst konfrontieren, wenn die Verweigerung der Aufenthaltserlaubnis aus diesem Grund beabsichtigt ist.[17]

II. Ausschlussgrund: Aussetzung der Abschiebung aufgrund eigener falscher Angaben oder Identitätstäuschung, § 25a I 3 AufenthG

Die Abschiebung von E dürfte gemäß § 25a I 3 AufenthG nicht aufgrund eigener falscher Angaben oder einer Identitätstäuschung ausgesetzt sein.

Die Erteilung einer Ausbildungsduldung ist gemäß § 60c II Nr. 1 AufenthG ausgeschlossen, wenn ein Ausschlussgrund nach § 60a VI AufenthG vorliegt. Ein solcher liegt gemäß § 60a VI 1 Nr. 2 S. 2 AufenthG vor, wenn die Abschiebung aus selbst zu ver-

---

16 OVG Nds, Urt. v. 19.3.2012, Az.: 8 LB 5/11, Rn. 76 – openJur; VGH BW, Beschl. v. 3.6.2020, Az.: 11 S 427/20, Rn. 43 – openJur.
17 Röder, in: BeckOK MigR, 13. Ed. 15.10.2022, AufenthG § 25a Rn. 32.

tretenen Gründen nicht durchgeführt werden kann, insbesondere bei einer Täuschung über die eigene Identität oder Staatsangehörigkeit oder bei falschen Angaben.

Da E in Besitz einer Ausbildungsduldung ist, kann davon ausgegangen werden, dass sie ihr Abschiebungshindernis nicht aufgrund entsprechender Falschangaben oder Täuschung selbst zu vertreten hat.

Weiterführendes Wissen

Täuschungshandlungen der Eltern dürfen Minderjährigen im Rahmen des § 25a I 3 AufenthG nicht zugerechnet werden, auch wenn diese ihre gesetzlichen Vertreter*innen sind. Es entsteht auch keine automatische Aufklärungspflicht bei Eintritt der Volljährigkeit, insofern stellt das bloße Fortwirkenlassen einer Täuschung oder falscher Angaben keinen zwingenden Ausschlussgrund dar, es kann lediglich im Rahmen der Ermessensentscheidung über die Erteilung berücksichtigt werden.[18] Schädlich ist im Hinblick auf den Ausschlussgrund nur ein aktives Verhalten nach Eintritt der Volljährigkeit.[19]

III. Allgemeine Erteilungsvoraussetzungen, §§ 5, 10 III AufenthG

Neben den speziellen Erteilungsvoraussetzungen des § 25a AufenthG müssten grundsätzlich auch im Zeitpunkt der Erteilung der Aufenthaltserlaubnis die **allgemeinen Erteilungsvoraussetzungen** des § 5 AufenthG vorliegen – soweit diese nicht durch § 25a AufenthG als Spezialregelung modifiziert werden – und es dürfte keine Titelerteilungssperre nach § 10 III AufenthG greifen.

1. § 5 AufenthG

Weiterführendes Wissen

Von den allgemeinen Erteilungsvoraussetzungen des § 5 I AufenthG kann gemäß § 5 III AufenthG im Ermessenswege abgesehen werden. Für ein Absehen etwa von der Passpflicht kann sprechen, dass ein Nationalpass bereits beantragt und alle zumutbaren Handlungen für die Beschaffung des Passes vorgenommen wurden. Dies ist insbesondere der Fall, wenn die antragstellende Person selbst noch minderjährig ist und die fehlende Passbeschaffung somit nicht ihr, sondern den Eltern anzulasten ist.[20]

---

18 BVerwG, Urt. v. 14.5.2013, Az.: 1 C 17.12, Rn. 16 – openJur.
19 Fränkel, in: NK-Ausländerrecht, 2. Aufl. 2016, § 25a Rn. 11.
20 OVG SA, Beschl. v. 14.12.2021, Az.: 2 M 117/21, Rn. 30 ff. – openJur.

a) Lebensunterhaltssicherung, § 5 I Nr. 1 i.V.m. 25a I 2 AufenthG

E müsste gemäß § 5 I Nr. 1 AufenthG ihren **Lebensunterhalt** sichern können. Diese allgemeine Erteilungsvoraussetzung wird durch § 25a I 2 AufenthG dahingehend modifiziert, dass während einer schulischen oder beruflichen Ausbildung oder einem Hochschulstudium die Inanspruchnahme öffentlicher Leistungen zur Sicherstellung des eigenen Lebensunterhalts die Erteilung der Aufenthaltserlaubnis nicht ausschließt. Der Sachverhalt macht keine näheren Angaben zu der Lebensunterhaltssicherung der E. Das Gehalt in der Ausbildung zur Kfz-Mechatronikerin richtet sich in der Regel nach den tarifgebundenen Vereinbarungen, anderenfalls gilt der gesetzliche Mindestlohn. Es ist davon auszugehen, dass E ihren Lebensunterhalt durch die Ausbildungsvergütung bestreiten kann. Sofern sie zusätzlich öffentliche Leistungen in Anspruch nimmt, ist dies gemäß § 25a I 2 AufenthG unschädlich. Die Voraussetzung der Lebensunterhaltssicherung ist mithin erfüllt.

b) Geklärte Identität und Erfüllung der Passpflicht, § 5 I Nr. 1a und 4 AufenthG

Die Voraussetzungen der geklärten Identität und Erfüllung der Passpflicht werden von E, die laut Sachverhalt einen gültigen und anerkannten Nationalpass bei der Ausländerbehörde vorgelegt hat, erfüllt.

c) Kein Ausweisungsinteresse und keine Beeinträchtigung oder Gefährdung sonstiger Interessen der Bundesrepublik Deutschland, § 5 I Nr. 2 und 3 AufenthG

Dem Sachverhalt lassen sich keine Informationen entnehmen, die ein Ausweisungsinteresse gemäß § 54 AufenthG oder eine Beeinträchtigung oder Gefährdung sonstiger Interessen der Bundesrepublik Deutschland durch E begründen könnten.

d) Einreise mit dem erforderlichen Visum, § 5 II AufenthG

Gemäß § 5 II AufenthG müsste E mit dem erforderlichen Visum eingereist sein. Dies ist nicht der Fall. Von dem **Visumerfordernis** ist aber regelmäßig nach § 5 III 2 AufenthG im Ermessenswege abzusehen. Es ist zwar eine umfassende und grundsätzlich offene Abwägung zwischen den hinter dem Visumserfordernis stehenden öffentlichen Interessen und den privaten Interessen der antragstellenden Person zu treffen; zugunsten der E ist aber die gesetzgeberische Intention des § 25a AufenthG angemessen zu berücksichtigen, gut integrierten Jugendlichen beziehungsweise Heranwachsenden eine eigene gesicherte Aufenthaltsperspektive einzuräumen, indem eine Aufenthaltserlaubnis erteilt wird. Damit existiert ein öffentliches Interesse an der Regularisierung des Aufenthalts, das – bei Erfüllung der Voraussetzungen des Soll-Anspruchs aus § 25a AufenthG und sofern keine Anhaltspunkte dafür vorliegen, dass das Visumverfahren bewusst umgangen wurde – schwerer wiegt als das Interesse an der Einhaltung der **Visumspflicht**.[21]

2. Keine Titelerteilungssperre, § 10 III AufenthG

E dürfte keiner sogenannten **Titelerteilungssperre** gemäß § 10 III AufenthG für abgelehnte Asylsuchende unterliegen.[22] Gemäß § 10 III 1 AufenthG darf einer ausländischen Person, deren Asylantrag unanfechtbar abgelehnt worden ist, oder die ihren Asylantrag zurückgenommen hat, vor der Ausreise ein Aufenthaltstitel nur nach Maßgabe des Abschnitts 5 (Aufenthalt aus völkerrechtlichen, humanitären oder politischen Gründen) erteilt werden. Sofern der Asylantrag als **offensichtlich unbegründet** abgelehnt wurde, darf gemäß § 10 III 2 AufenthG vor der Ausreise überhaupt kein Aufenthaltstitel erteilt werden. Eine Titelerteilungssperre besteht gemäß § 10 III 3 AufenthG dann nicht, wenn ein Anspruch auf Erteilung eines Aufenthaltstitels besteht. Da es sich bei „Soll-Regelungen", wie der des § 25a AufenthG, nach der Rechtsprechung des Bundesverwaltungsgerichts nicht um einen gesetzlichen Anspruch handelt[23], ist § 10 III 3 AufenthG nicht anwendbar. Entscheidend ist daher, ob der Asylantrag der E als offensichtlich unbegründet abgelehnt worden ist oder ob eine „einfach" unbegründete Ablehnung vorliegt. Mangels anderslautender Angaben im Sachverhalt ist davon auszugehen, dass der Asylantrag der E „einfach" unbegründet abgelehnt wurde. Gemäß § 10 III 1 AufenthG darf ihr in diesem Fall ein Aufenthaltstitel nach Maßgabe des Abschnitts 5 erteilt werden. Bei der Aufenthaltserlaubnis nach § 25a AufenthG handelt es sich um einen Aufenthaltstitel aus dem Abschnitt 5 des AufenthG. Demnach unterliegt E vorliegend keiner Titelerteilungssperre aus § 10 III AufenthG.

Weiterführendes Wissen

Eine Titelerteilungssperre kann auch die Folge eines Einreise- und Aufenthaltsverbots (§ 11 I AufenthG) sein. Wenn die Erteilungsvoraussetzungen für § 25a AufenthG vorliegen, soll dieses jedoch gemäß § 11 IV 2 AufenthG aufgehoben werden.

---

21 VGH BW, Beschl. v. 3.6.2020, Az.: 11 S 427/20, Rn. 48 – openJur.
22 Siehe zur Titelerteilungssperre gemäß § 10 III AufenthG Seidl, *41) Spurwechsel? Nicht so einfach!* in diesem Fallbuch.
23 BVerwG, Urt. v. 12.7.2018, Az.: 1 C 16/17, Rn. 27; BVerwG, Urt. v. 17.12.2015, Az.: 1 C 31/14; BVerwG, Urt. v. 16.12.2008, Az.: 1 C 37/07.

B. Rechtsfolge

Bei Erfüllung der Erteilungsvoraussetzungen besteht gemäß § 25a I 1 AufenthG kein strikter Anspruch auf Erteilung der Aufenthaltserlaubnis; die Erteilung ist aber der gesetzlich vorgesehene Regelfall („soll...erteilt werden"). Eine Versagung kommt danach allenfalls in besonders gelagerten atypischen Konstellationen in Betracht. Ein derartiger Ausnahmefall ist hier nicht ersichtlich, sodass E eine Aufenthaltserlaubnis nach § 25a I 1 AufenthG erhält.

ℹ️ Weiterführendes Wissen

Eine für die Praxis besonders relevante Streitfrage ist, ob es sich um einen rechtsmissbräuchlichen Fall handelt, wenn eine Duldung aufgrund der Rücknahme eines Asylantrags erteilt wurde. In dieser Konstellation wird ein Asylantrag zurückgenommen, um den für die Erteilung der Aufenthaltserlaubnis erforderlichen **Duldungsstatus** zu erhalten. Nach Auffassung des VGH Baden-Württemberg[24] und der hiesigen Auffassung handelt es sich dabei nicht um einen atypischen, weil rechtsmissbräuchlichen Fall, sodass der Erteilung eines Aufenthaltstitels nach § 25a AufenthG nichts im Wege steht – für die Beurteilung dieser Frage sollte dennoch anwaltlicher Rat eingeholt werden. Zu beachten ist, dass der Antrag auf die Erteilung der Aufenthaltserlaubnis auch gestellt werden kann, ohne dass bereits eine Duldung vorhanden ist. Zum maßgeblichen Zeitpunkt für das Vorliegen der erforderlichen Duldung, siehe oben.

C. Abwandlung

Fraglich ist, ob auch die Eltern von E eine Aufenthaltserlaubnis bekommen können. Gemäß § 25a II 1 AufenthG kann den Eltern einer minderjährigen Person, die eine Aufenthaltserlaubnis nach § 25a I AufenthG besitzt, eine Aufenthaltserlaubnis erteilt werden, wenn ihre **Abschiebung** nicht aufgrund falscher Angaben oder aufgrund von Täuschungen über die Identität oder Staatsangehörigkeit oder mangels Erfüllung zumutbarer Anforderungen an die Beseitigung von Ausreisehindernissen verhindert oder verzögert wird (Nr. 1) und der Lebensunterhalt eigenständig durch Erwerbstätigkeit gesichert ist (Nr. 2). Laut Sachverhalt ist E 17 Jahre alt und damit minderjährig. Ihre Eltern können den Lebensunterhalt eigenständig durch Erwerbstätigkeit sichern. Aus dem Sachverhalt ergeben sich keine Hinweise darauf, dass die Eltern Mitwirkungspflichten verletzt oder über ihre Identität getäuscht hätten. Damit steht die Erteilung einer Aufenthaltserlaubnis nach § 25a II 1 AufenthG im Ermessen der Ausländerbehörde („kann [...] erteilt werden").

---

24 VGH BW, Beschl. v. 3.6.2020, Az.: 11 S 427/20, Rn. 49 – openJur.

Laura Hinder/Rhea Nachtigall

Daneben kommt für die Eltern gegebenenfalls auch eine Aufenthaltserlaubnis nach § 25b AufenthG in Betracht, wenn sie die entsprechenden Voraussetzungen erfüllen.[25]

Weiterführende Literatur
- Röder, §§ 25a und b AufenthG – Hiergeblieben!? Die neuen Bleiberechte bei gelungener Integration, Asylmagazin 2016, 108
- Deibel, Die neue Aufenthaltserlaubnis für Jugendliche und Heranwachsende in § 25a AufenthG, ZAR 2011, 241

Zusammenfassung: Die wichtigsten Punkte
- Eine Aufenthaltserlaubnis nach § 25a I AufenthG kann auch dann erteilt werden, wenn die antragstellende Person eine Ausbildungsduldung hat.
- Es besteht ein Regelerteilungsanspruch auf eine Aufenthaltserlaubnis nach § 25a I AufenthG, sodass der Antrag nur in atypischen Fällen abgelehnt werden darf.
- § 25a II AufenthG enthält auch die Möglichkeit abgeleiteter Aufenthaltserlaubnisse für bestimmte Familienangehörige.

Dieser Fall darf gerne kommentiert, verändert und beliebig genutzt werden. Die Anleitung hierfür lässt sich über den abgebildete QR-Code mit der Smartphone-Kamera auf unserer Homepage aufrufen.

---

25 Siehe zur Aufenthaltserlaubnis nach § 25b AufenthG Hinder/Holzhauer, *46) Geduldet – und gut integriert?* in diesem Fallbuch.

Laura Hinder/Rhea Nachtigall

Fall 46
Geduldet – und gut integriert?

Behandelte Themen: Aufenthaltsgewährung bei nachhaltiger Integration, Duldung

Schwierigkeitsgrad: Anfänger*innen

Sachverhalt

Der afghanische Staatsangehörige E kommt im September 2021 in die Beratungsstelle der Refugee Law Clinic. Er kann sich auf Deutsch verständigen und aus seiner Schilderung und den mitgebrachten Unterlagen ergibt sich folgender Sachverhalt:

E ist am 3.4.1976 geboren und im April 2015 gemeinsam mit seinem damals siebenjährigen Sohn S nach Deutschland eingereist. Im Januar 2016 hat er einen Asylantrag gestellt. Im November 2017 wurde der Asylantrag vom Bundesamt für Migration und Flüchtlinge (BAMF) abgelehnt, woraufhin E mithilfe seines Rechtsanwalts Klage eingereicht hat. Das zuständige Verwaltungsgericht hat die Klage im November 2019 abgelehnt. Seitdem wird E, ebenso wie der inzwischen 13-jährige S, geduldet. Die unsichere aufenthaltsrechtliche Situation setzt den beiden zu und S hat Schwierigkeiten in der Schule, das letzte Schuljahr muss er aufgrund von schlechten Noten wiederholen. E hat seit März 2020 eine Anstellung in Vollzeit bei einem Paketdienstleistungsunternehmen. Der Vertrag war zunächst für ein Jahr befristet und wurde anschließend für weitere zwei Jahre bis April 2023 verlängert. Im April 2021 hat E einen afghanischen Nationalpass bei der Ausländerbehörde vorgelegt. Von einer Freundin hat er erfahren, dass er möglicherweise eine Aufenthaltserlaubnis aufgrund seiner „guten Integration" erhalten könnte und wendet sich deshalb an die RLC. Er geht alleine zu dem Beratungsgespräch, da er sich gut auf Deutsch verständigen kann und auf eine Übersetzung nicht angewiesen ist.

Fallfrage

Hat ein Antrag des E auf Erteilung einer Aufenthaltserlaubnis Aussicht auf Erfolg?

https://doi.org/10.1515/9783110990379-046

Lösungsvorschlag

Zu prüfen ist, ob ein Antrag des E auf Erteilung einer Aufenthaltserlaubnis Aussicht auf Erfolg hat. E könnte einen Anspruch auf die Erteilung einer **Aufenthaltserlaubnis wegen guter Integration** nach § 25b AufenthG haben.

---

i **Hinweise zur Fallbearbeitung**

Da dieser Sachverhalt im Jahr 2021 spielt, ist er nach der alten Rechtslage zu lösen. Mit dem Gesetz zur Einführung eines Chancen-Aufenthaltsrechts (BGBl. I 2022, S. 2847), das am 31.12.2022 in Kraft trat, wurde der Anwendungsbereich des § 25b AufenthG auf Inhaber*innen einer Aufenthaltserlaubnis nach § 104c AufenthG n.F. erweitert sowie die Voraufenthaltszeit in § 25b I 2 Nr. 1 AufenthG auf sechs bzw. vier Jahre verkürzt.

A. Erteilungsvoraussetzungen

I. Persönlicher Anwendungsbereich: „Geduldeter Ausländer"
E müsste dem persönlichen Anwendungsbereich des § 25b AufenthG unterfallen. Gemäß § 25b I 1 AufenthG erstreckt sich der Anwendungsbereich auf geduldete Ausländer*innen. Laut Sachverhalt ist E geduldet. Er fällt damit in den persönlichen Anwendungsbereich des § 25b AufenthG.

---

i **Weiterführendes Wissen**

Einige Ausländerbehörden und Gerichte hatten in der Vergangenheit die Erteilung der Aufenthaltserlaubnis abgelehnt, weil die Antragsteller*innen lediglich über eine sogenannte Verfahrensduldung verfügten. Als „**Verfahrensduldung**" wird eine Duldung bezeichnet, die ausschließlich für die Zwecke der Durchführung eines Verfahrens (insbesondere für Gerichts- und Verwaltungsverfahren, aber auch im Falle von Petitions- und Härtefallverfahren) erteilt wird. Das Bundesverwaltungsgericht hat klargestellt, dass es für die Erteilung unerheblich ist, welche Art von Duldung vorliegt.[1]

Zudem hat das Bundesverwaltungsgericht in dieser Entscheidung klargestellt, dass es nicht auf die tatsächliche Erteilung der Duldung ankommt, sondern dass es ausreichend ist, wenn ein Anspruch auf die Erteilung besteht.[2]

Der maßgebliche Zeitpunkt für das Vorliegen der Duldung (oder des Anspruchs darauf) ist, ebenso wie für alle anderen Erteilungsvoraussetzungen, der Zeitpunkt der Erteilung, beziehungsweise im gerichtlichen Verfahren der Zeitpunkt der letzten mündlichen Verhandlung oder Entscheidung in der Tatsacheninstanz.[3] Insofern ist ein „Hineinwachsen" in den persönlichen Anwendungsbereich des § 25b AufenthG auch nach der Antragstellung noch möglich.[4]

---

1 BVerwG, Urt. v. 18.12.2019, Az.: 1 C 34/18, Rn. 28.
2 BVerwG, Urt. v. 18.12.2019, Az.: 1 C 34/18, Rn. 24.
3 BVerwG, Urt. v. 18.12.2019, Az.: 1 C 34/18, Rn. 23.
4 Röder, in: BeckOK MigR, 13. Ed. 15.10.2022, AufenthG § 25b Rn. 7 m.w.N.

Laura Hinder/Vincent Holzhauer

Teile der Rechtsprechung lehnen die Erteilung für minderjährige Antragsteller*innen ab. Dies überzeugt jedoch nicht, da der Wortlaut keine Altersbeschränkung vorsieht, und die Vergünstigung des § 25b I 3 Nr. 1 AufenthG sowie das Wahlrecht aus § 25b V 3 AufenthG gegen eine Altersbeschränkung sprechen.[5]

II. Nachhaltige Integration, § 25b I 1, 2 AufenthG

E müsste sich gemäß § 25b I 1 AufenthG „nachhaltig in die Lebensverhältnisse in der Bundesrepublik Deutschland integriert" haben. Hiervon ist auszugehen, wenn er die Regelvoraussetzungen des § 25b I 2 AufenthG erfüllt.

Weiterführendes Wissen

Die Formulierung „setzt regelmäßig voraus" in § 25b I 2 AufenthG lässt die Erteilung der Aufenthaltserlaubnis auch dann zu, wenn die dort genannten Voraussetzungen im Einzelfall nicht vollständig erfüllt sind. Auch aus der Gesetzesbegründung ergibt sich, dass besondere Integrationsleistungen (z.B. herausgehobenes gemeinnütziges Engagement) von vergleichbarem Gewicht ebenfalls zur Erteilung der Aufenthaltserlaubnis führen können.[6]

1. Voraufenthaltszeit, § 25b I 2 Nr. 1 AufenthG

E müsste die in der Regel erforderliche **Voraufenthaltszeit** erfüllen. Gemäß § 25b I 2 Nr. 1 AufenthG ist ein Voraufenthalt mit **Duldung, Aufenthaltsgestattung oder Aufenthaltserlaubnis** von mindestens acht Jahren erforderlich. E ist im April 2015 eingereist und daher zum Zeitpunkt der Beratungsanfrage im September 2021 erst seit knapp sechseinhalb Jahren in Deutschland. Jedoch verkürzt sich die in der Regel erforderliche Voraufenthaltszeit auf sechs Jahre, wenn die antragstellende Person in einer häuslichen Gemeinschaft mit einem minderjährigen, ledigen Kind lebt, § 25b I 2 Nr. 1 Alt. 2 AufenthG. Es ist davon auszugehen, dass E mit seinem 13-jährigen Sohn in einer häuslichen Gemeinschaft wohnt. Daher ist für ihn die verkürzte Voraufenthaltszeit von sechs Jahren einschlägig, die er erfüllt.

5 Röder, in: BeckOK MigR, 13. Ed. 15.10.2022, AufenthG § 25b Rn. 13.
6 BT-Drs. 18/4097, S 42.

Nach der Gesetzesbegründung sollen „kurzfristige [gemeint sind „kurze"] Unterbrechungen der Mindestaufenthaltsdauer von bis zu drei Monaten" unschädlich sein.[7] Kurzzeitige Lücken können durch andere Integrationsindizien aufgewogen werden oder – bei lediglich wenigen Tagen – bereits wegen Bagatellcharakters unschädlich sein. § 85 AufenthG, der die Behörde ermächtigt, Unterbrechungen der „Rechtmäßigkeit des Aufenthalts" bis zu einem Jahr nach Ermessen außer Betracht zu lassen, findet im Rahmen von § 25b AufenthG nur dann Anwendung, wenn es um die Unterbrechung eines erlaubten (oder gestatteten) Aufenthalts geht. Die analoge Anwendung auf Unterbrechungen von Duldungszeiträumen scheidet indes aus.[8]

Sofern ein Anspruch auf eine Duldung besteht, ist für die Berechnung der Voraufenthaltszeit unbeachtlich, ob eine Duldungsbescheinigung tatsächlich erteilt wurde. Der Aufenthalt gilt bereits dann als geduldet, wenn die materiell-rechtlichen Voraussetzungen für eine Duldung nach § 60a AufenthG vorliegen, insbesondere auch dann, wenn die zuständige Behörde den Aufenthalt faktisch geduldet hat.[9]

Nicht angerechnet werden die Zeiten des Besitzes einer Duldung „für Personen mit ungeklärter Identität" nach § 60b AufenthG, vgl. § 60b V 1 AufenthG.

2. Verfassungstreue, § 25b I 2 Nr. 2 AufenthG

E müsste sich zur freiheitlich demokratischen Grundordnung bekennen und über Grundkenntnisse der Rechts- und Gesellschaftsordnung und der Lebensverhältnisse im Bundesgebiet verfügen.

a) Bekenntnis zur freiheitlich demokratischen Grundordnung

In der behördlichen Praxis wird hierzu häufig die Abgabe einer – aus dem Einbürgerungsverfahren bekannten – sogenannten **Loyalitätserklärung** verlangt.[10] Anhaltspunkte, die gegen die Glaubhaftigkeit eines solchen Bekenntnisses sprechen könnten, sind nicht ersichtlich. E könnte, um die Voraussetzung zu erfüllen, eine „Loyalitätserklärung" bei der Ausländerbehörde einreichen.

7 BT-Drs. 18/4097, S. 43; s. weiterführend Röder: in BeckOK MigR, 13. Ed. 15.10.2022, AufenthG § 25a Rn. 14.
8 Wittmann in: GK-AufenthG, Stand 1.7.2022, AufenthG § 25b Rn. 101f., s. auch BVerwG, Urt. v. 18.12.2019, Az.: 1 C 34/18, Rn. 49f.
9 Fränkel, in: NK-Ausländerrecht, 2. Aufl. 2016, AufenthG § 25b Rn. 9; Kluth in: BeckOK AuslR, 33. Ed. 1.10.2022, AufenthG § 25b Rn. 14.
10 BMI, Anwendungshinweise zu § 25b vom 27.7.2015, unter C.

b) Grundkenntnisse der Rechts- und Gesellschaftsordnung und der Lebensverhältnisse im Bundesgebiet

Gesetzlich ist keine bestimmte Nachweisform bezüglich der Grundkenntnisse gefordert. Der Nachweis kann zum Beispiel durch einen bestandenen bundeseinheitlichen Test zum Orientierungskurs („Leben in Deutschland") erbracht werden.[13] Die antragstellende Person kann sich gegebenenfalls „privat", unter Zuhilfenahme einschlägiger Lehrmaterialien und/oder des frei zugänglichen Pools an Fragen im Internet, vorbereiten.[14] Dem Sachverhalt sind keine Informationen zu entnehmen, die darauf schließen lassen, dass E nicht über Grundkenntnisse der Rechts- und Gesellschaftsordnung verfügt. Er könnte sie mittels der Absolvierung des oben genannten Tests oder auf andere Weise nachweisen.

---

11 VGH BW, Urt. v. 18.5.2018, Az.: 11 S 1810/16, Rn. 102 – openJur.
12 Schriftlichkeit fordernd: BMI, Anwendungshinweise zu § 25b vom 27.7.2015, unter C.; OVG SA, Urt. v. 7.12.2016, Az.: 2 L 18/15, Rn. 34; mit guter Begründung auch andere Nachweisformen für ausreichend erachtend: Kluth, in: BeckOK AuslR, 35. Ed. 1.10.2022, AufenthG § 25b Rn. 17; Röder, in: BeckOK MigR, 13. Ed. 15.10.2022, AufenthG § 25b Rn. 37.
13 BMI, Anwendungshinweise zu § 25b vom 27.07.2015, unter D. i. V. m. § 17 I Nr. 2 IntV.
14 Röder, in: BeckOK MigR, 13. Ed. 15.10.2022, AufenthG § 25b Rn. 37.
15 BMI, Anwendungshinweise zu § 25b vom 27.7.2015, unter D.
16 Zu den Zugangsvoraussetzungen zu einem Integrationskurs siehe Nachtigall, *4) Familie Nkrumah*, D. in diesem Fallbuch.
17 Röder, in: BeckOK MigR, 13. Ed. 15.10.2022, AufenthG § 25b Rn. 37; Röcker, in: Bergmann/Dienelt, Ausländerrecht, 14. Aufl. 2022, § 25b AufenthG Rn. 16.

Die Ausländerbehörde muss den Nachweis auf andere Weise, zum Beispiel durch eine persönliche Befragung, insbesondere ermöglichen, wenn der antragstellenden Person die zuvor genannten Nachweise, etwa aus Altersgründen oder wegen Analphabetismus, unmöglich oder unzumutbar sind.[18]

3. Wirtschaftliche Integration, § 25b I 2 Nr. 3 AufenthG

E müsste gemäß der Voraussetzung des S. 2 Nr. 3 seinen **Lebensunterhalt überwiegend durch Erwerbstätigkeit sichern** (Alt. 1) oder dies bei Betrachtung seiner bisherigen Bildungs- und Erwerbsbiographie sowie der familiären Situation prognostisch erreichen (Alt. 2). Laut Sachverhalt lebt E von seinem Gehalt. Bei dem Arbeitsvertrag handelt sich um eine befristete Anstellung. Die Tatsache, dass das Arbeitsverhältnis befristet ist, kann für sich genommen jedoch nicht die Ablehnung der Alt. 1 begründen, die grundsätzlich auf die gegenwärtige Situation abstellt und nicht zukunftsbezogen ist.[19] Die Aufenthaltserlaubnis wird nach § 25b V 1 AufenthG für längstens zwei Jahre erteilt und die Befristung des Arbeitsvertrags von E geht sogar über diesen Zeitraum hinaus. Demnach ist die Voraussetzung der wirtschaftlichen Integration im Sinne der Alt. 1 unproblematisch erfüllt.

---

i | **Weiterführendes Wissen**

Diese Voraussetzung beinhaltet die in § 25b I 1 AufenthG genannte Abweichung von § 5 I Nr. 1 AufenthG (allgemeine Erteilungsvoraussetzung der Lebensunterhaltssicherung für Aufenthaltstitel).[20]

Die Anwendungshinweise des BMI fordern die Sicherung des Lebensunterhalts „zum größten Teil".[21] Dies ist mit dem Wortlaut nicht vereinbar. Ausreichend ist, wenn durch Erwerbstätigkeit ein Einkommen erwirtschaftet wird, das (unter Berücksichtigung der Maßgaben des § 2 III AufenthG) einen gegebenenfalls hinzutretenden Sozialleistungsanspruch in der Höhe übersteigt.[22]

Von der Voraussetzung der wirtschaftlichen Integration ist abzusehen, wenn die antragstellende Person sie wegen einer körperlichen, geistigen oder seelischen Krankheit oder Behinderung oder aus Altersgründen nicht erfüllen kann, § 25b III AufenthG.

Der Bezug von Wohngeld ist nach dem Gesetzeswortlaut unschädlich (dies gilt für beide Alternativen).[23]

---

18 Röder, in: BeckOK MigR, 13. Ed. 15.10.2022, AufenthG § 25b Rn. 37.
19 Röder, in: BeckOK MigR, 13. Ed. 15.10.2022, AufenthG § 25b Rn. 43.
20 Röder, in: BeckOK MigR, 13. Ed. 15.10.2022, AufenthG § 25b Rn. 39.
21 BMI, Anwendungshinweise zu § 25b vom 27.7.2015, unter E.)
22 BVerwG, Urt. v. 18.12.2019, Az.: 1 C 34.18, Rn. 52.
23 BT-Drs. 18/4097, S. 43.

Laura Hinder/Vincent Holzhauer

4. Deutschkenntnisse, § 25b I 2 Nr. 4 AufenthG

E müsste gemäß § 25b I 2 Nr. 4 AufenthG über hinreichende mündliche Kenntnisse auf dem Niveau A2 des Gemeinsamen Europäischen Referenzrahmens für Sprachen verfügen. Vorausgesetzt werden nach dem Wortlaut der Norm lediglich mündliche (nicht schriftliche) **Kenntnisse der deutschen Sprache.**

Dieser Nachweis ist unter anderem bereits dann erbracht, wenn bislang einfache Gespräche bei der Ausländerbehörde auf Deutsch geführt werden konnten.[24] Laut Sachverhalt findet die Beratung bei der RLC ohne Übersetzer*in statt, da E sich gut auf Deutsch verständigen kann. Es kann daher davon ausgegangen werden, dass er über die für die Erteilung der Aufenthaltserlaubnis erforderlichen Sprachkenntnisse verfügt.

Weiterführendes Wissen ℹ️

Die Form des Nachweises ist gesetzlich nicht geregelt. Nach der Gesetzesbegründung ist der Nachweis jedenfalls durch ein Sprachstandszeugnis der Stufe A2, das auf einer standardisierten Sprachprüfung beruht, die derzeit vom Goethe-Institut, TestDaF-Institut und der telcGmbH (DVV) angeboten werden. Darüber hinaus sind die Sprachkenntnisse nachgewiesen, wenn

- bislang einfache Gespräche bei der Ausländerbehörde ohne Zuhilfenahme eines Dolmetschers auf Deutsch geführt werden konnten,
- vier Jahre eine deutschsprachige Schule mit Erfolg (Versetzung in die nächsthöhere Klasse) besucht, ein Hauptschulabschluss oder wenigstens gleichwertiger deutscher Schulabschluss erworben wurde oder eine Versetzung in die zehnte Klasse einer weiterführenden deutschsprachigen Schule erfolgt, oder
- ein Studium an einer deutschsprachigen Hochschule oder Fachhochschule oder eine deutsche Berufsausbildung erfolgreich abgeschlossen wurde.

Bei Kindern und Jugendlichen bis zum vollendeten 16. Lebensjahr ist kein Nachweis der Deutschkenntnisse erforderlich. Hier genügt die Vorlage des letzten Zeugnisses oder der Nachweis des Kindertagesstättenbesuchs.[25]

Von der Voraussetzung der Sprachkenntnisse ist abzusehen, wenn die antragstellende Person sie wegen einer körperlichen, geistigen oder seelischen Krankheit oder Behinderung oder aus Altersgründen nicht erfüllen kann, § 25b III AufenthG.

---

5. Schulbesuch, § 25b I 2 Nr. 5 AufenthG

Die Voraussetzung des Schulbesuches ist nur dann einschlägig, wenn die antragstellende Person Kinder im schulpflichtigen Alter hat. E hat einen 13-jährigen Sohn. Die-

---

24 BMI, Anwendungshinweise zum Gesetz über Duldung bei Ausbildung und Beschäftigung, 20.12.2019, 60d.1.6.
25 BT-Drs. 18/4097, S. 44; wörtlich übernommen in die BMI, Anwendungshinweise zu § 25b vom 27.7.2015, unter G.

Laura Hinder/Vincent Holzhauer

ser besucht zwar eine Schule, doch er wurde im letzten Schuljahr nicht versetzt. Auf eine positive Schulabschlussprognose oder den „Erfolg" des Schulbesuchs kommt es jedoch im Rahmen des § 25b AufenthG (anders als bei § 25a AufenthG) nicht an.[26] Die Vorlage einer **Schulbescheinigung** ist ausreichend. Somit ist die Voraussetzung des Schulbesuchs erfüllt.

ℹ️ **Weiterführendes Wissen**

Entschuldigte Fehlzeiten sind grundsätzlich unschädlich, auch wenn sie, etwa krankheitsbedingt, länger andauern.[27] Unentschuldigte Fehlzeiten können unter Berücksichtigung der Einzelfallumstände unbeachtlich sein, wenn sie vereinzelt geblieben sind.[28] Bei längeren (vermeintlich) unentschuldigten Fehlzeiten muss geklärt werden, inwieweit diese in den Verantwortungsbereich der antragstellenden Person fallen oder ob sie beispielsweise Folge behördenorganisatorischer Maßnahmen sind.[29]

III. Kein Versagungsgrund, § 25b II AufenthG
Es dürfte weiterhin kein Versagungsgrund für die Erteilung der Aufenthaltserlaubnis vorliegen. § 25b II AufenthG benennt zwei unterschiedliche Ausschlussgründe.

1. Verzögerung oder Verhinderung der Abschiebung
E dürfte seine **Abschiebung** nicht verzögern oder verhindern. Dies ist nach den Angaben im Sachverhalt der Fall. E hat insbesondere einen Pass bei der Ausländerbehörde vorgelegt, sodass seine Abschiebung nicht an seiner mangelnden Mitwirkung scheitern dürfte.

ℹ️ **Weiterführendes Wissen**

Der Ausschlussgrund setzt ein aktuelles Fehlverhalten voraus. In der Vergangenheit liegendes Fehlverhalten ist grundsätzlich unschädlich. Es kann jedoch ein Ausweisungsinteresse (§ 5 I Nr. 2 i.V.m. § 54 II Nr. 8 oder Nr. 9 AufenthG, s. IV.2.) oder einen Ausnahmefall begründen, wodurch die regelmäßige Erteilung der Aufenthaltserlaubnis zu einer Ermessensentscheidung herabgestuft wird.[30]

Das Fehlverhalten muss allein ursächlich sein für die Nichtdurchführung der Abschiebung. Der Versagungsgrund greift somit nicht, wenn auch andere Gründe vorliegen, die zur Aussetzung der Abschie-

---

26 Kluth, in: BeckOK AuslR, 35. Ed. 1.10.2022, AufenthG § 25b Rn. 25; Röder, in: BeckOK MigR, 13. Ed. 15.10.2022, AufenthG § 25b Rn. 59.
27 Röder, in: BeckOK MigR, 13. Ed. 15.10.2022, AufenthG § 25b Rn. 60.
28 OVG Nds, Urt. v. 8.2.2018, Az.: 13 LB 43/17, Rn. 54; Röder, in: BeckOK MigR, 13. Ed. 15.10.2022, AufenthG § 25b Rn. 61.
29 Röder, in: BeckOK MigR, 13. Ed. 15.10.2022, AufenthG § 25b Rn. 62.
30 Röder, in: BeckOK MigR, 13. Ed. 15.10.2022, AufenthG § 25b Rn. 67.

bung führen oder führen müssten.[31] Dies wäre etwa der Fall, wenn neben einer Passlosigkeit auch familiäre Duldungsgründe bestehen.

2. Kein Ausweisungsinteresse im Sinne von § 54 I oder II Nr. 1 und 2 AufenthG

Es dürfte weiterhin kein **Ausweisungsinteresse** im Sinne von § 54 I oder II Nr. 1 und 2 AufenthG vorliegen. In Betracht käme dies insbesondere bei strafrechtlichen Verurteilungen oder Terrorismusverdacht. Vorliegend ergeben sich aus dem Sachverhalt keine Hinweise auf ein möglicherweise vorliegendes Ausweisungsinteresse.

IV. Allgemeine Erteilungsvoraussetzungen, § 5 AufenthG

Zuletzt müssten noch die übrigen anwendbaren **allgemeinen Erteilungsvoraussetzungen** gemäß § 5 AufenthG erfüllt sein.

Weiterführendes Wissen

Die Anwendung von § 5 I Nr. 1 und II AufenthG ist ausgeschlossen, § 25b I 1 AufenthG („abweichend von…"). Von den weiteren allgemeinen Erteilungsvoraussetzungen des § 5 I AufenthG kann gemäß § 5 III AufenthG abgesehen werden.

1. Geklärte Identität und Erfüllung der Passpflicht, § 5 I Nr. 1a und 4 AufenthG

Die Voraussetzung der geklärten Identität und Erfüllung der Passpflicht wird von E, der laut Sachverhalt einen gültigen und anerkannten Nationalpass bei der Ausländerbehörde vorgelegt hat, erfüllt.

2. Kein Ausweisungsinteresse und keine Beeinträchtigung oder Gefährdung sonstiger Interessen der Bundesrepublik Deutschland, § 5 I Nr. 2 und 3 AufenthG

Dem Sachverhalt lassen sich keine Informationen entnehmen, die ein Ausweisungsinteresse oder eine Beeinträchtigung oder Gefährdung sonstiger Interessen der Bundesrepublik Deutschland durch E begründen könnten.

---

31 Röder, in: BeckOK MigR, 13. Ed. 15.10.2022, AufenthG § 25b Rn. 63.

> ℹ️ **Weiterführendes Wissen**
>
> Die allgemeine Erteilungsvoraussetzung des § 5 I Nr. 2 AufenthG ist neben dem Ausschlussgrund aus § 25b II Nr. 2 anwendbar.[32] Ein generell unbeachtlicher strafrechtlicher Bagatellbereich ist in § 25b AufenthG, anders als bei § 25a AufenthG, nicht normiert. Es dürfte aber von dem damit grundsätzlich gemäß § 5 I Nr. 2 i.V.m. § 54 II Nr. 9 AufenthG bestehenden Ausweisungsinteresse unter Wertungsgesichtspunkten nach § 5 III 2 AufenthG abzusehen sein, wenn sogar die nach § 25a II AufenthG abgeleiteten Aufenthaltserlaubnisse nicht an entsprechenden Straftaten scheitern.[33]

B. Rechtsfolge

E erfüllt, sofern er den Sprachnachweis und die Loyalitätserklärung erbringen kann, sowohl die speziellen Erteilungsvoraussetzungen des § 25b I 1 AufenthG als auch die anwendbaren allgemeinen Erteilungsvoraussetzungen des § 5 AufenthG und kann daher davon ausgehen, dass die Ausländerbehörde ihm die Aufenthaltserlaubnis erteilen wird.

> ℹ️ **Weiterführendes Wissen**
>
> Da die Vorschrift als Soll-Regelung ausgestaltet ist, muss die Aufenthaltserlaubnis grundsätzlich erteilt werden, wenn die Erteilungsvoraussetzungen vorliegen. Sie darf nur im Ausnahmefall, wenn atypische Umstände von erheblichem Gewicht entgegenstehen, versagt werden.[34]

Weiterführende Literatur
- Welte, Aufenthaltsrecht für nachhaltig integrierte Ausländer, ZAR 2015, 376
- Röder, §§ 25a und b AufenthG – Hiergeblieben!? Die neuen Bleiberechte bei gelungener Integration, Asylmagazin 2016, 108

Zusammenfassung: Die wichtigsten Punkte
- Persönlicher Anwendungsbereich des § 25b AufenthG, insbesondere Duldung.
- Beweisführung bezüglich der Voraussetzungen des § 25b AufenthG vor der Behörde.
- Zusammenspiel der speziellen und allgemeinen Erteilungsvoraussetzungen.

---

32 BVerwG, Urt. v. 18.12.2019, Az.: 1 C 34.18, Rn. 60.
33 Röder, in: BeckOK MigR, 13. Ed. 15.10.2022, AufenthG § 25b Rn. 74.
34 Fränkel, in: NK-Ausländerrecht, 2. Aufl. 2016, § 25b Rn. 4; Marx, Das neue Fachkräfteeinwanderungsgesetz, 2020, Kap. 4 Rn. 79.

Laura Hinder/Vincent Holzhauer

Dieser Fall darf gerne kommentiert, verändert und beliebig genutzt werden. Die Anleitung hierfür lässt sich über den abgebildete QR-Code mit der Smartphone-Kamera auf unserer Homepage aufrufen.

Laura Hinder/Vincent Holzhauer

Fall 47
Drohende Abschiebung trotz Betreuung

Behandelte Themen: Duldung, inlandsbezogene Abschiebungshindernisse, § 25 V AufenthG

Schwierigkeitsgrad: Fortgeschrittene

Sachverhalt[1]

A ist russische Staatsangehörige und in Tschetschenien geboren. Vor drei Jahren ist sie nach Deutschland eingereist und hat einen Asylantrag gestellt, der vor sieben Monaten vom Bundesamt für Migration und Flüchtlinge (BAMF) abgelehnt wurde. Auch Abschiebungsverbote nach § 60 V, VII AufenthG wurden nicht festgestellt. Ihr wurde die Abschiebung angedroht. Der Ablehnungsbescheid ist bestandskräftig. Seit der Ablehnung ihres Asylantrages wird A geduldet, weil bislang keine Papiere für sie vorlagen. Das hat sich aber vor kurzer Zeit geändert.

Schon seit zwei Jahren ist A wegen schwerer Depressionen in psychotherapeutischer Behandlung. Nach einer knappen Bescheinigung ihrer Psychotherapeutin erschwert ihr dies die Wahrnehmung von Alltagsaufgaben deutlich. Aus diesem Grund wurde für A vom zuständigen Amtsgericht auch eine Betreuerin für die Aufgabenbereiche Wohnungsangelegenheiten, Vertretung gegenüber Behörden, Entgegennahme und Öffnen der Post sowie Aufenthaltsbestimmung und Vermögensangelegenheiten bestellt. Über ausführlichere ärztliche Unterlagen verfügt A zur Zeit nicht.

Die Ausländerbehörde der Stadt K hat A in der vergangenen Woche zu einem Gespräch einbestellt und dabei ihren Reisepass einbehalten. Außerdem wurde A gestern auf Anordnung der Ausländerbehörde vom amtsärztlichen Dienst der Stadt K auf ihre Reisefähigkeit hin untersucht; der Amtsarzt teilte A mit, er halte sie für reisefähig und werde dies auch der Ausländerbehörde mitteilen. Die Ausländerbehörde teilt mit, sie halte weitere Schritte mit Blick auf die medizinische Versorgung und Betreuung in Russland von ihrer Seite nicht für erforderlich.

---

1 Angelehnt an OVG NRW, Beschl. v. 29.11.2010, Az.: 18 B 910/10.

Fallfrage

A befürchtet, dass ihr die Abschiebung droht. Sie fragt sich, ob diese verhindert werden kann. Wie müsste sie dazu vorgehen? Welche Möglichkeiten bestehen, um ihr ein längerfristiges Bleiberecht zu ermöglichen?

Hinweis: Die Rechtmäßigkeit der Einbestellung zur ärztlichen Untersuchung und evtl. rechtliche Schritte dagegen sind nicht zu prüfen. Es ist zu unterstellen, dass die erforderliche psychotherapeutische Behandlung und Alltagsbetreuung für A in Russland langfristig gewährleistet werden könnte.

Lösungsvorschlag

Gefragt ist nach den rechtlichen Möglichkeiten der A, um ihre **Abschiebung** zu verhindern. Es geht also einerseits um die (materiell-rechtliche) Frage, welche Ansprüche A auf einen weiteren Aufenthalt im Bundesgebiet haben könnte, andererseits um die (prozessuale) Frage, wie solche Ansprüche durchgesetzt werden könnten. A wird zur Zeit geduldet. Mit der bestandskräftigen Ablehnung ihres Asylantrages – dass die Ausreisefrist verstrichen ist, kann unterstellt werden – ist sie vollziehbar **ausreisepflichtig** (§§ 50 I, 58 II AufenthG). Da A seit weniger als einem Jahr geduldet wird, ist auch keine Vorankündigung der Abschiebung erforderlich (§§ 60a V 2, 59 I 6–8 AufenthG). Die Maßnahmen der Ausländerbehörde legen nahe, dass diese konkrete aufenthaltsbeendende Maßnahmen plant.

ℹ Weiterführendes Wissen

Mit der Vollziehbarkeit der **Ausreisepflicht** droht grundsätzlich auch die – jederzeit mögliche – Abschiebung. Solange diese aber aus rechtlichen oder tatsächlichen Gründen nicht erfolgen kann oder tatsächlich nicht erfolgt, wird der*die Betroffene geduldet. Die **Duldung** (§ 60a AufenthG) stellt keinen Aufenthaltstitel dar, sondern ist ein vollstreckungsrechtlicher Verwaltungsakt, mit dem die Abschiebung ausgesetzt wird. Gedacht ist sie eigentlich für vorübergehende Abschiebungshindernisse. Bestehen dagegen dauerhafte Abschiebungshindernisse, so kann, beziehungsweise soll – bei Vorliegen der sonstigen Tatbestandsvoraussetzungen – nach § 25 V AufenthG eine Aufenthaltserlaubnis erteilt werden. Hierfür bedarf es aber grundsätzlich auch der **allgemeinen Erteilungsvoraussetzungen** nach § 5 AufenthG, von denen die Ausländerbehörde lediglich nach § 5 III AufenthG nach ihrem Ermessen absehen kann. Dies führt dazu, dass Duldungen oftmals über einen langen Zeitraum immer wieder verlängert werden. Im Gegensatz zu einem Aufenthaltstitel ist die Duldung aber ein sehr instabiles und prekäres Instrument: Sie stellt keinen Aufenthaltstitel dar, sondern bescheinigt nur die „Aussetzung der Abschiebung". Geduldete Ausländer*innen dürfen etwa, wenn ihr Lebensunterhalt nicht gesichert ist, ihren Wohnsitz nur an einem bestimmten Ort nehmen (§ 61 Id AufenthG). Die Duldung kann jederzeit kurzfristig erlöschen, denn wenn die Abschiebungshindernisse, die ihr zugrunde liegen, wegfallen, ist sie zu widerrufen (§ 60a V 2 AufenthG), wobei nur unter den Voraussetzungen des § 60a V 2 AufenthG eine „Vorwarnung" erfolgt. Duldungen etwa wegen Passlosigkeit sind zudem häufig mit auflösenden Bedingungen wie „Erlischt bei Besitz eines zur Rückkehr berechtigenden Reisedokumentes" versehen. Zeichnet sich ab, dass die Ausländerbehörde aufenthaltsbeendende Maßnahmen plant, ist daher ein äußerst (!) schnelles Handeln erforderlich.

Fraglich ist, ob A einen Anspruch auf Aussetzung ihrer drohenden Abschiebung hat. Nach § 60a II AufenthG ist dies der Fall, wenn die Abschiebung aus – hier allein in Betracht kommenden – rechtlichen Gründen unmöglich ist. In Betracht kommt vorliegend ein **Abschiebungshindernis** aus Art. 2 II 1 GG.

Timo Schwander

A. Körperliche Unversehrtheit als inlands- oder zielstaatsbezogenes Abschiebungshindernis

Die Berufung auf ein solches Abschiebungshindernis gegenüber der Ausländerbehörde könnte jedoch von vornherein ausscheiden, wenn ein solches bereits im asylrechtlichen Verfahren bestandskräftig verneint worden wäre und die entsprechende Feststellung nach § 42 AsylG Bindungswirkung gegenüber der Ausländerbehörde entfalten würde. Die Entscheidungskompetenz des BAMF – und damit auch die Bindungswirkung nach § 42 AsylG – betrifft indes nur zielstaatsbezogene Abschiebungshindernisse, das heißt solche Gründe, die in der Situation im Zielstaat wurzeln. Auf solche kann sich A gegenüber der Ausländerbehörde nicht berufen.

Weiterführendes Wissen   ℹ

Abschiebungshindernisse können einerseits zielstaatsbezogen, andererseits inlandsbezogen sein. Der Unterschied ist erheblich: **Zielstaatsbezogene Abschiebungshindernisse** (§ 60 AufenthG) werden grundsätzlich im asylrechtlichen Verfahren geprüft. Bei ihnen geht es darum, ob der*dem Betroffenen im Zielstaat im weitesten Sinne Gefahr droht. Die Entscheidung des Bundesamtes im asylrechtlichen Verfahren bindet die Ausländerbehörde (§ 42 AsylG); eine eigene Entscheidungskompetenz kommt ihr nur in Ausnahmefällen zu. **Inlandsbezogene Abschiebungshindernisse** betreffen dagegen Gründe, die schlechthin – unabhängig vom Zielland – eine Abschiebung unzulässig machen: etwa familiäre Gründe (Art. 6 GG). Sie werden nicht vom Bundesamt, sondern von der Ausländerbehörde geprüft. Will sich A auf zielstaatsbezogene Abschiebungshindernisse berufen, so müsste sie einen Folgeantrag nach § 71 AsylG beim Bundesamt stellen. Solange das Bundesamt nicht entschieden hat, ob es das Asylverfahren wieder aufnimmt, ist eine Abschiebung unzulässig (§ 71 V 2 AufenthG). Achtung: § 71 V 2 AufenthG gilt nur bei „echten" Folgeanträgen, nicht aber, wenn nur die erneute Prüfung von zielstaatsbezogenen nationalen Abschiebungsverboten nach § 60 V, VII AufenthG begehrt wird (sogenannter isolierter **Folgeschutzantrag**). Sobald das Bundesamt der Ausländerbehörde mitteilt, dass ein erneutes Asylverfahren nicht erfolgt, droht wieder die Abschiebung. In diesem Fall kann vor dem Verwaltungsgericht einstweiliger Rechtsschutz gegen das Bundesamt beantragt werden; dieser ist dann darauf gerichtet, dem Bundesamt aufzugeben, der Ausländerbehörde mitzuteilen, dass eine Abschiebung nicht erfolgen darf. Unmittelbar gegenüber der Ausländerbehörde ist in dieser Konstellation dagegen aufgrund der Bindung an die Entscheidung des Bundesamtes in der Regel kein Eilrechtsschutz möglich. Ausnahmen sind in extremen Eilfällen denkbar, nämlich wenn nicht davon auszugehen ist, dass ein gerichtlicher Beschluss beim Bundesamt noch so rechtzeitig eintreffen würde, dass dort ein*e Mitarbeiter*in in der Lage wäre, gegenüber der Ausländerbehörde die notwendigen Mitteilungen zu machen.

Vorliegend geht es aber gerade (auch) darum, dass die gesundheitliche Situation der A einer Abschiebung insgesamt im Wege steht, wenn sich ihr Gesundheitszustand durch die Abschiebung selbst – und nicht erst durch die Konfrontation mit den Verhältnissen im Zielstaat – drastisch zu verschlechtern droht. Damit handelt es sich um ein inlandsbezogenes Abschiebungshindernis, sodass keine Bindungswirkung an den Ablehnungsbescheid des Bundesamtes besteht.[2]

B. Vorliegen eines inlandsbezogenen Abschiebungshindernisses

Fraglich ist, ob vorliegend ein Abschiebungshindernis aus Art. 2 II 1 GG vorliegt.[3] An ein solches sind sehr hohe Anforderungen zu stellen. Es ist erforderlich, dass durch die Abschiebung eine Gesundheitsverschlechterung von erheblichem Gewicht zu erwarten ist. Unterhalb dieser Schwelle sind gesundheitliche Gefahren dagegen hinzunehmen.[4] Die Stellungnahme der Psychotherapeutin legt die Gefahr einer erheblichen Verschlechterung nahe, erlaubt aber noch keine abschließende Beurteilung. Es bedürfte zudem einer **qualifizierten ärztlichen Bescheinigung** nach § 60a IIc AufenthG, die schleunigst eingeholt werden sollte. Zudem besteht die Möglichkeit, dass die Ausländerbehörde die Abschiebung durch eine*n Ärzt*in begleiten lässt, was gegebenenfalls einem gesundheitsbezogenen Abschiebungshindernis entgegenwirken kann.[5]

Vorliegend steht die A aber auch unter rechtlicher Betreuung. Eine Betreuung wird nach § 1896 BGB eingerichtet, wenn eine volljährige Person auf Grund einer psychischen Krankheit oder einer körperlichen, geistigen oder seelischen Behinderung ihre Angelegenheiten ganz oder teilweise nicht besorgen kann. Die Einrichtung der Betreuung lässt den Schluss zu, dass diese Voraussetzungen bei A vorliegen. Hinzu kommt, dass die Betreuung auch noch besonders gewichtige Aufgabenkreise betrifft. Auch daraus kann nach Maßgabe von Art. 2 II 1 GG ein inlandsbezogenes Abschiebungshindernis folgen. Wäre A nämlich nach einer Abschiebung völlig auf sich allein gestellt, obwohl sie aufgrund ihrer Erkrankung nicht in der Lage ist, ihre Angelegenheiten zu besorgen, so wird die aus Art. 2 II 1 GG folgende Schutzpflicht verletzt.[6] Die Ausländerbehörde muss sicherstellen, dass der*die Betroffene nach der Ankunft im Zielstaat nicht völlig hilflos zurückgelassen wird.[7] Diese Schutzpflicht begründet nicht etwa ein zielstaatsbezogenes, sondern ein inlandsbezogenes Abschiebungshindernis, weil sie an die Abschiebung selbst und ihre unmittelbaren Folgen

---

2 VGH BW, Beschl. v. 15.10.2004, Az.: 11 S 2297/04.

3 Zum Grundrecht auf körperliche Unversehrtheit aus Art. 2 II GG siehe Senders, in: Hahn/Petras/Valentiner/Wienfort, Grundrechte, § 18.3 S. 264ff.

4 OVG NRW, Beschl. v. 29.11.2010, Az.: 18 B 910/10.

5 VGH BW, Beschl. v. 6.2.2008, Az.: 11 S 2439/07.

6 Siehe zur Schutzpflicht Senders, in: Hahn/Petras/Valentiner/Wienfort, Grundrechte, § 18.3 S. 274.

7 OVG NRW, Beschl. v. 29.11.2010, Az.: 18 B 910/10.

anknüpft.[8] Die Frage, ob A mittelfristig Unterstützungsangebote im Zielstaat zur Verfügung stehen, ist zielstaatsbezogen, ihre Situation unmittelbar im Anschluss an die Abschiebung – vor dem Eingreifen eventueller Unterstützung im Zielstaat – dagegen inlandsbezogen. Das liegt auch daran, dass die Ausländerbehörde in der Lage wäre, durch die Ausgestaltung der Abschiebung ein Abschiebungshindernis zu vermeiden, indem sie etwa – zum Beispiel durch Einschaltung der deutschen Auslandsvertretung vor Ort – für eine lückenlose Betreuung sorgt. Sofern die Stadt K aber entsprechende Maßnahmen nicht ergriffen hat – was hier nicht ersichtlich ist –, besteht zugunsten der A ein inlandsbezogenes Abschiebungshindernis.

A hat aus § 60a II 1 AufenthG einen Anspruch auf Aussetzung ihrer Abschiebung.

C. Prozessuale Durchsetzung

Ihren **Anspruch auf Aussetzung der Abschiebung** kann A mit einem Antrag auf Erlass einer einstweiligen Anordnung nach § 123 I VwGO sichern, der darauf gerichtet ist, der Antragsgegnerin – der Stadt K – im Wege der **einstweiligen Anordnung** aufzugeben, von aufenthaltsbeendenden Maßnahmen gegen die Antragstellerin – die A – abzusehen (alternativ: der Antragsgegnerin zu untersagen, die Antragstellerin abzuschieben).[9] Der vorrangige § 80 V VwGO findet keine Anwendung, weil sich A nicht gegen die Abschiebungsandrohung und die Ablehnung ihres Asylantrages durch das BAMF wendet, sondern die Unterlassung ihrer Abschiebung begehrt.[10]

Hierfür bedarf es eines Anordnungsanspruchs und eines Anordnungsgrundes.[11] Der Anordnungsanspruch folgt, wie oben dargestellt, aus § 60a II AufenthG. Ein Anordnungsgrund liegt ebenfalls vor, weil die Antragsgegnerin offensichtlich die Abschiebung der Antragstellerin anstrebt. Angesichts der Instabilität einer Duldung sind an den Anordnungsgrund keine hohen Anforderungen zu stellen; ein Anordnungsgrund ist nur dann zu verneinen, wenn die Abschiebung in absehbarer Zeit eindeutig nicht in Betracht kommt.[12]

---

8 OVG NRW, Beschl. v. 15.8.2008, Az.: 18 B 538/08.
9 Zum Eilrechtsschutz nach § 123 VwGO siehe ausführlich Eisentraut, in: Eisentraut, Verwaltungsrecht in der Klausur, § 10 Rn. 1ff.
10 Zum Eilrechtsschutz nach § 80 V VwGO siehe ausführlich Heilmann, in: Eisentraut, Verwaltungsrecht in der Klausur, § 8 Rn. 3ff.
11 Zu diesen Begründetheitsvoraussetzungen des § 123 VwGO siehe Wichmann, in: Eisentraut, Verwaltungsrecht in der Klausur, § 10 Rn. 34f.
12 OVG SA, Beschl. v. 10.12.2014, Az.: 2 M 127/14.

i **Weiterführendes Wissen**

Geht beim Verwaltungsgericht ein solcher Antrag ein, so wird in der Regel bei der Antragsgegnerin angefragt, ob diese von sich aus bis zu einer Entscheidung über den Antrag von einer Abschiebung Abstand nimmt (sogenannte **Stillhaltezusage**). Geschieht dies, so kann die Entscheidung über den Eilantrag durchaus einige Zeit in Anspruch nehmen. Wird eine Stillhaltezusage nicht abgegeben, so wird das Verwaltungsgericht hingegen entweder sehr kurzfristig über den **Eilantrag** entscheiden oder einen sogenannten **Hängebeschluss** (auch Zwischenverfügung genannt) erlassen, das heißt einen Beschluss, der der Antragsgegnerin für die Dauer des Eilverfahrens untersagt, durch eine Abschiebung vollendete Tatsachen zu schaffen.

In der Hauptsache kann A ihr Begehren mit einer Verpflichtungsklage – gerichtet auf eine Duldung – verfolgen.[13]

D. Längerfristige Sicherung des Aufenthalts

Sofern davon auszugehen ist, dass das Abschiebungshindernis längerfristig Bestand hat, kann auch an einen Antrag auf Erteilung einer **Aufenthaltserlaubnis nach § 25 V AufenthG** gegenüber der Ausländerbehörde und im Falle der Antragsablehnung an eine entsprechende Klage gedacht werden. Kann das Abschiebungshindernis jedoch durch medizinische Vorkehrungen beseitigt werden, so dürften die Voraussetzungen des § 25 V AufenthG nicht vorliegen. Zusätzlich zum Bestand eines längerfristigen Abschiebungshindernisses müssten zudem die **allgemeinen Erteilungsvoraussetzungen des § 5 AufenthG** entweder vorliegen oder die Ausländerbehörde im Ermessenswege (§ 5 III AufenthG) hiervon absehen.

i **Weiterführendes Wissen**

Komplizierter ist die Geltendmachung eines solchen Anspruchs im Wege des **Eilrechtsschutzes**. Wird ein Aufenthaltstitel beantragt, solange noch ein anderweitiges Aufenthaltsrecht besteht, so tritt in der Regel eine Fiktionswirkung ein (§ 81 III und IV AufenthG). Die Ablehnung der Erteilung des Aufenthaltstitels beendet dann diese Fiktionswirkung und hat damit – über die Versagung einer Begünstigung – auch belastende Wirkungen, sodass vorläufiger Rechtsschutz im Wege des § 80 V AufenthG möglich ist, obwohl der Hauptsacherechtsbehelf eine Verpflichtungsklage wäre. Anders ist dies aber, wenn zum Zeitpunkt des Antrags auf Erteilung des Aufenthaltstitels – wie hier – schon kein Aufenthaltsrecht mehr besteht. Da es dann an einer Fiktionswirkung fehlt, kommt auch kein Antrag nach § 80 V AufenthG in Betracht. Eilrechtsschutz ist stattdessen über § 123 VwGO zu suchen. Regelmäßig wird ein Antrag nach § 123 VwGO aber keinen Erfolg haben, weil das AufenthG bei Fehlen einer Fiktionswirkung grundsätzlich davon ausgeht, dass der*die Betroffene ausreisen und die Entscheidung vom Ausland aus abwarten

---

13 Ausführlich zur Verpflichtungsklage siehe Lemke, in: Eisentraut, Verwaltungsrecht in der Klausur, § 3 Rn. 2ff.

Timo Schwander

muss. Etwas anderes gilt aber dann, wenn der*die Betroffene sich auf eine Regelung stützen kann, die nur vom Inland aus geltend gemacht werden kann. In diesem Fall würde die Ausreise dazu führen, dass der Anspruch später nicht mehr geltend gemacht werden kann, sodass Art. 19 IV GG einen Verbleib im Inland bis zu einer Entscheidung gebietet.[14] Solche Konstellationen liegen insbesondere dann vor, wenn der*die Betroffene voraussichtlich einen Anspruch auf Erteilung einer Aufenthaltserlaubnis nach § 25 V AufenthG oder §§ 25a[15], 25b[16] AufenthG hat (§ 25 V AufenthG setzt die vollziehbare Ausreisepflicht, §§ 25a, 25b AufenthG setzen die Duldung und damit den Aufenthalt im Inland zwingend voraus), wenn vom Visumserfordernis des § 5 II 1 AufenthG nach den §§ 39, 40 AufenthV abzusehen ist, oder wenn die Voraussetzungen des § 5 II 2 AufenthG vorliegen und damit ein Anspruch auf ermessensfehlerfreie Entscheidung über ein Absehen vom Visumsverfahren besteht und die Behörde von ihrem Ermessen noch nicht Gebrauch gemacht hat.

Zusammenfassung: Die wichtigsten Punkte

- Die Prüfungskompetenz der Ausländerbehörde erstreckt sich in der Regel nur auf inlandsbezogene Abschiebungshindernisse; zielstaatsbezogene Abschiebungshindernisse werden hingegen regelmäßig im asylrechtlichen Verfahren geprüft.
- Wird der*die Betroffene seit weniger als einem Jahr geduldet, kann eine Abschiebung kurzfristig und ohne Vorwarnung erfolgen, sodass unter Umständen extrem schnelles Handeln erforderlich ist.
- Gesundheitsbezogene inlandsbezogene Abschiebungshindernisse setzen eine durch die Abschiebung selbst drohende schwerwiegende Verschlechterung des Gesundheitszustandes voraus.

Dieser Fall darf gerne kommentiert, verändert und beliebig genutzt werden. Die Anleitung hierfür lässt sich über den abgebildete QR-Code mit der Smartphone-Kamera auf unserer Homepage aufrufen.

---

14 Zur Rechtsschutzgarantie aus Art. 19 IV GG ausführlich Hahn, in: Hahn/Petras/Valentiner/Wienfort, Grundrechte, § 26.1., S. 599 ff.

15 Siehe hierzu Hinder/Nachtigall, *45) Auszubildend – und gut integriert?* in diesem Fallbuch.

16 Siehe hierzu Hinder/Holzhauer, *46) Geduldet – und gut integriert?* in diesem Fallbuch

Timo Schwander

Fall 48
Elektroanlagenmonteurin

Behandelte Themen: Aufenthaltsgewährung für qualifizierte Geduldete zum Zweck der Beschäftigung, allgemeine Erteilungsvoraussetzungen eines Aufenthaltstitels, Spurwechselverbot

Schwierigkeitsgrad: Anfänger*innen

Sachverhalt

F ist 2017 aus Nigeria in die Bundesrepublik eingereist. Nachdem ihr Asylantrag 2019 unanfechtbar abgelehnt wurde, konnte sie eine Berufsausbildung aufnehmen und erhielt daraufhin eine Ausbildungsduldung (§ 60a II 4 AufenthG a.F., seit dem 1.1.2020 ist die Ausbildungsduldung in § 60c AufenthG geregelt). Die Ausbildung zur Elektroanlagenmonteurin hat sie im Juni 2022 nach drei Jahren erfolgreich abgeschlossen. Ihr Ausbildungsbetrieb möchte sie gerne übernehmen und hat ihr einen unbefristeten Arbeitsplatz als Elektroanlagenmonteurin angeboten.

F ist im Besitz eines nigerianischen Nationalpasses und lebt seit dem Beginn ihrer Ausbildung von ihrem Gehalt.

Fallfrage

Hat F einen Anspruch auf die Erteilung einer Aufenthaltserlaubnis?

Abwandlung

F hat keine Ausbildung in Deutschland absolviert, sondern schon in Nigeria einen „Bachelor of Engineering in Electrical and Electronics Engineering" der Federal University of Technology in Akure erworben. Sie ist seit zwei Jahren als Elektroanlagenmonteurin in dem obigen Betrieb beschäftigt. Kommt die Erteilung einer Aufenthaltserlaubnis für F in Betracht?

Lösungsvorschlag

F könnte ein Anspruch auf die Erteilung einer Aufenthaltserlaubnis nach § 19d Ia AufenthG zustehen. Dazu müssten neben den Voraussetzungen des § 19d Ia AufenthG auch die allgemeinen Erteilungsvoraussetzungen der Beschäftigung zur Erwerbstätigkeit, § 18 II AufenthG, und der Erteilung eines Aufenthaltstitels, § 5 AufenthG, erfüllt sein.

A. Lösungsvorschlag Ausgangsfall

I. Voraussetzungen des § 19d Ia AufenthG

1. Persönlicher Anwendungsbereich
§ 19d AufenthG setzt voraus, dass die antragstellende Person geduldet ist. Dies ist bei F der Fall.

ℹ Weiterführendes Wissen

Nach überwiegender Meinung umfasst § 19d AufenthG auch Personen, die nach einem rechtmäßigen Aufenthalt ausreisepflichtig geworden sind, aber deren Frist zur freiwilligen Ausreise noch nicht abgelaufen ist.[1]

---

2. Sachliche Erteilungsvoraussetzungen des § 19d Ia AufenthG

a) Qualifikations- und beschäftigungsbezogene Erteilungsvoraussetzungen

aa) Vorliegen einer abgeschlossenen Berufsausbildung nach Ausbildungsduldung, § 19d Ia AufenthG
§ 19d Ia AufenthG setzt voraus, dass die antragstellende Person erfolgreich eine **Berufsausbildung** nach § 60c I 1 AufenthG abgeschlossen hat, für die ihr eine Ausbildungsduldung nach § 60a II 3 i.V.m. § 60c AufenthG (beziehungsweise vor dem 1.1.2020 nach § 60a II 4 AufenthG a.F.) erteilt wurde. Dies ist bei F der Fall.

---

1 Breidenbach, in: BeckOK AuslR, 35. Ed. 1.7.2021, AufenthG § 19d Rn. 9 m.w.N.

Laura Hinder/Vincent Holzhauer

bb) Der beruflichen Qualifikation entsprechende Beschäftigung, § 19d Ia AufenthG

Weiter muss die nun aufgenommene Beschäftigung der erworbenen Qualifikation entsprechen. Zur Definition kann auf den Begriff der „der Qualifikation angemessenen Beschäftigung" im Rahmen des § 18b II 1 AufenthG zurückgegriffen werden, die eine Fachkraft (vgl. § 18 III AufenthG) mit akademischer Ausbildung für die Erteilung der Blauen Karte EU ausüben muss.[3] Die erworbene Qualifikation muss also zumindest teilweise oder mittelbar für die Beschäftigung benötigt werden.[4] Die Beschäftigung der F soll im Ausbildungsbetrieb als Elektroanlagenmonteurin erfolgen, diese Beschäftigung entspricht ihrer erworbenen Qualifikation.

b) Weitere Erteilungsvoraussetzungen
aa) Ausreichender Wohnraum, § 19d Ia i.V.m. § 19d I Nr. 2 AufenthG

Der ausreichende Wohnraum bemisst sich nach § 2 IV AufenthG und ist stets bedarfsabhängig zu bestimmen.[5] Es gibt hier keine Anzeichen, dass die Wohnung der F den Ansprüchen des § 2 IV AufenthG nicht entspricht.

---

2 Dippe, in: Huber/Mantel, AufenthG/AsylG, 3. Aufl. 2021, AufenthG § 19d Rn. 17.
3 BMI, Anwendungshinweise zum Fachkräfteeinwanderungsgesetz, 6.8.2021, Nr. 19d.1a.2.
4 Koch, in: Kluth/Hornung, Handbuch Zuwanderungsrecht, 3. Aufl. 2020, § 4 Rn. 649; vgl. auch Allgemeine Verwaltungsvorschrift zum Aufenthaltsgesetz vom 26.10.2009, Nr. 18a.1.0 (gilt fort für § 19d AufenthG gemäß BMI, Anwendungshinweise zum Fachkräfteeinwanderungsgesetz, 6.8.2021, Nr. 19d.0.1).
5 Eichenhofer, in: BeckOK AuslR, 35. Ed. 1.10.2021, AufenthG § 2 Rn. 12; siehe auch BMI, Allgemeine Verwaltungsvorschrift zum Aufenthaltsgesetz vom 26.10.2009, Nr. 2.4.
6 Siehe zur Wohnsitzauflage ausführlich Wasnick, *32) Gefangen in Kreuztal*, A. in diesem Fallbuch.

Wohnraums bei erstmaliger Erteilung auch durch einen Wohnsitz in einer Gemeinschaftsunterkunft oder kleineren Wohnung genügt werden kann.[7]

bb) Ausreichende Deutschkenntnisse, § 19d Ia i.V.m. § 19d I Nr. 3 AufenthG

Ausreichende Deutschkenntnisse sind nach § 2 XI AufenthG mit dem Sprachniveau B1 des Gemeinsamen Europäischen Referenzrahmens erfüllt. Bei erfolgreichem Abschluss einer Ausbildung kann das Erreichen dieses Niveaus in der Regel unterstellt werden.[8]

cc) Kein Vorliegen ordnungsrechtlicher Ausschlusstatbestände, § 19d Ia i.V.m. § 19d I Nr. 6, 7 AufenthG

Das Vorliegen ordnungsrechtlicher Ausschlusstatbestände ist nicht ersichtlich.

II. Allgemeine Erteilungsvoraussetzungen eines Aufenthaltstitels

1. Allgemeine Erteilungsvoraussetzungen für Aufenthaltstitel zur Ausübung einer Beschäftigung, § 18 II AufenthG

Nach § 18 II Nr. 1 AufenthG muss F ein **konkretes Arbeitsplatzangebot** vorweisen können, indem der*die künftige Arbeitgeber*in das Formular „Erklärung zum Beschäftigungsverhältnis"[9] ausfüllt.

Nach § 18 II Nr. 2 AufenthG ist grundsätzlich die Zustimmung der Bundesagentur für Arbeit zur Beschäftigung gemäß § 39 AufenthG erforderlich.[10] Da F aber seit 2017, mithin seit über vier Jahren, einen ununterbrochenen gestatteten, beziehungsweise geduldeten Aufenthalt im Bundesgebiet vorweisen kann, entfällt das Zustimmungserfordernis nach § 32 II Nr. 5 BeschV.

7 Dienelt/Dollinger, in: Bergmann/Dienelt, Ausländerrecht, 13. Aufl. 2020, AufenthG § 19d Rn. 17.
8 Dippe, in: Huber/Mantel, AufenthG/AsylG, 3. Aufl. 2021, AufenthG § 19d Rn. 13.
9 BMI, Anwendungshinweise zum Fachkräfteeinwanderungsgesetz, 6.8.2021, Anlage 4.
10 § 39 AufenthG normiert das Zustimmungserfordernis sowohl für § 19d I als auch für § 19d Ia, vgl. BMI, Anwendungshinweise zum Fachkräfteeinwanderungsgesetz, 6.8.2021, Nr. 19d.1a.3: „Die Erteilung der Aufenthaltserlaubnis nach § 19d Absatz 1a bedarf nach § 39 Absatz 1 i.V.m. § 39 Absatz 3 der Zustimmung der Bundesagentur für Arbeit. Zwar verweist § 39 Absatz 3 u.a. nur auf § 19d Absatz 1 Nr. 1 (Ausbildungs- oder Studienabschluss etc.), Absatz 1a ist jedoch als Unterfall zu Absatz 1 zu sehen und damit vom Verweis auf Absatz 1 in § 39 Absatz 3 umfasst. Die Zustimmung wird ohne Vorrangprüfung erteilt."

Nach § 18 II Nr. 3 AufenthG könnte eine **Berufsausübungserlaubnis** benötigt werden. Dies ist bei reglementierten Berufen der Fall, deren Ausübung eine Anerkennung der besonderen Berufsqualifikationen voraussetzt.[11] Dazu zählt aber nicht der Beruf der Elektroanlagenmonteurin.[12]

Die Voraussetzungen des § 18 II Nr. 4 und 5 AufenthG sind hier nicht einschlägig und müssen daher nicht erfüllt werden.

2. Allgemeine Erteilungsvoraussetzungen für Aufenthaltstitel, § 5 AufenthG

Es ist nicht ersichtlich, dass F die Voraussetzungen des § 5 I AufenthG nicht erfüllt, insbesondere ist sie im Besitz eines gültigen Passes und die Identität ist geklärt. Fraglich ist, ob F das Visumerfordernis gemäß § 5 II AufenthG erfüllen muss.

Weiterführendes Wissen   ℹ️

Grundsätzlich gilt, dass ein Aufenthaltstitel nicht erteilt wird, wenn die erstmalige Einreise nicht mit dem für den Aufenthaltszweck ausgestellten Visum erfolgte. F reiste 2017 ohne Visum ein, es war auch kein Aufenthalt zum Zweck der Beschäftigung geplant. Grundsätzlich scheidet also – vorbehaltlich der Ausnahme des § 5 II 2 AufenthG, die in der Praxis restriktiv angewandt wird,[13] und des § 39 AufenthV – die Erteilung eines Aufenthaltstitels aus (sogenannte Sperrwirkung) und F müsste das Visumverfahren nachholen.

Anders ist es in den Fällen des § 19d AufenthG: Nach § 19d III AufenthG kann die Aufenthaltserlaubnis abweichend von § 5 II AufenthG erteilt werden. Sofern dieses „kann" als Kompetenz-Kann gelesen wird, entfällt das **Visumerfordernis** als regelhafte Voraussetzung.[14] Hierfür spricht, dass die Aufenthaltserlaubnis nach § 19d AufenthG nur an ausreisepflichtige Personen erteilt werden kann und es keine Möglichkeit gibt, ein Visum zur Einreise für die Erteilung einer Aufenthaltserlaubnis nach § 19d AufenthG zu erhalten. Doch auch wenn das „kann" als Ermessens-Kann ausgelegt wird,[15] ist von einer Verdichtung zu einer gebundenen Entscheidung auszugehen, wenn anderenfalls der Sinn und Zweck der Regelung, geduldeten

---

11 Zum Begriff des reglementieren Berufes siehe § 3 V Berufsqualifikationsfeststellungsgesetz.

12 Die Bundesagentur für Arbeit pflegt eine Auflistung der reglementierten Berufe.

13 Maor, in: BeckOK AuslR, 35. Ed. 1.10.2022, AufenthG § 5 Rn. 38.

14 Dienelt/Dollinger sprechen schlicht davon, dass die Sperrwirkung des § 5 II AufenthG nach § 19d III AufenthG „entfällt", in: Bergmann/Dienelt, 13. Aufl. 2020, AufenthG § 19d Rn. 38. Zur Unterscheidung zwischen „Ermessens-Kann" und „Kompetenz-Kann" grundlegend: BVerwG, Urt. v. 8.12.1965, Az.: V C 21.64 – BVerwGE 23, 25; anschaulich: BSG, Beschl. v. 6.8.1999, Az.: B 4 RA 25/98 B B 4 RA 25/98 B – juris.

15 So zum Beispiel Hänsle, in: BeckOK MigR, 11. Ed. 15.4.2022, AufenthG § 19d Rn. 25.

Laura Hinder/Vincent Holzhauer

Personen den Zugang zu einem legalen Aufenthalt zum Zwecke der Beschäftigung zu ermöglichen, verfehlt würde.[16]

3. Titelerteilungssperre nach § 10 AufenthG

Da der Asylantrag der F unanfechtbar abgelehnt worden ist, könnte nach § 10 III 1 AufenthG die Erteilung des Aufenthaltstitels nach § 19d AufenthG gesperrt sein, denn dieser steht nicht im fünften, sondern im zweiten Abschnitt des zweiten Kapitels des AufenthG.[17] F müsste ausreisen, sofern ihr kein Anspruch auf Erteilung eines Aufenthaltstitels zusteht, § 10 III 3 AufenthG. Doch auch hier hilft § 19d III AufenthG über die **Sperrwirkung** hinweg, § 10 III 1 AufenthG ist nicht anwendbar.

---

i **Weiterführendes Wissen**

Aus § 10 III AufenthG ergibt sich das sogenannte **Spurwechselverbot**.[18] Durch § 19d III AufenthG wird das Spurwechselverbot jedoch durchbrochen und der Vorrang der Erwerbsmigration normiert. Daher wird § 19d AufenthG auch als (einzige) Spurwechselnorm bezeichnet.[19]

Auch die **Spurwechselsperre** des § 10 III 2 AufenthG, die nach einer Ablehnung des Asylantrags als offensichtlich unbegründet gemäß § 30 III Nr. 1–6 AsylG greift, kann im Rahmen der Erteilung der Aufenthaltserlaubnis nach § 19d Ia AufenthG überwunden werden, sofern von dem Vorliegen eines gesetzlichen Anspruchs ausgegangen wird.[20] Dies ist möglich, wenn § 19d III AufenthG als zwingend vom Visumerfordernis suspendierend verstanden wird (siehe oben II.2.).

III. Ergebnis

F steht ein Anspruch auf Erteilung der Aufenthaltserlaubnis nach § 19d Ia AufenthG zu. Die Aufenthaltserlaubnis wird für zwei Jahre erteilt, eine Verlängerung ist nach § 8 I AufenthG möglich.

---

16 Dippe, in: Huber/Mantel, AufenthG/AsylG, 3. Aufl. 2021, AufenthG § 19d Rn. 25 unter Bezugnahme auf VG Saarlouis, Urt. v. 4.1.2017, Az.: 6 L 2556/16 – openJur (zur Vorgängernorm § 18a AufenthG a. F.).
17 Siehe zur Titelerteilungssperre nach § 10 III AufenthG Seidl, *41) Spurwechsel? Nicht so einfach!*, B. in diesem Fallbuch.
18 Siehe zum Spurwechselverbot Seidl, *41) Spurwechsel? Nicht so einfach!*, B. in diesem Fallbuch.
19 Hocks, Der Spurwechsel. Aufenthalt für qualifizierte Geduldete nach einem erfolglosen Asylverfahren (§ 19d AufenthG), Asylmagazin 2021, 410 (412).
20 So zum Beispiel Hocks, Der Spurwechsel. Aufenthalt für qualifizierte Geduldete nach einem erfolglosen Asylverfahren (§ 19d AufenthG), Asylmagazin 2021, 410 (414).

Laura Hinder/Vincent Holzhauer

B. Lösungsvorschlag Abwandlung

Während § 19d I Nr. 1 lit. a AufenthG die Beschäftigung nach einer Ausbildung oder einem Studium im Inland regeln, setzt § 19d I Nr. 1 lit. b AufenthG eine im Ausland erworbene Qualifikation voraus. Nach § 19d I Nr. 1 lit. c AufenthG kommt es nach einer dreijährigen qualifizierten Vorbeschäftigung nicht mehr auf eine formale Ausbildung an. Eine qualifizierte Beschäftigung wird nur „üblicherweise" von förmlich qualifizierten Personen ausgeübt. Über § 19d I Nr. 1 lit. c AufenthG sollen auch Personen einbezogen werden, die sich die erforderlichen Kenntnisse und Fähigkeiten auf andere Weise angeeignet haben.[21]

Da F ihre Ausbildung im Ausland absolviert hat und nur zwei Jahre Vorbeschäftigung vorweisen kann, kommt die Erteilung der Aufenthaltserlaubnis nach § 19d I Nr. 1 lit. b AufenthG in Betracht.

I. Entsprechung des Hochschulabschlusses

F müsste einen **Hochschulabschluss** vorweisen können, der einem deutschen Hochschulabschluss entspricht. Dies ist der Fall, wenn der Abschluss im Inland rechtlich oder faktisch („vergleichbar") anerkannt ist. Die faktische Anerkennung ist gegeben, wenn der Abschluss durch die Zentralstelle für Ausländisches Bildungswesen (ZAB) als einem deutschen Abschluss „gleichwertig" oder „entsprechend" eingestuft wird. Einzelne Abschlüsse lassen sich auf der Website der ZAB[22] durch eine Abschluss-Suche finden.

Der „Bachelor of Engineering in Electrical and Electronics Engineering" der Federal University of Technology in Akure entspricht demnach einem dreijährigen deutschen Bachelorstudium.

Weiterführendes Wissen   `i`

Auch wenn die Liste der ZAB umfangreich ist, sind dort nicht alle weltweit existierenden Abschlüsse gelistet. Um unklare Fälle einordnen zu können, werden die Institutionen selbst in drei Bewertungsstufen eingeteilt. Nur Abschlüsse von Institutionen mit dem Grad H+ können überhaupt anerkannt werden, da eine Institution mit dem Grad H- nicht und mit dem Grad H+/- nicht eindeutig als Hochschulen anzusehen sind.

---

21 Dippe, in: Huber/Mantel, AufenthG/AsylG, 3. Aufl. 2021, AufenthG § 19d Rn. 10.
22 www.anabin.de.

Laura Hinder/Vincent Holzhauer

II. Ausübung einer dem Abschluss angemessenen Beschäftigung, § 19d I Nr. 1 lit. b AufenthG

Zur Bestimmung kann auf den Begriff der „der Qualifikation angemessenen Beschäftigung" zurückgegriffen und insofern nach oben verwiesen werden (A.I.2.a. bb). Eine angemessene Beschäftigung liegt vor.

III. Sonstige Erteilungsvoraussetzungen des § 19d I AufenthG

Die Anforderungen des § 19d I Nr. 2–3 und 6–7 AufenthG wurden oben bereits im Rahmen des § 19d Ia AufenthG geprüft. Zusätzlich muss F die Voraussetzungen der § 19d I Nr. 4 und 5 AufenthG erfüllen. Anzeichen dafür, dass sie die Ausländerbehörde getäuscht oder die Aufenthaltsbeendigung herausgezögert hat, gibt es im Sachverhalt nicht. Somit ist davon auszugehen, dass sie die Voraussetzungen des § 19d I AufenthG erfüllt.

IV. Allgemeine Erteilungsvoraussetzungen eines Aufenthaltstitels

Bezüglich §§ 18 II, 5 und 10 III AufenthG ergeben sich keine Abweichungen zum Ausgangsfall.

V. Rechtsfolge

§ 19d I AufenthG vermittelt keinen Anspruch, F steht aber eine ermessensfehlerfreie Entscheidung über ihren Antrag zu. Da im Sachverhalt keine Gesichtspunkte ersichtlich sind, die zu einer negativen Ermessensentscheidung führen könnten, ist davon auszugehen, dass ihr die Aufenthaltserlaubnis erteilt wird.

Weiterführende Literatur
- Hocks, Der Spurwechsel. Aufenthalt für qualifizierte Geduldete nach einem erfolglosen Asylverfahren (§ 19d AufenthG), Asylmagazin 2021, 410
- Kolb, Das Fachkräfteeinwanderungsgesetz und der Gleichwertigkeitsnachweis: Drei Optionen in Theorie und Praxis, ZAR 2019, 169

Zusammenfassung: Die wichtigsten Punkte
- Über § 19d Ia AufenthG kann der Aufenthalt nach Abschluss einer Ausbildung mit einer Ausbildungsduldung nach § 60c AufenthG regularisiert werden.
- § 19d I AufenthG bietet die Möglichkeit, dank im In- oder Ausland erworbener Kenntnisse eine Aufenthaltserlaubnis zum Zweck der Beschäftigung zu erhalten.
- Ein im Ausland erworbener Abschluss muss über die Zentralstelle für das ausländische Bildungswesen (ZAB) anerkannt sein.

Dieser Fall darf gerne kommentiert, verändert und beliebig genutzt werden. Die Anleitung hierfür lässt sich über den abgebildete QR-Code mit der Smartphone-Kamera auf unserer Homepage aufrufen.

Laura Hinder/Vincent Holzhauer

Fall 49
Die Existenzsicherungssysteme im Überblick

Behandelte Themen: Sozialrecht, Abgrenzung der Existenzsicherungssysteme, AsylbLG, Analogleistungen, SGB II, SGB XII

Schwierigkeitsgrad: Anfänger*innen

Sachverhalt

Die afghanische Staatsangehörige A ist im Februar 2021 in die Bundesrepublik Deutschland eingereist und hat einen Asylantrag gestellt.

Die irakische Staatsangehörige I ist im Oktober 2018 nach Deutschland gekommen und hat einen Asylantrag gestellt. Nachdem ihr Asylantrag im August 2020 als unbegründet abgelehnt wurde, hat I Klage vor dem Verwaltungsgericht erhoben. Bislang wurde über die Klage der I noch nicht entschieden.

Der syrische Staatsangehörige S hat im Mai 2016 einen Asylantrag gestellt. Im Juli 2019 wurde ihm der subsidiäre Schutz zuerkannt. Nachdem S sich bei einer Refugee Law Clinic über die Möglichkeiten zum Familiennachzug informiert hat, erhebt er fristwahrend Klage auf Zuerkennung der Flüchtlingseigenschaft. Bislang wurde über die Klage des S noch nicht entschieden.

Die nepalesische Staatsangehörige N kam im April 2011 zum Studium nach Deutschland. Nachdem N ihr Studium abgebrochen hat, widerruft die Ausländerbehörde im März 2021 die an N erteilte Aufenthaltserlaubnis und stellt eine Duldung aus.

Dem eritreischen Staatsangehörigen E wurde die Flüchtlingseigenschaft zuerkannt. E ist bereits 71 Jahre alt und nicht mehr in der Lage zu arbeiten.

Fallfrage

Nach welchem Existenzsicherungssystem sind A, I, S, N und E jeweils leistungsberechtigt?

Bearbeitungshinweis:
Maßgeblicher Zeitpunkt ist März 2021. Die einzelnen Anspruchsvoraussetzungen sind nicht zu prüfen.

Lösungsvorschlag

Fraglich ist, nach welchem Existenzsicherungssystem A, I, S, N und E jeweils leistungsberechtigt sind.

A. Leistungsberechtigung der A

Für A kommen **Leistungen nach dem Asylbewerberleistungsgesetz** (AsylbLG) in Betracht. Hierzu müsste A zum leistungsberechtigten Personenkreis nach § 1 AsylbLG zählen.

Vorliegend hat A einen Asylantrag gestellt und verfügt über eine **Aufenthaltsgestattung** im Sinne des § 55 AsylG. Als Inhaberin einer Aufenthaltsgestattung ist sie nach § 1 I Nr. 1 AsylbLG leistungsberechtigt.

A ist erst kürzlich im Februar 2021 ins Bundesgebiet eingereist und erfüllt daher nicht die notwendige Voraufenthaltszeit für Analogleistungen nach § 2 AsylbLG (siehe dazu B.). In den ersten 18 Monaten ihres Aufenthalts erhält sie Grundleistungen nach § 3 AsylbLG.

B. Leistungsberechtigung der I

I könnte ebenfalls als Inhaberin einer Aufenthaltsgestattung nach § 1 I Nr. 1 AsylbLG leistungsberechtigt sein.

Dies setzt voraus, dass ihre Aufenthaltsgestattung nicht infolge der Ablehnung des Asylantrags erloschen ist.

Gemäß § 67 I Nr. 6 AsylG erlischt die Aufenthaltsgestattung erst dann, wenn die Entscheidung des Bundesamtes unanfechtbar geworden ist. Vorliegend hat I Klage gegen die Ablehnung ihres Asylantrags erhoben. Ihre Aufenthaltsgestattung besteht für die **Dauer des Klageverfahrens** fort. I ist nach § 1 I Nr. 1 AsylbLG leistungsberechtigt.

Nach § 2 I 1 AsylbLG erhalten Leistungsberechtigte, die sich seit 18 Monaten ohne wesentliche Unterbrechungen im Bundesgebiet aufhalten und ihre Aufenthaltsdauer nicht rechtsmissbräuchlich beeinflusst haben, Leistungen nach dem SGB XII entsprechend (sogenannte **Analogleistungen**).

Weiterführendes Wissen　　　　　　　　　　　　　　　　　　　　　　ℹ️

Bei § 2 AsylbLG handelt es sich um eine Rechtsfolgenverweisung.[1] Wer Analogleistungen bezieht, wird nicht nach dem SGB XII leistungsberechtigt, sondern bleibt im System des AsylbLG. Die Normen des SGB XII finden lediglich entsprechende Anwendung. In der Praxis bedeutet das für die Betroffenen höhere Regelleistungen sowie eine dem Niveau des SGB XII entsprechende Gesundheitsversorgung nach einem Aufenthalt von 18 Monaten.

Vorliegend hält sich I seit Oktober 2018 im Bundesgebiet auf und erreicht damit die nach § 2 I 1 AsylbLG erforderliche Voraufenthaltsdauer von 18 Monaten. Sie erhält damit Analogleistungen nach § 2 AsylbLG, sofern die übrigen Anspruchsvoraussetzungen gegeben sind.

C. Leistungsberechtigung des S

Man könnte hier zunächst an eine Leistungsberechtigung als Inhaber einer Aufenthaltsgestattung nach § 1 I Nr. 1 AsylbLG denken, denn durch die von S erhobene Klage ist die Bestandskraft des Bescheids noch nicht eingetreten und die Aufenthaltsgestattung des S nicht nach § 67 I 1 Nr. 6 AsylG erloschen.[2]

Die Zuerkennung des subsidiären Schutzes könnte jedoch zur Folge haben, dass S bereits während des Klageverfahrens eine Aufenthaltserlaubnis nach § 25 II 1 Alt. 2 AufenthG erhält und hierdurch nicht mehr dem AsylbLG, sondern dem allgemeinen Existenzsicherungsrecht (SGB II/SGB XII) unterliegt.

Nach § 25 II 1 Alt. 2 AufenthG ist eine Aufenthaltserlaubnis zu erteilen, wenn das BAMF den **subsidiären Schutzstatus** zuerkannt hat. Hierbei handelt es sich um einen strikten Anspruch, sodass die Titelerteilungssperre des § 10 I AufenthG der Erteilung einer solchen Aufenthaltserlaubnis vor bestandskräftigem Abschluss des Asylverfahrens nicht entgegensteht. Mithin können subsidiär Schutzberechtigte bei einer auf Zuerkennung der Flüchtlingseigenschaft gerichteten „**Aufstockungsklage**" bereits während des noch laufenden Klageverfahrens die Aufenthaltserlaubnis nach § 25 II 1 Alt. 2 AufenthG erhalten. Mit Ablauf des Monats, in welchem der Bescheid über die Zuerkennung des Schutzstatus bekanntgegeben wurde, endet die Leistungsberechtigung nach dem AsylbLG. Mit Beginn des Folgemonats sind die

---

1 Leopold, in: Grube/Wahrendorf/Flint, AsylbLG, 7. Aufl. 2020, § 2 Rn. 38.
2 Zur Bestandskraft von Verwaltungsakten siehe Brings-Wiesen, in: Eisentraut, Verwaltungsrecht in der Klausur, § 2 Rn. 115.

Betroffenen nach dem SGB II leistungsberechtigt, auch wenn ihnen die Aufenthaltserlaubnis nach § 25 II 1 Alt. 2 AufenthG noch nicht ausgestellt worden ist.[3]

ℹ Weiterführendes Wissen

Anders liegt es, wenn das BAMF lediglich ein nationales Abschiebungsverbot nach § 60 V oder VII AufenthG festgestellt hat. Nach § 25 III 1 AufenthG soll in diesen Fällen eine Aufenthaltserlaubnis erteilt werden. Es besteht jedoch kein strikter gesetzlicher Anspruch. Daher steht die Titelerteilungssperre des § 10
I AufenthG der Erteilung einer Aufenthaltserlaubnis nach § 25 III 1 AufenthG bis zum bestandskräftigen
Abschluss des Asylverfahrens entgegen.[4] Für die Betroffenen mit nationalem Abschiebungsverbot bedeutet dies, dass sie während des Klageverfahrens keine Aufenthaltserlaubnis erhalten und im Existenzsicherungssystem des AsylbLG verbleiben.

Mithin ist S mit Beginn des Folgemonats, nachdem der subsidiäre Schutz per Bescheid zuerkannt wurde, das heißt ab dem 1.8.2019, nicht mehr nach § 7 I 2 Nr. 3 SGB
II von Leistungen der Grundsicherung für Arbeitssuchende ausgeschlossen. Bei
Vorliegen der übrigen Anspruchsvoraussetzungen (vgl. § 7 I 1 Nr. 1–4 SGB II) ist S
nach dem SGB II anspruchsberechtigt.

D. Leistungsberechtigung der N

N könnte als Inhaberin einer Duldung nach § 1 I Nr. 4 AsylbLG leistungsberechtigt
sein.

Mit dem Widerruf ihrer Aufenthaltserlaubnis wurde N ausreisepflichtig (§§ 51 I
Nr. 4, 50 I AufenthG). Im März 2021 wurde ihr eine **Duldung** ausgestellt. Als Inhaberin einer Duldung ist N nach § 1 I Nr. 4 AsylbLG leistungsberechtigt.

ℹ Weiterführendes Wissen

Man könnte hier auch eine **Leistungsberechtigung** der N als vollziehbar ausreisepflichtige Person nach
§ 1 I Nr. 5 AsylbLG in Erwägung ziehen. Allerdings wird die Ausreisepflicht nach § 58 II 2 AufenthG erst
vollziehbar, wenn der Widerruf als zugrundeliegender aufenthaltsbeendender Verwaltungsakt seinerseits vollziehbar ist. Im Einzelnen ist die Abgrenzung zwischen § 1 I Nr. 4 AsylbLG (Besitz einer Duldung)
und § 1 I Nr. 5 AsylbLG (Vollziehbare **Ausreisepflicht**) schwierig, kann jedoch im vorliegenden Fall dahinstehen, da N zeitgleich mit Entstehen der Ausreisepflicht eine Duldung erteilt wurde.

Die Leistungsberechtigung nach dem AsylbLG beginnt mit dem Tag, an dem der einschlägige Tatbestand des § 1 AsylbLG erfüllt wird, im vorliegenden Fall also mit dem ersten Tag der Duldung.

---

3 Vgl. Ziffer 7.58 der fachlichen Weisungen der BA zu § 7 SGB II, Stand: 2.1.2020.
4 BVerwG, Urt. v. 17.12.2015, Az.: 1 C 31/14.

Julian Seidl

Fraglich ist, ob N bereits zum Bezug von Analogleistungen nach § 2 AsylbLG berechtigt ist. Auf dem ersten Blick ließe sich hieran zweifeln, da N erst seit kurzem ausreisepflichtig ist und damit in den Anwendungsbereich des AsylbLG fällt.

§ 2 I 1 AsylbLG knüpft lediglich daran an, dass eine Person sich seit 18 Monaten ohne wesentliche Unterbrechung im Bundesgebiet aufhält. Nach dem eindeutigen Wortlaut der Vorschrift kommt es nur auf den tatsächlichen Aufenthalt im Bundesgebiet an. Nicht erforderlich ist hingegen, dass die Betroffenen seit 18 Monaten nach dem AsylbLG leistungsberechtigt sind oder 18 Monate lang Grundleistungen nach § 3 AsylbLG bezogen haben.

N hält sich seit April 2011 ohne wesentliche Unterbrechung im Bundesgebiet auf. Sie erhält daher mit Beginn ihrer Leistungsberechtigung nach dem AsylbLG Analogleistungen, sofern die übrigen Anspruchsvoraussetzungen vorliegen.

Weiterführendes Wissen

Da N ihr Studium bereits abgebrochen hat, kommt es im vorliegenden Fall nicht auf das Verhältnis der Existenzsicherung zum BAföG an. Die sozialrechtliche Situation der N wäre komplizierter, wenn N ihr Studium fortführen würde, aber ihre Aufenthaltserlaubnis aus anderen Gründen erlischt und N fortan geduldet ist.

Grundsätzlich gilt, dass Studierende und Auszubildende von Leistungen des Existenzsicherungsrechts ausgeschlossen sind, da die speziellen Voraussetzungen des BAföG nicht unterlaufen werden sollen (vgl. § 7 V und VI SGB II, § 22 SGB XII). Dabei kommt es lediglich darauf an, dass die jeweilige Ausbildung im Rahmen des **BAföG** dem Grunde nach förderungsfähig ist. Unerheblich ist es, ob die Betroffenen tatsächlich auch BAföG beziehen.

Das AsylbLG enthält keinen solchen Leistungsausschluss für Personen, die sich in einer dem Grunde nach förderungsfähigen Ausbildung befinden. Leistungsberechtigte, die ein Studium aufgenommen haben, erhalten daher in den ersten 18 Monaten ihres Aufenthalts uneingeschränkt Leistungen nach § 3 AsylbLG. Anders lag es beim Bezug von Analogleistungen. Der in § 2 AsylbLG enthaltene Rechtsfolgenverweis auf das SGB XII hatte lange Zeit zur Folge, dass der in § 22 SGB XII enthaltene Leistungsausschluss auf die Empfänger*innen von Analogleistungen anzuwenden war. Es entstand eine integrationspolitisch kontraproduktive Förderlücke.[5] Diese Auswirkung hat der Gesetzgeber durch den neu eingeführten § 2 I 3 AsylbLG abgemildert. Nunmehr gewährt die zuständige Behörde in derartigen Fällen Leistungen des Dritten oder Vierten Kapitel des SGB XII als Beihilfe oder als Darlehen.

E. Leistungsberechtigung des E

Als anerkannter Flüchtling zählt E nicht mehr zu dem nach § 1 AsylbLG erfassten Personenkreis, sondern ist nach dem allgemeinen Existenzsicherungsrecht des SGB II/SGB XII leistungsberechtigt.

---

5 Werdermann, Asylmagazin 2018, 233.

Julian Seidl

Die Abgrenzung von SGB II und SGB XII richtet sich nach dem Kriterium der Erwerbsfähigkeit (vgl. § 7 I 1 Nr. 2, § 8 SGB II, § 43 SGB XII). Zudem ist für die Abgrenzung zwischen dem SGB II und der Grundsicherung im Alter (§§ 41ff. SGB XII) das Erreichen der Altersgrenze maßgeblich (vgl. § 7a SGB II, § 41 II SGB XII).

Vorliegend hat E mit einem Alter von 71 Jahren die für das SGB II maßgebliche Altersgrenze bereits deutlich überschritten. Stattdessen ist E im Rahmen der Grundsicherung im Alter nach § 41 II SGB XII leistungsberechtigt.

Zusammenfassung: Die wichtigsten Punkte

- Personen mit ungesichertem Aufenthaltsstatus (zum Beispiel Asylsuchende, Geduldete und ausreisepflichtige Personen) erhalten keine Leistungen nach dem SGB II oder SGB XII, sondern sind lediglich nach dem Asylbewerberleistungsgesetz (AsylbLG) leistungsberechtigt.
- Gegenüber dem SGB II und SGB XII weist das AsylbLG ein abgesenktes Leistungsniveau auf.
- Nach 18 Monaten Aufenthalt in Deutschland erhalten die nach dem AsylbLG leistungsberechtigten Personen Leistungen in Höhe der Leistungen nach dem SGB XII (sogenannte Analogleistungen), sofern sie die Dauer ihres Aufenthalts nicht rechtsmissbräuchlich beeinflusst haben.
- Wird den Betroffenen ein Schutzstatus im Asylverfahren zuerkannt, so sind sie fortan nach dem SGB II oder SGB XII leistungsberechtigt.
- Die Zuordnung zwischen den Leistungssystemen des SGB II und des SGB XII bestimmt sich nach dem Kriterium der Erwerbsfähigkeit und der Altersgrenze.

Dieser Fall darf gerne kommentiert, verändert und beliebig genutzt werden. Die Anleitung hierfür lässt sich über den abgebildete QR-Code mit der Smartphone-Kamera auf unserer Homepage aufrufen.

Fall 50
Das gekürzte Existenzminimum

Behandelte Themen: AsylbLG, Grundleistungen, Regelbedarfsstufe in Sammel-unterkünften, Anspruchseinschränkungen, soziokulturelles Existenzminimum, Grundrecht auf Gewährleistung eines menschenwürdigen Existenzminimums (Art. 1 I i.V.m. Art. 20 I GG), Widerspruch im Sozialverwaltungsverfahren

Schwierigkeitsgrad: Fortgeschrittene

Sachverhalt

Der afghanische Staatsangehörige A ist im März 2021 nach Deutschland eingereist und hat einen Asylantrag gestellt. Er ist in einer Aufnahmeeinrichtung unterge-bracht und teilt sich das Zimmer mit zwei weiteren Geflüchteten, mit denen ihn kein persönliches Näheverhältnis verbindet. Die Sanitärräume, ein Aufenthalts-raum sowie eine Gemeinschaftsküche stehen allen Bewohner*innen der Aufnahme-einrichtung zur gemeinschaftlichen Nutzung zur Verfügung. Nicht zuletzt aufgrund der Vielzahl von Nationalitäten unter den Bewohner*innen der Aufnahmeeinrich-tung erweist sich die gemeinsame Organisation von Einkäufen und Freizeitaktivitä-ten als überaus schwierig.

Die Aufnahmeeinrichtung verfügt über einen Essenssaal, in welchem die tägli-chen Mahlzeiten an die Bewohner*innen ausgegeben werden. Darüber hinaus wer-den in der Unterkunft Wertgutscheine für den Kauf von Kleidung ausgegeben. Seit Beginn seines Aufenthalts in Deutschland erhält A Geldleistungen nach § 3 AsylbLG in Höhe von 146,00 Euro monatlich. In dem Bescheid der zuständigen Sozialbehörde wird näher ausgeführt, dass es sich hierbei um Leistungen für den notwendigen persönlichen Bedarf handelt. Der notwendige Bedarf sei bereits durch die in der Aufnahmeeinrichtung erbrachten Sachleistungen gedeckt. Es seien die Regelbe-darfe nach § 3a I Nr. 2b AsylbLG zugrunde zu legen, da A zumutbar mit den anderen Bewohner*innen der Aufnahmeeinrichtung gemeinsam wirtschaften könne.

Fallfrage

A kommt im Juni 2021 in die Sprechstunde der Refugee Law Clinic bittet die Bera-ter*innen, ihm den Bescheid und die darin angestellten Berechnungen zu erklären.

https://doi.org/10.1515/9783110990379-050

Er möchte wissen, was sich hinter den Begriffen „notwendiger Bedarf" und „notwendiger persönlicher Bedarf" verbirgt und ob der Bescheid „in Ordnung" sei.

Abwandlung

Als A zu seiner Anhörung im Rahmen des Asylverfahrens erscheint, fordert ihn die zuständige Sachbearbeiterin des BAMF unter Hinweis auf seine asylverfahrensrechtlichen Mitwirkungspflichten dazu auf, ihr das Handy kurzzeitig auszuhändigen. Es sei eine Handyauswertung erforderlich, um die Nationalität des A, der über keinen Pass verfügt, zweifelsfrei bestimmen zu können. A möchte nicht, dass seine private Kommunikation ausgelesen wird und weigert sich, der Aufforderung nachzukommen.

Kurze Zeit später stellt die zuständige Sozialbehörde in einem an A gerichteten Bescheid die zu gewährenden Geldleistungen ein. Zur Begründung wird ausgeführt, dass A seiner Mitwirkungspflicht aus § 15 II Nr. 6 AsylG nicht nachgekommen sei, wie es sich bereits ohne formale Feststellung anhand der durch das BAMF übermittelten Unterlagen ergebe. Daher seien A gemäß § 1a V 1 Nr. 4 i.V.m. I 2 AsylbLG nur noch Leistungen zur Deckung seines Bedarfs an Ernährung und Unterkunft einschließlich Heizung sowie Körper- und Gesundheitspflege zu gewähren. Diese Bedarfe würden in Form von Sachleistungen in der Aufnahmeeinrichtung erbracht. Geldleistungen zur Deckung des notwendigen persönlichen Bedarfs seien nach dem Gesetzeswortlaut nicht mehr vorgesehen. Die Dauer der Leistungsminderung wird in dem Bescheid nicht befristet. A wird lediglich darauf hingewiesen, dass die Anspruchseinschränkung nach § 1a V 2 AsylbLG endet, sobald er die geforderte Mitwirkungshandlung nachholt.

A möchte die Leistungskürzung nicht hinnehmen und fragt die Berater*innen der Refugee Law Clinic, ob das Handeln der Sozialbehörde rechtmäßig ist und wie er gegen den Bescheid der Sozialbehörde vorgehen kann.

Julian Seidl

Lösungsvorschlag

Vorliegend möchte A von den Berater*innen der Refugee Law Clinic wissen, ob der Bescheid „in Ordnung" ist. Hierzu haben die Berater*innen der Refugee Law Clinic den Bescheid auf seine Rechtmäßigkeit (insbesondere hinsichtlich der Höhe der gewährten Leistungen) zu prüfen.

A. Rechtmäßigkeit des Leistungsbescheids

Der Leistungsbescheid ist rechtmäßig, wenn A alle Voraussetzungen für den Bezug von **Grundleistungen nach § 3 AsylbLG** erfüllt und die an A zu gewährenden Leistungen der Höhe nach korrekt festgesetzt wurden.

I. Anspruchsvoraussetzungen für den Bezug von Grundleistungen (§ 3 AsylbLG)

1. Leistungsberechtigung nach § 1 AsylbLG
A verfügt als Asylsuchender über eine **Aufenthaltsgestattung** (§ 55 AsylG) und ist demnach nach § 1 I Nr. 1 AsylbLG leistungsberechtigt.

2. Keine Berechtigung zum Bezug von Analogleistungen (§ 2 AsylbLG)
Vorliegend ist A erst im März 2021 nach Deutschland eingereist und erfüllt damit nicht das Erfordernis der 18-monatigen Voraufenthaltsdauer für den Bezug von **Analogleistungen** nach § 2 I 1 AsylbLG.

3. Zwischenergebnis
A erfüllt die Voraussetzungen für den Bezug von Grundleistungen nach § 3 AsylbLG.

II. Höhe der Leistungen
Fraglich ist, in welcher Höhe dem A Grundleistungen nach § 3 AsylbLG zu gewähren sind.

Julian Seidl

1. Unterscheidung zwischen notwendigem und notwendigem persönlichen Bedarf

Hinsichtlich der zu gewährenden Leistungen unterscheidet das AsylbLG zwischen dem notwendigen und dem notwendigen persönlichen Bedarf. Unter dem **notwendigen Bedarf** (§ 3 I 1 AsylbLG) versteht man Leistungen zur Sicherung des physischen Existenzminimums (Ernährung, Unterkunft, Heizung, Kleidung, etc.). Demgegenüber umfasst der **notwendige persönliche Bedarf** (§ 3 I 2 AsylbLG) Leistungen zur Sicherung der soziokulturellen Seite des Existenzminimums. Hierunter fallen etwa Bedarfe für Freizeit und Kultur, also diejenigen Bedarfe, die es braucht, um am gesellschaftlichen Leben teilnehmen zu können.

Weiterführendes Wissen ℹ️

Das Bundesverfassungsgericht hat wiederholt bekräftigt, dass die physische und die **soziokulturelle Seite des Existenzminimums** einheitlich zu gewährleisten sind.[1] Zum Menschsein gehört nicht nur das physische Überleben, sondern auch die Möglichkeit am sozialen, kulturellen und politischen Leben teilhaben zu können.

Geht man von einer einheitlichen Gewährleistung des physischen und des soziokulturellen Existenzminimums aus, mag es zunächst verwundern, dass die nach § 3 AsylbLG zu erbringenden Leistungen in den notwendigen und den notwendigen persönlichen Bedarf unterteilt werden. Das ist den unterschiedlichen Voraussetzungen an die Form der Leistungsgewährung (Sach- oder Geldleistung) geschuldet. Bei einer Unterbringung in Aufnahmeeinrichtungen sieht § 3 II 1 AsylbLG sogar zwingend vor, dass der notwendige Bedarf durch **Sachleistungen** zu erbringen ist. Demgegenüber lässt sich der notwendige persönliche Bedarf, das heißt die soziokulturellen Bedürfnisse des Menschen, kaum durch Sachleistungen decken. Hier werden in der Praxis auch bei einer Unterbringung in Aufnahmeeinrichtungen häufig Geldleistungen erbracht (vgl. § 3 II 5 AsylbLG).

Nach § 3 II 1 AsylbLG wird der notwendige Bedarf bei einer Unterbringung in Aufnahmeeinrichtungen durch Sachleistungen gedeckt. Hierbei kann Kleidung nach § 3 II 2 AsylbLG in Gestalt von Wertgutscheinen geleistet werden, wie es bei A der Fall ist.

Der notwendige persönliche Bedarf soll bei einer Unterbringung in Aufnahmeeinrichtungen ebenfalls durch **Sachleistungen** gedeckt werden (§ 3 II 4 AsylbLG). Ist dies nicht mit vertretbarem Verwaltungsaufwand möglich, kann der notwendige persönliche Bedarf auch in Form von Geldleistungen erbracht werden (§ 3 II 5 AsylbLG), wozu sich auch die Sozialbehörde im vorliegenden Fall entschieden hat.

---

1 BVerfG, Urt. v. 9.2.2010, Az.: 1 BvL 1, 3, 4/09, Rn. 135 = BVerfGE 125, 175 – Hartz IV.

Julian Seidl

2. Zuordnung zu einer Bedarfsstufe

Die Höhe der zu gewährenden Leistungen hängt ferner davon ab, welcher der in § 3a I Nr. 1–6 aufgeführten **Bedarfsstufen** A zuzuordnen ist.

Nach § 3a I Nr. 1 AsylbLG erhalten alleinstehende erwachsene Leistungsberechtigte, die in einer Wohnung leben, monatlich 162 Euro zur Deckung des notwendigen persönlichen Bedarfs (Bedarfsstufe 1). Lebt eine alleinstehende Person in einer **Sammelunterkunft**, wird sie leistungsrechtlich mit Paarhaushalten gleichgestellt, und erhält lediglich Leistungen in Höhe von 146 Euro (Bedarfsstufe 2, § 3a I Nr. 2b AsylbLG).

Als Bewohner einer **Aufnahmeeinrichtung** unterfällt A nach § 3a I Nr. 2b AsylbLG der Bedarfsstufe 2. Ihm sind Leistungen zur Deckung des notwendigen persönlichen Bedarfs in Höhe von 146 Euro zu gewähren. Gemessen an den Normen des AsylbLG erweisen sich die in dem Bescheid der Sozialbehörde festgesetzten Leistungen auch ihrer Höhe nach als rechtmäßig.

3. Verfassungsmäßigkeit der niedrigeren Regelbedarfe für Alleinstehende in Sammelunterkünften

Es ist jedoch zweifelhaft, ob die niedrigeren Regelbedarfe für alleinstehende Leistungsberechtigte in Sammelunterkünften verfassungskonform sind. Hierzu ist die einfachgesetzliche Norm des § 3a I Nr. 2b AsylbLG auf ihre Vereinbarkeit mit dem Grundrecht auf Gewährleistung eines menschenwürdigen Existenzminimums aus Art. 1 I GG i.V.m. Art. 20 I GG zu untersuchen.

Aus Art. 1 I GG i.V.m Art. 20 I GG folgt ein **Grundrecht auf die Gewährleistung eines menschenwürdigen Existenzminimum**[2], welches deutschen und ausländischen Staatsangehörigen, die sich im Bundesgebiet aufhalten, gleichermaßen zusteht.[3] Der Anspruch auf die Gewährleistung eines menschenwürdigen Existenzminimums ist dem Grunde nach durch das Grundgesetz vorgegeben, doch lässt sich die Höhe des Existenzminimums nicht unmittelbar aus dem Grundgesetz ableiten. Vielmehr ist es Aufgabe des Gesetzgebers, den Umfang des Anspruchs auf ein menschenwürdiges Existenzminimum zu konkretisieren. Hierzu hat der Gesetzgeber alle existenznotwendigen Aufwendungen folgerichtig in einem transparenten und sachgerechten Verfahren nach dem tatsächlichen Bedarf, also realitätsgerecht, zu bemessen.[4] Hierbei sind auch pauschalisierte Berechnungen grundsätzlich zulässig. So darf

---

2 Siehe hierzu ausführlich Schröder, in: Hahn/Petras/Valentiner/Wienfort, Grundrechte, § 18.1 S. 239.

3 BVerfG, Urt. v. 18.7.2012, Az.: 1 BvL 10/10, 2/11, Rn. 63 = BVerfGE 132, 134 – Asylbewerberleistungsgesetz.

4 BVerfG, Urt. v. 9.2.2010, Az.: 1 BvL 1, 3, 4/09, Rn. 139 = BVerfGE 125, 175 – Hartz IV.

Julian Seidl

der Gesetzgeber beispielsweise bei Paarhaushalten annehmen, dass zusammenlebende Partner*innen aus einem Topf wirtschaften und hierdurch Einspareffekte erzielen können.[5]

Die Gesetzesbegründung zu § 3a I Nr. 2b AsylbLG geht davon aus, dass in Sammelunterkünften untergebrachte Personen mit Paarhaushalten vergleichbare Einspareffekte erzielen könnten. Asylsuchende befänden sich in einer „Schicksalsgemeinschaft" und hätten für den „überschaubaren" Zeitraum der gemeinsamen Unterbringung mit anderen Leistungsempfänger*innen Anstrengungen zum gemeinschaftlichen Wirtschaften zu unternehmen.[6] Ob diese Annahmen zutreffen und die niedrigeren Regelbedarfe für alleinstehende Erwachsene in Sammelunterkünften den Anforderungen des Grundrechts aus Art. 1 I i.V.m. Art. 20 I GG genügen, wird in der Rechtsprechung unterschiedlich beurteilt:

Das SG Düsseldorf hält die niedrigeren Regelbedarfe für alleinstehende Erwachsene in Sammelunterkünften für verfassungswidrig und hat die parallele Regelung für die Empfänger*innen von Analogleistungen nach § 2 I 4 Nr. 1. AsylbLG dem BVerfG zur Entscheidung vorgelegt.[7] Mit Beschluss vom 19.10.2022 hat das BVerfG entschieden, dass die Sonderbedarfsstufe für in Sammelunterkünften untergebrachte Analogleistungsberechtigte nach § 2 I 4 Nr. 1 AsylbLG mit dem Grundrecht auf Gewährleistung eines menschenwürdigen Existenzminimums unvereinbar ist.[8] Die Regelungen zur Sonderbedarfsstufe im Rahmen der Grundleistungen waren nicht Gegenstand dieser verfassungsgerichtlichen Entscheidung. Dennoch dürften die zur Verfassungswidrigkeit der Sonderbedarfsstufe führenden Erwägungen auf die strukturgleiche Vorschrift des § 3a I Nr. 2b, II Nr. 2b AsylbLG zu übertragen sein. Folgt man dieser Ansicht, wäre die Anwendung der niedrigeren Regelbedarfsstufe 2 im Falle des A verfassungswidrig und A wären Leistungen zur Deckung des notwendigen persönlichen Bedarfs in Höhe der Regelbedarfsstufe 1 (§ 3a I Nr. 1 AsylbLG: 162 Euro) zu gewähren.

Die Landessozialgerichte Bayern, Mecklenburg-Vorpommern und Sachsen sowie mehrere erstinstanzliche Gerichte möchten den verfassungsrechtlichen Bedenken durch eine verfassungskonforme Auslegung der Vorschrift Rechnung tragen. So ist die tatsächliche und nachweisbare gemeinschaftliche Haushaltsführung der Leistungsberechtigten mit anderen Bewohner*innen der Sammelunterkunft[9], ein tatsächliches Füreinandereinstehen der Bewohner*innen[10] oder jedenfalls die zu-

---

5 BVerfG, Urt. v. 9.2.2010, Az.: 1 BvL 1, 3, 4/09, Rn. 154 = BVerfGE 125, 175 – Hartz IV.
6 BT-Drs. 19/10052, S. 24.
7 SG Düsseldorf, Beschl. v. 13.4.2021, Az.: S 17 AY 21/20.
8 BVerfG, Beschl. v. 19.10.2022, Az.: 1 BvL 3/21 - Sonderbedarfsstufe im Asylbewerberleistungsrecht.
9 LSG Mecklenburg-Vorpommern, Beschl. v. 10.6.2020, Az.: L 9 AY 22/19 B ER.
10 LSG Bayern, Urt. v. 29.4.2021, Az.:L 8 AY 122/20, Rn. 48.

mutbare gemeinschaftliche Haushaltsführung[11] als ungeschriebenes Tatbestandsmerkmal von § 3a I Nr. 2b AsylbLG vorauszusetzen. Vorliegend findet zwischen A und den übrigen Bewohner*innen der Aufnahmeeinrichtung kein gemeinschaftliches Wirtschaften in tatsächlicher Hinsicht statt. In Anbetracht des Umstandes, dass es sich bei den übrigen Bewohner*innen der Aufnahmeeinrichtung für A um völlig fremde Personen handelt und sich die gemeinsame Organisation von Einkäufen beziehungsweise Freizeitaktivitäten unter den Bewohner*innen verschiedener Nationalitäten als überaus schwierig erweist, dürfte ein derartiges gemeinschaftliches Wirtschaften unter Fremden auch nicht zumutbar sein. Nach dieser Ansicht wären A im Wege einer verfassungskonformen Auslegung Leistungen der Bedarfsstufe 1 in Höhe von 162 Euro zu gewähren.

Die Landessozialgerichte Berlin-Brandenburg und Niedersachsen-Bremen haben im Eilrechtsschutz hingegen keine Möglichkeit zur verfassungskonformen Auslegung der Vorschrift gesehen. So liege § 3a I Nr. 2b AsylbLG die gesetzgeberische Intention zugrunde, ein eigenständiges Leistungsniveau für Bewohner*innen von Sammelunterkünften einzuführen. Ausweislich der Gesetzesbegründung verlange die Vorschrift nicht tatsächliche Synergieeffekte, sondern knüpfe lediglich daran an, dass sich solche Einsparungen zumutbar erzielen lassen. Ferner setze der Wortlaut der Norm einer verfassungskonformen Auslegung Grenzen, indem zwischen einer Wohnung und Formen der gemeinschaftlichen Unterbringung unterschieden werde.[12] Nach dieser Ansicht wäre die Anwendung der Bedarfsstufe 2 für Alleinstehende in Sammelunterkünften verfassungskonform und A stünden nach § 3a I Nr. 2b AsylbLG lediglich 146 Euro als notwendiger persönlicher Bedarf zu.

Die in der Rechtsprechung vertretenen Auffassungen führen in Bezug auf die Höhe der an A zu gewährenden Leistungen zu unterschiedlichen Ergebnissen. Es bedarf daher einer Entscheidung zwischen den dargestellten Ansichten. Im Hinblick auf die Vorgaben des Grundrechts aus Art. 1 I i.V.m. Art. 20 I GG an das Verfahren der Leistungsbemessung erweist sich die in der Gesetzesbegründung getätigte Annahme eines gemeinschaftlichen Wirtschaftens als überaus zweifelhaft. Empirische Belege für die erhofften Synergie- und Spareffekte in Sammelunterkünften führen die Gesetzesmaterialien nicht an. Während sich Spareffekte in Paarhaushalten damit begründen lassen, dass die Partner*innen „aus einem Topf wirtschaften"[13], erweist sich eine solche Vorstellung bei einander fremden Bewohner*innen in Sammelunterkünften als realitätsfremd.[14] Die Betroffenen verbindet regelmäßig

---

11 SG Berlin, Beschl. v. 19.5.2020, Az.: S 90 AY 57/20 ER.
12 LSG Berlin-Brandenburg, Beschl. v. 29.5.2020, Az.: L 15 AY 15/20 B ER PKH; LSG Niedersachsen-Bremen, Beschl. v. 9.7.2020, Az.: L 8 AY 52/20 B ER.
13 Vgl. BVerfG, Urt. v. 9.2.2010, Az.: 1 BvL 1, 3, 4/09, Rn. 154 = BVerfGE 125, 175 – Hartz IV.
14 Vgl. SG Frankfurt a.M., Beschl. v. 14.1.2020, Az.: S S 30 AY 26/19 ER.

nicht mehr als die ihnen zugewiesene Unterkunft.[15] Es ist daher davon auszugehen, dass nur in Fällen eines tatsächlichen gemeinsamen Wirtschaftens eine Anwendung der niedrigeren Regelbedarfsstufe 2 mit den Anforderungen des Grundrechts aus Art. 1 I i.V.m. Art. 20 I GG vereinbar ist. Im vorliegenden Fall kann dahinstehen, ob zwingend von einer Verfassungswidrigkeit des § 3a I Nr. 2b AsylbLG auszugehen oder eine verfassungskonforme Auslegung der Norm durch das ungeschriebene Tatbestandsmerkmal der tatsächlichen gemeinschaftlichen Haushaltsführung möglich ist, da eine solche zwischen A und den übrigen Bewohner*innen nicht stattfindet. Nach der Entscheidung des BVerfG[16] zur Verfassungswidrigkeit der Sonderbedarfsstufe im Rahmen der Analogleistungen nach § 2 I 4 Nr. 1 AsylbLG dürften die besseren Argumente für die Verfassungswidrigkeit der Sonderbedarfsstufe für Analogleistungsberechtigte nach § 3a I Nr. 2b, II Nr. 2b AsylbLG sprechen.

4. Zwischenergebnis
Die niedrigeren Regelbedarfe für alleinstehende Leistungsberechtigte in Sammelunterkünften nach § 3a I Nr. 2b AsylbLG sind nicht mit den Anforderungen des Grundrechts aus Art. 1 I i.Vm. Art. 20 I GG vereinbar.

III. Ergebnis
Hinsichtlich der Leistungshöhe erweist sich der Bescheid der Sozialbehörde als rechtswidrig. A sind Leistungen der Regelbedarfsstufe 1 nach § 3a I Nr. 1 AsylbLG in Höhe von 162 Euro zu gewähren.

B. Abwandlung: Anspruchseinschränkung nach § 1a V 1 Nr. 4 AsylbLG

Fraglich ist, ob die Einstellung der an A gewährten Geldleistungen rechtmäßig ist. Dies setzt voraus, dass die Tatbestandsvoraussetzungen der Anspruchseinschränkung nach § 1a V 1 Nr. 4 AsylbLG vorliegen und die Norm auch hinsichtlich ihrer Rechtsfolgen korrekt angewendet wurde. Im Übrigen muss die in Rede stehende **Anspruchseinschränkung** nach § 1a V 1 Nr. 4 AsylbLG verfassungskonform sein.

15 Vgl. Seidl, ASR 2021, 97 (101).
16 BVerfG, Beschl. v. 19.10.2022, Az.: 1 BvL 3/21 – Sonderbedarfsstufe im Asylbewerberleistungsrecht.

Julian Seidl

I. Voraussetzungen der Anspruchseinschränkung

Die Voraussetzungen einer Anspruchseinschränkung nach § 1a V 1 Nr. 4 AsylbLG müssten gegeben sein.

1. Leistungsberechtigung nach § 1 I Nr. 1, 1a oder 7 AsylbLG

A ist als Inhaber einer Aufenthaltsgestattung nach § 1 I Nr. 1 AsylbLG leistungs-berechtigt. Damit zählt er zu dem von § 1a V 1 Nr. 4 AsylbLG erfassten Personen-kreis.

2. Verletzung der Mitwirkungspflicht aus § 15 II Nr. 6 AsylG (Feststellung durch das BAMF)

Das BAMF müsste festgestellt haben, dass A einer **Mitwirkungspflicht** aus § 15 II Nr. 6 AsylG nicht nachgekommen ist. Nach § 15 II Nr. 6 AsylG haben Asylsuchende, die keinen gültigen Pass besitzen, an der Beschaffung eines Identitätspapiers mit-zuwirken. Im Rahmen dessen sind sie dazu verpflichtet, auf Verlangen **Datenträ-ger** auszuhändigen, welche für die Feststellung ihrer Identität und Staatsangehörig-keit von Bedeutung sein können.

ℹ Weiterführendes Wissen

Im Hinblick auf das Grundrecht auf informationelle Selbstbestimmung (Art. 2 I i.V.m. Art. 1 I GG) ist die Praxis der auf § 15 II Nr. 6 AsylG gestützten Auswertung der Handys von Geflüchteten schwerwiegenden Bedenken ausgesetzt.[17] Insbesondere stellt sich die Frage, ob ein derart schwerwiegender Eingriff in die informationelle Selbstbestimmung der Betroffenen in Anbetracht eines nur geringen, aus der Handyaus-wertung resultierenden Erkenntnisgewinns verhältnismäßig ist.[18] Das VG Berlin befand die Handyaus-wertung in einem Fall als rechtswidrig, in welchem mildere Mittel zur Verfügung standen, um Indizien für die Identität und Staatsangehörigkeit der Betroffenen zu gewinnen.[19]

Für die Anspruchseinschränkung nach § 1a V 1 Nr. 4 AsylbLG ist eine behördliche Feststellung der Verletzung der Mitwirkungspflicht durch das BAMF zwingend er-forderlich. Anders als bei den Anspruchseinschränkungen nach § 1a V 1 Nr. 1, 2, 5 AsylbLG genügt die bloße Verletzung der Mitwirkungspflicht in den Fällen des § 1a

---

17 Siehe ausführlich zum Grundrecht auf informationelle Selbstbestimmung Ruschemeier, in: Hahn/Petras/Valentiner/Wienfort, Grundrechte, § 24.3, S. 533.
18 Siehe zur Datenträgerauswertung ausführlich Mantel/Tsomaia, *1) Liana Gelashvili sucht Schutz*, D. in diesem Fallbuch.
19 VG Berlin, Urt. v. 1.6.2021, Az.: 9 K 135/20 A, Rn. 38ff – openJur.

Julian Seidl

V 1 Nr. 4 AsylbLG nicht.[20] Die Sozialbehörde hat hier nicht selbstständig zu prüfen, ob Betroffene ihren Mitwirkungspflichten nicht nachgekommen sind, sondern kann die Anspruchseinschränkung erst nach einer entsprechenden Feststellung durch das BAMF verhängen.

Weiterführendes Wissen

Vieles spricht dafür, dass die Feststellung der Verletzung einer Mitwirkungspflicht durch das BAMF in Gestalt eines Verwaltungsaktes zu erfolgen hat.[21] Dies bedeutet insbesondere, dass sie gegenüber den Betroffenen nach außen hin bekannt zu geben ist.[22] In diesem Fall könnten die Betroffenen auch einen Rechtsbehelf gegen die Feststellung der Verletzung der Mitwirkungspflicht einlegen.[23]

Vorliegend wurde die Verletzung der Mitwirkungspflicht nach § 15 II Nr. 6 AsylG nicht durch das BAMF in Gestalt eines Verwaltungsaktes festgestellt. Vielmehr hat die Sozialbehörde anhand der Aktenlage selbstständig darauf geschlossen, dass A die nach § 15 II Nr. 6 AsylG geforderte Mitwirkung verweigert hat. Dies allein vermag die Anspruchseinschränkung nach § 1a V 1 Nr. 4 AsylbLG nicht zu rechtfertigen.

3. Zwischenergebnis

Mangels Feststellung der Verletzung der Mitwirkungspflicht durch das BAMF liegen die Voraussetzungen der Anspruchseinschränkung nach § 1a V 1 Nr. 4 AsylbLG nicht vor. Die gegenüber A vorgenommene Leistungskürzung ist bereits aus diesem Grund rechtswidrig.

II. Rechtsfolge der Anspruchseinschränkung

Als Rechtsfolge sieht § 1a I 2 AsylbLG vor, dass nur noch Leistungen zur Deckung des Bedarfs an Ernährung und Unterkunft einschließlich Heizung sowie Körper- und Gesundheitspflege erbracht werden. Dem Wortlaut der Norm nach besteht für die Leistungsbehörde keine Möglichkeit, im Ermessenswege von der Leistungsmin-

---

20 Leopold, in: Grube/Wahrendorf/Flint, AsylbLG, 7. Aufl. 2020, § 1a Rn. 100; Oppermann, in: jurisPK-SGB XII, 3. Aufl. 2020, AsylbLG § 1a Rn. 137.
21 Ausführlich zum Verwaltungsakt Milker, in: Eisentraut, Verwaltungsrecht in der Klausur, § 2 Rn. 38 ff.
22 Leopold, in: Grube/Wahrendorf/Flint, AsylbLG, 7. Aufl. 2020, § 1a Rn. 100.
23 Mehr dazu bei Oppermann, in: jurisPK-SGB XII, 3. Aufl. 2020, AsylbLG § 1a Rn. 137.

derung abzusehen. Der vollständige Wegfall des notwendigen persönlichen Bedarfs entspricht damit der in § 1a I 2 AsylbLG vorgesehenen Rechtsfolge.

Nach § 1a V 2 AsylbLG endet die Anspruchseinschränkung, sobald die fehlende Mitwirkungshandlung erbracht wird. Dessen ungeachtet ist die Anspruchseinschränkung gemäß § 14 I AsylbLG auf (maximal) sechs Monate zu befristen. Vorliegend hat die Sozialbehörde die gegenüber A ausgesprochene Anspruchseinschränkung entgegen § 14 I AsylbLG für einen unbefristeten Zeitraum verhängt. Auch unter diesem Gesichtspunkt erweist sich der Bescheid der Sozialbehörde als rechtswidrig.[24]

III. Verfassungsmäßigkeit der Anspruchseinschränkung nach § 1a V 1 Nr. 4 AsylbLG

Ungeachtet der im Fall des A bereits fehlerhaften Anwendung des einfachen Rechts durch die Sozialbehörde stellt sich die Frage, ob die Anspruchseinschränkungen nach § 1a AsylbLG mit dem Grundrecht auf Gewährleistung eines menschenwürdigen Existenzminimums aus Art. 20 I i.V.m. Art. 1 I GG vereinbar sind.

In der Entscheidung zu den Sanktionen im SGB II vom 5.11.2019[25] hat das BVerfG erstmalig zur Problematik von Leistungskürzungen im Existenzsicherungsrecht Stellung bezogen. Dabei hat es ausgeführt, dass der Gesetzgeber die Sicherung des Existenzminimums an Mitwirkungspflichten knüpfen darf, die auf eine Überwindung der Hilfebedürftigkeit der Betroffenen gerichtet sind. Derartige Mitwirkungspflichten dürfen auch im Wege einer **Leistungskürzung** („Sanktion") durchgesetzt werden, die jedoch einer strengen Verhältnismäßigkeitsprüfung unterworfen ist. Im SGB II hat das BVerfG die sechzig- und hundertprozentigen Sanktionen im SGB II mangels tragfähiger Erkenntnisse zu ihrer Geeignetheit, Erforderlichkeit und Angemessenheit für unverhältnismäßig erachtet.[26] Zur einer älteren Fassung von § 1a AsylbLG, welche noch eine weniger starre Rechtsfolge (Leistung des im Einzelfall unabweisbar Gebotenen) vorsah, hat sich das BVerfG nur knapp in einem Kammerbeschluss geäußert.[27]

Gemessen an den in der Entscheidung zu den Sanktionen im SGB II entwickelten Maßstäben, erweisen sich die Anspruchseinschränkungen nach § 1a AsylbLG unter mehreren Gesichtspunkten als problematisch:

---

24 Vgl. LSG Bayern, Beschl. v. 19.3.2018, Az.: L 18 AY 7/18 B ER; Oppermann, in: jurisPK-SGB XII, 3. Aufl. 2020, AsylbLG § 14 Rn. 17.
25 BVerfG, Urt. v. 5.11.2019, Az.: 1 BvL 7/16 = BVerfGE 152, 68 ff.
26 BVerfG, Urt. v. 5.11.2019, Az.: 1 BvL 7/16 = BVerfGE 152, 68 ff.
27 BVerfG, Beschl. v. 12.5.2021, Az.: 1 BvR 2682/17; ausführlich hierzu: Seidl, VerfBlog, 16.7.2021.

Erstens sind die Anspruchseinschränkungen nach § 1a AsylbLG nicht auf die Überwindung der Hilfebedürftigkeit der Betroffenen, sondern auf die Durchsetzung asylverfahrensrechtlicher Mitwirkungspflichten und die Abwehr eines Rechtsmissbrauchs gerichtet. Ob das Grundrecht aus Art. 1 I i.V.m. 20 I GG die Kürzung existenzsichernder Leistungen zu derartigen Zielen zulässt, ist noch nicht abschließend geklärt.

Zweitens ist die Verhältnismäßigkeit der verschiedenen in § 1a AsylbLG enthaltenen Anspruchseinschränkungen zweifelhaft. Anders als im SGB II existieren keinerlei empirische Untersuchungen zur Wirksamkeit der Anspruchseinschränkungen nach § 1a AsylbLG. Die Eignung sozialrechtlicher Anspruchseinschränkungen zur Durchsetzung migrationsrechtlicher Mitwirkungspflichten ist bislang nicht belegt. Darüber hinaus stellt sich auf der Ebene der Erforderlichkeit die Frage, ob aufenthaltsrechtliche Instrumente ein vorrangig auszuschöpfendes milderes Mittel zur Durchsetzung der Mitwirkungspflicht darstellen.

Drittens dürfte die starre Rechtsfolge der Anspruchseinschränkung nach § 1a I 2 AsylbLG nicht mit dem Grundrecht aus Art. 1 I i.V.m. Art. 20 I GG vereinbar sein. So fehlt es an einer Möglichkeit, im Ermessenswege von der Leistungsminderung abzusehen, wie sie das BVerfG für die Sanktionen im SGB II ausdrücklich gefordert hat. Unter Verhältnismäßigkeitsgesichtspunkten dürfte das Grundrecht aus Art. 1 I i.V.m. Art. 20 I GG auch eine Begrenzung der Dauer der Leistungsminderung fordern (der Wortlaut von § 14 II AsylbLG lässt im Falle einer fortbestehenden Pflichtverletzung Anspruchseinschränkungen über sechs Monate hinaus zu). Hinsichtlich des Umfangs der Leistungsminderung erweist sich der vollständige Wegfall soziokultureller Bedarfe als problematisch. Nach der Rechtsprechung des BVerfG sind die physische und die soziokulturelle Seite des Existenzminimums einheitlich zu gewährleisten.[28] Dieser einheitlichen Gewährleistung der physischen und soziokulturellen Seite des Existenzminimums läuft es zuwider, dass § 1a I 2 AsylbLG Leistungen zur Deckung der soziokulturellen Seite des Existenzminimums (das heißt den notwendigen persönlichen Bedarf) vollständig ausschließt. In einem Kammerbeschluss zu einer älteren Fassung von § 1a AsylbLG hat das BVerfG die einheitliche Gewährleistung der physischen und soziokulturellen Seite des Existenzminimums nochmals bekräftigt: *„Eine vom Beschwerdeführer beschriebene Praxis, wonach soziokulturelle Bedarfe allgemein als entbehrlich angesehen würden, ist damit und wäre auch mit den verfassungsrechtlichen Anforderungen nicht vereinbar. Weder Leistungen für physische noch solche für soziokulturelle Bedarfe sind frei verfügbar; sie können nicht beliebig gekürzt oder gestrichen werden."*[29] Dies gibt zu erkennen, dass

---

28 BVerfG, Urt. v. 9.2.2010, Az.: 1 BvL 1, 3, 4/09, Rn. 135 = BVerfGE 125, 175 – Hartz IV.
29 BVerfG, Beschl. v. 12.5.2021, Az.: 1 BvR 2682/17.

Julian Seidl

der in der derzeitigen Fassung von § 1a I 2 AsylbLG vorgesehene Wegfall des notwendigen persönlichen Bedarfs den Anforderungen des Grundrechts aus Art. 1 I i.V.m. Art. 20 I GG nicht genügt.[30]

ℹ️ **Weiterführendes Wissen**

Unionsrechtliche Bedenken zu § 1a V 1 Nr. 4 AsylbLG
Die im Fall des A einschlägige Anspruchseinschränkung nach § 1a V 1 Nr. 4 AsylbLG ist darüber hinaus auch unionsrechtlichen Bedenken ausgesetzt. Der von § 1a V AsylbLG erfasste Personenkreis der Asylantragsteller*innen unterfällt der Aufnahme-RL[31]. Art. 20 Aufnahme-RL bestimmt abschließend, in welchen Fällen die materiellen Leistungen für den von der Aufnahme-RL erfassten Personenkreis eingeschränkt werden dürfen. Art. 20 I lit. b Aufnahme-RL ermöglicht Einschränkungen der Leistungen, wenn Betroffene ihren Melde- und Auskunftspflichten während einer im einzelstaatlichen Recht festgesetzten angemessenen Frist nicht nachkommen. Hierbei ist es fraglich, ob sich eine derart intensive Beeinträchtigung wie das Auslesen von Handys noch unter den Begriff der Melde- und Auskunftspflichten im Sinne von Art. 20 I lit. b Aufnahme-RL fassen lässt.[32]

IV. Ergebnis

Mangels vorausgegangener Feststellung der Verletzung einer Mitwirkungspflicht durch das BAMF sowie mangels Befristung der Leistungsminderung erweist sich der Bescheid der Sozialbehörde bereits gemessen am einfachen Recht als rechtswidrig. Darüber hinaus ist § 1a AsylbLG jedenfalls auf der Rechtsfolgenseite nicht mit dem Grundrecht aus Art. 1 I i.V.m. Art. 20 I GG vereinbar.

C. Abwandlung: Wie kann A gegen die Anspruchseinschränkung vorgehen?

Gegen den Bescheid der Sozialbehörde kann A Widerspruch (vgl. §§ 78 ff. SGG) einlegen. Bei dem **Widerspruchsverfahren** handelt es sich um ein behördliches Verfahren, in welchem die Behörde die getroffene Entscheidung nochmals überprüft.[33] Im Sozialrecht ist das Widerspruchsverfahren grundsätzlich kostenfrei (§ 64 SGB X). Da es sich bei dem Widerspruchsverfahren um ein außergerichtliches Verfahren

---

30 Seidl, VerfBlog, 16.7.2021; siehe auch Gerloff, ASR 2021, 266 f; Schreiber, SGb 2021, 697 ff.
31 Richtlinie 2013/33/EU des Europäischen Parlaments und des Rates zur Festlegung von Normen für die Aufnahme von Personen, die internationalen Schutz beantragen vom 26.6.2013, ABl. EU Nr. L 180, S. 96.
32 Genge, Beilage zum Asylmagazin 2019, 14 (20); Seidl, ZESAR 2020, 213 (217).
33 Ausführlich zum Vorverfahren Braun, in: Eisentraut, Verwaltungsrecht in der Klausur, § 2 Rn. 301 ff.

handelt, können hier auch die Berater*innen der Refugee Law Clinic für A nach außen hin auftreten.

Der Widerspruch ist binnen eines Monats nach Bekanntgabe des Verwaltungsakts schriftlich, in elektronischer Form (vgl. § 36a II SGB I: Dokument mit qualifizierter elektronischer Signatur, keine einfache E-Mail) oder zur Niederschrift bei der Behörde, welche den Verwaltungsakt erlassen hat, einzulegen (§ 84 I SGG). Ist die Rechtsbehelfsbelehrung unvollständig oder fehlerhaft, beträgt die Widerspruchsfrist ein Jahr (§ 66 II SGG). Wurde die Widerspruchsfrist versäumt, kann ein Überprüfungsantrag nach § 44 SGB X gestellt werden. Anders als im allgemeinen Verwaltungsverfahrensrecht sind im sozialbehördlichen Verfahren auch bestandskräftige, nicht begünstigende Verwaltungsakte nach § 44 SGB X zurückzunehmen. Allerdings unterliegen Überprüfungsanträge auf dem Gebiet des Asylbewerberleistungsgesetzes zeitlichen Einschränkungen (vgl. § 9 IV 2 AsylbLG).

Werden den Betroffenen existenznotwendige Leistungen vorenthalten, ist neben dem Widerspruchsverfahren in der Hauptsache auch **Eilrechtsschutz** nach § 86b SGG beim Sozialgericht zu suchen.

Zusammenfassung: Die wichtigsten Punkte
- Aus Art. 1 I i.V.m. Art. 20 I GG folgt ein Grundrecht auf Gewährleistung eines menschenwürdigen Existenzminimums, das deutschen und ausländischen Staatsangehörigen mit Aufenthalt im Bundesgebiet gleichermaßen zusteht.
- Innerhalb der Grundleistungen nach § 3 AsylbLG wird zwischen dem notwendigen Bedarf und dem notwendigen persönlichen Bedarf unterschieden.
- Die Unterbringung von Geflüchteten in Sammelunterkünften wirkt sich auf die Leistungen nach § 3 AsylbLG aus. So ist in Aufnahmeeinrichtungen der notwendige Bedarf in Form von Sachleistungen zu erbringen (§ 3 II 1 AsylbLG) und alleinstehende Erwachsene in Sammelunterkünften werden der Bedarfsstufe 2 zugeordnet (§ 3a I Nr. 2b AsylbLG).
- Die Vereinbarkeit der niedrigeren Bedarfsstufe für alleinstehende Erwachsene in Sammelunterkünften (§ 3a I Nr. 2b AsylbLG) und der Anspruchseinschränkung nach § 1a AsylbLG mit dem Grundrecht aus Art. 1 I i.V.m. Art. 20 I GG ist zweifelhaft.
- In der Praxis lässt sich gegen Verwaltungsakte der Sozialbehörden (zum Beispiel im Falle der Einstellung oder der fehlerhaften Festsetzung der Leistung) mit einem Widerspruch vorgehen. Im sozialbehördlichen Verfahren ist der Widerspruch grundsätzlich kostenfrei (§ 64 SGB X). Auch bestandskräftige Bescheide lassen sich noch mit einem Überprüfungsantrag angreifen (§ 44 SGB X). Hierbei ist die zeitliche Begrenzung des § 9 IV 2 AsylbLG zu beachten.

Dieser Fall darf gerne kommentiert, verändert und beliebig genutzt werden. Die Anleitung hierfür lässt sich über den abgebildete QR-Code mit der Smartphone-Kamera auf unserer Homepage aufrufen.

Julian Seidl

Fall 51
18 Monate in Deutschland

Behandelte Themen: Leistungsanspruch, Asylbewerberleistungsgesetz, § 2 Asyl-bLG, Analogleistungen

Schwierigkeitsgrad: Anfänger*innen

Sachverhalt

A ist somalische Staatsangehörige und am 18.5.2020 nach Deutschland eingereist. Nachdem Ihr Asylverfahren beim Bundesamt für Migration und Flüchtlinge (BAMF) abgelehnt wurde und keine weiteren Rechtsmittel gegen diese Entscheidung eingelegt wurden, hat A eine Duldung erhalten. A ist alleinstehend und wurde vor wenigen Wochen in eine Gemeinschaftsunterkunft in der Nähe von Gießen verlegt. A wendet sich im November 2021 an eine örtliche Beratungsstelle. Sie habe gehört, man erhalte nach einer gewissen Zeit „mehr" Leistungen in Form von Geldleistungen und einer Krankenversicherungskarte. Sie fragt nun nach, welche Voraussetzungen erfüllt sein müssen, damit sie „mehr" Leistungen erhält.

Fallfrage

Hat A einen Anspruch auf Erteilung der Sozialleistungen gemäß § 2 AsylbLG?

Abwandlung

A wurde mehrfach durch die Zentrale Ausländerbehörde Gießen aufgefordert, sich einen Pass bei der somalischen Botschaft zu besorgen, dieser Aufforderung ist A jedoch nicht nachgekommen. Ende Oktober 2021 erhält A einen Brief vom Regierungspräsidium Gießen, in dem die Behörde A mitteilt, dass sie keine Analogleistungen gemäß § 2 AsylbLG erhalten wird, da sie ihre Aufenthaltsdauer rechtsmissbräuchlich selbst beeinflusst hätte. A werde demnach weiterhin Grundleistungen nach §§ 3 und 3a AsylbLG erhalten.

A ist verwundert über den Brief des Regierungspräsidiums. Um einen Pass von der somalischen Botschaft zu erhalten, müsste sie eine sogenannte Ehrenerklärung unterschreiben, was sie ablehnt.

Fallfrage Abwandlung

Hat A weiterhin Anspruch auf Leistungen nach dem Zwölften Buch Sozialgesetz-
buch (SGB XII) gemäß § 2 AsylbLG?

Lösungsvorschlag

A. Lösungsvorschlag Ausgangsfall

A könnte einen Anspruch auf sogenannte **Analogleistungen gemäß § 2 AsylbLG** haben, wenn sie die Tatbestandsvoraussetzungen erfüllt.

ℹ Weiterführendes Wissen

In einem Urteil vom 18.7.2012 entschied das Bundesverfassungsgericht, dass die damalige Höhe der Geldleistungen im Asylbewerberleistungsgesetz unvereinbar mit dem Grundrecht auf Gewährleistungen eines menschenwürdigen Existenzminimums war.[1] Durch das Urteil wurde der Gesetzgeber verpflichtet, die Leistungssätze zukünftig transparent, realitätsgerecht und bedarfsgerecht zu bemessen und regelmäßig zu aktualisieren. Das Urteil enthielt weitere Vorgaben, wie das AsylbLG durch den Gesetzgeber umgestaltet werden sollte. Zum einen sollte die Wartefrist, die bestimmt, ab wann eine leistungsberechtigte Person Leistungen entsprechend dem SGB XII erhalten sollte, herabgesetzt werden. Zudem sollte nicht mehr die Vorbezugszeit maßgeblich sein, sondern die tatsächliche Aufenthaltszeit im Bundesgebiet. Weiterhin musste die damalige bestehende Anspruchseinschränkung für Familienangehörige im Falle eines Fehlverhaltens eines anderen Familienangehörigen gemäß § 1a AsylbLG a.F. aufgehoben werden. Durch die anschließende Gesetzesänderung erhielten Leistungsberechtigte nicht mehr nach 36 Monaten Vorbezugszeit die sogenannten Analogleistungen, also Leistungen entsprechend der **Sozialhilfe** aus dem SGB XII, sondern nach 15 Monaten Voraufenthaltszeit in Deutschland.[2] Mittlerweile wurde die Voraufenthaltszeit erneut hochgesetzt auf 18 Monate.

---

1. Tatbestandsvoraussetzungen
a. Leistungsberechtigung

A müsste berechtigt sein, **Sozialleistungen** nach dem Asylbewerberleistungsgesetz zu erhalten. Welche Personen hiernach leistungsberechtigt sind, bestimmt sich nach § 1 AsylbLG.

Gemäß § 1 I Nr. 4 AsylbLG sind Personen leistungsberechtigt, die eine **Duldung im Sinne des § 60a AufenthG** besitzen. As Asylverfahren wurde durch den Bescheid des Bundesamts für Migration und Flüchtlinge erfolglos beendet. Seitdem ist A im Besitz einer Duldung gemäß § 60a AufenthG. Folglich ist A Leistungsberechtigt gemäß § 1 I Nr. 4 AsylbLG.

---

1 BVerfG, Urt. v. 18.7.2012, Az.: 1 BvL 10/10, 1 BvL 2/11.
2 BT-Drs. 18/2592.

Saskia Ebert

b. Voraufenthaltszeit

A müsste sich seit 18 Monaten, ohne wesentliche Unterbrechung, in Deutschland aufgehalten haben. Die Frist berechnet sich nach den Vorschriften der Fristberechnung aus §§ 187 ff. BGB.[3] A ist am 18.5.2020 nach Deutschland eingereist und hat seitdem das Bundesgebiet nicht mehr verlassen. Seit dem 18.11.2021 befindet sich A seit 18 Monaten im Bundesgebiet. Demnach erfüllt A die **Voraufenthaltszeit**.

Weiterführendes Wissen

Laut der Gesetzesbegründung[4] zur Einführung der Voraufenthaltsdauer von (damals noch) 15 Monaten, sollen solche Auslandsaufenthalte unerheblich sein, die nur von kurzfristiger Dauer sind. Als Beispiele werden genannt: Klassenfahrten, Besuche von Angehörigen oder die Teilnahme an einer Beerdigung eines Familienmitglieds. Bei der Beurteilung, ob ein Auslandsaufenthalt zu einer „wesentlichen" Unterbrechung führt, solle berücksichtigt werden, wodurch dieser veranlasst wurde und welches Gewicht die Gründe für den Betroffenen haben. Nicht zu einer wesentlichen Unterbrechung führen Zeiten in Haft oder im Kirchenasyl. Tauchen Personen eine Zeit lang unter, hat dies auch keinen Einfluss auf die Aufenthaltsdauer.[5]

---

c. Keine rechtsmissbräuchliche Dauer des Aufenthalts

Weiterhin dürfte A die Dauer ihres Aufenthalts nicht rechtsmissbräuchlich beeinflusst haben.

Rechtsmissbräuchlich meint ein vorwerfbares Fehlverhalten, das eine objektive – den Missbrauchstatbestand – und eine subjektive Komponente – das Verschulden – hat.[6] Der Rechtsmissbrauch setzt ein unredliches, von der Rechtsordnung missbilligtes Verhalten voraus.[7] Im Ergebnis soll sich niemand auf eine Rechtsposition berufen dürfen, die er treuwidrig herbeigeführt hat.[8]

Fraglich könnte nun sein, ob allein die Tatsache, dass A eine Duldung gemäß § 60a AufenthG besitzt und folglich **ausreisepflichtig** ist, ausreichend ist, um eine rechtsmissbräuchliche Beeinflussung der Aufenthaltsdauer anzunehmen. Laut der Rechtsprechung des Bundessozialgerichts reicht es für die Annahme einer rechtsmissbräuchlichen Herbeiführung der Aufenthaltszeit nicht aus, dass eine Person die Rechtsposition nutzt, die ihm durch die Erteilung einer Duldung zugutekommt,

---

3 Cantzler, in: Cantzler, Asylbewerberleistungsgesetz, 2019, Rn. 19.
4 BT-Drs. 18/2592
5 Leopold, in: Grube/Wahrendorf/Flint, SGB XII, Sozialhilfe, AsylbLG, 7. Aufl. 2020, AsylbLG § 2, Rn. 12.
6 BSG, Urt. v. 17.6.2008, Az.: B 8/9b AY 1/07 R, Rn. 32.
7 BSG, Urt. v. 17.6.2008, Az.: B 8/9b AY 1/07 R, Rn. 33.
8 BSG, Urt. v. 17.6.2008, Az.: B 8/9b AY 1/07 R, Rn. 32.

auch wenn die Ausreise möglich und zumutbar wäre.[9] Es sei widersprüchlich, den Aufenthalt der ausländischen Person vorübergehend zu dulden und ihr dies gleichzeitig als Rechtsmissbrauch vorzuwerfen, obwohl der Staat selbst zeitweise darauf verzichtet, die Ausreisepflicht durchzusetzen.[10] Die Inanspruchnahme ihrer Duldung kann der betroffenen Person nicht vorgeworfen werden.[11]

A hat ihre 18-monatige Aufenthaltsdauer demnach nicht rechtsmissbräuchlich beeinflusst.

d. Ergebnis

A erfüllt die Voraussetzungen des § 2 AsylbLG zum 19.11.2021 und ist demnach anspruchsberechtigt.

2. Rechtsfolge

A erhält mit Beginn des 19. Aufenthaltsmonats Leistungen entsprechend SGB XII, ihr Leistungsanspruch ergibt sich jedoch nach wie vor aus dem AsylbLG. Gemäß § 8 SGB XII umfasst die Sozialhilfe: Hilfe zum Lebensunterhalt, Grundsicherung im Alter und bei Erwerbsminderung, Hilfe zur Gesundheit, Hilfe zur Pflege, Hilfe zur Überwindung besonderer sozialer Schwierigkeiten und Hilfe in anderen Lebenslagen. Besonders hervorzuheben ist, dass Leistungsberechtigte nun gemäß § 264 II SGB V einen Anspruch haben, dass ihre **Kosten für Krankenbehandlungen** von einer Krankenkasse übernommen werden. Hierbei ist jedoch zu beachten, dass trotzdem keine Mitgliedschaft in einer gesetzlichen Krankenkasse entsteht. Die Krankenkasse erbringt zwar die Leistung, jedoch im Auftrag des zuständigen Sozialamtes. Die der Krankenkasse entstandenen Kosten rechnet sie dann mit dem Sozialamt ab. Dazu erhalten sie eine Krankenkassenkarte von einer von ihnen gewählten Krankenkasse.

B. Abwandlung

Die Verweigerung des Regierungspräsidiums Gießens, A Sozialleistungen gemäß § 2 AsylbLG zu gewähren, wäre rechtmäßig, sofern A ihre Aufenthaltsdauer rechtsmissbräuchlich beeinflusst hat (§ 2 I 1 a. E. AsylbLG). Eine rechtsmissbräuchliche Be-

---

9 BSG, Urt. v. 17.6.2008, Az.: B 8/9b AY 1/07 R, Rn. 31.
10 BSG, Urt. v. 17.6.2008, Az.: B 8/9b AY 1/07 R, Rn. 35.
11 BSG, Urt. v. 17.6.2008, Az.: B 8/9b AY 1/07 R, Rn. 31.

einflussung der Aufenthaltsdauer könnte darin liegen, dass A den Aufforderungen der **Passbeschaffung** nicht nachgekommen ist. Grundsätzlich kann die fehlende Bereitschaft, sich um die Ausstellung von **Pass- und/oder Identitätspapieren** zu bemühen, als rechtsmissbräuchliche Beeinflussung der Aufenthaltsdauer bewertet werden.[12] Erforderlich ist dafür, dass die Ausländerbehörde die betroffene Person zur Passbeschaffung aufgefordert hat[13] und die Pass- und/oder Identitätspapierbeschaffung auch zumutbar ist.[14]

Fraglich ist jedoch, inwiefern dem Umstand, dass A in der somalischen Botschaft eine **Ehrenerklärung** unterzeichnen müsste, Rechnung getragen werden muss.

Durch die Unterzeichnung einer Ehrenerklärung würde A erklären, dass ihre Rückkehr nach Somalia freiwillig erfolgen würde.[15] A lehnt es ab, eine solche Erklärung abzugeben. Die Weigerung, an der Passbeschaffung mitzuwirken, ist grundsätzlich dann nicht vorwerfbar, und somit unzumutbar, wenn die Passbeschaffung nur erfolgreich sein könnte, wenn eine solche Ehrenerklärung abgegeben wird und dies nicht dem tatsächlichen Willen der betroffenen Person entspricht.[16] Eine Person kann nicht dazu gezwungen werden, eine falsche Erklärung abzugeben, auch wenn die Ausreisepflicht besteht.[17]

Folglich ist die A weiterhin berechtigt, Leistungen gemäß § 2 AsylbLG zu erhalten.

Zusammenfassung: Die wichtigsten Punkte
- Eine Person ist berechtigt, sogenannte Analogleistungen gemäß § 2 AsylbLG zu erhalten, wenn sie sich bereits seit 18 Monaten in Deutschland befindet und die Dauer ihres Aufenthalts nicht rechtsmissbräuchlich beeinflusst hat.
- Erfüllt sie diese Voraussetzungen, erhält sie Leistungen entsprechend dem SGB XII.
- Ihre Anspruchsberechtigung ergibt sich jedoch weiterhin aus dem AsylbLG.
- Sofern eine Person Inhaber*in einer Duldung ist, reicht die bestehende Ausreisepflicht nicht aus, um eine rechtsmissbräuchliche Herbeiführung der Aufenthaltsdauer anzunehmen

12 SG Hildesheim, Urt. v. 1.2.2012, Az.: S 42 AY 177/10 ER, Rn. 53ff.
13 LSG Niedersachsen-Bremen, Urt. v. 4.9.2014, Az.: L 8 AY 70/12, Rn. 23f.
14 Cantzler, in: Cantzler, Asylbewerberleistungsgesetz, 2019, § 2 Rn. 41.
15 Becker/ Saborowski, Die Unzumutbarkeit der Passbeschaffung, in: Asylmagazin 2018, S. 16–23.
16 LSG Hessen, Urt. v. 26.07.2021, Az.: L 4 AY 19/21 B ER.
17 BSG, Urt. v. 30.10.2013, Az.: B 7 AY 7/12 R.

Saskia Ebert

Dieser Fall darf gerne kommentiert, verändert und beliebig genutzt werden. Die Anleitung hierfür lässt sich über den abgebildete QR-Code mit der Smartphone-Kamera auf unserer Homepage aufrufen.

Saskia Ebert

Fall 52
Studieren geht über Probieren

Behandelte Themen: Aufenthaltserlaubnis zum Studium, Aufenthaltserlaubnis zur Studienplatzsuche, Studienbewerbung, Studienvorbereitung, Fiktionsbescheinigung

Schwierigkeitsgrad: Anfänger*innen

Sachverhalt

A ist algerischer Staatsangehöriger. Am 16.6.2020 wurde ihm eine Aufenthaltserlaubnis zur Studienbewerbung nach § 17 II AufenthG erteilt, die bis zum 16.3.2021 befristet ist.

Nachdem A im September 2020 die Aufnahmeprüfung zum Studienkolleg nicht geschafft hat, möchte er am 10.3.2021 erneut versuchen, diese abzulegen. Er befürchtet jedoch, dass die Prüfungsergebnisse bis zum Ablauf seiner Aufenthaltserlaubnis am 16.3.2021 noch nicht vorliegen werden.

Ende Februar 2021 wendet sich A per E-Mail an eine Refugee Law Clinic und schildert seine Situation.

Fallfrage

In seiner E-Mail richtet A die folgenden Fragen an die Berater*innen der Law Clinic:
1. Lässt sich die Aufenthaltserlaubnis nach § 17 II AufenthG verlängern?
2. Welche Aufenthaltserlaubnis bekommt A, wenn er die Aufnahmeprüfung erfolgreich absolviert hat und mit dem Studienkolleg beginnt?
3. Wie lässt sich die aufenthaltsrechtliche Situation in der Übergangszeit gestalten, während A auf die Ergebnisse der Aufnahmeprüfung wartet?

Lösungsvorschlag

A. Verlängerung der Aufenthaltserlaubnis zur Studienbewerbung

Fraglich ist, ob die an A erteilte **Aufenthaltserlaubnis zum Zweck der Studienbewerbung** verlängert werden kann.

Nach § 17 II 2 AufenthG wird die Aufenthaltserlaubnis zum Zweck der Studienbewerbung für bis zu neun Monate erteilt. Eine Verlängerung ist nicht vorgesehen.

Vorliegend hat A seine Aufenthaltserlaubnis bereits am 16.6.2020 für neun Monate erhalten. Eine Verlängerung der Aufenthaltserlaubnis zum Zweck der Studienbewerbung über den 16.3.2021 hinaus ist nach dem Wortlaut des § 17 II 2 AufenthG nicht möglich.

B. Aufenthaltsrechtliche Situation im Falle der Zulassung zum Studienkolleg

Im Falle der Zulassung zum Studienkolleg könnte A eine Aufenthaltserlaubnis zum Zweck des Studiums beantragen.

Nach § 16b I 2 AufenthG umfasst der Aufenthaltszweck des Studiums auch studienvorbereitende Maßnahmen. Hierunter ist auch der Besuch eines Studienkollegs zu zählen, wenn die Annahme zu einem Studienkolleg oder einer vergleichbaren Einrichtung nachgewiesen ist (§ 16b I 3 Nr. 2 AufenthG).

Möchte A als Inhaber einer Aufenthaltserlaubnis zum Zweck der Studienbewerbung (§ 17 II AufenthG) eine Aufenthaltserlaubnis zum Zweck des Studiums (§ 16b I 1, 2, 3 Nr. 2 AufenthG) erhalten, so liegt ein sogenannter Zweckwechsel vor.

ℹ Weiterführendes Wissen

Eine Aufenthaltserlaubnis wird zu einem spezifischen Aufenthaltszweck erteilt (§ 7 I 2 AufenthG). Die Erteilung eines Aufenthaltstitels setzt voraus, dass man mit dem für den angestrebten Aufenthaltszweck erforderlichen Visum eingereist ist (§ 5 II 1 Nr. 1 AufenthG). Ließe man einen aufenthaltsrechtlichen Zweckwechsel im Bundesgebiet uneingeschränkt zu, könnte das Visumserfordernis umgangen werden, indem Personen gezielt ein Visum mit möglichst niedrigschwelligen Anforderungen zur Einreise nutzen. Daher ist insbesondere im Bereich der Bildungsmigration ein Wechsel des Aufenthaltszwecks nur in bestimmten, gesetzlich genannten Fällen möglich (vgl. § 16b IV, § 17 III 2, 3 AufenthG).

Nach § 17 III 3 AufenthG ist der von A angestrebte Zweckwechsel von einer Aufenthaltserlaubnis zum Zweck der Studienbewerbung zu einer Aufenthaltserlaubnis zum Zweck des Studiums möglich.

Im Falle der Zulassung zum Studienkolleg ist A eine **Aufenthaltserlaubnis zum Zweck des Studiums** (§ 16b I 1, 2, 3 Nr. 2 AufenthG) zu erteilen.

Julian Seidl

Weiterführendes Wissen

Die Problematik des **Zweckwechsels** der Aufenthaltserlaubnis würde sich auch dann stellen, wenn A nicht mehr studieren, sondern lieber ein Startup gründen und einer selbstständigen Tätigkeit nach § 21 AufenthG nachgehen möchte. In diesem Fall wäre ein Zweckwechsel nach § 17 III 3 AufenthG in der Regel nicht möglich, da § 21 AufenthG nicht in § 17 III 3 AufenthG genannt wird und auch kein gesetzlicher Anspruch auf die Erteilung dieser Aufenthaltserlaubnis besteht. Aus der Formulierung „in der Regel" in § 17 III 3 AufenthG ergibt sich, dass ein Wechsel in die Aufenthaltserlaubnis nach § 21 AufenthG lediglich in Ausnahmefällen möglich ist. Gelingt es A nicht, die Behörde vom Vorliegen eines atypischen Falles zu überzeugen, müsste er ausreisen und ein Visum für einen Aufenthalt zum Zwecke einer selbstständigen Tätigkeit aus dem Ausland heraus beantragen.

C. Aufenthaltsrechtliche Situation in der Übergangszeit

Nach § 16b I 3 Nr. 2 AufenthG erfordert die Erteilung einer Aufenthaltserlaubnis zur Studienvorbereitung, dass die Annahme zu einem Studienkolleg oder einer vergleichbaren Einrichtung nachgewiesen wird.

Selbst wenn die von A abgelegte Aufnahmeprüfung zeitnah korrigiert wird, dürfte A bei Ablauf seiner Aufenthaltserlaubnis am 16.3.2021 noch nicht zum Studienkolleg angenommen worden sein.

Weiterführendes Wissen

Beim Ablauf einer Aufenthaltserlaubnis handelt es sich keineswegs um eine bloße „Formalität"! Der irreguläre Aufenthalt ist unter den Voraussetzungen des § 95 I Nr. 2 AufenthG strafbar und kann auch ein Ausweisungsinteresse begründen, welches der Erteilung einer neuen Aufenthaltserlaubnis regelmäßig entgegensteht (vgl. § 5 I Nr. 2 AufenthG).

Stellt A jedoch vor Ablauf seiner Aufenthaltserlaubnis den Antrag auf Erteilung einer Aufenthaltserlaubnis zum Zweck des Studiums, so gilt seine derzeitige Aufenthaltserlaubnis bis zur Entscheidung der Ausländerbehörde als fortbestehend (§ 81 IV 1 AufenthG). Dem A ist eine sogenannte **Fiktionsbescheinigung** auszustellen (§ 81 V AufenthG).

Hinweise zur Fallprüfung

Wichtig ist, dass A den Antrag bis zum 16.3.2021 einreicht, da die Fortgeltungswirkung bei einer verspäteten Antragstellung nur in Härtefällen angeordnet werden kann (§ 81 IV 3 AufenthG). Außerdem ist in derartigen Fällen die Kommunikation mit der Ausländerbehörde von zentraler Bedeutung. Es empfiehlt sich, der Behörde die Situation des A zu schildern und zu bitten, solange von einer Entscheidung über die beantragte Aufenthaltserlaubnis abzusehen, bis die Ergebnisse der Prüfung zu erwarten sind und eine

Zulassung zum Studienkolleg erfolgen kann. Dem A wäre nicht geholfen, wenn die Ausländerbehörde den Antrag wenige Tage nach Eingang ablehnt, weil die Voraussetzungen mangels Annahme zum Studienkolleg nicht vorliegen.

Dem A ist zu empfehlen, bis zum 16.3.2021 eine Aufenthaltserlaubnis nach § 16b I 1, 2, 3 Nr. 2 AufenthG zu beantragen, um für die Übergangszeit bis zum Vorliegen der Prüfungsergebnisse die Fiktionswirkung nach § 81 IV 1 AufenthG auszulösen.

Weiterführende Studienliteratur
Sonja Hoffmeister, Der Aufenthalt zum Zweck der Ausbildung – Neuregelungen durch das Fachkräfteeinwanderungsgesetz 2020, Asylmagazin 2020, 103–110.

Zusammenfassung: Die wichtigsten Punkte
- Eine Aufenthaltserlaubnis wird zu einem bestimmten Aufenthaltszweck erteilt. Ein Wechsel des Aufenthaltszwecks ohne vorherige Ausreise ist in der Regel nur in den gesetzlich vorgesehenen Fällen möglich.
- § 17 III 3 AufenthG ermöglicht einen Wechsel von einem Aufenthalt zum Zweck der Studienbewerbung zu einem Aufenthalt zum Zwecke des Studiums.
- Wird die Verlängerung einer Aufenthaltserlaubnis rechtzeitig vor ihrem Ablaufdatum beantragt, so löst der Antrag Fiktionswirkung nach § 81 IV AufenthG aus, das heißt die bisherige Aufenthaltserlaubnis gilt für die Dauer der behördlichen Entscheidung als fortbestehend.

Julian Seidl

Fall 53
Studium wechsel dich!

Behandelte Themen: Aufenthaltserlaubnis zum Studium, Studium, Studienfachwechsel, Zweckwechsel, Verwaltungsvorschriften

Schwierigkeitsgrad: Anfänger*innen

Sachverhalt

Die brasilianische Studentin B hat im Jahr 2017 eine Aufenthaltserlaubnis zur Studienvorbereitung erhalten und von Oktober 2017 bis September 2018 zunächst das Studienkolleg besucht. Im Oktober 2018 nahm sie dann ein Physik-Studium auf. Hierzu wurde ihr eine Aufenthaltserlaubnis zum Zwecke des Studiums für zwei Jahre bis Oktober 2020 erteilt. Als Nebenbestimmung hat die Ausländerbehörde folgenden Zusatz hinzugefügt: „Nur zum Studium der Fachrichtung Physik/Bachelor". Im Herbst 2020 verlängerte die Ausländerbehörde die Aufenthaltserlaubnis um ein weiteres Jahr bis zum 30.10.2021.

B macht das Physik-Studium mittlerweile nur noch wenig Spaß und sie würde lieber in den Bachelor-Studiengang Informatik mit sechs Semestern Regelstudienzeit an derselben Universität wechseln. Die Frist für die Immatrikulation im Fach Informatik endet am 30.3.2021.

Vorher möchte B mit der Ausländerbehörde klären, ob diese mit einem Fachwechsel einverstanden ist. Hierzu bittet sie im Februar 2021 die Berater*innen der Law Clinic um Unterstützung und eine erste Einschätzung der aufenthaltsrechtlichen Auswirkungen eines Fachwechsels.

Fallfrage

Wie wirkt sich der von B beabsichtigte Studienfachwechsel auf ihre aufenthaltsrechtliche Situation aus?

Lösungsvorschlag

Fraglich ist, wie sich der von B beabsichtigte Studienfachwechsel auf ihre aufenthaltsrechtliche Situation auswirkt.

A. Studienfachwechsel als aufenthaltsrechtlich relevanter Zweckwechsel

Ein Wechsel des Studienfachs könnte für B auch einen Wechsel des **Aufenthaltszwecks** bedeuten.

Die Aufenthaltserlaubnis nach § 16b I AufenthG knüpft an das konkret betriebene Studium und nicht etwa an den abstrakten Aufenthaltszweck „Studium" an.[1]

❗ Hinweise zur Fallprüfung

Es mag zunächst überraschen, dass sich der Aufenthaltszweck ändert, wenn B weiterhin studiert. Die Aufenthaltserlaubnis nach § 16b wird jedoch nicht für „irgendein Studium", sondern immer für den konkreten Studiengang erteilt. Ein Studienfachwechsel stellt daher grundsätzlich auch einen aufenthaltsrechtlich relevanten Zweckwechsel dar.

Der von B beabsichtigte Wechsel des Studienfaches stellt somit einen aufenthaltsrechtlich relevanten Zweckwechsel im Sinne des § 16b IV AufenthG dar.

B. Zulässigkeit des Zweckwechsels

Nach § 16b IV 1 AufenthG ist ein solcher Zweckwechsel nur zum Zweck einer qualifizierten Berufsausbildung, der Ausübung einer Beschäftigung als Fachkraft, der Ausübung einer Beschäftigung mit ausgeprägten berufspraktischen Kenntnissen oder in Fällen eines gesetzlichen Anspruchs zulässig.

Näheres zu den aufenthaltsrechtlichen Auswirkungen eines Studienfachwechsels findet sich in den Anwendungshinweisen des BMI zum Fachkräfteeinwanderungsgesetz[2] und in der Allgemeinen Verwaltungsvorschrift zum AufenthG[3].

---

1 OVG Koblenz, Beschl. v. 12.5.2015, Az.: 7 B 10364/15, Rn. 4.
2 BMI, Anwendungshinweise zum Fachkräfteeinwanderungsgesetz, 6.8.2021.
3 BMI, Allgemeine Verwaltungsvorschrift zum Aufenthaltsgesetz, 26.10.2009.

Julian Seidl

Hinweise zur Fallprüfung   !

Bei der Bearbeitung von aufenthaltsrechtlichen Fällen lohnt sich ein Blick in die jeweiligen Verwaltungsvorschriften nahezu immer. § 16b AufenthG wurde durch das Fachkräfteeinwanderungsgesetz zum
103.2020 neu gefasst, sodass hier die Anwendungshinweise des BMI zum Fachkräfteeinwanderungsgesetz die einschlägige Verwaltungsvorschrift sind. Diese verweisen an manchen Stellen noch auf die Allgemeine Verwaltungsvorschrift (AVV) zum AufenthG von 2009. Viele typische Probleme bei der Anwendung der Vorschriften des AufenthG sind in der AVV näher präzisiert. Die Behördenpraxis richtet sich
nach der Allgemeinen Verwaltungsvorschrift. Im Gespräch mit den Ausländerbehörden ist die AVV eine
wichtige Argumentationshilfe. Zu einer gründlichen Recherche bei der Beratungstätigkeit der Law Clinics
gehört daher immer auch ein Blick in die AVV! Bei der Arbeit mit der AVV dürfen jedoch etwaige Abweichungen in der Gesetzeslage seit 2009 nicht außer Acht gelassen werden.

In Nr. 16b.4.1 der Anwendungshinweise des BMI zum Fachkräfteeinwanderungsgesetz heißt es:

*„Der Fall eines Studiengang- oder Studienortwechsels fällt in der Regel unter § 16b Absatz 4
Satz 1 letzte Alternative, z.B. wenn der Antragsteller bereits zu einem anderen Studiengang zugelassen wurde. In diesen Fällen muss eine Aufenthaltserlaubnis zwar neu beantragt werden, auf
die Erteilung besteht jedoch ein Anspruch (§ 16b Absatz 1). Insoweit gelten die Ausführungen unter Nummer 16.2.5 der AVwV in modifizierter Form, da das dort zugrundeliegende Ermessen der
Behörden nicht mehr besteht. Insbesondere ist weiter maßgeblich, dass das Studium innerhalb
einer angemessenen Zeit, also bis zu einer Gesamtaufenthaltsdauer von zehn Jahren abgeschlossen werden kann.“*

Wird B im Fach Informatik zugelassen, so erhält sie einen (erneuten) Anspruch auf
eine Aufenthaltserlaubnis zum Zwecke des Studiums nach § 16b I 1 AufenthG. Dies
stellt einen Zweckwechsel im Fall eines gesetzlichen Anspruchs im Sinne des § 16b
IV 1 letzte Alternative dar. Ein Fachwechsel ist nach Nr. 16b.4.1. der Anwendungshinweise des BMI zum Fachkräfteeinwanderungsgesetz grundsätzlich möglich.
Voraussetzung hierfür ist, dass das Studium innerhalb einer angemessenen Zeit abgeschlossen werden kann. Hierzu verweisen die Anwendungshinweise zum Fachkräfteeinwanderungsgesetz auf Nr. 16.2.5 der Allgemeinen Verwaltungsvorschrift
zum AufenthG:

*„Ein angemessener Zeitraum ist i.d.R. dann nicht mehr gegeben, wenn das Studium unter Be-
rücksichtigung der bisherigen Studienleistungen und des dafür aufgewendeten Zeitbedarfs innerhalb einer Gesamtaufenthaltsdauer von zehn Jahren nicht abgeschlossen werden kann.“*

Vorliegend hat B ihr Physikstudium im Oktober 2018 begonnen. Die bisherige Aufenthaltsdauer beträgt dreieinhalb Jahre, einschließlich des von B besuchten Studienkollegs. Bei einer Regelstudienzeit von sechs Semestern für das Informatikstudi-
um würde B mit einer Studiendauer von sechseinhalb Jahren deutlich unterhalb
der Grenze einer Studienhöchstdauer von zehn Jahren bleiben.

Julian Seidl

Wird B zum Studiengang Informatik zugelassen, hat sie einen gesetzlichen Anspruch auf eine neue Aufenthaltserlaubnis zum Zwecke des Studiums nach § 16b I 1 AufenthG. Dieser Zweckwechsel ist gesetzlich zugelassen, ohne dass der Ausländerbehörde ein Ermessensspielraum verbleibt.

---

i | **Weiterführendes Wissen**

Die Rechtslage ab dem 10.3.2020 stellt eine erhebliche Verbesserung für Studierende dar, die ihr Studienfach wechseln möchten. Vor Inkrafttreten des Fachkräfteeinwanderungsgesetzes war ein Studienfachwechsel lediglich in den ersten 18 Monaten des Studiums ohne Weiteres zulässig. Einen späteren Studienfachwechsel konnte die Ausländerbehörde nach ihrem Ermessen zulassen (vgl. Nr. 16.2.5 der AVV). Nach der neuen Rechtslage sind Studierende bei einem Fachwechsel nicht mehr auf das Ermessen der Ausländerbehörde angewiesen. Voraussetzung ist lediglich, dass das Studium innerhalb einer angemessenen Zeitdauer abgeschlossen werden kann.

Weiterführende Literatur
- Hoffmeister, Der Aufenthalt zum Zweck der Ausbildung – Neuregelungen durch das Fachkräfteeinwanderungsgesetz 2020, Asylmagazin 2020, 103

Zusammenfassung: Die wichtigsten Punkte
- Nähere Hinweise zur Anwendung einzelner Bestimmungen des AufenthG findet sich in den zugehörigen Verwaltungsvorschriften.
- Ein Wechsel des Studienfachs bedeutet auch einen Wechsel des Aufenthaltszwecks nach § 16b AufenthG. Dieser ist grundsätzlich möglich, solange das Studium innerhalb einer angemessenen Zeit abgeschlossen werden kann.

Dieser Fall darf gerne kommentiert, verändert und beliebig genutzt werden. Die Anleitung hierfür lässt sich über den abgebildete QR-Code mit der Smartphone-Kamera auf unserer Homepage aufrufen.

Julian Seidl

Fall 54
Nicht nur Uni, sondern auch Arbeit?

Behandelte Themen: Aufenthaltserlaubnis zum Studium, Nebenbestimmung, Beschäftigung, studentische Nebentätigkeit, Selbstständige Tätigkeit

Schwierigkeitsgrad: Anfänger*innen

Sachverhalt

Die chilenische Staatsangehörige C studiert Physik und verfügt über eine Aufenthaltserlaubnis zum Zwecke des Studiums. Sie wendet sich via E-Mail an die Refugee Law Clinic in ihrer Universitätsstadt. Die Aufenthaltserlaubnis der C nach § 16b AufenthG ist mit folgendem Zusatz versehen: „Berechtigt zur Ausübung einer Beschäftigung im Umfang von maximal 120 ganzen Tagen oder 240 halben Tagen im Jahr". Auf Nachfrage hat die zuständige Sachbearbeiterin der Ausländerbehörde der C mitgeteilt, dass diese Beschränkung so im Gesetz stünde und eine selbstständige Nebentätigkeit für Studierende mit diesem Aufenthaltstitel nicht möglich sei.

C arbeitet bereits 15 Stunden in der Woche als studentische Hilfskraft, wobei sie sich ihre Arbeitszeit so einteilt, dass sie meistens an drei Tagen in der Woche jeweils fünf Stunden arbeitet. Sie fragt sich, wie viele ganze oder halbe Tage dies wohl sind und ob diese Beschränkung auch für Nebentätigkeiten an der Uni gilt.

Außerdem hat C kürzlich das Angebot bekommen, Physikstunden als freiberufliche Nachhilfelehrerin für ein privates Nachhilfe-Institut zu geben. Die Tätigkeit hätte einen Umfang von zweimal 90 Minuten in der Woche und würde in freier Mitarbeit erfolgen. C fragt sich, ob sie eine solche Tätigkeit mit ihrer Aufenthaltserlaubnis aufnehmen darf beziehungsweise wie sich eine Zustimmung der Ausländerbehörde erreichen lässt.

Fallfrage

Ist die Nebentätigkeit der C als studentische Hilfskraft von der Nebenbestimmung zu ihrer Aufenthaltserlaubnis nach § 16b AufenthG gedeckt? Darf C auch eine selbstständige Nebentätigkeit als Nachhilfelehrerin aufnehmen beziehungsweise wie ließe sich eine gegebenenfalls erforderliche Zustimmung der Ausländerbehörde einholen?

Bearbeitungshinweis:
Gehen Sie davon aus, dass die regelmäßige Arbeitszeit an der Universität nicht mehr als acht Stunden am Tag beträgt.

Lösungsvorschlag

C ist mit Fragen zu ihrer derzeitigen **Nebentätigkeit** als studentische Hilfskraft und zu einer geplanten Nebentätigkeit als freiberufliche Nachhilfelehrerin an die Berater*innen der Refugee Law Clinic herangetreten.

A. Nebentätigkeit der C als studentische Hilfskraft

Zunächst möchte C wissen, welchen Beschränkungen ihre Nebentätigkeit als studentische Hilfskraft an der Uni unterliegt.

Nach § 16b III 1 AufenthG berechtigt die **Aufenthaltserlaubnis zum Zwecke des Studiums** nur zur Ausübung einer Beschäftigung, die insgesamt 120 Tage oder 240 halbe Tage im Jahr nicht überschreiten darf, sowie zur Ausübung studentischer Nebentätigkeiten. Die von C ausgeübte Tätigkeit als studentische Hilfskraft stellt eine solche studentische Nebentätigkeit dar.

Hinsichtlich der Verwaltungspraxis im Umgang mit studentischen Nebentätigkeiten lohnt sich ein Blick in die Verwaltungsvorschriften. Die Anwendungshinweise zum Fachkräfteeinwanderungsgesetz[1] machen hierzu keine näheren Angaben, sodass ergänzend auf die Allgemeine Verwaltungsvorschrift zum AufenthG[2] zurückgegriffen werden kann. Dort heißt es:

> *„16.3.2 [...] Als halber Arbeitstag sind Beschäftigungen bis zu einer Höchstdauer von vier Stunden anzusehen, wenn die regelmäßige Arbeitszeit der weiteren Beschäftigten acht Stunden beträgt. Die Höchstdauer ist fünf Stunden, wenn die regelmäßige Arbeitszeit zehn Stunden beträgt.*
>
> *16.3.3 Daneben ist ausländischen Studierenden die Möglichkeit eröffnet, ohne zeitliche Beschränkung studentische Nebentätigkeiten an der Hochschule oder an einer anderen wissenschaftlichen Einrichtung auszuüben. Zu den studentischen Nebentätigkeiten sind auch solche Beschäftigungen zu rechnen, die sich auf hochschulbezogene Tätigkeiten im fachlichen Zusammenhang mit dem Studium in hochschulnahen Organisationen (wie zum Beispiel Tutoren in Wohnheimen der Studentenwerke, Tätigkeiten in der Beratungsarbeit der Hochschulgemeinden, der Asten und des World University Service) beschränken. Bei Abgrenzungsschwierigkeiten soll die Hochschule beteiligt werden.“*

Im universitären Betrieb ist eine tägliche Arbeitszeit von acht Stunden als ganzer Tag und eine tägliche Arbeitszeit von vier Stunden als halber Tag anzusetzen. Wenn C an drei Tagen in der Woche jeweils fünf Stunden arbeitet, so sind dies drei ganze Tage im Sinne des § 16b III 1 AufenthG. Würde sie ihre Arbeitszeit demgegenüber so

---

1 BMI, Anwendungshinweise zum Fachkräfteeinwanderungsgesetz, 6.8.2021.
2 BMI, Allgemeine Verwaltungsvorschrift zum Aufenthaltsgesetz, 26.10.2009.

einteilen, dass sie an zwei Tagen für sechs Stunden und an einem Tag nur drei Stunden arbeitet, so wären dies nur zwei ganze Tage und ein halber Tag. Denkbar wären auch Arbeitszeitgestaltungen, wonach C nur zwei ganze Tage arbeitet. Möchte man möglichst viel arbeiten und sich die 120 ganzen beziehungsweise 240 halben Arbeitstage einteilen, ist die von C gewählte Arbeitszeitverteilung nicht optimal.

Diese Überlegungen können jedoch dahinstehen, wenn die Beschränkung auf 120 ganze beziehungsweise 240 halbe Arbeitstage nicht für studentische Nebentätigkeiten an der Uni greift, wie es der Wortlaut von § 16b III 1 Var. 2 AufenthG „sowie zur Ausübung einer studentischen Nebentätigkeit" nahelegt. So stellt Nr. 16.3.3 der AVV zum AufenthG klar, dass ausländische Studierende ohne zeitliche Beschränkung studentische Nebentätigkeiten an der Uni ausüben können. C muss sich daher aus aufenthaltsrechtlicher Sicht keine Gedanken machen, wie oft sie arbeitet und wie viele ganze oder halbe Arbeitstage sie „verbraucht".

B. Aufnahme einer freiberuflichen Nebentätigkeit als Nachhilfelehrerin

Fraglich ist, ob C daneben als freiberufliche Nachhilfelehrerin tätig werden darf.

Hierbei handelt es sich nicht um eine Beschäftigung im Sinne des § 16b III 1 Var. 1 AufenthG, da C gerade nicht abhängig beschäftigt, sondern selbstständig tätig werden möchte. Mangels Anstellung an der Uni oder bei einer hochschulnahen Organisation liegt auch kein in Nr. 16.3.3 der AVV beispielhaft genannter Fall einer studentischen Nebentätigkeit im Sinne des § 16b III 1 Var. 2 AufenthG vor.

Hinweise zur Fallprüfung ❗

Wichtig: Man muss immer genau lesen, ob eine aufenthaltsrechtliche Vorschrift von **„Beschäftigung"** oder von „Erwerbstätigkeit" spricht.

Erwerbstätigkeit ist in § 2 II AufenthG legaldefiniert und umfasst als Oberbegriff sowohl die selbständige Tätigkeit als auch die Beschäftigung im Sinne von § 7 SGB IV und eine Anstellung im Beamtenverhältnis.

Beschäftigung meint hingegen nur die abhängige Beschäftigung als Arbeitnehmer*in, vgl. § 7 I SGB IV.

Eine selbstständige Tätigkeit ist Studierenden mit einer Aufenthaltserlaubnis nach § 16b AufenthG zunächst nicht gestattet.

Es besteht jedoch die Möglichkeit, eine Erlaubnis zur Ausübung einer selbstständigen Tätigkeit nach § 21 VI AufenthG zu beantragen.

Nach § 21 VI AufenthG kann eine Person, der eine Aufenthaltserlaubnis zu einem anderen Zweck erteilt worden ist, unter Beibehaltung dieses **Aufenthaltszwecks** die Ausübung einer selbstständigen Tätigkeit erlaubt werden, wenn die nach sonstigen Vorschriften erforderlichen Erlaubnisse erteilt wurden oder ihre Erteilung zugesagt ist.

§ 21 VI AufenthG eröffnet der Behörde einen weiten Ermessensspielraum. Für die Ermessensausübung stellt sich insbesondere die Frage, ob die Aufnahme einer selbstständigen Nebentätigkeit den Studienfortschritt gefährden würde. Die Nebentätigkeit soll nur der Finanzierung des Studiums dienen und darf nicht Gefahr laufen, zum Hauptzweck des Aufenthalts zu werden.

Hier ließe sich zugunsten von C vorbringen, dass die Tätigkeit als Physik-Nachhilfelehrerin einen inhaltlichen Bezug zu ihrem Studium hat und einen geringen Umfang von drei Wochenstunden aufweist. Es besteht daher keine Gefahr, dass die Tätigkeit als Nachhilfelehrerin Hauptzweck des Aufenthalts zu werden droht. So heißt es etwa in der Kommentarliteratur, dass vornehmlich bei freiberuflichen Tätigkeiten, die den Umfang nach § 16b III 1 nicht überschreiten, kaum Ablehnungsgründe vorstellbar seien.[3]

In der Praxis gehen die Ausländerbehörden mit der Erlaubnis für selbstständige Tätigkeiten hingegen sehr restriktiv um. Es ist durchaus möglich, dass die Ausländerbehörde ihr Ermessen zulasten von C ausübt und die freiberufliche Nachhilfetätigkeit nicht gestattet.

Als Lösung bietet es sich für die Ausländerbehörde an, die selbstständige Tätigkeit zu gestatten, aber deren Umfang mithilfe einer Nebenbestimmung entsprechend der in § 16b III 1 AufenthG genannten zeitlichen Grenzen zu beschränken, damit der Abschluss des Studiums nicht gefährdet wird.[4]

Weiterführende Literatur
- Hoffmeister, Der Aufenthalt zum Zweck der Ausbildung – Neuregelungen durch das Fachkräfteeinwanderungsgesetz 2020, Asylmagazin 2020, 103

Zusammenfassung: Die wichtigsten Punkte
- Die Aufnahme einer Nebentätigkeit kann durch Nebenbestimmungen zu der jeweiligen Aufenthaltserlaubnis beschränkt sein. Näheres hierzu findet sich in den einschlägigen Verwaltungsvorschriften.
- Verfügt eine Person über eine Aufenthaltserlaubnis zu einem anderen Zweck als einer selbstständigen Tätigkeit, kann ihr nach § 21 VI AufenthG unter Beibehaltung dieses Aufenthaltszwecks die Ausübung einer selbstständigen Tätigkeit erlaubt werden.

---

3 Samel, in: Bergmann/Dienelt, AufenthG, 13. Aufl. 2020, § 16b Rn. 30.
4 Dippe, in: Huber/Mantel, AufenthG/AsylG, 3. Aufl. 2021, AufenthG § 21 Rn. 16.

Julian Seidl

Dieser Fall darf gerne kommentiert, verändert und beliebig genutzt werden. Die Anleitung hierfür lässt sich über den abgebildete QR-Code mit der Smartphone-Kamera auf unserer Homepage aufrufen.

Julian Seidl

Fall 55
Master in der Tasche – und dann?

Behandelte Themen: Aufenthaltserlaubnis zur Arbeitssuche, Verwaltungsverfahren, Anhörung, Fiktionsbescheinigung, Aufenthaltserlaubnis zur Beschäftigung

Schwierigkeitsgrad: Anfänger*innen

Sachverhalt

U ist ugandische Staatsangehörige und reiste im September 2011 zur Teilnahme an einem Sprachkurs nach Deutschland ein. Von April 2012 bis März 2013 absolvierte U einen studienvorbereitenden Sprachkurs und begann im April 2013 ein Bachelor-Studium an der Universität. Parallel zu dem noch nicht abgeschlossenen Bachelor-Studium konnte U schon ein Master-Studium aufnehmen. Im Juli 2017 schloss sie das Bachelor-Studium und im März 2020 das Master-Studium erfolgreich ab. Im April 2020 erteilte ihr die Ausländerbehörde eine auf 18 Monate befristete Aufenthaltserlaubnis zur Arbeitsplatzsuche im Anschluss an das Studium. Kurz vor Ablauf der Aufenthaltserlaubnis zur Arbeitsplatzsuche im Oktober 2021 beantragte U eine Verlängerung ihrer Aufenthaltserlaubnis, woraufhin man ihr eine Fiktionsbescheinigung ausstellte. Leider blieb die von U betriebene Jobsuche bislang erfolglos.

Am 4.11.2021 teilt die Ausländerbehörde schriftlich mit, dass sie beabsichtigt, den von U gestellten Antrag auf Verlängerung ihrer Aufenthaltserlaubnis abzulehnen und gibt U Gelegenheit, sich bis zum 18.11.2021 zu äußern und alle sie begünstigenden tatsächlichen Umstände vorzutragen. Hierbei weist die Ausländerbehörde darauf hin, dass verspäteter Vortrag bei der Entscheidung über die von U beantragte Aufenthaltserlaubnis unberücksichtigt bleiben kann. U setzt zunächst darauf, dass eine ihrer Bewerbungen doch noch Erfolg haben wird und antwortet der Ausländerbehörde nicht. Bedauerlicherweise hat U noch kein Arbeitsplatzangebot erhalten, als sie am 20.11.2021 in die Sprechstunde der Law Clinic kommt.

Fallfrage

1. Wie gestaltet sich U's derzeitige aufenthaltsrechtliche Situation? In welchem Stadium befindet sich U im Verwaltungsverfahren und wie ist das Schreiben der Ausländerbehörde vom 4.11.2021 einzuordnen?

2. Können die Berater*innen der Law Clinic in Vertretung für U auch noch nach dem 18.11.2021 zum Sachverhalt Stellung nehmen?
3. Hat die von U beantragte Verlängerung ihrer Aufenthaltserlaubnis zur Arbeitsplatzsuche Aussicht auf Erfolg?
4. Hat die Beantragung einer Aufenthaltserlaubnis zum Zweck der Beschäftigung zum jetzigen Zeitpunkt Aussicht auf Erfolg?

Lösungsvorschlag

A. Frage 1: Derzeitige Situation der U

I. Aufenthaltsrechtliche Situation
Zuletzt hatte U eine **Aufenthaltserlaubnis zum Zweck der Arbeitsplatzsuche** (§ 20 III Nr. 1 AufenthG), welche bis Oktober 2021 gültig war. Vor Ablauf ihrer Aufenthaltserlaubnis hat U die Verlängerung beantragt.

Bis zur Entscheidung über die Verlängerung ist U eine sogenannte **Fiktionsbescheinigung** auszustellen, das heißt ihre Aufenthaltserlaubnis zur Arbeitsplatzsuche nach § 20 III Nr. 1 AufenthG gilt solange als fortbestehend, bis die Ausländerbehörde über die von U beantragte Verlängerung entschieden hat (§ 81 IV AufenthG).

II. Stand des Verwaltungsverfahrens
Bezüglich der beantragten Verlängerung ihrer Aufenthaltserlaubnis befindet sich U gegenwärtig im behördlichen Ausgangsverfahren.

ℹ Weiterführendes Wissen

Innerhalb des behördlichen Verwaltungsverfahrens ist zwischen dem sogenannten **Ausgangsverfahren** und dem **Widerspruchsverfahren** zu unterscheiden.[1] Erlässt die Behörde einen für Betroffene nachteiligen Verwaltungsakt oder lehnt einen beantragten begünstigenden Verwaltungsakt ab, steht Betroffenen grundsätzlich die Möglichkeit offen, Widerspruch einzulegen (§§ 68 ff. VwGO). Im Widerspruchsverfahren überprüft die Behörde nochmals die von ihr getroffene Entscheidung. Zumeist bestimmen landesrechtliche Rechtsvorschriften, dass im Aufenthaltsrecht kein Widerspruchsverfahren durchzuführen ist. In diesem Fall müssen Betroffene gegen die im Ausgangsverfahren getroffene behördliche Entscheidung direkt Klage vor dem Verwaltungsgericht erheben.

Das Schreiben der Ausländerbehörde vom 4.11.2020 stellt noch keine Entscheidung über den Antrag der U dar. Es handelt sich nicht um einen Verwaltungsakt. Die Behörde räumt U lediglich die Möglichkeit ein, sich zum Sachverhalt zu äußern.

---

1 Ausführlich zum Vorverfahren Braun, in: Eisentraut, Verwaltungsrecht in der Klausur, § 2 Rn. 301 ff.

Julian Seidl

Eine derartige Äußerungsmöglichkeit im behördlichen Verfahren nennt man **Anhörung**.[2] Nach § 28 (L) VwVfG sind die Adressat*innen eines belastenden Verwaltungsaktes grundsätzlich anzuhören. Vorliegend beabsichtigt die Behörde nicht den Erlass eines belastenden, sondern die Ablehnung eines von U begehrten begünstigenden Verwaltungsaktes (Erteilung der Aufenthaltserlaubnis). Es ist umstritten, ob das Anhörungserfordernis aus § 28 (L)VwVfG auch für die Versagung begünstigender Verwaltungsakte gilt.[3] Üblicherweise wird die Behörde auch in dieser Konstellation eine Anhörung zur Sachverhaltsermittlung durchführen. Gerade weil es im Aufenthaltsrecht meistens kein Widerspruchsverfahren gibt, ist die Anhörung in der migrationsrechtlichen Beratungspraxis überaus wichtig.

B. Frage 2: Äußerungsmöglichkeit nach Ablauf der Anhörungsfrist

Die von der Behörde gesetzte **Äußerungsfrist** ist bereits am 18.11.2021 abgelaufen. Es stellt sich die Frage, welche Auswirkungen der Fristablauf für U hat.

Bei der Frist zur Äußerung im Rahmen der Anhörung handelt es sich nicht um eine gesetzliche, sondern um eine behördlich gesetzte Frist. Den Berater*innen der Law Clinic ist dringend zu raten, bei der Behörde eine Verlängerung der U gesetzten Frist zur Äußerung zu beantragen. Dies ist auch dann noch möglich, wenn die von der Behörde gesetzte Frist bereits abgelaufen ist. Zwar ist man bei der Fristverlängerung auf die Kulanz der Behörde angewiesen, doch wird die Behörde üblicherweise einer Verlängerung um einen angemessenen Zeitraum zustimmen (vgl. § 31 VII (L)VwVfG). Dies gilt insbesondere, wenn die Berater*innen vorbringen, dass sie Zeit benötigen, um sich in den Fall einzuarbeiten und die Rechtslage zu prüfen.

Bei einer behördlich gesetzten Äußerungsfrist lässt sich nicht Wiedereinsetzung in den vorigen Stand nach § 32 (L)VwVfG beantragen. Eine solche ist nur bei gesetzlichen Fristen möglich.

Sollte die Behörde wider Erwarten eine Fristverlängerung ablehnen oder die verlängerte Frist versäumt werden, stellt sich die Frage, welche Auswirkungen eine verspätete Stellungnahme hat.

Das Versäumen einer behördlich gesetzten Äußerungsfrist führt nicht zur Präklusion, sondern gibt der Behörde lediglich die Möglichkeit, ohne die Stellungnah-

---

2 Zur Anhörung im Verwaltungsverfahren allgemein Senders, in: Eisentraut, Verwaltungsrecht in der Klausur, § 2 Rn. 631f.
3 Kallerhoff/Mayen, in: Stelkens/Bonk/Sachs, VwVfG, 9. Aufl. 2018, § 28 Rn. 32b.

Julian Seidl

me der Betroffenen zu entscheiden. Auch das nach Fristablauf bei der Behörde eingegangene Vorbringen der Betroffenen ist zu berücksichtigen.[4]

Die Berater*innen können also für U auch nach Ablauf der behördlich gesetzten Frist eine Stellungnahme abgeben, welche zu berücksichtigen ist.

C. Frage 3: Verlängerung der Aufenthaltserlaubnis zur Arbeitsplatzsuche

Fraglich ist, ob die von U begehrte Verlängerung der Aufenthaltserlaubnis zur Arbeitsplatzsuche nach § 20 III Nr. 1 AufenthG Aussicht auf Erfolg hat.

Nach § 20 III Nr. 1 AufenthG wird Betroffenen nach erfolgreichem Abschluss eines Studiums im Bundesgebiet im Rahmen eines Aufenthalts nach § 16b[5] oder § 16c AufenthG eine Aufenthaltserlaubnis zur Suche eines der Qualifikation angemessenen Arbeitsplatzes für bis zu 18 Monate erteilt. Eine Verlängerung über den genannten Höchstzeitraum von 18 Monaten hinaus ist ausgeschlossen (vgl. § 20 IV 2 AufenthG).

Vorliegend wurde U die Aufenthaltserlaubnis zur Arbeitsplatzsuche nach § 20 III Nr. 1 AufenthG bereits im April 2020 für die Höchstdauer von 18 Monaten erteilt. Dieser Zeitraum ist im Oktober 2021 abgeschlossen. Eine darüberhinausgehende Verlängerung der Aufenthaltserlaubnis nach § 20 III Nr. 1 AufenthG ist nicht möglich (vgl. § 20 IV 2 AufenthG).

Die von U begehrte Verlängerung der Aufenthaltserlaubnis zur Arbeitsplatzsuche nach § 20 III Nr. 1 AufenthG hat mithin keine Aussicht auf Erfolg.

---

i **Weiterführendes Wissen**

In der Praxis empfiehlt es sich, die Erteilung einer **Fiktionsbescheinigung** anzuregen, um U zusätzliche Zeit für die Arbeitsplatzsuche zu verschaffen.[6] Die Ausländerbehörde hat die Möglichkeit, über den Antrag der U auf Verlängerung der Aufenthaltserlaubnis zur Arbeitsplatzsuche zunächst nicht zu entscheiden und für die Übergangszeit eine Fiktionsbescheinigung nach § 81 V AufenthG auszustellen. Bis zur Entscheidung über den Antrag gilt die bisherige Aufenthaltserlaubnis nach § 20 III Nr. 1 AufenthG als fortbestehend (§ 81 IV 1 AufenthG) und U hätte weiterhin die Möglichkeit, eine Arbeitsstelle aufzunehmen.

---

4 Hermann, in: Bader/Ronellenfitsch, BeckOK VwVfG, 53. Ed. 1.10.2021, VwVfG § 28 Rn. 20.
5 Zu den Voraussetzungen einer Aufenthaltserlaubnis nach § 16b AufenthG Nachtigall, *6) Flucht aus der Ukraine*, B. II. in diesem Fallbuch.
6 Zur Fiktionsbescheinigung siehe Seidl, *52) Studieren geht über Probieren*, C. in diesem Fallbuch.

Julian Seidl

D. Frage 4: Erteilung einer Aufenthaltserlaubnis zum Zweck der Beschäftigung

Möglicherweise könnte U eine neue Aufenthaltserlaubnis erteilt werden. Vorliegend ist fraglich, ob die Beantragung einer **Aufenthaltserlaubnis zum Zwecke der Beschäftigung** (§ 18 AufenthG) für U zum jetzigen Zeitpunkt Aussicht auf Erfolg hat.

In Betracht kommt eine **Aufenthaltserlaubnis zur Ausübung einer qualifizierten Beschäftigung für Fachkräfte mit akademischer Ausbildung** nach § 18b AufenthG, da U über ein abgeschlossenes Hochschulstudium verfügt. Dies erfordert, dass neben den Voraussetzungen des § 18b AufenthG auch die allgemeinen Voraussetzungen des § 18 II AufenthG und des noch allgemeineren § 5 AufenthG vorliegen.

Weiterführendes Wissen　　　　　　　　　　　　　　　　　　　　　　i

In der Gesetzessystematik des AufenthG ist es typisch, dass es gemeinsame Voraussetzungen für alle Aufenthaltserlaubnisse in einem bestimmten Abschnitt gibt (zum Beispiel § 18 II AufenthG mit Voraussetzungen für den Aufenthalt zum Zweck der Erwerbstätigkeit oder § 27 AufenthG mit Voraussetzungen für den Aufenthalt aus familiäreren Gründen). Als Letztes sind immer die allgemeinen Voraussetzungen nach § 5 AufenthG zu prüfen, sofern nicht speziellere Normen des AufenthG vorsehen, dass die Aufenthaltserlaubnis abweichend von § 5 AufenthG erteilt wird.

I. Voraussetzungen des § 18b AufenthG
U müsste Fachkraft mit akademischer Ausbildung sein.

Hierunter versteht man nach der Legaldefinition des § 18 III Nr. 2 AufenthG eine Person, die einen deutschen, einen anerkannten ausländischen oder einen einem deutschen Hochschulabschluss vergleichbaren ausländischen Hochschulabschluss besitzt.

Als Absolventin eines deutschen Master-Studiengangs erfüllt U diese Voraussetzung.

II. Voraussetzungen des § 18 II AufenthG
Des Weiteren müssen die **allgemeinen Voraussetzungen für Aufenthaltstitel des 4. Abschnitts nach § 18 II AufenthG** erfüllt sein.

Weiterführendes Wissen　　　　　　　　　　　　　　　　　　　　　　i

Voraussetzungen nach § 18 II AufenthG
1. Vorliegen eines konkreten Arbeitsplatzangebots
2. Zustimmung der Bundesagentur für Arbeit (BA) oder Beschäftigung ohne Zustimmung der BA zulässig
3. Berufsausübungserlaubnis (falls erforderlich)

Julian Seidl

4. Gleichwertige Qualifikation oder anerkannter beziehungsweise vergleichbarer ausländischer Hochschulabschluss (soweit für den jeweiligen Aufenthaltstitel erforderlich)
5. Bei Personen ab 45 Jahren: Gehalt in Höhe von mind. 55 Prozent der jährlichen Beitragsbemessungsgrenze der Rentenversicherung

---

Vorliegend kann U trotz ihrer Bemühungen bei der Jobsuche noch kein konkretes Arbeitsplatzangebot vorweisen, sodass es bereits an der ersten Voraussetzung des § 18 II AufenthG fehlt.

Es stellt sich die Frage, ob eine Aufenthaltserlaubnis nach den §§ 18 ff. AufenthG auch abweichend von der Voraussetzung des konkreten **Arbeitsplatzangebots** nach § 18 II Nr. 1 AufenthG erteilt werden kann. So heißt es in § 18 II Nr. 5 S. 2 AufenthG: *„Von den Voraussetzungen nach Satz 1 kann nur in begründeten Ausnahmefällen, in denen ein öffentliches, insbesondere ein regionales, wirtschaftliches oder arbeitsmarktpolitisches Interesse an der Beschäftigung des Ausländers besteht, abgesehen werden.“*

Fraglich ist, ob sich die Ausnahmeregelung nach § 18 II Nr. 5 S. 2 AufenthG auf den kompletten Satz 1 (also auf die § 18 II Nr. 1–5 AufenthG) oder nur auf § 18 II Nr. 5 bezieht. Hierbei ist zu berücksichtigen, dass § 18 AufenthG durch das Fachkräfteeinwanderungsgesetz zum 1.3.2020 komplett neu gefasst wurde.

So könnte man § 18 II Nr. 5 S. 2 AufenthG als Ausnahmeregelung für den gesamten Satz 1 verstehen.[7] Hiernach wäre eine Erteilung einer Aufenthaltserlaubnis trotz fehlenden Arbeitsplatzangebots in begründeten Ausnahmefällen möglich.

Gegen dieses Verständnis von § 18 II Nr. 5 S. 2 AufenthG spricht jedoch die Gesetzgebungshistorie. So war das Erfordernis des § 18 II Nr. 5 AufenthG im ursprünglichen Entwurf des Fachkräfteeinwanderungsgesetzes nicht vorgesehen, sondern wurde erst später auf Empfehlung des Ausschusses für Inneres und Heimat eingefügt.[8] § 18 II Nr. 5 S. 2 sollte sich nur auf die neue Voraussetzung des § 18 II Nr. 5 S. 1 AufenthG beziehen und nicht weitergehende Ausnahmen ermöglichen. Vom Erfordernis eines konkreten Arbeitsplatzangebots kann daher nicht abgesehen werden.[9]

Mangels konkreten Arbeitsplatzangebots erfüllt U daher nicht die allgemeinen Voraussetzungen des § 18 II AufenthG.

---

7 Nusser, in: Bergmann/Dienelt, AufenthG, 13. Aufl. 2020, § 18 Rn. 18.
8 BT-Drs. 19/10714, S. 9.
9 VGH Bayern, Beschl. v. 8.4.2020, Az.: 10 CS 20.675, Rn. 5; Dippe, in: Huber/Mantel, AufenthG/AsylG, 3. Aufl. 2021, AufenthG § 18 Rn. 14 unter Hinweis auf die Anwendungshinweise zum FEG v. 6.8.2021, Nr. 18.2.5.7.

Julian Seidl

III. Ergebnis
Die Erteilung einer Aufenthaltserlaubnis zum Zwecke der Beschäftigung scheidet mangels konkreten Arbeitsplatzangebots aus.

Die Berater*innen der Law Clinic können lediglich bei der Ausländerbehörde anregen, vorerst von einer Entscheidung über die beantragte Aufenthaltserlaubnis abzusehen und eine Fiktionsbescheinigung nach § 81 V AufenthG auszustellen.

Zusammenfassung: Die wichtigsten Punkte
- Vor Erlass eines belastenden Verwaltungsaktes hat die Behörde die Betroffenen anzuhören (§ 28 (L)VwVfG). Kann die behördlich gesetzte Äußerungsfrist nicht gewahrt werden, empfiehlt es sich eine Fristverlängerung zu beantragen.
- Eine Aufenthaltserlaubnis zum Zweck der Arbeitsplatzsuche kann nicht über die in § 20 III Nr. 1 AufenthG genannte Höchstdauer von 18 Monaten hinaus verlängert werden.
- Bei einer Aufenthaltserlaubnis zum Zwecke der Beschäftigung sind neben den speziellen Voraussetzungen der jeweiligen Vorschrift (zum Beispiel § 18b AufenthG) auch die gemeinsamen Voraussetzungen nach § 18 II AufenthG zu prüfen, insbesondere das Vorliegen eines konkreten Arbeitsplatzangebots (§ 18 II Nr. 1 AufenthG).

Dieser Fall darf gerne kommentiert, verändert und beliebig genutzt werden. Die Anleitung hierfür lässt sich über den abgebildete QR-Code mit der Smartphone-Kamera auf unserer Homepage aufrufen.

Julian Seidl

Fall 56
Mitarbeit im Familienbetrieb

Behandelte Themen: Erteilung und Widerruf einer Beschäftigungserlaubnis

Schwierigkeitsgrad: Anfänger*innen

Sachverhalt

G hat eine qualifizierte Berufsausbildung nach § 60c I 1 Nr. 2 AufenthG aufgenommen, ihr wurde eine Beschäftigungserlaubnis erteilt. Bevor G ihre Ausbildung abschließen konnte, wurde ihr betriebsbedingt gekündigt. G erhielt nun eine einfache Duldung nach § 60a II 1 AufenthG. Diese enthielt den Hinweis, dass die Erwerbstätigkeit nur mit Zustimmung der Ausländerbehörde erlaubt sei.

Ein naher Verwandter möchte G nun gegen einen Wochenlohn von 300 Euro in seinem kleinen Familienbetrieb beschäftigen. G fühlt sich dem Verwandten sehr verbunden und möchte diesen unterstützen, freut sich aber auch über die Bezahlung.

G zieht nun eine Rechtsanwältin hinzu, da ihr unklar ist, ob sie diese Tätigkeit ausüben darf. Die Anwältin behauptet, dass die Tätigkeit der G aufgrund der Einbindung in den familiären Betrieb überhaupt nicht der Erlaubnis bedürfe, da sie nicht den §§ 4a IV, 2 II AufenthG unterfalle, denn G wolle nur aus Verbundenheit zu ihrem Verwandten und nicht aufgrund der Bezahlung im Betrieb mithelfen. Selbst wenn eine Erlaubnis erforderlich wäre, wirke die mit der Ausbildungsduldung erteilte Beschäftigungserlaubnis fort, schließlich war die Beschäftigungserlaubnis zeitlich nicht befristet und die Behörde habe sie nicht wirksam widerrufen. Es gebe schon keine Rechtsgrundlage für ein Erlöschen der Beschäftigungserlaubnis. Somit dürfe G die Tätigkeit jedenfalls deswegen ausüben.

Fallfrage

Treffen die Argumente der Rechtsanwältin zu oder muss der G zur Aufnahme der Tätigkeit eine neue Beschäftigungserlaubnis erteilt werden? Hierbei ist auf alle Argumente der Rechtsanwältin einzugehen.

Lösungsvorschlag

Grundsätzlich bedarf die Ausübung einer Erwerbstätigkeit gemäß § 4a I, IV AufenthG der Erlaubnis, wenn die erwerbstätige Person keinen Aufenthaltstitel besitzt. Fraglich ist vorliegend, ob die geplante Tätigkeit der G überhaupt einer Erlaubnis bedarf (I.) und, gegebenenfalls hilfsweise, ob mangels wirksamen Widerrufs der Beschäftigungserlaubnis durch die Ausländerbehörde die Tätigkeit der G bereits durch eine bestehende Beschäftigungserlaubnis erlaubt ist (II.).

I. Erfordernis der Erteilung einer neuen Beschäftigungserlaubnis

Möglicherweise könnte G ihre Tätigkeit ohne eine Beschäftigungserlaubnis ausüben.

Dies wäre der Fall, wenn die geplante Tätigkeit nicht dem Verbot mit Erlaubnisvorbehalt[1] des § 4a IV AufenthG unterfiele, also insbesondere dann, wenn keine Erwerbstätigkeit vorliegt.

Die Erwerbstätigkeit ist in § 2 II AufenthG definiert. Demnach ist **Erwerbstätigkeit** die selbständige Tätigkeit, die Beschäftigung im Sinne von § 7 des SGB IV und die Tätigkeit als Beamter. Fraglich ist also, ob die Tätigkeit der G zum relevanten Zeitpunkt der Arbeitsaufnahme[2] den §§ 2 II, 4a IV AufenthG unterfallen würde. Im Falle der G kommt nur eine Beschäftigung im Sinne von § 7 des SGB IV infrage, sie soll nicht selbstständig oder als Beamtin tätig werden.

---

i | **Weiterführendes Wissen**

Die selbstständige Tätigkeit ist im AufenthG nicht definiert. Während einige sie schlicht als jede Tätigkeit definieren, die nicht Beschäftigung ist,[3] stellen andere weitgehend inhaltsgleich, aber umfassender auf arbeits- und sozialrechtliche Merkmale ab, sodass Kriterien wie persönliche Unabhängigkeit bei der Ausübung, die freie Wahl der Art der Durchführung der Aufgabe oder die fehlende Eingliederung in einen Betrieb für eine selbstständige Arbeit sprechen.[4]

---

1 Dies ergibt sich – anders als noch bei § 4 III 3 AufenthG a. F. – nicht direkt aus dem Wortlaut, aber aus Sinn und Zweck der Regelung, so das OVG BB, Beschl. v. 9.7.2020, Az.: OVG 3 S 32/20, 3 M 120/20, Rn. 16.
2 Dienelt, in: Bergmann/Dienelt, AufenthG, 13. Aufl. 2020, § 2 Rn. 21.
3 Eichenhofer, in: BeckOK AuslR, 32. Ed. 1.10.2020, AufenthG § 2 Rn. 6.
4 Dienelt, in: Bergmann/Dienelt, 13. Aufl. 2020, AufenthG § 2 Rn. 18.

Vincent Holzhauer

Maßgeblich für die Beurteilung ist § 7 SGB IV. Dieser definiert die **Beschäftigung** in § 7 I 1 SGB IV als nichtselbständige Arbeit, insbesondere in einem Arbeitsverhältnis. Als Indizien für das Vorliegen eines Arbeitsverhältnisses nennt § 7 I 2 SGB IV die Weisungsgebundenheit und die Eingliederung in die Arbeitsorganisation des Weisungsgebers. Hier könnte das Vorliegen des Arbeitsverhältnisses abzulehnen sein, da die G als Verwandte des Betriebsinhabers in dessen Betrieb tätig werden soll und sich zur Mithilfe verpflichtet sieht. Maßgeblich zur Abgrenzung zwischen einem abhängigen Beschäftigungsverhältnis und familiärem Mithilfe sind die Umstände des Einzelfalls. Eine Beschäftigung ist – sofern eine Eingliederung in den Betrieb und ein (abgeschwächtes) Weisungsrecht vorliegen – anzunehmen, wenn ein Lohndienstverhältnis, also ein Abhängigkeitsverhältnis mit dem Ziel der Leistung von Arbeit gegen ein Entgelt vorliegt, das über ein Taschengeld oder eine Anerkennung für Gefälligkeiten hinausgeht.[5] Es liegt nicht vor, wenn die Mithilfe nur auf Grund der Familienzugehörigkeit ohne Eingliederung in den Betrieb und ohne Gewährung von Arbeitsentgelt geleistet wird.[6] Letzteres ist insbesondere bei Kindern mit Hinblick auf § 1619 BGB anzunehmen.[7] Auch ist eine bloße Mithilfe anzunehmen, wenn die helfende Person mit an der Leitung des Unternehmens oder zum Beispiel als Gesellschafter*in nach §§ 705 ff. BGB am Gewinn beteiligt ist.[8]

Weiterführendes Wissen   **i**

Diese Erwägungen gelten für alle Formen der Erwerbstätigkeit nach § 2 II AufenthG: Ihr unterfallen nur solche Tätigkeiten, die auf Erzielung von Gewinn gerichtet oder für die ein Entgelt vereinbart oder den Umständen nach zu erwarten ist.[9]

G würde hier zwar im Betrieb eines Verwandten tätig werden, sie ist aber weder nach § 1619 BGB zur Mitarbeit verpflichtet noch am Gewinn oder an der Leitung des Betriebs beteiligt. Da sie mangels anderer Hinweise in den Betrieb eingegliedert werden soll und einem Weisungsrecht unterfiele, kann auf ihr nicht unerhebliches Arbeitsentgelt abgestellt werden, das ein bloßes Taschengeld übersteigt. Somit liegt eine Erwerbstätigkeit im Sinne des § 7 I 1 SGB IV, § 2 II AufenthG vor. Folglich unterfällt die von G angestrebte Tätigkeit dem Erlaubnisvorbehalt des § 4a IV AufenthG.

---

5 BSG, Urt. v. 23.6.1994, Az.: 12 RK 50/93BSG = NZS 1995, 31 (33).
6 BSG, Urt. v. 5.4.1956, Az.: 3 RK 65/55 = NJW 1957, 155 (157).
7 BSG, Urt. v. 5.4.1956, Az.: 3 RK 65/55 = NJW 1957, 155 (157).
8 Huber, in: Huber/Mantel, AufenthG/AsylG, 3. Aufl. 2021, AufenthG § 2 Rn. 4.
9 Eichenhofer in: BeckOK AuslR, 31. Ed. 1.10.2020, AufenthG § 2 Rn. 6.

Vincent Holzhauer

II. Widerruf der vorigen Beschäftigungserlaubnis

Die **Beschäftigungserlaubnis** der G könnte aber weiterhin fortbestehen, da sie
nicht zeitlich befristet war. Es dürfte kein Widerruf durch die Ausländerbehörde
vorliegen.

Zu klären ist, ob die Erlaubnis zusammen mit der **Ausbildungsduldung** erlischt oder einen selbstständigen Verwaltungsakt darstellt, den die Behörde gesondert zurücknehmen muss. Es ist also die Rechtsnatur der Beschäftigungserlaubnis
zu bestimmen. Sie wird nach § 60c I 3 AufenthG zusammen mit der Ausbildungsduldung erteilt.

Der VGH Bayern nennt für die Erteilung der **Beschäftigungserlaubnis** §§ 4a
IV, 42 II Nr. 4 AufenthG i.V.m. § 32 II Nr. 2 BeschV als Rechtsgrundlage, sollte die
antragstellende Person – wie G – keinen Aufenthaltstitel besitzen.[10] Diese von § 60c
I 3 AufenthG unabhängige Rechtsgrundlage könnte dafür sprechen, die Beschäftigungserlaubnis als selbstständigen Verwaltungsakt einzuordnen, der nach den § 48
beziehungsweise § 49 VwVfG zurückgenommen beziehungsweise widerrufen werden muss.

Andererseits könnte man davon ausgehen, dass die Beschäftigungserlaubnis
aufgrund des engen Zusammenhangs mit der erlaubten Tätigkeit als Nebenbestimmung einzuordnen ist.[11] Nebenbestimmungen sind in § 36 (Landes-)VwVfG geregelt.
Durch die strenge Akzessorietät mit dem „Haupt-Verwaltungsakt"[12] „stehen und fallen" die Nebenbestimmungen grundsätzlich mit diesem.[13]

---

10 VGH Bayern, Beschl. v. 29.10.2020, Az.: 10 CE 20.2240, Rn. 6.
11 Ausführlich zu Nebenbestimmungen zum Verwaltungsakt Kaerkes, in: Eisentraut, Verwaltungsrecht in der Klausur, § 2 Rn. 204 ff.
12 Stelkens, in: Bonk/Sachs/Stelkens, VwVfG, 9. Aufl. 2018, § 36 Rn. 19.
13 Schröder, in: Schoch/Schneider, VwVfG, 1. EL August 2021, § 36 Rn. 133.

Weiterführendes Wissen   ℹ️

Streng genommen wird man die Beschäftigungserlaubnis nicht unter § 36 VwVfG fassen können, da sie keinem der dort aufgezählten Typen der Nebenbestimmung entspricht.[14] Es ist aber anerkannt, dass die Erlaubnis in einem solchen engen Zusammenhang mit der konkreten Duldung steht, dass sie mit dieser erlöschen muss. Insofern spricht man von einer „Nebenbestimmung im weiteren Sinne".[15]

Für die bis zum 29.2.2020 geltende Fassung der Beschäftigungserlaubnis (§ 4 II 3 AufenthG a. F.) war eine Einordnung als „Nebenbestimmung im weiteren Sinne" anerkannt.[16] Ausweislich der Gesetzesbegründung sollte sich auch durch das Fachkräfteeinwanderungsgesetz nichts an der Rechtslage ändern.[17] Weiter scheint auch das AufenthG die Beschäftigungserlaubnis ausweislich § 84 I 1 Nr. 3 AufenthG als „Nebenbestimmung, die die Ausübung einer Erwerbstätigkeit betrifft" einzuordnen. Dies überzeugt, da das Aufenthaltsrecht – mit Ausnahme der Erlaubnisse für Saisonarbeiter*innen in § 4a IV Hs. 1 AufenthG – keine isolierte Arbeitserlaubnis kennt.[18]

Somit ist die Beschäftigungserlaubnis der G erloschen und die Aufnahme der Tätigkeit ist nicht erlaubt.

III. Ergebnis

G kann sich nicht auf eine fortbestehende Beschäftigungserlaubnis berufen. Da die von ihr gewünschte Tätigkeit den §§ 4a IV, 2 II AufenthG unterfällt, benötigt sie eine neue Beschäftigungserlaubnis.

Weiterführendes Wissen   ℹ️

Grundsätzlich steht die Erteilung einer Beschäftigungserlaubnis nach §§ 4a IV, 42 II Nr. 4 AufenthG i. V. m. § 32 II Nr. 2 BeschV im Ermessen der Behörde. Sofern aber die in § 60c I 1 Nr. 2 AufenthG aufgestellten Voraussetzungen für die Erteilung einer Ausbildungsduldung vorliegen, ist im Hinblick auf die

---

14 VGH BW, Beschl. v. 8.1.2021, Az.: 12 S 3651/20, Rn. 5, asyl.net: M29245.
15 VGH Bayern, Urt. v. 18.7.2018, Az.: 19 BV 15.467, Rn. 24; Beschl. v. 29.10.2020, Az.: 10 CE 20.2240, Rn. 6; VGH BW, Beschl. v. 8.1.2021, Az.: 12 S 3651/20, Rn. 5, asyl.net: M29245.
16 OVG NRW, Beschl. v. 21.7.2020, Az.: 18 B 746/19, Rn. 7ff.; VGH Bayern, Beschl. v. 7.5.2018 Az.: 10 CE 18.464, Rn. 6; VGH BW, Beschl. v. 10.7.2017, Az.: 11 S. 695, Rn. 31.
17 BT-Drs. 19/8285, S. 87.
18 Maor, in: Kluth/Heusch, BeckOK AuslR, 32. Ed. 1.10.2021, AufenthG § 4a Rn. 22.

zu erteilende Ausbildungsduldung im Regelfall auch eine Beschäftigungserlaubnis zu erteilen, mithin das in diesem Zusammenhang grundsätzlich bestehende Ermessen auf Null reduziert.[19]

Weiterführende Literatur
- Klaus, Der Begriff „Beschäftigung" in Fällen der Erwerbsmigration – Teil I: Grundlagen und sozialversicherungsrechtliche Perspektive, ZAR 2021, 183
- Agentur für Arbeit, Merkblatt Beschäftigung ausländischer Arbeitnehmerinnen und Arbeitnehmer in Deutschland, Stand September 2021

Zusammenfassung: Die wichtigsten Punkte
- Rechtsnatur der Beschäftigungsduldung als Nebenbestimmung im weiteren Sinne.
- Anwendungsbereich des § 4 IV AufenthG.
- Ermessensreduzierung auf Null bei der Erteilung der Beschäftigungserlaubnis.

Dieser Fall darf gerne kommentiert, verändert und beliebig genutzt werden. Die Anleitung hierfür lässt sich über den abgebildete QR-Code mit der Smartphone-Kamera auf unserer Homepage aufrufen.

---

19 VG München, Beschl. v. 30.11.2020, Az.: M 25 E 20.5646, Rn. 21.

Vincent Holzhauer

Fall 57
Abschlussfall: Familiennachzug in einer „Patchwork-Familie"

Behandelte Themen: Familiennachzug, humanitäre Aufenthaltstitel

Schwierigkeitsgrad: Fortgeschrittene, 2h

Sachverhalt

A ist vietnamesischer Staatsangehöriger und Vater von zwei Kindern im Alter von acht und 10 Jahren. Seine Frau B, die ebenfalls vietnamesische Staatsangehörige ist, trennte sich vor einem Jahr von ihm. Sie heiratete anschließend den deutschen Staatsangehörigen C, mit dem sie inzwischen ebenfalls ein – drei Jahre altes – Kind hat. B lebt mit diesem Kind sowie den beiden Kindern aus der Beziehung zu A in Deutschland. Sie verfügt über eine Aufenthaltserlaubnis nach § 28 I AufenthG. Die Kinder aus der Beziehung zu A, für die A und B gemeinsam das Sorgerecht haben, verfügen über Aufenthaltserlaubnisse nach § 25 V AufenthG und haben ebenfalls die vietnamesische Staatsangehörigkeit. Das gemeinsame Kind mit C ist deutscher Staatsangehöriger. B und C leben inzwischen nicht mehr zusammen; Umgang mit seinem Kind hat C nicht.

A reist mit einem Besuchsvisum nach Deutschland. Dort angekommen, kümmert er sich intensiv um seine Kinder. Er findet auch eine Arbeitsstelle, mit der er seinen Lebensunterhalt decken kann; für den Lebensunterhalt der Kinder sorgt bereits die erwerbstätige B. Er entscheidet sich, dass sie nicht ohne ihn aufwachsen sollen. Er beantragt bei der zuständigen Ausländerbehörde der Stadt S eine Aufenthaltserlaubnis „zum Familiennachzug, hilfsweise unter allen anderen Gesichtspunkten". Nach dem Antrag läuft sein Besuchsvisum ab.

Fallfrage

Hat A einen Anspruch auf Erteilung einer Aufenthaltserlaubnis?

Lösungsvorschlag

Fraglich ist, ob A Anspruch auf Erteilung einer Aufenthaltserlaubnis hat.

A. Aufenthaltserlaubnis nach den §§ 27 ff. AufenthG

In Frage kommen zunächst familienbezogene Aufenthaltserlaubnisse nach den §§ 27 ff. AufenthG. Da ein Verwandtschaftsverhältnis des A nur zu den gemeinsamen Kindern mit B besteht, kommt nur der **Familiennachzug zu Ausländer*innen** nach den §§ 29 ff. AufenthG in Betracht.

A könnte Anspruch auf Erteilung einer Aufenthaltserlaubnis nach § 36 I AufenthG haben. Dies setzt voraus, dass seine Kinder als **„Stammberechtigte"** einen der dort aufgeführten Aufenthaltstitel besitzen – das heißt eine Aufenthaltserlaubnis nach § 23 IV, § 25 I oder II 1 Alt. 1, eine **Niederlassungserlaubnis** nach § 26 III oder nach Erteilung einer Aufenthaltserlaubnis nach § 25 II 1 2. Alt. eine Niederlassungserlaubnis nach § 26 IV AufenthG. Dies ist aber nicht der Fall, die Kinder besitzen eine Aufenthaltserlaubnis nach § 25 V AufenthG. Zudem setzt § 36 I AufenthG voraus, dass sich kein personensorgeberechtigter Elternteil im Bundesgebiet aufhält; die sorgeberechtigte Mutter B lebt aber ebenfalls im Bundesgebiet. Damit besteht kein Anspruch nach § 36 I AufenthG.

❗ Hinweise zur Fallprüfung

In §§ 27 und 29 AufenthG finden sich allgemeine Voraussetzungen für den Familiennachzug.[1] Für den Familiennachzug zu Deutschen finden sich die besonderen Voraussetzungen in § 28 AufenthG; beim Nachzug zu Ausländer*innen muss einer der Fälle der §§ 30–36a AufenthG vorliegen.

A könnte stattdessen Anspruch auf eine Aufenthaltserlaubnis nach § 36 II AufenthG haben.[2] Dies setzt voraus, dass die Erteilung zur Vermeidung einer **außergewöhnlichen Härte** erforderlich ist. Zudem müssten auch die Voraussetzungen der §§ 27, 29 AufenthG vorliegen. Nach § 29 III 3 AufenthG wird zu Inhabenden einer Aufenthaltserlaubnis nach § 25 V AufenthG ein Familiennachzug nicht gewährt. Damit be-

---

1 Für weiterführende Informationen zur Systematik der §§ 27 ff. AufenthG siehe Mungan, *35) Familienleben nur in Deutschland möglich* in diesem Fallbuch.
2 Siehe Erteilung einer Aufenthaltserlaubnis nach § 36 II AufenthG auch Putzer, *38) Hochzeit im Libanon, Wiedersehen in Deutschland?*, C. und *39) Allein in Deutschland, Familie in Aleppo*, A. II. in diesem Fallbuch.

Timo Schwander

steht auch kein Anspruch auf Erteilung einer Aufenthaltserlaubnis nach § 36 II AufenthG.

B. Aufenthaltserlaubnis nach § 25 V AufenthG

A könnte stattdessen Anspruch auf eine **Aufenthaltserlaubnis nach § 25 V AufenthG** haben. Dies setzt voraus, dass er vollziehbar ausreisepflichtig ist und ihm die Ausreise unmöglich ist.

Vorliegend ist A zurzeit vollziehbar ausreisepflichtig, weil er einen erforderlichen Aufenthaltstitel nicht mehr besitzt (§ 50 I AufenthG) und sein Aufenthalt trotz Antrag auf einen Aufenthaltstitel nicht nach § 81 IV AufenthG als erlaubt gilt (§ 58 II 1 Nr. 2 AufenthG), denn eine **Fiktionswirkung** nach § 81 IV AufenthG ist bei einem Besuchsvisum nach § 6 I AufenthG, über das A verfügte, ausgeschlossen (§ 81 IV 2 AufenthG).

Hinweise zur Fallprüfung ❗

Wer einen Aufenthaltstitel besitzt und vor dessen Ablauf die Verlängerung des Aufenthaltstitels beantragt, kommt in den Genuss der sogenannten Fiktionswirkung. Sie bewirkt, dass der Aufenthaltstitel auch nach seinem Ablauf bis zur Entscheidung der Ausländerbehörde fortgilt (§ 81 IV 1 AufenthG). Wer sich ohne Aufenthaltstitel legal im Bundesgebiet aufhält und vor dem Ende des legalen Aufenthalts einen Aufenthaltstitel beantragt, für den gilt der Aufenthalt bis zur Entscheidung als erlaubt (§ 81 III AufenthG). Von dieser Fiktionswirkung gibt es aber mehrere Ausnahmen. So gilt § 81 IV AufenthG nicht bei einem bloßen Visum (§ 81 IV 2 AufenthG).

Fraglich ist, ob ihm die Ausreise unmöglich ist. In Betracht käme eine rechtliche Unmöglichkeit nach Maßgabe von Art. 6 I, II GG. Aus Art. 6 GG folgt zwar unmittelbar kein Anspruch auf einen Aufenthaltstitel, jedoch eine Pflicht der Ausländerbehörde zur Berücksichtigung familiärer Bindungen.[3] Die Unmöglichkeit einer Ausreise folgt daraus regelmäßig nur, wenn ein Zusammenleben außerhalb des Bundesgebietes nicht möglich ist, sodass eine Ausreise eine familiäre Bindung, die nach Art. 6 GG zu schützen ist, dauerhaft zerreißen würde.[4]

Art. 6 GG stellt dabei nicht auf formale Beziehungen ab, sondern setzt ein tatsächlich gelebtes familiäres Verhältnis voraus. Dies dürfte hier der Fall sein. A hat

---

3 Ausführlich zum Grundrecht auf Ehe und Familie aus Art. 6 I GG Laing, in: Hahn/Petras/Valentiner/Wienfort, Grundrechte, § 22.2, S. 475 ff.
4 BVerfG, Beschl. v. 23.1.2006, Az.: 2 BvR 1935/05.

Timo Schwander

zwar eine Weile von seinen Kindern getrennt gelebt, hat sich aber nun zum Zusammenleben entschieden und kümmert sich auch bereits intensiv um sie.

Fraglich ist, ob ein Zusammenleben As mit seinen Kindern auch außerhalb des Bundesgebietes möglich wäre. Da sowohl A als auch seine Kinder vietnamesische Staatsangehörige sind, könnten sie grundsätzlich in Vietnam zusammenleben. Allerdings würde dadurch wiederum die ebenfalls nach Art. 6 GG zu schützende Bindung der Kinder zu ihrer Mutter B durchbrochen. B ist ebenfalls vietnamesische Staatsangehörige, hat aber ein Kind, das deutsche*r Staatsangehörige*r ist.

Fraglich ist, ob dem Kind mit deutscher Staatsangehörigkeit zuzumuten ist, mit seiner Mutter und seinen Geschwistern in Vietnam zu leben. Aus Art. 11 I GG folgt grundsätzlich, dass ein*e deutsche*r Staatsangehörige*r ein Recht auf Verbleib im Bundesgebiet hat.[5] Daraus folgt aber unmittelbar nur, dass es nicht durch staatlichen Zwang zum Verlassen des Bundesgebietes veranlasst werden kann, nicht aber, dass sich durch die Ausreise seiner Mutter und der restlichen Familie ein faktischer Zwang zur Ausreise ergibt.[6]

❗ Hinweise zur Fallprüfung

Andere Ansicht ist sehr gut vertretbar. Die hier dargestellte Sichtweise des BVerwG führt zu praktisch kaum handhabbaren, zumal regelmäßig im **Eilverfahren** anfallenden Problemen.

Stattdessen ist die Frage der Zumutbarkeit individuell zu prüfen. Vorliegend besteht kein Umgang von C mit dem gemeinsamen Kind, das sie mit B hat, sodass die Rechtsposition des C nach Art. 6 GG einer Ausreise der Familie nicht von vornherein entgegensteht. Maßgeblich für die Zumutbarkeit einer Ausreise ist aber auch, ob dem*der deutschen Staatsangehörigen zu einem späteren Zeitpunkt eine Wiedereinreise in das Bundesgebiet und ein Leben hier problemlos möglich sein wird. Daran sind vorliegend erhebliche Zweifel angebracht: Das Kind der B mit C wird bei einer Ausreise der Familie in Vietnam eine realistische Chance zur Wiedereinreise erst nach Volljährigkeit haben. Zu diesem Zeitpunkt wird es seine komplette schulische Ausbildung in Vietnam absolviert haben. Eine „Reintegration" im Bundesgebiet dürfte anschließend im Vergleich zu einem durchgängigen Aufenthalt im Bundesgebiet deutlich erschwert sein.

---

5 Ausführlich zum Freizügigkeitsrecht aus Art. 11 I GG Jandl, in: Hahn/Petras/Valentiner/Wienfort, Grundrechte, § 25.2, S. 571ff.
6 BVerwG, Urt. v. 30.7.2013, Az.: 1 C 15.12.

Timo Schwander

Ist aber dem deutschen Kind der B eine Ausreise nicht zumutbar, so kann auch B selbst nicht ausreisen. Damit aber ist auch A eine Ausreise ohne Trennung von seinen Kindern nicht möglich.

Zumutbar wäre eine Trennung des A von seiner restlichen Familie nur, wenn dies aus Gründen erforderlich wäre, die den Schutzgehalt des Art. 6 GG vorliegend überwiegen. Denn dem Schutz von Ehe und Familie kann vorliegend nur durch den Aufenthalt des A im Bundesgebiet Rechnung getragen werden. Damit von A eine Trennung von seiner Familie verlangt werden könnte, müssten deshalb Gründe vorliegen, die so schwer wiegen, dass sie Art. 6 GG zurücktreten lassen. Das könnte bei erheblichen Gefahren, die von dem Betroffenen ausgehen, der Fall sein; hier kann auf die **besonders schweren Ausweisungsinteressen** in § 54 I AufenthG zurückgegriffen werden.[7] Vorliegend sind solche Gründe allerdings nicht ersichtlich.

Damit ist die Ausreise des A rechtlich unmöglich.

Zusätzlich müssten auch die **allgemeinen Erteilungsvoraussetzungen** nach § 5 AufenthG vorliegen.[8]

Der Lebensunterhalt des A ist gesichert (§ 5 I Nr. 1 AufenthG). Auch am Vorliegen der übrigen Erteilungsvoraussetzungen des § 5 I AufenthG besteht kein Zweifel.

Weiterführendes Wissen   ❗

Anders wäre dies, wenn A visumsfrei eingereist wäre und von vornherein die Absicht gehabt hätte, im Bundesgebiet zu bleiben. Angehörige bestimmter Staaten können nach Art. 4 I Visa-VO[9] visumsfrei für 90 Tage in den Schengen-Raum einreisen. Erlaubt im Sinne des § 14 AufenthG ist eine solche Einreise aber nur, wenn der*die Betroffene nicht von vornherein vorhat, diesen Zeitraum zu überschreiten. Liegt aber eine unerlaubte Einreise nach § 14 AufenthG vor, so begründet dies regelmäßig ein Ausweisungsinteresse nach § 54 II Nr. 9 AufenthG, sodass die allgemeine Erteilungsvoraussetzung des § 5 I Nr. 2 AufenthG nicht vorliegt.

Allerdings liegen die Voraussetzungen des § 5 II 1 AufenthG nicht vor, denn A ist nicht mit dem erforderlichen Visum eingereist. Erforderlich wäre nach § 6 III AufenthG ein nationales Visum, kein Schengen-/Touristenvisum. Auch die Ausnahmen vom **Visumserfordernis** nach §§ 39, 40 AufenthV liegen nicht vor. Fraglich ist, ob die Ausländerbehörde nach § 5 II 2 AufenthG vom Visumserfordernis absehen

---

7 VGH BW, Beschl. v. 23.11.2020, Az.: 11 S 3717/20.

8 Zu den allgemeinen Erteilungsvoraussetzungen nach Art. 5 AufenthG ausführlich Hinder/Nachtigall, *45) Auszubildend – und gut integriert?*, A. III. 1. In diesem Fallbuch.

9 Verordnung (EU) 2018/1806 des Europäischen Parlaments und des Rates zur Aufstellung der Liste der Drittländer, deren Staatsangehörige beim Überschreiten der Außengrenzen im Besitz eines Visums sein müssen, sowie der Liste der Drittländer, deren Staatsangehörige von dieser Visumpflicht befreit sind vom 14.11.2018, ABl. EU Nr. L 303, S. 39.

Timo Schwander

muss. Dies wäre der Fall, wenn die Voraussetzungen des § 5 II 2 AufenthG vorliegen und zudem das darin eingeräumte Ermessen auf Null reduziert ist. Die Voraussetzungen des § 5 II 2 Var. 1 AufenthG – Vorliegen eines Anspruchs auf Erteilung der Aufenthaltserlaubnis – liegen nicht vor. Anspruch im Sinne des § 5 II AufenthG ist nur ein strikt gebundener Anspruch, § 25 V AufenthG ist aber eine Ermessensvorschrift. Jedoch könnte die Nachholung des **Visumsverfahrens** nach § 5 II 2 Var. 2 AufenthG unzumutbar sein. § 25 V AufenthG setzt begrifflich den Aufenthalt im Inland voraus, sodass eine Verweisung auf das Visumsverfahren dazu führen würde, dass der Anspruch vereitelt würde, was A aber mit Blick auf Art. 6 GG – wie oben dargestellt – nicht zumutbar ist. Denkbar wäre allenfalls, dass A ausreist und die Kinder von B anschließend eine Aufenthaltserlaubnis nach § 36 II AufenthG – gegebenenfalls gerichtlich – erstreiten. Anschließend käme eventuell ein Visum zur Erteilung einer Aufenthaltserlaubnis nach § 36 II AufenthG auch für A in Betracht. Selbst wenn dies aber möglich wäre, würde es doch mehrere Jahre in Anspruch nehmen. Eine derart lange Trennung des A von seinen Kindern, die sich noch im Grundschulalter befinden, dürfte nicht zumutbar sein.[10] Damit liegen die Voraussetzungen des § 5 II 2 Var. 2 AufenthG vor und vom Visumserfordernis ist abzusehen.

❗ Hinweise zur Fallprüfung

Alternativ kann gut vertretbar auch auf § 5 III AufenthG abgestellt werden, der für ein Absehen nach Ermessen im Gegensatz zu § 5 II 2 AufenthG bei humanitären Aufenthaltstitel keine besonderen Voraussetzungen vorsieht.

Damit liegen die Voraussetzungen für die Erteilung einer Aufenthaltserlaubnis nach § 25 V AufenthG vor. Die Vorschrift eröffnet der Ausländerbehörde allerdings ein Ermessen, sofern nicht – was hier nicht der Fall ist – der*die Betroffene bereits seit 18 Monaten geduldet wird (§ 25 V 2 AufenthG). Fraglich ist, ob das Ermessen auf Null reduziert ist. Wie bereits dargestellt, ist A eine Ausreise nicht zumutbar. Dem kann aber auch durch Erteilung einer Duldung nach § 60a II AufenthG Rechnung getragen werden. Unter Berücksichtigung der Zielsetzung des Gesetzgebers, längerfristige Duldungen möglichst zu vermeiden, kommt eine Ermessensreduzierung auf Null daher nur in Betracht, wenn bereits absehbar ist, dass das Ausreisehindernis langfristig Bestand haben wird. Dies ist vorliegend der Fall.

Damit hat A Anspruch auf Erteilung einer Aufenthaltserlaubnis nach § 25 V AufenthG.

---

10 BVerfG, Beschl. v. 8.12.2005, Az.: 2 BvR 1001/04.

Timo Schwander

Zusammenfassung: Die wichtigsten Punkte
-   § 29 III 3 AufenthG schließt den Familiennachzug zu Inhabenden einer Aufenthaltserlaubnis nach § 25 V AufenthG aus
-   Stattdessen können Familienangehörige von Inhabenden solcher Aufenthaltstitel aber selbst unter Umständen eine Aufenthaltserlaubnis nach § 25 V AufenthG beanspruchen
-   Die Ausreise ist im Sinne von § 25 V AufenthG mit Blick auf Art. 6 GG unmöglich, wenn schützenswerte Bindungen zwischen Eltern und Kindern dadurch dauerhaft zerrissen würden, weil ein Zusammenleben in einem anderen Land nicht möglich ist

Dieser Fall darf gerne kommentiert, verändert und beliebig genutzt werden. Die Anleitung hierfür lässt sich über den abgebildete QR-Code mit der Smartphone-Kamera auf unserer Homepage aufrufen.

Timo Schwander

Sachverzeichnis

Fette Zahlen bezeichnen die Fälle

www.ingramcontent.com/pod-product-compliance
Lightning Source LLC
Chambersburg PA
CBHW052114230326
41598CB00079B/3677